黄河水利科学技术丛书

黄河泥沙

主　编　赵文林

副主编　张红武　潘贤娣　缪凤举

黄河水利出版社

内 容 提 要

　　本书较为全面系统地论述了人民治黄 50 年来黄河泥沙的研究成果，内容包括黄河泥沙特性、河道泥沙、水库泥沙、河口泥沙、引黄渠系泥沙、高含沙水流以及黄河泥沙模型等 31 篇专论。可供从事泥沙研究的科技人员、治黄工作者和有关大专院校师生阅读和参考。

图书在版编目（ＣＩＰ）数据

　　黄河泥沙／赵文林主编. —郑州：黄河水利出版社，1996.10（2000.7 重印）
　　（黄河水利科学技术论丛）
　　ISBN 7-80621-106-3

　　Ⅰ.黄… 　Ⅱ.赵… 　Ⅲ.黄河－泥沙－研究－文集
Ⅳ.TV152-53

　　中国版本图书馆 CIP 数据核字（2000）第 38343 号

责任编辑：李艳霞　　　　　　　　装帧设计：张森　谢萍
责任校对：赵宏伟　　　　　　　　责任印制：常红昕
出版发行：黄河水利出版社
　　　　　地址：河南省郑州市金水路 11 号
　　　　　发行部电话：(0371)6302620　　　传真：6302219
　　　　　E-mail:yrcp@public2.zz.ha.cn.
印　　刷：河南第二新华印刷厂
开本：850mm×1168mm　　1/32　　印张：25.625　　插页：3
版次：1996 年 10 月　第 1 版　　　印数：7001 — 8000
印次：2000 年 8 月郑州第 2 次印刷　字数：643 千字
定价：76.00 元

探索规律

提高水平

钱正英
一九九二年七月

全国政协副主席钱正英为本书题词

致力治黄科学技术创新

促进治黄除害兴利建设

张光斗

一九九六年五月

中国科学院院士
中国工程院院士　著名水利工程专家张光斗教授为本书题词

黄 河 流 域 简 图

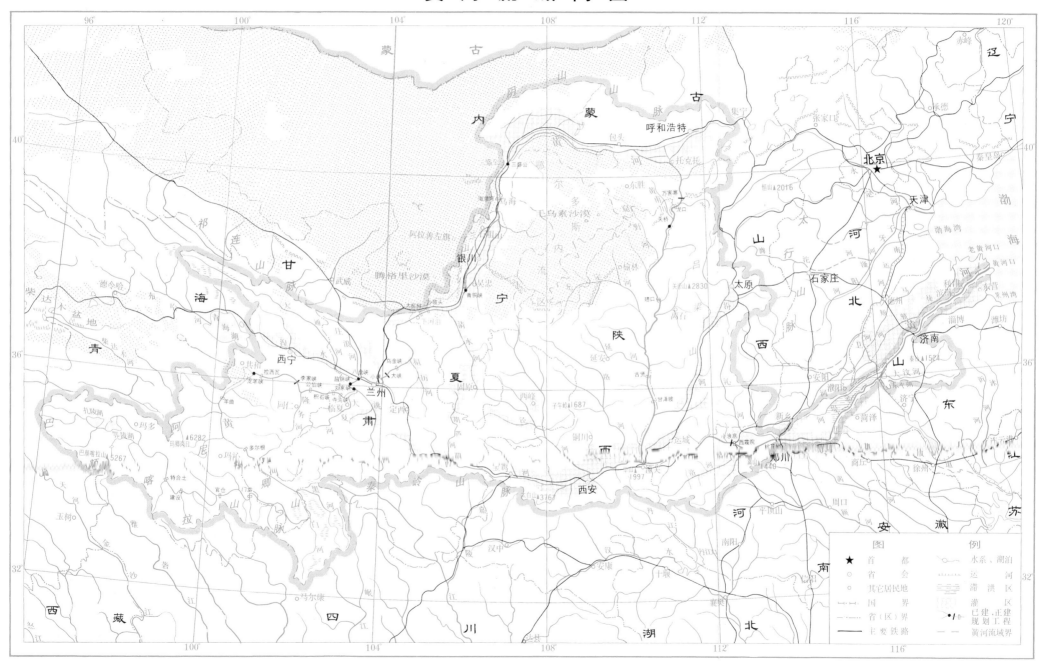

序

　　黄河是中华民族的摇篮。在历史发展的长河中,黄河造就了我们民族的精神与品格,孕育了光辉灿烂的民族文化与文明。

　　但是,黄河也一直是中华民族的心腹之患。半个世纪以来,党和国家高度重视黄河的治理与开发,取得了举世瞩目的成就。黄河大堤三次全面加高,在黄河干流上建成和在建的大型水利枢纽十余座,使黄河基本实现了伏秋大汛岁岁安澜,并在水力发电、灌溉、供水方面发挥着巨大作用。在治黄的伟大实践中,许多科技工作者勇于实践、大胆探索,取得了大量有价值的科学技术成果,如黄河防洪防凌决策支持系统、黄河中游多沙粗沙区治理模式、黄河水沙运行规律及河道演变基本规律、三门峡汛期浑水发电技术等。这些成果,不仅有效地指导着治黄工作,而且也给后人留下了一份宝贵的科学财富。由黄河水利委员会组织撰写,黄河水利出版社出版的《黄河水利科学技术丛书》,应该说反映了这个时期的治黄科技水平。

　　过去50年,我们创造了治黄史上的奇迹,但黄河的问题还远没有从根本上解决。今后50年,我们要全面落实科学技术是第一生产力的思想,坚定不移地实施科教兴水战略。要把最先进的科学技术运用到治黄实践中去,要组织科技人员进行多学科联合攻关,解决黄河综合治理中的重大问题。继续加强黄河上中游水土保持工作,把水沙变化基本规律研究与清淤挖沙技术结合起来,把治黄与黄河水沙资源的综合开发利用研究结合起来。要努力建设一支政治上强、业务上精,讲学习、讲政治、讲正气的高素质的治黄科技队伍。

我相信,通过大家共同努力,黄河的事情一定能够办好。

鄂民生

一九九七年九月廿二日

前　言

　　从 1946 年至 1996 年的半个世纪，黄河建设取得的伟大成就，治黄科学技术发展的水平，可谓是空前的。在这一历史时期内，国家为此投入了大量的物力、财力；人民为此进行了艰苦卓绝的斗争；治黄和水利科技工作者坚持不懈地实践、研究与探索，用 50 年的时间，在数千年的治黄史上，写下了光彩夺目的一页。用李鹏总理的话说：我们四十多年来治理黄河所做的工作，超过历朝历代的总和。

　　"科学技术是生产力，而且是第一生产力"。治黄工作的巨大成就，是和治黄科技的发展分不开的。当代治黄科技成果，在浩瀚的治黄科学典籍中，应是最灿烂的一个组成部分。

　　在纪念人民治黄 50 周年之际，我们组织了数十位治黄和水利科技工作者，撰写了这套《黄河水利科学技术丛书》，并以《黄河防洪》、《黄河水资源》、《黄河水文》、《黄河泥沙》、《黄土高原水土保持》、《黄河枢纽工程技术》等六个分册出版，期望能全面、系统地反映当代治黄科技发展的水平和精华。

　　需要说明的是，该"丛书"有别于论文集，它基本体现了学科的完整性、系统性。各篇立题是在总结已有成果的基础上，统览选题界定内的许多研究成果，尽量提炼、深化、提高；组织编写过程中，主要选择那些具有科学价值和反映科技发展水平的专题特约撰写，各篇之间不过分强调前后呼应。参与撰写者，多是在专题研究或在生产实践中有一定影响的科技工作者,具有一定的代表性。从某种意义上说,"丛书"将作为当代治黄和水利工作者的一份答卷,奉献给时代,奉献给读者。

该"丛书"的出版,得到许多知名专家、学者的关怀和有关单位的支持。全国政协副主席、国防科工委科技委高级顾问钱学森先生来信说:"出版这套丛书确是件大事,祝你们成功!"全国政协副主席钱正英、中国科学院院士、中国工程院院士、著名水利工程专家张光斗教授为"丛书"题词,水利部部长钮茂生为"丛书"作序,黄委会主任綦连安、总工程师陈效国、技术委员会主任委员吴致尧始终关注这套丛书的出版,黄委会黄河上中游管理局、河南黄河河务局、山东黄河河务局、黄委会水文局、黄委会勘测规划设计研究院、黄委会黄河水利科学研究院、黄河流域水资源保护局、黄委会三门峡水利枢纽管理局和电力工业部西北勘测设计研究院对"丛书"的出版给予了大力支持与合作,使我们受到极大鼓舞。

在对"丛书"进行选题论证和确定编写大纲的过程中,除各分册主编、副主编外,龚时旸、吴致尧、陈效国、徐福龄、温存德、龙毓骞、陈赞廷、马秀峰、钱意颖、熊贵枢、罗义生、叶乃亮、金树训、史辅成、涂启华、白焰西、李世滢、李武伦、张绪恒、徐复新等,都曾提出过宝贵意见和建议。吴燮中、张富义、赵光耀协助了部分分册的编辑出版,在此一并致谢。

该套丛书,由朱兰琴总策划,张思敬做了大量策划组织工作。由于策划、组织撰写、编辑出版整个过程时间仓促,加之水平所限,难免有偏颇、不足,甚至错误之处,敬请指正。

编　者

1996 年 8 月

目　录

水库泥沙

引黄渠系泥沙

高含沙水流

黄河泥沙模型

总　论

　　黄河是一条驰名中外的多沙河流。黄河的多沙,一方面构造了广阔的黄淮海大平原,成为历史上中华民族繁衍生息的中心地带;另一方面,在流经平原地区淤积发展过程中形成的悬河状态,历史上曾给两岸人民带来了严重的洪水灾害。时至今日,下游河床仍在继续抬升,悬河状态有增无已,洪水灾害的威胁尚未得到充分控制,与此同时,随着国民经济发展同步前进的流域开发利用,引出了一系列新的泥沙问题,急需解决。因此,泥沙问题的研究一直成为黄河流域开发治理中的关键性技术问题,得到了有关部门及科技工作者的高度重视,多年来取得了累累硕果,本篇将就问题的提出和研究、解决过程,择要加以论述。

1　黄河泥沙问题的历史和现状

1.1　历史[1]

　　自有文字记载以来,黄河上出现的与泥沙直接或间接相关的问题,不绝于书。这些问题主要表现在防洪、航运及灌溉三个方面,而其中又以防洪为主。这主要是因为黄河下游河床处于悬河状态,一旦发生决溢,往往造成改道,淹没范围广,泛滥时间长,灾情极其严重,对国计民生影响甚大。至于航运问题,虽然在引黄济运时也出现泥沙淤积问题,但主要表现在黄河决溢对漕运的侵犯上,实质也是防洪问题,因此,这里在讨论黄河泥沙问题的历史与现状时,重点放在治河防洪上,兼及其它。

　　在长期治理黄河的生产实践中,不仅对黄河的水沙特性、冲淤

──────────
　　[1]　撰写过程中武汉水利电力大学黎沛虹教授提供了若干历史资料,谨此致谢。

规律及河床演变过程有了较深刻的认识,而且积累了丰富的治河经验,形成了一整套闪耀着远见卓识及智慧火花的治河思想。

1.1.1 水沙特性

黄河含沙量极大,东汉张戎就曾指出:"河水重浊,号为一石水而六斗泥"(汉书·沟洫志),意即沙多于水。不仅含沙量大,而且分布不均,汛期尤大。明潘季驯说:"黄河最浊,以斗计之,沙居其六,若至伏秋,则水居其二矣"(河防一览·卷二)。在明确含沙量大小的同时,对沙的质地会因季节不同而变化也有所了解。宋人通过淤灌就已知道"夏则胶土,肥腴,初秋则黄灭土,颇为疏壤,深秋则白灭土,霜降则皆沙矣"(宋史·河渠志)。

1.1.2 泥沙冲淤规律

关于泥沙的冲刷和淤积,不少议论是将冲淤变化与流速大小联系起来,如东汉张戎说:"水性就下,行疾则自刮除成空而稍深"(汉书·沟洫志)。宋苏辙说:"黄河之性,急则通流,缓则淤淀"(宋史·沟洫志)。对冲淤机理阐述得比较完整的还要数潘季驯,他说:"水分则势缓,势缓则沙停,沙停则河饱,尺寸之水,皆由沙面,止见其高;水合则势猛,势猛则沙刷,沙刷则河深,寻丈之水,皆由河底,止见其卑"(河防一览·卷二)。这里他比较明确地阐明了流量、流速变化与断面冲淤变化的关系,他又说:"以二升之水,载八升之沙,非极迅溜,必至停滞"(河防一览·卷二·河议弁惑),更进一步指出了流速与含沙量的关系,说明他已在相当程度上把握住了近代水流挟沙力的概念。

1.1.3 河床演变规律

像黄河这样的多泥沙河流,其河床形态及演变必然具有一些特点,并早为先民所察觉,《尚书·禹贡》称大禹改"围堵障水"为"疏川导滞",令黄河下游"北播为九河,同为逆河,入于海"。在当时技术条件下,大禹并无大规模疏川实力,这里所描述的实质上只是一幅河口三角洲的画面。黄河含沙量大,在入海处泥沙严重堆积,河口迅速外延,由此引起的溯源淤积在达到一定程度后,将发生小范围的决口改道,形成鸟趾状河口三角洲。所谓九河应为河口三角洲现行河道和故道的总称。历史上在分流、合流之争中,赞成分流的人一般将大禹治河业绩归功于播为九河,是值得商榷的。九河均为受潮汐影响的逆河,黄河为低潮河口,比降甚大,潮水影响所及不过15~30km。九河为河口三角洲上的河道,还可从它们中最北与最南的河口间距仅100km,不超过当前河口三角洲的岸线长度得到旁证。在河口三角洲上发生的现象自然不能用来论证下游整个冲积平原上发生的现象,何况即使在河口三角洲上出现少量分流入海河道,也不大可能长期并存。

黄河下游的淤积以至决溢与河口地区淤积有关,前人也有论述。宋欧阳修就说过:"河本泥沙,无不淤之理,淤常先下游,下游淤高,水行渐壅,乃决上游低处,此势之常也"(宋史·河渠志·卷九十一)。揭示了黄河下游纵剖面抬升系由自下而上的溯源淤积与自上而下的沿程淤积结合而成的一个重要方面。

黄河流出峡谷进入平原之后,其上段历代均采取"宽河行洪"治理对策,战国时期齐与赵、魏之间的黄河堤距宽达25km,使河水有所游荡,宽缓而不迫,符合贾让上策宽河调洪设想,明清以来直到现在,河南境内两岸堤宽一般保持在10km左右,最宽达20km,也大体上与此相符,这不单纯是一个"不与水争地"的问题,而是为了适应黄河下游游荡河型必须采取的治理对策。

在治河过程中充分考虑河床演变特点的事例还可列举很多,其中1351年元代贾鲁所主持的白茅决口的堵口复河工程集中体现了在这一方面已经取得的成就(中国水利史稿,中册)。他首先采取的是"先疏后塞"的办法,对决口下游二百八十里五十四步的正河作了疏浚,以增加正河的下泄流量及水流挟沙能力,从而削减进入决口的流量。其次是将主流引离决口,决口正处于一个S形弯道的下弯顶,水流方向与决口岸线接近垂直。为改变这一塞决的不利形势,采取了两项重大措施,一是在决口上游挖一顺直引河,并堵塞S形弯道的进口,使水流改由顺直引河下行,这样就使决口上游来流方向与决口岸线接近平行;与此同时筑刺水堤两道、石船堤三道,将水流挑向决口对岸,这样决口处的流态得到了彻底的改善,大大减轻了塞决难度。最后,才在决口处进占合龙,而一举获得成功。上述工程的每一个步骤无一不反映了工程主持人对河道,特别是弯道水流流态、泥沙运动及河床演变的深刻认识及与之相应的治理原则的正确运用。

至于清人"水小归弯,水大走滩","曲主而坐弯,全黄之力皆注于湾,土堤不能挡"(河渠纪闻·卷十七),明人的"以人治河不若以河治河,夫河性急,借其性而极其力则河可浅可深","南其堤而北自深","北其堤而南自深","南北堤两束之……而中深"(万恭·治水筌蹄)等符合水沙运动规律的深邃见解就不一一列举了。

1.1.4　几次重大治河行动与决策争议

上述对黄河泥沙问题的认识和由此形成的议论,一方面与历史上的几次重大治河行动有关;另一方面与在治黄方略上产生的争议有关。最早的一次大规模治河工程就是传说中的大禹治水。他摈弃了,不如说改进了共工和鲧筑小土堤围子自保而以邻为壑的作法,疏导百川,使之畅流入海,在治河必须顾及整体,障、疏应相互结合方面前进了一大步,大禹业绩实际上是先民治河的总结。

此后另一次大规模治河工程则是王景治河,其主要工作是修建了自荥阳至千乘的千里大堤;另外,还治理了作为东汉漕运主要通道的汴渠,王景之后800年相对安澜,据分析,与王景所选定的东汉故道河身较短、地势较低,因而行河路线较优有关。另外,"十里立一水门,令更相回注"所描述的可能是一种利用沿河大泽放淤的工程措施,对延长行河年限也有一定作用。再往后,规模较大并取得一定成效的治河活动还有上述元代贾鲁堵口复河及明代潘季驯及清代靳辅等对黄河南流夺淮后的河道治理。关于后者将在下面谈到潘季驯的治河业绩时述及。

历史上黄河下游在发生大的决溢后，河流往往具有改道趋势，或者是堵口复河，或者是任其泛滥若干年后，在决口下游逐步修建堤防，形成新河。此时往往触发分流与合流之争，恢复故道与维持新河之争。主分者主要着眼于洪水，认为分流可以消杀水势；而主合者则着眼泥沙，认为分则流缓，缓则停滞而沙淤，即分流并不能降低洪水位，而是恰恰相反。至于恢复故道与维持新河之争，主要视故道与新河的状况而定，并无定论。分合之争一直延续到潘季驯时期才基本告一段落。

潘季驯是我国古代卓越的水利工程师，他不仅雄辩地论证了在黄河多沙的条件下，治河要从着眼于洪水为主转化为着眼于泥沙为主；要从以分为主转化为以合为主；在他当时所处的黄河南流的条件下，主张黄淮合流，以清刷黄；此外，他提出了"固堤为治河第一义"及"束水攻沙"的著名论断。为了达到这一目标，他还发展了一整套完善的堤防系统，如用缕堤束水攻沙，用遥堤约束洪水泛滥，用格堤阻止滩区行洪并促进滩地落淤；还考虑了在适当地方设置减水坝分洪。他不仅倡导了一种治河理论，而且身体力行，对兰考以下黄河河道采用塞决筑堤、挽河归槽、淤留滩高、蓄清刷黄等措施，扭转了这一段黄河"忽东忽西，靡有定向"的混乱局面。但应该指出，潘季驯只不过完成了在当时具体条件下应该做也能够做的事情，他不可能考虑到治黄的各个方面，将黄河作为一个整体来考虑治理对策。仅就束水攻沙而言，中水河床和缕堤应加固到何种程度才能束水？水要束到何种程度才能将上游来沙全部带走，并在河槽中发生冲刷？沙被攻入下游落淤之后是否又将引起上游水位抬高？深入了解这些问题，对束水攻沙的可行性，至少是限制性是存在疑问的，潘季驯之后的明、清两代治河工作者，大多遵循他的治河原则办事，但黄河河床仍在继续抬高，随后于 1855 年在铜瓦厢发生了决口改道的剧变足以说明这一点了。

1.1.5　疏浚与水土保持

在认识到泥沙是治黄关键问题的前提下,如何处理泥沙还有一些其它措施。疏浚是一种重要手段,北宋为此曾专设"疏浚黄河司",用铁龙爪、浚川耙之类工具乘流疏浚,实际运用结果仅对小规模的局部疏浚,如裁弯取直时的开挖引河能起到作用。规模稍大的有清代靳辅所进行的浚河工程。他在清口以下至河口150km河道内,采取"疏浚筑堤并举"措施。沿原河道两侧,各修引河一道,形成所谓"川字河",所取之土则就地修筑两岸堤防,用以迎接黄、淮合流的洪水,取得了成功(徐福龄,河防笔谈)。这一疏浚工程作为应急措施则可,作为根治措施,则由于黄河河口地区淤沙量过大,挖不胜挖;而河口变形急剧,也难以保持稳定的入海通道。

如何采取釜底抽薪办法,减少中游黄土高原的的来沙量,是一种解决黄河泥沙问题的治本措施。由于涉及面广、难度大,以往议论很少提到。清人提出"沟涧作坝,汰沙澄源"的建议,并指出:"水发,沙滞涧中,渐为平壤,可种秋麦"(续行水金鉴·卷十一),既有议论,也有实践,说明这种水保措施古已有之,只是未发展成目标明确、规模巨大的自觉活动而已。

1.2　现状

黄河泥沙问题的现状,在本书有关篇章中还将作较详细的论述,这里仅就其区别于历史时期的一些特点略述梗概。

第一个特点是,近代对黄河泥沙问题的研究已严格建立在近代科学的基础之上。从描述机械运动的牛顿力学出发,直接发展了研究水沙运动及河床演变的河道水力学、泥沙运动力学及河床演变学等学科。与此同时,还进一步发展了河道整治及工程泥沙问题等更具实用价值的学科。由于泥沙问题比较复杂,涉及的面很广,实际上是作为一种边缘学科发展起来的,它与地质地貌、水文学、土力学、水利水电工程学、水运工程学等密切相关。在研究泥沙的微观力学作用时甚至还涉及胶体化学,如果把对水流泥沙运动进行观测的近代测试手段考虑在内,那就还要涉及声、光、电等一系列学科。值得注意的是,所有这些学科,当被利用来研究解决黄河泥沙问题时,都不可避免地要打上黄河含沙量高、泥沙粒径细的烙印。许多在其它河流上总结出的水沙运动规律在黄河上不一定有用,至少是不经过改造不一定有用。一个突出的例子是,含沙量超过 $200\sim300\mathrm{kg/m^3}$ 的所谓高含沙水流,其流变特性属于非牛顿体,流体运动的本构方程都发生了变化,水沙运动规律自然会出现大的差别,这就决定了在研究黄河水沙运动与其它河流共性的同时,还要研究它区别于其它河流的特性。因而在研究解决黄河的泥沙问题时,不能完全照搬其它河流的同类经验,黄河的经验也不能无条件地延伸到其它河流。

　　第二个特点是,黄河泥沙问题影响所及的地区范围大大扩大,涉及的国民经济部门显著增多,出现的泥沙问题更多种多样了。历史上黄河泥沙为害主要集中在下游防洪上,而现在则上、中、下游均出现泥沙问题;出现的问题也不单纯是比较被动地头痛医头、脚痛医脚,而是对河流进行大规模的有计划的改造。如修建水利水电枢纽引起库区淤积及坝下游冲刷问题,坝区各水工建筑物的合理布置使其功能得到充分发挥的问题,中游黄土高原水土保持对黄河水沙变化的影响问题,上、中、下游引黄供应工农业用水带来的问题,部分河段有条件发展航运,也急须研究发展航运可能出现的泥沙问题等,几乎泥沙问题的各个方面都涉及到了。

　　第三个特点是,国民经济发展加深了泥沙问题的严重性,改变了泥沙问题的性质;人为干扰力度的加大,引发了一些新的泥沙问题。举例来说,黄河下游堤防(包括自然堤)的决溢和改道,实际上是黄河为将泥沙广泛分布在广阔的黄淮海平原上而采取的自我调节行动,历史上的治河对策基本上局限于顺应自然发展趋势,仅略加修补。今日的黄淮海平原经济建设已有很大发展,改道带来的破坏将十分巨大,这就要求为维持黄河下游的长治久安采取新的对策。又如黄河上游多座巨型电站,库容甚大,汛期下泄流量明显减小,从而使中、下游河道的水流挟沙能力也明显减小。与此同时,中游暴雨产沙区的暴雨洪水及其所挟带的泥沙尚难以得到充分控制,而上、中、下游对黄河水,特别是含沙量相对较小的黄河水的利用则日益增多。这就使得黄河下游的径流量愈来愈小,沙量虽也相应有所减小,但水少沙多的局面仍十分突出,甚至变得更为严重,使黄河下游有可能朝洪水淤沙、枯水断流的多沙间歇河方向发展,由此产生的新泥沙问题须引起重视,未雨绸缪,早谋对策。

2　黄河泥沙问题研究的进展

　　近代黄河泥沙问题的提出与研究,在国民经济日益发展的生产要求推动下已取得很大的进展,可以采取不同的分类方法来谈论这些进展。例如按学科分类为泥沙运动、河床演变基本规律和工程泥沙问题;按有关经济部门分类为防洪治河、工农业用水、发电及航运;按人类活动的干扰程度分类为自然状态及工程问题等。这里我们将不采取这样的分类方法,而简单地按治理黄河过程中经常提到的若干个泥沙问题分类,它们是,黄河治理开发与泥沙,河道泥沙,水库泥沙,河口泥沙,渠系泥沙及高含沙水流等。

2.1　黄河治理开发与泥沙

　　自新中国成立以来黄河的治理开发得到了大的发展,主要表现在:防洪保证了伏秋大汛安澜,广泛开展的水土保持已初见成效,工农业用水遍布上、中、下游,所利用的河川径流量已接近50%,水力发电从无到有,成绩巨大。上述黄河的治理开发,直接影响到黄河洪水和泥沙的来量,对流域侵蚀、泥沙输移和沉积产生正面和负面影响,其中两个大沉积区的负面影响最大,一个是整个黄河下游的沉积区,另一个是潼关以上汇流区。为了研究黄土高原沟壑区暴雨产沙量的变化,利用成因法进行了理论探讨,结合水文资料的统计分析,并考虑到水土保持措施和工矿建设所产生的减沙和增沙作用作了估算,得到了有价值的成果,但要用来定量,还存在一定差距.对黄河泥沙的输移与沉积,多年来对以水流挟沙能力为中心的黄河泥沙运动基本规律进行了研究,并以此为基础,利用所建立的经验关系,或数学模型,或河工模型,对河床的冲淤变化和对悬河状态有严重影响的纵剖面调整趋势作出估算,这些问题的彻底解决将有助于明确未来黄河泥沙问题的关键所在,使得有可能据此制定正确的治河方略.

2.2　河道泥沙

　　河道作为一条输水输沙的通道,当进口水沙条件和出口侵蚀基点条件一定时,它趋向通过冲淤变化建立一条接近输沙平衡的河道.当进口水沙条件和出口侵蚀基点条件发生变化时,它又将发生冲淤变化,使河道适应新的情况.就黄河而言,进口水沙条件的变化对河道冲淤变化具有决定性作用,出口条件虽也有变化,但由于河口在一次小改道过程中的延伸和后退虽然会产生溯源淤积和冲刷,影响河道纵剖面,然而平均情况基本不变,而整个三角洲岸线的向外推进,要在小改道遍及三角洲各处的情况下才有可能,而这需要很长的时间.因此,在二三十年历程的短时期内,在认识到侵蚀基点存在波动的同时,可以按河身的平均长度来考虑海平面的影响,从而认为在平均情况下出口的侵蚀基点是相对稳定的,这样,进口水沙条件变化的重要性就更显得突出了.

　　正因为如此,在泛论黄河下游的输沙特性之后,将新中国成立后按水沙变化特点划分为几个时期分别论述,这几个时期是,自然情况(1950~1959年),三门峡水库蓄水拦沙期(1960.9~1962.3),三门峡水库滞洪排沙期(1962.3~1973.10)和三门峡水库蓄清排浑期(1973年10月以后).其中除蓄水拦沙期及滞洪排沙初期(1964年10月以前)下游河道由过去的淤积转变为长距离冲刷充分反映了修建水库的影响之外,其余各个时期的冲淤变化既与自然情况基本类似,也因水沙条件的不同而各具特点,河道仍处于总体淤积的状态之中,纵剖面及横断面形态在平均情况下变化不大。

　　河道冲淤变化除以长时期的普遍冲淤的形式出现之外,还以短河段的局部冲淤的形式出现,后者主要表现在泥沙成型堆积体的变化上,直接影响到河床形态(纵剖面、横断面、平面),河床演变规律(洲滩、岸线、主流)及河型的变化。黄河铁谢以下分为游荡(铁谢至高村)、过渡(高村至孙口)及限制蜿蜒(孙口以下)三个河段,它们的河型不同,形态及演变规律迥异,这种不同除与水沙条件的沿程变化有关外,还与受粘土含量影响的河岸抗冲能力沿程增大有关。研究黄河河型可能发生的变化,从而决定合适的治理原则是十分重要的。

　　黄河下游泥沙淤积量约占来沙总量的 1/4,而来沙中粗颗粒($d>0.05$mm,下同)的含量约占 1/5,粗颗粒来量的 56% 淤在河道之中。据此进行的计算表明,下游河床淤积物中,粗颗粒泥沙占了将近一半。由此可见,粗颗粒泥沙是促成黄河下游河床抬高为害最烈的组成部分,而其产生主要集中在黄河中游 5 万 km^2 的河口镇至无定河区间及白云山河源区,集中治理粗颗粒泥沙来源区,并尽量控制其进入下游,是抑制下游河床抬升的一个关键措施。

　　至于河道整治对泥沙运动的影响,主要表现在河道外形的平面控制及河势控制上,目的在于保护拦河、跨河及沿河建筑物的安全,尽可能维持河道的稳定状态。由于整治建筑物对河道干扰程度一般并不是很大,对改变河道长距离、大范围的普遍冲淤的能力是有限的。

2.3　水库泥沙

　　修建水库是人们改变河流自然状态的最重要的手段。特别是大库容、高水头的水库对河流改变最大,影响深远。在多沙河流上修建大的水库会出现什么问题? 能否解决和如何解决? 都是十分令人关注的。三门峡水库的修建揭示了这一方面的问题,它首先表现在,当水库处于蓄水运用及随后拦洪排沙运用时,在坝身泄洪能力不足、壅水偏高的条件下,水库淤积发展十分迅速。其次是,淤积急剧向上游发展,造成严重的翘尾巴现象,对库区两岸的土地淹没、盐碱和沼泽化影响甚大。另外,汛期下泄水量较小,水沙不相适应,不利于下游河道冲刷能力的充分发挥。经枢纽改建,显著扩大坝身的泄洪能力,并采取蓄清排浑的运用方式,情况才逐渐好转。

三门峡水利枢纽工程的成功改造指明了在多沙河流上修建大型水库,为减少淤积,延长水库寿命,并在某种程度上达到长期使用应该采取的对策,但仅仅这样做,只能使水库淤积问题得到缓解,修建水库对解决下游河道淤积问题所能作出的贡献还不够大,这就使得在小浪底工程的规划设计中提出了拦粗排细、调水调沙等有利于减少下游河道淤积的工程措施。此外,还提出了在小浪底水库坝前引取较高含沙量的浑水,长距离输送到沿河低洼地区放淤,并对大堤淤临淤背造成相对地下河的设想。

包括三门峡水库在内的黄河干流上的大型水库有近十座之多,它们除了本身都有水库淤积及坝下游冲刷问题之外,其中某些水库还有一个调洪使洪水流量减小的问题,后者对黄河下游、潼关以上及宁蒙河段的淤积产生深远影响。

修建在黄河干支流上的水库无论大小,都有一个坝区泥沙问题,主要归结为电站及灌溉取水口的防淤堵及引取低含沙量水的问题,修建各种类型的排沙底孔、廊道和排沙闸是解决这些问题的有效手段。船闸引航道的泥沙问题,由于黄河许多河段基本上不通航,各水利枢纽均无过船设施,因而不存在这一问题。为解决北煤南运曾研究过修建壶口船闸,拟借鉴葛洲坝工程经验采取冲沙闸间断冲沙的方式来解决引航道异重流淤积问题。

黄河上的大型水库可以运用蓄清排浑原则保留一定库容长期使用已如上述,中型水库也是如此。除此之外,在干旱地区利用水库中形成的异重流,开启底孔及时排沙,也是一种有效的减淤办法,至于小型水库一般极易淤废,要使库容得到恢复,须采取清淤办法,或者是水力清淤,或者是机械清淤。

2.4　河口泥沙

　　黄河河口和一切河口一样,是在河流及海洋两种动力因素交互作用下形成的。由于来沙量十分巨大,而潮流又相对较弱,海流仅能将其中约 1/3 的细颗粒泥沙带入外海,其余均淤在滨海区,这里水深又较浅,因而每年造陆面积非常大,表现在河口沙嘴迅速向外延伸和河口两侧附近海岸线的同步向外推进上。这对于三角洲河道的某一固定点来说,等同于侵蚀基点的抬高。其结果必然使河口地区水位壅高,从而在河口三角洲顶点附近产生决口改道,河流另寻捷径即低洼地区入海,过此以后,河口淤积——延伸——改道的过程又将周而复始。关于河口三角洲的演变过程及其对河道下边界条件(侵蚀基点条件)和河流纵剖面的影响已在上面描述鸟趾状三角洲、河口淤积对上游河道的影响及河道下边界条件时提到,这里不再赘述。需要讨论的是,如何使上述演变规律能为我所用,除害兴利。

　　顺应上述河口演变的自然规律,并充分利用河口地区的容沙体积,有计划地引导河口改道后的流路遍及三角洲各处,可能使洪水壅高的不利影响减小到最低限度,这样,三角洲上的河道就不可能长期维持稳定状态,对黄河河口的油田建设可能会带来不利影响。但这只是问题的一个方面。问题的另一个方面是,如果进行有计划的河口改道,将滨海油田淤成平陆,变海上采油为陆上采油,则可节省大量投资。

　　完全不同的另一种作法是,改变河口自然演变规律,通过工程措施,迫使黄河循一定的稳定流路入海,当河口在受控条件下延伸到某种程度时,有可能使流向外海的沙量大大增加,河口得以不再延伸,但这将相对增加河长,壅高洪水位,对整个下游防洪不利。

　　介于上述两者之间的第三种方法是,缩小河道在原三角洲上的摆动范围,并相应使三角洲顶点下移。在维持三角洲稳定及壅高河道水位的有利和不利影响方面,也大体上介于以上两者之间。这是目前实际采用的一种作法。对来沙量较少的年平均值偏小的近若干年来说,采用这种作法看来是利多于弊的。

总起来说,对河口演变规律进行深入研究,并据此使决策优化,是十分必要的。

2.5　渠系泥沙

近几十年来在黄河水资源利用方面做了大量工作。撇开发电用水不计,以农田灌溉为主的用水量全河接近 300 亿 m^3,约占年径流量的 1/2。不仅使古老的上游宁蒙平原灌溉工程焕发了青春,关中平原的泾、洛、渭灌溉工程得到了长足发展,而且上、中游的提灌工程及下游的引黄工程从无到有,飞跃前进。

农田灌溉工程与泥沙密切相关的环节主要有三个,即:渠首引水工程、输水输沙渠道及沉沙池工程。

渠首引水工程分有坝引水和无坝引水两类。无论是哪一类,在处理泥沙上都不外利用天然弯道环流或利用人工弯道环流,形成正面引水、侧向排沙的态势;利用含沙量上稀下浓,泥沙粒径上小下大的规律引取表层泥沙粒径较细、相对较清的水也是常用的方法,而粒径较粗的泥沙则通过排沙闸或排沙廊道冲走。对于无坝引水,在引水渠前加设叠梁底坎,用以导走推移质;在河中含沙量甚大时,完全封闭进水口,阻止浑水入渠,以避免渠道发生严重淤积。除此之外,无坝引水口既应防止水流远离引水口,以至引不上水,又要防止水流冲刷破坏引水建筑物,因此对引水口进行河道整治通常是必要的。

进入引水闸的浑水要通过渠道输送到田间用于灌溉,输水输沙渠道通常应按不冲不淤的稳定渠道设计,但由于水情沙情及运用条件的变化,实际上只能设计成淤积和冲刷接近相互抵消的准平衡稳定渠道。这种渠道的设计,除运用水流连续公式、阻力公式、水流挟沙力公式及不冲流速公式之外,关键在于根据当地实测资料,选定一个河相公式以补不足。

　　为增大引水的允许含沙量,以扩大引水流量及延长引水历时,通常利用灌区的低洼、盐碱荒地作为沉沙地,将经过沉沙的含沙量较小、粒径较细的浑水用于灌溉,藉收改土肥田之效。就黄河下游而言,采用上述办法引取的一般挟沙水流的含沙量平均约 20 kg/m³,最高达 100kg/m³ 左右。

2.6　高含沙水流

　　在黄河上,特别是在上、中游的支流上,常出现所谓高含沙水流,有的支流年平均含沙量可达 500kg/m³ 以上,一场洪水的最大含沙量有高达 1 500～1 600kg/m³ 的。一条河流在相当大的面积内出现如此之高的含沙量,在世界上确实是很罕见的。含沙量一高,特别是细颗粒含量一高,挟沙水流的流变特性就相应发生变化,由牛顿体变为非牛顿体。在黄河上通常按宾汉体来处理,其宾汉切应力及刚度系数均随含沙量的增大而急剧增大。

　　在黄河上出现的高含沙浑水虽因泥沙来源不同而异,但通常均含有大量细颗粒泥沙。这些细颗粒泥沙的存在,使得黄河上出现的高含沙浑水常属于两种类型:一种是均质浑水,或称伪一相流,由于细颗粒很多,由絮凝发展形成的网状结构,可以使细颗粒在静水中不下沉,与此同时,因宾汉切应力较大,可使绝大部分粗颗粒也不下沉,处于沿水深均匀分布的悬浮状态,与细颗粒浑水混为一体。另一种是非均质浑水,这种浑水的细颗粒含量还不够多,不仅絮网结构不能形成,宾汉切应力也不够大,不足以支持粗颗粒不下沉,或因受紊动影响而显著下降,甚至趋于消失,粗颗粒泥沙的悬浮仍有赖于紊动作用,其含沙量沿水深的分布是非均匀的。

　　由于流变特性的不同和影响细颗粒泥沙运动因素的复杂性,高含沙浑水的水流运动特性、泥沙运动特性以及河床演变特性与一般挟沙水流有较大差异,应进行系统的理论分析、室内试验及野外观测研究。自 60 年代起,曾在这方面进行了大量研究工作,并取得了丰硕成果。只是有关河床演变的研究尚为数不多,有待进一步加强。

由高含沙水流的运动特性引发的几种特殊河床演变现象颇具理论和实践意义,值得深入研究。第一个是浆河现象。在洪峰降落过程中,水流切应力一旦小于宾汉切应力,水流就停滞下来,形成浆河,通过上游来水的不断积存,过一段时间,水流又重新运动,水流运动的全过程表现为不稳定的阵流现象。第二个是揭河底现象。黄河干流的中游以至下游的某些河段,在高含沙洪峰通过时,可以看到厚达 1m 左右的成块河床被掀露水面,这样在短时间内河床可以刷深几米乃至近 10m。第三个是河宽束窄现象。在高含沙洪峰通过时,河床可由宽浅断面调整为窄深断面,使水深及单宽流量急剧增加。这些都严重影响到防洪护岸,是需要密切关注的。

另外一个有重大实际意义的问题是高含沙浑水的远距离输送问题。定床清、浑水阻力试验表明,清、浑水的阻力系数与雷诺数的关系曲线十分接近,由于输送相同流量的高含沙浑水的表观粘滞系数一般远大于清水,相应地高含沙浑水的雷诺数会小于清水,当清水水流处于粗糙区,而高含沙浑水水流处于过渡区的某些特定部位,后者的水流阻力才会小于前者。在黄河中游地区高含沙浑水的远距离输送,并不是因为它有什么“阻力小”的优势,而是迫于灌溉方面的要求,不得已而为之。输送高含沙浑水的灌溉渠道按一次洪峰期或一个年度由冲淤平衡,并保持水流为紊流的原则来设计。在可能范围内尽量增大渠道比降,同时减小渠道局部及沿程阻力损失和增加渠道超高,在采取这些措施后,渠道最高引水含沙量,如宝鸡峡及泾惠渠,达到了 $535kg/m^3$。

3　黄河泥沙问题的研究方法

黄河泥沙问题的研究方法,也和其它河流一样,可分为已建工程类比、原型观测资料的收集与分析、数学模型计算和河工模型试

验等四类。不同之处在于,黄河具有多沙河流特性,这四类方法在
黄河上的应用也具有各自的特点。

3.1　已建工程类比

　　这一研究方法一般只具有辅助性质,但十分重要,因为黄河泥
沙问题十分复杂,它可以使我们在黄河上修建类似工程时不致遗
漏重大的泥沙问题。这里值得注意的是,由于黄河具有水少沙多、
粒径细的特点,河道的比降大,水流急,冲淤变化幅度大、时间快,
因而泥沙问题显得特别突出,特别严重。例如三门峡水库建成开始
运用的四年中,330m 以下的总库容为 55.49 亿 m^3,即损失过半,
每年平均淤损库容超过 8 亿 m^3。在大体相同的时间内下游河床冲
刷约 18 亿 m^3。库区淤积,坝下游冲刷的形势虽与一般河流相同,
但数量巨大,变化迅速,不可同日而语。又如,黄河河口自神仙沟入
海的 1958 年 10 月至 1960 年 10 月两年内来沙总量 19.62 亿 t,沙
嘴淤积量 6.33 亿 t,滨海前端缓坡淤积 3.39 亿 t,输往外海的沙
量,因形势十分有利,不同寻常地达到了 10 亿 t。神仙沟行水 7 年,
河口向外延伸达 18km,由此引起的洪水位抬高,以 0.9‰ 的比降
计,约为 1.6m。要通过疏浚来抑制洪水的抬高,必须将 18km 范围
内的淤沙全部挖走并保证来沙不淤才能奏效。这与一般河流疏浚
局部河段的拦门沙浅滩以保证入海航道航深的情况,在性质上是
完全不同的。后者可以做到,前者几乎是不可能做到的。何况即使
是后者,对于易淤善徙的黄河,浚深的入海航道也只能保持一个枯
水期,一遇洪水就面目全非了。因此,在作已建工程类比时,充分考
虑黄河特性是十分必要的。

3.2　原型观测资料的收集与分析

　　利用在黄河上收集到的观测资料研究黄河,是认识黄河的一
条最基本的途径,一共包括三种资料,第一种是水文站网资料,主
要用于研究不同河段的来水来沙条件,这一工作在新中国成立以
后有很大发展,站网控制性能好,观测项目齐全,资料系列长。在泥

沙测验方面有较详细的悬移质输沙量与悬沙粒配及床沙粒配资料,推移质因在来沙中所占份额较少,仅在部分测站中有少数观测资料。第二种为研究水沙运动及河床演变规律而收集的专项观测资料,如为研究黄河水流挟沙能力而布置的所谓精密泥沙观测资料和土城子河段观测资料;为研究小流域暴雨产沙过程及水保措施效果而设置的水保站观测资料;为研究游荡型河段演变规律而安排的黄河下游花园口河段观测资料;为研究河口三角洲演变规律而设置的前左河口实验站观测资料以及为研究长距离河床冲淤变化而布置的大断面观测资料等。在黄河上,由于河床变形迅速,观测条件困难,基本上属于同一时期的大范围地形观测资料较少,目前正在弥补这一不足。另外,为适应黄河这一特点,还作了不少航空摄影、卫片分析及河势的定性描绘工作等。第三种为结合黄河上的工程建设而专门收集的观测资料,如为三门峡水库改建及优化调度而收集的观测资料;为兴建小浪底水库而布置的观测资料;为研究下游河道整治工程而收集的观测资料等。应该指出,人们目前对黄河泥沙问题的认识之所以比较深刻,是与黄河实测资料比较丰富,及在此基础上所作的大量理论分析工作是分不开的。

3.3　数学模型计算

由于黄河泥沙问题十分复杂,特别是游荡型河段河型散乱,变化迅急,过程难以模拟,数学模型的发展相对迟缓。在较长的一段时间内人们往往借助于根据实测资料建立的经验关系来解决河床变形的预测问题。黄河实测资料十分丰富使得有条件建立这种经验关系;而实测资料系在较大水沙变幅下取得又使这种经验关系具有较强的适应性,经验方法在黄河上之所以沿用至今,具有较强生命力的原因即在于此。近十年来,泥沙数学模型在黄河上发展十分迅速,有逐渐取代经验方法的趋势,这归因于经验方法所能给出的信息量毕竟太少,难以满足日益增长的实际要求,而人类活动对河流的影响日益加重,其冲淤变化愈来愈难用河流在自然状态下取得的实测资料加以概括。

黄河泥沙数学模型的发展也像在其它河流上一样，是由长时距大范围的一维泥沙数学模型开始的，其求解的物理模式和数值计算方法基本上与其它河流的类似模型相同，差别是通过对黄河特性的考虑带来的，主要有以下几点。第一是，由于黄河河身宽浅，滩槽冲淤变化各具特色，并互为影响，单纯的一维模型难以模拟，有必要用准二维的流管模型取代，从而要考虑滩槽的水沙交换问题。第二是，黄河含沙量大，许多物理参数，如水流的粘滞系数，泥沙沉速，水流挟沙能力、阻力等都是含沙量的函数。这些物理参数都须根据黄河实测资料加以率定，黄河上的一维泥沙数学模型都在不同程度上考虑了这一点，至于对高含沙水流的数值模拟，目前仅做了些探索性工作。有些问题根据黄河特性应该考虑的，例如游荡型河段的河岸冲刷引起的断面变化问题，虽然对此也作了些探索工作，但离问题的解决还很远，目前一般还只限于选择一个平均断面形态进行计算，藉以反映河段断面变化的平均情况。为减少计算工作量，通常将不恒定流概化为阶梯状恒定流来处理，不作这种处理，而代之以非线性项的线性化处理，也能在保证一定精度条件下不过多增加计算工作量，这就使得一维泥沙数学模型既可用于长时距的河床变形预测，也可用于一个洪峰过程的河床变形预测，目前黄河上的一维泥沙数学模型还只能到达河口以上的一定距离，下边界条件须通过另外的途径给出。最近已开展黄河口平面二维冲淤演变数学模型的研究，除考虑河流动力因素外，还考虑了潮流、风吹流及波浪。这一模型的胜利建成，可望与一维模型构成合交模型，解决泥沙在河口地区的淤积及入海泥沙的去向问题。

除此之外，为研究小浪底水库坝前冲刷漏斗大小、形态，曾进行过立面二维泥沙数学模型的研究；为研究花园口河段河床整治对河势变化的影响，曾进行过平面二维泥沙数学模型的研究等。可以预见，从产沙、输沙到淤积的一整套泥沙数学模型在很短的时间内将在黄河上建立起来,充分发挥这一河床变形预测手段投入少、周期短、能迅速研究多种方案、无缩尺影响的优点,为黄河水资源的开发利用作出应有的贡献。一个值得一提的问题是,为了节省计算工作量,以往常被迫采取简化的计算模型,随着计算机性能的迅速提高,运用较复杂的计算模型,使计算成果更为精确,已是指日可待的事了。

3.4　河工模型试验

泥沙河工模型试验与泥沙数学模型计算相比,其优缺点恰好相反,缺点是投入多、周期长,改变方案须重新塑造河床,且有缩尺影响;而优点则是,只要设计正确,制造和运行得当,就可自动反映水沙运动的三维规律,无须作任何人为假定,而这一点恰恰是泥沙数学模型的困难所在。正因为如此,再加上试验成果比较直观,对于十分重要的或三维性很强的工程泥沙问题,用泥沙河工模型进行研究仍居首选地位,泥沙数学模型在这种情况下往往用于规划阶段作多方案对比研究,或在设计阶段起校核作用。

为研究适用于黄河的泥沙河工模型设计方法,曾进行过多方面的探索,一个方面是用自然模型模拟游荡型河段。所谓自然模型的基本思想是,小河是大河的模型,模型的主要相似标准是河型和河床演变的相似性。由于这种相似理论缺乏力学基础,而且给出的信息仅能定性,不能定量,在其发展过程中,逐步揉入了比尺模型的设计思想,即仍按力学相似理论设计有关物理量的比尺,但不要求严格遵守,而河型和河床演变的相似性仍为这种模型是否相似的判别标准。早期开展的这种模型试验成果的积极方面是,通过试验认识到,即使对于河床演变十分复杂的游荡型河段,在河型及河床演变上做到定性相似,更确切点说,在平均意义上做到定性相似是有可能的。

做得更多的另一个方面是,用比尺模型模拟天然及受人工建筑物干扰较严重的河段。这种比尺模型建立在严格的力学相似理论的基础之上。已制定出能保证水沙运动基本相似的各种比尺的设计准则,它们是:惯性力重力比相似,阻力重力比相似,起动相似,对流运动与重力沉降比相似,紊动扩散与重力沉降比相似,水流挟沙能力相似,河床变形相似等。

目前正在研究的前沿问题是:把河型变形判数引入比尺设计,企图将自然模型中的某些积极的东西在比尺模型中也得到考虑;另外,还对一些有争议的前沿问题,例如对流运动及重力沉降比相似与紊动扩散重力沉降比相似的差别与统一的问题,河岸冲刷相似问题等作进一步的研究。同样可以预测,在进一步的水资源开发利用中,泥沙河工模型试验作为另一种预测河床变形的手段也将发挥更大的作用。

谢鉴衡　赵文林

黄河治理开发与泥沙

泥沙研究在黄河治理开发中的战略地位

　　黄河是世界上输沙量最大、含沙量又高的一条大河,泥沙问题是治黄的症结。新中国成立以来,黄河泥沙研究受到高度重视。从解决流域治理与开发的实际问题出发,结合干支流与黄土高原泥沙问题的特点,40 多年来进行了大量的观测,取得了丰富的数据资料,组织了国内有关的科研、规划设计、测验、生产管理单位及高等院校协同研究,取得了丰硕的成果,形成了具有黄河特色的研究方法,解决了各时期治理与开发中的不少重大问题,为治黄作出了重大贡献。泥沙研究在治黄中的战略地位,已在治黄实践中形成了共识。今后实施"科教兴国"、"科教兴水"的战略,黄河泥沙研究必将得到更大发展。

1 黄河泥沙问题的重要性

　　泥沙问题是江河治理中的重大问题,在黄河更为突出,影响着治黄中的战略决策,以及工程的成败与效益。

　　众所周知,黄河上中游地区水土流失面积达 43 万 km^2,占全国水土流失面积 179 万 km^2 的 24%;土壤侵蚀每年平均 20 亿 t,约占全国土壤侵蚀总量约 50 亿 t 的 40%;黄河入海泥沙年平均约10 亿 t,占全国江河入海泥沙年平均约 19.4 亿 t 的 52%;黄河三门峡站多年平均输沙量 16 亿 t,占全国河流输沙量 26.87 亿 t 的59.5%,1933 年最大年输沙量 39.1 亿 t,多年平均含沙量 37.6 kg/m^3,最大实测断面平均含沙量 911kg/m^3(1977 年 8 月 7 日),最大一日输沙量为 7.66 亿 t(1933 年 8 月 9 日),最大五日输沙量为21.12 亿 t(1933 年)。据推估,如三门峡以上地区发生千年以上洪水,一次洪水三门峡水库入库沙量可能达 40~50 亿 t,甚至更多一些。黄河一些支流的含沙量更高,实测最大含沙量大致在 1 500~1 600kg/m³ 范围。黄河泥沙集中于汛期,三门峡站 7~10 月输沙量占全年的 90.7%,汛期泥沙又常常集中于几场暴雨中,如三门峡站洪水期最大五天的输沙量平均占年沙量的 19%,个别年份可占到 50% 以上,中游支流则更为集中,如无定河川口站最大五天的沙量,占全年沙量的 42.2%,窟野河温家川站则占 72.2%。黄河的泥沙不仅使黄河难治,而且影响到海河与淮河水系,黄河的泥沙问题,是众所关心的难点。

黄河治理开发中遇到的主要问题有:

黄河上中游地区严重的水土流失,是使该地区土壤肥力减退,洪、旱、风沙灾害频繁,脆弱的生态环境日益恶化,人民生活贫困的主要原因,也是造成下游河道淤积的根源。

泥沙淤积是黄河下游洪水危害的根本原因,1855 年铜瓦厢决口改道以来,现行河道普遍淤高了 5~7m,长期年均河床抬高 0.05~0.10m,下游河滩高出两岸地面 3~5m,最大在 7m 以上,是世界著名的"悬河"。近 20 多年来黄河下游东坝头至高村"豆腐腰"河段,泥沙淤积使护滩控导工程与生产堤内的河槽高于外面的滩地,出现了"悬河中的悬河",更加重了下游防洪负担。下游河道历史上曾"三年两决口"、"百年一改道",给中华民族造成了深重的灾难。因此,下游河道的泥沙淤积如不能控制,现河道的行洪能力和寿命始终是中国的忧患。

黄河干支流兴建的水库,因入库泥沙量大,水库库容迅速淤废,并且泥沙淤积"翘尾巴",使上游淹没、浸没损失加大,如不能妥善解决水库的泥沙淤积,延长水库的使用年限,则水库就不能长期发挥其综合效益。黄河中游地区大中型水库的年淤积速率(淤积量与总库容之比)一般为 2%~3%;黄河干流青铜峡水库原有库容 6.06 亿 m³,蓄水运用 4 年,库容损失 87%,只剩下 0.79 亿 m³;三门峡水库运用初期,在敞泄运用的情况下(其中蓄水运用一年半),

四年间淤积泥沙 44 亿 m³,使 335m 高程以下库容 96.4 亿 m³,损失了 45.6%,并且淤积迅速上延,扩大了淹没、浸没范围。

引黄灌溉及城市供水,遇到的渠首和渠系的泥沙淤积问题十分严重。40 年来黄河下游引黄用水引出泥沙约 50 亿 t,这些泥沙抬高了两岸地面,改造了沙荒碱地,发展生产,改善生态环境,起到了重要作用。但也存在一系列问题,如渠首可以用来沉沙的低洼地几乎使用殆尽,以挖待沉的沉沙池清出来的泥沙堆积占压农地,如不及时改造,可能给周围环境带来沙化问题;引黄泥沙有一部分退入排水河道,使河道发生淤积,造成排洪排涝能力降低,如 1988 年鲁西北地区 5 条骨干排水河道已淤积泥沙 1.43 亿 m³,占总开挖量的 24.1%。因而,处理好引黄入渠的泥沙是黄河下游水资源利用中的关键问题之一。

目前黄河上、中、下游每年引黄用水超过 300 亿 m³,占黄河多年平均天然径流量的一半以上,但每年引出泥沙约 2 亿 t,仅占黄河下游多年平均来沙量的 1/8～1/6,引黄用水多,用沙少,使得黄河水少沙多的矛盾更加突出,加重了黄河下游河道淤积。

黄河河口是弱潮陆相河口,黄河入海泥沙量大,泥沙淤积严重,三角洲延伸迅速,尾闾流路经常摆动改道,直接影响到黄河三角洲地区经济发展与下游河道的防洪。

高含沙水流对水工建筑物、水轮机、水泵等磨损,泥沙颗粒吸附污染物质,成为污染物的载体和输送污染物的媒介,形成二次污染源。

从以上几方面的论述可以看出,泥沙的侵蚀和淤积造成的工程问题和环境问题非常突出,影响着黄河的治理开发。同时,泥沙又是宝贵的资源。

黄河泥沙填海造陆,使我国国土面积每年增加约 25km²,引黄淤灌改土,使大片荒沙、盐碱地变为良田。据不完全统计,40 年来黄河下游两岸利用引黄泥沙放淤改土、改造低洼、盐碱、沙荒地约

20 万 hm²。黄河下游利用黄河多泥沙的特点,采用自流、提水和吸泥船等方式,把高含沙量的黄河水引到背河沿堤淤区内,使泥沙沿大堤沉积加固堤防,称之为"放淤固堤"或"淤背固堤"。截止 1993年底已加固堤防 734km,其中 413km 已达到与设防洪水位相近的高度,共淤土方 3.6 亿 m³。黄河中上游地区修筑淤地坝,至 1995年达 10 万多座,拦截泥沙 70 多亿吨,淤成坝地 30 多万公顷,成为当地的高产基本农田,并提高了筑坝技术,利用水坠法筑坝,提高工效 3~6 倍,节省成本 60% 以上。此外,各地群众还创造出许多利用泥沙的好经验。因此,在黄河治理开发中,泥沙研究具有十分重要的地位,可以说泥沙研究的水平高低,泥沙处理得好与坏,决定了治黄的成功与失败。

2　泥沙研究在治黄中发挥了重要作用

我国人民在长期的治黄斗争中,对黄河泥沙问题的认识逐步深入,创造和发展了治河的科学技术。但是,对于黄河泥沙问题真正深入系统的研究,是在新中国成立以后。50 年代初期,为编制黄河规划开展了大规模的调查研究,系统整理了黄河的水文泥沙资料。60 年代中期、70 年代中期两次修订黄河规划,均以黄河下游防洪减淤为中心任务,把泥沙处理作为规划的主要内容,集中了国内大批泥沙专家与科技人员,带动了泥沙学科的发展。黄河三门峡枢纽工程建设、改建与管理运用,极大地促进了泥沙研究,从 50 年代中期起,三门峡水库上下游河床演变一直是我国泥沙研究的重点课题。在小浪底、碛口、大柳树等大型骨干工程的规划设计中,泥沙研究都占有极重要的位置。围绕黄河下游防洪与防洪工程建设,开展河床演变与河道整治、河口演变与整治研究,始终是黄河泥沙研究的中心任务,此项研究历时最长,集中人力最多,取得的成果也最多,至今仍是泥沙研究的重点课题。

70 年代中期开始了研究人类活动对黄河流域环境的影响,以及由此产生的黄河水沙条件的变化及其对黄河下游河床演变带来的影响,得到了许多重要的认识,为新时期治黄决策提供了科学依据。

黄河泥沙研究一直受到国家的重视与支持,作为各个时期国家科技攻关项目的重点课题,近十年来国家对黄河的泥沙问题更为关注,"黄土高原综合治理"被列为"七五"国家重点攻关项目,"黄河治理与水资源开发利用"被列为"八五"国家重点攻关项目,"黄河流域环境演变与水沙运行规律"被列为国家自然科学基金重大项目,水利部设立的黄河泥沙研究协调专项、黄河水沙变化基金、黄河水土保持基金,都为黄河泥沙研究提供了大量经费,集中了我国泥沙界的大部分科技力量,团结协作,取长补短,注重有关学科的交叉、综合,形成了以野外观测资料分析、现场综合考察与试验研究为主,数学模型与物理模型相结合,研究、规划设计、测验及管理人员相结合的研究方法,较好地完成了治黄生产任务,同时也促进了泥沙科学的发展。40多年来,关于黄河泥沙的研究成果近千项,论文近万篇,曾荣获国家自然科学奖、国家科技进步奖、科技成果推广奖、全国科学大会重大成果奖共几十项,其中关于黄土高原水土流失规律与治理措施效益研究、高含沙水流的基本理论及运用研究、游荡性河流河床演变与整治研究、人类活动对流域环境演变、水沙变化、河床演变的影响等方面的研究,水库泥沙及渠系泥沙等工程泥沙问题的研究,均取得很大的进展。

科学技术是第一生产力,泥沙研究成果在黄河治理开发过程中发挥了重要作用。

2.1 关于黄土高原不同类型区的划分,为因地制宜确定治理方向和治理措施提供了科学依据

1953、1954年黄委会与农业部、林业部、中科院及西北行政委员会,共同组织了西北水土保持考察团,集中了500多名科技人员,对黄土高原进行了十几个月的考察,对黄土高原的自然条件和

社会经济的综合情况,有了全面系统的认识,提出了有重要意义的考察报告,其中关于黄土高原不同类型区的划分,为因地制宜确定治理方向和治理措施提供了科学依据,对几十年来黄河流域水土保持工作发挥了重要的指导作用。

2.2 发现粗泥沙对下游危害最大,找到了粗泥沙主要来源区,明确了黄土高原治理的重点区,对指导治黄有重要意义

60年代初对不同粒径的泥沙在黄河下游河道的淤积情况的分析认识到,黄河来沙中粒径大于0.10mm的泥沙几乎全部淤积在河道里,粒径为0.05~0.10mm的泥沙,近50%淤在河道里。主槽表层淤积物中80%以上是粒径大于0.05mm的粗颗粒泥沙,我们将这部分泥沙称为"粗泥沙"。随后对粗泥沙进行了详细的调查,找到了黄河粗泥沙的主要来源区分布在陕北、晋西北及内蒙古东南部的约10万km²黄土丘陵沟壑区,占黄土高原水土流失面积43万km²的1/4,但该地区的产沙量约占黄河来沙量的3/4,粗泥沙的产沙量约占黄河粗泥沙的80%。在此基础上又分析了黄河流域不同地区来水与黄河下游河道冲淤的关系,发现主要来自粗泥沙来源区的洪水,出现几率只有10%左右,但造成黄河下游河道淤积很严重,其淤积量占下游总淤积量的40%~60%。为了有效地减少黄河下游河道的泥沙淤积,我们建议在治理黄土高原时首先应集中力量治理粗泥沙来源区,并在黄河中游修建水库后,尽可能实施"拦粗排细"的运用方式,使水库有限的拦沙库容,能发挥最大的减少下游河道泥沙淤积的效益。这是对黄河泥沙规律认识上的一个重大突破,明确了黄土高原治理的重点区,使有限的财力、物力能够用于关键地区,较快地取得减少下游河道泥沙淤积的效益,对于指导治理黄河实践具有重要意义。

2.3 三门峡工程改建成功,泥沙研究起了关键作用

1955年7月,全国人民代表大会通过了以"蓄水拦沙、梯级开发、综合利用"逐步使黄河水变清的治理开发黄河规划。这一治黄

规划曾给人民以极大的鼓舞,掀起了治理黄河的高潮。三门峡、刘家峡等大型骨干工程相继开工,黄土高原开展了大规模治理,黄河下游引黄灌溉大发展,并修建了一批拦河枢纽工程。可是时隔不久,实践的结果却令人沮丧,除上游盐锅峡、青铜峡、刘家峡、三盛公等工程是基本成功外,黄土高原水土保持的进度和减沙作用却远远低于所设想的目标,规划中的 10 座支流拦沙水库因为要淹没大片良田都未能兴建,作为第一期治黄关键性工程的三门峡水库,一投入运用,就发生了严重的泥沙淤积,不得不降低水位排沙并进行改建。就在这时,周恩来总理指示:交了学费要善于总结经验。黄河在旧中国不能治理,我们要逐步探索规律,认识和掌握规律,不断解决矛盾,总有一天可以把黄河治好,我们要有这样的雄心壮志。周总理让我们坚持"实践、认识,再实践、再认识"的认识论,把黄河的事情办好。

通过调查研究,总结实践经验,分析了泥沙在水库淤积与冲刷的规律,认识到在多沙河流上修建水库,只要避开大片川地,选择峡谷型库区,确定合理的死水位,有足够的泄水规模,并拟定适合于来水来沙特点及水库库区冲淤特点的运用方式,有了这些条件,泥沙的"冲"和"淤"就会发生转化,就能够使水库发展成为冲淤基本平衡的水库,保持有效库容长期使用。在周恩来总理主持下,对三门峡大坝进行了两次改建,基本上解决了水库泥沙淤积问题,并根据黄河绝大部分泥沙集中在汛期的特点,对三门峡水库采取汛期 4 个月降低控制水位泄洪排沙,非汛期 8 个月壅高水位蓄水拦沙发电、防凌、蓄水灌溉的"蓄清排浑"运用方式,在潼关以下 100 多公里的峡谷型库区,形成了冲淤基本平衡的水库,可以长期保持一定的调节库容,发挥防洪、防凌、发电、灌溉等综合效益。三门峡大坝的改建成功,是对黄河认识的一个飞跃,是我国泥沙工作者团结协作、自力更生、艰苦奋斗创造性工作所取得的硕果。在黄河这样的多泥沙河流上修建水库,使有限的库容在无限的来沙条件下不被淤废,能够长期使用并发挥综合效益,这是史无前例的,是中国人对水利工程科学的一个重要贡献。小浪底、三峡等工程吸取了三门峡大坝改建的成功经验,也将建成长期使用水库并将发挥巨大的综合效益。

2.4　提出了水沙综合调节的治黄新理论

水少沙多、水沙异源,水沙年内、年际变化大,下游河道泥沙淤积严重,是黄河的基本特点。水少沙多是黄河下游河道淤积的根本原因,水沙搭配不相适应是造成黄河下游河道淤积的又一主要原因。分析黄河下游河道的输沙特性时,我们发现黄河有很大的输沙能力,有"多来、多淤、多排"、"大水多排"等现象。如果水沙相适应,"大水带大沙",河道的输沙能力就很大,河道的泥沙淤积就较小,淤积的分布也比较好,滩地淤积,主槽不淤,甚至发生冲刷。河道的输沙能力与流量及含沙量的大小密切相关,只有当流量与含沙量相适应,"大水带大沙"时,才能取得最好的输沙减淤效果。这就是多泥沙河流上进行水沙综合调节,提高水流输沙能力,节约输沙用水量,提高水库综合利用效益,减少下游河道淤积,改善泥沙淤积部位,"调水调沙"治河的理论依据。从研究三门峡工程改建时就提出修建小浪底水库进行水沙综合调节,30多年来我国泥沙工作者进行了不懈的探索,大家认识到为了缓解上、中游水库兴利运用和水资源开发利用给下游河道带来的不利影响,充分利用下游进口处的小浪底水库进行泥沙多年调节,与中游碛口、龙门(古贤)等水库联合运用进行水沙综合调节,将对黄河的治理开发带来巨大的效益。

2.5　研究人类活动对黄河流域环境的重大改变及其对黄河水沙变化与河床演变的深远影响,指出了黄河上、中、下游出现的新情况和新问题

新中国成立以来,由于人类活动,黄河流域的环境与工程条件发生了巨大变化,造成了水沙条件的重大改变,黄河已是世界大江

大河中受人类活动影响最强烈的河流之一。近20年来,就人类活动对水沙变化及河床演变的影响进行了较全面的研究,认识到影响水沙变化的人为因素主要是:黄河流域及毗邻地区工农业、城乡生活用水、干支流水库的调节作用、黄土高原水土保持、支流综合治理的减水减沙作用以及人类活动对环境生态破坏所增加的水土流失。

研究指出,黄河水沙条件的改变有以下几个主要特点:年水量大量减少,水量的年内分配发生变化,汛期水量从全年的60%减为30%～50%,流量过程趋于均匀;洪峰流量大幅度削减,洪水总量减少,水沙关系失调;来沙量虽有减少,但各年不均衡,平水年、枯水年减得多,丰水年减得少,全年泥沙集中到汛期进入黄河下游,高含沙量洪水出现的机遇增加。人类活动在黄河治理开发中取得巨大效益的同时,引起的水沙变化也带来许多新情况与新问题,造成了严重的后果。龙羊峡、刘家峡水库调节径流,黄河上、中、下游大量从黄河引水,使得黄河上、中、下游干流河床演变向不利方向发展,历史上长期处于微淤状态的上游宁蒙河段在龙羊峡水库运用后转为淤积;中游三门峡水库因汛期来水量大幅度减少,在平水年、枯水年汛期排沙时水少,排不了非汛期淤在库内的泥沙,使"蓄清排浑"的运用方式,维持不了年内冲淤平衡;黄河下游已开始向间歇性的多泥沙河流发展,非汛期及汛期枯水期的水量将基本被引用,下游河道断流的时间日益增多,洪水期来沙更趋集中,多以高含沙小洪水的形式进入下游,较大洪水发生的机遇很少。在泥沙淤积得不到控制的情况下,黄河下游河槽将逐渐萎缩,排洪能力降低,中小洪水的洪水位很高,仍可使大量滩地淹没,造成重大灾害。人类活动造成环境改变所引起的水沙变化与河床演变具有累积性和隐蔽性,在其渐变过程中,往往不易引起人们的警觉和重视。加上黄河上、中、下游地区与国民经济部门之间的差异以及人们认识上的局限,未能从整体上看问题,因而目前对这些变化及其深远影响的研究与认识还很不够。1986年以来,黄河上、中、下游发生的实际变化已经证实了科学研究提出的预测的可信性,应该组织对黄河的环境演变中出现的新情况、新问题进行深入的研究并寻求相应的对策。

　　此外,提出利用黄河泥沙淤筑相对地下河的建议,关于延长黄河清水沟流路行河年限的可行性研究取得的重大突破,关于黄河下游现河道通过综合治理可以长治久安,不必进行改道的论证等许多泥沙研究成果,都对治黄决策提供了科学依据,在治黄中发挥了重要作用。

黄河洪水、泥沙来源及特性

1　流域自然地理概况

1.1　地形地貌

　　黄河发源于青海省青藏高原巴颜喀拉山北麓海拔 4 500m 的约古宗烈盆地,流经青海、四川、甘肃、宁夏、内蒙古、陕西、山西、河南、山东等九省(区),在山东省垦利县注入渤海,干流河道全长 5 464km,流域面积 75.2 万 km²(不包括内流区 4.2 万 km²)。

　　黄河干流分为上、中、下游。自河源至内蒙古托克托县的河口镇为上游,河道长 3 472km,水面落差 3 496m,流域面积 42.8 万 km²(含内流区 4.2 万 km²)。河口镇至河南郑州桃花峪为中游,河道长 1 206km,水面落差 890m,区间流域面积 34.4 万 km²。桃花峪以下为下游,河道长 786km,落差 94m,流域面积 2.2 万 km²。

　　黄河流域西起巴颜喀拉山,东临渤海,北抵阴山,南达秦岭。横跨青藏高原、内蒙古高原、黄土高原和华北平原等四个地貌单元。流域地势西高东低,大致可分为三个阶梯,其逐级下降十分明显。

　　第一级阶梯是流域西部的青海高原,位于青藏高原的东北部,平均海拔在 4 000m 以上,有一系列西北—东南向的山脉,如流域北部的祁连山,南部的积石山和巴颜喀拉山。雄踞黄河第一大河曲的阿尼玛卿山主峰玛卿岗日海拔 6 282m,是黄河流域的最高点。这些山脉的山顶常年积雪,冰川地貌发育。青海高原南缘的巴颜喀拉山脉绵延起伏,是黄河与长江的分水岭。祁连山脉横亘高原北缘,构成青海高原与内蒙古高原的分界。

　　第二级阶梯大致以太行山为东界,海拔 1 000～2 000m。本阶梯内白于山以北属于内蒙古高原一部分,包括黄河河套平原和鄂尔多斯高原,白于山以南为黄土高原、秦岭山脉和太行山等山地。鄂尔多斯高原位于黄河河套以南,西、北、东三面为黄河环绕,大部分海拔在1 000~1 400m,是一块近似方形的台状干燥剥蚀高原,风沙地貌发育,高原边缘地带是黄河粗泥沙的主要来源区之一。黄土高原西起日月山,东至太行山,南靠秦岭,北抵鄂尔多斯高原,海拔1 000~2 000m,是世界上最大的黄土分布地区,大部分在黄河中游。地貌类型主要有黄土塬、梁、峁、沟等。黄土高原土层深厚、组织疏松、地形破碎、植被稀少、水土流失严重,是黄河泥沙的主要来源区。汾渭盆地,位于汾河和渭河的中下游,是地堑式构造盆地,经黄土堆积和河流冲积而成,水土流失较轻,其地势平坦,土地肥沃,灌溉历史悠久,是粮、棉等农业生产基地。豫西山地由秦岭东延的崤山、熊耳山、外方山和伏牛山组成,大部海拔在1 000m以上,崤山余脉沿黄河南岸延伸,通称邙山。伏牛山、嵩山分别是黄河流域与长江、淮河流域的分水岭。太行山耸立在黄土高原与华北平原之间,最高岭脊海拔4 500~2 000m,是黄河流域与海河流域的分水岭,也是华北地区一条重要的自然地理界线。

第三级阶梯自太行山系以东至滨海,由黄河下游冲积平原和鲁中丘陵组成。黄河冲积平原是华北平原的重要组成部分。包括豫、鲁、冀、皖、苏五省的部分地区,面积达25万km²,海拔多在100m以下。本区以黄河河道为分水岭,以北属海河流域,以南属淮河流域。鲁中丘陵由泰山、鲁山和蒙山组成,海拔400~1 000m。主峰泰山海拔1 524m,为五岳之首,其西部、北部汶河诸水,均入黄河。

1.2　土壤侵蚀

黄河流域产沙分布与自然地理分区有密切关系,受地面土壤和覆盖的影响,不同地带的输沙模数不同,同样也反映出土壤侵蚀强度的不同。按土壤侵蚀特性与侵蚀强度,可将黄河流域土壤侵蚀划分以下几个区:

1.2.1　微度侵蚀(无明显侵蚀)区

输沙模数在 1 000t/(a·km²)以下。分布于黄河流域循化以上、大通河、沁河水系、六盘山、秦岭、吕梁山、中条山、伏牛山等石林山区,子午岭、六盘山以东的丘陵林区等地区。其输沙量占流域总产沙量的 3.4%。

1.2.2　轻度侵蚀区

输沙模数在 1 000～2 000t/(a·km²)。分布于祁连山、拉脊山、太于山、秦岭、六盘山、吕梁山、子午岭边沿林木较稀的过渡次林区,大青山林区及兰州黄河以北沙地丘陵区,无定河靖边—榆林一带盖沙区,洛河下游黄土台塬阶地等地区。其输沙量占流域总产沙量的 3.9%。

1.2.3　中度侵蚀区

输沙模数为 2 000～5 000t/(a·km²)。分布于贵德—循化黄河两岸黄土区,兰州黄河以南定西、宛川河一带,宁夏清水河、内蒙古八大孔兑、泾河下游黄土台塬区、六盘山边沿植被较差地区,吕梁山以东、山西高原黄土丘陵沟壑区以及三门峡附近、洛河卢氏—洛宁河谷地带。输沙量占流域总产沙量的 11.0%。

1.2.4　强度侵蚀区

输沙模数为 5 000～10 000t/(a·km²)。大致分布于湟水河谷、洮河下游、内蒙古浑河一带、陇西盆地大部、陕北高原延河以南等黄土高原丘陵沟壑区。输沙量占流域总产沙量的 26.8%。

1.2.5　极强度侵蚀区

输沙模数为 10 000～15 000t/(a·km²),主要分布于甘肃镇原附近泾河的支流黑河、洪河一带,无定河、北洛河、延河发源地白于山东部,窟野河神木以上,无定河河口—龙门区间黄河干流两侧黄土高原丘陵沟壑区。输沙量占流域产沙总量的 22.0%。

1.2.6　特剧侵蚀区

输沙模数大于 15 000t/(a·km²)。集中分布于河口镇—无定河河口区间干流两岸各入黄支流中下游的黄土丘陵沟壑区。最高的神木—温家川区间达 40 000t/(a·km²)，为黄河流域高产沙区，输沙量占流域总产沙量的 32.9%。

宁、蒙河套平原，晋、陕、汾、渭盆地以及黄河下游两岸大堤以内的滩区，为流域内微堆积区。

黄河流域土壤侵蚀的方式，主要有水力侵蚀、重力侵蚀和风力侵蚀三种。水力侵蚀普遍分布于有暴雨径流冲刷的坡面与沟壑，所以又可分为面蚀与沟蚀两种；重力侵蚀主要分布在沟壑内的沟头和沟岸，由于陡峭壁立的沟头沟岸，当其下部遭受淘刷或上部含水量饱和等因素的影响，土体产生崩塌、滑塌等重力侵蚀，使沟壑向长、宽、深发展，成为沟壑发展的主要形式；风力侵蚀主要是疏松的沙土经风暴频繁地吹扬，搬运地表物质的侵蚀现象，黄土高原受风力侵蚀和风沙危害的面积约有 20 万 km²，主要分布在流域北部的沙漠高原一带。

黄河流域水土流失严重的成因有自然因素和社会经济因素两种。自然因素是造成水土流失的基本条件，而社会经济因素，特别是历史上不合理的土地利用与资源开发，加速了水土流失的产生和发展。从土壤的侵蚀演变方面讲，黄河流域水土流失的演变，经历了自然侵蚀和加速侵蚀两个不同的发展阶段。黄土高原的自然侵蚀，早在黄土沉积过程中就已存在。其主要特征为：在没有人类活动破坏植被和地貌的情况下，由于地形、降雨和黄土本身性质等自然因素相互作用下形成的一种侵蚀。从自然侵蚀发展为加速侵蚀，主要是人类活动破坏森林、草原等天然植被造成的。人类长期以来极不合理地开发土地资源，使整个生态环境受到破坏，从而进一步加速了土壤侵蚀过程。

人民治黄以来，在水土流失严重地区开展了卓有成效的治理，不同程度地收到了提高生产、减少侵蚀、改善生态环境的作用。一些水土保持搞得比较好的县、乡、村和农户都显著地改变了面貌，减少了入黄泥沙,取得很大成绩。需要指出的是,在大力开展水土保持的同时,有些地方边治理边破坏的现象还相当严重。同时由于开矿、建厂、修路、建房(挖窑)等活动,造成新的土壤侵蚀。因此,应长期地、持续不断地坚持开展水土保持工作,防治水土流失。

1.3 水系

黄河水系的发育,在流域北部和南部主要受阴山—天山和秦岭—昆仑山两大纬向构造体系控制,西部位于青海高原"歹"字型构造体系的首部,中间受祁连山、吕梁山、贺兰山山字型构造体系控制,东部受新华夏构造体系影响,黄河萦回其间,从而发展成今日的水系。

黄河干流按地质、地貌、河流特性及治理开发要求等因素划分为上、中、下游共11个河段,各河段特征值见表1。

表1　　　　　　黄河干流各段特征值

河段	起止地点	流域面积 (km²)	河长 (km)	落差 (m)	比降 (‰)	大于1 000km²的 一级支流(条)		
						合计	左岸	右岸
全河	河源至河口	752 443	5 463.6	4 480.0	8.2	76	32	44
上 游	河源至河口镇	385 966	3 471.6	3 496.0	10.1	43	14	29
	河源至玛多	20 930	269.6	265.0	9.8	3	0	3
	玛多至龙羊峡	110 490	1 417.5	1 765.0	12.5	22	9	13
	龙羊峡至下河沿	122 722	793.9	1 220.0	15.4	8	2	6
	下河沿至河口镇	131 824	990.5	246.0	2.5	10	3	7
中 游	河口镇至桃花峪	343 751	1 206.4	890.0	7.4	30	16	14
	河口镇至禹门口	111 591	725.1	607.3	8.4	21	11	10
	禹门口至潼关	184 584	125.8	52.5	4.2	4	2	2
	潼关至桃花峪	47 576	355.5	230.9	6.5	5	3	2
下 游	桃花峪至河口	22 726	785.6	93.6	1.2	3	2	1
	桃花峪至高村	4 429	206.5	37.3	1.8	1	1	0
	高村至陶城铺	4 668	165.4	20.2	1.2	1	1	0
	陶城铺至利津	13 055	301.1	28.7	0.9	1	0	1
	利津至河口	574	103.6	7.4	0.7	0	0	0

注　落差从约古宗列盆地上口计算

　　黄河支流众多,直接入黄支流中,流域面积大于 1 000km² 的76 条,沿程分布不均匀,水沙来量差别很大。兰州以上有支流 31条。来水量多,来沙量少,兰州至河口镇有 12 条,来水少,来沙多;河口镇至小浪底有 28 条,绝大部分为多沙支流,小浪底至桃花峪有 2 条,属少沙支流;桃花峪以下的支流,来水来沙量均不大。

2　洪水来源和组成

　　黄河的洪水按其成因,可以分为暴雨洪水和冰凌洪水两大类型。暴雨洪水是由暴雨形成,与产沙量具有密切关系,本文仅就这类洪水的来源和组成概述如下。

2.1　洪水的来源

　　黄河干流洪水主要来自五个地区:①黄河上游的兰州以上地区;②黄河中游的河口镇至龙门区间(简称河龙间);③黄河中游的龙门至三门峡区间(简称龙三间);④黄河中游的三门峡至花园口区间(简称三花间);⑤黄河下游的大汶河流域。这五个洪水来源区的来沙量不同,它们相互之间的组合对黄河防洪威胁的严重程度也不同。

　　兰州以上地区的洪水来沙量少,主要威胁兰州河段和宁蒙河段的防洪安全,洪水经过长距离河道演进和水库调蓄,对黄河下游防洪影响不大,河口镇至龙门区间的洪水,含沙量高,泥沙粒径粗,直接威胁黄河龙门至潼关河段两岸滩区防洪的安全,对黄河下游防洪的安全有一定威胁,是造成黄河下游河道淤积的主要原因。龙门至三门峡区间的洪水,含沙量也高,但泥沙粒径较细,直接威胁渭河下游防洪的安全,对黄河下游防洪有一定的威胁,对下游河道淤积也有一定的影响。三门峡水库建成后,这两个地区(河口镇至三门峡)的洪水对下游防洪的影响得到不同程度的控制,但是对泥沙尚无法控制,同时增加了三门峡库区防洪的负担。三门峡至花园口的洪水,来沙量少,预见期短,对防洪调度极为不利,对黄河下游防洪安全的威胁最为严重。大汶河流域的洪水主要威胁汶河下游的防洪,由于来水量不大,对黄河防洪构不成威胁,只有当它与黄河干流洪水遭遇时,影响东平湖对黄河洪水的分水量,从而影响山东河段的防洪。

2.2 暴雨特性

黄河流域的暴雨成因,从环流形势来说,为盛夏经向型或盛夏纬向型;从天气系统来说,地面多为冷峰,高空多为切变线、西风槽、低涡和台风等。黄河流域的切变线,大体可以分为西南—东北向,东—西向和南—北向三种类型。

以南—北向切变线为主的暴雨,雨区呈南北向带状分布,多出现在三门峡至花园口区间和汾河下游地区。这种暴雨的降雨强度大,一日最大点雨量可达 400～500mm 以上,降雨历时最多十来天,其中降雨强度较大的时段为 3～5 天。

以东—西向切变线为主的暴雨,雨区呈东西向带状分布,多出现在黄河中游地区。这种暴雨笼罩面积较大(5～10 万 km²),降雨历时长(一般 10～20 天,最长可达 40～50 天),降雨强度一般不很大(最大一日点雨量一般为 100～150mm)。但在特殊情况下,也可产生历时短、强度特大的暴雨。如 1977 年 8 月内蒙古与陕西交界的乌审旗地区,曾发生 10 小时最大点雨量 1 400mm 以上的暴雨,居世界之冠。

以西南—东北向切变线为主的暴雨,雨区呈西南—东北向带状分布,多出现在河口镇至三门峡地区。这种暴雨的降雨面积大(10～20 万 km²),历时也较长(一般 10～15 天),雨强也较大,一日最大点雨量一般为 200～300mm。当这种暴雨出现在兰州以上时,一般日雨量不超过 100mm,历时长(10～30 天)、面积大(10～20 万 km²)。

2.3 洪水组成

黄河上游洪水的特点是洪峰低、历时长,过程线为矮胖型。如兰州站一次洪水历时平均为 40 天,最长可达 66 天,最短也有 22 天,实测洪峰流量 4 000~6 000m³/s,多发生在 9 月份。

黄河上游洪水主要来自兰州以上地区,兰州至安宁渡加水不多。安宁渡以下流经宁蒙平原地区,由于灌溉引水和河道滞洪而沿程减少。兰州以上洪水主要来自唐乃亥以上和循化至兰州区间两地区,前者的洪峰流量和 30 天洪量分别平均占兰州的 63.7% 和 68.3%,后者的洪峰流量和 30 天洪量分别平均占兰州的 29.9% 和 33.3%。两地区洪水相遭遇的几率为 50%。

黄河上游洪水流至中游后,流量一般为 2 000~3 000m³/s,组成中游洪水的基流。但在少数年份,兰州以上大洪水流至中游,也会形成花园口的洪峰,如 1981 年 8 月 11 日至 9 月 14 日兰州实测洪峰流量为 5 600m³/s(还原后可达 6 800m³/s),在与渭河小洪水遭遇时,花园口可出现洪峰流量 7 000m³/s。

黄河中游洪水的特点是洪峰高、历时短,过程线为高瘦型。洪水历时:支流一次洪峰一般为 3~5 天,连续洪水一般为 10~15 天;干流一次洪峰一般为 8~15 天,连续洪水可达 30~40 天,最长达 45 天。实测最大洪峰流量为 22 000m³/s 左右。

黄河中游洪水有三个来源区:即河龙间、龙三间和三花间,三个来源区的洪水以三种组合形式,形成花园口的大洪水和特大洪水。①以三门峡以上的河龙间和龙三间来水为主形成的大洪水(简称上大型洪水)是由三门峡以上的来水组成,这种洪水占花园口站洪峰流量的 70%~80%,12 天洪量的 80%~90%。这种洪水的特点是洪峰高,洪量大,含沙量高,对黄河下游和三门峡库区防洪威胁严重。②以三花间来水为主形成的大洪水(简称下大型洪水),这种洪水占花园口站洪峰流量的 70%~80%,12 天洪量的 40%~50%,来自三花间。这种洪水的特点是洪水涨势猛,洪峰高,含沙量低,预见期短,对黄河下游防洪威胁更为严重。③以龙三间和三花间共同来水组成的大洪水(简称上下较大型洪水),这种洪水占花园口站的洪峰和洪量的 40%～50%，由三门峡以上来水组成。其特点是洪峰较低，洪水历时较长，对黄河下游防洪也有相当程度的威胁。

黄河中游的暴雨、洪水和产沙量三者之间的关系非常密切，河龙间的暴雨洪水和产水产沙的特性，大致可归纳为三种类型：①年水量和年沙量都很大的年份，如 1954、1958、1964、1967 年等，其特点是年内大面积暴雨次数较多，而暴雨强度不特别大，含沙量不是很高。②年水量居中，而沙量特大，如 1966、1970、1977 年等，其特点是年内发生次数不多，强度特大的大面积暴雨，为暴雨强度大而集中的典型，使年和次洪水的输沙量和含沙量都很高，常导致龙门上、下河段发生揭底冲刷和黄河下游河道的严重淤积。③年径流和输沙量均偏枯，但一次降雨强度大，范围相当广，一次洪水的输沙量和含沙量很高，如 1971、1976、1988、1989 年等，年内大暴雨只有1～2 次，而一次降雨的沙量可占汛期总沙量的 40% 以上，这类暴雨在局部地区或少数支流可形成相当大的洪水和输沙量，但河龙间总沙量不大。

3　泥沙来源及分布

3.1　干流泥沙来源及分布

由于黄河流经不同的自然地理单元，流域地貌、地质等自然条件差别很大，造成了泥沙来源地区的不均衡性（见图1）。上游河口镇以上的流域面积占流域总面积的 51.3%，年平均来沙量占全河年来沙总量的 9%，年平均来水量占全河年来水总量的 53%，是黄河水量的主要来源区；中游河口镇至龙门区间，流域面积占流域总面积的 14.8%，年平均来水量占全河总水量的 15%，年平均来沙量占总沙量的 56%，是黄河泥沙的主要来源区；龙门至潼关区间，流域面积占流域总面积的 24.5%，年平均来沙量（包括泾、渭、北洛河及汾河），占全河泥沙总量的 34%，来水量占总水量的 22%。

三门峡以下的洛河及沁河来沙量仅占全河来沙总量的2%左右，来水量约占10%，是黄河的又一清水来源区。由此可知：黄河水沙来源不同，即形成了常说的水沙异源的特点。

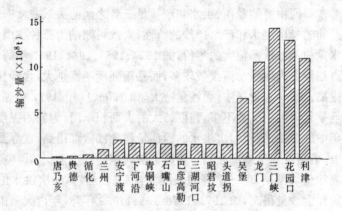

图1　黄河干流控制站实测输沙量比较图

3.2　支流来沙及分布

黄河各支流来沙差别很大（见图2），在这些主要支流中，年来沙量在1亿t以上的支流有四条：即泾河年均来沙量2.2亿t，无定河年均来沙量2.12亿t，渭河咸阳以上年均来沙量1.86亿t，窟野河年均来沙量1.36亿t，这四条支流来沙量合计7.54亿t，占全河总沙量的47.1%。

从黄河流域输沙模数大于10 000t/(a·km²)的分布来说，有三个地区：

一是河口镇至清涧河口之间的晋陕间支流；

二是无定河的支流红柳河、芦河、大理河和清涧河、延河、北洛河及泾河支流马莲河河源区（即白于山河源区）；

三是渭河上游北岸支流葫芦河的中下游和散渡河地区（即六盘山河源）。这三个地区均为黄土丘陵沟壑区，是黄河泥沙的主要来源区。

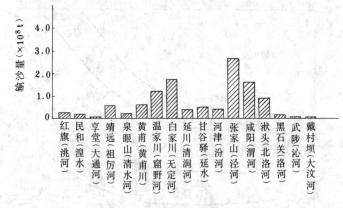

图 2　主要水系、控制站实测输沙量比较图

3.3　泥沙粒径分布特征

如前所述,黄河泥沙主要来源于中游黄土地区,该区域新黄土分布十分广泛,其粒径组成的地理分布,具有从西北向东南逐渐变细的特征。如图 3 所示,黄土粒径组成有明显的分带性,从西北向东南中值粒径从大于 0.045mm,逐渐减小到小于 0.015mm。图 4 为黄河中游几条支流多年平均颗粒级配曲线,这组颗粒级配曲线也明显地反映了上述规律。如北部黄甫川黄甫站粒径大于 0.05mm 的泥沙占来沙量的 58%,而南部延水和渭河分别只占 31.1% 和 13.3%。

3.4　粗泥沙来源

据实测资料统计,进入黄河下游的泥沙中,粗泥沙($d >$ 0.05mm)为 3.64 亿 t,约占总沙量的 20%,其淤积量约为下游河道总淤积量的 50%,是造成下游河道淤积的主要原因。

据黄河中游 1956～1963 年实测粗泥沙输沙量绘制的输沙模数图,见图 5。

由图可以看出,这些粗颗粒泥沙主要来自两个区域:第一区为

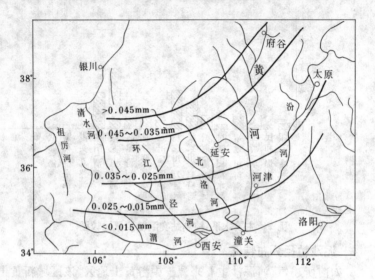

图3　黄河中游新黄土中径变化图

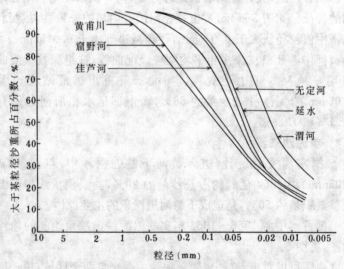

图4　黄河中游几条支流颗粒级配图

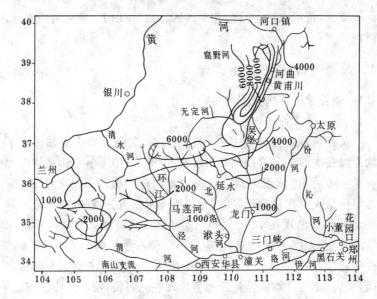

图 5 黄河中游粗泥沙输沙模数图

黄甫川、孤山川、窟野河、秃尾河,即河口镇至清涧河河口之间的两岸支流,粗沙输沙模数达 10 000t/(km²·a);第二区为无定河中下游(粗沙输沙模数 6 000～8 000t/(km²·a))及广义的白于山河源区(粗泥沙输沙模数 6 000t/(km²·a),即无定河、北洛河及马莲河的上游地区,以及晋西北地区的一些入黄河的支流。

实测资料表明,凡是泥沙组成较粗的地区,水流的含沙量也比较高,经常超过 1 000kg/m³,最大时可达到 1 600kg/m³。高含沙量对水流的粘滞性产生了显著的影响,大大减少了粗颗粒泥沙在水流中的沉速,从而提高了水流挟带粗颗粒的能力。所以,含沙量越高,水流挟带粗泥沙的能力越大,粗颗粒泥沙所占比例越高。

综前所述,根据黄河上中游地区地貌特征和黄土分布状况,其泥沙的来源可分为三个区域,即:①多沙粗沙来源区。河口镇至龙门区间,马莲河和北洛河。②多沙细沙来源区。除马莲河之外的泾

河干支流,渭河上游,汾河。③少沙区。河口镇以上,渭河南山支流,
洛河、沁河。

4　黄河泥沙变化特点

4.1　输沙量的年内分配和年际变化

4.1.1　输沙量的年内分配

　　黄河流域产沙时期主要集中在汛期,黄河上游干流站多年平
均连续最大四个月输沙量多出现在 6～9 月,中下游干流站均出现
在 7～10 月,连续最大四个月输沙量占全年输沙量的 80% 以上。
与年内最大降水量出现月份一致,比降水量更为集中。年内最大月
平均输沙量出现在 7、8 月份,7、8 月份黄河流域降水量占年降水
量的 40% 以上,而输沙量:干流站占年输沙量的 50% 左右,支流站
占年输沙量的 70% 以上,陕北黄土高原各支流均在 80%～90% 之
间,见表 2。月平均输沙量最小值出现在元月份,特别是中小支流,
不少站枯水季节输沙量为零。

4.1.2　输沙量的年际变化

　　黄河流域泥沙的年际变化,比径流的年际变化大得多。干流站
最大最小年输沙量变幅在 5～9 倍之间,如采用陕县站未受水库影
响的 1919～1959 年统计资料,最大年 1933 年输沙量为 39.1 亿 t,
而最小年 1928 年输沙量为 4.88 亿 t,最大值为最小值的 8 倍;兰
州站采用 1935～1968 年刘家峡水库运用前 34 年输沙量统计资
料,最大年为 1967 年 2.67 亿 t,最小年为 1941 年的 0.308 亿 t,最
大年沙量为最小年沙量的 8.7 倍,见表 3。

　　支流站最大最小输沙量,年际变化悬殊更大,如汾河静乐站,
最大年输沙量为 1967 年的 0.362 亿 t,最小年为 1965 年 0.004 06
亿 t,最大值为最小值的 89 倍。再如多沙粗沙区的窟野河温家川
站,最大的 1959 年为 3.03 亿 t,最小年 1965 年 0.052 6 亿 t,最
大值为最小值的 58 倍,见表 3。

表 2　　　　　　　　　　　　输沙量统计表

水　系	站名	集水面积 (km²)	实测年数	多年平均实测沙量 (10⁸t)	连续最大四个月占全年(%)	7、8月份沙量占全年(%)	最大年沙量年内变化		
							最大年	最大五天沙量占年均(%)	最大10天沙量占年均(%)
黄　河	兰　州	222 551	45	1.06	88.2	61.4	1967	17.1	26.7
黄　河	头道拐	367 898	28	1.48	81.0	39.1	1967	5.8	10.4
黄　河	龙　门	497 559	46	10.8	88.8	68.4	1967	33.2	49.6
渭　河	咸　阳	46 327	46	1.68	88.1	63.1	1973	55.3	75.1
渭　河	华　县	106 498	45	4.23	91.9	70.9	1964	37.8	49.6
汾　河	河　津	38 728	46	0.438	92.2	61.4	1954	36.8	52.0
洛　河	湫　头	25 154	36	0.948	97.4	87.3	1966	63.3	80.0
黄甫川	黄　甫	3 199	27	0.633	98.0	82.8	1959	56.8	70.9
孤山川	高石崖	1 263	26	0.278	99.3	87.1	1977	90.7	96.5
窟野河	温家川	8 645	26	1.31	98.5	90.1	1959	75.2	89.0
秃尾河	高家川	3 253	24	0.274	93.5	86.5	1959	77.2	84.5
佳芦河	申家湾	1 121	22	0.239	97.9	88.3	1970	92.5	97.5
无定河	白家川	29 662	28	1.82	90.6	79.4	1959	42.2	59.4
无定河	绥　德	3 893	25	0.495	96.1	82.8	1959	42.1	59.3
清涧河	延　川	3 468	26	0.451	98.0	88.8	1959	68.1	78.5
延　水	甘谷驿	5 891	28	0.539	97.1	85.7	1964	61.6	74.8
朱家川	后会村	2 901	24	0.196	97.4	90.8	1967	63.5	85.5
蔚汾河	碧　村	1 476	24	0.135	99.3	88.1	1967	63.0	83.8
三川河	后大成	4 102	26	0.275	98.5	88.4	1959	80.0	89.4
昕水河	大　宁	3 992	25	0.239	98.7	88.2	1958	49.7	73.0

表 3　　　　　黄河干、支流典型站最大、最小年输沙量统计表

河流	站名	最大值 (10⁴t)	出现 年份	最小值 (10⁴t)	出现 年份	最大 最小	多年平均 (10⁴t)	最大值 多年平均	实测 年数
黄　河	唐乃亥	2 700	1975	354	1956	8	1 120	2.5	24
黄　河	循　化	7 900	1967	1 590	1956	5	4 050	2.0	32
黄　河	兰　州	26 700	1967	3 080	1941	9	13 100	2.0	34
黄　河	陕　县	391 000	1933	48 800	1928	8	191 000	2.0	41
洮　河	红　旗	6 590	1979	557	1969	12	2 910	2.3	26
大通河	享　堂	840	1959	59.4	1965	14	0.319	2.6	40
祖厉河	靖　远	18 000	1950	998	1975	18	6 370	2.8	25
黄甫川	黄　甫	17 100	1959	522	1965	33	6 330	2.7	27
孤山川	高石崖	8 390	1977	220	1955	38	2 780	3.0	26
清涧河	延　川	12 300	1959	691	1955	18	4 580	2.7	26
窟野河	温家川	30 300	1959	526	1965	58	13 100	2.3	26
汾　河	静　乐	3 620	1967	40.6	1965	89	891	4.1	29
渭　河	林家村	39 900	1973	2 780	1972	14	16 200	2.5	30
泾　河	袁家庵	1 950	1966	60.3	1972	32	638	3.1	26
北洛河	㳇　头	22 000	1966	1 860	1965	12	9 530	2.3	36

　　黄河泥沙往往主要集中在几个大水年份,据黄河干流及支流主要水文站资料分析,最大一年输沙量为多年平均输沙量的 2～4 倍(见表 3);大沙年数只占总年数的 25%,而沙量却占总沙量的 50% 以上。这些大沙年的沙量,又往往集中在一次或几次暴雨洪水期间,一年之内最大 5～10 天沙量可占全年沙量的 50%～98% (见表 2),流域面积越小,这种集中程度就越为突出,往往可以形成浓度极大的高含沙水流。干流龙门站 1966 年 7 月 18 日含沙量高达 933kg/m³;黄甫川、无定河、窟野河等多沙支流,常出现含沙量高达 1 000～1 500kg/m³ 的泥流。

4.2　近 40 年来泥沙变化情况

　　黄河干支流主要控制站近 40 年来实测沙量按年代统计结果见表 4 和表 5,可以看出各年代各站的平均沙量不很一致,其中一些控制站各年代的沙量有大有小,与时间无定向的变化趋势,如干流的贵德和循化站,支流大夏河的冯家台、大通河的享堂、黄甫川的黄甫和窟野河的温家川等站,这些站各年代沙量的变化主要受自然水文条件的影响,受水利水保工程的影响较小;其余各站中,除三门峡和花园口两站由于三门峡水库改建排沙,使 70 年代的沙量略大于 60 年代外,均自 60 年代以后沙量逐渐减少,有的减少幅度大,有的减少幅度小,明显受水利水保工程的影响,如上游兰州以下各站 60 年代以后,沙量逐渐减少,显然受到干流刘家峡等水库的投入运用,以及支流清水河治理来沙量减少有关,中游支流无定河和三川河的沙量减少最多,因为这是人民治黄以来的重点治理支流,是长期坚持水土保持治理的成绩。根据许多研究成果表明,黄河流域的水利水保工程自 70 年代以来已发挥了明显的减沙作用。

表 4　　　　黄河干流控制站实测沙量统计表

区　段	站　名	年平均输沙量(10^8t)			
		1950~1959	1960~1969	1970~1979	1980~1989
兰州以上	贵　德	0.207	0.240	0.272	0.240
	循　化	0.390	0.405	0.429	0.400
	兰　州	1.35	0.983	0.574	0.450
兰州至头道拐	安宁渡	2.36	1.71	1.20	0.920
	青铜峡	2.72	1.28	0.840	0.820
	石嘴山	2.07	1.71	0.970	
	巴颜高勒	2.17	1.49	0.851	
	三湖河口	1.71	1.73	0.909	0.910
	昭君坟	1.63	1.73	1.05	0.920
	头道拐	1.53	1.79	1.14	0.976
头道拐至龙门	吴　堡	6.99	7.04	5.17	3.25
	龙　门	11.9	11.3	8.68	4.698
龙门至三门峡	三门峡	17.6	11.4	14.0	8.51
三门峡至花园口	花园口	15.1	11.1	12.3	7.79
花园口以下	利　津	13.2	10.9	8.98	6.39

表 5 　　　　　　　　　主要支流控制站实测沙量统计表

河　名	站　名	年平均输沙量(10^8t)			
		1950~1959	1960~1969	1970~1979	1980~1989
大夏河	冯家台	0.040	0.038	0.042	
洮　河	红　旗	0.301	0.264	0.296	0.250
湟　水	民　和	0.216	0.190	0.219	0.126
大通河	享　堂	0.036	0.028	0.036	0.043
祖厉河	靖　远	0.834	0.583	0.508	0.390
清水河	泉眼山	0.422	0.187	0.192	0.180
苦水河	郭家桥	0.048	0.017	0.042	0.015
黄甫川	黄　甫	0.658	0.504	0.654	0.428
窟野河	温家川	1.12	1.18	1.40	0.671
三川河	后大成	0.274	0.339	0.183	0.096
无定河	白家川	2.42	1.87	1.16	0.527
清涧河	延　川	0.465	0.429	0.427	0.145
延　水	甘谷驿	0.540	0.623	0.468	0.319
渭　河	华　县	4.29	4.36	3.842	2.754
汾　河	河　津	0.699	0.344	0.191	0.045
北洛河	洑　头	0.902	0.997	0.886	0.503
泾　河	张家山	2.71	2.71	2.60	1.858
洛　河	黑石关	0.360	0.181	0.069	0.090
沁　河	武　陟	0.133	0.073	0.041	0.025
大汶河	戴村坝	0.028	0.018	0.011	0.002
龙门、华县、河津、洑头四站合计		17.8	17.0	13.5	8.00

4.3　悬移质与河床质泥沙组成变化

4.3.1　悬移质泥沙

黄河泥沙中主要是悬移质泥沙。黄河悬移质泥沙的颗粒组成，从沿干流各站悬移质粒径的多年均值看（表6），悬移质颗粒总的趋势是兰州至河口镇沿程变细，河口镇以下由于支流的汇入，特别是粗沙支流入汇后，吴堡站出现泥沙组成变粗的现象，从此以下粒径沿程变细。由于黄河流域气候及降雨的变化，黄河流域悬移质组成在年内随季节的不同变化十分明显（表6），一般汛期的泥沙较细，非汛期较粗，因为汛期的泥沙主要是来自流域表面，细颗粒泥沙较多。而非汛期泥沙则主要来自河床本身的冲刷。由于泥沙直接来源的不同，导致其颗粒组成也有一定的差异。悬移质泥沙平均粒径与流量及含沙量的大小有比较密切的关系。一般汛期的高含沙洪水及非汛期较大流量时，悬沙偏粗。

表6　　　　黄河干流悬移质泥沙平均粒径沿程及年内变化

（单位：mm）

站　名	兰　州	河口镇	吴　堡	龙　门	三门峡	花园口	高　村	艾　山	利　津
年平均	0.036	0.030	0.040	0.038	0.033	0.030	0.029	0.030	0.028
汛　期	0.037	0.029	0.039	0.038	0.032	0.028	0.026	0.028	0.028
非汛期	0.035	0.031	0.046	0.044	0.043	0.041	0.038	0.038	0.032
统计年份	1981	1962～1984							

对于形状平整而规则的断面，悬移质泥沙颗粒组成沿断面横向上的分布是比较均匀的；如果断面形状不规则，则分布较不均匀。一般情况，断面内主流一线的悬移质泥沙平均沉降速度可以代表断面平均沉降速度，在断面内的垂线上，愈靠河底则平均泥沙颗粒愈粗，且含沙量越大。但对于细颗粒部分（一般小于 0.02～0.03mm 的部分），则垂线上的分布是比较均匀的。

4.3.2　河床质泥沙

　　黄河干流各站河床质泥沙的颗粒组成资料较悬移质资料为少,根据天然状态下的已有资料,各站河床质泥沙颗粒组成在季节上沿河长的变化见表 7,由表 7 可以看出,河床质泥沙粒径在季节上变化不是很大,在沿程变化情况为:包头站的颗粒细于龙门和潼关站,而潼关站的颗粒则细于龙门和陕县站。陕县站以下的颗粒沿程变细。

表 7　　　　　　　　　河床质中数粒径变化情况　　　　（单位:mm）

站　名	春　季	夏　季	秋　季	冬　季	断面平均
包　头	0.120 0	0.097 0	0.100 0	0.089 0	0.104
龙　门		0.245 0	0.128 0		0.191
潼　关	0.143 0	0.094 0	0.128 0	0.174 0	0.116
陕　县	0.175 0	0.188 0		0.200 0	0.184*
秦　厂	0.073 0	0.095 3	0.089 0	0.093 0	0.091 5
高　村		0.063 0	0.053 0	0.064 0	0.057 1
艾　山	0.068 0	0.057 0	0.061 0	0.065 0	0.060
利　津	0.056 5	0.059 5	0.056 0		0.060
前　左		0.054 0	0.062 0	0.060 0	0.059

　　各站河床质泥沙的粗细和该站所处的河槽特性有一定的关系,一般在比降较大、断面较窄位于山谷地区的河段上,河床质泥沙较粗,而在比降较小、断面较宽位于平原地区的河段上,则河床质泥沙较细。根据黄河干支流几个站的资料,黄河河床质泥沙断面平均中数粒径与河流比降有如下关系(图 6)

$$d_{50} = 0.58 J^{0.77}$$

式中:d_{50} 为河床质泥沙的断面平均中数粒径,mm;J 为河流的比降,‰。

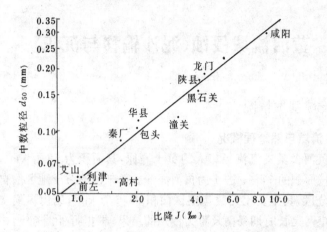

图6　河床质泥沙断面平均中数粒径与河流比降关系

参 考 文 献

[1] 黄河水利委员会,黄河中游治理局. 黄河水土保持志. 郑州:河南人民出版社,1993

[2] 陕西省地质矿产局第二水文地质队. 黄河中游区域工程地质. 北京:地质出版社,1986

[3] 麦乔威. 黄河泥沙的一般特性. 见:麦乔威论文集. 郑州:黄河水利出版社,1995

[4] 中国水利学会泥沙专业委员会主编. 泥沙手册. 北京:中国环境科学出版社,1992

[5] 杨庆安,龙毓骞,缪凤举主编. 黄河三门峡水利枢纽运用与研究. 郑州:河南人民出版社,1995

[6] 三门峡水库运用经验总结项目组编. 黄河三门峡水利枢纽运用研究文集. 郑州:河南人民出版社,1994

[7] 黄河水利委员会治黄研究组. 黄河的治理与开发. 上海:上海教育出版社,1984

黄河流域侵蚀、泥沙输移与沉积[*]

1　流域基本情况

1.1　流域自然地理概况

　　黄河及其支流流经广大的黄土高原,其面积为 58 万 km²,占全流域面积的 77%。图 1 为黄河泥沙主要来源的黄土地区的自然地理分区,其中黄土丘陵沟壑区面积 23.6 万 km²,区内纵横交错的沟壑网是长时期暴雨及重力侵蚀的结果。根据野外调查[1],中游黄土粒度自西北向东南由粗变细,与河流悬移质泥沙粒度变化的趋势一致,如图 2 所示。

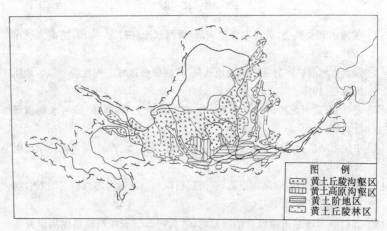

图例
▵▵▵ 黄土丘陵沟壑区
┃┃┃ 黄土高原沟壑区
═══ 黄土阶地区
─── 黄土丘陵林区

图 1　黄河流域黄土区自然地理分区

---

　　* 本文系钱宁与龙毓骞合写的一篇论文,曾在《国际泥沙研究》杂志上发表。原文名称《Erosion and Transportation of Sediment in the Yellow River Basin》。此次由龙毓骞与牛占略加补充,特此说明。

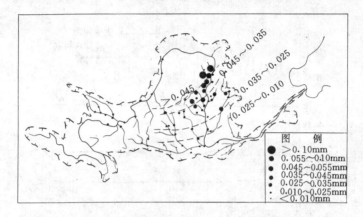

图 2　黄河流域河流悬移质泥沙中值粒径分布

　　黄河在汇入渤海以前,沿干流有三个冲积河段,河谷宽阔,坡降相对平缓,提供了泥沙调整和沉积的环境,这三个河段是青铜峡至河口镇、龙门至潼关,桃花峪至利津及河口。黄河干流河道纵剖面如图 3,黄河下游河道形态特征如图 4。

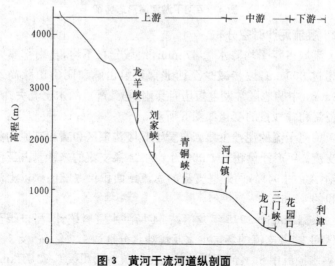

图 3　黄河干流河道纵剖面

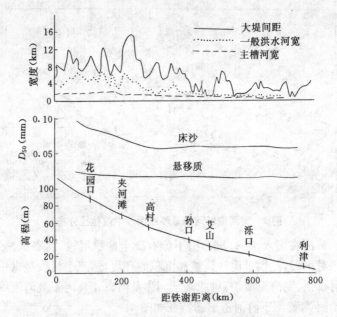

图 4　黄河下游河道形态特征

1.2　径流泥沙时空分布

流域多年平均降水量 478mm,地域分布不均,自南部秦岭山脉超过 800mm,逐步减少至西北部贺兰山脉和阴山山脉尚不足 200mm。中游地区常发生短历时暴雨,导致严重的水土流失。沿干流径流和输沙量的变化如图 5 所示。

黄河干流的泥沙主要来自黄土丘陵沟壑区和黄土高原沟壑区的支流。年产沙量超过 1 000 万 t 的 24 条支流的来沙量占三门峡站输沙量的 94%,而这些支流的总流域面积仅占三门峡以上流域面积的 43.6%。

根据 1966~1975 年龙门站 54 场洪水资料统计,河口镇至龙门区间 12 条支流的场次洪水及输沙量分别达 9.7 亿 m³ 及 5.4 亿 t。洪水径流中 80% 的粗泥沙就是由总流域面积仅 6.92 万 km² 的

12 条支流汇入的。

地表径流的年内分配是不均匀的。汛期(7～10 月)的径流量约占全年的 60%。例如,1954～1975 年黄甫川站汛期的平均径流量占全年的 72%,1972 年一次洪水的径流量就占该年全年径流量的 69%。年径流的变差系数(C_v)为 0.22～0.25,年径流量最大与最小的比值为 3～4。

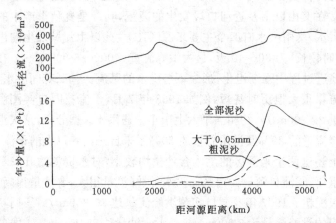

图 5　黄河干流沿程水沙量变化

每年进入黄河下游河道的径流量约有 53% 来自黄河上游,其含沙量相对较小。另一相对清水来源区是三门峡至花园口的区间流域,其年水量约占进入黄河下游年径流量的 11%。年径流量中其余的 36% 来自黄河中游的黄土地区,其来沙量占进入黄河下游沙量的 90%。径流和输沙量地域分布的差异是黄河流域一个重要的水文特征。

据 1919～1959 年实测资料统计,三门峡站多年平均输沙量为 16 亿 t,其中 85% 发生在汛期。每年汛期的泥沙又集中来自几场洪水。就平均情况讲,三门峡最大五日输沙量约占年输沙量的 19%。对黄土丘陵沟壑区的支流无定河和窟野河,甚至可达 42% 及

72%。源自黄土丘陵沟壑区的支流经常发生高含沙洪水。干流龙门站和三门峡站观测到的最大含沙量分别为 933 及 911kg/m³。

三门峡站有实测资料记录的最大年输沙量为 1933 年的 39.1 亿 t,而 1982 年仅 4.88 亿 t,其比例为 8∶1。

1.3　洪水

有两种类型的洪水威胁黄河下游防洪安全,其一是每年冬末春初常在艾山以下及近河口段发生的凌汛,其二是夏秋季产生的暴雨洪水。暴雨洪水有四个主要来源区:①兰州以上流域发生的洪水,历时较长,为 30~40 天,最大洪峰流量 4 000~6 000m³/s。在沿河演进过程中逐渐坦化,形成下游洪水的基流。②三花间洪水,洪峰流量很大但历时甚短,例如 1958 年 7 月,干流花园口实测洪峰流量 22 300m³/s,约相当于六七十年一遇洪水。据分析,这次洪水洪峰流量的 29% 及洪水总量的 60% 系来自三门峡以上的干流。来自上述这两个来源区的洪水含沙量均较小,对水资源的开发利用很重要。③河口镇—龙门区间洪水,洪峰流量很大,含沙量很高,泥沙级配粗。1977 年花园口实测洪峰流量达 10 800m³/s,三门峡站相应的洪峰流量为 8 900m³/s,最大含沙量达 911kg/m³。④龙门至三门峡区间流域洪水,一般洪峰流量较小,泥沙级配较细,但含沙量也较高。图 6 给出了花园口站两场典型洪水的过程线。可以看出,洪峰流量相近的这两场洪水,由于来源不同,含沙量的差异很大。来自中游的暴雨洪水,一般历时均较短,各次洪水的流量、含沙量和泥沙级配变幅很大,高含沙洪水与一般洪水不定期地交替发生,这些水文泥沙条件也是黄河所具有的一个鲜明特点。

1.4　水资源的开发利用

截止 1990 年底黄河上中游流域已有大、中、小(Ⅰ)型水库共 601 座,总库容 522.5 亿 m³。其中,干流上已建成 8 座为防洪、工农业及城市供水、发电等综合利用枢纽,还有 3 座正在施工。在很多小流域内,除林草外,还实施了水土保持的工程措施,如梯田、淤地坝等。水资源利用率已达 50%。

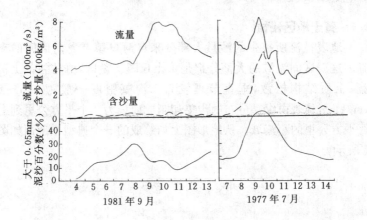

图6　花园口站两场典型洪水过程线

　　三门峡水库自 1957 年开始修建,1960 年 9 月下闸蓄水。由于泥沙淤积,库容损失迅速,以及由于淤积上延引起一些始料未及的问题,先后两次对枢纽工程的泄流建筑物进行改建和增建,增加低高程的泄流能力。运用方式也由全年维持较高水位蓄水,改为非汛期适量蓄水兴利、汛期降低水位运用排沙。对下游河道能安全宣泄的一般洪水,不进行拦滞。1974 年以来保持了一部分有效库容供水沙调节。目前,改建后的水库虽有一些调节泥沙的作用,但由于受到现有库容限制,以及为了控制潼关高程上升和淤积末端上延,其调节泥沙的作用仍十分有限。

　　黄河上游两座大型水电站,刘家峡和龙羊峡水电站,分别于 1968 年和 1986 年建成。流域内大型水库的运用,灌溉引水的发展,以及大量水保措施的实施,使黄河的水沙条件发生了较明显的变化,主要表现为水沙量的减少、年内分配的改变和洪峰流量的削减等等。这些变化无疑会对三门峡水库和黄河下游河道的冲淤演变产生一些影响。

2 侵蚀及流域产沙

2.1 黄土地区侵蚀

地表径流所挟带的沙量大部分来自河口镇至龙门区间的支流。这一区间流域的大部分都是黄土丘陵沟壑区,由马兰黄土覆盖,土质结构松散,垂直节理发育。沟壑密度一般为 4.5～6 km/km²,地表由纵横分布的沟壑切割成面积为几个平方公里到上百平方公里的小流域。从地形图上切绘成的一个典型横剖面如图7所示。

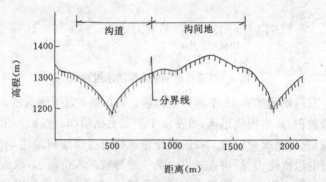

图7 黄土丘陵沟壑区典型剖面(大理河青阳岔)

坡面和沟壑均可发生侵蚀。一次暴雨过程中,在包括峁顶的坡面与沟道的分界线以上地区,溅蚀和片蚀是主要的侵蚀方式。在溅蚀中土壤颗粒受雨滴冲击分离,在片蚀中,地表水流形成无数的小沟。有时,由于水流通过土壤裂隙入渗而使地面沉陷,也将促进沟壑的发展。

在侵蚀过程中,重力侵蚀,特别是在沟坡上的重力侵蚀,对土壤流失起着十分重要的作用。暴雨期间,在面积约 10 万 km² 的黄土区内,到处可见滑坡、塌陷、地面沉陷、泥石流等等重力侵蚀现象。由于暴露岩土面受冻融影响风化作用而产生的大量松散物质,随时可被洪水带走。

通过在实验小流域的观测和对流域进行的野外调查所搜集的资料可知,在一次暴雨径流的形成过程中,甚至在形成细沟以前的坡面流的含沙量就已经达到500kg/m³左右。在地表径流通过小沟和犁沟逐步汇流的过程中,由于流量沿程增加和土壤的易蚀性,含沙量还会增加约30%。在沟壑边坡的重力侵蚀不仅提供了大量物质供洪水径流输送,还向水流提供了例如风化的岩石碎块等粗颗粒泥沙。在沟坡坡脚观测到的最大含沙量可达1 000kg/m³。根据1963~1966年在子洲径流实验站的观测资料,如以累积频率10%的最大含沙量作比较标准,则在支流流域面上各部位出现的最大含沙量如表1所示[2]。

表1　　　　黄土丘陵沟壑区小流域各部位最大含沙量

部　　位	最大含沙量(kg/m³)
实验场峁顶及无排水沟的坡面	510
沟道上部	690
沟道中部	860
沟道坡脚	990
三级沟道	920
二级沟道	920
一级沟道	1 160
支　　流	1 290

从分析资料可知,沟壑的侵蚀模数大于坡面及沟间地带的侵蚀模数。表2所举两例说明从沟壑所输出的泥沙占到50%~86%[3]。

2.2　黄土丘陵沟壑区产沙特点

2.2.1　沟壑水沙过程

黄土丘陵沟壑区一次暴雨的流量及含沙量过程如图8所

示[4]。由图 8 可以看出三个鲜明的特点：①在沟系的产沙及输移过程中，含沙量变化很小。沟道，特别是二级及三级沟道，均已深深切割到基岩。沟道上河槽的水力几何形态已与高含沙洪水的输送相适应。在很陡的沟道中，其陡度常超过 20％或者更多，看不出明确的冲刷或淤积的趋势。②含沙量的峰值常较流量的峰值能持续更长的时间，换言之，含沙量的历时常较径流的历时为长。③流域面积增加时，沙峰逐渐落后于洪峰。很明显，在洪水退落时段，某种形式的重力侵蚀例如滑坡可能发生。在洪水径流的汇流过程中这一现象将由于很多沟道径流的入汇而更加显著。

表 2　　　　　　　　　**黄土区典型小流域径流及产沙**

沟壑区类型	代表小流域名称	面积 (km²)	部位	面积百分比 (%)	年平均径流模数 [m³/(km²·a)]	百分比 (%)	年平均产沙模数 [m³/(km²·a)]	百分比 (%)
黄土丘陵沟壑区	韭园沟	70.1	沟道	43.4			20 700	49.9
			沟间地	56.6			16 000	50.1
			平均/小计	100			18 100	100
黄土高原沟壑区	南小河沟	30.6	沟道	24.7	8.72	24.0	15 200	86.3
			坡面	9.5	7.20	8.6	666	1.4
			塬面	65.8	9.21	67.4	810	12.3
			平均/小计	100	8.898	100	4 350	100

2.2.2　流量输沙率关系

1964 年一个典型沟道的流量输沙率关系绘于图 9[3]。一般来说，水沙关系可用指数函数 $Q_s = kQ^n$ 来表示，式中 Q 和 Q_s 分别代表流量及输沙率。可以看出，指数 n 值随流域面积的大小而变。在含沙量小于某一数值，如 400kg/m³ 时，流域面积越大，n 值也越

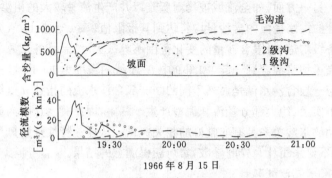

1966 年 8 月 15 日

图 8 黄土丘陵沟壑区暴雨洪水径流模数及含沙量过程线

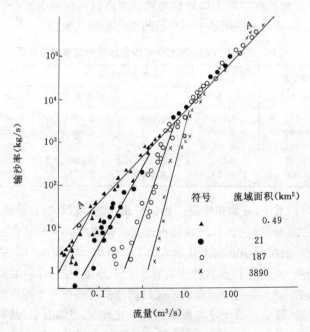

图 9 典型沟系的流量输沙率关系

大。另一方面,如全流域被暴雨所笼罩并产生流量较大的山洪时,各处的洪水径流的含沙量均将达到其极限值。表1已指出,从坡面到各级沟道,极限含沙量的变化范围不算很大。结果是各来源不同的点子均将混合到一起,如图9中A-A线的坡度为1:1。这一情况与一般含沙水流是迥然不同的。一般含沙水流的指数 n 值约为2。事实上,绝大部分径流和泥沙产生于暴雨,因此黄土丘陵沟壑区长期的水沙关系具有非常好的相关关系。从径流特性来估算产沙量,不论采用什么样的参数,常可获得满意的结果。

2.2.3   泥沙级配

前人在试验地块的研究中指出降雨强度超过 0.45mm/min 时,被雨滴所扰动的土壤颗粒均能被坡面流带走而不致产生明显分选。沟系悬移质泥沙中值粒径的变化如表3所示。

表3   黄土区流域不同部位相应于各级含沙量的泥沙中值粒径

含沙量级 (kg/m³)	中值粒径(mm)			
	沟坡坡脚	三级沟道	二级沟道	一级沟道
0～200	0.045	0.028	0.034	0.017
200～400	0.046		0.046	0.035
400～600	0.045		0.050	0.049
600～800	0.051	0.053	0.054	0.051
＞800	0.051	0.050	0.053	0.057

可以看出,在沟道中某一固定断面,含沙量越大,粒径也越粗。在含沙量相对较低时,流域面积越大粒径越细。不论总含沙量多大,悬移质泥沙中的粘土含量大体上保持为一常数,为 60～70kg/m³。这一点对保持高含沙水流状态是十分重要的,在以后还会进行讨论。表4将沟道或支流水文站所测的悬移质年平均级配与相应流域所覆盖的黄土平均级配进行了比较[5],可以看出,悬移质中粗沙(d＞0.05mm,下同)的比例一般较黄土沉积物约大几个百分点。

　　从长时段来说,虽看不出沟系有明显确定的冲淤变化,但是在场次洪水或不同季节,水系内的沟道仍将发生一些冲淤变化。泥沙的级配和含沙量将通过这些变化而互相调整。整体来说,沟系可以看成是输送流域侵蚀形成的大量泥沙的渠道。

表 4　黄河流域悬移质泥沙与黄土级配中大于 0.05mm 百分数比较

河流名	粗沙所占百分数(%)		河流名	粗沙所占百分数(%)	
	悬移质	黄　土		悬移质	黄　土
葫芦河	12.7	14.0	清涧河	27.8	25.0
马莲河	27.8	25.0	小理河	39.0	33.0
泾　河	20.5	20.0	大理河	48.8	33.0
泾　河	20.2	17.0	三川河	22.8	20.0
周　河	28.4	25.0	湫水河	29.4	27.0
北洛河	27.8	22.0	岚漪河	35.2	33.0
延水河	31.1	22.0	窟野河	56.4	36.0
听水河	18.0	17.0	秃尾河	61.4	45.0

2.3　递送比

　　众所周知,从一个流域输出的泥沙并不等于从流域地表侵蚀的泥沙。这两个因子之比通常称为递送比,它是衡量自侵蚀地点输送到下游某一指定地点过程中由于沉积作用而减少的沙量的尺度。这一比值可以小于 0.3,甚至更小,并将随流域面积增大而减小。黄土丘陵沟壑区并不完全是这种情况,表 5 是无定河支流大理河流域不同河道的输沙模数[4],其中流域面积的变幅为 0.18～3 893km²,看不出流域面积和单位面积产沙量有什么确定的相关关系。看来,多年平均产沙模数可能和沟道密度有一些关系。当沟道密度为 0.8 左右时,单位面积产沙量将随流域面积增加而减小,但变化的幅度很小。研究流域的地形特征可知,流域内约有 6.9%的面积属于水平梯田 ,即使在大雨时产沙也很少。

表 5　　　　　　　　　流域产沙量与流域侵蚀量之比

名　称	分　类	流域面积 （km²）	多年平均产沙模数 [t/(km²·a)]	沟道密度 (km/km²)	递送比
团山沟	三级沟	0.18	19 600		1.00
蛇家沟	二级沟	4.26	18 500	0.78	0.91
三川沟	二级沟	21.0	16 800	0.79	0.86
西　庄	一级沟	49.0	21 700	1.01	1.11
杜家沟岔	一级沟	96.1	25 600	1.06	1.31
曹　坪	一级沟	187	21 700	1.05	1.11
李家河	一级支流	807	15 700	0.82	0.80
绥　德	支流出口	3 893	16 300	0.88	0.83

　　综合分析这些资料似乎可以指出,在黄土丘陵沟壑区,地表及沟壑侵蚀量基本上可以近似地等于进入主要支流的输沙量。根据水文站所测全沙输沙量所计算的产沙模数大体上可反映该站以上流域的侵蚀模数。这也是丘陵沟壑区各支流所共有的一个特点。

2.4　泥沙来源

　　按照黄河流域自然地理区划可绘制输沙模数分布图如图 10。流域侵蚀的严重性可从图中鲜明地显示出来,即很广大的地区其年平均的输沙模数均在 10 000t/km² 以上。表 6 给出了流域内四个分区的年水沙量。可以看出其中两个分区即河口镇以上黄河上游及三门峡至花园口区间的年水量占年总水量的 63.4%,而其年沙量却占年总沙量的 10.7%。另外两个分区主要分布于黄土地区,年水量仅占 36.6%,而年沙量却占 89.3%。图 2 已显示了悬移质泥沙粒径的地域分布情况。根据输沙量及其级配,泥沙的来源可分为三类地区,第一类是粗泥沙来源区,主要包括河口镇至龙门区间各支流,泾河上游马莲河及北洛河上游。这类地区一旦发生暴雨容易形成高含沙洪水。第二类是细泥沙来源区,主要是除马莲河以外的泾河干支流,渭河上中游及汾河,洪水的含沙量也较大。第三类是少沙区,主要包括除位于黄土丘陵沟壑区的支流以外的河口镇以上上游流域,渭河发源于秦岭的南部各支流以及三门峡库区和三门峡至花园口区间伊、洛、沁河流域。这三类地区大体上和主要洪水来源区是一致的。

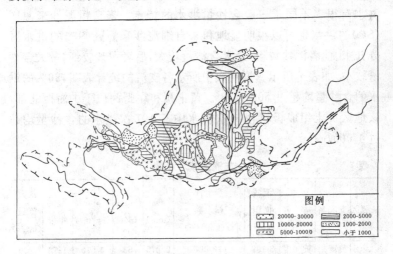

图10   黄河流域输沙模数地区分布 [单位:t/(km² · a)]

应当指出,除由于暴雨形成的地表侵蚀和各种形式的重力侵蚀外,还有经由风力输送直接进入黄河干支流河道的泥沙。它的数量虽较少,但粒径较粗。

表6   黄河流域不同地区年水沙量

地 区	流域面积 (km²)	占花园口以上流域面积(%)	年水量 (10⁸m³)	占花园口总水量(%)	年沙量 (10⁸t)	占花园口总沙量(%)	年平均含沙量 (kg/m³)
河口镇以上	367 900	52.2	250.0	52.8	1.4	8.6	5.6
河口镇—龙门	129 700	18.4	70.8	14.9	9.1	55.8	128.5
龙门—三门峡	174 300	24.8	103.0	21.7	5.5	33.7	53.4
三门峡—花园口	32 400	4.6	50.0	10.6	0.3	1.9	6
小　计	704 300	100	473.8	100	16.3	100	

2.5　支流高含沙水流

来自黄土丘陵沟壑区的洪水多为高含沙洪水。用洪水期总沙量除以总水量所求得的平均含沙量一般均超过 $400kg/m^3$。高含沙洪水有很多不同于一般含沙量洪水的特点。来自粗泥沙来源区(SC)的洪水也可以很明显地和来自细泥沙来源区(SF)的洪水区分开来。前者泥沙较粗,最大含沙量较大,后者泥沙较细,最大含沙量较小,如表 7 所示。据对表中所示各支流的统计表明,80%的洪水的含沙量均超过 $500kg/m^3$。黄甫川和窟野河位于中游西北部,该地区黄土组成极粗,244 次洪水中有 107 次洪水的含沙量均超过 $1\,000kg/m^3$。

表 7　　　　　　　　　　　支流流域产沙量

来源区	支流名	站　名	流域面积 (km^2)	产　沙模　数 [$t/(km^2 \cdot a)$]	d_{50} (mm)	$P > 0.05$ (%)	S_{max} (kg/m^3)	发生年份	最大流量 (m^3/s)
	黄甫川	黄　甫	3 199	18 060	0.079	58	1 570	1974	1 230
	孤山川	高石崖	1 263	22 130	0.046	46	1 300	1976	2 330
粗泥沙来源区 (SC)	窟野河	温家川	8 645	15 270	0.069	56	1 500	1964	
	秃尾河	高家川	3 253	9 880	0.069	61	1 410		
	贾鲁河	申家湾	1 121	24 980	0.045	44	1 480	1963	1 670
	无定河	川　口	30 217	5 270	0.040	37	1 290	1966	4 980
	大理河	绥　德	3 893	16 300			1 420	1964	1 740
	北洛河	洑　头	25 154	3 810	0.030	22	1 190	1950	346
	泾　河	张家山	43 216	5 920	0.025	20	1 040	1963	5 120
	泾　河	杨家坪	14 214	6 690			900	1979	540
细泥沙来源区 (SF)	渭　河	咸　阳	16 827	4 060	0.015	13	729	1968	5 360
	渭　河	南河川	23 385	6 160			953	1959	4 130
	蒲　河	毛家河	7 190	6 580			992	1965	
	汾　河	兰　村	7 705	1 860			544	1973	715
	汾　河	义　棠	23 925	597	0.018	17	731	1953	
	泾　河	泾　川	3 145	6 010			762	1973	

3　河道系统的泥沙输移

3.1　泥沙自支流向干流的输送过程

3.1.1　支流的调整促进了高含沙水流运动

　　前一节已经指出,支流的大部分泥沙是由高含沙洪水所挟带的。研究表明,必须有一定份量的细沙($d<0.01$mm,下同)才能形成高含沙水流。这些细颗粒泥沙将形成复杂的絮凝结构,有效地降低了粗颗粒泥沙的沉降速率。另一方面细沙含量又必须少于某一限度,否则水流粘性迅速增加将会转变为层流流态,需要在很大的坡度下才能维持其流动状态。

　　细颗粒泥沙主要来自坡面。坡面的极限含沙量在 860～990kg/m³ 间变化(参见表1),因此,在黄土丘陵沟壑区细粉土和粘土的来源是有限的。表8给出了在不同尺度的河道中当总含沙量足够大时细颗粒泥沙含量的变化情况。可以看出,细粉土和粘土的含量并不随流量的增加而增大,对于含沙量超过 400～500 kg/m³ 时,这部分细颗粒泥沙的含量基本保持在 50kg/m³ 左右,最大约为 100kg/m³。

表8　含沙量超过 400～500kg/m³ 时细粉土及粘土含量的变化

河　名	站　名	小于下列粒径的含沙量(kg/m³)					
		0.005mm		0.007mm		0.01mm	
		变　幅	平　均	变　幅	平　均	变　幅	平　均
岔巴沟	曹　坪	25～102	56				
黄甫川	黄甫(二)			23～82	48.5		
无定河	丁家沟					37～78	50

　　另一方面来说,大于 0.01mm 的颗粒在降雨强度达到或超过 0.45mm/min 时都会受到溅蚀和细沟侵蚀。当这些粗颗粒泥沙进入沟系或坡度较平缓的支流时,一部分粗颗粒将会在小流量下淤积。随着水位的抬高,水流流速和输沙能力逐步增大可导致河槽的

冲刷。冲刷的泥沙将是前期小水时自水流中沉积下来的粗泥沙。随着流量增加,总含沙量及粗泥沙含量均会相应地增加。从图11中很明显地看出泥沙中值粒径随总含沙量增加而增大的趋势,这一现象在粗泥沙来源区的支流例如无定河丁家沟站更为突出。

　　这样,在丘陵沟壑区,含沙量与泥沙级配组成之间由于自然调整作用存在着某种组合关系。含沙量较大的水流必须含有一定数量的粉土和粘土以维持其输沙能力。当含沙量增加到某一限度以后,再增加含沙量只能使其组成一步一步粗化。由于细沙含量并不随总含沙量的增大而按比例增加,因此水流还不会转变为层流流态。正是通过这种自动调整作用,我国西北地区的高含沙水流才能够在相对较小的比降下维持其运动状态。

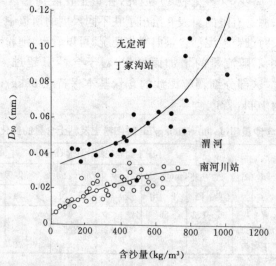

图 11　高含沙水流含沙量与中值粒径关系

3.1.2　支流输沙能力

　　晋陕间峡谷区许多支流均已切割到基岩。有的支流如无定河丁家沟站的河床系砾卵石,枯水时床面被砂层覆盖。在高含沙水流中悬移质泥沙的沉速极小,垂线含沙量分布十分均匀。表9给出了根据悬移质扩散理论计算的无定河在不同含沙量下的悬浮指数 Z 值($Z=\omega/\kappa U_*$,式中:ω 是沉速;κ 是卡门系数;U_* 是摩阻流速)。当总含沙量为 270kg/m^3 时,最大的 Z 值仍小于 0.2,说明输沙能力确实很大。当含沙量为 963kg/m^3 时,悬移质分布十分均匀,水流实际上是一种密度和粘性远远大于清水的均质流体,在这种情况下,用通常的概念来说已不是什么输沙能力。只要水流的能坡足以克服摩阻阻力,这种水流即能在很长的距离内保持其流态。长时期来说在粗泥沙来源区的支流基本上保持了平衡状态,河道可仅仅看成是在特别大的含沙量下的一个输沙渠道。

表9 无定河丁家沟站悬移质悬浮指数 Z 值变化

粒径级 (mm)	含沙量为下列数值时 Z 值	
	270kg/m^3	963kg/m^3
$0.02\sim0.05$	0.025	0.020
$0.05\sim0.10$	0.047	0.015
$0.10\sim0.30$	0.144	0.040
>0.30	0.178	0.100

从另一方面来说,渭河是少数流经冲积层的一条支流。其下游是典型的弯曲型河道。其床沙组成及河道坡度自临潼的 0.67mm 及 $3.5‰$ 变化到华县的 0.19mm 及 $2.4‰$。当高含沙水流为两相流时,可能发生沿程的分选沉积。例如,1973 年 8 月洪水,临潼最大含沙量 629kg/m^3,悬沙中值粒径 0.053mm,细泥沙约占全沙总重量的 10.1%。在洪水传播过程中,约有 17.3% 的来沙量在临潼至华县间沉积,大部分沉积物为粗泥沙。如含沙量很大而组成很细,可形成伪一相流,此时分选沉积现象将不再显著。1977 年 8 月渭河流域降暴雨,临潼最大含沙量达 861kg/m^3,中值粒径 0.039mm,细泥沙占全沙重量的 16%。这一次高含沙洪水顺利地通过了渭河下游弯曲型河段而没有发生显著的淤积。

3.1.3 支流高含沙洪水汇入干流后的变化

支流高含沙水流汇入黄河干流后,由于比降变缓和来自黄河上游相对较清水流的稀释作用将使水流中粗颗粒泥沙分离出来。1972年7月19日黄河干流义门站所测一次洪水流量为10 700m³/s,这是1949年以来发生的最大的一次洪水。洪水来自黄甫川,其洪峰流量及含沙量分别为8 400m³/s及1 210kg/m³。约有22.3%的来沙量在黄河干流汇流点下游淤积,其中大部分为大于0.025mm的粗泥沙。粗泥沙沉积后,义门站的水流转变为伪一相流,向下游峡谷段运行过程中未再发生显著淤积。

3.2 潼关以上汇流区的滞洪滞沙作用

渭河、北洛河及汾河三条支流均在潼关以上汇流区与干流汇合,汇合后进入潼关以下峡谷区。汇流区最宽达18km,潼关以下河谷宽度略大于1km。潼关卡口形成上游各河流的局部侵蚀基面。由于三门峡水库建成初期蓄水运用,潼关河床抬高了数米,更加剧了上游河道淤积的发展。汇流区实际上起着滞洪水库的作用。洪水通过汇流区时将发生削峰滞沙作用。如已知通过龙门站的沙量则汇流区的滞沙量可自图12估算求得[6]。图中以龙门站洪水平均含沙量和北干流漫滩系数 r 作为参数。其中漫滩系数 r 的定义为:

$$r=0 \qquad 当 Q_L < Q_n$$
$$r=1-Q_n/Q_{Lm} \qquad 当 Q_L > Q_n$$

式中:Q_L 为龙门洪水流量;Q_n 为汇流区平滩流量;Q_{Lm} 为 Q_L-Q_n 的平均值。

龙门至潼关间小北干流河道,虽然从整体来说在汛期是抬高的,但是龙门站河槽不时还会观测到剧烈冲刷的现象,如表10所示。这种剧烈的冲刷通常是在尖瘦洪峰和含沙量很大的条件下发生,并且可向龙门以下河道延伸一段距离,甚至影响到潼关以下。经过这样一场洪水,河道主槽将会逐步回淤。有些学者提出了一些假说,试图解释这种异常现象的机理,但为什么河床会像地毯一样被成层卷起并高出水面然后再落入水中还有待于更合理的解释。这种所谓"揭河底"现象在义门站和渭河临潼站也曾出现。

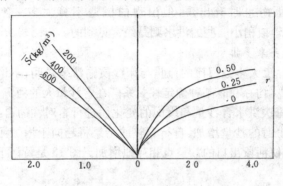

汇流区淤积量(×10⁸t)　　　　龙门站输沙量(×10⁸t)

图 12　黄河小北干流滞沙量诺模图　(单位:10⁸t)

非汛期来水较清,汇流区主槽将发生冲刷。冲刷的泥沙主要是粗颗粒部,这部分泥沙对黄河下游是十分有害的,这一点将在以后讨论。

表 10　　　　　　龙门站干流河道发生强烈冲刷情况

日　期 (年.月.日)	洪峰 流量 (m³/s)	最　大 含沙量 (kg/m³)	含沙量>500 kg/m³ 历时 (h)	d_{50} (mm)	$P_{<0.01}$ (%)	冲刷 深度 (m)	冲刷 范围 (km)
1964.7.6~7.7	10 200	695	19	0.04~0.09	11~16	3.1	90
1966.7.18~7.20	7 460	933	36	0.06~0.35	1~12	7.4	73
1969.7.26~7.29	8 860	752	29	0.04~0.05	15~28	1.8	49
1970.8.1~8.5	13 800	826	42	0.07~0.08	11~17	8.8	90
1977.7.6~7.8	14 500	690	13	0.04~0.05	14~20	4.0	71
1977.8.5~8.8	12 700	821	24	0.08~0.13	11~16	2.0	71

3.3　黄河下游泥沙输送

黄河支流众多,其中不少支流含沙量相对较小。高含沙水流虽在黄河下游也时有出现,但出现的机遇不算太多。含沙量为100kg/m³或稍小一些的洪水则是经常见到的。

3.3.1　多来多排

世界上大多数河流的流量与床沙质输沙率之间,不论上游来沙量多少,均存在有某种确定性关系。在含沙量大的河流,河道均将随着每次洪水含沙量和级配的变化而进行暂时性的自我调整。如来自上游的沙量增加,自行调整的结果将趋向于增加河道的输沙能力,使河段出口的沙量也相应地增加。图13是黄河下游孙口

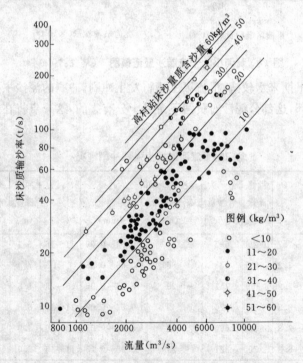

图13　孙口站流量与床沙质输沙率关系

站床沙质输沙率与流量的关系。就全部实测资料而言，点据是十分分散的。但是，如将孙口站上游高村站的含沙量作为独立参数，则全部点据将可分为若干组，每组的流量与输沙率就会呈现出明显的相关关系。这就反映了黄河下游河道输沙的多来多排的特性[7,8]。分析实测资料指出，在多沙河流中，经过一次洪水，河床的变形异常剧烈。来沙量大时河床将会发生淤积。其结果床沙组成将会细化，并且主要通过这一途径使输沙能力得以提高。当来水含沙量超过 400kg/m³ 时，由于存在高含沙量将改变水流的物理性质，使水流得以沿河道长距离地运行并保持其高含沙量。

3.3.2 输沙能力与上游来沙量的差别

黄河下游以其堆积速率之快而著称。意味着河道的输送能力远远不足以运送来自上中游的沙量。但是，这一差别对不同的时间尺度将具有不同的形式。

前节已指出，黄河流域产水与产沙的空间分布是不同的，即具有水沙异源的特点。不同洪水由于来源不同，含沙量的变化幅度是很大的。图 14 给出了以相应于每立方米径流的河道冲淤量与平均

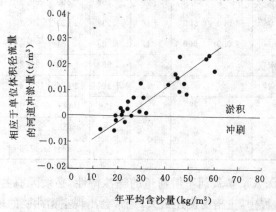

图 14 黄河下游河道冲淤量与年平均含沙量关系

含沙量的关系[9]。虽然大多数点子落在堆积区的范围内，但还有一

些点落在不冲不淤线的下方。这就说明在水沙条件特别有利的年份,黄河下游作为一个整体仍可能处于冲刷状态。从图中可以看出,当年平均来水含沙量在 25kg/m³ 左右时,流域产沙量与下游河道的输送能力处于相对平衡的状态。

如果我们研究一年内不同时段的差别,应参考表 11。表中将洪水依洪峰流量大小分为四类,汛期小流量时期和非汛期单独统计。可以看出 1952～1960 年总计约有 35.5 亿 t 泥沙淤积在下游河道,平均每年约为 3.9 亿 t。由于大部分来沙是在暴雨洪水时期,因此汛期的淤积是主要的。9 年内汛期共淤积了 28.4 亿 t,占全部淤积量的 80%。如下游河道的平滩流量以 6 000m³/s 计,可以看出汛期大部分淤积是漫滩水流所致,漫滩程度越高淤积越严重。

表 11　　1952～1960 年年内不同时期黄河下游河道冲淤量统计

时　　期		流量级 (m³/s)	发生 次数	发生 天数	来水量 (10⁸m³)	来沙量 (10⁸t)	冲淤量 (10⁸t)
汛期	洪水期	>10 000	7	67	350	29.0	9.4
		6 000～10 000	23	165	609	50.2	14.8
		4 000～6 000	16	138	422	22.2	1.7
		2 000～4 000	12	83	181	7.2	-0.1
	小水期			654	1 123	29.8	2.6
	小计		58	1 107	2 685	138.4	28.4
非汛期				2 178	1 493	22.9	7.1
9 年总计				3 285	4 178	161.3	35.5
年平均					464	17.9	3.9

为了深入了解黄河下游河道的输沙特性,必须区别主槽和滩地。洪水过程中,主槽的流速很大,经常会出现主槽冲刷的现象。从另一方面来说,滩地由于行水阻力特别大,成为易于沉积的环境。更有甚者,从河道平面来看,黄河下游的游荡段交替收缩与展宽,

具有藕节状的形态。主槽与滩地的流态是迥然不同的。在主槽扩散段常可分为中间夹有滩地的无数汊流，在主槽收缩段相对比较窄深，偶而出现少数心滩。水流自收缩段流入扩散段时，沙洲和滩地均将被淹没，部分泥沙将在此淤积。在下一个收缩段的漫滩水流在其原先挟带的泥沙在滩地落淤以后又将汇入主流。这种漫滩水流与主槽水流的交汇将对主槽水流起到稀释作用。这类滩槽交换的过程将不断地向下游传播，导致洪漫滩的广泛淤积，并且在洪水向下游传播的过程中主槽水流的含沙量逐步降低。这种滩地淤积和主槽冲刷的形式都将向下游方向持续很长一段距离。表12是一次洪水在演进过程中下游河道主槽和滩地的冲淤情况。经过上述这一过程，一次洪水中主槽和滩地的冲淤数量均相当可观。事实上，经过1933年一场罕见的大洪水，花园口以上的滩地就淤高了2m多。

表 12　　　黄河下游洪水演进过程中主槽和滩地冲淤情况

洪水发生时间 （年.月.日）	花园口洪水		滩槽冲淤量（10^8t）		
	Q_{max} （m^3/s）	$\overline{S}/\overline{Q}$ （kg·s/m^6）	主　槽	滩　地	全断面
1953.7.26～8.14	10 700	0.011 2	−3.00	3.03	0.03
1954.8.2～8.25	15 000	0.009 7	−2.44		
1954.8.28～9.9	12 300	0.017 0	2.17	3.43	3.16
1957.7.12～7.23	13 000	0.011 9	−4.33	5.27	0.94
1958.7.13～7.23	22 300	0.009 5	−8.65	10.20	1.55

　　就保持河道的行洪能力使河流处于正常状态而言，保持一个通畅的主槽是极为重要的。大部分主槽的淤积发生在流量小于2 000m^3/s的时段，或者是发生在含沙量较高的中小洪水时段。根据经验，一次洪水平均含沙量与平均流量之比（即来沙系数）超过

$0.015 \sim 0.020 \mathrm{kg} \cdot \mathrm{s}/\mathrm{m}^6$ 时,主槽就会发生较严重的淤积。根据资料分析,从 1952~1960 年汛期黄河下游主槽淤积约占总淤积量的 37.7%,非汛期淤积占总量的 62.3%。非汛期淤积主要是小流量所形成。可见小流量输沙能力不足是导致黄河下游河道恶化的主要因素之一。

4　沿程泥沙沉积

4.1　黄河上游

　　根据实测水文资料的推估,在 50 年代,即上游干流大型水电工程建成以前,河口镇以上河道是微淤的。大型水库先后建成并投入运用后,截至 1990 年,共淤积泥沙 22.7 亿 m^3。各支流经过治理也不同程度地减少了进入黄河干流的水沙量,宁蒙灌区大量引水也引走部分泥沙。据统计,80 年代平均每年减少的沙量分别达到 0.50 及 0.32 亿 t[10]。青铜峡至河口镇长约 850 km,比降较平缓的冲积河段为适应这些水沙变化不断地进行调整。图 15 为几个不同

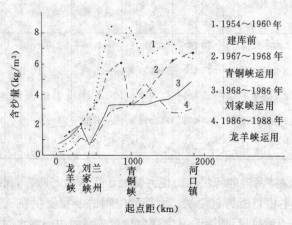

图 15　黄河上游河道不同时期含沙量沿程变化

时期沿程含沙量的变化情况[11]。可以推论,不同时期不同河段的调整情况并不相同。从变化趋势分析,建库前青铜峡以下河段含沙量沿程减小。刘家峡水库'建成后,这一河段含沙量则有沿程增加的趋势。龙羊峡与刘家峡两水库联合运用,进一步削减了来自上游的洪峰流量,调节径流使汛期下泄水量减少,石嘴山以下河段含沙量还有沿程减小的趋势。综合分析上述水库拦蓄、灌溉引水、支流治理所引起的变化以及上游河道因这种变化而发生的调整作用,与 50 年代比较,估计每年自河口镇输往黄河中下游的泥沙平均减少 0.6 亿 t 左右。当然,由于大型水库调节径流,使汛期水量减少,年内分配发生较大变化,直接影响中下游河道的输沙条件,对河道冲淤有深远的影响。

4.2 北干流和潼关以上汇流区的沉积

自河口镇至潼关,黄河流经山陕峡谷并进入另一开阔盆地,按地貌条件可分为两个河段:一是河口镇至龙门的北干流,二是潼关以上汇流区。河龙区间北干流长 725km,平均比降 8.4‰。据 1964～1988 年 25 年实测及插补资料,用沙量平衡法推估,一般情况下,该河段每年汛期淤积、非汛期冲刷,多年平均略有淤积,尚不足 0.1 亿 t。但是,发生大洪水时河道冲淤仍十分剧烈。据对 1966～1979 年六场大洪水分析,一次洪水前后,河段冲淤量的变幅可达 2 亿 t 左右。不仅洪水期冲淤变化大,而且对粗细泥沙的调整也异常剧烈。府谷至吴堡区间支流发生较大洪水时往往在入黄口形成拦门沙对干流起到顶托作用。支流口由粗砂、砾石、卵石组成的大大小小碛滩也是多年内来自支流的粗泥沙在干流河道沉积而形成的。据上述沙量平衡法推估,北干流河道具有明显的拦粗排细作用,年内粗泥沙冲淤幅度大于全部泥沙的冲淤幅度,多年平均每年可拦截粗泥沙估计可达 0.3 亿 t。本文作者认为由于水文站实测级配资料不全,实测沙量未包括推移质等近河底部分沙量等原因,北干流对粗泥沙的调整尚有待于继续研究。

　　潼关以上汇流区是指龙门至潼关的小北干流，汾、渭、北洛等河在此与干流交汇。汇流区滩地宽阔，河势游荡多变，全长约135km，比降为 3‰～6‰，为黄河提供了一个调整其沙量和级配的良好环境。据分析，从较长的历史时期来说，这一段堆积性河道平均年堆积量为 0.3～0.5 亿 t。交汇地带也常发生相互顶托或倒灌现象。

　　1960 年 9 月三门峡水库开始初期蓄水运用，小北干流下段长60～70km 的河段直接或间接受到回水影响，发生淤积。水库降低运用水位后，由于冲积河流的自动调整作用，淤积末端上延，干流和渭河分别达到距坝 175km 及 245km，已远远超出最高水位回水的长度。至 1990 年，小北干流累计淤积量已达 21 亿 m³，渭、洛河下游淤积量达 11.6 亿 m³。

　　水库自 1974 年开始采取蓄清排浑的运用方式以来，除在有些年份的防凌运用时期潼关及渭河河口段略受水库回水影响外，小北干流汇流区的河道冲淤仍属于自由河道性质，一般表现为汛期淤积，非汛期冲刷。据 1974～1990 年实测资料统计，年平均汛期淤积 0.63 亿 m³，非汛期冲刷 0.45 亿 m³，并且也有拦粗排细的作用，粗泥沙年平均淤积量约有 0.17 亿 t。

4.3　三门峡水库的淤积

　　30 余年来三门峡水库经历了运用方式不同的三个时期，库区冲淤情况列于表 13。可以看出，在采取蓄清排浑的控制运用方式以后，库区的淤积大大减轻，基本上保持了可用于防洪和在一定限度内进行水沙调节的库容。

　　三门峡库区内河道的形态主要是经过初期蓄水淤积，而后降低水位运用所形成的。在目前的运用条件下，变动回水区的河道主槽能通过在洪水期降低运用水位而维持其冲淤平衡，但淤积在滩

表 13　　　　　　　　　　三门峡水库淤积量

运用方式	时　段 (年.月)	河道入库沙量 (10^8t)	水库淤积量(10^8m³)		
			潼关以下	潼关以上	全库区
蓄水运用及滞洪 运用期	1960.9～1964.10	76.7	35.8	8.7	44.4
滞洪运用(改建期)	1964.11～1973.11	163.0	−9.2	20.9	11.7
蓄清排浑控制运用	1973.11～1985.10	128.8	0.4	−0.5	−0.1
	1985.11～1990.10	41.3	1.1	3.2	4.3
小计		409.8	28.1	32.2	60.3

上的泥沙或由于前期水库淤积形成的滩地却不易冲走。为与不断变化的水沙条件相适应,库区河道还在不断地进行调整。图 16 显

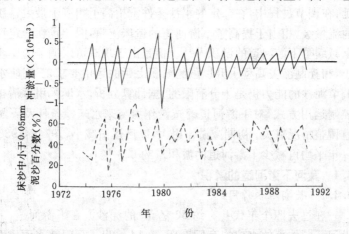

图 16　三门峡水库坩埚—太安段冲淤量与床沙粗细化的对应关系

示库区坩埚至太安长约 20km 的变动回水河段,在控制运用期间每年汛期、非汛期两次冲淤量与相应河段表层床沙级配的相应变化,可以看出床沙组成随冲淤变化而进行调整的情况。

　　水库蓄水初期不少库段库岸坍塌,侵占了库容。在形成高滩深

槽以后,既会由于风浪淘蚀使高滩或岸壁坍塌,又会由于河势摆动和运用水位变幅大而形成的库岸变形。根据实测资料分析库区总的坍塌数量超过了 8 亿 m³[12]。

经过改建,较大幅度地增加了各级水位的泄流能力,并使水库具备了一定的调节水沙能力。目前,对水沙的调节形式为非汛期适量蓄水,进行防凌、春灌、供水和发电运用,汛期降低水位运用,在满足防洪的要求下,利用洪水排沙并控制长时期小流量排沙。对下泄水流的水沙搭配进行调节,使下泄水沙有利于下游河道的输送。对泥沙级配进行调节,发挥水库拦粗排细的作用。在汛期后期,利用近坝段低水位以下库容进行泥沙调节以减少过机含沙量。

三门峡水库的运用实践证明,经过水沙调节,在正常的来水来沙条件下,既能保持一定的可用库容满足防洪需要,并控制淤积上延,在调节过程中,在一定的水沙条件下抬高了相应于最大输沙量的流量级,相当于提高了下游河道的造床流量,因此也在一定程度上减缓了下游河道的淤积[13,14]。但是由于现有可供调节的库容较小,和控制潼关高程上升以限制淤积上延的运用要求,三门峡水库调节泥沙的能力仍是十分有限的。据计算分析,水库采用蓄清排浑控制运用方式,对下游河道的减淤作用与来水来沙条件及下游河道调整情况有关。初期减淤作用大,以后逐渐减小,1974～1988 年每年平均可减少下游河道的淤积量约 0.3 亿 t。

4.4　黄河下游河道的淤积

4.4.1　长期堆积作用

在过去四个年代共有约 50 亿 m³ 的泥沙淤在下游河道,下游沿河不同地点的水位均有所抬高。表14 给出了三门峡水库建库前后及不同运用期下游不同河段的淤积量。长时期以来由于大量淤积,下游河道的主河槽已成为华北大平原海河、淮河流域的分水岭,在约 800km 长的河道内,除大汶河外,没有大的支流汇入黄河干流。

表 14 三门峡水库不同运用时期下游河道冲淤情况

时 段 (年.月)	年平均冲淤量($10^8 m^3$)					备 注
	铁谢—花园口	花园口—高村	高村—艾山	艾山—利津	合 计	
1950~1960	0.46	1.01	0.87	0.33	2.67	系根据输沙量差按 $\gamma = 1.35 t/m^3$ 计算,1960 年以后系按断面法估算;(+)淤积,(-)冲刷
1960.9~1964.10	-1.67	-2.22	-1.06	-0.92	-5.87	
1964.10~1973.9	0.71	1.54	0.57	0.49	3.31	
1973.9~1990.10	-0.10	0.25	0.37	0.15	0.68	
合 计	0.07	0.48	0.40	0.16	1.11	
河段长(km)	102	189	193	282	766	

根据黄河下游河道沿程同流量水沙变化过程($Q = 3\,000$ m^3/s),可以粗略地评价来水来沙条件和包括由于三角洲河道改道引起的溯源冲刷和主槽向河口海域延伸在内的河口条件对黄河下游河道堆积速率的影响。1960~1964 年三门峡水库下泄水流较清,颗粒较细,除局部河段外,引起了下游河道沿程冲刷。1964 年河口河道改道的新流路由于河床存在粘土层使溯源冲刷微弱而得不到充分发展。1966~1973 年由于三门峡水库改建的底孔和其他泄流设施逐步投入运用,大量泥沙在流量较小时冲出水库,又遇到这一期间频频出现的高含沙洪水的不利水沙条件,海岸线向外平均延伸了 12km,下游河道全程出现较大淤积。1974~1985 年来水来沙条件除 1977 年外均较为有利。1976 年河口水流被引入预定的新流路。改道后形成溯源冲刷向上游发展,与上游下泄的含沙量较小的水流的沿程冲刷相结合,使黄河下游沿程各处的同流量水位普遍下降。

从黄河下游河道的特性而言,如果来水来沙条件没有发生根本性的改变,河道堆积抬高的趋势将不可能有很大的改变。就 1950~1990 年近 40 年的整体情况而言,下游河道年平均淤积量为 1.11 亿 m³,相当于 1.50 亿 t。淤积速率远较 50 年代为小,如表 14 所示。在这一期间,三门峡水库投入运用,拦蓄部分泥沙,使下游河道在约 12 年内没有出现累积性淤积。水库调节水沙也有一些减缓下游河道淤积速率的作用。

黄河下游 1919～1959 年的年平均来沙量为 16 亿 t,而 1960～1990 年的年平均来沙量尚不足 12 亿 t。50 年代花园口站的平均年水量为 502 亿 m³,其中汛期约占 61%,1960～1985 年平均年水量 450 亿 m³,其中汛期约占 58%,而 1986～1990 年年平均水量仅 333 亿 m³,其中汛期水量仅占 49%。这些差别除反映水文周期的自然变化外,流域上中游修建的大量水库、灌溉及实施水土保持措施等也对水沙变化起着十分重要的作用。

4.4.2　下游河道河床冲淤演变取决于泥沙来源区的产沙情况

下游河道河床冲淤与泥沙来源区产沙有着密切的联系。例如,下游河道的大量淤积主要是由前节所提到的来自粗泥沙来源区的物质所形成。这一点已由根据 1952～1960 年三门峡水库建库前及建库后 1969～1978 年的 103 场洪水资料分析得到证实。

根据洪水来源区不同,各次洪水可分为以下六类:

(1)强度较小笼罩全流域的暴雨洪水;

(2)源自粗泥沙来源区洪峰较大而含沙量较大的洪水;

(3)源自粗泥沙来源区,降雨强度中等,含沙量较大的洪水并有少量源自低产沙区的洪水加入而形成的洪水;

(4)源自粗、细泥沙来源区含沙量大的洪水与源自低产沙区的洪水汇合形成的洪水;

(5)主要来自低产沙区的洪水;

(6)来自低产沙区但含沙量大的洪水。

表 15 表示了来自不同来源区洪水对下游河道的作用[17]。其中第二类洪水是由强度大的暴雨形成,具有峰高但洪量较小的特点。这类洪水进入下游河道后洪水过程由于槽蓄作用而坦化,不漫

滩或漫滩系数很小。大部分泥沙将在主槽淤积,平均淤积强度可达每日 0.31 亿 t。有 13 次洪水属于这种类型,其淤积量占 103 次洪水淤积总量的 60%。从图 17 也可以看出第二类洪水对河道淤积的作用。

表 15　　来源于不同地区洪水对下游河道冲淤的影响

| 洪水分类号 | 发生次数 | 占总次数(%) | 花园口洪水特征 | | 冲淤强度(10^4t/d) | 冲淤量占总量(%) |
			Q_{max}(m^3/s)	$\overline{s}/\overline{Q}$(kg·s/$m^6$)		
1	7	6.8	3 680	0.022	341	4.0
2	13	12.6	6 830	0.052	3 100	59.8
3	22	21.4	4 280	0.036	545	13.6
4	10	9.7	11 740	0.013	1 900	28.2
5	47	45.6	4 610	0.011	−100	−9.0
6	4	3.9	5 730	0.021	932	3.4
合 计	103	100				
平 均			5 500	0.023	706	100

从上述分析可见,源自粗泥沙来源区的洪水对下游河道减淤最不利。如要解决黄河的问题,在这一来源区集中力量实施水土保持措施将是十分重要的。分析还指出,正是流域的特性决定了流域内河流的特性,这一点也是所有治河工作者和地貌学者所公认的。

4.4.3　河道淤积取决于来水来沙条件

在干旱季节自流域来的冲泻质数量少而不重要,水流挟带的大多属床沙质泥沙。在潼关以上汇流区每年非汛期平均冲刷约 0.67 亿 t,相应地下游河道每年非汛期平均淤积 0.79 亿 t。这两个数值比较接近的事实不仅仅是一种偶合,而是反映了一种随机的规律。如果在非汛期没有从上游河道通过冲刷得到粗泥沙的补给,下游河道的淤积状况将会好得多。

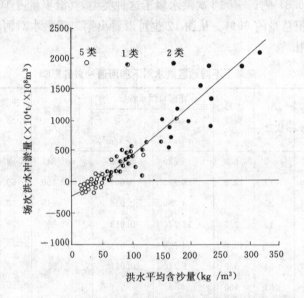

图 17   场次洪水下游河道冲淤量与含沙量关系

三门峡水库修建以后,上述情况发生了变化。在目前的运用条件下,非汛期下泄清水时期下游河道发生冲刷的范围一般也局限于河道的上段。不论是汛期还是非汛期,除非冲刷流量超过 2 000 ～2 500m³/s,否则,上段冲刷的泥沙也将在下段淤积。

根据近 40 年实测资料统计,下游河道冲淤情况可以用进入下游河道的年平均流量和输沙率扣除灌溉引水引沙分别作为横、纵坐标的图来显示(图 18)。图中用不同符号反映河道的冲淤情况,可以看出,冲淤近于平衡的来水来沙关系可以大致用一根二次方的指数曲线来代表。由此可以推论如在来沙量减少的同时来水量也在减少,则两者减少的程度应大致符合上述平衡线的关系。否则,由于流量减少,即使来沙量也有所减少,仍将出现不能维持平衡并发生淤积的情况。从图18也可以明确地看出下游河道冲淤取决于来水来沙条件的依从关系。

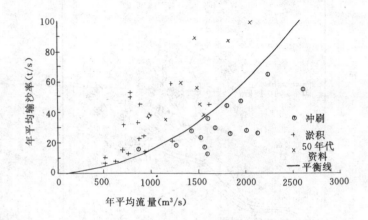

图 18　下游河道冲淤平衡的来水来沙关系

4.5　河口河床演变

广大的华北冲积平原是由黄河挟带的泥沙沉积而形成的。1855年铜瓦厢改道以后,黄河归入现行河道。通过野外调查可以定出1855年的海岸线并与有地面实测资料的1954、1972年资料对比。三角洲的面积1855～1954年增长了1 510km²,1954～1972年增长了424km²。年平均造陆面积为23km²。但是由于近30年来河口河道的摆动受到两岸堤防的约束,岸线向海域延伸的速率1954～1972年为0.42km/a,较1855～1954年的延伸速率0.15km/a增大很多。1958～1978年海岸线的延伸情况如图19。应当注意的是在河口河道发生改道以后,还可能有一部分海岸由于沿岸流作用发生蚀退。

平均来说,每年通过利津站的水量为443亿m³,实测最大流量为10400m³/s,悬移质输沙量为11.2亿t,平均含沙量25.3

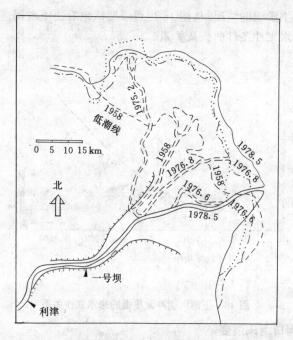

图 19　黄河河口海岸线变化

kg/m³,最大实测含沙量为 222kg/m³,大于 0.05mm 的粗泥沙约占全部悬沙的 16%,小于 0.005mm 的粘土含量约占 25%,这是河流进入三角洲以前的情况。分析三门峡建库前后资料表明,在进入三角洲前的长河段中悬移质泥沙已作了一些调整,其情况如表 16 所示。

　　在现行河道实际行水期间,河口河道发生了约 11 次改道,每次改道后均发生了溯源冲刷。冲刷向上游发展的范围取决于比降增加的幅度、来水情况及新河道的可冲性。在向上游发展过程中溯源冲刷的比降和幅度均将逐步变小。平均来说,改道后新河道发展到它的成熟期约需 11 年,包括新河道的形成,淤积及延伸,游荡及弯曲直至下一次改道的一个完整周期性的变化[15]。

表 16		不同时期悬移质分组百分数		（％）
时　段 （年）	粒径组 （mm）	三门峡	花园口	利　津
1955~1959	<0.025	54		64
	0.025	26		23
	>0.05	20		13
1960~1964	<0.025	90	66	64
	0.025	9	18	18
	>0.05	11	16	18
1965~1973	<0.025	46	53	60
	0.025	27	26	25
	>0.05	27	21	15
1974~1989	<0.025	51	54	54
	0.025	27	24	28
	>0.05	22	22	18

　　河口地区淤积分布可用每年进行的地形测量资料来求出。对于进入河口地区的泥沙，平均约有 64％将淤积在三角洲上，其中 24％将淤积在零高程等高线以上，其余 36％的泥沙将被带入深海。在三角洲上淤积量的比值在改道初期为 90％。七八年后降低为 52％，到河床演变一个周期的后期又恢复到 78％左右。河口三角洲河道这种延伸、摆动的演变必然对黄河下游河道带来影响。侵蚀基面向海域方向的延伸将导致三角洲地区河道水位的抬高，从而加剧下游河道的堆积作用。另一方面，河口河道的一次改道及河长的缩短将引起上游河道暂时的冲刷，溯源冲刷的长度向上游延伸可达 200km，只要河流继续向海域延伸，在后续的年份河道又将继续淤积抬高。图 20 所示利津站水位与河道向海域延伸长度就具有明显的同步变化关系。

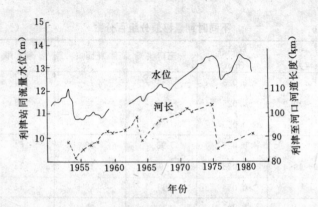

图20　河道向海域延伸长度与利津站水位的变化趋势

5　流域水沙变化及其影响

5.1　流域水沙变化特点

　　近40年来实测三门峡水库入库站各年代的水沙量及其变化情况如表17。据分析,水沙量的变化既有由于自然条件如降雨的差异而出现的周期性变化,又有由于水利水保措施的影响。40年来全流域修建的各类水库的总库容已达523亿 m³,包括引黄与井灌的总灌溉面积已达640万 hm²,耗水量达到274亿 m³。实施包括林、草、梯田、淤地坝坝地等在内的各种水土保持措施的总面积也近800万 hm²。水资源开发利用、黄土高原水土流失区的治理以及下游防洪体系的建设是黄河治理开发的三个主要方面,也是造成上述水沙变化的重要因素。

　　初步分析认为,黄河水沙变化具有如下几个特点:

　　(1)进入三门峡水库的年水沙量均呈减少的趋势。水量的减少主要是由于灌溉用水量的增加。沙量的减少,除由于水库的拦蓄外,上中游流域开展的水土保持也起到了重要的作用。

　　(2)水沙量的年内分配发生了重大变化。汛期水量占全年水量的比例已由原来的 60% 左右降低到不足 50%。由于三门峡水库的调节,全年泥沙主要在汛期排泄出库,非汛期主要下泄清水。

(3) 主要由于上游大型水库的调蓄作用和降雨情况的影响,近几年较大洪水出现的次数少,而中小洪水出现的机会增加,含沙量也较高。遇到高强度暴雨,中游一些支流仍会发生含沙量较高的大洪水。

表 17　各时期进入三门峡水库及下游河道年平均水沙量统计

(单位:水量为 $10^8 m^3$;沙量为 $10^8 t$)

时　期 (年.月)	年数	三门峡入库		进入下游河道		下游沿河灌溉	
		水量	沙量	水量	沙量	水量	沙量
1950~1960	11	416	17.0	466	16.8		
1960.11~1964.10	4	499	16.5	596	7.8	48	0.4
1964.11~1973.10	9	394	17.2	482	14.3	34	1.0
1973.11~1985.10	12	398	10.2	467	10.3	91	1.6
1985.11~1990.10	5	310	8.1	359	6.8	120	1.5

(4) 主要由于沿河灌溉引水,每年春季(3~6 月)在来水较小时下游河道下段经常出现断流。断流的持续时间和影响河段均有继续增长的趋势。

5.2　流域水沙变化对泥沙输移及沉积的影响

上述流域水沙变化,必然引起干流河道的调整。进入一个河段的水沙条件发生变化,经过本河段调整,又将进一步改变进入下一个河段的水沙条件。就三门峡水库而言,1986~1990 年汛期入库水量减少十分显著,较大洪水出现几率减少而中小洪水出现较多,非汛期淤积在水库变动回水区即黄淤 31~45 断面,距坝 72~133km 范围内的泥沙往往不能在当年通过沿程冲刷与溯源冲刷的联合作用冲刷出库,从而形成累积性淤积。近年来,由于汛期大水出现的几率减小,中小洪水含沙量较高,造成下游河道主槽严重淤积.虽然进入下游河道的水沙量都比过去有所减少,但来沙系数却有所增加.枯水持续时间较长势必引起河道萎缩,从而使它的行洪及输沙能力降低.当然,由于来沙量的减少,上述河道发生淤积的绝对量也相应较小.

　　由于流域治理引起水沙量减少,以及一些支流因遇较大暴雨造成工程失事而增加输入黄河的泥沙的情况仍将继续发生.黄河干流河道也将继续进行调整以适应不断变化的来水来沙条件.自然条件如降水的差异固然是引起水沙变化的一个主要因素,但是,由于黄河水少沙多的固有特性,上、中游流域大水库的水量调节,全河沿程水沙资源的利用和实施小流域治理等对各河段来水来沙条件的影响,也是不容忽视的.下游河道整治以及河口治理引起河道边界条件的变化,也将对下游河道的泥沙输移和沉积产生重要影响.因此,应该继续探索和研究在不断变化的形势下流域侵蚀产沙、泥沙输送与沉积的相互关系,以便在合理地利用水沙资源的同时能正确地处理泥沙问题.

参 考 文 献

[1] 刘东生.黄河中游黄土.北京:科学出版社,1964

[2] 王兴奎,钱宁,胡惟德.黄河流域黄土丘陵沟壑区高含沙水流的形成与汇流过程.水利学报,1982(7)

[3] 龚时旸,蒋德祺.黄河中游黄土丘陵沟壑区小流域水土流失及防治措施.中国科学,1978

[4] 龚时旸,熊贵枢.黄河泥沙的来源与输移.见:第一届河流泥沙国际学术讨论会论文集.北京:光华出版社,1980

[5] 马秀峰.关于黄河粗颗粒泥沙来源问题的商榷.人民黄河.1982(4)

[6] 文康等.黄河龙门至潼关河段滞洪滞沙分析.见:水库泥沙报告汇编.黄河水库泥沙观测研究成果交流会论文集.黄河泥沙研究工作协调组.1972

[7] 钱宁,张仁,李九发等.黄河下游输沙能力自动调整机理初步研究.地理

学报. 第 36 卷. 1981

[8] 麦乔威,赵业安,潘贤娣. 黄河下游河道泥沙问题. 见:第一届河流泥沙国际学术讨论会论文集. 北京:光华出版社,1980

[9] 治黄研究小组. 黄河的治理与开发. 上海:上海教育出版社,1984

[10] 顾文书等. 黄河水沙变化及其影响的综合分析报告. 见:黄河水沙 变化研究基金研究报告. 国际泥沙研究培训中心. 1993

[11] 钱意颖,龙毓骞. 黄河上游水沙研究变化及发展趋势预测. 见:黄河水沙研究基金研究报告. 国际泥沙研究培训中心. 1992

[12] 程龙渊等. 三门峡水库淤积测量方法初步分析. 见:三门峡水利枢纽运用研究文集. 郑州:河南人民出版社,1994

[13] 龙毓骞,李松恒. 三门峡水库的泥沙调节. 黄河科研. 1995(1)

[14] 张启舜,龙毓骞. 三门峡水库泥沙问题. 见:第一届河流泥沙国际学术讨论会论文集. 北京:光华出版社,1980

[15] 钱宁,王可钦,阎林德等. 黄河中游粗泥沙来源区对黄河下游冲淤的影响. 见:第一届河流泥沙国际学术讨论会论文集. 北京:光华出版社,1980

河道泥沙

黄河下游河道的输沙特性

影响冲积河流输沙特性的因素很多。河流的来水条件反映了水流的能量，在一定的河床边界条件下，一定的流量形成一定的河道水力特性，因此，流量及其过程是影响河流输沙特性的一个因素。但是对多沙细沙的冲积河流来说，在一定的来水条件下，来沙量、来沙组成及来沙过程的不同，河床几何形态及来沙组成发生变化，使河道的水力特性改变，从而也影响河流的输沙特性。多沙细沙的冲积河流，在来水来沙发生变化的情况下，河床冲淤调整非常迅速。即使来水条件没有改变，但来沙条件改变，河床也迅速调整，使输沙能力发生大幅度变化，这种变化影响的范围可达很远的距离。由于黄河下游泥沙来源分布的不均匀性，同样的来水条件可产生不同的来沙条件，来自粗泥沙来源区的洪水，下游沿程床沙质含沙量都高，而来自少沙区的洪水，沿程床沙质含沙量都低，经过几百公里的河道仍然存在。因此，下游河道的输沙有不同于一般河流的独特性质。

1 输沙基本特性

1.1 清水期的输沙特性

黄河下游在三门峡水库拦沙期除下泄部分异重流泥沙外，基本为清水，河道的输沙与一般少沙河流没有太大的差别，一定的流量挟带一定的床沙质，流量与床沙质输沙率一般具有较稳定的关系，如图 1 所示，流量与输沙率关系可写成如下形式

$$Q_S = A Q^n \tag{1}$$

式中：Q_S 为悬沙输沙率，t/s；Q 为流量，m³/s；n 为指数，接近于 2；A 是与河床边界条件有关的系数。

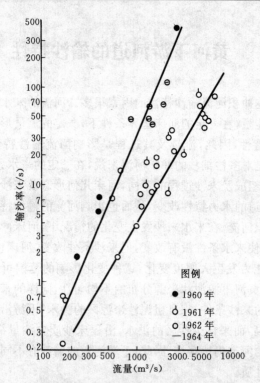

图 1　花园口站流量与输沙率关系图

　　从图 1 可以看出,经冲刷后同流量的输沙率有所降低,调整时间较短,1962~1964 年的流量输沙率关系稳定在 1961 年的关系上。以上指出,在一定的河床边界条件下,输沙率与流量的高次方成正比,因此在同一水量条件下,集中下泄洪峰比小流量均匀泄流能挟带更多的泥沙,而且小流量均匀泄流造成下游宽河段冲刷,艾山以下窄河段淤积,如能形成流量大于 3 000~4 000m³/s 泄放,输沙能力就能增加,而且冲刷遍及全下游,对减轻河道淤积起很大作用。

　　输沙率降低的原因主要是:冲泻质补给量的减少,天然状况下下游多年平均冲泻质($d<0.025\text{mm}$)约占来沙量的 51%,而这部分泥沙在主槽中淤积较少。水库拦沙后下泄清水,下游冲刷靠河槽补给,河槽补给量大为减少;冲刷过程水流分选作用,使床沙粗化,阻力增大,各站床沙组成均发生粗化(见表 1),粗化导致沙粒阻力加大;冲刷后水深加大及水力因子 V^3/h 减小等都将导致同流量的输沙率减小。

表 1 冲刷过程下游各断面床沙中径变化

断　面	床沙中径(mm)				
	建库前平均	1961.9～11	1962.10	1963.5	1964.5
铁　谢	0.164	0.379	0.52	0.565	0.366
官庄峪	0.097	0.191	0.251	0.139	0.191
花园口	0.092	0.128	0.168	0.145	0.133
辛　寨	0.072	0.113	0.132	0.173	0.154
高　村	0.057	0.062	0.096	—	—
杨　集	0.059	0.090	0.076	0.077	0.10
艾　山	0.057	0.097	0.082	0.074	0.08
泺　口	0.057	—	0.091		0.096
利　津	0.057	—	0.082		0.08

1.2　浑水条件下的输沙特性

1.2.1　多来多淤多排,少来少淤少排

图 2 为黄河下游两次洪水的流量含沙量关系,其中 1958 年洪水主要来自少沙区,含沙量较低,而另一次(1959 年)洪水主要来自中游多沙区,含沙量较高,在同一流量下含沙量差别很大。经过几百公里的调整,这种现象仍然存在,说明下游河道的输沙特性随着来水来沙条件而变。在来水来沙条件发生变化的情况下,河床冲淤调整非常迅速,即使来水条件相同,来沙条件改变,河道的输沙能力也发生变化。因此,河流的输沙率不仅是流量的函数,还与来

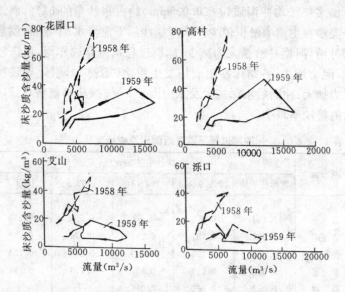

图 2　黄河下游各站流量与床沙质含沙量关系

水含沙量有关,图 3 为孙口站流量与床沙质输沙率关系,点群分布很广,但按上站来水含沙量大小自然分带,写成函数形式

$$Q_s = KQ^a S_上^b \tag{2}$$

式中:Q_s 为床沙质输沙率,t/s;Q 是流量,m³/s;$S_上$ 为上站来水含沙量,kg/m³;K 为系数,与河床前期冲淤有关;a、b 是指数,与边界条件及来沙颗粒组成有关,黄河下游分别等于 1.3~1.1 和 0.7~0.98。式中 a 值沿程变化较小,而 b 值沿程有增大的趋势,说明对于同样的上站造床质含沙量增值,各站的造床质输沙率增值是沿程加大的,它反映了冲积河流的输沙特性,其含沙量指数 b 值与河槽形态有关,流量的指数与河段比降有关。a、b 值与河道特性关系如下

$$b = -0.256 \lg \frac{\sqrt{B}}{H} + 1.18 \tag{3}$$

$$a = 0.356\lg J + 1.13 \qquad (4)$$

含沙量指数 b 值由游荡性河段的 $0.7\sim0.8$ 增至 0.98，说明窄深河槽更有利于泥沙输送。

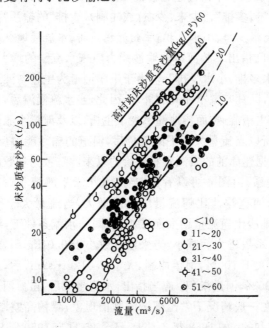

图 3　孙口站流量与床沙质输沙率关系图

由上可见，下游的输沙能力同时受到流量及来水含沙量的影响。在一定的流量下，输沙能力随上站来水含沙量的加大而加大；在一定的来水含沙量下，输沙能力随流量的加大而加大。图 3 中虚线是孙口站（下站）与高村站（上站）含沙量相等时的流量与输沙率关系线，也就是说该河段处于平衡状态的流量与输沙率关系。如来水来沙处于这条线的右下方，则河段处于冲刷状态，来水来沙处于这条线的左上方，则河段处于淤积状态。过去的研究习惯于通过全部点群作出平均关系线，这只是平均冲淤情况下的关系，而不是冲淤平衡关系,点群平均线与冲淤平衡线并不在同一位置上。下游河道主槽在大水时冲刷,而在小水时淤积正反映了这一客观规律。图3和式(2)反映了下游河道输沙的基本规律,充分反映了下游河道"多来、多淤、多排""少来、少淤(或冲刷)、少排"的输沙特点。

1.2.2 大水多排、小水少排;主槽泄水多排、水流漫滩少排

前面已指出下游河道的输沙能力随来水流量的增大而增大,也即"大水多排、小水少排"。但由于下游河道为主槽与滩地组成的复式断面,又具有宽窄相间的外形。因此,当水流漫滩后,由于滩地流速小于主槽流速,而滩地糙率大于主槽,以及滩槽水流泥沙的横向交换,所以当流量大于平滩流量后,河道的输沙能力反而降低。图4为根据建库前的实测资料点绘的以来沙系数为参数的排沙比与流量关系,由图4可以看出:当流量小于平滩流量(约为6 000 m^3/s)时,河道排沙比随流量增大而增大,当流量大于平滩流量后,河道排沙比随流量增大而减小;在同一水流条件下,河道排沙比随来沙系数增大而减小,当来沙系数小于0.01kg·s/m^6时,河道排沙比大于100%,河道冲刷,大于0.01kg·s/m^6后,河道排沙比小于100%,河道淤积。应当指出,水流漫滩后,虽然河道排沙比减小,但在一般情况下常出现淤滩刷槽现象,滩槽高差增大,对防洪还是有利的。如1958年7月15日至25日与1959年8月18日至9月4日两次洪水水量接近,来沙量分别为5.76和10亿t,1958年流量变幅为2 670~22 300m^3/s,水流大漫滩,1959年流量变幅为2 660~9 480m^3/s,水流漫滩较少,1958年洪水大量泥沙在滩地落淤,造成主槽强烈冲刷,但排沙比为54%,而1959年洪水排沙比为68%。

1.2.3 汛期多排,非汛期少排

表2为不同水沙条件下游河道的来水来沙及排沙情况。由于汛期流量较大,排沙能力较强,非汛期流量小,排沙能力较弱,从表2可以看出,1950~1960年为天然情况,汛期河道排沙比为75%,

表2　黄河下游河道排沙比　　（单位：水量，$10^8 \mathrm{m}^3$；沙量，$10^8\mathrm{t}$）

时期	泥沙类别(mm)	1950~1960				1964.11~1973.10				1973.11~1990.10			
		来水量	来沙量	利津沙量	排沙比 η	来水量	来沙量	利津沙量	排沙比 η	来水量	来沙量	利津沙量	排沙比 η
汛期	<0.025		8.76	7.48	85.4		6.85	5.73	83.6		5.14	3.70	72.0
	0.025~0.05		3.83	2.60	67.9		3.19	2.31	72.4		2.64	1.84	69.7
	0.05~0.1	295.6	2.32	1.30	56.0	225.9	2.5	1.07	42.8	228.1	1.71	1.12	65.5
	>0.1		0.43	0.13	30.2		0.43	0.05	11.6		0.34	0.04	11.8
	全沙		15.34	11.51	75.0		12.97	9.16	70.6		9.83	6.70	68.2
非汛期	<0.025		0.94	1.02	108.5		1.12	1.17	104.5		0.2	0.38	190.0
	0.025~0.05		0.77	0.51	66.2		0.92	0.60	65.2		0.08	0.26	325.0
	0.05~0.1	184.0	0.645	0.17	26.4	199.4	1.21	0.34	28.1	173.2	0.06	0.22	366.7
	>0.1		0.255	0.01	3.9		0.27	0.02	7.4		0.01	0.01	100.0
	全沙		2.61	1.71	65.5		3.52	2.13	60.5		0.35	0.87	248.6
全年	<0.025		9.7	8.5	87.6		7.97	6.90	86.6		5.34	4.08	76.4
	0.025~0.05		4.61	3.12	67.7		4.11	2.91	70.8		2.72	2.10	77.2
	0.05~0.1	479.6	2.96	1.46	49.3	425.3	3.71	1.41	38.0	401.3	1.77	1.34	75.7
	>0.1		0.68	0.14	20.6		0.70	0.07	10.0		0.35	0.05	14.3
	全沙		17.95	13.22	73.6		16.49	11.29	68.5		10.18	7.57	74.4

而非汛期只有 65.5%；三门峡水库修建后的滞洪排沙期（1964～1973 年），汛期排沙比为 70.6%，非汛期排沙比为 60.5%，说明汛期的排沙能力大于非汛期。另一方面黄河下游的来沙量中汛期占 85%以上，由于汛期排沙能力较大，因此汛期的排沙量占年排沙量的 80%以上，下游河道的泥沙主要集中在汛期，排沙主要也集中在汛期。

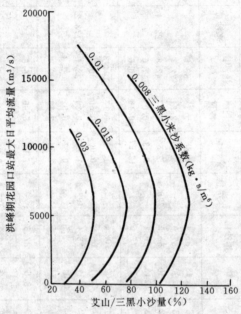

图 4　洪峰期三门峡—艾山河段排沙关系

1.2.4　粗泥沙排沙能力小，细泥沙排沙能力大

从表 2 可看出，河道的排沙比随粒径变粗而减小。如 1950～1960 年系列，汛期细泥沙（$d < 0.025mm$）、中泥沙（$0.025 \sim 0.05mm$）、粗泥沙（$> 0.05mm$）的河道排沙比分别为 85.4%、67.9%和 52%，特别是大于 0.1mm 的粗泥沙排沙比只有 30.2%。

1964～1973 年系列,大于 0.1mm 泥沙的排沙比只有 11.8%。非汛期的河道排沙比亦随粒径变粗而减小,粗泥沙排沙比为 20%～24%,大于 0.1mm 泥沙的排沙比只有 4%～7%。从全年来看,粗泥沙来沙量约占年来沙量的 25% 左右,但粗泥沙排沙量只占年排沙量的 13%,大于 0.1mm 的泥沙来沙量占年来沙量的 4% 左右,但排沙量只占年排沙量的 1% 左右。以上情况充分说明下游河道粗泥沙排沙能力小,细泥沙排沙能力大的输沙特点。

1.2.5 宽浅断面排沙能力小,窄深断面排沙能力大

黄河下游河道具有上宽下窄的特点,表 3 为黄河下游河槽水力形态的沿程变化,由表 3 可以看出,当流量为 4 000m³/s 时,高村以上河段的水面宽约为 1 300～2 500m。平均水深约 1.4～2m,平均流速 1.1～1.6m/s,$\gamma h J$ 为 0.28～0.40;而艾山至利津河段,水面宽仅 440m,平均水深 4.6m,平均流速 2m/s,$\gamma h J$ 为 0.46,说明上段宽浅,水流强度较弱,下段窄深,水流强度较强。

表 3　　　　　　黄河下游河槽水力形态的沿程变化

河　段	铁谢至高村	高村至艾山	艾山至利津
比降(‰)	2～1.7	1.7～1.1	1.0
水面宽(m)	1 300～2 500	800～1 100	440
平均水深(m)	1.4～2	2.6	4.6
平均流速(m/s)	1.1～1.6	1.7	2.0
单宽流量(m²/s)	1.6～3.2	4.5	9.2
$\gamma h J$(kg/m²)	0.28～0.40	0.32	0.46

注　流量为 4 000m³/s 时的河段平均值

图 5 为流量与各河段排沙比关系,图 5 表明,下游河道的排沙能力呈沿程增加趋势,当流量大于 3 000m³/s 的条件下,高村以上河段的排沙比仅 60%～80%,并且随含沙量增大排沙比降低,而艾山以下窄深河道,当流量小于 1 800m³/s 时,河段排沙比小于

100%，且随流量的增加排沙比增加，其输沙呈"多来、多排、多淤"特性；在流量大于 1 800m³/s 时，河段排沙比达 100%，含沙量对排沙比没有明显影响，河道呈现"多来、多排"的输沙特性。

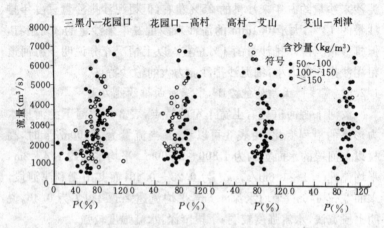

图 5   黄河下游各河段排沙能力变化

2   下游河道输沙能力调整机理分析

黄河下游河道的输沙能力变化幅度大，调整十分迅速，受到各种因素的影响，问题较复杂，现根据实测资料，分析了主要影响因素的调整范围。

2.1   河床物质组成

河床的物质组成随河床冲淤而发生变化。黄河下游当来沙较多时，河床发生淤积，河床细化，同流量下可以输送较大含沙量；而当来沙较少时，河床发生冲刷、河床粗化、输沙能力降低。图 6 为三门峡—花园口河段累积冲淤量与花园口河床质平均粒径关系，可以看出，床沙粗细化很迅速，在清水冲刷下，床沙粒径可粗化近一倍，而回淤到一定数量后，床沙粒径细化，迅速恢复到原来状态，再进一步淤积，床沙的继续细化也不显著。为了定量地研究其影响程度,选用了花园口站 1964、1970 和 1978 年三种床沙级配资料。1964 年是经过冲刷后的床沙粗化状态,1970 年是回淤后细化,1978 年是经 1977 年主槽冲刷、床沙粗化,但处于前两种中间状态。计算结果见表 4,可以看出,在给定的床沙级配变化范围内,由于床沙的粗化或细化,在小流量时对输沙影响较大,可以悬殊 20 多倍,而在大流量时可悬殊 2 倍多。

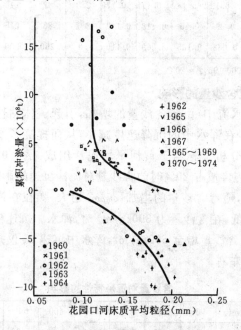

图 6　三门峡—花园口河段累积冲淤量与花园口河床质平均粒径的关系

2.2　河床纵比降的影响

黄河下游河道在不同来水来沙条件下,河床发生冲淤变化,纵比降不断调整,淤积时比降变陡,冲刷时比降变缓,如孟津至花园口河段,1960 年纵比降为 2.728‰,经清水冲刷,至 1964 年,比降为 2.58‰。经分析计算,由于比降的变化对输沙的影响较小,约为

$8\% \sim 12\%$。

表4 花园口站床沙级配对河道输沙的影响

时 间 (年.月.日)	床沙代表粒径 (mm)				各单宽流量(m^2/s)下的 单宽输沙率(kg/s·m)				
	d_{35}	d_{65}	d_{50}	$d_平$	2	4	6	8	10
1964.8.13	0.12	0.182	0.115	0.178	2.3	32	110	235	400
1978.9.9	0.09	0.15	0.118	0.143	8.1	83	215	416	693
1970.8.17	0.048	0.105	0.069	0.110	50	250	500	780	1 100

注 $J = 0.000\ 195, T = 20℃$

2.3 水流含沙量的影响

挟沙水流中,由于含沙量的增加,引起流体粘性和容重的增加,使泥沙在浑水中的沉降速度减小,从而提高了水流的输沙能力。计算分析了相当于黄河平均泥沙组成 $d_{50} = 0.036mm, d < 0.01mm$ 的含量占 20% 时的含沙量对泥沙沉速的影响见表5。由表5可知,随着含沙量的增加,ω_0/ω_s 增大,颗粒在浑水中的沉速大幅度降低,在含沙量为 $300kg/m^3$ 时,浑水中沉速仅是清水中沉速的 1/3,含沙量增至 $500kg/m^3$,浑水中沉速 ω_s 仅是清水中沉速 ω_0 的 1/5 左右。

表5 含沙量对沉降特性的影响

含沙量(kg/m^3)	0	100	200	300	400	500	600	700
ω_0/ω_s	1	1.55	2.25	3.09	4.10	5.32	6.97	9.38

2.4 断面形态的影响

黄河下游 1977 年发生了两次高含沙洪水,表6 为花园口在两次洪峰期间同流量下的断面形态变化,通过调整,宽深比减小最大近 30 倍,流速有很大增加。以两次洪水过程实测断面为基础,计算分析了断面形态调整对输沙能力的影响,结果见表7。可以看出,

随着断面形态趋于窄深,输沙能力在低含沙量时可以增大 3 倍,在
高含沙量时可以增大 1.5 倍。

表 6　　　　　　　1977 年 7、8 月之间两次高含沙洪峰
中花园口断面形态及流速的变化

项　目		日　　期					
		7 月 8 日	9 日	10 日	11 日	8 月 7 日	8 日
同流量情况	水面宽 B(m)	2 644	2 178	779	651	510	433
	平均水深 h(m)	0.86	1.01	2.57	2.90	3.50	4.00
	宽深比 B/h	3 074	2 156	303	224	146	108
实测流量(m³/s)		6 330	7 390	3 740	3 230	5 880	4 590
实测流速(m/s)		2.12	2.28	2.33	2.43	2.83	2.82

表 7　　　　　断面形态的变化对水流挟沙力的影响

日　期	河宽(m)		不同上站来沙含量(kg/m³)下水流输沙率(t/s)					
	主槽	滩地	0	100	200	350	500	600
1977 年 7 月 8 日	536	2 110	105	104	173	490	1 049	1 509
7 月 9 日	798	1 382	96	95	190	637	1 197	1 662
7 月 10 日	779		190	174	343	919	1 870	2 492
7 月 11 日	651		260	205	410	1 074	2 018	2 799
8 月 7 日	510		380	265	479	1 294	2 350	3 173
8 月 8 日	423		430	296	563	1 429	2 650	3 594

注 花园口站,$Q=5\,000$m³/s,$J=1.95$‰,$d_{平均}=0.143$mm,水温$=20$℃

2.5　艾山至利津河段输沙机理分析

表 8 为黄河艾山至利津河段水力几何形态特性。水力几何形
态常用下列公式表示

$$B = K_1 Q^{\beta_1} \qquad\qquad (5)$$

$$h = K_2 Q^{\beta_2} \qquad\qquad (6)$$

$$V = K_3 Q^{\beta_3} \tag{7}$$

式中：B 为河宽，m；h 为水深，m；V 为流速，m/s；Q 为流量，m^3/s；K_1、K_2、K_3 为系数，β_1、β_2、β_3 为指数。

表 8   黄河艾山—利津河段水力几何形态特性

流量级	站　名	K_1	K_2	K_3	β_1	β_2	β_3
$<1\,800\text{m}^3/\text{s}$	艾　山	110	0.303	0.030	0.178	0.258	0.564
	泺　口	48.2	0.96	0.021 6	0.242	0.145	0.613
	利　津	87.2	0.500	0.023 0	0.237	0.192	0.571
$>1\,800\text{m}^3/\text{s}$	艾　山	300	0.018	0.186	0.032	0.645	0.323
	泺　口	215	0.012 4	0.376	0.032	0.742	0.226
	利　津	208	0.021 8	0.220	0.104	0.613	0.283

表 8 列出主要水文站 β_1、β_2、β_3 值的变化，均以流量 1 800m³/s 为一拐点，造成流量 1 800m³/s 上下不同变化特点的主要原因是河道动床阻力作用的结果，在流量小于 1 800m³/s 时，$\beta_3 > \beta_1 + \beta_2$，动床阻力随流量减小不断增加；而流量大于 1 800m³/s 时，$\beta_3 \ll \beta_1 + \beta_2$，动床阻力随流量增加略有增加，但变化较小。

造成动床阻力变化的主要原因，是床面形态随流量变化不断消长的结果。图 7 为根据试验资料点绘的流速与水深关系，并标出不同的床面形态。由图上利津站的关系可看出，在水深 1～2m 范围内，水深与流速关系较散乱，床面形态处于沙纹状态，而在水深大于 2m 后，随着水深增加，流速增大，流速大于 1.3m/s，床面处于高输沙平整状态，而艾山至利津河段水深为 2m 时，相当流量约 2 000m³/s，床面处于高输沙平整状态，因此输沙能力较大。

以上分析表明，影响河道输沙能力的因素是复杂的，各种因素的影响程度不同，但表明黄河下游河道输沙能力的自动调整作用十分强烈和灵敏，各种因素的影响使在相当长的距离内都可以保持"多来多排"的特点。

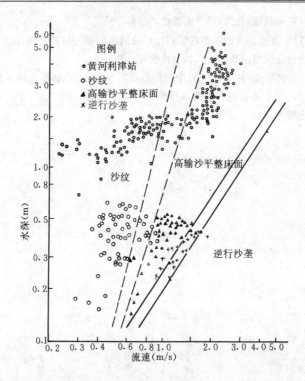

图7 利津站水深与流速关系

参 考 文 献

[1] 麦乔威,赵业安,潘贤娣. 多沙河流水库下游河道演变研究及估算方法.
    黄河建设. 1965(3)

[2] 麦乔威,赵业安,潘贤娣等. 黄河下游来水来沙特性及冲淤规律研究. 见:
    黄科院科学研究论文集. 第二集. 郑州:河南科学技术出版社,1990

[3] 钱宁等. 黄河下游挟沙能力自动调整机理的初步探讨. 地理学报. 1981
    (2)

[4] 齐璞等. 黄河艾山以下河道输沙特性研究. 见:黄河高含沙水流运动规律

及应用前景.北京:科学出版社,1993

[5] 齐璞.黄河高含沙洪水的输移特性及河床形成.见:黄河高含沙水流运动
规律及应用前景.北京:科学出版社,1993

[6] J.B 索撒德.冲积河道的床面形态及有关水温、悬移质含沙量影响的综
述.见:中美黄河下游防洪措施学术讨论会论文集.北京:中国环境科学
出版社,1988

黄河下游河道冲淤演变

　　黄河下游河道总的形态是上宽下窄、上陡下缓,其河道平面示意图见图1。下游河道冲淤演变具有上段变化较大,下段变化较小的特点。按照河床演变的特点,可将黄河下游分为三种不同类型的河道,孟津至高村为游荡性河道,陶城铺以下为受控制的弯曲性河道,高村至陶城铺河道介于游荡与弯曲之间,称为过渡性河道。

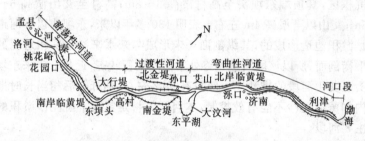

图1　黄河下游河道平面图

1　1855年以来下游河道冲淤概况

　　黄河下游河道是在不同历史时期所形成,孟津铁谢至沁河口原是禹王故道,沁河口至兰考东坝头已有500多年的历史,东坝头至陶城铺是1855年铜瓦厢决口后在泛区内形成的河道,陶城铺以下鱼山至入海口,原系大清河故道,铜瓦厢决口后为黄河所夺。北岸自孟县以下,南岸自郑州铁桥以下,除东平湖到济南田庄为山岭外,两岸均建有大堤。由于大量泥沙淤积,河床逐年抬高,目前河床滩面一般高于堤外地面3~5m,个别地段达10m,成为"地上悬河"。

　　1855年以来黄河下游河道冲淤演变经历了铜瓦厢改道初期

(1855～1875 年)、修堤后的河槽形成期(1875～1891 年)、河道缓慢抬升期(1891～1936 年)、河道正常淤积期(1936～1960 年)以及三门峡水库修建后的冲淤发展期(1960～1994 年)。据史料记载、地形图比较及文物考证等综合分析,全断面冲淤变化见表 1。可以看出,不同时期有不同的特点,现河道 1855～1994 年已行河 130 年(扣除 1938～1947 年花园口改道 9 年),经过长时期的冲淤调整,花园口以上累积淤积厚度不到 1m;花园口至东坝头在改道初期河槽发生溯源冲刷后至今没有完全回淤,老滩仍比新淤滩面高 1～2m;东坝头至艾山河段是铜瓦厢决口后的冲积扇,是泥沙主要沉积区,其顶端东坝头至高村淤高 6～8m;高村至艾山淤高 5～6m;艾山以下淤高 4m 左右。表明 130 多年以来,东坝头以下河道是淤积塑造形成的,其纵剖面还未形成与来水来沙条件相适应的平衡剖面,所以该段河道始终处于强烈堆积状态,近几十年来东坝头至艾山河段的排沙比一般只有 80% 左右,估计今后相当长时期内如黄河泥沙不能有效控制,本河段仍将是黄河下游泥沙淤积的主要河段。

2　不同水沙条件下下游河道冲淤演变

下游河道的河道冲淤演变主要决定于来水来沙条件(包括量和过程)。根据黄河下游 1950 年以来的来水来沙特点和三门峡水库运用情况,可分为 6 个时段进行分析,各时段水沙特点见表 2。

2.1　天然情况下的河床演变

1950～1960 年为三门峡水库修建前的天然情况,年均来水量 480 亿 m³,来沙量 17.95 亿 t,平均含沙量 31.4kg/m³,为丰水多沙系列;大洪水发生次数较多,花园口超过 10 000m³/s 的大漫滩洪水有 6 次,水、沙峰比较适应。下游河道年均淤积量达 3.61 亿 t,占来沙量的 20%,其中汛期淤积量占年淤积量的 80% 左右;纵向淤积以夹河滩至孙口河段为最多,占全下游淤积量的 48%,而艾山

表1　黄河下游 1855～1994 年断面平均冲淤厚度统计　　　　　　　　　　（单位：m）

河　段	1855～1875		1875～1891		1891～1936		1936～1960		1960～1994		1855～1994	
	淤积	年均	淤积	年均	淤积	年均	淤积	年均	淤积	年均	淤积	年均
铁谢一花园口	槽冲 1～2	槽冲 0.05～0.10	0.5	0.03	1～1.5	0.02～0.03	0.32	0.02	0.16	0.005	0.4～1.0	0.003～0.007
花园口一东坝头	槽冲 3.5～5	槽冲 0.07～0.25	1	0.06	1～1.5	0.02	0.5	0.03	1.27	0.037	槽冲 0～1.5	槽冲 0～0.01
东坝头一高村	2～3	0.01～0.15	1	0.06	1～1.5	0.02～0.03	1.3	0.09	0.90	0.026	6.2～7.7	0.046～0.054
高村一艾山	0.5～1	0.025～0.05	1	0.06	1～1.5	0.02～0.03	2	0.13	0.82	0.024	5.3～6.3	0.04～0.048
艾山一泺口	槽宽由 30m 刷宽至 200m		1～1.5	0.06～0.1	1～2	0.02～0.04	1.5	0.10	0.97	0.029	4.5～6	0.03～0.046
泺口一利津	300m		0.5～1	0.03～0.06	1.5～2	0.03～0.04	0.8	0.06	1.20	0.035	4～5	0.03～0.038

注　花园口一东坝头 1855 年黄河决口形成的高滩未上水

表 2　　　　　　　　**黄河下游各时段水沙量**

时　段 (年.月)	水　量 (10^8m³)	沙　量 (10^8t)	含沙量 (kg/m³)	单位水量 冲淤量 (t/m³)	花园口 最大流量 (m³/s)
1950.7~1960.6	480	17.95	37.4	0.007 5	22 300
1960.10~1964.10	573	6.03	10.5	−0.01	9 430
1964.10~1973.10	426	16.3	38.3	0.01	8 480
1973.10~1980.11	395	12.4	31.3	0.005	10 800
1980.11~1985.10	482	9.7	20.1	−0.002	15 300
1985.10~1993.10	309	7.48	24.2	0.008	7 000

至利津河段淤积较小,见表3。由于洪峰流量较大,大漫滩洪水往往造成主槽强烈冲刷,滩地大量淤积,6次大漫滩洪水主槽冲刷16.5亿t,滩地淤积泥沙近25亿t。因此,该时期全下游滩地淤积量占全断面淤积量的77%,主槽只占23%,其中花园口—高村、高村—艾山、艾山—利津河段的主槽淤积量分别占全断面淤积量的22%、16%和2%,特别是艾山—利津河段主槽基本不淤。同流量(3 000m³/s,下同)水位基本反映主槽的变化,沿程水位普遍升高,孙口以上年均升高0.12m左右,艾山以下升高0.06~0.02m。由于该时期大水机遇较多,大漫滩洪水使滩地淤高,主槽刷深,然后通过不漫滩洪水,平水期和非汛期使主槽回淤,又由于主流的摆动,泥沙较均匀地淤积在主槽,使主槽和滩地趋于同步上升,滩槽高差大致维持在1.0~1.2m。

2.2　三门峡水库修建后下游河道冲淤演变

三门峡水利枢纽控制流域面积占总流域面积的91.5%,径流量占流域多年平均值的89%,沙量占98%。1960年9月投入运用以来,经历了"蓄水拦沙"、"滞洪排沙"与"蓄清排浑"运用,随着运用方式及来水来沙条件的变化,改变了下游的来水来沙条件,引起了下游河道冲淤演变的不同特点。

表3　黄河下游各时段平均冲(一)游量纵横向分配

（单位：10^8t）

时段	项目	铁谢—花园口	花园口—夹河滩	夹河滩—高村	高村—孙口	孙口—艾山	艾山—泺口	泺口—利津	铁谢—利津
1950.7 ~ 1960.6	主槽	0.32	0.16	0.14	0.15	0.04	0.01	0	0.82
	滩地	0.30	0.41	0.66	0.78	0.20	0.19	0.25	2.79
	全断面	0.62	0.57	0.80	0.93	0.24	0.20	0.25	3.61
1960.10 ~ 1964.10	主槽	−1.90	−1.47	−0.84	−1.03	−0.22	−0.19	−0.13	−5.78
1964.10 ~ 1973.10	主槽	0.47	0.74	0.51	0.35	0.23	0.22	0.42	2.94
	滩地	0.48	0.34	0.43	0.09	0.07	0.01	0.03	1.45
	全断面	0.95	1.08	0.94	0.44	0.30	0.23	0.45	4.39
1973.10 ~ 1980.10	主槽	−0.18	0.01	0.03	0.10	0.03	0.03	0	0.02
	滩地	−0.04	0.33	0.50	0.49	0.16*	0.13	0.30	1.79
	全断面	−0.22	0.34	0.53	0.59	−0.07	0.16	0.30	1.81
1980.10 ~ 1985.10	主槽	−0.30	−0.35	−0.29	−0.13	−0.01	−0.07	−0.12	−1.26
	滩地	−0.06	−0.10	−0.09	0.52	0.07	−0.04	−0.00	0.29
	全断面	−0.36	−0.45	−0.38	0.39	0.06	−0.11	−0.12	−0.97
1985.10 ~ 1993.10	主槽	≈0.24	0.45	0.27	0.19	0.10	0.20	0.14	1.59
	滩地	0.16	0.11	0.07	−0.02	0.03	0	0.01	0.36
	全断面	0.40	0.56	0.34	0.17	0.13	0.20	0.15	1.95
合计		7.01	14.15	17.63	16.58	6.33	5.48	8.73	75.91
占全河(%)		9.30	18.80	23.50	22.10	8.40	7.30	11.6	100

2.2.1 1960 年 9 月至 1964 年 10 月

1960 年 9 月至 1964 年 10 月为"蓄水拦沙期"及"滞洪拦沙期",极大地改变了天然来水来沙过程,洪峰流量大幅度削减,最大削峰比达 68% 左右,中水流量持续时间加长,洪峰过程明显坦化;水库除异重流排沙外,下泄沙量很少而且细。该时期下游平均来水量为 573 亿 m³,来沙量 6.03 亿 t,年均含沙量 10.5kg/m³,水多沙少而细,最大洪峰流量 9 430m³/s,花园口流量 3 000m³/s 以上的历时年均 48 天。该时期下游河道共冲刷泥沙 23.1 亿 t,年均冲刷5.78 亿 t(见表 3),冲刷自上向下发展,冲刷集中在高村以上河段,占全下游冲刷量的 73% 左右。同流量水位年均下降从上段的0.7m 左右沿程衰减至 0.055m,近河口段的利津站甚至没有下降。河道的冲刷使排洪能力增大,高村以上河段同水位下流量增加6 000~8 000m³/s。艾山以下增加 1 200m³/s 左右,平滩流量加大,夹河滩和高村站分别为 11 500m³/s 和 12 000m³/s。黄河下游铁谢至花园口河段一岸有邙山崖坎控制,河床冲刷以下切为主,滩槽高差加大,河势规顺;花园口至高村河段,边界控制性较差,河床既有下切,又有展宽,断面形态变化不大(见表 4),仍为宽浅散乱;高村

表 4   三门峡水库建成以来黄河下游河床形态的变化

河 段		平均河宽(m)			平均水深(m)			$\sqrt{B/H}$		
		1960.11	1962.5	1964.8	1960.11	1962.5	1964.8	1960.11	1962.5	1964.8
二滩之间的河槽	铁谢—官庄峪	3 850	3 820	3 460	0.99	1.73	2.27	62.8	35.7	25.9
	秦厂—高村	2 450	3 050	3 590	1.53	1.76	1.92	32.4	31.4	31.1
	苏泗庄—王坡	1 230	1 090	1 000	1.05	2.83	3.45	18.9	11.7	9.2
	艾山—利津	492	481	485	4.70	4.90	6.74	4.7	4.5	3.3
河槽内的主槽	铁谢—官庄峪	964	1 140	—	0.92	1.55	—	33.8	21.0	—
	秦厂—高村	805	960	—	1.15	1.35	—	24.7	22.9	—

以下工程控制较好,主槽下切。黄河下游河势有"大水走中、小水走弯"、"大水下挫、小水上提"等规律。水库运用后,中水流量历时长,主流顶冲位置较固定,清水冲刷能力强,坐湾死,造成滩地坍塌,铁谢至陶城铺河段共塌滩地约 300km² (见表 5),冲失泥沙 7~8 亿 t,塌高滩、淤低滩,塌滩与淤滩不能保持基本平衡,改变了建库前滩地此塌彼淤、滩地总面积变化不大的状况。

表 5　　　　　三门峡水库下泄清水期滩地坍塌情况

河　　段	滩地坍塌面积(km²)	二滩之间宽度(m)	
		1960 年	1964 年
铁谢—花园口	82.74	4 115	2 580
花园口—东坝头	125.64	2 563	3 633
东坝头—高村	70.6	2 340	3 610
高村—陶城铺	49.0	1 240	1 415
共　　计	326.6		

2.2.2　1964 年 11 月至 1973 年 10 月

1964 年 11 月至 1973 年 10 月为滞洪排沙期。该时期下游年均来水量 426 亿 m³,来沙量 16.3 亿 t,平均含沙量 38.3kg/m³,为平水多沙系列。1966 年后,增建的泄流排沙设施陆续投入运用,泄流能力逐渐加大,出库的水沙过程有所改善。但水库仍有较大的削峰滞沙作用,削峰率可达 30%~40%,出库的流量过程调匀,排沙较少,而洪水过后降低水位排沙,形成"大水带小沙、小水带大沙",水沙不适应的过程,其中最为典型的是 1964 年 7 月至 1965 年 6 月,见图 2。其它年份,由于入库水沙条件及水库泄流能力变化,不像图 2 那么突出,但基本趋势是一致的。这种水沙关系,不利于下游河道输沙,使淤积量增加,主槽淤得多,滩地淤得少。滩槽高差减小,特别是艾山以下主槽淤积加重,排洪能力上大下小的矛盾更加尖锐。下游河道年均淤积量 4.39 亿 t(表 3),大于建库前的年均淤

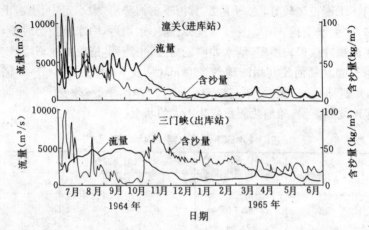

图 2　三门峡水库 1964.7～1965.6 进出库流量含沙量过程线

积量 3.61 亿 t,滩地淤积量仅占全断面淤积量的 33%,纵向淤积
分布发生变化,两头增加,中间减少,夹河滩以上河段淤积占下游
淤积总量的 46.3%,艾山至利津河段淤积占 15.5%。这种运用方
式实质上是把大洪水淤滩刷槽的机遇减少了,本应淤在滩地的泥
沙,由于水库的滞洪留在库内,洪水过后降低水位排沙淤在下游河
道主槽内,改变了淤积部位。又由于 1958 年起在两岸滩地修有生
产堤,一般洪水只在生产堤之间运行,生产堤与大堤之间滩地进水
较少,淤积较少,因此,局部河段在两岸大堤之间又形成一条河床
高于生产堤以外滩地的"二级悬河",见图 3。由于主槽的淤积,过
洪能力急剧下降,沿程同流量水位除铁谢上升较小外,其它各站年
均上升 0.2～0.3m,大于建库以前的上升速度,平滩流量由 10 000
m³/s 左右降为 2 000～4 000m³/s,1973 年 8 月花园口发生洪峰流
量 5 000m³/s 的高含沙洪水,花园口以下 160km 河段的水位高于
1958 年花园口洪峰流量 22 300m³/s 的水位 0.2～0.4m,同时在游
荡性河段出现水位陡涨猛落,洪峰沿程变形、增大等异常现象,造
成防洪紧张局面。

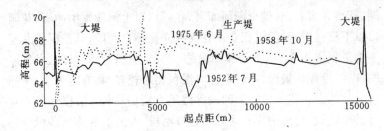

图3　典型断面变化

从以上分析看出,这种水沙条件对下游河道的影响不仅是近坝段,其影响范围很远,几乎涉及整个黄河下游河道。

2.2.3　1973年11月至1993年10月

1973年11月至1993年10月为"蓄清排浑"期,即水库在非汛期蓄水拦沙,下泄清水,河道发生冲刷,汛期水库降低水位排沙,加大来沙量,下泄浑水,河道的冲刷或淤积随来水来沙条件而异。这种演变过程不同于建库前,也不同于水库滞洪运用期。在蓄清排浑运用20年特定的条件下,全下游淤积泥沙23.4亿t,年均1.17亿t。但随着来水来沙条件的不同,河床经历了淤积—冲刷—淤积的演变过程,大致可分三个阶段。

(1)1973年11月至1980年10月下游年均来水量395亿m³,来沙量12.4亿t,分别为多年均值的85%和80%,其中发生了1977年的高含沙洪水,花园口最大流量10 800m³/s,小浪底最大瞬时含沙量为911kg/m³。中等洪峰出现次数较多,而小于2 000m³/s流量的历时却较长,年均占汛期历时的56%。

在自然情况下,下游河道每年非汛期为淤积,蓄清排浑运用后,转为冲刷,平均每年冲刷1亿t左右。根据下游冲刷规律,流量大冲刷距离远,一般要达到2 500m³/s左右才能发生全河段冲刷,而非汛期流量小,一般不超过2 000m³/s,冲刷只到夹河滩或高村,所以非汛期艾山以下河道仍发生淤积。汛期全下游仍为淤积,累积淤积量12.67亿t,年均淤积1.8亿t,是历史上淤积较少的时期。

期。从表3可看出,就全断面而言,花园口以上河段发生冲刷,花园口以下沿程淤积,但淤积集中在夹河滩至孙口河段,其淤积量占全下游淤积量的62%,大于建库前的50%。主槽花园口以上发生冲刷,以下沿程均微淤,高村至孙口淤积相对较多,具有两头小、中间略大的特点。花园口以上河段除滩地有所坍塌外,沿程滩地均有所淤积,但淤积集中在夹河滩至孙口河段,占全下游滩地淤积量的55%。

在大滩区,由于滩面宽,又有生产堤的影响,使得中小洪水只在主槽和嫩滩内落淤,大洪水时也只从生产堤上一些破除的口门进水,使滩槽水流泥沙交换受到限制,造成生产堤内淤积厚度大,生产堤外淤积厚度小,增加了"二级悬河"的高差。

1977年是枯水丰沙年,水量较常年偏少33%,沙量较常年偏多29%。沙量主要集中在7、8月两场高含沙洪水,三门峡站洪峰流量分别为7 900和8 900m³/s,最大含沙量为589和911kg/m³。这两次高含沙洪水淤积量大,达9亿t左右,但淤积距离比较短,高村以上的宽浅游荡河段的淤积量占总淤积量的80%以上。在洪水过程中,主槽发生了强烈的冲刷,嫩滩普遍淤高,主槽缩窄,形成明显的高滩深槽的断面形态,在小浪底至花园口河段出现短时间内水位骤然下降,随后又突然上升的异常现象,其中驾部水位在6小时内骤降0.8m,继而在1.5小时内骤涨2.84m,造成多处险工出险。同时使洪峰变形,上、下站洪峰不对应,如8月洪水,小浪底站开始涨水,出现最大洪峰流量9 720m³/s,含沙量猛增,而相应的花园口流量不仅不涨,反而下降,仅为4 590m³/s,在3.7小时后流量增加到10 800m³/s,峰前涨水过程变陡,流量的涨率比小浪底站增加四倍,涨幅达1 676m³/s。

(2) 1980年11月至1985年10月下游年均来水量482亿m³,来沙量9.7亿t,属于丰水枯沙系列,除1961~1964年三门峡水库拦沙期外,是历史上下游含沙量最低的时期,上游河口镇以上年均来水 281 亿 m³,偏多 11.5%,另一少沙区伊、洛、沁河来水偏中;而多沙粗泥沙来源区河口镇至龙门区间由于暴雨强度较弱,年均来水量仅 36 亿 m³,比多年均值减少了 46%,来沙量为 3.36 亿 t,为多年均值的 39%。因此,该时期为丰水少沙系列。而中、大洪峰较多,洪量大,含沙量低,中水流量历时长,1982 年出现了洪峰流量为 15 300m³/s 的洪水,是 1958 年以来第二次最大洪峰,1981、1982、1983 年均发生大于 8 000m³/s 的洪水,洪量大,含沙量偏少,各次洪峰来沙系数均小于 0.01kg·s/m⁶,另一方面,中水流量(3 000~5 000m³/s)的历时较长,年均 40 天,占汛期天数的 1/3,是为有利的水沙系列。

该时期由于来水丰、来沙少,来水来沙条件十分有利,下游河道连续五年发生冲刷,累计冲刷泥沙 4.85 亿 t,除三门峡水库拦沙期下游发生冲刷外,是历史上少有的。

黄河下游河道的冲刷或淤积与水沙条件密切相关,其临界含沙量为 20~27kg/m³,大于此值河道淤积,小于此值河道冲刷,临界来沙系数约为 0.01kg·s/m⁶。该时期含沙量多数年份小于 20kg/m³,来沙系数小于 0.01kg·s/m⁶,因此河道发生冲刷,符合所研究的规律。各年冲刷量的大小与具体的水沙量及过程有关,1983、1984 年水量较丰,达 550 亿 m³,而沙量接近 10 亿 t,河道冲刷分别为 2.2 和 1.1 亿 t,是五年内冲刷较大的年份。非汛期与汛期均发生冲刷。根据历年的冲刷规律,非汛期下泄清水,河道发生冲刷,冲刷量与水量大小直接有关,冲刷距离又与流量大小有关。该时期非汛期水量约 180 亿 m³,平均每年冲刷 1 亿 t 左右。冲刷大都只发展到高村,高村至艾山河段或冲或淤,艾山以下河道淤积 1.17 亿 t,年均淤积 0.23 亿 t。由于水沙条件有利,汛期沿程主槽均发生冲刷,特别是艾山至利津河段发生了冲刷,年均冲刷 0.46 亿 t。艾山至利津河段具有大水冲、小水淤的特性,该时期水量较丰,流量较大,含沙量小,因此出现了冲刷现象。沿程冲淤分布呈现两头冲、中间淤。由表3可见,就全断面而言,沿程冲淤分布呈现出两头冲、中间淤的局面,高村以上及艾山以下均为冲刷,分别占全下游冲刷量的123%和24%,而高村至艾山河段还发生淤积。沿程冲淤分配与1961~1964年三门峡水库拦沙期的冲淤情况相比较,一是冲刷强度较弱,二是沿程分配变化。1961~1964年年均冲刷5.78亿t,并沿程均发生冲刷,各河段所占比例沿程减小,以花园口以上所占比重最大,达33%,而1981~1985年年均冲刷只有1亿t左右,且集中在高村以上,而以花园口至夹河滩河段冲刷比重最大,达46%,高村至艾山反而发生淤积,1961~1964年艾山至利津河段冲刷比重占5%,而1981~1985年由于受沿程冲刷与河口溯源冲刷的双重影响,冲刷所占比重达24%。高村以上、艾山以下滩槽皆冲,高村至艾山槽冲滩淤。除1982年8月花园口站出现15 300m³/s的大洪水外,本时期的大中洪峰较多,洪量大,含沙量小,中水流量持续时间较长,沿程主槽均发生冲刷,而滩地的变化则不同,除高村至艾山滩地淤积外,其他河段滩地冲刷,冲刷的形式主要表现为坍滩,这与1961~1964年清水冲刷过程的滩地坍塌相似,如温县与孟县交界处1933年洪水淤成的高滩、封丘辛店到古城一带1855年形成的老滩也都有冲刷,高村以上河段滩地的冲刷量约占全断面冲刷量的20%。高村至艾山河段淤滩刷槽明显,但滩地的横向淤积分布不均匀。

(3) 1985年10月至1993年10月,由于水资源的开发利用使来水量明显减少,而上中游地区的综合治理也使来沙量有所减少,黄河下游实测年均来水量307亿m³,来沙量7.5亿t,是下游历史上少有的枯水少沙组合(见图4)。来水连续偏枯,而来沙年际变化很大,出现了历史上最小的沙量2.9亿t(除三门峡水库拦沙期外),最大沙量为15.5亿t;中枯水流量历时很长,汛期流量小于2 000m³/s的天数年均100天,占汛期总天数的80%。相应水量、沙量分别占汛期总水、沙量的60%和40%,而50年代流量小于

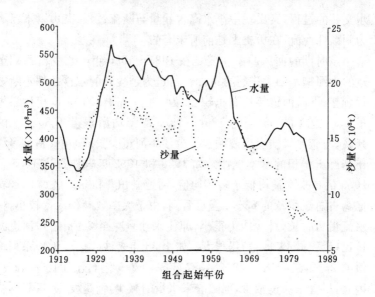

图 4　黄河下游来水来沙 8 年滑动组合

2 000m³/s 的天数占 36%；同时又常出现高含沙洪水，1988 年和 1992 年花园口洪峰流量分别为 7 000 和 6 260m³/s，三门峡最大含沙量达 344kg/m³（日平均最大）和 479kg/m³，1994 年又出现一场高含沙洪水，花园口洪峰流量 6 260m³/s，最大含沙量 442kg/m³；由于龙羊峡水库的调节径流，使汛期水量比重减少，非汛期比重增加，改变年内分配，汛期水量占年水量的比例由天然状况下占 60% 改为 46% 左右，遇枯水年汛期水量比重可减至 40% 和 24%（1987 和 1991 年）；由于沿程引水，下游河道经常断流，1995 年利津断流 122 天，地点上延至夹河滩；由于三门峡水库的"蓄清排浑"运用，全年泥沙基本集中在汛期下排。

　　综上所述，黄河下游水沙条件发生了极大的变化（包括量和过程），水量减少，洪峰削减，改变水量、沙量年内分配，一般情况下，占年水量 40%～50% 的汛期要输送全年泥沙，下游河道出现清浑水交替的过程,又出现中小水高含沙量与断流过程,艾山以下已成为间歇性河流,在历史上是前所未有的。

该时期的河床冲淤演变是在 1981～1985 年丰水少沙系列塑造的大河槽基础上进行再造床。河道为适应新的水沙条件不断进行调整,下游河道年均淤积较小,为 2 亿 t 左右,约为 50 年代淤积量 3.61 亿 t 的 55%,为 1964～1973 年年均淤积量 4.39 亿 t 的 45%。河床冲淤演变仍遵循丰水少沙年河道少淤或冲刷、枯水多沙年则严重淤积的基本规律。如 1988 和 1992 年来沙量达 15.5 和 10.9 亿 t,来水量均低于多年均值,河道淤积 5 和 5.8 亿 t,共 10.8 亿 t,占总淤积量的 68%。但可看到,由于大多数年份水量较小,枯水流量历时长,排沙能力很小,即使来沙量减至 3～4 亿 t,河道淤积比(淤积量/来沙量)仍很大。如 1986 年来沙 4 亿 t,为长系列均值的 25%,淤积比达 38%;1987 年来沙 2.9 亿 t,淤积比达 42%。因此,尽管来沙量减少,但随着来水量的减少,河道发生淤积,其中主槽淤积占全断面的 80%,高村以上主槽淤积量占全断面的 74% 左右,以下河段基本淤在槽内,纵横向淤积分布与 1964～1973 年的状况极为相似。应该指出,50 年代全断面淤积量为本系列的 2 倍,但主槽淤积量仅为本系列的一半,特别是艾山—利津河段主槽由 50 年代的基本平衡转为淤积,淤积比加大。随着河道的冲淤变化,断面形态也发生相应调整,在游荡性河段,断面冲淤主要在宽浅河槽中,以嫩滩淤积为主,逐渐形成一个枯水小槽,一般嫩滩淤积可达好几米,深泓点变化不大,河宽缩小几百米至 2 000m,枯水主槽河宽最小处只有 600m 左右,在嫩滩上淤成一个新的滩唇,河槽萎缩;过渡性河段,原有的断面较窄深,深槽淤积的同时以贴槽边淤积为主,平滩水位下的河宽变化并不大,但面积大大减少,有的减少一半;艾山以下弯曲性河段深槽淤积严重,同时也发生贴边淤积,也使面积缩小。

总之,无论什么形式调整断面形态,黄河下游河道断面都在萎缩,形成枯水小槽,一旦洪水未冲开,易造成中、小洪水的高水位,对防洪十分不利。

黄河下游河势变化有"大水走中、小水走弯"、"一弯变,弯弯变"、"大水下挫、小水上提"等规律。该时期由于来沙较少,来水较枯,中小流量历时长,另一方面河道修建了大量控导工程,改变了河床边界条件,引起河势变化。主要特点是:心滩、支汊较少,主流摆动幅度有所减小,但局部河段摆幅仍很大,畸形河弯增多,工程上提较多,工程上首坍塌严重,小水河势上提至工程空挡处,滩地坍塌,部分险工脱河,而平工段出险,造成防洪的被动局面。

下游河道经历了不同水沙条件下的冲淤演变,淤积—冲刷—淤积—冲刷的过程,1950 年 7 月至 1993 年 10 月共淤积泥沙 76 亿 t 左右,沿程冲淤分配见表3,淤积集中在花园口至孙口河段,占下游总淤积量的 64.4%。河道的淤积造成水位抬高,各站同流量(3 000m³/s)水位上升值,花园口上升 2m 左右,夹河滩上升 2.6m,孙口上升 3.7m,孙口以下至利津又有所减少,利津上升 2.65m 左右。

3 黄河下游河道冲淤演变主要规律

黄河下游河道的冲淤演变取决于流域的来水来沙条件及河床边界条件。由于黄河下游是一条强烈的冲积性河流,未经河道整治的河床边界条件是由来水来沙条件塑造而成,所以来水来沙条件对下游河道冲淤演变起着主导作用。黄河下游河道经受了不同水沙条件下的冲淤演变,具有以下冲淤演变规律。

3.1 来水来沙与河道冲淤的关系

实测资料表明,下游河道在长时间内是淤积的,但非单向淤积,而是有冲有淤,凡是水多沙少年份(如 1952、1955、1961、1981 ~1985 年)河道淤积不大或发生冲刷,而水少沙多年则发生淤积(如 1969、1970、1977、1992 年)年淤积量可达 7~10 亿 t,丰水丰沙年份淤积更为严重,如1933年一次洪水淤积量达17亿t左右。图5为下游河道汛期冲淤量与来水含沙量关系,可以看出,来水含沙量小,则单位水量淤积量少,甚至发生冲刷;来水含沙量大,淤积量也大。作为平均情况看,平均含沙量的临界值为25～30kg/m³,高于此值,河道发生淤积,低于此值,河段发生冲刷。从图5反映出

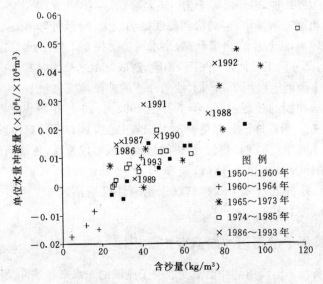

图5　黄河下游汛期单位水量冲淤量与含沙量关系

在相同含沙量条件下,河道单位水量淤积量相差较大,80年代后期与90年代前期的资料有一定幅度变化。仔细分析认为,黄河下游的输沙率还与流量过程有关,流量大,输沙能力大。近些年黄河水沙发生极大变化,一方面水量小,沙量也小,所以含沙量基本接近;另一方面是枯水流量持续时间很长,所以在相同含沙量情况下,河道淤积量增加。如1991与1993年相比,含沙量分别为41和38kg/m³,但单位水量淤积量相差很远,分别为0.03和0.007 2亿t/亿 m³,又如1987与1989年,含沙量分别为29.5和36.1kg/m³,

但单位水量淤积量分别为 0.017 和 0.003 亿 t/亿 m³,1987 和 1991 年日平均流量大于 3 000m³/s 的天数几乎没有,而 1989 年达 29 天,1988 年 21 天,1990 年 11 天,有较多大流量的年份均在多年平均关系线上。因此,初步分析认为若水量较枯(约小于 140 亿 m³),枯水流量历时长,维持下游河道基本平衡的临界含沙量可能要减少到 20kg/m³ 以下。

黄河下游河道的淤积主要发生在汛期的洪峰期,在洪水没有普遍漫滩的情况下,来水来沙与河道冲淤可写成下列关系

$$A = Q^2[S/Q - 0.33(S/Q)^{0.75}]$$

式中:A 为表示河道冲淤强度的参数;Q 是洪峰平均流量,m³/s;S 为洪峰平均含沙量,kg/m³。

图 6 为黄河下游洪峰冲淤强度 Δq_s(t/d)与参数 A 的关系,点群基本落在一直线附近,方程式为 $\Delta q_s = 137A$,参数 A 负值为冲刷,正值为淤积。作为平均情况,当洪峰来沙系数(S/Q)为 0.01 kg·s/m⁶时,下游河道基本保持不冲不淤。

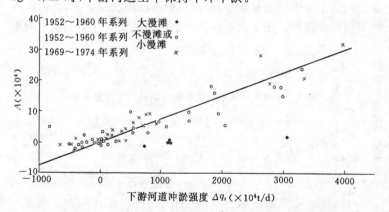

图 6 黄河下游平均冲淤强度与来水来沙条件的关系

非汛期下游河道在天然情况下是沿程淤积的;三门峡水库滞洪排沙期水库大量排沙,河道淤积严重;三门峡水库"蓄清排浑"运

用后,非汛期下泄基本为清水,河道发生冲刷。图 7 为非汛期清水

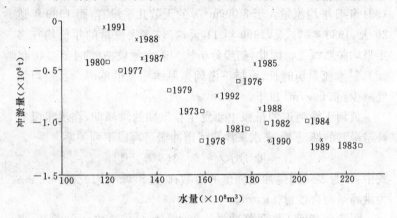

图 7　黄河下游非汛期冲淤量与来水量关系

下泄情况下下游河道冲淤量与来水量关系,可以看出,冲刷量随水量的增大而增大,作为平均情况,单位水量冲刷量随水量增加而增加。但由于非汛期流量较小,冲刷一般不能遍及全下游,艾山以下河道仍发生淤积,图 8 为非汛期下游河道冲淤量与艾山以下河道

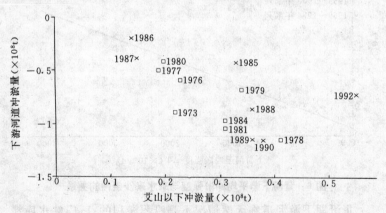

图 8　黄河下游非汛期冲淤量与艾山以下冲淤量关系

冲淤量关系,全下游冲得多,艾山以下淤得也多,大致可以得出全下游冲刷 1 亿 t 左右,艾山—利津约淤积 0.35 亿 t,也可以说艾山以上河段冲刷 1.35 亿 t 左右,艾山—利津河段约淤积 0.35 亿 t,淤积量占上段冲刷量的 26% 左右。从图上还可看出,1992 年全下游冲刷量与来水量关系较好,但全下游冲刷量与艾山以下淤积量关系较差。同一冲刷量下,淤积量相差很大,其原因有待今后积累资料进一步研究。

3.2　粗泥沙来源区洪水是造成下游河道严重淤积的重要原因

黄河流域自然地理条件十分复杂,水沙来源的地区分布很不均匀,存在"水沙异源"等特性,黄河水量主要来自河口镇以上的上游地区,占进入下游总水量的 54%,但沙量仅占进入下游总沙量的 10% 左右;河口镇至龙门区间两岸支流是下游泥沙的主要来源区,沙量占总沙量的 56% 左右,而水量却只占 15% 左右。中游的新黄土粒径组成有明显的分带性,从西北向东南中值粒径从大于 0.045mm 逐步减小到 0.015mm。在黄甫川及无定河、北洛河、马莲河的河源区。中值粒径为 0.045mm,而渭河上游则为 0.015mm 左右。因此,按流域来沙多少及泥沙颗粒组成不同,可以把流域来沙分为三个产沙区:

(1)多沙粗泥沙来源区:河口镇至龙门区间、马莲河、北洛河等;

(2)多沙细泥沙来源区:除马莲河以外的泾河干支流,渭河上游、汾河等;

(3)少沙来源区:河口镇以上、渭河秦岭北麓支流、洛河、沁河等。

分析了黄河下游出现的 100 多次洪峰的来水来沙及河道冲淤情况,又分为 6 种洪水来源组合,不同的水文系列,来源组合仍不超过 6 种组合(表 6 和图 9)。从表 6 和图 9 可看出,多沙粗泥沙来源区的洪水,平均含沙量一般都大于 $150kg/m^3$,出现的几率只有

表 6　　　　不同时期不同洪水来源组合对下游冲淤影响

洪水来源组合	1952~1960年				1969~1973年				1974~1983年			
	各组合洪峰次数	出现频率(%)	河道冲淤强度(10⁴t/d)	各组合占洪峰总冲淤量(%)	各组合洪峰次数	出现频率(%)	河道冲淤强度(10⁴t/d)	各组合占洪峰总冲淤量(%)	各组合洪峰次数	出现频率(%)	河道冲淤强度(10⁴t/d)	各组合占洪峰总冲淤量(%)
(1)各地区普遍有雨，强度不大	4	6.9	386	4.5	2	8.7	320	3.7	0	0	0	0
(2)粗泥沙来源区有较大洪水，少沙区未发生洪水或洪水较小	7	12.1	2 480	38.9	4	17.4	317	76.5	5	10.2	2 616	61.7
(3)粗沙来源区有中等洪水，少沙来源区也有补给	10	17.2	592	10.2	8	34.8	545	28	9	18.4	418	15.2
(4)粗细泥沙来源区与少沙区较大洪水相遇	11	19.0	1 930	55.9	0	0	0	0	2	4.1	968	11.3
(5)洪水主要来自少沙来源区，粗泥沙来源区雨量不大	24	41.4	−168	−12	9	39.1	−148	−8.2	26	53.1	−53	−8.8
(6)洪水主要来自细泥沙来源区	2	3.4	612	2.5	0		0	0	7	14.2	716	20.6
总　　计	58	100		100	23	100		100	49	100		100

10％左右,但造成的淤积严重,淤积量占全部洪峰淤积量的 40％
～60％;少沙来源区的洪水,平均含沙量一般小于 50kg/m³,下游
河道发生冲刷,在一定程度上对下游河道的淤积起到制约作用。应
该指出,三个少沙区对下游冲刷作用来说,洛、沁河洪峰流量大,又
紧靠下游,冲刷作用最大;渭河南山支流,洪水过程中经汇流区的
泥沙补给,其作用次于洛、沁河;河口镇以上来水组成基流,经过沿
程泥沙补给,冲刷作用不如上述两个少沙区。当各地区普遍来水
时,视各地区水沙来量比例的不同,平均含沙量在 50～100kg/m³,
一般下游出现漫滩洪水,淤积强度虽较大,但出现淤滩刷槽,对保
持主槽冲刷起较大作用。

　　分析结果表明,黄河下游的严重淤积主要是粗泥沙来源区的
洪水造成的。集中治理这个地区,对减少黄河下游河道的淤积具有
重要意义。

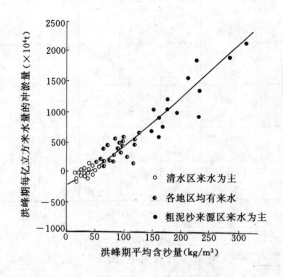

图 9　黄河下游洪峰期河道冲淤量与平均含沙量关系

3.3 粗颗粒泥沙(大于 0.05mm)是下游河道主槽淤积的主要物质组成,危害最大

黄河下游河道的淤积物,上段比下段粗,深层比表层粗,主槽淤积物中粒径大于 0.05mm 的泥沙占 60%以上,深层占 90%以上(见表7)。主槽淤积泥沙粒径比滩地粗(见表7和图10)。 分析不

表 7		黄河下游滩槽物质组成表					(%)
地 名	泥沙级别 (mm)	主槽表层以下深度(m)			滩地表层以下深度(m)		
		0~15	1~3	3~5	0.1~1.5	1~3	3~5
花园口	>0.025	93.5	94.6	98.1			
	>0.05	82.7	85.8	94.6			
中 牟	>0.025		89.0	99.0	86.0	75.0	72.4
	>0.05		60.0	97.0	69.0	55.0	66.3
柳园口	>0.025	88.0	98.0			83.0	59.5
	>0.05	63.0	96.0			40.0	50.5
东坝头	>0.025			98.5			
	>0.05			97.0			
朱口刘庄	>0.025	85.0	70.5	94.0	64.8	45.3	73.1
	>0.05	50.0	50.5	90.0	34.3	23.4	46.2
伟那里	>0.025		93.0	97.0	85.0	91.0	95.0
	>0.05		82.3	90.0	40.0	70.0	92.0
平 均	>0.025	88.8	89.0	97.3	79.6	73.6	75.0
	>0.05	65.2	75.0	93.7	50.1	47.0	63.8

注 根据钻孔资料,东坝头至高村滩地粗泥沙约占 40%

同水沙条件下游河道的冲淤情况(见表8)可知,各不同粒径泥沙的淤积量有差别,粗泥沙来量只占 25%左右,而其淤积量却占总淤积量的 50%左右,其中大于 0.1mm 的泥沙来沙量仅占 4%左右,几乎全部淤积在河道里,淤积量占 20%左右。粗泥沙是下游河

表8　不同水沙条件黄河下游河道冲淤量

时期	泥沙级别 (mm)	1950~1960			1964.11~1973.10			1973.10~1990.10		
		水量 (10^8 m³)	沙量 (10^8 t)	冲淤量 (10^8 t)	水量 (10^8 m³)	沙量 (10^8 t)	冲淤量 (10^8 t)	水量 (10^8 m³)	沙量 (10^8 t)	冲淤量 (10^8 t)
汛期	<0.025	295.6	8.76	0.865	225.9	6.85	0.53	228.1	5.14	0.70
	0.025~0.05		3.83	1.068		3.19	0.73		2.64	0.55
	0.05~0.10		2.32	0.93		2.50	1.36		1.71	0.48
	>0.10		0.43	0.287		0.43	0.38		0.34	0.30
	全沙		15.43	3.15		12.97	3.0		9.83	2.03
非汛期	<0.025	184.0	0.94	−0.166	199.4	1.12	−0.17	173.2	0.2	−0.42
	0.025~0.05		0.77	0.206		0.92	0.23		0.08	−0.27
	0.05~0.10		0.645	0.444		1.21	0.80		0.06	−0.23
	>0.10		0.255	0.236		0.27	0.24		0.01	−0.01
	全沙		2.61	0.72		3.52	1.10		0.35	−0.93
全年	<0.025	479.6	9.7	0.692	425.3	7.97	0.36	401.3	5.34	0.28
	0.025~0.05		4.61	1.278		4.11	0.96		2.72	0.28
	0.05~0.10		2.96	1.381		3.71	2.16		1.77	0.25
	>0.10		0.68	0.519		0.70	0.62		0.35	0.29
	全沙		17.95	3.87*		16.49	4.1		10.18	1.10

道主槽淤积物的主要物质组成,危害最大。粒径小于 0.025mm 的细泥沙在黄河下游属冲泻质,在主流中不易淤积,但在洪水漫滩时,在滩地上也会发生淤积,约占滩地淤积量的 50%～60%。因此,粒径大于 0.025mm 的泥沙,一般称为"造床质",对主槽淤积起主要作用,特别是粒径大于 0.05mm 的粗泥沙淤积量更大。

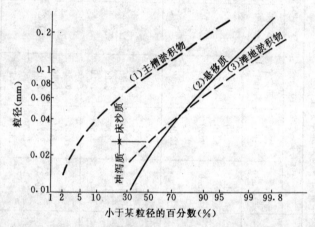

图 10　黄河下游花园口站悬移质及滩、槽淤积物颗粒级配

根据黄河下游粗、细泥沙的淤积规律,为了有效地减少下游河道的淤积,应在中游拦截粗泥沙。修建水库后,为有效地利用水库拦沙库容,应以拦截粗泥沙为主,少拦 0.05～0.025mm 的中泥沙,不拦细泥沙(小于 0.025mm),尽量做到拦粗排细,既可延长水库寿命,又有利于下游河道的减淤。三门峡水库非汛期蓄水运用拦的泥沙较粗,水库拦沙量与下游减淤量比值接近于 1,充分说明"拦粗排细"的减淤效果。

3.4　不同水沙条件沿程冲淤规律

在分析了不同时期不同水沙条件黄河下游河道泥沙淤积沿程分布情况可以看出,当黄河下游发生淤积时,如来水偏丰、来沙偏多,大漫滩洪水发生次数较多,如 1950～1960 年,沿程淤积主要集中在滩地广阔的夹河滩至艾山河段,淤积量占总淤积量的54.6%,铁谢至夹河滩占33%,艾山至利津占12.4%;如来水偏枯,来沙偏多,大漫滩洪水较少,如1964～1973年,铁谢至夹河滩河段淤积比可达46.3%,夹河滩至艾山淤积比减小为38.2%,艾山至利津淤积比略有增加;三门峡水库"蓄清排浑"运用条件下,当来水来沙均偏枯,中等洪水出现次数较多时,铁谢至夹河滩河段淤积比减少为6.6%,夹河滩至艾山及艾山至利津段淤积比分别为68%和24%;若遇枯水少沙系列,枯水流量长,则下游河道的淤积集中在上段,如1986～1993年,铁谢至夹河滩河段淤积量占49%,夹河滩至艾山及艾山至利津河段淤积量分别占33%和18%,淤积分布与1964～1973年极为相似;当来水丰、来沙少、中水流量历时长,河道发生冲刷时,强烈冲刷发生在孙口以上,如1960～1964年;如来水偏丰、来沙偏少,且发生较大洪水,如果漫滩淤积超过主槽冲刷,可能出现冲淤交替,如1980～1985年,高村至艾山河段滩地淤积超过主槽冲刷,出现两头河段冲、中间河段淤的分布。黄河下游河道沿程淤积分布规律十分复杂,短时间的调整也灵敏,如果着眼于多年平均情况,大致有一个趋向性。通过分析,黄河下游10年滑动平均各时期各河段冲淤量与全下游冲淤量关系,可以发现,各河段的冲淤量随全下游冲淤量的增大而增大,高村以上及艾山以下两河段关系较密切,高村至艾山河段关系比较散乱。仔细分析还可发现当下游淤积量接近时,来水偏枯时段,高村以上淤积偏多,高村以下淤积偏少,沿程淤积分布随水沙条件进行调整。

3.5 滩槽水沙交换对河道冲淤的影响

黄河下游为主槽与滩地组成的复式断面,滩地阻力较大,曼宁系数一般为0.03～0.04,而主槽阻力小,曼宁系数甚至有的小于0.01,滩地过水面积虽较大,但流速较低,而主槽过水面积虽小,但流速大,所以下游河道的主槽是泄洪排沙的主要通道,排洪能力一般可占全断面的 80％以上。又由于下游河道沿程宽窄相间,在平面上具有藕节状,收缩段与开阔段交替出现。当洪水漫滩后,在滩槽水流交换过程中也产生泥沙横向交换,当水流从窄段进入宽段时,一部分水流由主槽分入滩地,滩地水浅流缓,泥沙大量落淤,而当水流从宽段进入下一个窄段时,来自滩地的水流与主槽水流发生掺混,使水流含沙量降低,主槽发生冲刷。由于这种水流泥沙的不断交换,全断面含沙量虽然沿程衰减,但造成滩淤槽冲,影响距离较远,可达几百公里。表 9 为大漫滩洪水滩槽冲淤情况,如 1958年花园口洪峰流量 22 300m³/s 大洪水,花园口以上河段最大滞洪

表 9　　　　　　　　大漫滩洪水下游河道的滩槽冲淤量　　（单位：10^8t）

日　　期 （年.月.日）	花园口		花园口—艾山			艾山—利津		
	洪峰流量 （m³/s）	平均来沙 系　　数 （kg·s/m⁶）	主槽	滩地	全断面	主槽	滩地	全断面
1953.7.6~8.14	10 700	0.011 2	−1.79	2.2	0.41	−1.21	0.83	−0.38
1953.8.15~9.1	11 700	0.037 6	1.06	1.03	2.09	0.43	0	0.43
1954.8.2~8.25	15 000	0.009 7	−3.34					
1954.8.28~9.9	12 300	0.017	2.17	3.43	2.26	−0.91	1.47	0.56
1957.7.12~8.4	13 000	0.011 9	−3.23	4.66	1.43	−1.1	0.61	−0.49
1958.7.13~7.23	22 300	0.009 5	−7.1	9.2	2.1	−1.5	1.49	−0.01
总　　计			−12.2	20.5	8.3	−4.3	4.4	0.1

量约 7 亿 m³,削减洪峰 5 000m³/s;花园口至高村最大滞洪量 13.5亿 m³,削减洪峰 4 300m³/s;高村至孙口河段最大滞洪量 15.8 亿m³,削减洪峰 2 100m³/s。滩地淤积 10.7 亿 t,主槽冲刷 8.6 亿 t,形成相对的高滩深槽,行洪能力加大,有利于河道的稳定,但当来沙较多,来沙系数大于 0.015kg·s/m⁶ 时,滩槽均发生淤积。1950

～1960年花园口至利津主槽淤积5亿t,滩地淤积24.9亿t,而6次大漫滩洪水主槽冲刷16.5亿t,滩地淤积24.9亿t,说明大漫滩洪水对河道冲淤的影响是很大的。因此,黄河下游每发生一次大洪水,尽管防洪比较紧张,但一般情况主槽刷深,滩地淤高,行洪能力加大,对防洪总的来说是有利的,沿河群众有"大水出好河"的说法。人们从长期的实践中认识到"淤滩刷槽、滩高槽稳,槽稳滩存、滩存堤固"这一槽、滩、堤的辨证关系,以及有槽则泄洪排沙能力大,洪水位低,主流变化小,"守堤不如守滩,守滩必须定槽"等经验。当然游荡性河道的滩槽是相对的。因此,在黄河泥沙还没有得到控制,下游河道淤积不可避免的情况下,只要不危及下游防洪安全,应允许较大洪水在下游漫滩,造成淤滩刷槽的条件。

根据实测资料,分析了滩、槽含沙量分布与流量分配及滩槽宽度比值关系(图11),可以看出,滩槽流量分配不变时,主槽与滩地含沙量比值随槽滩宽度比值的减小而增大;当滩槽宽度比值不变时,槽滩含沙量比值随槽滩流量比值增大而增大。同时指出黄河下游游荡性河段的横向交换长度大致为30km左右。

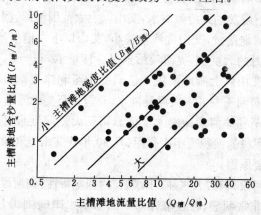

图11　黄河下游滩、槽含沙量比值与滩、槽流量比值、宽度比值关系

根据实测资料,求得漫滩洪水滩地淤积量与水沙因子关系

$$\Delta W_{s}' = A \left[\frac{Q_{m}}{Q_{0}} - (S - S_{*}) \Delta W_{0} \right]^{m}$$

式中：$\Delta W_{s}'$ 为滩地淤积量，亿 t；Q_{m} 为洪峰最大日平均流量，m^{3}/s；Q_{0} 为平滩流量，m^{3}/s；S 为洪峰平均含沙量，kg/m^{3}；S_{*} 为滩地水流挟沙能力，kg/m^{3}；ΔW_{0} 为大于平滩流量的洪水量，亿 m^{3}；A、m 为系数与指数。

3.6　艾山至利津河道冲淤特性

黄河下游河道具有上宽下窄的特点。因此在冲淤量相同时，艾山以下河段的河床升降幅度要比高村以上宽河段大得多。高村以上河段加高 1m 大堤，可增加泄洪能力 5 000～10 000m^{3}/s，但是艾山以下加高 1m 大堤，仅增加泄洪能力 2 000～3 000m^{3}/s。目前下游河道总的防洪标准，上段 22 000m^{3}/s，下段只有 10 000 m^{3}/s。从防洪上考虑，如何减少艾山以下窄河段的淤积十分重要。艾山以下河道的冲淤变化不完全取决于来自流域的水沙条件，还与上段河床调整有关。从长期看，艾山以下河段的淤积速率较艾山以上河道为小。影响河床冲淤特性的条件有：

黄河下游发生大漫滩洪水，艾山以上大范围漫滩，泥沙大量在艾山以上滩地落淤，艾山含沙量较小，艾山以下主槽强烈冲刷，如 1958 年 7 月的大洪水，夹河滩站最高含沙量 126kg/m^{3}，艾山只有 20kg/m^{3}，艾山以上滩地淤积 9 亿 t，艾山至利津主槽冲刷 1.5 亿 t。50 年代黄河下游 6 次大漫滩洪水，花园口至艾山滩地淤积 20.5 亿 t，艾山至利津河段冲刷 4.3 亿 t，可见大漫滩洪水对抑制艾山至利津窄河段的淤积有很大作用，是 50 年代艾山至利津河段主槽不淤的主要原因。

山东河段具有"大水冲、小水淤"的基本特性。该河段大流量的冲刷作用非常明显，存在涨冲落淤的基本规律（表 10），经过一场洪水，河床净冲深一般只有 0.2～0.6m，洪峰过后，随着流量的减小，河床回淤。

表 10 山东河段涨冲落淤情况

站 名	年 份	涨水冲深 (m)	最大流量 (m³/s)	落水期回淤 (m)	净冲深 (m)
艾山	1975	1.4	7 020	1.2	0.2
	1976	2.7	9 180	2.3	0.4
	1982	2.4	7 300	1.6	0.8
	1983	1.5	5 920	0.9	0.6
	1985	1.6	7 000	1.1	0.5
泺口	1975	1.6	6 160	1.2	0.4
	1976	2.0	7 800	1.4	0.6
	1982	1.0	5 960	0.8	0.2
	1983	1.0	5 680	0.5	0.5
	1985	2.0	6 400	1.7	0.3
利津	1975	0.9	6 470	0.7	0.2
	1976	2.0	8 020	1.0	1.0
	1982	0.9	5 670	0.5	0.4
	1983	0.8	5 740	0.4	0.4
	1985	0.8	6 300	0.4	0.4

汛期小水期及非汛期造成的主槽淤积非常严重。根据以往的大量研究,在三门峡下泄浑水情况下,作为平均情况,当流量大于 4 000m³/s 时,艾山至利津河段主槽发生冲刷。在三门峡下泄清水时,下游河道发生冲刷,冲刷自上往下发展,变化十分复杂,其中冲刷发展距离和流量大小、冲刷历时等关系密切,当流量较小时,由于水流沿程取得泥沙补给,到了艾山,来沙量已超过艾山至利津的排沙能力,河床发生回淤。点绘冲刷距离与流量关系(图 12)和流量与艾山上下河段淤积量关系(图 13),可以看出,当流量较大时,冲刷距离较远,随着冲刷历时的增长,同流量的冲刷距离也往下游发展,当流量大于 2 500m³/s,水量大于 30 亿 m³ 时,冲刷可能发展到利津。另一方面,当流量为 1 000~2 000m³/s 时,艾山至利津河段淤积量最大,当流量小于 1000m³/s 时,河道虽有淤积,但绝对

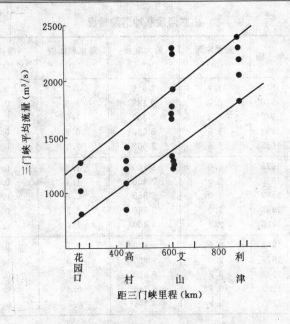

图 12　三门峡平均流量～下游河道冲刷距离关系

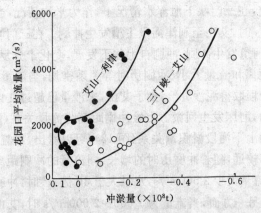

图 13　三门峡水库下泄清水时段平均流量与下游河道冲淤量关系

淤积量较小,三门峡水库"蓄清排浑"运用以来,非汛期 8 个月下泄基本为清水,由于流量不超过 2 000m³/s,冲刷距离较短,艾山以下还是发生淤积,与图 7 和图 8 分析结果一致。

大汶河来水对艾山以下河道的作用。大汶河是黄河在山东境内最大的一条支流,汇入东平湖后,经陈山口闸出湖,在艾山以上 14km 处汇入黄河,由于汶河来水含沙量小,经东平湖调节后,基本下泄清水入黄,既可以使艾山流量加大,增加河道的输沙能力,又稀释了水流含沙量,减轻了艾山以下河道的淤积。各个时期大汶河入黄水量及对艾山以下河道减淤作用见表 11,大汶河入黄水量约 100 亿 m³,可减少艾山以下河道淤积 1 亿 t 左右。但随着工农业生产的发展,大汶河流域用水量增加,大汶河入黄水量已在大幅度减少,今后将继续减少,其对黄河的减淤作用将减小。

表 11　　　　　大汶河入黄水量对艾山—利津河段的减淤作用

| 时　段 | 水量(10⁸m³) | | 大汶河/利津水量比(%) | 淤积量(10⁸t) | | 大汶河减淤量(10⁸t) | 大汶河水量减淤量(10⁸m³/10⁸t) |
(年.月)	大汶河	利津		实测(有大汶河)	估算(无大汶河)		
1955.11~1960.10	71.3	1 906	3.7	2.25	2.94	0.69	103
1960.11~1964.10	135.8	2 486	5.5	−1.28	−0.54	0.74	184
1964.11~1973.10	59.5	3 575	1.7	6.12	6.62	0.50	119
1973.11~1985.10	68	4 087	1.7	2.04	2.62	0.58	117
1955.11~1985.10	334.6	12 054	2.8	9.13	11.64	2.51	133

河口的淤积、延伸、改道相当于改变下游侵蚀基面高程,影响近河口段的冲淤,但根据多数同志分析,影响范围不超过涨口、刘家园。

以上分析表明,较大洪水对艾山至利津河段主槽冲刷起着重要作用。因此,应充分发挥大水的输沙能力,通过水库的调节,尽量增加大流量的几率,并减少1 000~2 000m³/s流量的几率,以减少该河段的淤积。

以上分析了黄河下游河道不同时期不同水沙条件下的河床冲淤演变,可以看出:花园口至东坝头河段,1855年铜瓦厢决口所形成的高滩经过100多年来的河道淤积,这些高滩将变得不高,未曾上水的堤段有可能漫水靠河;局部河段"二级悬河"将进一步发展,滩区洼地面积扩大,洪涝灾害加重;中小洪水水位将升高,使天然文岩渠、金堤河、大清河等入黄支流排水入黄更加困难;由于近期水沙变化,引起下游河道主槽淤积加重,河槽萎缩,平滩流量减小,漫滩机遇增多,同时滩区近3 000km²、100多万人口、20多万公顷耕地的行洪区,随着人口增加,经济发展,洪水上滩所引起的社会经济问题愈来愈多,损失更大;由于河槽萎缩,遇高含沙洪水发生水位猛涨陡落,河势变化,单宽流量集中,水流顶冲大堤及险工等不利局面。因此,下游可能出现的防洪形势,应予以高度重视,应从流域整体来采取应有的措施。在研究对策时应充分利用下游河道的冲淤规律,因势利导,以取得更大的效果。

参 考 文 献

[1] 麦乔威,赵业安,潘贤娣.多沙河流水库下游河道演变研究及估算方法.黄河建设.1965(3)

[2] 李保如,华正本,樊左英等.三门峡水库拦沙期下游河道的变化.见:河流泥沙国际学术讨论会论文集.北京:光华出版社,1980

[3] 麦乔威等.黄河下游河道的泥沙问题.见:河流泥沙国际学术讨论会论文集.北京:光华出版社,1980

[4] 钱意颖,韩少发.三门峡水库控制运用对下游河道的调整作用.人民黄河.1984(6)

[5] 赵业安,潘贤娣,樊左英等.黄河下游河道冲淤情况及基本规律.见:中美黄河下游防洪措施学术讨论会论文集.北京:中国环境科学出版社,1988

[6] 李勇,陈孝田.80年代黄河下游河道冲淤演变分析.人民黄河.1992(4)

［7］三门峡水库运用经验总结项目组编.黄河三门峡水利枢纽运用研究文集.郑州:河南人民出版社,1993

［8］麦乔威,赵业安,潘贤娣等.黄河下游来水来沙特性及冲淤规律研究.见:黄科院科学研究论文集,第二集.北京:中国环境科学出版社,1990

［9］赵业安等.对80年代黄河水沙特性及河道演变的认识.人民黄河.1992(4)

［10］钱宁等.从黄河下游河床演变规律来看河道治理中的调水调沙问题.地理学报.1978(1)

［11］钱宁.黄河中游粗泥沙来源区对黄河下游冲淤的影响.见:河流泥沙国际学术讨论会论文集.北京:光华出版社,1980

［12］齐璞等.黄河艾山以下河道输沙特性研究.见:黄河高含沙水流运动规律及应用前景.北京:科学出版社,1993

黄河粗泥沙对下游河道的影响及河口镇至潼关河段冲淤变化

　　黄河中游是黄河泥沙的主要来源区,也是粗泥沙的集中来源区。多沙粗沙来源区的洪水易引起下游河道的严重淤积。为了减少黄河下游河道的淤积,集中力量治理多沙粗沙来源区具有重要意义。70年代以来,黄河中游来水来沙发生了巨大的变化。入黄泥沙不仅在数量上明显减少,在级配上也存在细化的趋势,以上变化将对治黄产生重大影响。本文重点介绍了这些方面的研究成果。

1　黄河粗泥沙对下游河道的影响

　　为了便于分析不同粒径泥沙的影响,我们将黄河的泥沙按粒径分为三类:$d < 0.025$mm为细泥沙,$0.025 \leqslant d \leqslant 0.05$mm为中泥沙,$d > 0.05$mm为粗泥沙,黄河下游河道中的淤积物主要是由粗泥沙组成的。

　　表1列出了1960年7月至1990年12月黄河下游各河段各级泥沙的冲淤情况。由表可见,在30年里,下游共淤积泥沙31.18

表1　　　　黄河下游分组泥沙冲淤量统计(1960~1990年)

河　段	冲淤量(10^8t)			
	<0.025mm	$0.025\sim0.050$mm	>0.050mm	全　沙
三门峡—花园口	-16.51	-0.41	10.02	-6.90
花园口—高村	6.76	1.37	11.22	19.35
高村—艾山	11.89	3.33	-1.61	13.61
艾山—利津	-2.51	0.46	7.17	5.12
全下游	-0.37	4.75	26.80	31.18

亿 t,其中细泥沙冲刷 0.37 亿 t,中泥沙淤积 4.75 亿 t,粗泥沙淤积 26.80 亿 t,粗泥沙淤积量约占总淤积量的 86%,是淤积的主体,而细泥沙则基本上不参与造床,属于冲泻质性质。

黄河泥沙主要来自黄河中游的黄土地区,根据文献中绘制的黄河中游粗泥沙模数图可以看出,其中的一个粗泥沙来源区是黄甫川至秃尾河等支流的中下游地区,粗泥沙模数在 50～60 年代高达 10 000t/(km² · a),另一个区域是泾河、北洛河上游的白于山河源区,粗泥沙模数在 50～60 年代达到 8 000t/(km² · a),70 年代以来,由于水利、水保措施建设的发展以及降雨量和降雨强度的变化,粗泥沙的产沙模数有变小的趋势,但粗泥沙产沙集中分布的范围仍变化不大。

上述粗泥沙来源区也是黄河流域的多沙产沙区。实测资料表明,凡泥沙组成较粗地区发生的洪水,含沙量一般比较大,这是由于水流中的泥沙能够显著提高水流的粘滞性,大大减少泥沙颗粒的沉速,从而提高了水流挟带粗泥沙的能力。因此,发源于上述两个地区的洪水中挟带的泥沙既粗又多,对下游河道具有更大的危害性。

钱宁等人在 80 年代曾就黄河中游粗沙多沙来源区对下游河道淤积的影响进行了分析[1],并将黄河流域的洪水来源分成四个区域,即:

Ⅰ 区:河口镇以上,来沙较少;

Ⅱ 区:河口镇至龙门区间、马莲河、北洛河上游,属于多沙粗沙来源区;

Ⅲ 区:除去马莲河的泾河干支流、渭河和北洛河中下游,属于多沙细沙来源区;

Ⅳ 区:洛河、沁河,是少沙来源区。

同时,作者还根据洪水来源区的分布情况,将下游洪水的来源分为下列六种组合:

（1）各地普遍有雨,强度不大;

（2）多沙粗沙来源区有较大洪水,少沙区未发生洪水或洪水较小;

（3）多沙粗泥沙来源区有中等洪水,少沙区也有补给;

（4）多沙粗、细泥沙来源区与少沙区较大洪水相遇;

（5）洪水主要来自少沙区,多沙粗泥沙来源区雨量不大;

（6）洪水主要来自多沙细泥沙来源区。

作者将 1952～1960 年和 1969～1978 年两个水文系列中的 103 次洪水及下游河道的淤积情况进行了统计,得到了表 2。

由表可见,主要来自多沙粗沙来源区的洪水引起了下游河道严重的淤积,其中第二种组合的洪水,虽然只发生了 13 次,占洪水总次数的 12.6％,淤积量占淤积总量的 59.8％。而其它来源区的洪水或对下游河道淤积不多,或有所冲刷。

由此可见,为了减少黄河下游河道的淤积,集中力量治理这个多沙粗泥沙来源区,是具有重要意义的。

2　近年来入黄泥沙数量和级配的变化

70 年代以来,黄河中游的来水来沙明显减少,表 3 列出了黄河中游干支流各年代平均年径流量和输沙量的统计值。

由表可见,河龙区间的来水、来沙量在 70 年代已有所减少,80 年代减少得更为显著。和 50、60 年代相比,80 年代水量减少一半,沙量约减少 63％。泾、洛、渭河来水量减少不多,而沙量 70 年代减少约 10％,80 年代减少 38％。汾河自 60 年代建成汾河水库后,灌溉引水增加,河津站径流逐年减少,由于水库拦沙,汾河泥沙已很少入黄。表中龙门、华县、洑头、河津四站之和的径流量和输沙量反映了黄河上中游来水来沙总体上的变化。和 50～60 年代的平均数相比,80 年代来水减少约 17％,来沙减少 54％。

表2　1952～1960年及1969～1978年洪水来源的几种主要组合及对下游河道冲淤的影响

洪水来源组合	各种组合出现峰次数	各种组合出现频率(%)	花园口洪峰特征 Q_m (m³/s)	花园口洪峰特征 $\bar{S}/\bar{Q}$ (kg·s/m⁶)	各地区来水占三黑小水占(%) I	II	III	IV	各地区来沙占三黑小沙量(%) I	II	III	IV	下游河段冲淤强度(10⁴t/d) 高村以上	高村—艾山	艾山以下	全下游	占全部洪峰淤积量(%)
(1) 各地区普通有雨，强度不大	7	6.8	3 680	0.021 6	29.9	22.3	26.8	17.1	3.7	59.6	34.2	5.6	+379	+6.4	-44.1	+341.3	4.0
(2) 多沙粗沙来源区有较大洪水，少沙区未发生洪水或洪水较小	13	12.6	6 830	0.051 6	26.8	60.8	18.1	6.3	1.2	122.5	15.9	0.3	+2 620	+349.0	+131.0	+3 100	59.8
(3) 多沙粗沙来源区有中等洪水，少沙区也有补给	22	21.4	4 280	0.036 0	46.0	33.3	14.8	8.5	5.6	97.0	17.7	0.9	+515	+67.0	-37.0	+545	13.6
(4) 多沙粗泥沙来源区与少沙区较大洪水相遇	10	9.7	11 742	0.013 1	23.7	24.2	26.1	22.8	3.0	72.2	30.2	5.2	+1 313	+856.0	-271.0	+1 898	28.2
(6) 洪水主要来自多沙细泥沙来源区	4	3.9	573 0	0.021 0	34.0	8.8	46.0	9.0	4.6	21.5	72.3	1.0	+572.0	+245.0	+115.0	+932.0	3.4

续表 2

洪水来水源组合	各种组合洪峰出现次数	各种组合出现频率(%)	花园口洪峰特征 Q_m (m³/s)	花园口洪峰特征 $\bar{S}/\bar{Q}$ (kg·s/m⁶)	各地区来水占三黑三小水量(%) I	II	III	IV	各地区来沙占三黑三小沙量(%) I	II	III	IV	下游河段冲淤强度(10⁴t/d) 高村以上	高村—艾山	艾山以下	全下游	占全部洪峰淤积量(%)
三个少沙区同时来水	6	5.8	4 750	0.011 0	56.8	9.9	21.6	11.3	0.24	0.0	23.2	1.6	-148	+25.6	+44.2	-166.6	-1.9
河口镇以上与渭河南山支流同时来水	4	3.9	4 620	0.009 3	64.6	10.8	26.7	4.5	0.15	2.5	42.4	2.8	+250.3	-67.4	-107.8	+75.1	+0.4
河口镇以上与洛河沁河同时来水	3	2.9	3 520	0.009 4	57.2	4.6	18.6	15.0	0.93	5.4	14.1	3.4	+125.3	-97.6	-87.4	-59.7	-0.1
渭河南山支流与洛河沁河同时来水	15	14.6	5 150	0.010 2	30.1	10.2	40.7	17.2	0.12	6.0	44.4	6.1	-38.1	-30.1	-111.5	-179.7	-4.6
河口镇以上来水	13	12.6	3 830	0.011 3	75.8	9.9	10.2	3.5	0.25	6.0	8.3	0.3	+61.5	-13.0	-46.4	+2.1	-1.2
渭河南山支流来水	1	1.0	4 920	0.007 4	41.7	1.3	63.5	5.8	0.4	39.4	20.2	0.2	+205.0	+86.0	-288.0	3.0	0
洛河沁河来水	5	4.9	5 400	0.011 9	33.5	11.5	27.8	38.5	49.0	9.2	15.5		-214.4	+38.7	-57.0	-232.7	-1.6
合计 平均	47 103	45.6 100	5 500	0.022 6	42.3	23.4	22.6	12.5	66.8	25.6	3.1		+615.0	+144.1	-53.5	+705.6	-9.0 100

表3　　黄河中游干支流各年代平均实测年径流量和输沙量

（单位：径流量，10^8m^3，输沙量，10^8t）

河　段	50年代		60年代		70年代		80年代	
	径流量	输沙量	径流量	输沙量	径流量	输沙量	径流量	输沙量
河口镇	243	1.533	266	1.790	230	1.137	238	0.982
河龙区间	77.1	10.356	69.4	9.525	53.9	7.543	37.1	3.708
龙　门	320	11.889	335	11.315	284	8.680	275	4.690
华　县	85.1	4.287	95.8	4.361	59.2	3.842	78.9	2.760
狱　头	6.7	0.928	8.8	1.025	5.9	0.888	7.6	0.501
河　津	17.5	0.700	17.8	0.344	10.3	0.191	6.6	0.045
龙、华、河、狱	429	17.804	457	17.045	359	13.601	368	7.996

对于70、80年代黄河来水来沙减少的原因，曾经有不少单位进行了研究，总的结论是由于水利水保措施的拦沙作用增加和降雨数量减少及降雨强度减弱造成的。由于问题本身比较复杂，这两个因素在减少入黄泥沙上各自占有的百分比，至今尚难取得共识。

正如上节所述，粗泥沙是造成下游河道淤积的主要原因，因此除了研究黄河来沙在总量上的变化外，还需要研究粗泥沙来量的变化。

倪晋仁等研究了黄河中游干流府谷、吴堡、龙门3个水文站和黄甫川、孤山川、窟野河、秃尾河、佳芦河、无定河、清涧河、岚漪河、湫水河、三川河和昕水河11条支流16个水文站的泥沙粒径的变化，研究结果表明，无论是泥沙的中值粒径还是平均粒径，多数水文站70年代以来多呈变细的趋势。其中干流的府谷、吴堡、龙门三站为一致变细的趋势。在16个支流水文站中，其中无定河的绥德和赵石窑、窟野河的王道恒塔和神木及岚漪河的裴家川5个站在70年代或80年代的粒径有变粗的现象，前4个站变粗的原因是受开矿的影响，后1个站变粗的原因有待进一步研究，无定河的白家川,窟野河的新庙和温家川及昕水河的大宁 4 个站的泥沙粒径变化不大,其余 7 个站均明显地变细。

由此可见,由于水利水保建设发展和降雨情况变化造成入黄泥沙减少的同时,泥沙级配也在一定程度上有所变细。这一点,从各年代的实测资料的统计中,也得到了证实(参见表 4)。

表 4   黄河中游四站各年代全沙和粗泥沙输沙量

项 目	全 沙				粗泥沙			
年 代	50	60	70	80	50	60	70	80
龙华河洑输沙量(10^8t/a)	17.78	17.00	13.56	7.99	4.84	3.61	2.76	1.62

由表可见,和 50、60 年代相比,80 年代黄河龙华河洑四站来沙减少了 54%,而粗泥沙则减少了 62%,在 80 年代,粗泥沙减少的幅度大于全沙减少的幅度。这说明在各种减沙因素的综合影响下,黄河的来沙不仅总量减少,级配也变细了。由于粗泥沙对黄河下游淤积的重要性,指出这一点,对治黄研究是重要的。

3   河口镇至龙门区间河道的冲淤特性

众所周知,黄河干流河道通常对水流中的泥沙具有重要的调整作用。例如,黄河上游刘家峡、龙羊峡等大型水库建成后曾经拦截了大量泥沙,但 70 年代以后(1970～1989 年),河口镇的平均年输沙量仍然保持在 1 亿 t 以上。这是由于兰州以下的冲积河道由淤积向冲刷转变,对水流中的泥沙进行调整造成的。因此,在水利、水保措施建设大量减少黄河中游来沙的情况下,深入研究河口镇以下黄河干流河道的冲淤特性和调整泥沙的作用,是十分必要的。

河口镇至龙门间,干流河道长 725km,平均纵比降 0.84‰,区间面积为 11.16 万 km²,两岸有 390 多条大小支流汇入,其中流域面积大于 1 000km² 的支流有 22 条。

黄河干流上有头道拐、府谷、吴堡、龙门等水文站,并设有支流水文站 24 个,控制面积为 88 425km²,其余 23 116km² 未设水文站,是河龙区间的未控制区。

由于河龙河段上未设置定期测量的大断面,河道的冲淤特性不能采用通常的断面法获得。同时,由于区间存在占总面积约 20% 的未控区,用一般的输沙率法也难以准确估算河道的冲淤量和冲淤过程。因此,需要采用一些新的方法来研究这个问题。

第一个研究途径是利用河流地貌学的方法从宏观上来确定河口镇至龙门河段的基本冲淤特性。根据文献[2,3,4]的研究成果,河口镇至龙门区间是属于华北地台的两个次级构造单元,即鄂尔多斯台向斜和山西台背斜。进入第四纪以来,鄂尔多斯台向斜和山西台背斜大面积整体抬升,而周围地区则处于相对的沉陷状态,其平面分布见图1。

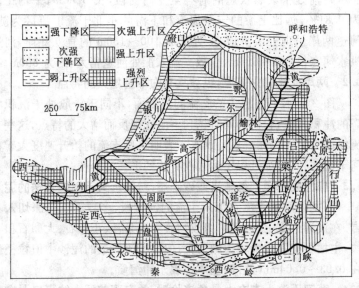

图1　黄河中游新构造运动分区

由图可见,黄河干流河谷属于次强上升区,两岸支流的上游则分别属于强上升区和强烈上升区,而河龙河段的出口则处于汾渭盆地的强下降区。这种地壳相对上升和下降的格局,形成了河龙区间干支流的侵蚀下切条件,造成了这一地区地形破碎、千沟万壑的地貌景象。这一新构造运动不仅在历史过程中存在,在现代还继续发生。1954~1978 年的水准测量资料表明[2],渭河谷地华县至华阴以 2mm/a 的速度下沉,而韩城东北一带的地层以 2~3mm/a 的速度抬升。因此,可以预计,这种相对升降的地质构造运动必然会在现代的河道演变过程中反映出来。

在上述地壳构造运动的背景下,河龙区间的干支流明显地呈现出侵蚀下切的河流地貌特征,归结起来,有下列五个方面。

3.1 黄河干流两岸陡峻,河道狭窄,纵坡巨大

目前处于天然状态的府谷至龙门河段,长 528km,平均比降为 0.81‰,远比上游的宁蒙河道和下游的小北干流汇流区为陡。河道两岸呈现五级阶地,多处形成 100~150m 的直立陡岸,河道洪水河宽仅 500~600m,少数支流入汇处河宽稍大,约为 800m。

3.2 两岸支流切入基岸,纵坡具有向下游增大的特点

图 2 显示了中游六条支流的纵剖面,不同于一般处于沉积状态的冲积河流,它们都具有越到下游比降反而增大的特点,这些支流纵剖面上还存在一系列跌水。表明这些支流的抬升速度大于黄河干流,同时侵蚀过程还远远没有达到平衡的程度。

3.3 床面物质大都是基岩或砂砾质,粒径远大于河道输送的泥沙

河龙区间的支流在汇入干流的河口段,多数支流深深切入基岩。在黄河干流上,边滩的组成物质主要是沙、小卵石、大卵石和石块,主槽中卵石比例较边滩为大。但北干流输送的泥沙中值粒径仅在 0.03~0.04mm 之间,基本上属于冲泻质。

3.4 黄河干流上存在大量急流险滩,并有落差巨大的壶口瀑布

根据 1986~1988 年交通部组织的航道调查表明,府谷至龙门

间,黄河干流上有浅滩 113 个,其中属于急流险滩的有 37 个,急流险滩的水面比降在 3‰～10‰之间,枯水期平均流速可达 2.0～2.5m/s,表面流速达到 3.8～4.0m/s❶。

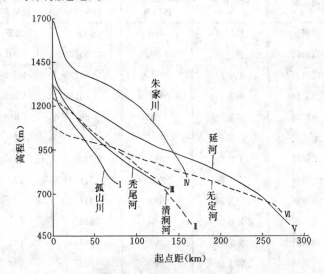

图 2　黄土高原主要产沙区河流纵剖面

(离源点 200km 为该纵剖面的起点)

　　壶口瀑布在龙门上游约 65km,在水流泥沙的长期作用下,在河道中切割出宽仅 30～50m、长 4.5km 的"龙槽",上下游落差达 22m,形成气势磅礴的大瀑布。

3.5　干支流水文站的断面稳定和略有扩大

　　文献[3]曾对河龙区间的一些重要支流水文站的断面进行了分析,结果表明,绝大多数固定高程下的断面积有缓慢扩大的趋势。表 5 中列出了 1965、1976、1981 年三年的断面积,其中 1981 年断面积大于 1965 年的占 91%,大于 1976 年的占 77%。

---

❶　刘建民,黄河府谷—禹门口段枯水航道查勘报告,见:黄河航道研究开发文集(一),1991 年。

表 5 河龙区间各支流站的断面面积变化情况

河 流	断面位置	断面面积(m²)		
		1965 年	1976 年	1981 年
黄甫川	沙圪堵	568	643	729
窟野河	神 木	1 802	1 937	2 040
窟野河	温家川		1 015	1 023
秃尾河	高家川	980	1 131	1 206
佳芦河	申家湾	1 680	1 694	1 689
无定河	白家川		299	328
无定河	丁家沟	867	782	846
大理河	绥 德	705	718	729
小理河	李家河	586	818	950
延河	甘谷驿	946	938	974
湫水河	林家坪	869	895	891
三川河	后大成	986	969	998
昕水河	大 宁	647	662	658

对于干流上的吴堡水文站,通过套绘 1965 年以来的四次汛前大断面,发现该断面的变化很小,接近冲淤平衡。表 6 中摘录的吴堡站 1 000m³/s 水位也证实了这一点,从 1960～1988 年汛前汛后的水位变化可以看出,吴堡水位始终在 637.5～638.8m 之间摆动,如果排除汛前汛后的冲淤影响,用 1988 年汛后水位 638.17m 和 1960 年汛后水位 638.14m 相比,相差仅 0.03m,可以认为,和吴堡站断面冲淤平衡的现象是完全一致的。

根据以上河流地貌学的分析可见,由于本地区地质构造运动的背景,河龙区间的干支流都具有明显的侵蚀下切的特征,从长期来看,河龙河段的河道应该是接近冲淤平衡或略有冲刷,当然冲刷量是不会很大的。

表6 吴堡水文站1 000m³/s水位变化

年 份	时 期	流量(m³/s)	水位(m)
1960	汛前(7月6日)	980	637.44
	汛后(9月15日)	1 000	638.14
1969	汛前(3月28日)	1 030	637.77
	汛后(8月25日)	977	638.11
1976	汛前(6月28日)	1 070	637.89
	汛后(10月21日)	1 000	638.48
1981	汛前(6月20日)	1 060	637.87
	汛后(8月26日)	1 020	638.17
1988	汛前(4月9日)	989	638.00
	汛后(9月9日)	981	638.17

另一个研究途径就是利用水文学的原理进行水沙平衡分析来确定河龙河段的冲淤特性。

首先通过水量平衡求出1958～1989年32年间逐月的未控区间来水量。计算发现,未控区来水量经常出现负值,在32年中,府谷至吴堡和吴堡至龙门两个河段,共出现负值304次,占总数768次的40%。可见,未控区来水出现负值不是一种偶然现象,需要找出原因,给以正确处理。

有的学者认为:河龙区间未控区来水出现负值是由于向外流域渗漏造成的。但从负值的年内分布情况来看,这个论断似乎与实际不符。作为天然河道的跨流域渗漏,其渗漏量应是比较平稳的,而降雨产生的径流则是汛期多,非汛期少。因此,未控区来水出现负值应主要发生在枯水期,汛期应很少发生或不发生。但是从统计情况看,汛期出现负值的次数不仅不少,反而比非汛期要更多一些,在两个河段中都是如此。同时还可以发现,从负值的绝对值来说,绝对值的大值都集中在7、8、9三个月内,表明负值大小和月平均流量有正比关系,也就是说,河道中流量越大,未控区来水出现的负值也越大。这些现象说明,未控区来水出现负值的原因更可能是由于水文测量误差造成的。在水文测量中,流量的误差通常允许达到±5%,而未控区间面积则仅占干流站控制面积的1%～2%,因此,干流站的测量误差就足以使未控区来水频繁出现负值。如果我们承认水文测量误差存在偏大、偏小两个方面,并且对大量的资料来说误差可以近似看作正态分布,那么就需要承认这些负值存在的合理性,如果将负值按照零处理,将会得到未控区来水偏大的结果。

水文学分析的第二步是根据未控区来水量推求未控区的来沙量。在本研究中,限于资料缺乏,故采用了未控区和有控区来水含沙量相同的假定。然后,通过沙量平衡求得河道逐月的冲淤量。

通过分析计算1958～1989年间府谷至吴堡和吴堡至龙门河段各月的河道冲淤量,得出此间府谷至龙门河段共计冲刷8.22亿t,平均每年冲刷0.26亿t,约为龙门多年平均输沙量的2.8%(参见表7)。

表 7　　　　　　府谷至龙门河段各年代冲(一)淤(十)量　　　（单位：10^8t）

时段(年)	府谷一吴堡	吴堡一龙门	全河段
1958～1969	−5.17	4.97	−0.20
1970～1979	−1.41	−1.23	−2.64
1980～1989	−4.30	−1.08	−5.38
总　计	−10.88	2.66	−8.22

按照不同时段统计,1958～1969年,全河段总计冲刷0.20亿t,平均每年冲刷0.017亿t,河道基本处于平衡状态。70年代冲刷2.64亿t,平均每年冲刷0.264亿t,80年代冲刷5.38亿t,平均每年冲刷0.538亿t。以上数据表明,随着70年代以来水土保持工作的开展,入黄泥沙减少,河道从平衡向冲刷转化,并导致冲刷量逐渐增加,这一趋势是符合实际的。

　　如果按照淤积和冲刷不同,则一年中大致可以把5～8月划分为淤积期,9月～翌年4月为冲刷期,各时段的冲淤量列于表8。由表可见,虽然府龙河段总体上是处于冲刷状态,但一年之内,河道中还会发生巨大的冲淤变化。例如:府吴河段,在1966年5～8月,淤积量达到2.65亿 t,吴龙河段,在1959年5～8月,淤积量更达到3.15亿 t。因此,在短时间内造成河道显著变化甚至堵塞是完全可能的。同时,由于本河段具有侵蚀下切的性质,水流挟沙能力巨大,冲刷期的冲刷量也可以达到很大的数值,例如府吴河段,在1967年11月一个月内,冲刷量就达到 0.74亿 t,在汛期发生大淤的年份,当年非汛期未能把淤积冲完,第二年汛期就可能继续冲刷,有时可以持续冲刷2～3年。

　　综上所述,河龙河段是一条侵蚀下切的河流,从长时期来说,河床变形特性是基本平衡,略有冲刷,对于进入下游河道的泥沙来说,不会起重要的调整作用。但是在年内或几年内,本河段具有相当巨大的调节泥沙的能力,在研究黄河中游水库的调沙作用时,需要很好地考虑。

4　三门峡水库正常运用以来小北干流的冲淤特性和对粗细泥沙的调整作用

　　小北干流汇流区位于黄河中游三门峡水库潼关站上游,系指干流龙门、渭河华县、汾河河津、北洛河狱头四个水文站至潼关站之间的河段(参见图3)。小北干流是强烈的游荡性河道,冲淤调整十分剧烈。三门峡水库建成后,经历了蓄水拦沙、滞洪排沙和蓄清排浑等不同运用阶段,作为汇流区侵蚀基面的潼关高程也发生了上升、下降、又上升的变化,因此增加了汇流区泥沙冲淤调整的复杂性。为了减少潼关高程对汇流区冲淤的影响,着重研究了三门峡水库正常运用以来(1975～1988年)小北干流冲淤特性和对粗细泥沙的调整作用。

表 8　　　　　　府谷至吴堡和吴堡至龙门河段分期冲淤量　（单位：10⁴t）

水文年	5～8 月		9 月～翌年 4 月		总计	
	府谷—吴堡	吴堡—龙门	府谷—吴堡	吴堡—龙门	府谷—吴堡	吴堡—龙门
1958～1959	−5 708	−1 054	−10 606	−1 507	−16 314	−2 561
1959～1960	−1 823	31 472	−3 047	691	−4 870	32 163
1960～1961	−64	−2 727	−1 351	−2 421	−1 415	−5 148
1961～1962	7 710	−1 655	−8 832	7 171	−1 121	5 516
1962～1963	−1 724	−5 684	−1 821	−350	−3 545	−6 035
1963～1964	3 817	4 107	−7 473	1 189	−3 656	5 296
1964～1965	−4 475	1 600	−8 456	4 483	−12 930	6 083
1965～1966	679	−1 946	−1 372	−229	−692	−2 175
1966～1967	26 461	−1 835	−5 800	896	20 662	−939
1967～1968	−14 712	16 014	−10 873	−3 059	−25 585	12 955
1968～1969	1 027	2 991	−4 708	1 111	−3 681	4 102
1969～1970	4 367	−666	−4 715	−426	−348	−1 092
1970～1971	2 494	−10 149	−5 260	787	−2 767	−9 362
1971～1972	6 687	1 737	−7 610	−1 781	−923	−45
1972～1973	10 405	−5 414	−2 402	441	8 003	−4 973
1973～1974	−146	3 747	−8 887	803	−9 033	4 549
1974～1975	779	−792	−6 287	−395	−5 508	−1 186
1975～1976	−1 395	9 638	−3 300	−3 212	−4 694	6 426
1976～1977	5 340	3 052	−3 951	−762	1 389	2 290
1977～1978	7 850	−5 641	−5 054	−2 055	2 797	−7695
1978～1979	5 274	1 017	−5 336	−1 762	−62	−745
1979～1980	3 167	824	−4 525	−1 460	−1 358	−637
1980～1981	−17	−1 058	−2 221	−1 640	−2 238	−2 698
1981～1982	10 775	−5 729	−5 930	−2 019	4 845	−7 748
1982～1983	4 324	−763	−4 399	−922	−75	−1 684
1983～1984	4 399	−7 273	−1 314	−2 916	3 085	−10 189
1984～1985	1 426	−1 976	−1 872	666	−446	−1 310
1985～1986	−3 087	7 998	−8 049	−499	−11 135	7 499
1986～1987	−9 743	−35	−575	−608	−10 317	−643
1987～1988	−3 163	−2 970	−1 982	−744	−5 145	−3 713
1988～1989	−8 979	6 808	−5 174	−469	−14 153	6 339
1989～1958	−2 334	4 622	−5 285	−689	−7 618	3 933
总　　计	49 612	38 261	−158 463	−11 688	−108 851	26 573

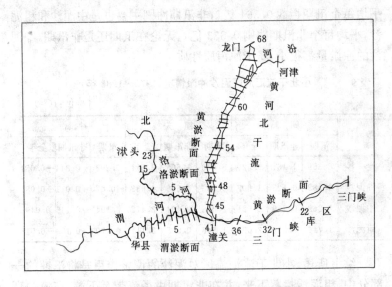

图 3　三门峡水库小北干流汇流区示意图

　　按输沙率法统计,龙、华、河、洑四站 1975～1988 年期间平均年来沙量为 9.52 亿 t,潼关为 9.75 亿 t,汇流区平均每年冲刷 0.05 亿 t,基本上处于冲刷平衡状态。在这期间,潼关站 1 000 m³/s 水位变化不大,1975 年汛前为 327.23m,1988 年汛前为 327.37m。可以认为,在此期间潼关高程基本上是稳定的,对汇流区的冲淤没有重要的影响。

　　如果将泥沙按粗、中、细三级分别统计,可以得到各级泥沙冲淤量,见表9。

　　由表可见,虽然从多年平均来说,在此期间汇流区基本上处于平衡状态,但在年内,仍有一定幅度的冲淤变化。统计表明,平均每个汛期汇流区淤积 0.293 亿 t,非汛期冲刷 0.344 亿 t,洪淤枯冲的特点是明显的。

　　从不同粒径的泥沙来看,汛期淤积的主要是中泥沙和粗泥沙,平均每个汛期拦截 0.364 亿 t,非汛期冲刷主要也是中泥沙和粗泥沙,平均每个非汛期冲刷 0.333 亿 t。无论在汛期还是非汛期,细泥沙的冲淤量都很小,属于冲泻质性质。

表 9　　　　　小北干流汇流区泥沙冲淤情况(1975～1988 年)

(单位:10^8t)

项　目	四　站			潼　关			冲淤量		
	汛期	非汛期	全年	汛期	非汛期	全年	汛期	非汛期	全年
全　沙	8.359	1.161	9.520	8.066	1.505	9.571	0.293	−0.344	−0.051
细泥沙	4.382	0.525	4.907	4.452	0.536	4.988	−0.070	−0.011	−0.081
中泥沙	2.262	0.259	2.521	2.068	0.404	2.472	0.194	−0.145	0.049
粗泥沙	1.716	0.377	2.093	1.546	0.565	2.111	0.170	−0.188	−0.018

综上所述,小北干流汇流区对泥沙的调整作用是将汛期的一部分中、粗泥沙拦蓄下来,并在非汛期由径流带至下游,在潼关高程稳定的条件下,这一调整作用将是长期存在的。

对于长时期的汇流区冲淤特性来说,主要取决于龙、华、河、洑四站来水来沙的组合情况。由于龙羊峡水库投入运用和水利水保建设的影响,近 10 年来(1985～1995 年)进入三门峡水库的汛期和非汛期来水量发生了很大的变化。龙、华、河、洑四站汛期平均来水量比多年平均值(1919～1985 年)减少了约 110 亿 m³,仅为 134.7 亿 m³,占全年 290.1 亿 m³ 的 46.4%,从而导致了三门峡库区平衡状态的破坏,潼关 1 000 m³/s 水位再次升高,库区产生严重淤积,引发了一系列新的矛盾。由此可见,对于小北干流汇流区的冲淤特性,必须结合三门峡库区潼关至三门峡河段的河床演变情况一起加以研究,同时要正确地预报未来的来水来沙变化,才能得到正确的结论。

本文内容多处引用了国家"八五"攻关项目 85-926-03-03 专题中各子专题的研究成果,特此致谢。

参 考 文 献

[1] 钱宁,王可钦,阎林德等.黄河中游粗泥沙来源区对黄河下游冲淤的影响.见:第一次河流泥沙国际学术讨论会论文集.北京:光华出版社,1980.53~62

[2] 景可,陈永宗,李风新.黄河泥沙与环境.北京:科学出版社,1993

[3] 陈永宗主编.黄河粗泥沙来源及侵蚀产沙治理研究论文集.北京:气象出版社,1989

[4] 陈永宗,景可,蔡强国.黄土高原现代侵蚀与治理.北京:科学出版社,1988

河道整治对泥沙输移的影响

　　黄河下游河道泥沙淤积严重,防洪紧张,河道整治将改变原有的河槽断面形态,对来水来沙也将产生不同的调整作用。这种调整作用对本河段及下游河段冲淤影响如何,长期以来一直是人们所关心的问题。本文通过对艾山以上河段调沙特性进行分析,阐明了黄河下游游荡性宽河段横断面中二滩、嫩滩及主槽在泥沙冲淤调整中的作用,提出河道整治主要是控制了河槽中的嫩滩,稳定并增宽了二滩,因而河道整治后河槽调沙作用减弱,二滩稳定滞沙作用增强,当发生含沙量较高的中等洪水,特别是高含沙洪水时,输向下游河段的沙量增多,粒径偏粗。在低含沙水流及非汛期清水时期侧向泥沙补给减少,输向下河段沙量减少。高村—陶城铺过渡性河段整治后与整治前河道形态及输沙特性的对比分析,也进一步阐明和论证了上述结论。

1　艾山以上河道调沙特性分析

1.1　黄河下游河道横断面

　　黄河下游为地上河,河道约束于两岸大堤之间。其断面一般为复式断面,包括中常洪水通过的河槽及较大洪水漫水的二级滩地。在河槽复式断面中,还包括主槽及主流摆动所留下的嫩滩。嫩滩是中、小洪水及大洪水均可漫水的一级滩地。东坝头以上河道受1855年铜瓦厢改道溯源冲刷影响,留下了一级高滩,因此东坝头以上的宽河道由主槽、嫩滩、二滩及高滩组成,东坝头以下河道则没有高滩,只有主槽、嫩滩和二滩。

　　高村以下已整治的河段,主流受到控制,二滩稳定,河槽较窄,嫩滩宽度小,河道主要由主槽和二滩组成。

1.1.1 主槽断面形态

黄河下游河道宽,陶城铺以上堤距 5~20km,高村以上未完成整治的游荡性河段河槽宽一般为 2~6km。在宽河槽内,主槽位置经常摆动,但中、大洪水时主槽明显,主槽宽度相对较窄,较高村以下已整治河段的主槽略宽。由表 1 看出,大漫滩的洪水主槽过流一般在 80% 以上,其宽度为 1 000m 左右,花园口站发生 10 000~16 000m³/s 洪水时,主槽宽度为 1 000~1 400m,主槽过流量占 90% 左右,河相系数 $\sqrt{B}/H$ 为 10 左右。高村断面河道整治后主槽更加窄深,通过 10 000m³/s 流量时,主槽宽小于 700m,河相系数 $\sqrt{B}/H$ 为 5 左右,分流比 80% 以上。从上述可知,河道整治前后洪水期主槽宽度相对均较窄,一般上段略宽一些,高村以下更窄。

1.1.2 二滩的滞沙作用

二滩是较大洪水才漫水的滩地,漫水机遇较少,植被生长、人类活动较多,糙率较大,所以上滩水流水浅流缓,泥沙易于淤积,淤积物中细泥沙较多。如高村断面大洪水时,滩地平均水深为主槽水深的一半左右,滩地流速仅为主槽平均流速的 1/10 左右,挟沙力很低,这就使二滩成为洪水期泥沙的淤积区。

河道整治后,主流稳定,二滩不易冲刷坍塌,未整治的河段也因二滩的前沿有嫩滩,坍塌机遇较嫩滩少,所以二滩具有稳定滞沙的特性。

1.1.3 嫩滩的调沙作用

高村以上未整治的河段或整治河宽较大的河段,对水流约束作用小,主流平面摆动,波及范围较大,河槽即为主流游荡摆动的范围。嫩滩指主流摆动范围内主槽以外的部分河槽,嫩滩与主槽相比,具有与二滩共同的特点,漫滩水流水浅流缓,泥沙易于落淤。特别是高含沙洪水,一般需要在强紊动条件下输送,而嫩滩水浅流缓,紊动强度弱,往往发生大量的淤积。嫩滩与二滩所不同的是,它

表1　　　　花园口断面漫滩洪水水力因子统计表

测验时间	全断面			主槽						滩地			
(年.月.日.时)	流量 Q_s (m³/s)	水面宽 (m)	平均水深 (m)	流量 Q_P (m³/s)	水面宽 (m)	平均水深 (m)	平均流速 (m/s)	$\sqrt{\frac{B}{H}}$	Q_P/Q_s (%)	流量 Q (m³/s)	水面宽 (m)	平均水深 (m)	平均流速 (m/s)
1957.7.18.13	6 499	4 230	1.00	5 711	840	2.16	3.15	13.4	88.0	788	3 390	0.72	0.32
1957.7.19.14	11 217	5 293	1.23	7 835	797	2.83	3.48	10.0	70.0	3 382	4 496	0.95	0.80
1957.7.20.15	10 300	5 280	1.08	8 402	1 412	1.79	3.11	21.8	81.6	1 898	3 768	0.80	0.63
1957.7.26.15	8 431	5 258	1.00	6 898	1 389	2.00	2.48	18.6	82.0	1 533	3 869	0.64	0.62
1958.7.17.7	11 500	5 350	1.20	10 316	1 125	3.09	2.97	11.0	89.7	1 184	4 226	0.70	0.40
1958.7.18.10	17 200	3 510	2.14	16 016	1 367	3.80	3.08	9.7	93.1	1 184	2 143	1.08	0.50
1958.7.19.15	14 900	1 370	3.59	14 480	921	5.07	3.10	6.0	97.2	420	449	0.55	1.68
1976.8.27.9	8 930	1 773	1.88	8 655	874	3.42	2.89	8.6	96.9	275	899	0.39	0.78
1976.8.27.16	9 030	1 570	2.03	8 580	817	3.46	3.03	8.3	95.0	450	753	0.48	1.25
1976.8.28.9	8 569	1 693	2.11	8 268	954	3.45	2.51	8.9	96.5	301	740	0.38	1.07
1977.8.7.16	5 875	821	2.53	5 792	421	4.07	3.38	5.4	98.6	83	400	0.92	0.23
1977.8.8.13	10 830	2 539	1.51	9 116	467	5.51	3.54	3.9	84.17	1 714	2 072	0.61	1.35
1977.8.8.16	9 692	1 143	2.47	9 539	483	5.31	3.72	4.1	98.4	153	660	0.40	0.58
1982.8.1.18	7 980	2 830	1.23	6 250	938	2.27	2.94	13.5	78.3	1 730	1 892	0.71	1.29
1982.8.2.7	11 300	2 820	1.61	9 611	1 148	2.75	3.04	12.3	85.0	1 689	1 672	0.82	1.23
1982.8.2.17	14 700	2 830	2.01	13 114	1 250	3.03	3.55	11.5	89.2	1 580	1 610	1.00	0.98

处于主流游荡摆动的范围内,嫩滩的泥沙更易于受到冲刷搬运,而二滩的滩面大都在洪水时淤高,此后保持稳定;嫩滩常在洪水时或汛期较大流量时淤高,在落水时或枯水期受到主流摆动的侧蚀、移位,滩面高程降低,所以,与二滩相比,嫩滩是不稳定的滩地,随着来水来沙条件的变化和主流摆动,随时调整其位置。河槽越宽,主流摆动范围越大,嫩滩也越宽,主流摆动越频繁,嫩滩的位置、高程和范围也越不稳定。游荡性宽河道就是通过主流摆动、嫩滩的消长变化实现了河槽对来水来沙的冲淤调整,所以嫩滩具有明显的调沙作用。

1.2　艾山以上河道的调沙作用

天然情况下进入艾山以下窄河道的水沙条件,经过上游宽河道的调整,水流含沙量的变化幅度明显减小,主要表现在:高含沙水流含沙量明显降低;低含沙水流或三门峡水库下泄清水,含沙量沿程恢复;大的漫滩洪水通过沿程滩槽水流交换含沙浓度逐步减小。

1.2.1　高含沙洪水

据 1950~1977 年 17 次高含沙洪水艾山站与三门峡站最大含沙量资料比较,经过艾山以上河道淤积调整,艾山站最大含沙量仅为三门峡站的 30% 左右,已有资料中,艾山站最大含沙量不超过 250kg/m³,即现状条件下大于 300kg/m³ 的高含沙洪水尚未进入艾山以下河道。

1.2.2　大漫滩洪水

实测资料表明,造成黄河下游严重淤积的主要是高含沙洪水。大漫滩洪水,由于洪水漫滩,下游滩地淤积较多,主槽往往发生冲刷,通过滩槽水流交换,含沙量沿程衰减,如 1958 年 7 月大洪水,花园口—艾山滩地淤积 9.2 亿 t,主槽冲刷 7.6 亿 t;花园口站最大流量 22 300m³/s,相应含沙量 96.3kg/m³,艾山站相应最大流量时的含沙量仅为 19.3kg/m³。

1.2.3 低含沙水流

低含沙洪水及三门峡水库下泄清水,艾山以上河道发生冲刷。上河段冲刷,含沙量沿程恢复,增加了艾山以下河道的淤积量或减少了冲刷量。如图 1 所示,三门峡水库控制运用以来,非汛期下泄清水,艾山以下河道淤积量随着高村以上河道冲刷量的增大而增加,艾山以下河道的淤积主要由非汛期形成的。

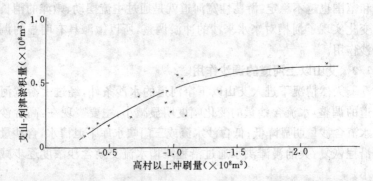

图 1 非汛期艾山—利津淤积量与高村以上冲刷量关系(1974～1987 年)

非汛期三门峡水库下泄清水期,高村以上游荡性宽河道的冲刷主要表现为横向塌滩展宽。如图 2 所示,花园口—夹河滩河段相应流量的平均水面宽汛前较汛后明显增宽,当流量为 1 000m³/s 时,河段平均水面宽增加一倍,达 1 600m。

1960 年 10 月至 1964 年 10 月,三门峡水库运用初期,较长时期下泄清水和低含沙水流,黄河下游铁谢—利津共冲刷泥沙 23.2 亿 t,其中艾山以上河道冲刷 21.9 亿 t,占总冲刷量的 94.5%;艾山以上二滩冲刷 7.1 亿 t,占河段总冲刷量的 1/3,花园口—高村河段二滩坍塌,河槽宽增加了 1 000m 左右,这明显减少了水库拦沙对艾山以下河道的减淤作用。

以上分析表明,艾山以上河道较宽,具有明显的调沙作用,是高含沙洪水及大漫滩洪水滞沙区,也是低含沙水流和清水期的泥沙补给区,这种调沙作用在河槽宽浅的游荡性河段更为明显。

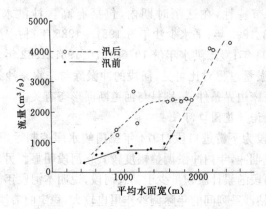

图 2　花园口—夹河滩河段汛前与汛后水面宽比较

1.3　艾山以上各河段调沙特性分析

　　图 3 为三门峡水库控制运用以来 1974 年 7 月至 1994 年 6 月,黄河下游孙口以上各个河段断面实测冲淤量累计过程线,它反

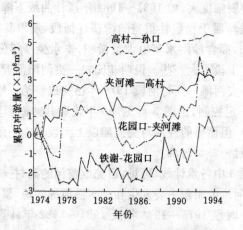

图 3　孙口以上各河段冲淤量累积过程线

映了来水来沙条件对河道冲淤影响,同时也反映了各河段对来水来沙的调节特性,在这个时期内,包括有高含沙洪水年份,如1977、1988、1992年;平水少沙年份1981～1985年;枯水少沙年份1986～1994年;漫滩洪水年份1975、1976、1981、1982年。由各河段累计冲淤量过程对比可见,河段的冲淤除与来水来沙条件有关外,还与河床边界条件,特别是与河道断面形态有关。

1.3.1　铁谢—花园口河段

本河段为下游进口段,1974年三门峡水库控制运用以来,汛期淤、非汛期冲,年内冲淤调整幅度较其它河段明显。另外从长时期看,本河段的累计淤积量少于其它河段,说明本河段年内调沙作用大,丰、枯沙系列间的年际调沙作用也较大,稳定的滞沙量少。

1.3.2　花园口—夹河滩及夹河滩—高村河段

由图3可见,这两个河段随来水来沙变化呈现大淤大冲调整,高含沙年份累计淤积曲线陡升,如1977、1988、1992年三年汛期淤积9.76亿m³,为1974～1992年两河段淤积总量的1.27倍;丰水少沙年份冲刷幅度大,如1981～1984年累计曲线下降明显。由于这两个河段均属于稳定性很差的游荡性河段,所以其冲淤量累计过程很相似,高含沙洪水年份大量淤积,丰水少沙年份大量冲刷,但冲淤幅度上段更大一些。说明花园口—夹河滩河段具有明显的调沙作用。夹河滩—高村河段1978年已完成整治工程布点,主流摆动受到一定控制,由图3可见,80年代后其冲淤调整的幅度较上河段减小,但调整的性质与夹河滩以上河段基本一致。

1.3.3　高村—孙口河段

对比图3中各累计线,可见,已完成整治的高村—孙口河段淤积较多。本河段的淤积主要发生在洪水漫滩的年份,累计曲线上升较陡的两个时段1975～1976年及1981～1982年,四年总淤积量为3.77亿m³,占1974～1992年18年淤积总量的73%。高含沙洪水年份也有一定的淤积,如1977、1988年,但累计上升幅度较漫滩洪水年份为小。本河段冲淤调整的另一个特点是丰水少沙年份冲刷幅度较其以上河段为小,如 1983～1984 年。

本河段这种冲淤滞沙特性与高村以上游荡性宽河段易淤易冲、冲淤幅度都大的情形形成鲜明的对比,这与本河段河道形态特性有关。

总起来看,艾山以上河道,特别是孙口以上河道两岸堤距 5～20km,有广阔的滩地调节水沙,使进入艾山以下河道的洪峰变平,含沙量的变幅减小。大量的泥沙淤在滩地,但由于对主流控制程度不同,夹河滩以上河道,淤在滩地上的泥沙在主流的频繁摆动中又重新被冲刷搬运,在丰、枯沙系列变化中,大片的滩地淤积被冲刷殆尽,形成了河道稳定滞沙量少、而调节泥沙作用大的调沙特性。这两种特性对其下游河道的冲淤影响是不同的,滞沙作用是减少了进入下河段的沙量,调沙作用是改变了来水与来沙的搭配过程。

1.4　河道形态特性对调沙的影响

黄河下游高村以上为游荡性河段,高村—陶城铺为过渡性河段。从河道整治状况看,高村—陶城铺段 1964 年以后治理速度加快,1973 年后已基本得到控制,整治河宽为 800m;夹河滩—高村河段 1973 年开始整治,1978 年已完成整治工程布点,整治河宽 1 000m;东坝头以上河段,两岸均有控制节点,已把过去宽 5～7km 的游荡范围缩窄到 3～5km。

1.4.1　宽浅河槽的强烈堆积形成高滩深槽

由图 4 可看出,1933 年汛期高含沙洪水以前(1929 年 1 月),河槽断面最宽达 6km,在宽阔低平的嫩滩中夹着萎缩的主槽。当高含沙洪水到来时,由于主槽通过的流量少,大量的洪水漫上嫩滩,嫩滩水流宽浅散乱,流速明显低于主槽,致使大量泥沙堆积其上,形成了 1933 年 11 月相应的高滩深槽。据计算,1933 年高含沙洪水,孟津—高村滩地淤积 22.12 亿 t,主槽冲刷 4.9 亿 t,大片的嫩滩平均淤高 2m 左右。

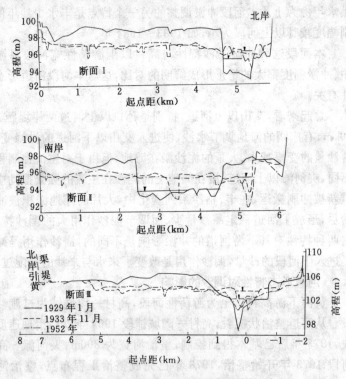

图 4 1933 年洪水前后河道断面变化

1.4.2 主流摆动冲刷形成宽浅断面

由于主流没有得到控制,随着来水来沙的变化,高含沙洪水期间淤高的滩地泥沙大部分被重新搬运,如图 4 中 1933 年后高含沙洪水淤成的 2m 高的滩地到 1952 年被冲刷殆尽,河槽又恢复宽浅。图 5 中裴峪断面,1977~1980 年高含沙洪水淤成的滩地,经过 1981~1985 年丰水少沙系列后,不仅嫩滩,二滩也被大量冲刷,1989 年 10 月河槽宽达 5km。

1.4.3 冲淤交替实现调沙

图 6 (a) 和 (b) 为花园口以上河段马峪沟断面 1988 年 8 月和

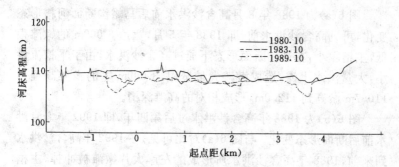

图 5　裴峪断面冲淤变化

1992 年 8 月高含沙洪水前后冲淤变化情况,由图 6 连续两次高含沙洪水前后断面调整过程可以看出,未完成整治的游荡性宽河槽是如何通过主流摆动,改变河槽断面形态实现调沙的。

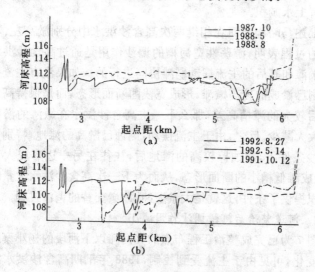

图 6　高含沙洪水前后马峪沟断面变化

(a)1988 年 8 月高含沙洪水前后断面变化

(b)1992 年 8 月高含沙洪水前后断面变化

图 6(a)为 1988 年 8 月高含沙洪水前后马峪沟断面河槽形态变化,可见高含沙洪水前,即 1988 年 5 月,宽达 3 000m 的嫩滩很低,主槽较小,在这种断面形态下通过高含沙洪水,由于平槽流量小,大量洪水上滩,造成嫩滩大量淤积,3 000m 宽的嫩滩高程由110.7m 淤高到 112.0m,形成相对的高滩深槽。

图 6(b)为 1988 年高含沙洪水过后第四年,即 1992 年 8 月洪水前后断面形态变化。与图 6(a)对比可见,在 1992 年高含沙洪水到来前,1988 年高含沙洪水所形成的左岸大片嫩滩被冲掉,主槽左摆,在右岸留下了一片低的嫩滩,高程与 1988 年高含沙洪水前左岸低滩相当,约为 110.7m,使 1992 年 8 月高含沙洪水前,再度呈现槽浅滩低的断面形态,平滩流量小,高含沙洪水期大量洪水漫上右岸低滩,从而淤高了右岸嫩滩,左岸残留的 1988 年淤高的嫩滩没有上水淤积。

上述马峪沟断面在相继两次高含沙洪水中分别淤高左、右岸嫩滩的过程表明,游荡性宽河槽的调沙作用是通过高含沙洪水的强烈淤滩和其后的主流摆动刷滩协同进行的。如果没有主流摆动来冲刷已淤成的较高嫩滩,形成宽浅的断面形态,而是保持高含沙洪水后较大的滩槽高差,那么下一次高含沙洪水在嫩滩的淤积量就会大大减少。反之,由于主流摆动,侧蚀已淤高的滩地,特别是在低含沙条件下,冲蚀掉较高的滩地后,往往在另一边形成大片低滩,造成滩低槽小的断面形态,从而为下一次高含沙洪水大量的漫滩淤积提供了条件,这就是大淤大冲、冲淤交替的调沙过程。

1.4.4 河道整治后河槽调沙作用减小

图 7 为已完成整治工程布点的夹河滩以下河段的杨小寨断面形态变化,可见由于主流受到控制,1988 年汛期高含沙洪水淤高的右岸嫩滩在此后没有受到冲蚀。由断面对比可见,1992 年主槽位置与 1988 年洪水后基本一致。这就使 1992 年高含沙洪水在本断面的淤积量及淤积范围大大减小。这说明河道整治后主流受到

控制,前期淤高的嫩滩得以保持,后续高含沙洪水不能漫过已淤高的嫩滩,或者漫滩水深很小,致使后续的高含沙洪水淤积量减少。这样,河道整治后,主流保持稳定,原有的嫩滩将转化为只有较大洪水才能漫溢的二滩,河道将具有较稳定的滞沙作用,河槽调沙作用减小了。这从图3中冲淤量累计过程线也可以看出,1992年高含沙洪水在夹河滩—高村河段淤积抬升较夹河滩以上两河段小得多。

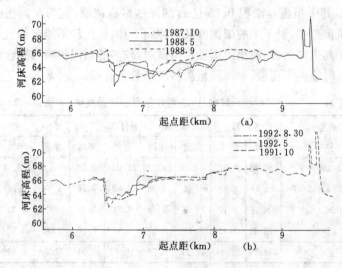

图7　高含沙洪水前后杨小寨断面变化

(a)1988年8月高含沙洪水前后断面变化

(b)1992年8月高含沙洪水前后断面变化

1.4.5　河道整治后粗泥沙滞沙量减少

上述分析表明,河道整治后河槽调沙作用之所以减小,主要是来水含沙量高的水流,特别是非漫滩的高含沙洪水在本河段淤积量减少,而低含沙水流,特别是非汛期三门峡水库下泄清水时,河道冲刷补给的沙量也减少了。二滩洪水漫滩后稳定滞沙量增加,说明河道整治后对以下河段既有增沙增淤作用,而且也有减沙减淤作用。到底哪一作用占主导地位,主要取决于可能发生的水沙条件。从长时期综合考虑,由于黄河下游输沙粒径与含沙量成正比,河道整治后输送的总沙量,特别是粗泥沙量将会增多,主要是通过高含沙洪水输送到下河段。如表2所示,1960年9月至1990年10月30年黄河下游年均来沙量11.49亿t,其中的粗泥沙(d>0.05mm,下同)2.58亿t,黄河下游高村以上河段年均淤积0.58亿t,其中粗泥沙淤积0.76亿t,细泥沙略有冲刷,说明在河槽的冲淤调整中,淤下来的细泥沙又被冲刷下移,粗泥沙不能全部被带走。河道整治后,河槽的调沙作用减弱,较多的粗泥沙将在高含沙洪水时输向下河段,本河段粗泥沙淤积量将有所减少。

表2   1960.9~1990.10 各粒径组泥沙冲淤量❶（单位:10⁸t）

粒径组 (mm)	来沙量		高村以上淤积量		高村以下淤积量		全 下 游	
	总量	年均	总量	年均	总量	年均	总量	年均
d<0.025	180.81	6.03	−6.97	−0.23	5.03	0.17	−1.94	−0.06
0.025≤d≤0.05	86.49	2.88	1.41	0.05	4.83	0.16	6.24	0.21
0.05≤d≤0.1	65.09	2.17	14.67	0.49	3.71	0.12	18.38	0.61
d>0.1	12.4	0.41	8.16	0.27	1.76	0.06	9.92	0.33
全 沙	344.79	11.49	17.27	0.58	15.33	0.51	32.60	1.09

2 高村至陶城铺河段河道整治后产生的影响

2.1 河道及整治工程概况

高村—陶城铺河段长163km,两岸堤距1.5~8.5km,主河槽宽0.5~1.6km,$\sqrt{B}/H$ 为8~12,滩槽高差2~3m,河道形态介于游荡与弯曲之间,属于过渡性河型。

---

❶ 黄河下游粗细泥沙的输沙特性及沿程冲淤调整。中国水电科研院,1995年。

50 年代后期,根据陶城铺以下河段河道整治的经验,按照"控制主流,护滩保堤"的原则,在本河段有计划地修建控导工程。到 1964 年河道整治长度达 62.1km,占该河段长度的 38%。1960 年 9 月三门峡水库开始蓄水拦沙运用,陶城铺以上河段连续几年河床冲刷下切,同时塌滩展宽,不仅给防洪构成威胁,同时还给引水、灌溉、滩地生产等带来不利影响。因而,自 1964 年开始大规模修建河道整治工程至 1974 年底,本河段整治工程已达 113.6km,占河道长度的 70.6%,至此,整治工程布点已基本完成,在限制主流摆动、护滩保堤等方面发挥了重要作用。本文称 1964 年以前为整治前,1964～1974 年为整治期间,1974 年后为整治后。

2.2 河道整治后断面形态的变化

实测资料表明,黄河下游主槽断面形态往往与通过的水沙条件有密切关系,不少文献将主槽断面形态参数表示为:$\xi = f(Q, S, d)$,Q, S, d 分别为当时通过的流量、含沙量及粒径组成参数,而河槽断面形态(包括主槽位置、嫩滩范围和高程等)与前期水沙过程所引起的主流摆动等有关系。从这个意义上讲,以控导主流为目标的河道整治,整治河宽的设计流量为平滩流量,中水河槽河宽减小,对枯水河槽形态影响较小。

图 8 为高村—陶城铺河段汛前或者汛后所有测验大断面平均水面宽与对应的流量关系。可见当流量小于 1 000m³/s 时,河道整治前后同流量水面宽变化不明显;当流量为 1 000～4 000m³/s 时,河宽由整治前 900m 变为整治后 700m 左右。说明河道整治后枯水河槽变化不大,中水河槽宽度减小 200～300m,主要是河槽中嫩滩宽度减小 200～300m,相应的二滩宽度有所增加。

另据本河段中老宅庄至徐码头河段整治前后主流线摆动情况,可以看出河道整治前主流摆动幅度大,河道整治后主流线趋于密集。相应地处于该河段中的史楼断面在整治前平滩河宽为 2 000m,整治后为 1 000m 左右。可见,控制主流摆动就减小了平

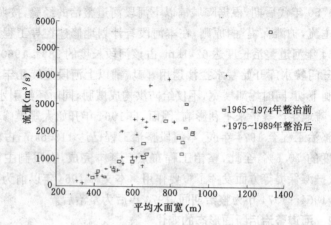

图8　高村—陶城铺河段平均水面宽与流量关系

滩河宽。

图9为高村—陶城铺河段三个典型断面河道整治以后的冲淤变化情况。在经历了1981～1985年中水少沙有利水沙条件后,彭楼断面1986年5月平滩河宽达到1 500m,梁集及大田楼平滩河宽为800m左右,此后又经历了龙羊峡水库蓄水以来枯水少沙系列的塑造,可见1993年5月断面较1986年5月明显束窄,槽内形成了新的嫩滩。它表明,现有的河道整治工程对枯水河槽约束较小,枯水河槽断面形态主要由来水来沙条件形成的。它也表明整治后的河槽断面在枯水流量时仍具有一定的调沙作用。

2.3　断面形态变化对水流条件的影响

2.3.1　河槽水位涨率及平滩流量的变化

水位涨率指单位流量增量相应水位的抬升值,也是水位～流量关系线的斜率。黄河下游花园口上下河段在高含沙洪水时,往往因嫩滩淤高束窄河槽,使水位～流量关系线变陡,并出现异常高水位,说明断面束窄后水位涨率增加。图10为高村、孙口断面河道整治前1958年7月及河道整治后1982年8月水位～流量关系。

可见在漫滩以前，河道整治后的 1982 年 8 月水位～流量关系线变陡，其中高村站 1 000～5 000m³/s 流量的水位差较 1958 年 7 月高出 0.5m，而孙口站 1 000～7 000m³/s 流量的水位差 1982 年较 1958 年高出 0.7m，但水流漫滩以后，差别不大。

由于河道整治后河槽水深增大，所以水位涨率的增加并不意味着过洪能力降低，但是由于河槽在扩宽方面受到工程限制，可以预测本河段的平滩流量难以达到历史上的上限值。

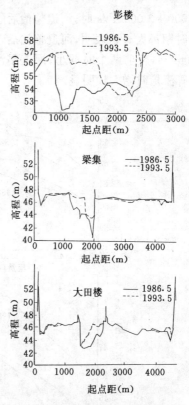

图 9　河道整治后枯水河槽冲淤变化

2.3.2　断面水流挟沙力因子的变化

表 3 为高村、孙口断面各级流量的平均水深 h、流速 v 及反映水流挟沙力的水动力参数 v^3/h 变化情况。由表 3 可见，各级流量相应的水深都以河道整治后 1974～1983 年为最大，说明河道整治后断面变窄深。当高村断面流量小于 5 000m³/s、孙口断面流量小于 3 000m³/s 时，随着流量增大，流速增加，与河道整治前两个时期相比，河道整治后流速最大。当流量大于 4 000m³/s 时，v^3/h 随流量增大而减小，而且河道整治后较前两个时段减小；只有当流量

为 2 000~3 000m³/s 时,河道整治后的水流挟沙力参数 v^3/h 较前两个时期都大。这表明,河道整治后,河道的平滩流量为 3 000~4 000m³/s,较前两个时期小;河道整治后水流挟沙力在平滩以下的中等流量时增大较明显。

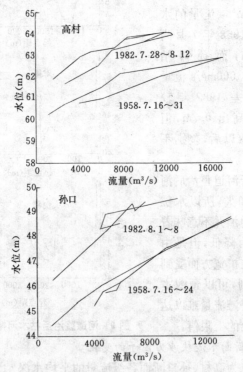

图 10　高村、孙口断面河道整治前后水位~流量关系

2.4　河道整治后输沙关系的变化

水流挟沙力参数 v^3/h 是反映某种边界条件下河流输沙的水动力学条件之强弱。河道输沙量的多少还与流域及河道补给条件有关。在黄河上,利用某一时期的实测资料回归建立的输沙关系式,能够更直接地反映该时期输沙量的大小和变化,即

表 3　　　　　　　高村、孙口站 v^3/h 变化表

流量级 (m³/s)	年 份	高 村			孙 口		
		水深 (m)	流速 (m/s)	v^3/h	水深 (m)	流速 (m/s)	v^3/h
1 000	1950~1959	1.2	1.4	2.29	1.1	1.4	2.49
	1960~1973	1.1	1.4	2.49	1.2	1.4	2.29
	1974~1983	1.3	1.5	2.60	1.5	1.6	2.25
2 000	1950~1959	1.3	1.7	3.78	1.7	1.8	3.43
	1960~1973	1.3	1.7	3.78	1.6	1.7	3.04
	1974~1983	1.7	2.0	4.71	2.0	2.0	4.00
3 000	1950~1959	1.9	2.0	4.21	2.2	2.0	3.64
	1960~1973	1.5	1.8	3.89	2.2	1.8	2.65
	1974~1983	2.4	2.2	4.44	2.4	2.2	4.44
4 000	1950~1959	2.1	2.2	5.07	2.4	2.2	4.44
	1960~1973	1.6	2.1	5.79	2.2	2.1	4.21
	1974~1983	2.4	2.4	5.76	3.0	2.0	2.67
5 000	1950~1959	2.1	2.4	6.58	2.6	2.1	3.56
	1960~1973	1.6	2.2	6.65	2.4	2.3	5.07
	1974~1983	2.8	2.5	5.58	3.3	1.5	1.02
6 000	1950~1959	2.2	2.5	7.10	2.8	1.8	2.08
	1960~1973	1.7	2.3	7.16	2.7	2.3	4.51
	1974~1983	2.7	2.5	5.45	4.0	1.1	0.33

$$Q_S = KQ^\alpha S^\beta \omega_s^\gamma \qquad (1)$$

式中：Q、Q_s 为出口断面流量和输沙率；S 为进口断面含沙量；ω_s 为进口断面悬沙平均粒径所相应的沉速；K、α、β、γ 为反映河道输沙特性的系数和指数，由实测资料回归求得。表 4 为高村—艾山河段河道整治完成前后输沙关系式的指数系数，为便于比较，取汛期来沙平均粒径为 0.025mm，非汛期为 0.03mm，相应沉速为0.000 4 m/s 及 0.000 374m/s，作为常数并入系数中。

　　由表 4 可见,河道整治后汛期与非汛期流量的指数较整治前略有减小,含沙量的指数有所增大。说明河道整治后所形成的更为窄深的河槽,泥沙多来多排效应增强。

表 4　　　　　高村—艾山河段不同时期输沙公式指数和系数

时　　期	1965~1973 年		1974~1990 年	
	汛　期	非汛期	汛　期	非汛期
系数 K	0.000 324 1	0.000 261 3	0.000 446 2	0.000 203 6
指数 α	1.165	1.278	1.147	1.188
指数 β	0.90	1.067	0.93	1.164

　　采用表 4 中的指系数计算各级流量下不同含沙量时高村—艾山河段输沙率和沙量如表 5。由表 5 可见,河道整治后,汛期输沙率提高了 30% 左右,来水含沙量越高,增大得越多;非汛期输沙减少了 20% 左右,随着含沙量的增高,降低越小,说明整治后的断面形态有利于高含沙水流的输送。

表 5　　　　同样水沙条件下河道整治前后输沙对比(高村—艾山)

流量 (m³/s)	含沙量 (kg/m³)	计算的汛期输沙率 (t/s)		计算的非汛期输沙量 (月平均)(10^8t)		整治后/整治前	
		1965~ 1973 年	1974~ 1990 年	1965~ 1973 年	1974~ 1990 年	汛期	非汛期
1 000	10	8.04	10.48	0.195	0.14	1.30	0.72
	40	28.02	38.06	0.86	0.71	1.36	0.83
	100	63.93	89.23	2.28	2.07	1.40	0.91
2 000	10	18.05	23.22	0.49	0.32	1.29	0.65
	40	62.84	84.28	2.08	1.62	1.34	0.78
	100	143.34	197.61	5.53	4.71	1.38	0.85
3 000	10	28.94	36.96	0.79	0.52	1.28	0.66
	40	100.78	134.18	3.49	2.63	1.33	0.75
	100	229.89	314.62	9.28	7.64	1.36	0.82

2.5 各级流量实测冲淤量比较

表 6 为河道整治前后不同时期各级流量高村站来水来沙量及高村—孙口河段冲淤量,由表可以看出:

表 6   各级流量相应的高村水沙量及高村—孙口冲淤量

项 目	时段(年)	<1 000	1 000 ~ 2 000	2 000 ~ 3 000	3 000 ~ 4 000	4 000 ~ 5 000	>5 000	总 量
高村水量 (10⁸m³)	1952~1963	1 043	1 336	1 143	848	477	615	5 462
	1964~1974	944	1 416	864	575	384	687	4 870
	1975~1990	1 839	1 596	959	599	615	458	6 066
高村沙量 (10⁸t)	1952~1963	9.50	22.81	28.65	27.48	20.72	37.75	146.91
	1964~1974	11.25	29.64	27.30	24.88	16.88	23.57	133.52
	1975~1990	14.96	29.34	29.00	20.81	22.46	17.75	134.32
高村—孙口冲淤量 (10⁸t)	1952~1963	1.61	0.03	0.43	0.28	0.11	4.14	6.04
	1964~1974	1.78	0.41	1.77	1.60	−0.12	0.32	5.76
	1975~1990	1.83	0.13	−0.37	1.46	−0.02	4.18	7.21

2.5.1 河道整治后河槽的淤积减少

由表 6 可见,河道整治后 3 000m³/s 流量以下的河槽淤积量减少,主要是 2 000~3 000m³/s 流量级相应的河槽淤积量明显偏少,2 000m³/s 以下变化不大,由于河道整治后,中水河槽断面束窄,嫩滩缓流落淤作用减低,使中等流量河槽淤积减少。

2.5.2 河道整治后二滩淤积量并未减少

1964~1974 年,由于三门峡水库前期下泄清水,河道冲刷展宽,平滩流量达到 9 000~10 000m³/s,该时期水库滞洪滞沙,下游河道水流未漫二滩,河槽淤积很严重,但总淤积量偏少。河道整治后 1975~1990 年及整治前 1952~1963 年分别有 58% 和 68% 的淤积量集中在流量大于 5 000m³/s 的漫滩洪水,考虑到河道整治后有些年份平滩流量降为 3 000m³/s,河道整治后漫二滩洪水淤积量占总淤积量的 78%。所以就本河段而言,宽阔的二滩是集中滞沙区,河道整治后漫二滩洪水所形成的滞沙量及其所占比例略有增加。这与水沙系列有关系,同时也与河道整治后河槽断面变化有关系。

2.5.3 河道整治前后冲淤总量对比

从河道整治前后三个时期对比可见,尽管河道整治完成以前的 1964～1974 年水少沙多,河槽宽,嫩滩范围大,河槽内淤积量较其它时段多,但河道总淤积量偏少,这是由于洪水未漫二滩的缘故。河道整治后的 1975～1990 年,河槽束窄,河槽淤积量最少,总淤积量最大。就河道总淤积量占来沙总量百分比看,河道整治后为 5.4%,河道整治前两个时段分别为 4.1% 和 4.3%。这表明宽河道滞沙主要在二滩,由于二滩淤积较多,总淤积量偏大,也与河道整治完成初期,由宽河槽变为窄河槽时,一定宽度的嫩滩转化为二滩,滞留了一部分泥沙有关系。

2.6 高村—陶城铺河段河道整治对输沙影响

高村—陶城铺河段处于黄河下游游荡至弯曲的过渡性河段,本河段的整治借鉴了陶城铺以下河段的经验,而本河段的整治又为上段游荡性宽河道的整治提供了经验。为此,诸多文献对本河段整治后对输沙的影响作了分析总结。有的文献[1]认为河道整治后水流挟沙力主导因子 v^3/h 是增大的,河道整治后,输沙量增大;有的文献[2]分析了国内外一些实验及 1958、1955、1976 和 1982 年来沙较少年份本河段输沙变化情况,认为目前的河道整治对输沙影响不明显;有的文献[3]则认为河道输沙能力主要取决于来水来沙条件;有的文献[4]认为河道整治后高含沙水流输沙能力是提高的,

---

[1] 山东河务局,黄河东坝头以下河道整治工程对防洪减淤的作用,山东水利科技,1985 年第 4 期。

[2] 黄委会水科院,黄河下游高村至陶城铺河段河道整治对排洪输沙的影响,黄科技第 87049 号,1987 年。

[3] 黄委会水科院,高村至陶城铺河道整治对输沙能力的影响,黄科技第 8576 号,1987 年。

[4] 黄委会水科院,黄河下游宽浅河段整治对下游窄河段冲淤影响的初步分析,黄科技第 91041 号,1991 年。

由于河道整治按中水流量 5 000m³/s 设计河宽,对小水的约束较小,不致改变枯水期的淤积。

本文分析认为,高村—陶城铺河段河道整治后,中水河槽束窄,河槽内嫩滩宽度减小,二滩增宽且稳定,枯水河槽主要受水沙条件影响。

2.6.1　来水来沙条件对输沙的影响分析

在天然情况下,冲积河流的河道形态是由来水来沙条件所塑造的。来水来沙塑造了河床形态,河床形态又对输水输沙产生影响,这是冲积河流自动调整中的反馈作用,说明冲积河流的输沙能力与前期通过的水沙条件有关。因此,利用实测资料对比分析河道整治对泥沙输移影响时,必须弄清河道输沙能力的增减是前期水沙过程的影响,还是河道整治改变了河道形态所致。

以上高村—陶城铺河段整治前后河槽挟沙能力、输沙关系及各级流量实测冲淤量都是不同水沙条件下实测资料分析得到的,应包含来水来沙条件下河床的自动调整及河道整治的双重影响,特别是定量的结果。

表 7 为 1965～1973 年和 1974～1980 年由实测断面资料计算的夹河滩—利津各河段水流挟沙力参数 v^3/h。通测断面一般在汛前或汛后的枯水期进行,与表 3 比较,相应流量相当于 1 000m³/s 左右,可见对于枯水河槽,河道整治后各河段 v^3/h 值均有所提高,其中高村—孙口段增加最多为 20.4%。根据河道整治进展情况,艾山以下河道在 50 年代已完成河道整治,可以认为艾山以下河道挟沙力的提高主要是由来水来沙条件所引起的河床调整的结果。特别是艾山—泺口河段,基本不受河口变化的影响,其挟沙能力提高了 16.1%。根据上下河段情况,若取来水来沙条件对枯水河槽的河道形态及其它边界条件影响使枯水河槽的挟沙力参数提高 15%,那么 1974～1980 年高村—孙口段河道整治影响使枯水河槽的 v^3/h 值提高了 5%。

表 7　　　　　东坝头—利津各河段的 v^3/h 平均值变化表

河　段	东坝头—高村	高村—孙口	孙口—艾山	艾山—泺口	泺口—利津
1965～1973 年	2.15	2.55	2.96	1.93	1.65
1974～1980 年	2.42	3.07	3.19	2.24	2.05
后期增加值 （%）	12.6	20.4	7.80	16.1	15.1

　　同样，以河道整治前、后时期的实测资料，求得 50 年代已完成整治的艾山—利津河段输沙公式，并求出相应时段输沙率或沙量如表 8。

表 8　　　　　艾山—利津河段不同时期输沙能力对比

流量 （m³/s）	含沙量 （kg/m³）	计算汛期输沙率（t/s）			计算非汛期月输沙量（10⁸t）		
		1965～ 1973 年	1974～ 1990 年	整治后 整治前	1965～ 1973 年	1974～ 1990 年	整治后 整治前
1 000	10	10.36	13.2	1.27	0.153	0.074	0.48
	40	46.43	47.8	1.02	0.53	0.36	0.68
	100	128.13	111.86	0.87	1.33	1.00	0.75
2 000	10	21.40	29.2	1.36	0.315	0.174	0.55
	40	95.80	105.7	1.10	1.26	0.836	0.66
	100	258.20	247.39	0.96	3.40	2.35	0.69
3 000	10	32.65	40.45	1.24	0.52	0.287	0.55
	40	146.35	184.67	1.26	2.09	1.375	0.66
	100	394.43	393.55	1.00	5.21	3.87	0.74

　　表 8 表明艾山—利津河段输沙能力与表 5 高村—艾山河段相比有同样性质的变化，但又不完全一致，艾山—利津主要是含沙量较低时输沙能力提高较多，当含沙量等于或大于 100kg/m³ 时，前后时期持平或后期略有降低。两河段对比表明，高村—艾山河段河道整治后高含沙水流输沙能力明显提高，低含沙水流二者相差不大。说明高村—艾山河段河道整治后，河槽断面束窄，高含沙洪水

贴边淤积减少,到达艾山以下的含沙浓度有所提高。较低含沙量级输沙量的变化主要与来水来沙条件对河道的冲淤调整有关系,河道整治影响相对较小。

2.6.2 高村—陶城铺河段河道整治对输沙的影响

(1)平滩以下的中等洪水水流挟沙力参数 v^3/h 明显增大;

(2)中等流量的高含沙洪水,输沙率增大,河槽淤积量减少;

(3)漫滩以上的大洪水二滩仍具有较大的滞沙作用,二滩淤积量不会减少;

(4)枯水流量时,河槽形态及输沙能力受来水来沙条件影响较大,河道整治影响较小。

3 河道整治对泥沙输移影响总结

艾山以上河道具有滞沙和调沙作用,夹河滩以上游荡性宽河道具有明显的调沙作用,这种调沙作用对其下河段不都是减沙减淤,主要是将大水期,特别是高含沙洪水期的泥沙调到平水期、枯水期、非汛期及丰水少沙年份。在主流未受到控制的条件下,宽河槽的调沙是经常在进行,即使二滩、高滩的泥沙也有冲刷下移的机会。

这种冲淤调沙过程,特别是枯水期泥沙冲刷搬运,对其以下河段,特别是对艾山以下窄河道输沙减淤并不利,但由于大水大沙期淤积,枯水期冲刷搬运,对淤积物中的粗细泥沙进行了分选,最终使游荡性宽河道中的河槽中滞留下一部分粗沙。

河道整治后,河槽束窄,滩岸稳定,河槽的调沙作用减弱,二滩滞沙作用增强。

(1)河道整治完成初期,在由宽河槽向窄河槽调整的过程中,将有一定范围的宽河槽中的嫩滩转化成稳定的二滩,这将在一定期限内减少进入下河段的沙量。

(2)较为窄深的河槽形成后,中等流量的高含沙洪水在河槽内的淤积量将相对减少,因为失去大片低滩的缓流落淤,下泄含沙量较整治前增高,同时也将输送较多的粗泥沙。

(3) 由于主流摆动受限制,侧向泥沙冲刷量减少,故在低含沙水流、非汛期清水时,河底部冲刷将因床沙粗化而衰减,从而减少输向下河段的沙量。

(4) 较为窄深的河槽形成后,由于窄河槽洪水位涨率大,故大洪水时漫上二滩的水量将增加,二滩滞沙量可能增加,即将原来淤在嫩滩范围内的一部分泥沙淤在二滩上,成为稳定的滞沙。

参 考 文 献

[1] 齐璞,赵文林等.黄河下游宽浅河段整治对下游窄河段冲淤影响的初步分析.人民黄河.1992(2)

[2] 刘月兰.黄河下游艾山以上河道调沙特性分析.见:河南省首届泥沙研究讨论会论文集.郑州:黄河水利出版社,1995

[3] 李保如.李保如河流研究文选.北京:水利电力出版社,1995

[4] 刘月兰,张原锋.高村—陶城铺河段整治后河道形态变化及其对输沙的影响.人民黄河.1994(3)

[5] 陈铁汉,焦益龄等.黄河东坝头以下河道整治控导工程对防洪减淤的作用.山东水利科技.1985(4)

黄河上、中游河道的冲淤演变

1　黄河上游河道的冲淤演变

1.1　黄河上游河道概况

从河源至内蒙古托克托县的河口镇,为黄河上游段。流域面积38.6万 km²,河长 3 472km,水面落差 3 496m,汇入较大支流 43条,其中左岸 14 条,右岸 29 条。

黄河从河源流经星宿海,入扎陵、鄂陵两湖至玛多为河源段,玛多至玛曲流经地势平缓的古湖盆和平川宽谷之中,对径流有显著的调节作用。玛曲以下逐渐进入丘陵山区,至龙羊峡黄河流经高山峡谷,龙羊峡至下河沿河道蜿蜒曲折,河谷川峡相间,有著名的龙羊峡、刘家峡和黑山峡等,水量丰富,落差集中,是黄河水力资源的"富矿区",也是全国重点建设的水电基地之一。黄河抵宁夏后,进入宁蒙冲积平原,该段河道宽浅,比降平缓,河道微淤,具有防洪防凌任务。

黄河自黑山峡至河口镇(头道拐水文站)全长 1 048km,为黄河上游段的下段,新中国建立前该河段没有堤防工程,经常遭受洪凌灾害。现宁夏河段有防护堤 345.3km,可防御 6 000m³/s 的洪水。内蒙古河段堤长 913km,南岸大堤可防御 5 000m³/s 洪水,北岸可防御6 000m³/s洪水。但有的堤防临近河槽,标准不高,抗御能力较低。

兰州至河口镇区间,大部分年降水量较小,基本上是没有灌溉就没有农业的干旱地区。早在秦汉时期,黄河河套地区就有秦渠、汉渠等引黄灌区,据 1985 年统计,黄河上游万亩(667hm²)以上灌区有 60 个,其中兰州以上有 7 个,兰州至河口镇河段有 53 个,设计灌溉面积为 157.24 万 hm²,其中兰州以上为 0.83 万 hm²,兰州以下为 156. 41 万 hm²[1]。

新中国成立以来,上游干流先后修建了龙羊峡、刘家峡、盐锅峡、八盘峡、青铜峡五座水电站和三盛公水利枢纽。这些枢纽调节径流和泥沙,对防洪、发电、灌溉及改善河流生态环境起到了重要作用,同时也由于这些枢纽的调节,使来水来沙发生了变化,引起宁蒙河段的冲淤调整。

黄河上游支流众多,1960 年以后都不同程度地进行了治理,其中洮河、湟水、大通河、祖厉河和清水河五条支流的流域面积占上游总面积的 21%。到 1989 年共治理面积约 6 000km²,明显减少了入黄沙量。

1.2 黄河上游水沙特性及其变化

1.2.1 黄河上游水沙的主要特性

黄河流域的河川径流,主要由降雨汇集而成,降雨量分布不均匀,上游玛曲一带以南为多雨区,年降雨量为 800~900mm,最少的是内蒙古磴口附近,仅为 145mm。上游地区降雨多集中在 6~9月份,年际变化也较大,黄河上游主要水沙特性为[2]:

(1) 水多沙少:据头道拐实测水沙资料统计,年均水量 258 亿m³,沙量 1. 45 亿 t,含沙量 5kg/m³,是黄河主要清水来源区。

(2) 水沙异源:黄河上游的水量主要来自兰州以上,泥沙主要来自循化以下,特别是支流祖厉河和清水河年来水量分别为 1. 28和 1. 1 亿 m³,合计来水量不到头道拐年水量的 1%,来沙量为0. 558 和 0. 236 亿 t,合计来沙量占头道拐年沙量的 54%。两条支流的年平均含沙量分别为 436 和 215kg/m³,分别为头道拐年均含沙量的 87 和 43 倍。

(3) 水沙年内分配不均匀,年际变化更大:刘家峡水库 1968年投入运用前的实测资料统计,汛期(7~10 月)四个月的水量占年水量的 60% 左右,沙量占 80% 左右,支流来水来沙更为集中。据兰州站 1934~1968 年实测资料分析,最大年水量达 506 亿 m³

(1967 年),最小年水量仅 220 亿 m³(1956 年),前者为后者的 2.3 倍;最大年沙量为 2.29 亿 t(1958 年),最小年沙量为 0.274 亿 t,前者为后者的 8.4 倍。另外,在 1922～1932,1956～1960 和 1969 ～1974 年连续出现枯水系列,即在该时段内的每年水量均小于多年平均水量,在水资源开发利用时必须进行水量调度,从而引起原有的水沙情况有较大的变化。

(4) 洪峰低、历时长、洪水过程线属矮胖型:黄河上游的暴雨中心在玛曲一带,笼罩面积大,降雨时间长,强度小,地面为湖盆草原区,对洪水有调节作用,洪峰流量一般为 2 000～3 000m³/s,持续时间一般在 10 天以上,如 1989 年唐乃亥站一场流量大于 1 000m³/s 的洪水,从 5 月 30 日到 10 月 19 日,历时 143 天,其中流量连续大于 2 000m³/s 的时间长达 67 天。

1.2.2 黄河上游近期水沙变化

(1) 年水、沙量的变化:黄河上游干流已建有七座水利水电工程,其中刘家峡和龙羊峡两座水库的库容大,调节性能好,其余五座工程调节性能差。刘家峡和龙羊峡水库分别于 1968 和 1986 年投入运用,根据这两座大型水库投入运用的时间来划分时段。经统计分析可以看出:唐乃亥站三个时段(1934.7～1968.10、1968.11 ～1986.10、1986.11～1990.10)的年均水量与长系列年均水量相差 3.6% 左右,年沙量有增长的趋势,但绝对量不大,表明龙羊峡以上各时段的来水来沙情况变化不大。龙羊峡水库以下各时段的水、沙量有减小的趋势,特别是安宁渡以下进入宁蒙河段,受到灌溉引水引沙和河床冲淤调整的作用,各时段头道拐的水、沙量均较安宁渡的小,并且各时段水沙量减少值有增大的趋势。据王玲等分析结果,80 年代黄河上游年均耗水量 121 亿 m³,占头道拐同期实测年均水量的 50%,各年代的耗水量也是不断增加的(40 年代年均耗水量 49.1 亿 m³,50 年代为 75 亿 m³,60 年代为 94 亿 m³,70 年代为 101 亿 m³),变化趋势与上述分析结果一致。

（2）年内分配的变化：由于大型水库的调节作用，水沙量在年内分配发生变化，如头道拐站在刘家峡水库投入运用后，汛期水量占年水量的百分数由建库前的 62％降低到 54％，龙羊峡水库投入运用后又降到 43％，汛期沙量占年沙量的百分数也不断下降，但下降值较小。

（3）水沙搭配的变化：水沙搭配用一定来水来沙条件下的各级流量与相应的输沙量关系表示，这个关系与 M. G. Wolman 和 J. P. Miller 确定造床流量的地貌功曲线类似，这个关系中输沙量最大时相应流量的变化，在一定程度上可以反映造床流量变化。据实测资料分析，干流水利水电工程对水沙搭配的影响是很敏感的，见表 1。

表 1　　　　　　　　宁蒙河段平滩流量的变化

站　名	时　期 （年）	平滩流量 （m³/s）	相应最大输沙量 时流量（m³/s）	备　注
安宁渡	1952～1960	3 040	2 250	干流未修枢纽
	1961～1968	2 960	2 750	刘家峡水库运用前
	1969～1985	2 530	1 250	刘家峡水库运用后
	1986～1989	2 290	1 250	龙羊峡水库运用后
昭君坟	1951～1960	3 300	2 000	干流未修枢纽
	1961～1968	3 590	2 250	刘家峡水库运用前
	1969～1985	2 730	1 950	刘家峡水库运用后
	1986～1989	2 500	750	龙羊峡水库运用后

1.3　宁蒙河段的河床演变

宁夏的下河沿至内蒙古的头道拐河道长达 981km，流经宁蒙沉积地区，除局部河段有基岩露头外，大部分河段属于随着来水来沙变化而变化的冲积性河道。如上所述，人民治黄以来，黄河水沙条件发生了很大变化，宁蒙河段将发生相应的调整，但由于该河段缺乏系统的河床演变的观测资料,仅能根据水文站的实测资料进行分析。

1.3.1 造床流量的变化

造床流量是反映河床演变的一个重要指标,它对河流的造床作用与多年流量过程的综合造床作用相等,这就表明水沙条件的变化将会引起造床流量的变化。目前确定造床流量的方法很多,本文采用平滩唇高程时的平均流量表示,因为平滩流量可以根据实测资料比较客观地确定。分析结果见表1。

从表1可以看出:在干流枢纽工程未修建以前,安宁渡和昭君坟的平滩流量分别为 3 040 和 3 300m³/s,与一般分析结果 3 000 ~3 500m³/s 基本一致;1961~1968 年盐锅峡、三盛公和青铜峡枢纽先后投入运用,安宁渡的平滩流量变化不大,昭君坟的平滩流量约增加 10%,与干流枢纽调节水沙搭配后使相应最大输沙量时的流量变化一致;1968 年后刘家峡和龙羊峡水库陆续投入运用,使相应最大输沙量时的流量减少,平滩流量也相应减少,至 1989 年分别减少到 2 290 和 2 500m³/s。

1.3.2 河道输沙能力的变化

冲积河流随着来水来沙条件的变化,断面型态和河床物质组成等进行自动调整,从而引起河道输沙能力的变化。冲积河流输沙能力最简单的表达式用输沙率与流量的关系表示,图1是河口镇站 1959~1984 年实测输沙率与流量的关系,各年的点子基本上落在一起,而年沙量与年水量的关系,以刘家峡水库投入运用为界,形成一片点群,表明黄河上游随着水沙条件的变化,河床自动调整演变,一定流量条件下到河口镇(或头道拐)含沙量恢复饱和,所以实测输沙率与流量的历年点群落在一起,由于输沙率与流量的关系是高次方(大致为 2 次方),这样流量大,输沙能力强,流量小,输沙能力弱。刘家峡水库投入运用后,由于流量调匀,使河道输沙能力降低,从而在年水量相同的情况下,1969 年以后点群明显偏低,河道输沙能力降低约 30%。从定性来说,与造床流量的变化是一致的。

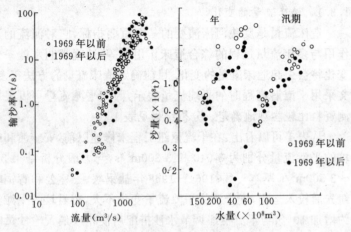

图 1 河口镇实测水沙关系

1.3.3 河道冲淤的变化

由于本河道支流汇入、灌溉引水和退水等水系复杂,还有风沙的影响,现有观测资料难以控制,精确计算河道的冲淤量比较困难,目前一些研究成果均为充分利用现有水文实测资料,采用各种方法进行详细的统计分析。

(1)同流量水位法:本方法为先统计各站历年流量为 1 000m³/s 时的水位,根据水沙变化情况,计算出各时段的水位差,再根据有关河段的水尺间距和河槽宽度计算河槽的年均冲淤量,以便和其它方法进行定性的比较。计算结果见表 2。

从表 2 可以看出:在 1961 年 3 月以前,干流枢纽尚未建成,支流治理尚未见效,灌溉引水引沙已有相当规模,兰州至头道拐河段是微淤的,由于沿程比降减缓,来沙量增加,河槽淤积也是沿程增加的。1961 年 3 月至 1967 年 4 月,盐锅峡和三盛公枢纽投入运用,分别年均拦沙 0.273 和 0.072 亿 m³,同时清水河经治理后年均来沙量减少 0.242 亿 t,兰州至下河沿河段还是微淤,而淤积更少了,青铜峡以下两个河段均发生冲刷,下段冲刷较大,显然受三盛公枢纽运用的影响。1967 年 4 月至 1968 年 10 月青铜峡水库又投入运用,拦沙多,使其下游普遍发生较强的冲刷,而兰州至下河沿还是微淤。1968 年 10 月至 1986 年 10 月刘家峡水库又投入运用,该水库年均拦沙 0.596 亿 m^3,兰州以下各河段都发生冲刷,但青铜峡以下两个河段的冲刷强度减弱,甚至碛口、巴彦高勒、渡口和昭君坟等站的同流量水位还略升高。在这时段内支流来沙量还是减少,祖厉河和清水河在 70 年代年均减沙量达 0.347 亿 t,占来沙量的 1/3;灌溉耗水量比 60 年代仅增加 7 亿 m^3;其它枢纽运用方式不变。由此表明,青铜峡以下两个河段的冲刷强度减弱的主要原因是刘家峡水库调节径流的结果,与图 1 分析结果是一致的。其次河床粗化也有一定的影响。

表 2 　　　　　　　各河段年均冲淤量　　　　（单位:$10^4 m^3$）

时　段 （年.月）	兰州—下河沿	青铜峡—碛口	巴彦高勒 —头道拐	合　计
1961 年 3 月以前	22	207	638	867
1961.3～1967.4	14	−67	−2 217	−2 270
1967.4～1968.10	52	−1 379	−4 876	−6 203
1968.10～1986.10	−4	−60	−165	−229
1986.10～1989.10	150	−57*	2 352	2 445

注　表中有 * 者为青铜峡至石嘴山河段

另外,潘贤娣等根据三盛公至河口镇河段 1982 年 10 月和 1991 年 10 月两次大断面测量成果计算的河道冲淤量见表 3[3,4]。

从表 3 可以看出:从 1982 年 10 月至 1991 年 10 月该河段全断面共淤积泥沙 3.52 亿 t,年均淤积 0.39 亿 t,作者认为即使不考虑 1982～1986 年的河道冲刷,则 1986～1991 年年均淤积 0.7 亿 t

左右,其中主槽淤积 2.22 亿 t,年均淤积 0.44 亿 t,与同流量水位法计算结果基本一致。从纵向淤积分布可以看出,主要淤积在毛不浪孔兑至呼斯太河河段,该河段的长度占总长度的 40%,淤积量占 59%,如以单位河长的淤积量计算,则该河段的单位淤积量为其它河段的 2~3 倍。因为该河段有十大孔兑汇入,来沙多,故淤积也最为严重,特别是一些支流的高含沙洪水流入黄河,堵塞干流,造成严重的淤积。

表 3　　　　　　　**1982~1991 年内蒙古河道淤积量**

河　　　段	长度 (km)	淤积量(10⁸t)			淤积厚度(m)	
		全断面	主槽	主/全	主槽	滩地
三盛公—毛不浪孔兑	250	1.29	0.84	64	0.4	0.05
毛不浪孔兑—呼斯太河	206	2.07	1.22	59	0.7	0.11
呼斯太河—河口镇	55	0.16	0.16	100	0.4	
全　河　段	511	3.52	2.22	65	0.5	0.07

（2）含沙量沿程变化:这是计算各站同时期内含沙量的沿程变化,以期定性反映河道冲淤变化的情况,见图 2。可以看出,在 1954~1960 年干流无枢纽工程影响下,从唐乃亥（龙羊峡水库入库站）至青铜峡由于支流汇入,含沙量沿程增加,青铜峡以下由于河道淤积和灌溉引沙,含沙量沿程减小;1961~1968 年由于盐锅峡和青铜峡枢纽投入运用,以及支流治理来沙量减少,在安宁渡以上含沙量沿程增长趋势略有减少,而至青铜峡减少数量较大,特别是青铜峡投入运用初期（1967~1968 年）含沙量减少更大,在此时期内青铜峡以下含沙量沿程增加,表明河道发生冲刷,至昭君坟和头道拐含沙量恢复饱和,并与枢纽修建前相同;1968~1986 年由于刘家峡水库投入运用,小川以下含沙量沿程增加,但其增加量明显减小,到昭君坟和头道拐的含沙量比以前三个时段减少约 1/3;1986~1989 年龙羊峡水库投入运用后,出库含沙量降低,而后沿

程增加,至青铜峡枢纽出口含沙量恢复到与刘家峡运用时相同,内蒙古河段含沙量又沿程减少,表明又发生淤积。

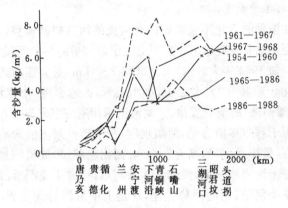

图2　不同时期含沙量沿程变化

（3）沙量平衡计算:如上所述,由于水系复杂,实测资料控制性较差,计算时对无实测和缺测的资料进行考证插补,但是对风沙问题既无实测资料,又无统一的认识,特别是对风力输沙和水力输沙在有些地方无法分开,因此在计算中无法考虑。据1955～1989年从安宁渡至头道拐的沙量平衡计算,在35年中安宁渡至头道拐河道年均冲刷600万t（不包括青铜峡和三盛公水库的淤积量）。其中1955～1959年每年淤积1.22亿t,60年代年均冲刷0.62亿t,70年代年均冲刷0.22亿t,80年代年均淤积0.03亿t。

综上所述,各种方法计算结果在定性上是完全一致的,在干流枢纽和支流治理生效（1960年）以前,宁蒙河段河道是微淤的;1961～1968年由于盐锅峡、三盛公和青铜峡水库投入运用,以及支流治理,来沙量减少,使宁蒙河段转为冲刷,其冲刷量的大小与来沙量的减少程度和枢纽运用方式有关;1968年以后刘家峡水库投入运用,由于洪水调平,使河道输沙能力降低,冲刷能力降低,但河道还处于微冲状态,1986年龙羊峡水库投入运用,由于水库初期蓄水,三年内蓄水 150 亿 m³,使来水量减少,同时进一步调节径流,使宁蒙河段又转为淤积。

1.3.4 河道平面变化

水沙条件的变化不仅影响冲积河流的河道冲淤调整,对平面形态的变化也有重要作用。在历史上宁蒙河道的部分河段河势变化很大。如 1934 年大洪水,黄河北移 3～4km,最大摆动达 7km,平面变化一般具有"大水走中,小水走弯,大水淤滩,小水淘岸","大水淤滩刷槽"的演变规律。宁蒙河道两岸有许多支流汇入,这些支流发源于鄂尔多斯台地,河短坡陡,受季节性暴雨的影响,往往形成峰高、量小、沙多的高含沙洪水,河出峡谷,形成洪积扇,有的洪积扇与干流滩地连接,洪水汇入黄河后,造成干流严重淤积,甚至堵塞整个河道,引起河势变化,这是上中游河势演变的特有情况。

内蒙古水科所利用卫星遥感资料分析结果表明[5]:在龙羊峡和刘家峡水库联合运用后,由于汛期调蓄洪水,减少了大洪水漫滩的机会,使淤滩作用减弱,而水库调节径流,使中水流量的时间加长,水流坐湾较死,顶冲能力强,造成滩地大量塌失。表 4 为典型河段主流摆动情况。

从表 4 可以看出:1973～1986 年各河段的摆动速率为 15～123m/a,而 1986～1990 年则为 300～625m/a,一般后者为前者的 5 倍,有的河段大于 10 倍。由于河势摆动引起严重的滩地坍塌,因为这与天然情况不同,在天然情况下滩地此冲彼淤,两岸滩地总面积在长时期内变化不大,而龙羊峡和刘家峡水库联合运用后,洪水出现机会减少,中水塌滩很难恢复,由于主流摆动速度加快,滩地损失也加剧。如三盛公至四科河头河段,1977～1986 年向北淘刷面积为 25.2km²,向南淘刷 30.6km²,合计 55.8km²,而 1986～1990 年向北淘刷 87.8km²,向南淘刷 52km²,合计 139.8km²,后者为前者的 2.5 倍。

表 4　　　　　　　　　　内蒙古典型河段主流摆动情况

河　段	摆动距离(m)		摆动速率(m/a)	
	1973～1986 年	1986～1990 年	1973～1986 年	1986～1990 年
黄河八队	600	1 800	46	450
水桐树村	1 000	2 400	77	600
河曲村	1 600	2 000	123	500
羊场圪旦	1 200	2 500	92	625
三苗树西	600	2 200	46	550
西柳匠圪堵东	200	2 000	15	500
打拉图	1 400	1 600	108	400
三和成	200	2 400	15	600
昆都伦入口	600	1 200	46	300
召圪梁东 5km	600	1 600	46	400

2　黄河北干流(河口镇至龙门)河道冲淤演变

2.1　区间概况

2.1.1　北干流河道概况

　　黄河北干流河段长 725km,平均河床比降 8.4‰,区间面积为 111 591km²。两岸汇入的支沟有 390 余条,其中流域面积大于 1 000km² 的支流有 22 条。北干流水系见图 3。

　　该河段设有河口镇、府谷、吴堡和龙门四处水文站。为了分析河道冲淤演变特性,按设站布局,将北干流划分为:河口镇至府谷,府谷至吴堡,吴堡至龙门三个河段。

　　河口镇至府谷段河长 207km,平均河床比降为 8.2‰。汇入本河段的支沟有 44 条,其中较大支流有红河、偏关河、黄甫川、清水川和县川河。喇嘛湾以上的河道,河床宽浅散乱,沙洲林立,为沙质河床冲积性河道。喇嘛湾以下至龙口(万家寨)是龙口峡谷,河道窄深,两侧岩石陡立,河床基岩暴露,堆有卵石和块石;河出龙口以后是河曲川地,河面放宽,最宽处约 2.0km,主流散乱汊道众多,为砂质冲积性河道;河曲至曲峪有黄甫川汇入,受黄甫川多沙粗沙洪水作用,河床冲淤变化较大;曲峪至天桥电站为义门峡谷,现为天桥库区,以下为府谷站。

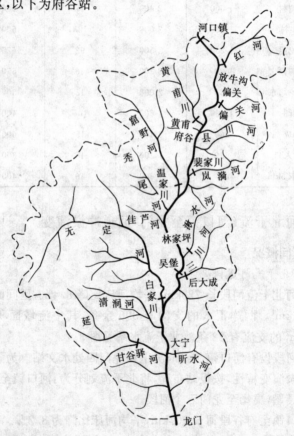

图 3　北干流水系示意图

府谷至吴堡河段长 242km,平均河床比降为 7.5‰,两岸支沟纵横,有 106 条支沟汇入。其中较大支流有孤山川、朱家川、岚漪河、蔚汾河、窟野河、秃尾河、佳芦河、湫水河等。在本河段内有碛滩、沙滩 60 多处,其中较为典型的是迷糊滩群,在 12km 范围内有 8 处碛滩。

府谷至岚漪河口,河长 61km,平均河床比降 7.4‰,有孤山川、岚漪河等大支流汇入。孤山川至朱家川,河面拓宽,有河心滩,河床为沙质间有卵石组成。受孤山川高含沙洪水的影响,河床冲淤变化较大。

岚漪河口至窟野河口,河段长 36km,平均河床比降 7.8‰。窟野河是本河段最大支流,来沙量多且粗,对本河段河道的冲淤变化影响极大。

窟野河至吴堡,河长 144km,平均河床比降 7.4‰,有秃尾河、佳芦河、湫水河等 62 条支沟汇入。本河段碛滩众多,其中较大碛滩有秃尾碛、佳芦碛、索干达碛和大同碛。大同碛长 2.5km,平均宽度约 400m,碛滩面积约 90 万 m²,枯水位以上体积约 150 万 m³,由块石、卵石和粗沙组成,滩槽高差在 4m 以上,中枯水时的河槽宽度只有 80m,将主槽逼于右岸石壁下。

吴堡至龙门河段长 276km,平均河床比降 9.6‰,本河段坡度陡,河谷窄深,最窄处不足 100m。汇入本河段的大小支沟约 240 条。

吴堡至清涧河,河段长 128km,平均河床比降 8.7‰,河床多为卵石、块石和粗沙。有三川河、无定河、屈产河和清涧河等 116 条支沟汇入。本河段碛滩较多,其中土金碛较大,碛滩长 1.6km,平均宽度 240m,面积约 36 万 m²,枯水位以上体积 100 万 m³,滩槽高差在 3.0m 以上。无定河是本河段最大支流,多年平均沙量 1.33 亿 t,对干流河道冲淤变化有较大影响。

清涧河口至延河,河段长 55km,平均河床比降为 7.0‰,其间有昕水河、延河等 55 条支沟汇入。河谷窄深,碛滩不多,其中最大碛滩是禹王碛,长 900m,平均宽度 270m,面积约 24 万 m²,枯水位以上体积约 100 万 m³。

延河至壶口,河段长 29km,平均河床比降为 15‰,是河口镇至龙门河段中最陡的一段。有 32 条支沟汇入,河谷窄深,最大河宽不足 300m,河床为块石、卵石或基岩组成。

壶口以下至龙门,河段长 64km,平均河床比降 10‰,壶口附近两岸石壁对峙,河床切入基岩形成瀑布,落差达 22m。壶口瀑布以下的河床为粗细泥沙组成,覆盖层达 10～50m 厚,在流量、含沙量和河床边界条件达到某一临界值时,易发生揭底冲刷,龙门水文站断面可冲刷 2～9m。

2.1.2 水沙特性

据 1950～1989 年实测多年平均水沙量见表 5[6]。

表 5　　　　北干流各站多年平均水沙量(1950～1989 年)

站　名	多年平均水量($10^8 m^3$)			多年平均沙量($10^8 t$)		
	汛期	非汛期	水文年	汛期	非汛期	水文年
河口镇	141.0	103.5	244.5	1.09	0.27	1.36
府　谷	147.1	110.4	257.5	2.46	0.41	2.87
吴　堡	157.0	118.1	275.1	4.90	0.75	5.65
龙　门	172.8	130.6	303.4	8.21	1.01	9.22

从表 5 可知,龙门站有 80% 以上的水量和 15% 的沙量来自河口镇以上地区。河口镇至龙门区间,只加入 59 亿 m³ 水量,而加入的沙量高达 7.9 亿 t(没有考虑河道冲淤量),这对北干流河道演变影响很大。

河口镇至龙门区间是黄河中游暴雨多发区,也是暴雨洪水产沙区。暴雨多出现在 7、8 两月,更集中在 7 月中旬至 8 月中旬。暴雨历时短、强度大,笼罩面积可达数万平方公里,是形成黄河中游洪水的主要因素。钱意颖曾给出洪峰流量大于 10 000m³/s 的洪水的水量和沙量特征值,见表6。

表6　　　　　　　　龙门站 $Q_{max} \geqslant 10\ 000\text{m}^3/\text{s}$ 洪水特征值

站　名	流域面积	洪峰流量平均值	15 天洪量	15 天沙量
	(km²)	(m³/s)	(10⁸m³)	(10⁸t)
河口镇	385 966	2 120	23.4	0.21
吴　堡	433 514	12 280	30.4	2.74
龙　门	497 557	12 890	35.4	4.73

对照表5与表6可知,洪峰流量大于 10 000m³/s 的来沙量,占年均沙量的 51.3%,水量只占年均水量 11.7%。洪水期对河龙河段河床演变的作用就更加突出。

从泥沙组成来看,河口镇泥沙较细,河口镇至府谷区间来沙较粗,府谷至吴堡区间来沙最粗,吴堡至龙门区间来沙较细,见表7。

从表5及表7中可看出,府谷至吴堡区间,来沙量大、来沙组成粗,对河道演变的影响也最大。

2.2　未控区产沙量估算

河口镇至龙门区间未控区面积有 23 166～26 277km²(因支流把口站变动),占河龙区间面积的 21%～23.5%。在研究河床冲淤变化时,必须估算出未控区产沙量。

实测资料表明,河龙区间很多支流在非汛期输沙量很少,占全年沙量不足 5%。其中有些月份的输沙量为零。该区间又是黄河中游暴雨多发区,除暴雨期间外,产沙很少。因此假定未控区内,在暴雨期以外的产沙量只占暴雨产沙的 4%。

暴雨洪水以龙门站为准进行统计分析。分别统计出历年各场次洪水的沙量,考虑到洪水传播历时和降雨超前时间,统计出河口镇至龙门区间的全部雨量站的场次洪水全时段累加雨量(日雨量小于 10mm 时略去),以此绘制场次洪水等雨量线图,据此求出

表7　1980~1988年干支流各站多年平均 d_{50}，年均最大 d_{50} 统计表

（单位:mm）

左岸支流				黄河干流			右岸支流			
河名	站名	$\overline{d}_{50}$	最大 d_{50}	站名	$\overline{d}_{50}$	最大 d_{50}	河名	站名	$\overline{d}_{50}$	最大 d_{50}
				河口镇	0.019	0.021				
偏关河	偏关	0.045	0.053	河曲	0.021	0.032				
							黄甫川	黄甫	0.059	0.082
				府谷	0.025	0.036	孤山川	高石崖	0.032	0.038
岚漪河	裴家川	0.030	0.032				窟野河	温家川	0.052	0.090
							秃尾河	高家川	0.055	0.064
湫水河	林家坪	0.022	0.026				佳芦河	申家湾	0.038	0.048
				吴堡	0.028	0.033				
三川河	后大成	0.021	0.023				无定河	白家川	0.035	0.040
							清涧河	延川	0.027	0.029
昕水河	大宁	0.018	0.020				延河	甘谷驿	0.029	0.036
				龙门	0.027	0.031				

未控区雨量。再借用未控区相邻支流水文站的雨量与输沙模数关系图求出未控区输沙模数，乘以未控区面积，即可得到未控区场次洪水产沙量。将年内各场次洪水沙量累加后，就得到该年未控区洪水期产沙量。再加上非洪水期4%产沙量，即求得各年未控区产沙量，见表8。表中给出多年平均未控区产沙量为1.45亿t，占河龙区间来沙量的19.7%。与未控区面积占河龙区间面积的21%~23.5%相当，因此所估算的沙量基本合理。

表 8　　　　　1964～1988 年未控区各时段年均洪水期产沙量表

（单位：10^8t）

时　段(年)	洪水期产沙量				非洪水期产沙量	总产沙量
	河口镇—府谷	府谷—吴堡	吴堡—龙门	全河段		
1964～1969	0.726 8	0.828 0	0.843 3	2.398 1	0.096	2.494
1970～1979	0.390 0	0.409 9	0.795 9	1.595 8	0.064	1.660
1980～1988	0.144 9	0.166 1	0.188 0	0.499 0	0.020	0.519
1964～1988	0.382 6	0.422 5	0.588 4	1.393 5	0.056	1.450

2.3　北干流河道冲淤演变

2.3.1　冲淤量的计算

根据已控区和未控区的沙量，按沙量平衡方法，可求出各年代的河口镇至龙门河段的冲淤量，见表 9。

表 9　　　　　1964～1988 年河道冲（—）淤（＋）量计算（水文年）

（单位：10^8t）

	1964～1969 年	1970～1979 年	1980～1988 年	多年平均
河口镇	1.827 0	1.136	0.957	
河口镇—府谷区间	1.747 1	1.423 6	0.837 8	
府　谷	4.085	2.434	1.917	
河口镇—府谷间冲淤量	−0.510 9	0.125 6	−0.122 2	−0.116 4
府谷—吴堡区间	4.484 1	3.082 4	1.298 6	
吴　堡	8.495 0	5.135	3.157 0	
府谷—吴堡间冲淤量	0.074 1	0.381 4	0.058 6	0.191 4
吴堡—龙门区间	5.433 7	3.497 8	1.429 5	
龙　门	13.631	8.659	4.533	
吴堡—龙门间冲淤量	0.297 7	−0.026 2	0.053 5	0.080 2
全河段冲淤量	−0.139 1	0.480 8	−0.010 1	0.155 2

　　表 9 给出,1964～1969 年,全河段冲刷 0.139 亿 t,1970～1979 年淤积 0.481 亿 t,1980～1988 年冲刷 0.010 1 亿 t,多年平均淤积 0.155 2 亿 t。

　　按河段全长 725km、平均河宽 600m,干密度 1.4t/m³ 计算,则平均每年淤厚 0.025 5m。

　　黄河中游水文水资源局曾统计出吴堡断面历年 5 月份 640m 高程以下平均河床高程,见图 4。

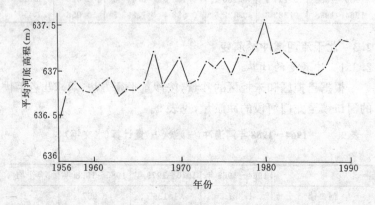

图 4　吴堡站 640m 高程以下平均河床高程过程线

　　从图 4 看出,吴堡站多年平均高程上升 0.026m。吴堡站1 000 m³/s 水位多年平均上升 0.024m。与平均淤积厚度基本一致。这证明未控区产沙量的估算是可信的。

2.3.2　河道冲淤基本规律

　　(1)区间洪水是河道淤积的主要因素。河龙区间暴雨不仅是形成洪水的因素,也是流域侵蚀,产生多泥沙的原动力。

　　1979 年 8 月黄甫川发生大水,洪峰流量 5 990m³/s,洪水总量 2.37 亿 m³,沙量 1.19 亿 t,平均含沙量高达 502kg/m³。当时黄河干流流量为 2 520m³/s。黄甫川洪水入黄后,顶托干流,回水上溯近 6.0km,使府谷以上河道淤积近 0.5 亿 t,黄甫川对岸石梯子淤高 2.0m 左右。

1977 年 8 月上旬孤山川发生大水，洪峰流量 10 300m³/s，洪水总量 1.1 亿 m³，沙量 0.684 亿 t，平均含沙量高达 752kg/m³，在孤山川口淤成拦沙坝，回水上延 6.0km。

1976 年 8 月窟野河发生百年一遇洪水，洪峰流量 14 000m³/s，洪水总量 2.29 亿 m³，沙量为 1.82 亿 t，平均含沙量为 795kg/m³。本次洪水挟带大量砾石、卵石和煤炭，洪水直奔对岸罗峪口，洪水过后罗峪口碛淤高 2.0m 以上。同期干流水小，流量为 2 240m³/s，支流洪水顶托干流，回水上延近 12km，河道淤积量达 1.95 亿 t。

从上述几次洪水对河道淤积的作用可看出，河龙河段的淤积主要是洪水期造成的。现以 1976 年 7 月 29 日至 8 月 6 日洪水为例分析如下。

本次洪水主要来自窟野河，其次是黄甫川。河口镇至府谷段，区间来水量约 2.58 亿 m³，来沙量为 0.99 亿 t，主要来自黄甫川。黄甫川水量为 0.841 亿 m³，来沙量为 0.416 亿 t，其中 $d > 0.05$mm 沙量占 55%，是造成本河段淤积的主要原因，共淤积 0.407 亿 t。

府谷至吴堡段，区间加入水量约 3.67 亿 m³，加沙量 3.238 亿 t。主要来自窟野河，该支流加入水量为 3.508 亿 m³，加入沙量为 2.61 亿 t，占区间来沙量的 80.6%，$d > 0.05$mm 沙量占 72.1%。洪水的最大流量高达 14 000m³/s，最大含沙量达 1 340kg/m³，平均流量为 451m³/s，平均含沙量为 743kg/m³，是有水文记载以来最大洪水，窟野河来沙是本河段发生严重淤积的主要原因，共淤积 1.954 亿 t。

吴堡至龙门段，区间加入水量、沙量不多，各支流无洪水发生，因府吴区间大水、大沙，尚有多余的粗沙没有全部淤积。吴堡站的来沙系数已高达 0.047kg·s/m⁶，由此可知，尚有很大部分粗沙被带到吴堡以下河段落淤,使吴堡到龙门河段淤积 0.494 亿 t。全河段淤积量达 2.855 亿 t。

（2）河道冲淤在年内的变化规律。河口镇至龙门区间来沙量主要集中在洪水期,因此洪水期淤积非常严重。非洪水期河龙区间产沙极少,河口镇以上来的清水又较丰,故河道一般为冲淤,见表10。

表 10   非汛期河道冲淤量计算   （单位：10⁸ t）

年　份	1964～1969	1970～1979	1980～1988	多年平均
河口镇	0.352	0.249	0.198	
河口镇—府谷区间	0.651	0.061	0.052	
府　谷	0.51	0.386	0.382	
河口镇—府谷冲淤量	−0.107	−0.076	−0.132	−0.104
府谷—吴堡区间	0.101	0.099	0.091	
吴　堡	0.846	0.667	0.631	
府谷—吴堡冲淤量	−0.235	−0.182	−0.158	−0.186
吴堡—龙门区间	0.361	0.196	0.177	
龙　门	1.205	0.859	0.789	
吴堡—龙门冲淤量	0.002	0.004	0.019	0.009
全河段	−0.34	−0.254	−0.271	−0.281

2.3.3　冲淤部位的特性

河口镇至龙门河段多年平均淤积量为 0.155 2 亿 t,而淤积量最大的河段是府谷至吴堡段。该河段有多沙粗沙支流汇入窟野河、秃尾河等,多年平均来沙量为 2.9 亿 t,其中 95% 以上是洪水期沙量。各支流河床坡度很陡,输沙能力很强,进入黄河后,干流河床坡度缓,河床相对较宽,水流输沙能力下降,使很大一部分泥沙沉积下来。洪水过后,受干支流较清水流冲刷,主槽部分可以恢复,但淤积在碛滩上的泥沙则变为永久性堆积物。

吴堡至龙门河段,虽有无定河、清涧河等支流汇入,沙量较大,多年平均来沙量为 3.307 亿 t,但是这些支流来沙组成较细,在洪水期 $d<0.01mm$ 的含沙量多在 $100kg/m^3$ 以上,所以淤积量较少。有时发生高含沙洪水,可在壶口以下发生揭底冲刷。如 1977 年 8 月洪水就是一个典型的例子。本次洪水主要来自吴堡以下的无定河、延河以及三川河和屈产河。无定河来水量为 2.653 亿 m^3,来沙量为 1.67 亿 t,平均含沙量为 $630kg/m^3$,其中 $d<0.01mm$ 的沙重占 24.7%。延河来水量为 0.71 亿 m^3,来沙量为 0.44 亿 t,平均含沙量为 $629kg/m^3$,$d<0.01mm$ 沙重占 18.5%。三川河来水量为 0.66 亿 m^3,来沙量为 0.23 亿 t,平均含沙量为 $348kg/m^3$,$d<0.01mm$ 沙重占 30%。上述三条支流都是高含沙洪水,汇入黄河以后,使壶口至龙门河段发生强烈的揭底冲刷,使本河段冲刷 1.824 亿 t,见表 11。

表 11　　　　1977 年 8 月 5～8 日洪水特征值

站名(区间)	W ($10^8 m^3$)	W_s ($10^8 t$)	$\overline{Q}$ (m^3/s)	$\overline{S}$ (kg/m^3)	$\overline{S}/\overline{Q}$ ($kg \cdot s/m^6$)	冲淤量 ($10^8 t$)
河口镇	3.100	0.010	897	3.26	0.004	
河口镇—府谷区间	0.325	0.044	94	135	1.436	0.022
府谷	3.425	0.032	991	9.34	0.009	
府谷—吴堡区间	2.113	0.495	611	234	0.383	0.011
吴堡	5.538	0.516	1 602	93.2	0.058	
吴堡—龙门区间	7.262	3.660	2 101	504	0.240	−1.824
龙门	12.80	6.00	3 704	469	0.127	
全河段						−1.791

2.4 河道拦截粗泥沙分析

河口镇至龙门区间有 24 条支流设有把口水文站,其中 13 处水文站有颗分资料且分布不匀。通过调查分析,按已有颗分测站进行输沙率加权,得出粗泥沙($d>0.05$mm,下同)百分比,考虑地貌类型进行粗略改正,求出各河段粗泥沙多年平均淤积量为 0.311 亿 t,见表 12。

表 12 　　　　　　　**1964～1988 年北干流粗泥沙淤积量** 　　（单位:10^8t）

河 段	河口镇—府谷	府谷—吴堡	吴堡—龙门	全河段
1964～1969 年	−0.256	0.009	0.35	0.103
1970～1979 年	0	0.444	0.094	0.538
1980～1988 年	0.001	0.078	0.119	0.198
多年平均	−0.061	0.208	0.164	0.311

如前所述,河龙区间入黄各支流河床很陡,洪水入黄后,干流坡度缓,带入干流的大量粗泥沙堆积在支流河口附近形成冲积扇或碛滩,而较细泥沙则输送至下游河道。这是形成河道拦截粗泥沙的基本模式。由表 13 看出,粗泥沙所占百分比,河口镇最小,府谷至吴堡区间来沙最粗,其次是河口镇至府谷区间;吴堡至龙门区间来沙较细,这与前面分析结果是吻合的。

表 13 　　　　　　　$d>0.05$mm 沙重百分比沿程变化

站名 （区间）	河口镇	河口镇—府谷	府谷	府谷—吴堡	吴堡	吴堡—龙门	龙门
$d>0.05$mm （%）	20.2	35.6	32.3	45.3	36.3	30.0	32.1

应当指出,表 13 中没有包括泥沙取样时的漏测部分,更没有包括推移质沙量。

2.5 龙门站悬沙级配变化

龙门站的悬移质泥沙组成,取决于三个方面,一是吴堡站的悬移质泥沙组成,二是吴堡至龙门区间的来沙组成,三是吴堡至龙门河段的床沙冲淤调整,包括壶口至龙门河段揭底冲刷和冲刷后的回淤。

$d>0.05$mm 沙量百分比是研究北干流粗沙变化的基本数据,通过分析河口镇及其以下各站(区间)1964～1988 年水文年的 $d>0.05$mm 沙重百分比变化过程,发现河口镇变化不大,河口镇至府谷区间 $d>0.05$mm 沙重百分比略有减少,这是因为红河、偏关河各修建大型水库一座、中型水库四座,总库容 3.0 亿 m^3,有拦粗排细作用。

府谷断面自 1974 年起,$d>0.05$mm 沙重百分比约下降 10%,除上述水利工程影响外,天桥水库也拦截了一部分粗泥沙。

府谷至吴堡区间的 $d>0.05$mm 沙重百分比变幅较小,本区间水利水保进展相对缓慢,减沙效益不显著。

吴堡断面 $d>0.05$mm 沙重百分比变化趋势明显,至 1988 年约减少 10%。它反映了府谷至吴堡河段,粗泥沙淤积较多,从表 10 可知,府谷至吴堡河段淤积量占府谷断面粗泥沙量及府谷至吴堡区间粗泥沙来量之和的 10%,两者基本符合。

吴堡至龙门区间的 $d>0.05$mm 沙重百分比明显减少约 15%,这与本区间水利水保措施密切相关。特别是无定河上中游主要粗沙来源区,修建大中型水库 25 座,总库容 11.7 亿 m^3,已淤积 4.5 亿 $m^{3[7]}$。将大量粗泥沙拦截在库内,使龙门站悬移质泥沙组成变细。图 5 是龙门断面悬移质泥沙各组粒径变化过程线。从图中可看出,$d<0.05$mm 沙重百分比增加趋势较大,约 15%,即 $d>0.05$mm 沙重百分比约减少 15%;$d<0.025$mm 沙重百分比的增加趋势与 $d<0.05$mm 沙重百分比增加趋势相同。

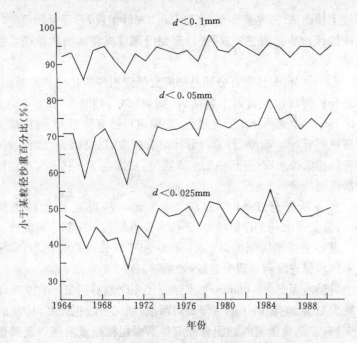

图 5　龙门断面历年各组悬沙级配变化过程线

参 考 文 献

[1] 钱意颖,龙毓骞.黄河上游水沙变化及发展趋势的预测.见:黄河水沙变
化研究论文集.第一卷.1993

[2] 程秀文,钱意颖等.黄河上游水沙变化及宁蒙河段河道冲淤演变分析.
见:黄河水沙变化研究论文集.第三卷.1993

[3] 赵业安,潘贤娣.八十年代黄河水沙特性与河道冲淤演变分析.1991

[4] 潘贤娣,赵业安等.黄河上游龙羊峡、刘家峡水库运用对干流河道冲淤的
影响.1995

[5] 王伦平等.黄河干流工程对内蒙河道变化的影响.1993

[6] 焦恩泽等.黄河北干流河道泥沙的输移与沉积.人民黄河.1995(11)

[7] 黄河水利委员会勘测规划设计院.黄河规划志.郑州:河南人民出版社,
1991

人类活动引起的黄河水沙变化
及其对河道冲淤的影响

　　黄河已是世界大江大河中受人类活动强烈影响的一条河流。研究这些影响将有助于对黄河客观规律的认识,从而采取有效的对策,加速黄河的治理开发。由于问题复杂,涉及范围广泛,本文仅分析引起水沙变化的几个主要因素及对河道冲淤演变的影响。

1　黄河水沙变化的基本特点

1.1　年来水来沙量减少

　　表1和表2为黄河主要控制站实测各年代水量和沙量。可以看出,近20年来水沙均有所减少,如上游头道拐站80年代实测年均径流量为237亿 m^3,沙量0.97亿t,分别为长系列多年均值的96%和71%;中游河口镇至龙门区间、汾河河津、北洛河狱头及渭河华县之和年均径流量为130.2亿 m^3,沙量为7.03亿t,分别为长系列的79%和52%;下游三门峡、洛河黑石关及沁河武陟径流量之和为398亿 m^3,沙量8.6亿t,分别为多年均值的86%和55%,为枯水少沙系列。特别是近10年(1985～1995年)变化更突出(见表3),实测水量沿程偏枯,且偏枯程度沿程增大,上游兰州站年均水量为284亿 m^3,头道拐180亿 m^3,进入三门峡水库的控制站四站(龙门＋河津＋华县＋狱头)290亿 m^3,进下游控制站三站(三门峡＋黑石关＋武陟)为300亿 m^3,至入海口的利津站180亿 m^3,兰州、四站、三站和利津分别占多年均值的88%、69%、66%和44%。年均沙量亦偏少,四站沙量9.26亿t,三站为8.1亿t,利津4.6亿t,分别占多年均值的60%、52%和43%。水沙量年均值虽均偏枯,但年际变化很大,且沙量变幅大于水量,如头道

表1　各年代平均年径流量特征值统计　　　　（单位：10^8m^3）

站（区）	项目		1920~1929年	1930~1939年	1940~1949年	1950~1959年	1960~1969年	1970~1979年	1980~1989年	1920~1989年
上游头道拐	实测	平均	215	259	282	243	266	230	237	247
		距平(%)	-13	+5	+14	-2	+8	-7	-4	
	天然	平均	253	305	331	321	369	325	368	332
		距平(%)	-24	-8	-0.3	-3.3	+11	-2	+11	
河龙间	实测	平均	64.5	80.3	77.8	77.1	69.4	53.9	37.1	65.7
		距平(%)	-2	+22	+18	+17	+6	-18	-44	
	天然	平均	64.5	80.3	77.8	78.3	71.0	56.9	42.0	67.3
		距平(%)	-4	+19	+18	+16	+5	-15	-38	
河津	实测	平均	13.7	15.6	16.1	17.5	17.8	10.3	6.6	13.9
		距平(%)	-1	+12	+16	+26	+28	-26	-53	
	天然	平均	13.7	15.6	16.3	28.0	27.2	23.1	21.1	20.4
		距平(%)	-33	-24	-20	+27	+33	+13	+3	
汾头	实测	平均	5.1	7.3	8.5	6.7	8.8	5.9	7.6	7.1
		距平(%)	-28	+3	+20	-6	+24	-17	+7	
	天然	平均	5.1	7.3	8.5	7.0	10.2	8.7	10.2	8.1
		距平(%)	-37	-10	+5	-14	+26	+7	+26	

续表 1

站(区)	项目		1920~1929年	1930~1939年	1940~1949年	1950~1959年	1960~1969年	1970~1979年	1980~1989年	1920~1989年
华县	实测	平均	58.4	83.0	93.7	85.1	95.8	59.2	78.9	78.9
		距平(%)	-29	+5	+19	+8	+21	-25	0	
	天然	平均	56.4	83.6	95.6	94.0	111.8	82.5	96.8	88.7
		距平(%)	-36	-6	+8	+6	+26	-7	+9	
中游	实测	平均	139.7	186.2	196.1	186.4	191.8	129.3	130.2	165.7
		距平(%)	-16	+12	+18	+12	+16	-22	-21	
	天然	平均	140	187	198	205	220	171	170	185
		距平(%)	-24	+1	+7	+11	+19	-8	-8	
下游花园口	实测	平均	398	497	543	482	503	379	411	459
		距平(%)	-13	+8	+18	+5	+10	-17	-10	
	天然	平均	438	546	596	595	662	542	609	568
		距平(%)	-23	-4	+5	+5	+17	-5	+7	

表2　各年代平均年输沙量特征值统计

（单位：10⁸m³）

站（区）	项　目	1920~1929年	1930~1939年	1940~1949年	1950~1959年	1960~1969年	1970~1979年	1980~1989年	1920~1989年
上游头道拐	平均	1.06	1.52	1.60	1.52	1.79	1.14	0.97	1.37
	距平(%)	-23	+11	+17	+11	+31	-17	-29	
河龙间	平均	6.852	10.593	9.007	10.356	9.526	7.543	3.751	8.233
	距平(%)	-17	+29	+9	+26	+16	-8	-54	
河津	平均	0.372	0.514	0.516	0.699	0.344	0.191	0.045	0.383
	距平(%)	-3	+34	+35	+83	-10	-50	-88	
湫头	平均	0.367	0.728	1.367	0.947	1.022	0.888	0.483	0.829
	距平(%)	-56	-12	+65	+14	+23	+7	-42	
华县	平均	3.336	4.436	4.849	4.288	4.361	3.842	2.754	3.981
	距平(%)	-16	+11	+22	+8	+10	-3	-31	
中游	平均	10.927	16.271	15.739	16.290	15.253	12.465	7.033	13.425
	距平(%)	-19	+21	+17	+21	+14	-7	-48	

表 3　　黄河干流主要站年均水沙量表

站　名	1985.11~1995.10 水量(10⁸m³) 非汛期	汛期	全年	沙量(10⁸t) 非汛期	汛期	全年	1919.7~1985.6 长系列平均 水量(10⁸m³) 非汛期	汛期	全年	沙量(10⁸t) 非汛期	汛期	全年
兰　州	161.2	122.6	283.8	0.175	0.343	0.518	134.4	188.9	323.3	0.163	0.794	0.957
头道拐	106.4	74.5	180.9	0.913	4.54	5.45	100	152	252	0.27	1.14	1.41
龙　门	125.9	96.7	222.6	1.451	7.812	9.263	131	188	319	1.19	8.76	9.95
四　站	155.4	134.7	290.1	1.984	6.046	8.03	169	251	420	1.60	13.68	15.28
潼　关	154.2	132.3	286.5	0.514	7.466	7.98	172.2	241.8	414	2.05	11.74	13.79
三门峡	152.6	129.3	281.9	0.58	7.52	8.10	167	248	415	2.04	13.24	15.28
三、黑、武	161.3	139.5	300.8	1.182	6.061	7.243	185	279	464	2.08	13.51	15.59
花园口	162.3	142.8	305.1	1.298	4.307	5.605	188.7	270.4	459.1	2.03	10.19	12.22
高　村	142.6	127.1	269.6	1.272	4.481	5.753	179.9	261.2	441.1	2.16	9.23	11.39
艾　山	116.7	123.7	240.4	0.625	3.98	4.604	173.8	265.9	439.8	2.06	8.77	10.83
利　津	76.5	103.9	180.4				160.4	257.6	418.0	1.65	8.95	10.60

注：潼关、花园口、高村、艾山、利津长系列平均指1950.7~1985.6

拐站最大水量 266 亿 m³,最小 110 亿 m³,比值为 2.4,而最大、最小沙量比值为 7.7,三站最大水量 400 亿 m³,最小 220 亿 m³,比值 1.8,而最大沙量 15.5 亿 t,最小 2.9 亿 t,比值 5.3。对黄河 70 多年按 10 年滑动系列平均,本系列的水沙组合是历史上最小的枯水少沙组合。

1.2　洪峰流量削减,枯水流量历时长

花园口站 1982 年最大洪峰流量为 15 300m³/s,近 10 年来最大洪峰流量仅 8 100m³/s,有 6 年洪峰流量小于 6 000 m³/s,最小洪峰流量仅 2 910m³/s。而枯水流量历时很长,汛期日平均流量小于 2 000m³/s 的天数年均为 100 天,相应水量 84 亿 m³,沙量 2.6 亿 t,分别占汛期天数、水量和沙量的 80%、50% 和 40%。也就是说,河道在汛期 80% 的时间由枯水流量通过,河道在这种长时间枯水流量下进行再造床。

1.3　汛期水量比重减少,非汛期比重增加,下游断流现象发展

从表 3 可以看出,沿程汛期水量均偏枯,头道拐、四站、三站和利津站分别为 74.5、134.7、139.5 和 104 亿 m³,分别为多年均值的 49%、54%、50% 和 40%,其中 1987 和 1991 年三站水量仅 88 和 61 亿 m³(表 4),为历史上最小值,而非汛期水量接近多年均值,但下游沿程减少,至利津站约占多年均值的 50%,改变了天然状况下的水量年内分配。由天然状况下汛期水量占年水量的 60% 降至 50% 左右,遇枯水年仅占 30%～40%,同时改变年内各月分配,各月分配均匀化,特别是 10 月水量仅为多年均值的 39%,已接近非汛期各月水量。此外,黄河下流断流现象发展,利津站 1992 年断流 83 天,1995 年断流 122 天,断流地点上延至夹河滩,艾山以下河道成为间歇性河流。

1.4　沙量更集中在汛期的 7～8 月

年均沙量减少,但年内分配变化,头道拐站汛期沙量占 66%,四站占 85%,三站占 93%,进入下游的沙量比天然状况下更集中

表 4　　　　　　　　　　三黑武实测水沙量

年　份	水量($10^8 m^3$)			汛期占全年(%)	沙量($10^8 t$)			汛期占全年(%)	花园口最大洪峰流量(m^3/s)
	非汛期	汛期	全年		非汛期	汛期	全年		
1985.11~1986.10	132	134	316	42.4	0.4	3.7	4.1	90.2	4 260
1986.11~1987.10	132	88	220	40.0	0.3	2.6	2.9	89.7	4 800
1987.11~1988.10	134	212	346	61.3	0.1	15.4	15.5	99.4	7 000
1988.11~1989.10	184	216	400	54.0	0.5	7.8	8.3	94.0	8 100
1989.11~1990.10	211	142	353	40.2	0.6	6.7	7.3	91.3	4 440
1990.11~1991.10	188	61	249	24.5	0.5	2.5	4.8	52.1	2 910
1991.11~1992,10	119	136	255	53.3	0.5	10.4	10.9	95.4	6 260
1992.11~1993.10	166	148	314	47.1	0.5	5.6	6.1	91.8	4 360
1993.11~1994.10	157.1	139.3	296.9	47.1	0.606	12.14	12.746	95.2	6 310
1994.11~1995.10	139.6	118.0	257.6	45.8	0.003	8.36	8.363	100	3 610
平　均	161.3	139.5	300.3	46.4	0.58	7.52	8.1	92.8	
1919.7~1985.6 平均值	185	279	464	60.1	2.08	13.51	15.59	86.7	

于汛期,但 10 月沙量很少,接近非汛期各月沙量,泥沙集中于 7~8 月,进入下游河道的年内水沙过程为清浑水交替过程。

2　水沙变化的主要原因

　　黄河水沙变化的原因有自然因素与人类活动两种,是个复杂的问题,在此就影响水沙变化的主要因素作一分析。

2.1　气候波动引起的变化

　　表 5 为各年代降雨情况,可以看出,黄河上游北中部(产沙区)与中游北中部的河龙区间及汾河流域的降雨量变化趋势一致,呈现 50 年代至 70 年代偏多,80 年代偏小,80 年代降水总量是近 40

表5　各年代平均降雨量和距平百分率统计　　　　（单位：mm）

区域	项目		1951~1959年 7~8	1951~1959年 6~9	1960~1969年 7~8	1960~1969年 6~9	1970~1979年 7~8	1970~1979年 6~9	1980~1989年 7~8	1980~1989年 6~9	1951~1989年 7~8	1951~1989年 6~9
上游	南部	平均	194	365	212	393	196	365	198	399	200	380
		距平(%)	-3	-4	+6	+3	-2	-4	-1	+5		
	中北部	平均	168	272	163	259	173	275	141	247	161	263
		距平(%)	+4	+3	+1	-2	+7	+5	-12	-6		
河龙间、汾河		平均	228	339	225	351	222	342	191	323	216	339
		距平(%)	+6	0	+4	+4	+3	+1	-12	-5		
泾、洛、渭河		平均	221	358	206	363	202	340	216	376	211	359
		距平(%)	+5	0	-2	+1	-4	-5	+2	+5		
中游		平均	225	348	216	357	213	341	203	347	214	348
		距平(%)	+5	0	+1	+3	0	-2	-5	0		

年来最少的 10 年,并以盛夏 7～8 月减少最甚。而上游南部(产流区)及中游南部泾、渭、洛河 80 年代汛期的降雨量却是近 40 年来最多的 10 年,使上游北中部和河龙区间的严重少雨得到弥补,上中游地区总水量多于多年均值。由表 1 还可看出,80 年代花园口站天然径流量为 609 亿 m^3,说明实测水量偏枯,主要不是气候条件引起的。近 10 年的降雨情况见表 6,可以看出,流域降雨量也接近多年均值,天然径流量约 530 亿 m^3,略偏枯,但实测水量严重偏枯,也主要不是气候条件引起的。

表 6　　　　　　　　　黄河流域降雨量

年　份	黄河流域年降雨量（mm）	河龙区间汛期		
		降雨量(mm)	水量($10^8 m^3$)	沙量($10^8 t$)
1986	375	169.5	10.6	0.945
1987	486	252.1	10.72	2.061
1988	533	340.5	43.34	8.209
1989	435	217.6	20.22	4.190
1990	490	310.1	21.14	3.377
1991	358	178.6	11.2	2.035
1992	464	353.8	30.2	5.251
1993	370	261.0	14.8	2.429
1994	415	305.0	34.6	7.310
1995		378.6	25.3	6.159
年平均	436.2	276.7	22.2	4.197
多年平均	450	326	36.0	7.62

2.2　工农业及城乡用水不断增长是水量减少的主要原因

　　黄河水资源是流域内与毗邻地区人民生存与发展必不可少的宝贵资源,新中国成立以来黄河干支流修建了大中小型水库 3 021 座,总库容 572 亿 m^3,全流域及下游沿岸灌溉总面积由 1950 年的

80 万 hm² 发展到 1990 年的 733 万 hm²,增长了 8 倍。黄河水资源的开发利用,有力地推动了沿黄各省区的经济发展,取得了巨大的经济、社会和环境效益。目前黄河河川径流利用率约为 53%,水量利用程度达到了较高水平,但随着国民经济与社会的发展,工农业和人民生活用水不断增长,使黄河水量大大地减少。黄河上游河口镇以上灌溉历史悠久,从 50 年代前的 50 亿 m³ 发展到目前的 130~140 亿 m³,其中集中在 5~7 月,占全年的 53% 以上,各月引水流量已接近 1 000m³/s。中游河口镇至三门峡河段目前引水量达 30~40 亿 m³。黄河上中游的用水量占三站(三门峡+黑石关+武陟)水量的一半左右;黄河下游引黄发展很快,50 年代以前几乎无灌溉,1952 年修建人民胜利渠,现引水量已发展到 120 亿 m³ 左右。目前,引水量已占三站水量的 36% 左右,其中 3~6 月用水量达 18~10 亿 m³,致使许多时间断流。随着经济的发展,今后用水量将呈增加趋势。因此,在相同降雨条件下,黄河水量减少是必然的。

2.3　干流水库的调节作用,改变水沙量年内分配,使流量过程均匀化,沙量更集中

　　黄河干流建成了龙羊峡、刘家峡、盐锅峡、八盘峡、青铜峡、三盛公、天桥、三门峡等八座大中型水利水电枢纽,总库容达 410 亿 m³,有效库容 300 亿 m³,总装机容量 374 万 kW,年发电量 176 亿度,这些工程在防洪减淤、灌溉、供水和水力发电等方面发挥了巨大的综合利用效益,同时也调节了水沙。其中对黄河水沙起主要调节作用的是龙羊峡、刘家峡和三门峡水库。

　　龙羊峡、刘家峡水库控制了黄河主要清水来源区,而中游是黄河泥沙的主要来源区,这种"水沙异源"是黄河水沙的主要特点之一,上游来水对中游来水起着稀释、降低水流含沙浓度的作用。龙羊峡水库有效库容 193.6 亿 m³,刘家峡水库 41.5 亿 m³,刘龙水库先于 1968 年 10 月和 1986 年 10 月投入运用,两库联合运用,

拦蓄洪水,供非汛期发电灌溉,其影响主要是改变了水量的年内分配,流量过程均匀化,流量大约维持在 500～1 000m³/s,洪水均被拦蓄。整个运用期(7 年)汛期蓄水 384.3 亿 m³,年均蓄水 54.9 亿 m³,非汛期泄水 211.4 亿 m³,整个运用期净蓄水 172.9 亿 m³,年均净蓄水 24.7 亿 m³(如表 7)(考虑了水流传播时间),如无二库

表7　龙羊峡、刘家峡水库蓄(+)泄(-)水量　　　(单位:10⁸m³)

年　份	非汛期	汛期	年	备　注
1986～1987	−8.56	+58.77	+50.21	
1987～1988	−29.4	+35.68	+6.28	
1988～1989	−6.44	+99.16	+92.72	
1889～1990	−55.27	+19.07	−36.2	
1990～1991	−51.51	+15.94	−35.57	
1991～1992	−36.6	+100.97	+64.37	
1992～1993	−23.55	+54.46	+30.91	
1986.11～1889.10	−14.8	+64.6	+49.8	初期蓄水
1989.11～1993.10	−41.8	+47.7	+5.9	正常运用
1986.11～1993.10	−30.2	+54.9	+24.7	

蓄水,汛期水量仍可占年水量的 60%左右。初期蓄水历时 3 年,两库汛期年均蓄水 64.6 亿 m³,非汛期泄水 14.8 亿 m³,年净蓄水49.8 亿 m³,分别占下游水量的 38%、10%和 16%,其中 1989 年汛期蓄水达 99 亿 m³,占下游实测水量的 46%。自 1989 年 11 月转入正常运用至 1993 年 10 月汛期年均蓄水 47.7 亿 m³,占下游实测水量的 39%,非汛期泄水 41.8 亿 m³,年均蓄水量不大。其中 1992年汛期共蓄水 101 亿 m³,如无两库蓄水,汛期水量达 237 亿 m³,不是枯水,而是平水,汛期水量占年水量的比例亦可恢复到天然状况。而非汛期两库泄水主要在冬 4 月(12 月至次年 3 月),年均增加水量 25 亿 m³ 左右,4～5 月两库虽泄水,但经宁蒙灌区用水后至河口镇一般年份只有 3～7 亿 m³,可见两库运用调节径流主要

是改变年内水量分配。另外,两库蓄水一般增加中下游水流含沙浓度,据统计整个运用期 55 次洪水与中游来水来沙遭遇情况,有 9 次两库泄水增加洪水总量,有 8 次水库蓄水量小于龙门洪峰水量的 10%,有 10 次水库蓄水量占龙门水量的 10%～50%,有 17 次占 50%～100%,大于 100% 有 11 次。出库水沙条件经宁蒙河段的调整,至上游出口控制站年均减沙约 0.36 亿 t。

三门峡水库实行"蓄清排浑"运用,对年水量调节不大,主要是调节泥沙,非汛期下泄沙量较少,集中在汛期下排,下游河道年内清浑水交替出现。

2.4 上、中游支流综合治理有明显的减水减沙作用,但降雨强度和落区不同,减沙作用有所差别

黄土高原水土流失区已得到初步治理,促进了生产,使部分地区生态环境发生变化。据 1995 年底统计,初步治理面积 15.4 万 km²,兴修梯田、条田和其他基本农田 517 万 hm²,造林 786.8 万 hm²,种草 234.5 万 hm²,兴建治沟骨干工程 852 座,淤地坝 10 万余座。支流的综合治理改善了部分地区的生态环境和生产生活条件,同时也起到了减水减沙作用。

根据各家分析,在 80 年代主要产沙区暴雨强度较弱的条件下,年均减水 20～30 亿 m³,减沙 3～4 亿 t,实测沙量的减沙中,综合治理的影响占 50%～40%。但目前各种治理措施标准尚不高,对一般降雨可起到较好的保水减沙作用,遇高强度大暴雨,其作用则减少,甚至发生水毁等,增加入黄泥沙,出现水沙两极分化现象。如延水经过综合治理,平均减沙在 50% 左右,但 1977 年延水因暴雨冲毁淤地坝,使泥沙增加了 20%～30%;1988、1992 年主要产沙区暴雨强度大,来沙量均多达 10 多亿 t;1994 年河口镇至龙门区间有四次较大降水,8 月 5 日无定河最大洪峰流量 3 200m³/s,为有实测资料以来第三位洪水,白家川站三次洪水总量 1.47 亿 t,为历年最大值,龙门洪峰流量 10 900m³/s,为近年来最大洪水,进入

下游泥沙达 13 亿 t 左右。因此说明，中游地区泥沙远没有稳定减少，出现大沙年的机遇还是很多的。另一方面有的地区还有边治理边破坏情况。

2.5　灌溉引沙的影响

黄河引水量逐年增长，使河道水量大量减少，引水的同时必然引走泥沙，引走泥沙多少一方面与引水量有关，另一方面也与来沙量大小有关。80 年代以来，虽然引水量增加，但由于来沙较少，与过去引水量相同年份相比，引沙量反而减少。黄河上游引水量较大，但由于含沙量低，引沙量不大，80 年代以来年均约 0.32 亿 t；中游含沙量高，引水量虽较小，但引沙量年均为 0.43 亿 t 左右；下游为多口门引水，引沙为 1.2 亿 t 左右，全河共引沙约 2 亿 t。从以上分析，目前黄河引水占来水的一半左右，而引沙只占黄河沙量的13% 左右，也就是说，水引得多，沙引得少，使水沙关系更不协调。

3　水沙变化引起的河道再造床

3.1　上游内蒙河段

内蒙河段在天然情况下，从长期看，河道有缓慢上升趋势，同流量（2 000m³/s）水位年均上升 0.5～2cm。随着上游干流枢纽工程的修建，改变了来水来沙条件，破坏了河道原有的相对平衡，河道进行自动调整，其冲淤特点是：

3.1.1　河道淤积严重，集中淤积主槽

1961～1986 年，龙羊峡水库投入运用前，河道发生冲刷；1986年龙羊峡水库运用后河道发生淤积，根据大断面测量结果，1982～1991 年全断面淤积 3.52 亿 t，实际上 1982～1986 年河道是冲刷的，所以说淤积量基本上代表了 1986～1991 年的淤积量，其中主槽淤积 2.22 亿 t，占全断面的 65%，淤厚 0.52m。

3.1.2　排洪能力降低

河床升高，同流量（2 000m³/s）水位上升（表 8），平滩流量减小,1991 年已减小到 740～1 350m³/s,排洪能力降低,如按堤防设计防洪标准计算,1982 年为 8 000～6 000m³/s,1991 年降低为 5 500～3 000m³/s。

表8　宁蒙河段同流量(2000m³/s)水位升(+)降(一)值　　(单位:m)

站　名	1961～1966	1976～1968	1968～1980	1980～1986	1986～1994
青铜峡	+0.17	−0.20	−0.27	−0.30	
石嘴山	−0.12	+0.10	−0.06	+0.08	+0.09
磴　口	+0.18	−0.16	+0.26	−0.16	
巴彦高勒	−0.48	−0.50	+0.36	−0.38	+1.02
三湖河口	−0.22	−0.60	+0.14	−0.32	+0.72
昭君坟	−0.16	−0.32	+0.06	+0.06	+1.10
头道拐	−0.06	−0.28	−0.42	+0.06	−0.04

3.1.3　滩岸坍塌严重,河势摆动加剧,影响滩区生产

内蒙水科所根据遥感资料分析,主流摆动速度加快(表9),淘岸面积增大。

表9　　　　　　　　典型河段主流摆幅

河　段	摆动距离(m)		摆动速率(m/a)	
	1973～1986	1986～1990	1973～1986	1986～1990
黄河八队	600	1 800	46	450
水桐树村	1 000	2 400	77	600
河曲村	1 600	2 000	123	500
羊场圪旦	1 200	2 500	92	625
三苗树西	600	2 200	46	550
西柳匠圪堵东	200	2 000	15	500
打拉图	1 400	1 600	108	400
三和成	200	2 400	15	600
昆都仑入口	600	1 200	46	300
召圪梁东 5km	600	1 600	46	400

3.1.4　干流局部河段堵塞,形成沙坝的机遇增多

1989年西柳沟发生洪水,在支流口严重淤积,堵塞干流河道,使昭君坟同流量(1 000m³/s)水位升高2.26m,超过1981年流量5 450m³/s时洪水位0.52m。

3.2　三门峡水库库区

3.2.1　淤积量

三门峡水库的淤积除受来水来沙条件影响外,还受水库运用方式的影响,自1973年实行"蓄清排浑"运用方式以来,潼关至三门峡库段基本保持年内冲淤平衡,但1986年以来,运用水位虽有所降低,汛期坝前水位大于305m的平均天数由1980年前的55天降为25天,而非汛期大于323m的天数由1980年前的50天降为32天,说明运用条件有所改善,但由于来水条件不利,全库区仍发生了淤积,年均淤积量约1亿t。

3.2.2　潼关高程变化

潼关高程仍遵循汛期冲、非汛期淤的基本规律。而汛期的冲刷,流量大于3 000m³/s洪水起主要作用。1985~1995年由于流量较小,汛期的冲刷抵消不了非汛期的淤积,造成累积性抬高,10年同流量(1 000m³/s)水位共抬高了1.54m,1995年汛末水位达328.2m。

3.3　下游河道

3.3.1　冲淤特点

(1) 年均淤积量较小,但年际变化大。全下游1986~1994年年均淤积量约2.2亿t,淤积比(淤积量/来沙量)为27%,约为50年代年均淤积量3.61亿t的60%。但年际变化大,其中1988、1992和1994年淤积量分别为5、5.8和4亿t左右,淤积比为32%、53%和31%,三年共淤积泥沙14.8亿t,占总淤积量的68%。由于枯水流量历时很长,有的来沙量较少年份,淤积比也很大,如1986年来沙量为4亿t,淤积比为38%;1987年来沙量2.9

亿 t,淤积比达 42%。因此可以看出,尽管来沙量减少,但随着水量的减少,洪峰流量的削减,河道仍发生淤积。

(2) 主槽淤积严重,横向分布不均衡。全下游主槽淤积量占全断面的 85%,而 50 年代主槽淤积量占全断面淤积量的 23%。本时期总淤积量虽只占 50 年代的 60%,但主槽淤积量为 50 年代主槽淤积量 0.82 亿 t 的 2 倍。主槽是排洪排沙的主要通道,主槽淤积对防洪十分不利。

(3) 艾山—利津河段主槽淤积严重。艾山—利津河段主槽年均淤积 0.34 亿 t,占全下游主槽淤积量的 18%,而 50 年代基本处于冲淤平衡状态。该河段具有"大水冲,小水淤"的基本特性,由于枯水流量历时长,淤积是必然的。

(4) 排洪能力降低。沿程各站同流量(3 000m³/s)水位年均上升 0.10～0.18m,河床淤积,平滩流量减小,1994 年主要控制站的平滩流量下降到 2 800～3 700m³/s,为历年最低值。曾推求花园口洪峰流量 22 300m³/s 相应的 1994 年洪水位,花园口站将比 1958 年水位约高 1.34m,夹河滩、高村约高 2m,艾山以下约高 3m。

(5) 高含沙量洪水对防洪威胁很大。1986 年以来发生过 1988、1992 和 1994 年三次高含沙洪水。高含沙洪水的冲淤演变特点是:严重淤积,如 1992 年淤积 3.58 亿 t,占全年的 62%;洪水位高,1992 年花园口洪水位达 94.33m,1994 年为 94.14m,洪水位的高低一方面与前期河床条件有关,另一方面也与洪水过程中河床冲淤与断面形态有关;高含沙洪水的水位涨率较大;洪水演进速度较慢,约比一般洪水慢一半;洪峰变形,1992 年花园口洪峰流量为小浪底洪峰流量的 1.34 倍,1973 和 1977 年分别为 1.27 和 1.17 倍;水位陡涨陡落,1992 年洪水在 56 小时内同流量水位下降 1.5m;嫩滩的淤积,使断面形态变得窄深,输沙能力加大。

3.3.2　断面形态调整

游荡性河段:主要在宽浅河槽中,以淤积嫩滩为主,逐渐形成

一个枯水小槽,一般嫩滩淤高好几米,河宽缩小,最小处只有 600m
左右,在嫩滩上形成一个新的枯水小槽,河槽萎缩。

过渡性河段:深槽淤积的同时以贴边淤积为主,平滩水位下河
宽变化不大,但过水面积大大减小,有的减小一半。

弯曲性河段:深槽淤积严重,同时发生贴边淤积,使过水面积
缩小。

总之,无论是什么形式调整断面形态,下游河道断面近年来都
在萎缩,逐渐变成枯水河槽。各河段典型断面的变化情况详见黄河
下游河床演变部分。

3.3.3　河势变化及险情

畸形河弯增多,河势上提,工程脱河和半脱河比较严重,如黑
岗口、古城、王夹堤等多处畸形河弯。工程靠溜部位普遍上提,塌滩
严重,如李桥险工上首塌滩,工程逐步上延,险情增加。这种现象的
发生,符合"大水下挫,小水上提"的基本规律。另一方面,下游整治
工程是按中水流量设计的,与目前枯水情况不相适应。

3.4　利津以下至河口

河口段自 1976 年从钓口河人工改道走清水沟以来,根据山东
河务局分析,1976~1993 年利津至西河口淤积 0.09 亿 t,西河口
至清 3 断面淤积 3.07 亿 t,清 3 以下淤积 1.35 亿 t,共淤积 4.52
亿 t,同流量水位一号坝抬高 0.5m,西河口抬高 1.05m,十八公里
抬高 2m。而 1986 年后一号坝抬高 1.25m,西河口抬高 1.22m,十
八公里抬高 1.16m。

断面形态调整的结果,形成过水面积只有 1 000m^2 的小河槽,
平滩流量为 2 000m^3/s,西河口~清 7 滩地淤高达 2m,滩唇淤得
多,堤根淤得少,清 7 以下滩唇与堤根高差一般为 3m,横比降加
大,1992 年当流量 700m^3/s 时就漫滩偎堤,对河口地区和胜利油
田构成威胁。

西河口以下改道初期河长 27km,1993 年延长至 65km,年均

延伸 2.24km，但 1982 年以来来沙量较少，口门延伸至水深较大的海域，延伸速度较慢，年均为 1.7km。利津以下河长已接近钓口河河长，神仙沟为 102km，钓口河 111km，清水沟 112km。神仙沟年均延伸 2.57km、钓口河年均延伸 2.64km，而清水沟年均延伸 2.24km，延伸速度较小，但延伸比（每吨泥沙延伸长度）却大，神仙沟、钓口河分别为 0.21、0.25km/亿 t，清水沟为 0.34km/亿 t。

4 人类活动对黄河河道的冲淤演变影响分析估算

4.1 龙羊峡、刘家峡水库调节径流对河道冲淤演变的影响

4.1.1 对四站至潼关河段冲淤演变的影响

四站至潼关河段天然状态下多年平均淤积量 0.5～0.8 亿 t。这段河道冲淤演变特点一般表现为 6～8 月淤积，9 月至次年 5 月冲刷，在年内起到泥沙反调节的作用。汛期四站至潼关河段的排沙比与龙门含沙量关系密切，当含沙量大于 20kg/m³ 时为淤积，反之为冲刷。洪水期含沙量大于 49kg/m³ 淤积，小于此值冲刷。从历年平均情况看，在来沙基本相同的情况下，汛期单位水量（1m³）增淤量约为 0.007～0.001t，非汛期单位水量减冲量约为 0.008～0.006t，汛期、非汛期的减水量对河道冲淤的影响比较接近。

两库汛期蓄水一方面削减洪峰流量，减少漫滩机会和漫滩程度，从而减少河道的淤积；另一方面，来水量减少，增大来水含沙量，又会增加河道的淤积量，正反两方面的综合作用，取决于两库的调蓄过程及与中游洪水泥沙遭遇情况。而非汛期泄水，增加水量，将增加河道的冲刷量。为定量估算两库调节对该河段冲淤演变的影响，采用黄科院提出的水文法数学模型，经验算，该方法基本上反映了该河段的冲淤情况，精度能满足要求，汛期按天进行，非汛期按月进行，并考虑了头道拐站来水来沙的影响，计算结果见表10。可见在初期蓄水阶段，汛期年均蓄水 64.6 亿 m³，增加淤积

0.52亿t,非汛期增加冲刷0.11亿t,年增加淤积0.41亿t。在正常运用时段中的前两年,汛期蓄水较少,仅17.5亿m³,非汛期泄水53.4亿m³,非汛期泄水大于汛期蓄水,年均增加冲刷量0.16亿t;而后两年汛期蓄水77.8亿m³,非汛期泄水30.1亿m³,年增

表 10　　龙羊峡、刘家峡水库运用对中下游河道冲淤影响

项目			时段平均				
			初蓄	正常运用			整个运用期
			1986.11~1989.10	1989.11~1991.10	1991.11~1993.10	1989.11~1993.10	
四站	水量 (10⁸m³)	汛期	157.2	101.8	136.6	119.2	135.5
		非汛期	140.2	197.8	142.1	169.9	157.2
		年	297.4	299.6	278.7	289.1	292.7
	沙量 (10⁸t)	汛期	8.38	5.37	8.27	6.82	7.49
		非汛期	1.10	2.37	1.34	1.85	1.53
		年	9.48	7.74	9.61	8.67	9.02
两库蓄(+)泄(-)水量(10⁸m³)		汛期	+64.6	+17.5	+77.8	+47.7	+54.9
		非汛期	-14.8	-53.4	-30.1	-41.8	-30.2
		年	+49.8	-35.9	+47.7	+5.9	+24.7
河道增(+)减(-)冲(-)淤(+)量(10⁸t)	四站—潼关	汛期	++0.52	++0.20	++0.45	++0.33	++0.41
		非汛期	+-0.11	+-0.36	+-0.26	+-0.31	+-0.20
		年	++0.41	+-0.16	++0.19	++0.02	++0.21
	潼关—三门峡	汛期	--0.41	--0.06	--0.20	--0.14	--0.25
		非汛期	++0.03	++0.24	++0.18	++0.21	++0.13
		年	++0.44	++0.30	++0.39	++0.35	++0.38
	三门峡—利津	汛期	++0.78	++0.33	++1.30	++0.82	++0.70
		非汛期	+-0.10	+-0.43	+-0.17	+-0.30	+-0.22
		年	++0.68	+-0.10	++1.13	++0.52	++0.58

注　1 增减冲淤量=有两库冲淤量与无两库冲淤量之差

　　2 两库蓄泄水量按水流传播时间推演

淤 0.19 亿 t,整个正常运用期年蓄水仅 6 亿 m³ 左右,所以影响不大。整个运用期,汛期年均蓄水 54.9 亿 m³,非汛期泄水 30.2 亿 m³,相互抵消后仍增加淤积 0.21 亿 t 左右,约占实测淤积量的25%。上述成果是否可信,可宏观地作一判断,如果不考虑流量过程和蓄水遭遇,仅从汛期和非汛期总水量考虑,汛期平均蓄水量54.9 亿 m³,增淤 0.41 亿 t,相当于单位水量增淤量为 0.007 5亿 t,而非汛期泄水 30.2 亿 m³,增冲 0.20 亿 t,相当于单位水量增冲量为 0.006 6t,符合一般规律性的认识。

4.1.2 对潼关至三门峡库段的影响

三门峡水库"蓄清排浑"的运用方式,一般表现汛期冲刷,非汛期淤积,其冲淤演变一方面与来水来沙有关,另一方面又与运用水位有关。龙、刘两库运用非汛期泄水增加潼关站的水沙量,从而增加了潼关以下库区的淤积量及防凌运用的蓄水量,汛期蓄水,减少潼关的水沙量,中小流量历时加长,降低水流的冲刷能力,特别是大流量机遇的减少,对冲刷非汛期淤积的泥沙带来了困难,增加了三门峡水库"蓄清排浑"的难度。经水文法模型的计算,结果见表10,初期蓄水时段汛期减小冲刷,非汛期增加淤积,年均增加淤积0.44 亿 t,正常运用期汛期减少冲刷 0.14 亿 t,非汛期增加淤积0.21 亿 t,全年增加淤积 0.35 亿 t,整个运用期年均增加淤积 0.38亿 t,为实测淤积量的 1.5 倍。如果没有龙、刘两库的调节,该河段在水量较大、大流量较多、坝前水位又较低的条件下库区不但不发生淤积,而且还可能冲刷 1.0 亿 t。

由于库区的淤积,引起潼关高程的累积性抬高。潼关高程一般汛期下降,非汛期抬高,汛期的下降主要是靠流量大于 3 000m³/s的水流冲刷,由于龙、刘水库蓄水,流量大于 3 000m³/s 的历时大大减少,不利于潼关高程的下降,根据对潼关高程升降规律的认识,整个运用期流量大于 3 000m³/s 的水量年均由 60 亿 m³ 下降至 24 亿 m³,减少潼关高程下降约 0.6m,也就是说潼关高程如果无两库的调蓄可能不会出现目前的较高状况,可以维持基本稳定或略有下降。

4.1.3　对黄河下游河道冲淤的影响

　　黄河下游河道是强烈堆积性河道。汛期高含沙洪水期间河道淤积十分严重,如 1950~1983 年 11 次高含沙洪水,来水来沙量分别占该时段总水量、总沙量的 2% 和 14%,但淤积量却占总淤积量的 54%。高含沙洪水绝大多数发生在 7、8 月份,多来自黄河多沙粗沙区,此时上游少沙区来水量较大,对高含沙洪水有稀释作用,可以减轻下游河道的淤积,而 9、10 月上游来水占较大比例,来水含沙量较低,常使黄河下游河道发生冲刷。下游河道的输沙能力不仅与水量有关,更主要的是与流量过程及流量、含沙量的搭配有关。根据以往的研究,从输沙耗水量(即输送 1t 泥沙所需的水量)的概念出发,下游河道的耗水量与来水含沙量关系密切,含沙量大,输沙耗水量小,含沙量小输沙耗水量大,其变化范围较大,大致可以得出如下概念,平均含沙量分为小于 20,20~50,50~100,大于 $100kg/m^3$ 四级,输沙耗水量分别为 180~50,50~30,30~15 和 $15m^3/t$,换句话说增减 $1m^3$ 水量增减排沙量为 0.005 2~0.02,0.02~0.033,0.033~0.066 和 0.066t 左右,含沙量再大,输沙耗水量不再减少。由此看出,两库蓄水对下游的影响,不仅要看总水量,更主要是看与含沙洪水的遭遇情况,同样蓄水量在高含沙洪水时影响大,在低含沙洪水时影响就小些。

　　艾山以下河道的冲淤变化除主要取决于来自流域的水沙条件外,还与上段河床调整有关,具有“大水冲,小水淤”的特性。在下泄清水条件下,当流量大于 $2\,500m^3/s$ 时,河道发生冲刷,小于此值河道发生淤积,但以流量 $1\,000~2\,000m^3/s$ 淤积量较大,流量小于 $1\,000m^3/s$ 时,虽有淤积,但绝对量较小。因此,汛期小水期及非汛期造成主槽淤积危害最大。

　　以上分析表明,从宏观上考虑,汛期蓄水必然增加河道的淤积,增加量的大小与蓄水过程及下游洪水的来水来沙条件有关;非汛期两库泄水,增大流量,有助于河道的冲刷,但由于流量较小,冲刷不能遍及黄河下游,形成上段多冲,下段多淤。因此,对下游艾山以上河段,汛期多淤,非汛期多冲,年的变化视两者的综合结果,对于艾山以下河段,汛期非汛期均为多淤,影响较大。

为定量分析两库调节对下游河道冲淤影响,采用黄科院水文法模型进行对比计算,成果列入表 10 和表 11。

表 11　　　　　　　　　　黄河下游汛期增淤量

年　　份	水　量 ($10^8 m^3$)	沙　量 ($10^8 t$)	蓄水量 ($10^8 m^3$)	增淤量 ($10^8 t$)
1987	88	2.4	85.8	0.03
1988	212	15.4	35.7	1.23
1989	216	7.8	99.2	1.10
1990	142	6.7	19.1	0.6
1991	61	2.5	15.9	0.05
1992	136	10.4	101.0	1.69
1993	148	5.6	54.5	0.91

从表可以看出,龙库初期蓄水阶段,汛期年均增淤 0.78 亿 t,非汛期增冲 0.10 亿 t,年均增淤 0.68 亿 t,占实测淤积量的 27%;正常运用期的前两年,泄水量大于蓄水量,汛期增淤 0.33 亿 t,非汛期增冲 0.43 亿 t,年均减淤 0.10 亿 t;后两年汛期蓄水量大于非汛期泄水量,又遇来水较枯,汛期增淤 1.3 亿 t,非汛期增冲 0.17 亿 t,年均增淤 1.13 亿 t,整个运用期汛期增淤 0.7 亿 t,非汛期增冲 0.22 亿 t,年均增淤 0.58 亿 t 左右。特别要指出的是主要增加主槽淤积,占实测淤积量的 29%。实际上,各年的蓄水情况不一,一般情况蓄水量大,淤积量大,但又与高低含沙量的洪峰遭遇有

关,同样的蓄水量,遇多沙年增淤量大,遇少沙年增淤量小。如
1989 和 1992 年蓄水量基本接近于 100 亿 m³,但 1989 年水量较丰
为 216 亿 m³,1992 年只有 136 亿 m³,而 1989 年沙量为 7.8 亿 t,
1992 年为 10.4 亿 t,因此 1992 年增淤量大于 1989 年 0.59 亿 t。
进一步分析表明,两库蓄水与下游含沙量遭遇不同,1989 年只有 3
亿 m³ 的水量与下游含沙量大于 50kg/m³ 的洪水遭遇,而 1992 年
却有 33 亿 m³ 的水量与含沙量大于 50kg/m³ 的洪水遭遇。因此,
综合各种因素的作用,1992 年的增淤量必然大于 1989 年。又如
1988 和 1993 年,蓄水量分别为 36 和 55 亿 m³,来沙量分别为
15.4 和 5.6 亿 t,1988 年蓄水量虽略小,但来沙量大,而 1993 年蓄
水量虽略大,但来沙量较小,其增淤量反而大于 1988 年,充分显示
了下游河道的输沙特性。

　　汛期由于洪峰流量的削减,不能发挥大水冲刷艾山以下河道
的作用,对艾山以下河道不利,而非汛期流量较小,冲刷又不能遍
及全下游。因此,汛期和非汛期艾山以下均增加淤积。整个运用期
增淤 0.30 亿 t 左右,约为下游增淤量的一半。

　　总之,两库运用在该水沙系列条件下,初期泄水时段四站至潼
关、潼关至三门峡和三门峡至利津河段年均增淤分别为 0.41、
0.44 和 0.68 亿 t;正常运用期的前两年,由于非汛期泄水大于汛
期蓄水,三个河段分别减淤 0.16、增淤 0.30 和减淤 0.10 亿 t;后
两年三个河段分别增淤 0.19、0.18 和 1.13 亿 t,整个运用期三个
河段分别增淤 0.21、0.38 和 0.58 亿 t。

4.2　三门峡水库蓄清排浑运用对下游河道的减淤作用

　　利用水库进行水沙调节,使出库的水沙过程适应黄河下游的
输沙规律,以充分发挥下游河道的输沙能力,减少下游河道淤积,
是三门峡水库的一项重要任务。

　　从减少黄河下游河道淤积考虑,曾设想合理利用三门峡水库
进行泥沙年内调节,即将非汛期的泥沙调节到汛期洪水时排出,充

分利用洪水期黄河下游排沙能力大,"多来多排"的输沙特性,多排沙入海;将汛期小流量枯水期的泥沙调节到较大洪水期排出,避免小水带大沙的不利局面出现;洪峰期迅速开启各种泄流设施,使水库泄洪能力与来水流量相适应,尽可能减少坝前水位涨率,使进出库洪峰少变形,水沙峰相适应;利用不同高程泄流孔排粗细泥沙效果不同,调节出库泥沙粗细,小水期关闭底孔、拦截部分粗沙,洪水期多开底孔、多排粗沙。通过水库调节泥沙,减少过机泥沙,特别是粗颗粒泥沙,减少对水轮机磨损。

但是,1973 年 11 月三门峡水库蓄清排浑以来的实际运用情况说明,三门峡水库因其特定的河床边界条件及已建大坝工程条件的限制,其运用必须遵循"确保西安、确保下游"的原则,兼顾上下游除害与兴利的要求,在稳定潼关高程的前提下,利用潼关以下一部分长期使用库容,进行一定范围的合理调度,调节水沙过程。由于 1990 年以前,原泄流排沙建筑物设计启闭时间过长,不能适应黄河洪水陡涨陡落、变化迅速的要求,加上黄河高含沙水流对泄水建筑物、特别是底孔底板和工作门槽导轨磨损破坏严重,影响正常运用。据统计 1986 年以前,各年汛期洪峰流量超过 4 000m³/s 后,三门峡大坝的实际过流能力只有同水位设计能力的 80%~90%,因当流量超过 4 000m³/s 后,水库就自然滞洪,壅高水位,影响洪水期水库排沙。从表 12 可见,1975 年以来,汛期超过 305m 以上的较高水位,每年都在 1 个月以上,遇丰水年份,多达 2~3 个月,除枯水年外,几乎每年都有一段时间超过 310m,特别是大流量时,库水位超过 310m 后,不利于水库排沙、冲刷太安以上河床及降低潼关高程。

1974~1993 年汛期潼关以下库区冲刷非汛期淤积的泥沙 1.47~2.23 亿 t,其中大都是在 1 000~2 000m³/s 的枯水及 3 000~4 000m³/s 的中水流量时排出的,大于 5 000m³/s 以上的洪水基本没有冲刷排沙。

表 12　三门峡水库各年汛期较高运用水位持续天数统计表　　（单位：d）

水位(m)	1975	1976	1977	1978	1979	1980	1981	1982	1983	1984	1985	1986	1987	1988
305～306	18	32	65	41	22	9	24	14	20	26	26	11	33	9
306～308	13	41	12	29	3	1	13	9	21	12	22	6	7	10
308～310	4	6		12	1	5	12	6	7	5	2	6		4
310～312	3	6	3	1	1	6	1		2	5	1	5		
312～315	3	5	0							2	3	4		
＞315	6	7	1											
合计	47	97	83	83	27	21	50	29	50	50	54	32	40	23

三门峡水库蓄清排浑运用对黄河下游河道冲淤的影响很复杂，需要进行具体分析。

4.2.1　非汛期水库拦沙对下游河道有很好的减淤效益

非汛期黄河下游来沙主要来自干支流河床的冲刷，颗粒比较粗，如潼关站非汛期悬移质泥沙中，粒径大于 0.05mm 的粗泥沙占 60%～70%，这部分泥沙进入黄河下游后，沿程落淤。非汛期三门峡水库拦沙下泄清水，黄河下游由建库前的淤积转为冲刷，据对比分析，水库淤积量与下游河道减淤量的比值接近于 1，即每年非汛期下游可减少淤积 1 亿多吨（见表 13）。

4.2.2　汛期水库排泄全年泥沙对下游河道的影响

三门峡水库蓄清排浑运用后，下游汛期的来沙量占全年沙量的 98%。由于汛期的水量并未增加，而汛期的来沙量加大，汛期下游河道的淤积量也相应加大。但是，汛期流量较大，非汛期流量较小，同样数量的非汛期泥沙放在汛期大流量时下排，充分利用下游河道"大水多排沙"的特性，多排沙入海，下游河道的淤积量显然要小于非汛期下排时的淤积量。因此，与水库滞洪排沙期相比，由于水沙关系得到改善，下游河道可以少淤，但与天然情况相比，是否

表 13　三门峡水库非汛期蓄水拦沙对下游河道的减淤作用

项　目	水量 (10⁸m³)		来沙量 (10⁸t)		潼关—三门峡	三门峡—利津 冲淤量(10⁸t)			三门峡—利津 减淤量 (10⁸t)	减淤比
						有水库		无水库		
	三、黑、小	利津	有三门峡水库	无三门峡水库		实测	计算	计算		
1973.11~1974.6	160	116	1.04	2.02	0.98	−0.89	−0.27	0.73	1.0	0.98
1974.11~1975.6	164	129	0.10	2.09	2.01	−1.57	−1.31	0.74	2.05	0.98
1975.11~1976.6	239	184	0.61	2.15	1.55	−2.2	−1.99	−0.40	1.59	0.97
1976.11~1977.6	175	104	0.29	1.4	1.12	−0.61	−1.04	0.09	1.13	0.99
1977.11~1978.6	125	63	0.08	1.2	1.12	−0.50	−0.41	0.74	1.15	0.97
1978.11~1979.6	163	113	0.07	1.38	1.31	−1.27	−1.25	0.10	1.35	0.97
1979.11~1980.6	146	73	0.17	1.36	1.20	−0.71	−0.72	0.51	1.23	0.98
1980.11~1981.6	120	59	0.19	1.19	1.0	−0.44	−0.25	0.78	1.03	0.98
1981.11~1982.6	179	83	0.07	1.51	1.41	−1.06	−1.22	0.26	1.48	0.95
1982.11~1983.6	187	117	0.24	1.79	1.56	−1.04	−1.47	0.12	1.59	0.98
合　计	1658	1041	2.86	16.1	13.26	−10.29	−9.93	3.67	13.6	0.98

能够减少下游河道的淤积，则取决于水库排沙的时机是否合适，取决于进库水沙条件与出库的水沙关系。

影响汛期下游河道输沙的一个重要因素是经过非汛期冲刷，下游河道的输沙能力有所降低，需要经过冲淤调整，才能恢复。据分析计算，每年非汛期花园口以上河段冲刷1亿多吨，河床冲刷使汛初输沙能力降低，每年汛期要多增加淤积0.2~0.3亿t，才能使输沙能力得到恢复，对于整个下游需要增加淤积0.3~0.4亿t，输沙能力才能恢复正常。

影响汛期下游河道淤积的另一个因素是每年汛初水库在小水期大量排沙。每年汛初三门峡水库冲刷排沙一般为0.4~0.8亿t，排沙期平均流量为1 000~2 000m³/s，本来在小水期下游河道的输沙能力低，来自上游的泥沙也有相当一部分淤积在下游主槽，这时水库又大量排放非汛期淤积的粗泥沙，所以水库冲出的泥沙几乎全部淤在下游河南河段主槽。另外，汛期其它时段的小水期水库冲刷排沙，也要增加下游河道的泥沙淤积。

汛期遇大洪水，三门峡水库仍然自然滞洪削峰，据统计，遇大于5 000m³/s的洪水，水库的削峰比还很大，一般为30%~40%，洪峰愈大，削减愈多。削峰结果减少了下游洪水漫滩的机遇，削弱了大洪水对下游河道"淤滩刷槽"及"大水艾山以下河道冲刷"的有利因素，这虽然可以减少上段滩地的淤积，但对下游并不利。

如果水库在4 000~6 000m³/s中等洪水时冲刷非汛期淤积的泥沙，对下游有利，但是一般年份中等洪水出现的机遇少，即便遇到丰水年份，三门峡水库往往在中等洪水到来之前，已将非汛期淤积的泥沙大部分在汛初小水期及汛期平水期排走，所以据统计1974~1993年汛期流量4 000~6 000m³/s时水库的冲刷量只占汛期水库冲刷量的15%，因而对下游河道的减淤作用不大。

采用中国水科院、黄科院、清华大学、武汉水利电力大学等提出的黄河下游河道泥沙冲淤数学模型，对三门峡水库实际运用出

库的水沙条件与无三门峡水库天然来水来沙条件,进行下游河道
冲淤演变对比计算,几家计算结果相近,1974 年三门峡水库蓄清
排浑运用以来,平均每年减少黄河下游淤积约 0.2～0.3 亿 t,减少
的是高村以上河道滩地的淤积量,主槽没有减少,艾山以下河道的
淤积还略有加重。表 14、15 列出的是中国水科院的计算成果。

表 14　有、无三门峡水库下游河道历年增(＋)减(－)淤量　(单位:10^8t)

年 份	1974	1975	1976	1977	1978	1979	1980	1981	1982
减淤量	-2.016	+0.777	-0.129	-2.961	+0.189	-0.097	+0.08	+0.457	-0.715

年 份		1983	1984	1985	1986	1987	1988	1989	1990
减淤量		+0.242	+0.148	-0.117	+0.241	-0.491	+1.715	-0.088	-0.539

表 15　　　　　　　　　　各河段年均减淤情况　　　　　　(单位:10^8t)

河　　段	铁谢—高村	高村—艾山	艾山—利津	铁谢—利津
1973.11～1979.10	-0.362	-0.288	-0.067	-0.717
1979.11～1985.10	-0.198	+0.033	+0.018	-0.147
1985.11～1990.10	+0.223	-0.016	-0.036	+0.171
1973.11～1990.10	-0.132	-0.095	-0.028	-0.255

　　总的来看,三门峡水库蓄清排浑控制运用后,随着水库的拦沙
与排沙,下游河道年内冲刷与淤积交替发生。这种间歇性的冲刷与
淤积,使黄河下游的河床演变不同于建库前,也不同于水库下泄清
水期或滞洪排沙期,有它自己的特点。一般来说,黄河非汛期来水
比较稳定,长达 8 个月的小流量清水,其在黄河下游冲刷的数量与
冲刷发展距离都相对稳定。但是,黄河汛期的来水来沙却有很大的
差别,故而各年汛期的冲淤情况差别是很大的。汛期下游河道的冲
淤数量大,所以就一年来说,下游河道的冲淤性质取决于汛期的冲

淤情况。各个阶段冲刷与淤积的相互组合情况决定了黄河下游河道的演变趋势。三门峡水库蓄清排浑运用使出库水沙条件发生变化,改变了下游河道年内冲淤过程,为非汛期冲、汛期淤;改变了下游河道泥沙纵向淤积部位,使花园口、夹河滩以上河段的淤积量有所减少。夹河滩以下河段的淤积比重增加;泥沙的横向淤积分布也有些变化,滩地的淤积量有所减少。虽然三门峡水库蓄清排浑运用后,下游河道的淤积状况要比滞洪排沙运用时期有所改善,但与天然状况相比,淤积部位的改变,从下游防洪的全局看是不利的。随着黄河水沙的新变化与水库上下游情况的变化和水库运行经验的积累,探索兼顾水库上下游要求和发挥水库综合利用效益的更为合理的水库控制运用方式是今后的一项紧迫任务。

由此看出:三门峡水库蓄清排浑运用对下游河道冲淤的作用是十分复杂的问题,它与来水来沙条件(包括三门峡水库的冲淤调整)和下游河道冲淤调整均有密切的关系。严格地讲,各时段内历年减淤量与增淤量均有出现,只不过是各时段内历年的减淤量与增淤量的幅度不同而已。从总的情况看,三门峡蓄清排浑运用以来(1973年11月至1990年10月),对下游河道起到了一定的减淤作用,17年累积减少下游淤积4.3亿t,年均减少淤积0.255亿t。年均减淤情况的时空分布是不同的,1973年11月至1979年10月水库蓄清排浑运用初期,减淤作用较为明显,年均减淤0.717亿t,而且是下游河道全程都是减淤的;1979年11月至1980年10月各年减淤与增淤交替出现,但量都不大,从这一时期的累积情况看,减淤量大于增淤量,年均减淤0.147亿t,从河段分布看高村以上减淤,高村以下增淤;1985年11月至1990年10月各年减淤与增淤也是交替出现,但这一时期增淤量已大于减淤量,年均增淤0.171亿t,从河段分布上看,高村以上增淤,高村以下减淤。

上述计算结果表明,三门峡水库蓄清排浑运用对黄河下游河道的冲淤影响与来水来沙条件极为密切,1973年11月至1985年

10月入库流量变幅比较大,流量大于 6 000m³/s 时滞洪拦沙,流量小于1 500m³/s 时蓄水拦沙,泥沙主要在 2 000~6 000m³/s 时排出,对下游河道输沙较为有利,因此这一时期三门峡水库具有减淤作用,同时随着下游河道的调整,初期减淤作用比较大,进入 80年代后,减淤趋势逐渐减小。1985 年 11 月至 1990 年 10 月,流量变幅比较小,基本很少出现大于 6 000m³/s 的流量,汛期三门峡水库起不到调节作用,同时流量小于 1 500m³/s 时水库还是拦沙,而流量大于 3 000m³/s 出现的天数较前一时段少很多,泥沙主要在1 500~3 500m³/s 时排出,对下游河道不利,这一时期三门峡水库略有增淤作用。1986 年以后,汛期进入三门峡水库的水量大幅度减少的主要原因是由于中、上游水利、水保工程的拦蓄引用及龙羊峡、刘家峡水库的调节,估计这种局面不易改变。

4.3　引黄用水对黄河下游河道冲淤的影响

水流的输沙能力与流量的高次方成正比,流量愈大,水流的输沙能力愈大。引黄用水引走了一部分流量,也引走了一部分泥沙,分流结果降低水流的输沙能力,对排沙不利,但由于各地区来水来沙不同,各地区引黄用水对下游河道冲淤的影响也不一样。

4.3.1　上游引黄用水的影响

黄河上游是黄河最主要的低含沙水流来源区,上游大量引水,将使中下游含沙量增加,1986~1993 年上游年均引水约 130 亿m³,据分析计算,年均增加下游淤积 1.0 亿 t 左右,若与 50 年代比较,引黄用水量增加 50 亿 m³,增加下游淤积约 0.4 亿 t 左右。

4.3.2　中游(河口镇—三门峡)引黄用水的影响

1986~1993 年引黄用水年均约 40 亿 m³,主要是非汛期增加的,中游地区水流含沙量高于下游,引水同时引走泥沙,估计影响不大,非汛期三门峡下泄清水,引水增加将减少下游的冲刷,据分析,年均减少冲刷约 0.3 亿 t,若与 50 年代比较,增加引黄用水量20 亿 m³,减少冲刷 0.1 亿 t 左右。

4.3.3　下游引黄用水的影响

黄河下游引黄灌溉发展迅速,1986~1993年年均引黄用水达115亿 m³。下游引黄为减少泥沙处理的困难,采取低含沙量时多引,高含沙量少引的原则,因而引水沿程分散进行,引出水流含沙量与黄河含沙量比值各口门不同,变化范围 0.7~1.1。

引水降低水流输沙能力,使单位水量淤积量增加(或冲刷量减少),但总淤积量还与水沙条件及河床冲淤状况有关。当流量一定,水流含沙量高,河床处于强烈堆积状态时,大量引水,河道淤积将减少;当含沙量较低,河床处于堆积状态,由于引水后水流输沙能力降低而使河道增加的淤积量,大于引出那部分水流原先在河道的淤积量时,河道淤积量将增加,仅在引水比大到一定程度后,河道淤积量才减少;如河道处在冲刷状态,引水减少冲刷。若引出含沙量与大河含沙量相等,即引沙比为 1 时,则年均增加淤积 0.14亿 t 左右,若引沙比为 0.7,年均增加淤积约 0.4亿 t 左右,主要增加艾山以下淤积。

综上所述,上游引黄用水年均 130亿 m³ 左右,中游引黄用水约 40亿 m³,下游引黄用水 115亿 m³ 左右,分别增加下游淤积 1、0.3和 0.14亿 t 左右,共引水约 285亿 m³,增加淤积 1.44亿 t 左右。如与 50 年代用水水平相比,上游、下游分别增加 50、85亿 m³,增加淤积分别为 0.4 和 0.14亿 t,中游增加引水 20亿 m³,减少冲刷 0.10亿 t 左右,可见上游少沙区引水影响最大,主要引走的都是清水。

4.4　中游综合治理的影响

中游综合治理的减水减沙效益本身是一个复杂问题,目前的技术水平大致只能给出一个平均概念,因此对下游的减淤作用也只能是一个平均概念。从研究黄河下游冲淤与来水来沙的关系得出,三门峡以上减沙 1亿 t 约减少下游淤积 0.5亿 t 左右。因此,中游治理年均减沙 3亿 t,下游减淤为 1.5亿 t 左右。

　　从以上分析可粗略地看出,各种人为因素影响增加下游淤积共约 2 亿 t 左右,以上游龙羊峡、刘家峡水库调节径流的影响和上游引黄用水的影响占主要因素。如与 50 年代相比,各种人为因素影响增加下游淤积约 1.2 亿 t 左右。而中游支流综合治理作用及三门峡水库的减淤作用共 1.8 亿 t 左右,综合治理减淤作用是主要的。增淤和减淤基本在一个数量级范围。

　　由于该问题比较复杂,通过以上分析,可以得到以下几点粗浅的认识:

　　(1) 从黄河近期水沙变化的特点及造成的主要原因可以看出,今后水沙变化总趋势是:在相同降雨条件下,由于工农业用水的增长,年水量必然减少;由于水利水电工程的开发,年内水量分配变化,汛期水量减少,洪峰流量削减,流量过程调匀,10 月的水沙一般情况已接近非汛期的水沙条件,中枯水出现历时加长,下游断流现象发展,但又可能出现突发性的大洪水或较大洪水;来沙量的减少主要是上中游支流的综合治理的作用,但减沙数量与降雨落区和降雨强度关系很大,如在多沙区遇强暴雨,减沙数量较小,反之则较大,同时还存在边治理边破坏的情况。因此,减沙数量并不稳定,仍有可能出现较大沙量;下游河道年内出现清浑水交替过程,艾山以下成为间歇性河流。

　　(2) 河道在长时间中枯水流量的作用下进行再造床,河槽萎缩,过水面积缩小,对防洪不利。黄河近期在多沙区暴雨强度较弱,四站沙量为 9 亿 t,三站沙量 8 亿 t 左右的情况下,因水量减少较多,黄河三个冲积性河道均发生淤积,上游内蒙河段年均淤积泥沙 0.65 亿 t 左右,小北干流禹门口—潼关河段年均淤积 0.7 亿 t 左右,潼关—三门峡河段年均淤积 0.2 亿 t 左右,下游河道年均淤积 2.2 亿 t 左右,主槽淤积 1.86 亿 t 左右。河床淤积水位抬高,内蒙河段年均抬高 0.1m 左右,潼关高程累积抬高 1.54m,年均抬高 0.15m,同流量(1 000m³/s)水位经常处于 328m 左右,下游河道及河口地区年均抬高 0.10～0.18m。特别是小河槽与大洪水的行洪十分不适应,可能给防洪带来不利影响,值得重视研究。

(3)黄河水沙变化对生产各方面带来的影响需要认真对待,应引起重视。如三门峡水库蓄清排浑运用是在多沙河流上修建水库发挥综合效益的一次伟大实践,无疑是成功的,原则是要保持水库的冲淤基本平衡,不使潼关高程造成累积性抬高,近期情况表明非汛期的淤积,因汛期大水机遇减少,不能保持原目标。水库的调水调沙主要靠大水,大水机遇的减少给调水调沙造成困难。根据水沙条件的变化,水库的运用指标应作适当调整。

小浪底水库是黄河又一关键性工程,根据水沙变化趋势,初步认为原调水调沙的模式可能达不到原效益,为了充分发挥水库的作用应尽快充实、完善新的水沙条件下的水库运用方式。

(4)黄河水资源对国民经济的发展起了重大作用,目前水资源利用率已达 53%,但也带来新的问题,水资源的开发利用如何与河道防洪、水库运用结合起来统一考虑是值得研究的一个问题。

黄河的治理开发在取得巨大的社会和经济效益的同时,黄河水沙及河道发生较大变化,需要不断地认识,总结规律,指导治黄建设。黄河的研究必须作为一个与社会、经济和自然环境发展变化密切联系的多层次、多目标的大系统工程来研究,还需在实践中不断深化对黄河水沙运行规律和河床演变规律的认识,坚持"实践、认识、再实践、再认识"的认识论,把黄河的事情办好,真正发挥科学技术是第一生产力的作用,为治黄决策提供科学依据。

参 考 文 献

[1] 赵业安,潘贤娣.人类活动对黄河环境的改变及黄河下游河床演变的影响.人民黄河,1987(6)

[2] 钱意颖等.黄河干流水沙变化与河床演变.北京:中国建材出版社,1993

[3] 赵业安,潘贤娣,樊左英等.黄河下游河道冲淤情况及基本规律.见:中美
黄河下游防洪措施学术讨论会论文集.北京:中国环境科学出版社,
1989.124~145

[4] 赵业安,潘贤娣.80年代黄河水沙基本情况及特点.人民黄河.1992(4)

[5] 王云璋,彭梅香,温丽叶.80年代黄河中游降雨特点及其对入黄沙量的
影响.人民黄河.1992(5)

[6] 张胜利,王轶睿.80年代黄河中游来沙减少的原因分析.人民黄河.1992
(5)

[7] 张永昌.80年代黄河下游引水引沙情况分析.人民黄河.1992(5)

引黄用水对河道影响

河道的冲淤状况取决于来水来沙条件和河床边界条件。在黄河流域及下游沿河引黄地区,水资源的开发利用带来了巨大的社会效益和经济效益,但也引起了水沙条件的明显变化,在引走水的同时,也引走了部分泥沙,但引水多,引沙少,造成水沙关系更不协调,势必对河道冲淤演变产生一定的影响。搞清其影响对治黄决策和进一步开发利用水资源有重要意义。

1 引黄用水发展概况及引水引沙特点

黄河是我国西北、华北地区的重要水源。随着国民经济的发展,灌溉用水及工业城市用水增加较快,据统计,1950 年黄河流域有效灌溉面积为 80 万 hm²,1990 年增为 712.6 万 hm²,占黄河流域及下游沿黄地区总耕地面积的 44.75%。

随着灌溉面积的扩大,80 年代平均引黄用水量已达 274 亿 m³,较 50 年代增加一倍,年均用水量占天然径流量的 47%。1990 ~1993 年引黄用水量达 300 亿 m³ 左右,占天然径流量的 52%。

引黄用水的区域主要集中在黄河上游的宁夏、内蒙古灌区,占流域用水量的 40% 左右。70 年代以来,黄河下游引黄用水量增加较多,至 80 年代已增至年均 113 亿 m³,与兰州—河口镇间用水量相当。70 年代以来,黄河中游用水量 40 亿 m³ 左右,约占总用水量的 15%。

黄河流域用水主要集中在每年的 5~8 月。据 1980~1992 年资料统计,这几个月份用水占全年的 52%,各月用水量均超过 30 亿 m³,其中上游集中在 5~7 月,引水量占年用水量的 53% 以上,下游用水集中在 3~5 月份,占全年的 45%。中游地区年内各月用水差别不大。

　　引沙比例小于引水。80年代全河年引沙量1.92亿t,引水引沙分别为同期利津站水量的95％,沙量的30％。特别是河口镇以上低含沙河段,年引水量为利津站水量的40％,引沙量只占利津站输沙量的5％;引沙较多的黄河下游,引水量占利津站年径流量的39％,引沙量为利津站年输沙量的18.5％。

2　引黄用水对河床演变的影响

　　由于上中下游大量引水,黄河下游的水量减少,下游常常发生断流。统计1972～1993年资料,黄河下游共有16年发生断流,总断流天数为349天,其中全日断流281天,间歇断流为68天,平均每年断流16天。特别是近几年,断流出现更加频繁,断流天数亦有逐渐增加的趋势,如1995年黄河下游断流达122天,给黄河下游特别是河口三角洲地区的生产和生活造成一定的困难,同时也给生态环境造成一定的影响。可以预料,随着工农业生产的发展,引黄水量还会增加,这种矛盾还将进一步加剧。

　　潘贤娣等分析了近十年来水沙变化,认为工农业及生活用水的不断增加是黄河下游水量减少的主要原因。由于水沙条件的变化,黄河已是世界大江大河中受人类活动影响最强烈的河流。因为引水引沙等的影响,黄河年水量减少,年内分配发生变化,汛期比重减小,洪峰流量削减,流量过程调平;进入下游泥沙集中在汛期,高含沙洪水机遇增加,水沙关系失调,艾山以下河道成为间歇性河流,河道为适应新的水沙条件进行自动调整。

　　水沙条件的变化,造成黄河干流主槽淤积严重,排洪能力下降。如内蒙古河段,如按设计防洪标准计算,1982年为7 000m³/s左右,到1991年仅为4 000m³/s左右;滩岸坍塌严重,河势摆动加剧,影响滩区生产;干流局部河段堵塞,形成沙坝的机遇增多。

　　在黄河下游,引黄用水的发展,已使得黄河下游的水沙条件发生了很大的变化,水沙条件的改变,促使河道发生趋向性演变。从断面形态调整上看,对于游荡性河道,在宽浅河槽中,嫩滩大量淤积,形成一个枯水小槽,河槽萎缩;对于过渡性河段,在深槽淤积的同时,以贴边淤积为主,平滩水位下河宽变化不大,但过水面积减小,有的减小一半;对于弯曲性河段,深槽淤积严重,同时发生贴边淤积,使过水面积缩小。在河口段河槽过水面积从 2 000m² 减小到 1 000m²,河槽逐渐萎缩的结果,2 000m³/s 流量甚至 600m³/s 流量即可漫滩,同时河道向弯曲方向发展,形成畸形河湾,河道过洪能力下降。

3 引黄用水对河道冲淤影响的机理分析[❶]

根据麦乔威、赵业安、潘贤娣等的研究,含沙量较大时,黄河的输沙率基本可以用下式表示,即

$$G_s = KQ^\alpha S_0^\beta \qquad (1)$$

式中:G_s 为输沙率,t/s;Q 为流量,m³/s;S_0 为上站含沙量,kg/m³;K 是系数;α、β 为指数,与河床形态有关。根据齐璞等的研究,在黄河下游,α、β 大体上可以用下式表示

$$\alpha = 0.035\ 6 \lg J + 1.13 \qquad (2)$$

$$\beta = -\ 0.256 \lg \frac{\sqrt{B}}{H} + 1.18 \qquad (3)$$

其中:J、B、H 分别为比降、水面宽和水深。

在低含沙量时,黄河的输沙率也可以用式(1)表示,只不过此时取 $\beta = 0$,而 K、α 的值与含沙量较高情况取值有所不同而已。

3.1 引水引沙对本河段河道冲淤影响的定性分析

如图 1 所示,在不引水情况下,0 断面的输沙率为

$$G_{s0} = Q_0 S_0 \qquad (4)$$

[❶] 岳德军、侯素珍、赵业安等,黄河输沙用水量及引水引沙对河道冲淤的影响,"八五"国家重点科技攻关项目,1995年。

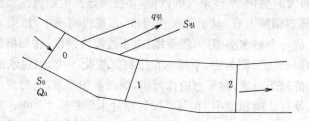

图 1　河道引水引沙示意图

1 断面的输沙率为

$$G_{S1} = Q_0 S_1 = K_1 Q_0^{\alpha_1} S_0^{\beta_1} \tag{5}$$

2 断面输沙率为

$$G_{S2} = Q_0 S_2 = K_2 Q_0^{\alpha_2} S_1^{\beta_2} \tag{6}$$

设引水含沙量为主河含沙量的 λ 倍，即

$$S_{引} = \frac{\lambda}{2}(S_0 + S_1) \tag{7}$$

如引水量为主河来流量的 η 倍，亦即

$$q_{引} = \eta Q_0 \tag{8}$$

引水输沙率为

$$G_{S引} = q_{引} S_{引} = \eta S_{引} Q_0 = \frac{\lambda\eta}{2}(S_0 + S_1) Q_0 \tag{9}$$

引水后 1 断面的输沙率为

$$G'_{S1} = (1 - \eta)Q_0 S_1' = K_1(1 - \eta)^{\alpha_1} Q_0^{\alpha_1} S_0'^{\beta_1} \tag{10}$$

引水后 2 断面的输沙率为

$$G'_{S2} = (1 - \eta)Q_0 S_2' = K_2(1 - \eta)^{\alpha_2} Q_0^{\alpha_2} S_1'^{\beta_2} \tag{11}$$

不引水时 0—1 河段在 t 时间内的淤积量为

$$W_{0-1} = (G_{S0} - G_{S1})t \tag{12}$$

引水后 0—1 河段在 t 时间内的淤积量为

$$W'_{0-1} = (G_{S0} - G'_{S1} - G_{S引})t \tag{13}$$

则引水造成的增淤量为

$$\Delta W_{0-1} = W'_{0-1} - W_{0-1} \tag{14}$$

相对增淤量(增淤量与断面输沙量的比值)为

$$\Delta_{0-1} = \frac{\Delta W_{0-1}}{t G_{S1}} = 1 - \frac{G'_{S1}}{G_{S1}} - \frac{G_{S引}}{G_{S1}} \tag{15}$$

由式(5)、式(10)可知

$$\frac{G'_{S1}}{G_{S1}} = (1 - \eta)^{a_1}$$

$$\frac{G_{S引}}{G_{S1}} = \frac{\lambda \eta}{2}(1 + \frac{S_0}{S_1})$$

将上面两式代入式(15)得

$$\Delta_{0-1} = 1 - (1 - \eta)^{a_1} - \frac{\lambda \eta}{2}(1 + \frac{S_0}{S_1}) \tag{16}$$

因 $0 \leqslant \eta < 1$,忽略高阶微量,得到增淤量与进口断面来沙量的比值 Δ_{0-0} 为

$$\Delta_{0-0} = \eta \frac{S_1}{S_0} \left[a_1 - \frac{a_1(a_1 - 1)}{2} \eta + \frac{a_1(a_1 - 1)(a_1 - 2)}{6} \eta^2 \right.$$

$$\left. - \frac{\lambda}{2}(1 + \frac{S_0}{S_1}) \right] \tag{17}$$

从式(16)及式(17)可以看出,河段引水引沙后,对本河段冲淤的影响,与原河段的冲淤情况($\frac{S_1}{S_0}$),分流比(η)及分沙比(λ)、河道特性等有关。

根据国内不少学者的研究,当水流的含沙量很低时,式(1)中 $\alpha = 2$,$\beta = 0$。当含沙量较高时,$\alpha = 1.13 \sim 1.33$,$\beta = 0.7 \sim 0.9$。假定引水含沙量为主河含沙量,点绘出清水或低含沙量情况时的增淤比(增淤量与原河道进口来沙量比值)与分流比及原河道冲淤情况的关系图(见图2);点绘出含沙量较高情况时增淤比与分流比及原河道冲淤情况的关系图(见图3),此时取 $\alpha = 1.2$,$\beta = 0.8$。

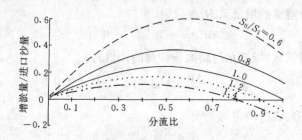

图 2　河道增淤比与分流比及原河道冲淤状况的关系（低含沙量情况）

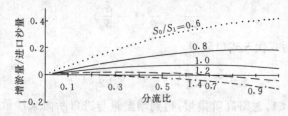

图 3　河道增淤比与分流比及原河道冲淤状况的关系（含沙量较高情况）

3.1.1　含沙量较低情况

从图 2 可以得到,在分流比较小时,随着分流比增大,河道增淤比也增大;当分流比大到一定程度时,随着分流比的进一步增大,河道增淤比减小,甚至会出现减淤。当原河道为冲刷情况($\frac{S_1}{S_0}$ ＞1)或不冲不淤时,引水引沙只能引起河道的增淤,分流比约为0.6 时相对增淤量最大;当原河道为淤积时(因原河道含沙量小,这种情况很少出现),分流比不是很大时,引水引沙引起增淤,当分流比很大时,甚至会出现减淤。对于同样的分流比,原河道冲刷情况越严重,引水引起的增淤量与进口沙量的比值也越大,也就是说,河道的输沙能力越大,引水造成的相对增淤量也越大。

3.1.2　含沙量较高情况

从图 3 可以看出,原河道为淤积情况下,当分流比较小时,随着分流比增大,河道增淤比略有增加,当分流比大到一定程度时,随着分流比的进一步增大,河道增淤量减小,甚至可能出现减淤;对于淤积严重的河道,甚至较小的分流都会引起减淤。当原河道为冲刷情况时,随着分流比增大,河道增淤比也相应增大。

3.2 引黄用水对其下游河段冲淤影响的定性分析

不引水情况时,1−2 河段在 t 时段内的冲淤量为

$$W_{1-2} = (G_{S1} - G_{S2})t$$

引水情况下,1−2 河段在 t 时段内的冲淤量为

$$W'_{1-2} = (G'_{S1} - G'_{S2})t$$

则引水引起的增淤量为

$$\Delta W_{1-2} = t(G'_{S1} - G'_{S2}) - (G_{S1} - G_{S2})t$$

相对增淤量为

$$\Delta_{1-2} = \frac{\Delta W_{1-2}}{tG_{S1}} = \left(\frac{G'_{S1}}{G_{S1}} - \frac{G'_{S2}}{G_{S2}}\right) - \left(1 - \frac{G_{S2}}{G_{S1}}\right)$$

由式(6)、(11)可知

$$\frac{G'_{S2}}{G_{S2}} = (1 - \eta)^{\alpha_2}\left(\frac{S_1'}{S_1}\right)^{\beta_2}$$

再由式(5)、(10)可知

$$\frac{S_1'}{S_1} = (1 - \eta)^{\alpha_1 - 1}$$

因此

$$\frac{G'_{S2}}{G_{S2}} = (1 - \eta)^{\alpha_2}(1 - \eta)^{\beta_2(\alpha_1 - 1)}$$

代入得到

$$\Delta_{1-2} = (1 - \eta)^{\alpha_1}\left[1 - (1 - \eta)^{\alpha_2 - \alpha_1 + \beta_2(\alpha_1 - 1)}\frac{S_2}{S_1}\right] - \left(1 - \frac{S_2}{S_1}\right) \tag{18}$$

令 $\varepsilon_1 = \alpha_2 + \beta_2(\alpha_1 - 1)$

$$(1 - \eta)^{\alpha_2 + \beta_2(\alpha_1 - 1)} \approx 1 - \varepsilon_1 \eta + \frac{\varepsilon_1(\varepsilon_1 - 1)}{2} \eta^2$$

忽略二阶项,得

$$\Delta_{1-2} \approx \eta \left\{ -\alpha_1 + [\alpha_2 + \beta_2(\alpha_1 - 1)] \frac{S_2}{S_1} \right\} \quad (19)$$

由式(19)可知,当原河道是冲刷情况时,$\frac{S_2}{S_1} > 1$,因 $\alpha_1 \approx \alpha_2 > 1$,$[\alpha_2 + \beta_2(\alpha_1 - 1)] > \alpha_1$,$\Delta_{1-2} > 0$,即引水引起其下游河道淤积的增加或冲刷的减小,即为增淤;当原河道为淤积时,根据式(19),看有关因素的对比,可能增淤,也可能减淤。

另外,由式(19)可得,增淤量或减淤量,在其它因素不变时,与分流比大体上成正比。

下面利用式(17)和式(19),来分析比较一下引水引沙对本河段的影响和对其下游河段影响的大小。

为分析方便起见,假定原河道(不引水引沙情况)冲淤基本平衡,则有 $S_0/S_1 \approx 1$,及 $S_2/S_1 \approx 1$,同时取引水含沙量为主河含沙量的 70%,则

$$\Delta_{0-1} \approx \eta(\alpha_1 - 0.7) \quad (20)$$

$$\Delta_{1-2} \approx \eta[\alpha_2 - \alpha_1 + \beta_2(\alpha_1 - 1)] \quad (21)$$

在含沙量较高时 $\alpha_1 \approx \alpha_2 \approx 1.13$,$\beta_2 \approx 0.8$,代入式(20)和式(21),得 $\Delta_{1-2}/\Delta_{0-1} = 0.24$

在含沙量较小时,因 $\beta_2 \approx 0$,$\Delta_{1-2}/\Delta_{0-1}$ 的值更小。

可见,引水引沙对本河段的影响远大于对下河段的影响。

4 引黄用水对河道冲淤的影响

4.1 上游引水引沙对中游冲淤的影响

黄河中游河口镇至龙门区间为山区峡谷型河道,河床比降大,河道冲淤调整不明显。

侯素珍、戴明英等对 1980~1992 年实测水沙资料进行了还

原,并进行了龙门—潼关河段冲淤计算,结果表明:由于上游引水,本河段年均增淤量为 0.55 亿 t,其中汛期增淤为 0.07 亿 t。上中游引水量的增加也使潼关—三门峡库区在原有的运用方式下难以保持年内冲淤平衡,潼关高程明显抬高。

4.2　上游引水引沙对下游冲淤的影响

经过对 1980～1992 年水沙资料进行还原对比得到:由于上游引水,河口镇沙量年均减少 0.88 亿 t,由三门峡往下游排放的泥沙减少 1.47 亿 t。采用黄河下游泥沙数学模型进行计算,结果表明,这 13 年由于上游引水黄河下游年均增加淤积 0.81 亿 t,但各河段增淤情况有较大区别。从全年来看,高村以上增淤量最大,艾山以下为减淤;从年内来看,非汛期沿程从增淤逐渐发展到减淤,汛期除花园口以上河段外,其余河段均增淤。

引水引沙对河道的冲淤影响是一个很复杂的问题,与来水来沙、分流比及河道前期状况等有关。计算表明,上游引水对下游河道的冲淤影响,不仅取决于引水量的大小,还取决于中游的来水来沙组成情况,在引水量相同的情况下,当来水量相差不大时,来沙量越大,引水对河道的增淤作用也越大,来沙量越小,引水的影响也越小;在来沙量基本相同情况下,来水越丰,引水的影响越小,来水越枯,引水的影响则越大。

另外,刘月兰、胡一三曾就 1974 年 7 月至 1989 年 6 月这 15 年的平均情况进行了计算分析,这期间河口镇以上年用水为 112.5 亿 m^3,使三门峡排往下游的泥沙减少 1.4 亿 t,集中于汛期。引水含沙量按主河含沙量的 70% 计,采用刘月兰等建立的黄河下游冲淤计算方法,计算得到:由于上游引水,黄河下游年均增淤 1.11 亿 t,其中主槽淤积占 61%。

4.3　中游引水引沙对中游河道冲淤的影响

黄河中游 1980～1989 年年均引水 40 亿 m^3,年均引沙量为 0.426 亿 t,中游引水过程在年内较均匀,在引水的同时又引走部分泥沙,由于引水导致输沙能力的变化较小,对中游河道冲淤的影响很小。

4.4 中游引水引沙对下游河道冲淤的影响

对于黄河下游河道,根据实测资料分析,平均情况下,汛期来水量减少 30～40 亿 m³,或非汛期来水量减少 80～100 亿 m³,下游河道可增加淤积 1 亿 t,汛期来沙量减少 1 亿 t,下游减少淤积 0.5 亿 t;非汛期来沙量减少 1 亿 t,下游河道减少淤积 1 亿 t。

三门峡水库采取蓄清排浑的运用方式,90％的泥沙集中在汛期排出,因此认为上游来沙集中在汛期排入下游,黄河中游 1980～1989 年年均引水 40 亿 m³,根据一般规律,汛期引水增加淤积 0.3 亿 t 左右,引沙减少来沙量,减淤 0.21 亿 t,非汛期引水减少冲刷 0.27 亿 t,平均年增淤 0.36 亿 t。

刘月兰、胡一三就 1974 年 7 月至 1989 年 6 月这 15 年的平均情况进行了计算分析,在上游和下游引水不变的情况下,引水含沙量按主河含沙量的 70％计,计算得到:由于中游引水,黄河下游增淤 0.30 亿 t,其中主槽占 60％。

4.5 下游引水引沙对下游河道冲淤的影响

张启卫近年来采用黄河下游水动力学数学模型,利用 1974 年 7 月至 1992 年 6 月资料系列进行了计算。在计算中,假定各河段引水含沙量等于该河段上下站的平均含沙量,通过计算对比引水情况和不引水情况,得到 1974 至 1992 年,由于黄河下游引水引沙,黄河下游年平均增淤量为 0.2 亿 t,约占年均来沙量的 2％。

钱意颖、程秀文等❶ 采用他们得到的引水引沙对河道冲淤影响的关系式,按 1980～1984 年的月均来水来沙情况和灌溉用水引沙情况等,进行了大量简化处理,粗略估算了下游引水引沙对下游河道的冲淤影响等,得到黄河下游灌溉用水使河道年增加淤积量

---

❶ 钱意颖、程秀文、傅崇进等,黄河流域灌溉用水引沙对河道冲淤的影响兼论黄河下游引黄灌溉泥沙的处理和利用,黄委会水科院科研报告,1993 年。

为 0.38 亿 t,占来沙量的 4%。

刘月兰等采用他们的黄河下游冲淤计算方法,计算了 1974 年
7 月至 1989 年 6 月黄河下游引水引沙对河道冲淤的影响,该时期
黄河下游年平均引水为 98.64 亿 m³,引水含沙量按主河含沙量的
70%计算,结果表明,下游引水引沙,造成下游河道年均增淤为
0.43 亿 t。

傅崇进、尚红霞就黄河下游汛期引水引沙对河道冲淤的影响
进行了分析,考虑到黄河下游汛期河道的冲淤变化主要发生在洪
水期,因此,他们统计分析了 1959~1985 年 201 场洪水,得到在这
201 场洪水期间,由于引水引沙,使河道淤积量增加了 11%,另外,
他们专门就 1950~1983 年中的 11 场高含沙洪水进行分析,得到
在高含沙洪水期间,由于黄河下游引水引沙使下游河道淤积量减
小 2.4%。他们还分析了非汛期黄河下游引水引沙对河道的冲淤
影响,得到:非汛期黄河下游引水引沙对艾山以上河道的影响较
小,而艾山—利津河段的淤积量受引水比例的影响较大,引水比例
越高,增淤量越大。因此,综合考虑黄河下游引水引沙对下游河道
的冲淤影响,可使下游河道增加淤积 10%左右。

岳德军等利用分析实测资料得出的关系式,采用引水含沙量
等于大河的含沙量和引水含沙量为大河含沙量的 70%,对河床冲
淤进行分析计算,得到下面结果。

4.5.1 引水含沙量等于大河含沙量

(1)1960~1987 年由于引水引沙,黄河下游汛期平均增淤量
为 0.14 亿 t,非汛期平均增淤量为 0.017 亿 t,年平均增淤量为
0.16 亿 t,这与张启卫采用水动力学模型得到的结果基本一致。

(2)从年平均情况看,引水引沙对下游河道冲淤的影响,造成
的增淤主要在高村以上河段,特别是在花园口—高村这一游荡性
河段,铁谢—高村增淤量占全下游增淤量的 86%,花园口—高村
增淤量占全下游增淤量的 56%。

(3)从汛期平均来看,增淤量主要在高村以下河段,特别是在艾山—利津河段。高村以下河段增淤量占全下游汛期增淤量的75.2%,艾山—利津汛期增淤量占全下游汛期增淤量的58%。

(4)由于引水引沙,黄河下游非汛期增淤量较小,其中艾山—利津河段减少淤积,其余河段为增淤,增淤量最大的河段为花园口—高村河段,增淤量占铁谢—艾山增淤量的62.4%。

4.5.2 引水含沙量等于大河含沙量的70%

通过分析实测资料得出的关系,对1960～1987年河床冲淤进行分析计算,得到下面的结果:

(1)由于引水引沙,黄河下游汛期平均增淤量为0.418亿t,非汛期平均增淤量为0.084亿t,年平均增淤量为0.502亿t,这与采用刘月兰黄河下游冲淤计算模型得到的结果比较接近。

(2)从年平均情况看,引水引沙对下游河道冲淤的影响,在高村以上河段和高村以下河段造成的增淤量大体相当。花园口—高村这一游荡性河段增淤量最大。铁谢—花园口增淤量占14.7%,花园口—高村增淤量占全下游的38.2%,高村—艾山河段增淤量占全下游的25.1%,艾山以下增淤量占下游的21.9%。

(3)从汛期平均情况来看,引水引沙对下游河道冲淤的影响,高村以下河段增淤量较高村以上河段大得多,特别是在艾山以下河段。铁谢—花园口、花园口—高村、高村—艾山河段增淤量相差不太多。铁谢—高村增淤量占全下游的33.6%,高村—利津河段增淤量占全下游的66.4%。

(4)由于引水引沙,黄河下游非汛期增加淤积,但增加量较小。铁谢—花园口增淤量占41.97%,花园口—高村增淤量占全下游的107.3%,高村—艾山河段增淤量占全下游的34.8%,艾山—利津河段为减淤。

另外,1960～1987年,黄河下游平均每引150亿 m³ 水,可增加淤积1.0亿 t;从汛期平均情况来看,黄河下游每引70亿 m³

水,可增加淤积 1.0 亿 t;从非汛期平均情况来看,黄河下游每引
550 亿 m³ 水,可增加淤积 1.0 亿 t。从减少淤积的角度看,汛期减
少引水,非汛期增加引水,可以减少黄河下游淤积。

综上所述,上游引黄用水年均已达 120 亿 m³ 左右,中游引黄
40 亿 m³,下游引黄用水 115 亿 m³ 左右,分别增加下游淤积 1.0、
0.3 和 0.2 亿 t(按引沙比为 1 计),上、中、下游共计引水已达 275
亿 m³,为天然径流量的 50% 左右,增加下游淤积 1.5 亿 t 左右,若
与 50 年代相比,上、中、下游引水量分别增加 50、20 和 85 亿 m³,
增加下游淤积分别为 0.40、0.10 和 0.14 亿 t,共计 0.64 亿 t,若考
虑引沙比小于 1,增淤量将更大,因此,水资源开发利用对河道冲
淤演变的影响应引起重视。

参 考 文 献

[1] 张永昌.80 年代黄河下游引水引沙情况分析.人民黄河.1992(5)

[2] 钱意颖,叶青超,周文浩.黄河干流水沙变化与河床演变.中国建材工业
出版社,1993

[3] 傅崇进,尚红霞.黄河下游引水引沙对河道冲淤的影响.见:水利科学研
究院论文集.第四集.北京:中国环境科学出版社,1993

[4] 刘月兰,胡一三.引黄用水发展概况及其对黄河下游冲淤与防洪的影响.
人民黄河.1995(10)

水库泥沙

黄河干支流水库泥沙问题

在黄河干支流上,截止 1989 年底,已修建小(Ⅰ)型以上水库 740 座,其中大型水利水电和灌溉引水枢纽 22 座,中型水库 159 座,为治黄和发展工农业生产,抗御自然灾害,发挥了重要作用。由于黄河泥沙多,水库淤积问题非常严重。经过 40 多年的实践和研究,系统地总结出水库泥沙运动基本规律,提出了防淤减淤的有效措施,在生产中发挥了巨大的效益。

1　黄河干支流水库淤积概况

1.1　干支流水库分布

已建的小(Ⅰ)型以上水库 740 座,总库容为 543 亿 m³。

据不完全统计,至 1990 年(有些水库统计至 1987 年),总淤积量约 115.5 亿 m³,其中大型水库淤积量约 96 亿 m³,中型水库淤积量约 14 亿 m³。不同类型水库在黄河的上、中、下游地区的分布见表 1。

表 1　　　　　黄河上、中、下游各类型水库座数统计表

地　　区		水库座数			总库容	淤积量	淤积百分比
		大型	中型	小(Ⅰ)型	(10⁸m³)	(10⁸m³)	(%)
上游	干流	6	0	0	314.12	22.64	7.2
	支流	2	25	62	13.63	6.34	46.5
中游	干流	2	0	0	97.07	57.28	59.0
	支流	11	115	389	107.02	29.04	27.1
下游	干流	0	0	0	0	0	0
	支流	1	19	108	11.43	0.225	2.0
全流域	干流	8	0	0	411.2	79.92	19.4
	支流	14	159	559	132.1	35.61	26.9
合　　计		22	159	559	543.3	115.5	21.3

1.2　大型水库淤积

黄河干支流共建 22 座大型水利水电枢纽,因来水来沙条件不同,运用方式各异,库容损失和淤积比也不相同,见表 2 及表 3。

表 2　　　　　　　　黄河干流水库库容、淤积量统计表

水库名称	建成年份	初始库容 (10^8m^3)	淤积量 (10^8m^3)	淤积量/总库容(%)	水库运用简况
龙羊峡	1986	247.0	0.3	0.12	蓄水运用
刘家峡	1968	57.4	14.1	24.6	蓄水运用异重流排沙
盐锅峡	1961	2.16	1.70	78.7	发电、排沙
八盘峡	1975	0.52	0.25	48.1	发电、排沙
青铜峡	1967	6.06	5.83	96.2	灌溉、发电、排沙
三盛公	1961	0.98	0.46	46.9	灌溉、排沙
天　桥	1976	0.67	0.38	56.7	发电、排沙
三门峡	1960	96.4	56.9	59.0	蓄清排浑、防凌春灌

表 3　　　　　　黄河各支流大型水库库容、淤积量统计表

河流名称	水库名称	建成年份	初始库容 (10^8m^3)	淤积量 (10^8m^3)	淤积量/总库容(%)	水库运用简况
蒲河	巴家嘴	1962	5.25	2.49	47.4	蓄水排沙、滞洪排沙
清水河	长山头	1960	3.05	2.79	91.5	蓄水运用
清水河	石峡口	1959	1.70	1.27	74.7	蓄水运用
红河	当阳桥	1975	2.07	1.43	69.1	蓄水排沙
无定河	新桥	1961	2.00	1.56	78.0	蓄水运用
延河	王瑶	1972	2.03	0.77	37.9	蓄清排浑
渭河	冯家山	1974	3.89	0.63	16.2	蓄水排沙
渭河	羊毛湾	1970	1.07	0.17	15.9	蓄水排沙
汾河	文峪河	1970	1.05	0.20	19.0	蓄水运用
汾河	汾河	1961	7.23	3.31	45.8	蓄水排沙
宏农河	窄口	1960	1.85	0.08	4.3	蓄水运用
洛河	陆浑	1965	13.20	0.62	4.7	蓄水运用
洛河	故县	1993	11.75	0	0	蓄水运用
大汶河	雪野	1966	2.11	0.09	4.3	蓄水运用

从表 2 及表 3 中得知,有的水库淤积量较少,如窄口、陆浑、雪

野等水库,已建成 24~30 年(至 1990 年),库区淤积量还不到总库容的 5%,这些水库所控制的流域水土流失较轻,入库沙量较少,淤积问题不严重。有些水库处在流域侵蚀严重的河道上,入库沙量大,淤积十分严重,至今许多水库的淤积超过总库容的一半以上,如三门峡水库多年平均入库沙量为 16 亿 t。水库初期运用不到两年就淤积 18 亿 m³,约占总库容的 20%,并且淤积向上游延伸,不得不进行工程改建。经过两期工程改建,并将水库运用方式改为蓄清排浑运用,才得到缓解。

1.3 库容、库容损失率

正常高水位以下库容为总库容与按多年平均进库沙量除以干容重的体积沙量之比,简称"库容沙量比",这个比值可反映出水库的淤积年限。本文引用水利部规划总院主编的《泥沙设计规范》中的资料,又补充了黄河干支流一些水库资料,点绘成库容沙量比与库容损失率关系图,见图 1。

图 1 中八盘峡和天桥两座低水头电站,库容损失率不及一年。说明这两座水库的库容很小,分别为 0.52 和 0.67 亿 m³,年均进库沙量分别为 1.0 和 3.0 亿 t,经过一两场洪水就可以淤废。只是因为水库有合理的排沙设施,并且运用得当,才能够保持一定数量的调节库容。不过,图 1 可以从宏观上来推估水库的寿命或可用的年限,具体到某一水库,还要考虑水库运用方式或水沙条件的变化,进行详细计算。

2 水库冲淤基本特性

黄河干支流水库淤积问题非常复杂,几十年来,做了很多研究工作,总结出一些水库的基本冲淤特性,现以实例阐述。

2.1 刘家峡水库[1]

刘家峡水库位于甘肃永靖县,黄河刘家峡峡谷出口,控制流域面积 181 766km²,多年平均水量 286 亿 m³,沙量 0.894 亿 t。库区

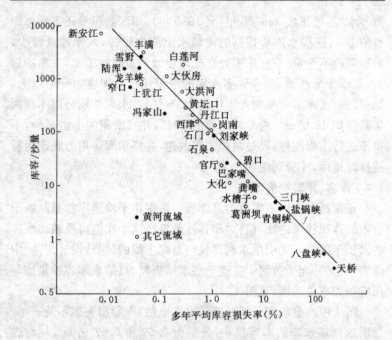

图 1　库容沙量比与库容损失率关系

由黄河干流和支流大夏河、洮河组成。大夏河口距坝 24km,洮河口距坝 1.5km,洮河来沙量 0.286 亿 t,占入库沙量的 32%。

　　水库正常高水位 1 735m 以下总库容为 57.4 亿 m³,大夏河、洮河分别为 2.3 和 1.15 亿 m³。库容主要分布在永靖川地库段内,最大回水长度约为 60km。水库上段为寺沟峡,峡谷窄深坡度陡;水库中段为永靖川地,有大夏河汇入,库面宽阔;近坝段是刘家峡峡谷,河面较窄。水库平面概况见图 2。

　　1968 年正式蓄水至 1989 年汛后已淤泥沙 14.1 亿 m³,淤积最远点约 54km,淤积末端处在寺沟峡峡谷内,受地形影响,淤积上延末端高程在最高蓄水位 1 735.5m 以下。

　　刘家峡水库淤积是较典型的三角洲淤积形态。淤积顶坡段在

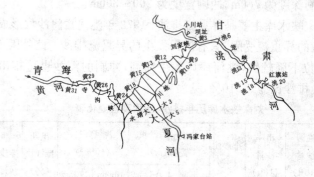

图 2　刘家峡水库平面示意图

寺沟峡内,顶点在黄淤 19～20 断面之间,前坡段进入永靖川地,坡脚在 15 断面附近,14～10 断面是异重流淤积,9～0 断面是洮河来沙淤积的拦门沙坎。

　　受库区地形的影响,其淤积分布有别于其他水库,三角洲顶点以上淤积量占总淤积量的 6%,前坡段淤积量占 56%,异重流淤积物来自干流和洮河异重流倒灌两部分,淤积量占 33%,拦门沙坎淤积量占 5%。

　　顶坡段淤积物中值粒径 d_{50} 为 0.06～0.02mm,干容重为 1.4～1.2t/m³;前坡段淤积物中值粒径为 0.02～0.01mm,干容重为 1.0t/m³ 左右;异重流淤积段的中值粒径为 0.01mm 左右,干容重为 0.9t/m³。

　　顶坡段淤积比降为 3‰,前坡段比降为 40‰,异重流淤积比降受拦门沙坎影响,近似平行抬高。拦门沙坎的倒坡比降为 25‰,顺坡比降受泄流影响,高达 193‰。

　　刘家峡水库在运用年内,库水位变幅在 35m 以上。历年最高水位为 1 735.5m(1979 年 10 月 30 日),最低水位为 1 693.4m(1978 年 5 月 28 日)。受水位变动作用,变动回水区达 15km 左右。受库水位消落作用,三角洲顶坡段及其以上库段,发生剧烈冲刷,最大冲刷深度为 7.0m，冲刷宽度为 200～300m。

刘家峡水库主要是异重流排沙。1972 年洮河拦门沙坎形成以后，干流的异重流受阻，只有洮河发生的异重流排沙。此外因 5、6 月库水位下降较快，洮河库区发生冲刷，冲刷的泥沙也可排出库外，最大排沙比为 2 510%，见表 4。

表 4 　　　　刘家峡水库历年排沙、沙坎高程变化表

年份	洮河沙量 (10⁴t)	出库沙量 (10⁴t)	排沙比 (%)	沙坎平均淤积高程(m)		洮河库容 (10⁴m³)		汛期排沙比 (%)	5～6月排沙比 (%)
				汛前	汛后	1694m	1735m		
1973	5 234	1 478	28.2		1 672.6	840	7 887	28.9	31.7
1974	977	233	23.8		1 673.4	620	7 611	25.0	51.5
1975	1 420	511	36.0		1 672.9	420	7 293	36.2	70.8
1976	3 760	2 270	60.4	1 673.0	1 677.2	390	6 662	60.9	66.6
1977	2 180	1 660	76.1	1 677.5	1 679.7	210	6 585	77.8	78.2
1978	4 230	2 840	67.1	1 682.0	1 688.6	70	6 317	65.0	104
1979	6 590	3 490	53.0		1 694.0			45.1	2510
1980	760	668	87.9	1 690.0	1 692.9	0	6 422	20.2	197
1981	3 170	2 300	72.6	1 693.4	1 692.9	7	6 019	54.0	349
1982	1 050	503	47.9	1 692.7	1 691.2	4	5 539	43.8	74.1
1983	1 890	1 060	56.1	1 692.0	1 690.6	9	5 009	55.3	91.6
1984	4 010	3 840	95.8	1 694.3	1 693.4	4	5 767	34.7	277
1985	2 650	2 470	93.2	1 694.0	1 691.7	11	5 831	56.6	504

洮河汛期的沙量占全年沙量的 82%，且集中在洪水期，泥沙组成较细，$d < 0.01$mm 的沙量占总沙量的 28% 以上，因此，洮河的异重流排沙都集中在洪水期。

影响刘家峡电站运行的主要问题是洮河口拦门沙坎。1973 年有 4 台机组运行，弃水少，洮河来沙多，达 5 234 万 t，其中 3 750 万 t 淤在洮河库区和坝前段，在洮河汇入处干流形成拦门沙坎，洮河库容淤满，坝前淤积加快，过机沙量增加，过机泥沙粒径变粗，见表 4 及表 5，1978 年后过机沙量还随洮河来沙量而变。

表5　刘家峡水库洮河历年沙量、过机沙量、组成及洪水期排沙情况

（单位：10⁴t）

年份	过机沙量	d_{50} (mm)	$d>0.05$mm (%)	洮河沙量	汛期平均水位 (m)	过机沙量/洮河沙量	洪水期排沙情况		
							入库沙量	出库沙量	排沙比 (%)
1974	14.1			977	1 711.98	0.014 4	417	168	40.3
1975	28.7	0.014	8.2	1 420	1 718.54	0.020 2	738	342	46.3
1976	129	0.015	14.5	3 760	1 719.11	0.034 3	1 840	1 562	84.9
1977	180	0.025	16.2	2 180	1 714.04	0.082 6	1 142	1 432	125.4
1978	1 160	0.026	20.7	4 230	1 712.29	0.274	1 786	1 952	109.3
1979	1 190	0.028	22.4	6 590	1 713.03	0.180 6	4 771	1 570	32.9
1980	584	0.037	27.8	760	1 713.83	0.768			
1981	352	0.024	17.5	3 170	1 714.92	0.111 0	1 202	526	43.8
1982	58.8	0.011	5.5	1 050	1 718.24	0.056	313	210	67.1
1983	91.9	0.007	3.7	1 890	1 721.87	0.048 6	711	368	51.8
1984	481	0.028	23.4	4 010	1 719.20	0.120	981	771	78.6

根据实测地形图,得到刘家峡水电站各泄水引水建筑物闸门前的冲刷漏斗形态见表6。

表6　　　刘家峡水电站闸前实测冲刷漏斗形态特征值

泄水建筑物	测量日期 (年.月.日)	库水位 (m)	闸上水深 (m)	泄流量 (m³/s)	漏斗坡度	
					纵向	侧向
泄水道(1)	1978.8.19	1 720.0	55	511	1:8	1:1.6
机组(3)	1981.6.4	1 702.0	22	约800	1:26	1:10
泄水道(2)	1981.7.7	1 698.5	33.5	964	1:26~70	1:18
排沙洞	1981.7.7	1 698.5	33.5	73	1:3.4	1:1.2~2.3

由于过机沙量大而且颗粒粗,过流部件磨损严重。并因拦门沙坎淤高,出现阻水现象。1980年6月,电站增加负荷时,库水位骤降0.6~0.96m,影响发电。

为了保证电站安全运行,在1981、1984、1985和1988年,利用来水流量大,采用降低库水位冲刷拦门沙坎措施,取得较好效果。

每次降低水位,洮河库区可冲刷泥沙310～980万t,拦门沙坎降低2～10m。

2.2　青铜峡水库[2,3]

　　青铜峡水库位于宁夏回族自治区青铜峡市的青铜峡峡谷出口处。控制流域面积270 510km²,多年平均水量325亿 m³,沙量2.36亿t。汛期水量占全年的63.8%,沙量占全年的88.2%。正常高水位1 156m以下总库容为6.06亿 m³,回水长度46km,坝址以上8km范围为青铜峡峡谷,河宽300m左右,峡谷以上地势宽阔,河宽4km左右。

　　青铜峡水利枢纽的结构型式较为特殊,从排沙减淤角度来看是比较合理的。主体工程由混凝土河床式电站、溢流坝、重力坝、岸边泄洪闸及土坝组成,8台机组与7孔溢流坝相间布设。在秦汉渠、唐徕渠渠首设有渠首电站各一台机组,与河床电站连成整体。在电站底部有15孔泄水排沙孔,防止电站进水闸门淤堵。

　　水库于1967年4月开始蓄水,至1989年已淤泥沙6.31亿m³,1 156m以下淤积5.83亿m³。呈三角洲淤积形态。坝址以上至8号断面为峡谷地形,受此影响,进入峡谷的水流速度增大,使大部分泥沙可运行到坝前排出库外,形成三角洲前坡段淤积形态,淤积量占全库区淤积总量的10%,淤积比降为15.6‰。11号断面以上至24号断面(20km)为顶坡段,淤积量占80%,淤积比降为1.3‰。24号断面以上为尾部段,淤积比降为4.8‰。见图3。

　　青铜峡水库自1967年起,历经三种运用方式:1967～1971年为蓄水运用,在此期间,多年平均库水位为1 153.15m,全库区淤积量达5.43亿m³,占总库容的89.6%,淤积非常严重。因此,自1972年起改为汛期降低水位排沙运用方式,到1976年,汛期平均水位为1 154.29m,库区仅淤积0.116亿m³。经多方分析研究认为,汛期中只有沙峰进库才使水库发生淤积,其他时段一般很少淤积。自1977年以后运用方式改为蓄水运用,沙峰期降低水位排沙。

此外在大流量时,降低水位集中冲刷,排沙比高达 503%,取得较好效果,水库淤积量进一步减少。

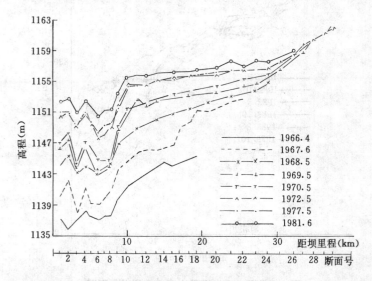

图 3 青铜峡水库淤积剖面变化图

2.3 天桥水电站[4,5]

天桥水电站位于黄河北干流义门峡谷处,下距府谷 8km,是一座低水头河床式电站。正常高水位 834m 以下库容为 0.67 亿 m³,装机容量 12.8 万 kW。枢纽主要由大坝、厂房泄洪闸和冲沙孔组成。设有 3 孔排沙洞,底坎高程 811m;7 孔泄洪闸;电站机组下设 8 孔冲沙底孔,底坎高程 809.5m,比原河床平均高程 811m 还低 1.5m。

正常高水位 834m 时的回水长度约 20km,至 1989 年汛后,已淤积 0.38 亿 m³。呈锥体淤积,顶坡比降为 2.0‰,前坡比降为 18‰,见图 4。

天桥水库在规划设计时曾要求水库回水不得影响曲峪川地

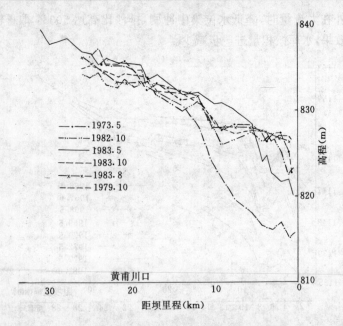

图 4　天桥水库主槽平均河床高程纵剖面图

（距坝 28km），考虑到黄甫川高含沙洪水时对干流顶托、淤积的作用，在水库运用时，水库回水末端应控制在黄甫川河口（距坝20km）以下。

　　为了电站的安全运行，防止淤积上延，采用汛期降低水位至826m 高程以便冲刷排沙；桃汛期，利用桃汛洪水停机冲刷排沙；汛期出现大沙峰时，冲刷排沙；冬季流凌期，为防止壅冰引起的淹没面积扩大，适当降低水位，冲沙排冰。

　　据上述运用原则，天桥水库防沙减淤取得较好效果（见表 7）。

2.4　巴家嘴水库[6～9]

　　巴家嘴水库位于甘肃省西峰市境内的蒲河中游。蒲河的含沙量很高，粒径细，年水量为 2.25 亿 m³，年沙量为 0.46 亿 t，洪水期的水量和沙量分别占全年水量和沙量的 46% 及 96%，洪水期平均

表 7   **天桥水库冲刷情况**

年份	冲刷时段 （月.日.时）	库水位 （m）	平均流量 （m³/s）	总冲刷量 （10⁴t）
1979	3.28.0～3.30.16	816.4	1 421	1 521
	8.11.0～8.11.7	823.0	4 930	3 401
1980	3.28.18～4.2.14	817.9	1 498	1 876
	10.7.2～10.10.16	818.0	1 616	1 263
	11.19.0～11.23.16	816.0	468	34
1981	3.22.12～3.25.1	818.0	2 083	1 128
	8.6.4～8.6.22	821.0	1 940	715
	10.1.0～10.2.4	818.9	4 560	1 319

含沙量约为 500kg/m³。因此，该水库的泥沙运动和冲淤基本规律，都有别于一般水库。

巴家嘴水库实验站为了研究高含沙水流特性，进行了进库站姚新庄断面的浑水流变试验，图 5 为极限剪切力 τ_B 和刚度系数 η 与含沙量的关系。

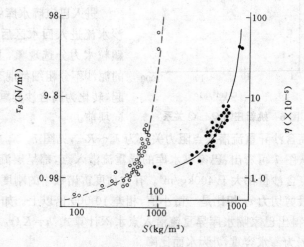

图 5 姚新庄水文站流变参数曲线

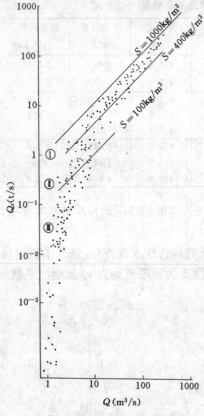

图 6　姚新庄站 Q_S～Q 关系

图 6 为姚新庄站输沙率 Q_S 与流量 Q 之间的关系,可用 $Q_S=KQ^n$ 表示。

对比图 5 与图 6 可知,含沙量小于 100kg/m³ 时,为牛顿流体,$K<0.1$,$n\geqslant2.0$;含沙量大于 400kg/m³ 时,τ_B 继续上升,为宾汉高沙区,K 值为 0.4,n 为 1;含沙量在 100～400kg/m³ 之间,有 τ_B 存在,为宾汉低沙区,K 值为 0.1～0.4,n 值为 1.2～2.0。姚新庄水文站泥沙组成细,$d<0.01$mm 沙重百分比为 27.5%。

进入巴家嘴水库的高含沙水流进入回水区后,无粗颗粒水力分选现象,上游来的泥沙不分粗细都混杂在一起,转化为高含沙异重流,流向坝前。

高含沙异重流潜入点阻力关系为 λ_m～Re_m,见图 7。

从图 7 可看出:巴家嘴水库的异重流潜入点,都呈层流状态。潜入点含沙量都大于 400kg/m³。有效粘度雷诺数中的刚度系数 η 与极限剪切力 τ_B 相比是一微小值,相差 10 000 倍以上。如忽略 η 值,可得出巴家嘴水库异重流潜入点水深计算式:$h=K(\tau_B/\gamma'J)$。式中 γ' 为浑水容重,J 为水面比降。

高含沙异重流的流速、含沙量和中值粒径的垂线分布,不同于一般浑水异重流。巴家嘴水库异重流分布见图 8。

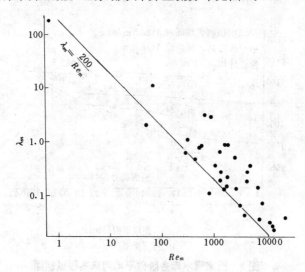

图 7　巴家嘴水库异重流 $\lambda_m \sim Re_m$ 关系

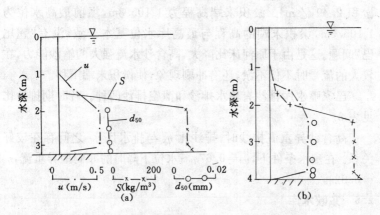

图 8　巴家嘴水库异重流 $u.S.d_{50}$ 分布图

(a)1984.5.26 蒲 11　(b)1984.5.26 蒲 6

高含沙异重流在极小的流速条件下仍然在蠕动,所以它可以遍及全库区。由于这种运动特性,决定了水库淤积形态,见图9。

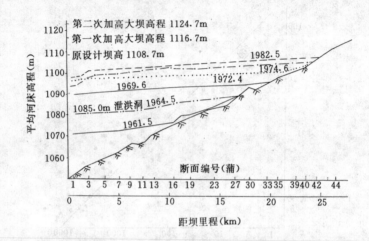

图9　巴家嘴水库各阶段平均河床高程纵剖面

由图9可看出,水库淤积呈锥体淤积形态。至1990年汛后,已淤积2.49亿 m³。淤积末端高程为1 105.8m,坝前最高水位为1 105.5m,淤积末端的高程与最高库水位基本一致,没有"翘尾巴"问题。这是由于原河床比降大,高含沙水流强大的输沙能力,在较大的流量时不仅不淤,还有冲刷现象,使淤积末端下移。

巴家嘴水库排沙有壅水排沙和泄空排沙两种。各时期排沙比见表8。

高含沙异重流排沙时,排沙比 η_s 与排水比 η_w 之间存在较好关系。在壅水条件下, $\eta_s=0.67\eta_w$;水位下降时的冲刷型异重流, $\eta_s=0.92\eta_w$ 。

2.5　东峡水库

东峡水库位于甘肃省静宁县的葫芦河上游,控制流域面积552km²,多年平均水量2 432万 m³,沙量为414万 t,82%的沙量集中在汛期。

表8 　　　　　　　　不同运用方式排沙比 　　　　　　　（单位：10^4t）

起讫时间 （年.月）	运用方式	壅水排沙比		
		W_{si}	W_{so}	$\eta=\dfrac{W_{so}}{W_{si}}$（%）
1961.5～1964.8	蓄水拦沙	7 916.2	2 113.6	26.7
1964.9～1969.9	泄空排沙	1386.1	531.0	38.3
1969.10～1973.8	蓄水拦沙	11 884.6	3 464.7	29.2
1973.9～1977.9	泄空排沙	3 954.6	1 239.8	31.4
1977.10～1982.12	调水调沙	5 981	3 460	57.8
总合/平均		31 122.5	10 809.1	34.7
1961.5～1964.8	蓄水拦沙			
1964.9～1969.9	泄空排沙	16 755.5	9 795.1	58.4
1969.10～1973.8	蓄水拦沙	1 124.4	886	78.8
1973.9～1977.9	泄空排沙	3 892.3	6 773.5	174.0
1977.10～1982.12	调水调沙	8 203.9	10 002.1	121.9
总合/平均		29 976.1	27 456.7	91.6

注　统计中未扣除区间降雨增加的沙量

东峡水库是以灌溉为主，兼有防洪任务的中型水库，1960年建成。为了提高防洪标准，先后三次加高坝体扩建，总库容达7 660万 m^3。1960～1977年为蓄水运用，库区淤积严重，库容损失4 170万 m^3，回水与淤积不断上延，淹没面积增加。为此，利用水库泄流设施高程低，泄量大，库区回水长度短，洪水含沙量大，颗粒组成细的特点，采用泄空、敞泄和异重流三种排沙方式，取得较好效果，1978～1991年，净冲105万 m^3，从而保持了长期可用库容。

敞泄排沙是该水库一种主要排沙方式，排沙比可达200%以上，是减淤排沙保持槽库容的主要措施，每年汛期采取低水位运用，特别是洪水进库后，降低水位结合异重流排沙，取得显著效果。

异重流排沙是利用来水来沙及泥沙组成的特性，结合灌溉用水进行。各年的异重流排沙比为43%～98%，是一种最佳的排沙方式。

东峡水库的淤积形态为锥体，泄水洞前受孔口流速场作用形成冲刷漏斗,漏斗长约 200m,纵向坡度为 0.053。坝前段主槽宽度为 150～320m,底宽 3.0m,平均边坡系数为 1：8,滩槽高差为 12m。锥体滩面纵比降为 14‰,主槽纵比降为 45‰。坝前淤积厚度为 15.3m。

2.6　黑松林水库[10,11]

　　黑松林水库位于陕西省淳化县的冶峪河的上游,控制流域面积 370km²,多年平均水量 1 436 万 m³,沙量 69 万 t。汛期水量占全年水量的 42%,沙量占 98.2%。泥沙组成较细,中值粒径约为 0.025mm。该水库是一座以灌溉为主结合防洪的小(Ⅰ)型水库,于 1959 年 5 月建成,总库容为 860 万 m³。设有泄洪兼排沙洞,泄流能力为 10m³/s。建成后按蓄水方式运用,至 1962 年 6 月,库内淤积量已达 162 万 m³。经分析研究,根据进库水沙特性,考虑夏秋季下游灌溉用水,引浑水淤地,自 1962 年汛期改为汛期排沙,非汛期蓄水的"蓄清排浑"运用方式。

　　黑松林水库沙量多集中在洪水期,含沙量大,组成细,为高含沙量洪水。因此泥沙易排少淤或不淤。结合该库的排沙洞洞口高程低、泄量大的条件,采用滞洪排沙、异重流排沙和空库拉沙,排沙比分别为 90%、65% 和 100% 以上。见表 9、表 10。

表 9　　　　　　　　　黑松林水库异重流排沙情况

（单位：水量,10⁴m³;沙量,10⁴t）

洪水发生日期	进　库		区　间		出　库		排沙比
（年.月.日）	水量	沙量	水量	沙量	水量	沙量	（%）
1964.7.11	88.0	23.8	25.8	7.0	77.9	11.7	38.0
1964.7.16	57.4	7.9	16.7	2.3	62.9	6.7	65.7
1964.8.1	72.1	26.9	21.2	7.9	83.5	30.9	88.8
1965.7.19	50.0	6.1	14.6	1.8	37.2	2.8	35.4
1966.8.9	15.2	5.1			18.9	2.6	51.0
1971.7.21	13.4	3.1	0	0	23.7	1.8	58.1
1972.8.1	10.7	3.5			16.1	1.9	54.3

表 10　　　　　　　黑松林水库滞洪排沙情况

(单位:水量,$10^4 m^3$;沙量,$10^4 t$)

时　间 (年.月.日)	进　库		出　库		排沙比 (%)
	水量	沙量	水量	沙量	
1963. 8. 8	30.40	5.70	32.34	7.60	133.3
1968. 8. 11	106.37	46.43	122.80	47.43	102.2
1964. 8. 10	83.05	24.34	93.00	20.72	85.1
1964. 9. 2	128.00	2.88	124.60	4.11	142.7
1969. 8. 9	321.00	100.00	247.90	38.95	39.0
1970. 7. 24	41.40	8.35	38.90	7.47	89.5
1970. 8. 4	326.00	118.00	255.00	75.76	64.2
1970. 8. 27	46.10	5.70	31.65	6.40	112.3
1971. 8. 19	14.50	2.92	13.05	3.13	107.2
1971. 8. 20	592.70	148.40	488.0	86.20	58.1
1972. 8. 16	12.01	4.90	15.38	4.09	83.5

黑松林的水库淤积形态为锥体形,横断面呈三角形。

从上述六座大中小型水库的实例来看,水库淤积问题主要有:库容损失快,水库寿命短;干支流互相堵塞,无法充分利用有效库容,增加水库淤积;水库排沙引起水轮机过流部件的磨损,影响灌溉用水和下游河道的冲淤变化等问题。同时经过长期的研究,对库区的冲淤变化提高了认识,对水库的防淤减淤措施积累了丰富的经验。

3　水库淤积与排沙

水库淤积和排沙,取决于流域来水来沙、水库地形条件、水库运用方式、枢纽建筑物布设等方面因素的综合作用。流域的来水来沙情况,又受人类活动影响。

3.1　水库运用对冲淤的影响

黄河干支流水库的运用方式主要有三种类型:蓄水运用、蓄清排浑—调水调沙、蓄水及滞洪排沙。

3.1.1　蓄水运用的水库淤积形态[12]

库容沙量比较大的水库,多采用蓄水拦沙运用方式.洪水期一部分较细泥沙($d<0.01$mm)可形成异重流排出库外,较粗泥沙则落淤在库内。年内库水位变幅不大,都淤积成三角洲形态,若库水位变幅较大,多淤积成复合三角洲形态。当水库淤积三角洲的顶点推进到坝前附近时,淤积形态将转化为锥体形态。三角洲和锥体淤积是水库淤积的主要形态,可用下式判别:

三角洲淤积形态

$$\left.\begin{array}{c} V/W_s \geqslant 2.0 \\ \Delta H/H_0 \leqslant 0.15 \end{array}\right\} \tag{1}$$

锥体淤积形态

$$\left.\begin{array}{c} V/W_s < 2.0 \\ \Delta H/H_0 > 0.15 \end{array}\right\} \tag{2}$$

式中:V 是相应于汛期平均水位以下库容;W_s 为汛期进库沙量;ΔH 为汛期水位变幅;H_0 是汛期坝前平均水深。

3.1.2　滞洪排沙运用的冲淤形态

库容沙量比较小时,为保持调节库容,汛期可采用滞洪排沙运用。在滞洪期,库区发生淤积,洪水过后库水位下降,库区发生冲刷。冲刷又有溯源冲刷或沿程冲刷以及两种冲刷形式同时发生。

滞洪期间库区呈明流流态,一部分泥沙排出库外,另一部分泥沙呈锥体形态淤积,滩面升高。

洪水过后以主槽冲刷为主,塌滩数量占总冲刷量的百分比很小。滩地淤高主槽冲深,逐渐形成高滩深槽格局。

3.1.3　蓄清排浑运用

水库蓄清排浑运用。非汛期来沙量少时蓄水运用,一般淤积成复合三角洲形态;汛初库水位降低控制运用,复合三角洲发生冲刷。在一年运用中,有淤积过程又有冲刷过程,逐步达到库区冲淤基本平衡。

3.2 水库冲淤形态[13]

3.2.1 水库淤积长度

当水库淤积三角洲顶点达到坝前时,三角洲前坡已被坝前冲刷漏斗代替,水库淤积纵剖面呈现出下凹形平衡纵剖面。水库淤积接近尾声,此时水库淤积总长度可按下述方法估算,参见图10。

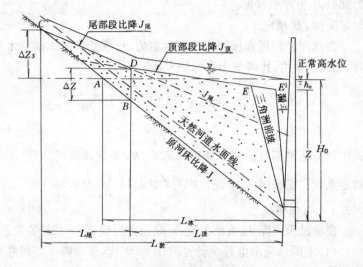

图10 水库淤积纵向形态示意图

$$L_淤 = L_尾 + L_顶 = \frac{\Delta Z_S + H_0}{J_0} \tag{3}$$

$$L_尾 = \frac{\Delta Z}{J_0 - J_尾}$$

$$L_顶 = \frac{(H - h_0) - \Delta Z}{J_0 - J_顶}$$

式中:$L_尾$为淤积尾部段长度;$L_顶$为淤积顶坡段长度;ΔZ_S为淤积末端高程与正常高水位差,又称翘尾巴高度;H_0为正常高水位时坝前水深;J_0为水库原始比降;$J_顶$为顶坡段比降;$J_尾$为尾部段比降;h_0为三角洲顶点正常水深。

3.2.2 ΔZ_S 值确定

根据国内 13 座水库资料求得 ΔZ_S 计算式

$$1 + \frac{\Delta Z_S}{H} = a\left(\frac{q_s}{\gamma_m q J_0}\right)^b \tag{4}$$

式中：q_s 为单宽输沙率；q 为单宽流量；系数 a 为 0.93；指数 b 为 0.064；γ_m 为浑水容重。

3.2.3 $J_尾$ 值确定

当水库淤积尾部段河道的挟沙能力，已恢复到建库前的水平时，则河床阻力、比降变小水深加大，即

$$\left[q_s = f\left(\frac{q^{1.6}J^{1.2}}{D^{2/5}\omega_0}\right)\right]_0 = \left[q_s = f\left(\frac{q^{1.6}J^{1.2}}{D^{2/5}\omega_0}\right)\right]_尾$$

可简化为

$$J_尾 = A\frac{D_尾}{D_0}J_0 \tag{5}$$

式中：$D_尾$ 是尾部段淤积平衡后河床质，D_0 是建库前河床质，A 为待定系数。根据国内 15 座水库资料求得 $A\dfrac{D_尾}{D_0}$ 为 0.68。

3.2.4 $J_顶$ 值确定

顶坡淤积比降 $J_顶$ 有两大类：一是由方程联解，一是经验关系。

(1)中国水利水电科学研究院在 60 年代，根据四个方程联解求得计算式

$$J_顶 = A_* \frac{S_i^{5/6}d^{5/3}D^{1/3}}{q^{1/2}} \tag{6}$$

(2)用输沙能力求得计算式

$$J_顶 = 45.5\frac{D^{1/3}(S_i\omega_0)^{5/6}}{q^{1/2}e^{5.6S_v}} \tag{7}$$

(3)在高含沙河流上的水库淤积，已考虑水流粘性作用，用高含沙水流的阻力方程和雷诺函数，推求出计算式

$$J_顶 = C\frac{\tau_B}{\gamma_m Q^{1/3}}\frac{\Delta\gamma}{\gamma_m} \tag{8}$$

式中：S_i 为进库含沙量；d 为悬沙粒径；D 为河床质粒径；q 为单宽

流量；ω_0 为悬沙单颗沉速；e 为自然对数的底；S_V 为体积比含沙量；τ_B 为极限剪切力；$\Delta\gamma$ 为清浑水容重差；A_* 为待定系数；C 为系数，其值为40。

计算 $J_{顶}$ 的经验公式

$$J_{顶} = 3.8 \frac{S_i^{0.19} J_0^{0.21}}{Q_i^{0.16} Z^{0.33}} \tag{9}$$

$$J_{顶} = 0.16 \left(\frac{S_i}{Q_i}\right)^{0.96} D_{50}^{1.2} \tag{10}$$

$$J_{顶} = 1.28 \times 10^{-4} \left(\frac{S\omega_0}{q^{0.6}}\right)^{0.31} \tag{11}$$

式中：Z 为坝前水位抬高值，其他符号的物理意义同前。

上述三式，都是依据国内若干座水库的实测资料建立的，经验证，关系较好。

3.2.5　前坡比降 $J_{前}$ 的确定

水库淤积三角洲的前坡形态，是泥沙进入深水区，处在近似静水条件形成的坡度。既有颗粒自身重力作用，又有三角洲顶点以下的向坝前流动的水流流速作用，含沙量较大时应考虑群体沉速影响。据此，建立如下计算式

$$J_{前} = 270 \frac{D_{50}^{0.6}}{Q_i^{0.24} e^{4.03 S_v}} \tag{12}$$

验证结果见图11。验证资料范围：$J_{前}$ 为 6.0‰~160‰；Q_i 为 4~1 430m³/s；D_{50} 为 0.015~0.65mm，S_i 为 1.76~175kg/m³。

3.2.6　断面河相关系

水库淤积发展到接近冲淤平衡时，坝上游塑造新的河道已基本定型，新的河相关系也随之定型。采用无量纲形式表示如下

$$\frac{B}{D} = 8.68 \left[\frac{Q}{D^2 \sqrt{gDJ}}\right]^{0.36} \left[\frac{Q_s}{\gamma_m QJ}\right]^{0.15} \tag{13}$$

$$\frac{H}{D} = 0.14 \left[\frac{Q}{D^2 \sqrt{gDJ}}\right]^{0.39} \left[\frac{Q_s}{\gamma_m QJ}\right]^{-0.24} \tag{14}$$

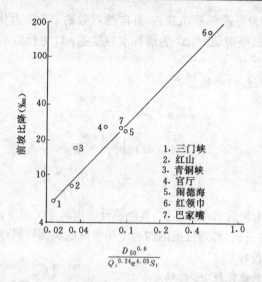

前坡比降 (‰)

1. 三门峡
2. 红山
3. 青铜峡
4. 官厅
5. 阎德海
6. 红领巾
7. 巴家嘴

$$\frac{D_{50}^{0.6}}{Q_i^{0.24} e^{4.03} S_i}$$

图 11 三角洲前坡比降式(12)关系验证图

3.3 水库排沙与冲刷[13]

水库排沙形式主要有三种:明渠流排沙;异重流排沙;泄空冲刷排沙。各种形式排沙都应遵循水流输沙的基本规律。

3.3.1 水库排沙基本方程

采用武汉水利电力大学的水流挟沙能力公式,将均匀流阻力方程代入后,令 $u=Q/A$,$J=\Delta H/L$。A 为过水面积;ΔH 是回水长度 L 的水面落差,$L \times A$ 为库容 V;令 $n=aD^{1/6}$;两边乘以流量,再除以进库输沙率,可求得水库排沙式

$$\frac{Q_{s*}}{Q_{si}} = \frac{K}{ga^2} \frac{\Delta H}{\omega_0} \left(\frac{R}{D}\right)^{1/6} \frac{Q_0}{S_i Q_i} \frac{Q_0}{V}$$

考虑到含沙量对沉速影响,将上式改写成

$$\eta = \frac{Q_{s0}}{Q_{si}} = \frac{K}{ga^2} \left(\frac{R}{D}\right)^{1/3} \frac{L}{\omega_0} \frac{Q_0}{Q_i} \frac{Q_0 J}{V} \frac{e^{6.72 S_V}}{S_i} \tag{15}$$

根据黄河干支流水库资料验证,结果见图12。

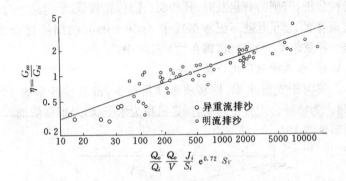

图 12 水库排沙基本方程验证图

3.3.2 排沙比的经验关系

水电部第十一工程局提出的经验关系式,在三门峡二期工程改建规划中应用,如下式

$$\frac{Q_{so}}{Q_{si}} = - 0.44 \lg \frac{V}{Q_0} \frac{1}{J^{1/2}} + 0.82 \tag{16}$$

式(15)及式(16),已经包括明流排沙和泄空冲刷排沙。

溯源冲刷的排沙要比其他类型的排沙比大,原水电部第十一工程局总结出经验关系式为

$$Q_s = 250(QJ)^2 \tag{17}$$

陕西省水利科学研究所采用方程式联解,给出的溯源冲刷计算式

$$Q_s = \varnothing Q^{1.6} J^{1.2} \tag{18}$$

在计算沿程冲刷时,$\varnothing = 3$,计算溯源冲刷时,$\varnothing = 10$。

3.3.3 异重流排沙

黄河上中游地区的水库,都有异重流发生。其中在高含沙河流上的水库,又会发生高含沙异重流。如巴家嘴水库高含沙异重流在闸门开启情况下,其排沙比可达 90% 以上。

一般水库所产生的异重流,其排沙比较小。根据黄河很多水库

资料分析,若闸门开启及时、排沙洞(孔)位置较低、泄量适当时,异重流排沙比可用进库泥沙组成中 $d < 0.01\text{mm}$ 的细沙百分比确定。异重流发生的时机,都在洪水过程中。

3.3.4 水库冲刷简化计算方法

黄河干支流水库,推移质来沙量很少,占悬沙沙量的 1%～2%。为推导公式方便起见,假定淤积为水平状,无推移质加入,其图形见图13。

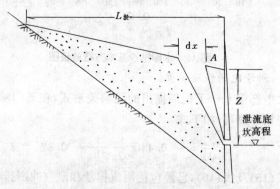

图13 水库冲刷简化示意图

由图可知,其冲刷体积为

$$dV = \frac{1}{2}(BZdx)$$

令冲刷后宽度与冲刷平均深度比值为 $B = \zeta^2 h^2$,代入上式可得

$$dV = \frac{1}{2}\zeta^2 h^2 Zdx$$

水库冲刷的沙量平衡方程为

$$dV = \frac{Q\Delta S}{\gamma_s}dt$$

恒等上述两式后,再将水流连续方程和均匀流阻力方程代入,令 $J = Z/X$,可得到冲刷计算基本方程为

$$\frac{Q\Delta S}{\gamma_s}\mathrm{d}t = \frac{1}{2}\zeta^{0.91}n^{0.55}Q^{0.55}x^{0.27}Z^{0.73}\mathrm{d}x \tag{19}$$

式中：ΔS 为冲刷含沙量；x 为冲刷长度；Z 为坝址处冲刷厚度；ζ 为河相关系系数。

对式(19)进行整理并积分，可得到水库冲刷长度

$$x = \lambda_1 \frac{Q^{0.36}\Delta S^{0.79}t^{0.79}}{Z^{0.57}} \tag{20}$$

$$\lambda_1 = \frac{2.08}{\gamma_s^{0.79}\zeta^{0.72}n^{0.43}}$$

当 $x = t_{\max}$ 时，冲刷长度可达到淤积长度。

冲刷体积计算式为

$$V_{\dot{\mathrm{h}}} = \frac{1}{\gamma_s}Q\Delta St \tag{21}$$

冲刷历时的极限时间为

$$t_{\max} = \frac{1}{\lambda_1^{1.3}}\frac{Z^{0.73}L^{1.3}}{Q^{0.46}\Delta S} \tag{22}$$

上述各式中都有冲刷含沙量 ΔS。经过推导求得出库含沙量计算式为

$$S_0 = \frac{1}{2}\left[S_i + \left(S_i^2 + \frac{4\lambda_2 Z^{2.14}\mathrm{e}^{6.72S_{Vl}}}{Q^{0.21}t^{1.06}\omega_0}\right)^{1/2}\right] \tag{23}$$

根据三门峡、三盛公和张家湾水库资料验证，其计算值与实测值符合较好。

4 水库防淤减淤措施

黄河干支流水库的防淤减淤措施主要有三类，即：水库以上流域的防治、充分利用水沙规律排沙、人工清淤措施。

4.1 水库以上流域的防治措施

水库以上流域的水利水保工程是水库防淤减淤的主要措施之一。以无定河流域为例，至 1989 年全流域已建小（Ⅰ）型以上水库

67 座,总库容为 14.6 亿 m³,拦沙量约 4.76 亿 m³;修建淤地坝 11 520 座,总库容约 24.9 亿 m³,已拦沙 15.7 亿 m³;修梯田 11.3 万 hm²,造林 82.8 万 hm²,种草 20.1 万 hm²。水利水保措施治理面积达 12 170km²。至 1989 年止,全流域减沙量达 61%,其中因降雨量减少使沙量减少占 36%,人类活动减少沙量占 64%。

4.2 水库排沙

4.2.1 壅水排沙

在水库壅水情况下,库区水流流速和含沙量沿垂线分布与天然河道相近似,呈现明渠流状态,有部分泥沙运行到坝前排出库外,故称之为壅水排沙。

以三门峡水库为例,1962 年改为滞洪排沙运用,该年 326m 高程以下尚有库容 30.3 亿 m³,315m 高程泄量仅为 3 180m³/s,由于泄流能力不足,每逢洪水都是壅水排沙,至 1965 年汛后,多年平均排沙比为 42.5%。从实测资料分析可知,壅水期排沙比与库容、泄量有关,在同一水位下泄量相等时,库容越大,排沙比越小,反之亦然。

三门峡水库 1966~1968 年为一期工程改建,将四条发电引水钢管改为泄洪管,又建底坎高程为 290m 两条泄洪洞。315m 泄量增加到 6 187m³/s,326m 高程以下库容变化不大。由于泄量增加,壅水高度下降,排沙比增大到 90%,见表 11。

表 11　　　　三门峡一期工程改建洪水期壅水排沙

年份	入库沙量 (10⁸t)	出库沙量 (10⁸t)	排沙比 (%)	315m 泄量 (m³/s)	326m 以下库容 (10⁸m³)
1966	21.314	18.64	87.5	4 080	15.14
1967	18.525	16.487	89.0	5 148	14.69
1968	9.050	8.419	93.0	6 187	13.58
1969	6.254	6.123	97.9	6 187	14.01
合　计	55.143	49.669	90.1		

从表 11 不难看出,在一定库容条件下,因泄流能力增大近一倍,水库排沙比也增加近一倍。

4.2.2 异重流排沙[1]

三门峡水库在 1961～1964 年共测到异重流 17 次,异重流排沙比见表 12。1961 年因距坝 13km 处库岸崩塌,在水下造成 12m 高的潜坝,阻碍异重流流向坝前,使 1961 年异重流排沙偏少,1962 年以后除桃汛(3.26～3.27)冲刷型异重流外,排沙比在 21%～53%之间。

表 12 　　　　　　　　三门峡水库异重流排沙

(单位:水量,$10^8 m^3$;沙量,$10^8 t$)

测验日期		进库(潼关)		出库(三门峡)		坝前水位	排沙比
年份	(月.日)	水量	沙量	水量	沙量	(m)	(%)
1961	7.2～7.7	10.93	1.13	9.893	0.000 2	318.84	0.02
	7.11～7.20	26.66	1.31	26.09	0.057 5	319.32	4.4
	7.23～7.28	16.49	1.38	18.34	0.271	318.35	19.6
	8.1～8.9	24.37	1.73	19.89	0.310	318.29	17.9
	8.10～8.25	30.75	2.01	25.08	0.341	318.67	17.0
	8.26～9.3	21.27	0.77	11.13	0.041 7	322.23	5.4
1962	3.26～3.27	1.67	0.024	2.10	0.078	307.93	325
	4.1～13	12.58	0.25	12.25	0.089 1	307.79	35.6
	7.13～7.23	15.54	1.15	13.13	0.407	308.54	35.4
	7.25～8.4	31.26	1.37	25.57	0.336	312.95	24.5
	8.5～8.11	17.21	0.632	16.93	0.146	313.81	23.1
	8.12～8.26	27.96	0.907	28.61	0.308	311.35	34.0
	8.27～9.26	40.72	0.957	37.89	0.507	308.56	53.0
	9.27～10.16	38.07	1.20	37.39	0.254	310.93	21.2
1963	5.24～6.4	26.07	0.826	25.36	0.226	313.18	27.4
1964	8.11～9.3	92.65	5.77	88.18	2.11	321.77	36.6
	9.5～9.26	94.58	3.23	85.85	0.818	323.02	25.3

---

[1] 黄河三门峡水利枢纽志编纂委员会,黄河三门峡水利枢纽志,1993 年。

刘家峡水库异重流排沙是洮河洪水形成的,其异重流多年平均排沙比约为 45%。

巴家嘴水库为高含沙异重流,在壅水条件下,1980~1984 年 39 次排沙,排沙比为 60%~100%。

4.2.3 泄空冲刷

当库水位下降到坝区附近仅有少量的蓄水时,库区普遍发生冲刷,此时称作泄空排沙或泄空冲刷。

三门峡水库自 1969 年汛后开始二期工程改建,除防凌蓄水外都处于泄空排沙过程。尤其是汛期更是如此。1970~1973 年汛期进库(潼关)总沙量为 44.9 亿 t,出库(三门峡)总沙量为 51.44 亿 t,排沙比高达 114.6%。1974~1990 年为蓄清排浑运用,非汛期蓄水拦沙,汛期基本上是敞泄排沙,1974~1990 年进库总沙量为 134.9 亿 t,出库沙量为 165.4 亿 t,年均排沙比高达 122.6%。

青铜峡水库自 1972~1981 年汛期降低水位排沙,取得显著效益,见表 13。

表 13 **青铜峡水库泄空排沙统计**

时 段 (年.月.日)	坝前水位 (m)	入库流量 (m^3/s)	入库沙量 ($10^4 t$)	出库沙量 ($10^4 t$)	排沙比 (%)
1972.7.5~7.15	1 153.78	1 590	554	881	159
1972.7.23~8.5	1 154.63	2 670	538	1 380	257
1975.7.29~8.5	1 154.18	2 570	690	788	114
1980.9.25~10.4	1 153.63	1 780	453	2 280	503
1981.7.13~7.23	1 155.15	2 220	3 360	3 500	104
1982.9.27~10.5	1 154.47	2 280	386	1 490	386

4.3 人工清淤

4.3.1 水力吸泥清淤[11]

水力吸泥清淤是根据虹吸原理,将库中的水倒吸到水库下游的同时,对吸水口处的淤积物搅动起来,随水排出库外。这种方法在中小型水库中进行清淤十分有效。

1975年首先在山西省田家湾水库开始实验并取得成功。1977年6月至1978年5月,该水库入库沙量29.8万 m³,排出沙量32万 m³,排沙比达107.4%。陕西省小华山水库于1978～1980年利用水力吸泥措施排沙,也取得很好的效果,见表14。

表14 小华山水库水力吸泥排沙统计

年　份	1978	1979	1980	1981	1982	1983	1984	1985	总计
进库水量(10^4m³)	264.5	241.0	299.9	542.0	582.0	676.9	628.0	477.9	3 712
进库沙量(10^4t)	2.92	0.60	2.09	5.25	7.55	5.29	7.38	6.71	37.8
吸泥用水量(10^4m³)	163.1	200.6	191.2	185.1	92.6	36.4	70.6	85.6	1 025
虹吸排沙量(10^4t)	0.56	0.45	2.76	5.03	4.68	7.94	9.02	11.03	41.5
排沙比(%)	19.2	75.0	132.1	95.8	62.0	150.1	122.2	164.4	109.7

从表14中可看出,小华山的水力吸泥清淤工作,在开始时排沙比不大,用水量较多。对机械设备经过多次改进,1980年以后,排沙比已达到100%以上,吸泥用水量大幅度降低,由排1t泥沙用水 291m³ 减少到 7.76m³。

采用水力吸泥的中小型水库在黄河流域还有很多,都有较显著效果。利用水力吸泥减淤排沙措施可以较长期地保持水库库容。

在采用水力吸泥排沙时,出库的浑水可结合下游引浑淤灌,既解决灌溉需水又增加田间肥力。

4.3.2　气力泵清淤[11]

气力泵是70年代日本、意大利等国家的清淤技术。1978年由宝鸡峡引渭灌溉管理局首次引进并试验成功。平均含沙浓度达重量比的40%。1980～1984年盐锅峡电站作了改进,可在水深26m情况下清淤。气力泵的优点是:机械磨损小,排泥浓度高,造价低,运行费用小。

5　水库运用的基本经验

黄河干支流已建水库在防淤减淤措施方面,积累了丰富的经验。为了使水库能够在较长时期内发挥效益,应解决好以下几个主要问题。

5.1　水库运用方式的选择

在多沙河流上修建水库,库容与沙量比,一般都小于 30,因此排沙减淤是保持可用库容的主要矛盾,水库运用方式的选择又是主要问题。从很多水库的经验得知,应选择"蓄清排浑"——调水调沙方案。具体原则是,来沙较多的汛期或来沙集中的洪水期,应降低坝前水位,泄洪排沙;来沙较少的非汛期或非洪水期,适当抬高水位蓄水。蓄水期淤积在主槽中的泥沙,借助洪水期水流富裕的挟沙能力冲刷排沙出库。库容与沙量比大于 100 的水库可按蓄水方式运用。

5.2　长期可用库容

长期可用水库有两类情况:一种是水库有富裕挟沙能力,这种水库的库容可以调水调沙。富裕挟沙能力并非所有水库都具备。一般来讲,在水库修建前,河床组成很粗,如卵石、粗沙夹有卵石或块石基岩组成的河床,经过水库淤积,床面细化,在相同的水流条件下因阻力减小而获取的能量要大于因比降(能坡)变小而损失的能量。两者之差是富裕挟沙力的主要部分。富裕挟沙能力的另一部分是库水位骤降带来的富裕挟沙能力。另外一类是水库基本上没有富裕挟沙力。即水库建成前后,库区河床组成变化很小,水库淤积基本上与原河床平行抬高。

前者库容可淤可冲,具有调沙能力;后者库容淤积以后难以恢复,不具备调沙能力。

水库若具备富裕的调沙能力,又采用蓄清排浑运用方式,可以保持一定的长期使用库容。为此要求水库具备相应规模的泄流能力和泄流设施的合理布局。可用库容的主要部分是河槽库容,也是调水调沙库容。在泄流规模确定后,某一频率洪水的相应库水位应控制在滩面高程以下,使滩库容尽可能少损失,或延长滩库容使用的年限。

5.3 泄流规模和布局

水库的泄流能力是蓄清排浑运用和保持可用库容的最重要条件。水库泄流能力不足时,则壅水高、淤积严重甚至使淤积向上游延伸很长距离,威胁水库末端地区的工农业生产。受泄量不足的影响,即使将闸门全部开启,库水位下降也很慢,难以发生强烈冲刷,无法实现调沙目的。在水库运用方式上只能采用蓄水拦沙或滞洪排沙,满足不了蓄清排浑运用的要求。

为了达到蓄清排浑运用的要求,泄流能力应当使泄量达到某一洪峰频率时,洪水不漫滩。即坝前水位与滩面持平时的泄量应当达到洪峰频率 5%~10% 的流量。

泄流规模确定后,泄流孔(洞)最好在全断面分层设置,靠近下层孔(洞)以排沙为主,上层孔(洞)以泄洪为主。在水电站引水口两侧应布设低于引水口高程的排沙孔,可减少进入机组沙量和粗颗粒泥沙,并形成局部小漏斗以防电站引水口闸门淤堵。

5.4 控制淤积上延

在多沙河流上修建水库,因水库运用方式选择不当、泄流能力不足,往往使淤积向上游延伸。由此引起的后果是,淹没浸没面积扩大,水库末端周边地区地下水位上升、沼泽化、盐碱化;造成二次移民等。在水库规划设计时,应当充分研究,提出相应措施,尽可能避免淤积上延发生或控制淤积上延的范围。

参 考 文 献

[1] 蒲乃达等.刘家峡、盐锅峡水库泥沙的几个问题.见:河流泥沙国际学术讨论会论文集.北京:光华出版社,1980

[2] 焦恩泽.青铜峡水库泥沙运动规律分析.人民黄河.1983(5)

[3] 陆大章.青铜峡水库的排沙措施及效果.人民黄河.1987(4)

[4] 涂启华等.黄河天桥水电站水库冲淤特性分析.人民黄河.1986(3)

[5] 焦恩泽.黄甫川高含沙水流与断面冲淤变化.人民黄河.1991(4)

[6] 焦恩泽.巴家嘴水库泥沙的几个特殊问题.泥沙研究.1987(2)

[7] 焦恩泽.蒲河姚新庄以上流域产沙与输送研究.泥沙研究.1988(4)

[8] 焦恩泽.巴家嘴水库排沙问题初步分析.人民黄河.1989(2)

[9] 焦恩泽.巴家嘴水库底孔排高含沙异重流特殊现象.人民黄河.1986(6)

[10] 黑松林水库防淤排沙技术及应用.见:河流泥沙国际学术讨论会论文集.第一集.北京:光华出版社,1980

[11] 陕西省水利水保厅.水库排沙清淤技术.北京:水利电力出版社,1989

[12] 焦恩泽等.水库淤积的简化估算方法.人民黄河.1982(1)

[13] 黄委会水利科学研究所.科学研究论文集.第二集.郑州:河南科学技术出版社,1990

三门峡水库泥沙问题

1 水库建设概况

三门峡水利枢纽位于黄河中游下段,是根据黄河流域规划兴建的第一座以防洪为主要目标的综合利用工程,控制流域面积 68.8 万 km²,占全流域面积的 91.5%,水库平面图见图 1。

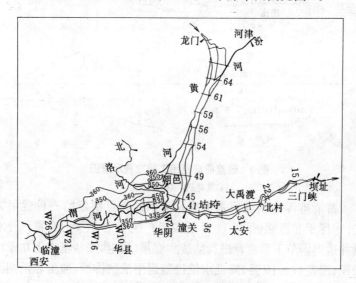

图 1 三门峡水库库区平面示意图

枢纽工程于 1957 年开始修建,1960 年 9 月开始蓄水运用,1962 年 3 月由于泥沙问题决定将运用方式改为滞洪排沙。1964 年丰水多沙,由于泄流能力不足,水库淤积仍发展迅速。1964 年底及 1969 年两次决定对大坝泄流建筑物进行改建,以扩大其泄流能力,随后陆续增建了两条隧洞,改建了四根原发电用钢管(后为三根),打开导流用的八个底孔,并改装机组以便低水头发电。1973年底改建工程竣工,1974年起开始实行蓄清排浑控制运用,五台机组也陆续投入运行。进入 80 年代,由于底孔门槽过流部件磨损气蚀严重,影响到正常运用,对底孔又进行了一次改建,并增开了两个底孔以补偿由于改建而减少的泄量。改建前后枢纽工程立视示意图见图 2。

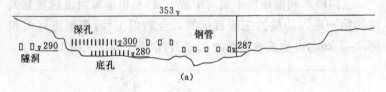

(a)

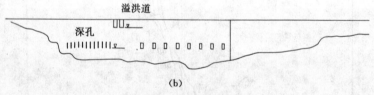

(b)

图 2 改建前后枢纽工程立视示意图

(a)改建后 (b)改建前

蓄清排浑控制运用是根据黄河水沙特点制定的一种运用方式。水库于非汛期(每年 11 月至次年 6 月)来沙量少时存蓄部分水量并适当调节下泄流量进行防凌和春灌、发电,来沙基本上在库内淤积;汛期(7~10 月)降低水位控制运用泄洪排沙,冲走非汛期淤积在库内的泥沙,使水库能基本上保持年内冲淤平衡。

根据建库前实测资料统计,进入水库的多年平均年水量为428 亿 m³,年沙量为 16 亿 t,汛期水沙量分别占全年的 60%及85%。

建库前,库区原河道的平面形态如表1。自进库站(龙门、临潼、河津、㳇头)至大坝的区间流域面积为 20 500km²,其中潼关上下流域面积比约为7：3。潼关以上汇流区河道宽浅游荡，渭河下游比降较小，蜿蜒于宽阔的洪水滩地之间；潼关以下河道宽窄相间，逐步过渡到坝址的峡谷河段。进入水库的水沙条件有三个鲜明特点：其一，黄河中游河口镇至龙门区间以及泾、渭河流域是入库洪水和泥沙的两个主要来源区，由于降雨强度和笼罩面积的差异，同一流量下来水含沙量和级配变化很大，还常常出现含沙量超过400kg/m³的高含沙洪水；第二，入库洪水一般历时甚短，类似山区河流的暴涨暴落洪水，河床演变非常剧烈；第三，由于汇流区渭河河口段比降十分平缓，当渭河来水较小时，干流洪水对渭河河口段的顶托倒灌作用时有发生。这几个特点对水库淤积的形成和分布有重要影响。

表1 **三门峡库区干支流河道形态特征**

河 段	比降 (‰)	河床形态		$\sqrt{B/H}$	$\overline{D}_{50}$ (mm)	河 型
		主槽河宽 (m)	洪水最大河宽(m)			
潼关以上干流	3.5～3.8	2 000～5 000	18 000	20～50	0.13	游荡
潼关以下干流	3.0～3.5	600～900	3 200	5～30	0.10	过渡到峡谷
渭河下游	1.5	100～500	11 000	3～4	0.08	弯曲
北洛河下游	2.3	30～50	4 000	2～4	0.07	弯曲

三门峡水库原规划设计的指导思想是蓄水拦沙，以淹没大量土地为代价，来减缓下游河道淤积，原设计过于乐观和不切实际地认为依靠在水库以上干支流修建拦沙水库和进行水土保持，就可以使来沙量在不足10年的短期内减少50％，同时，对移民问题的难度也估计不足。黄河泥沙数量巨大，国家经济力量有限，不可能在短期内修建大量工程拦蓄泥沙，使来沙量大幅度地减少。库区淹没的土地十分肥沃，人口众多，蓄水拦沙的方式也不符合我国国情。为此，对枢纽工程进行了改建，并改变了运用方式。实践证明，改建以后的枢纽工程虽然在发电、灌溉等方面达不到原设计的效益，但是它符合黄河的实际情况。目前所采用的运用方式，也为多

泥沙河流修建大型枢纽工程提供了有益的经验。

　　水库建成以来,不少人对水库泥沙问题进行过分析研究,由几个单位联合进行带有总结性质的分析研究工作有三次,先后提出了保持可用库容、淤积上延及其控制以及适应水沙变化的运用原则等问题[1,2]❶。在前人工作的基础上,本文仅就水库淤积的基本物理图形和水库淤积引起的泥沙问题进行讨论。

2　水库淤积量

2.1　库区冲淤情况分析

　　为研究水库水文泥沙问题,在库区范围内开展了水文泥沙观测研究,其内容包括进出库站的日常水沙测验;每年多于两次的河道及水库断面测量及每 10～15 年一次的地形测量;区间流域的降水量观测;少数代表性区间小河水文站的水沙量观测;库岸坍塌;水面蒸发;地下水观测;库区一些断面水流泥沙要素的测验;坝区水沙测验等。这些观测研究为检验水库规划设计和制定合理的运用方案提供了重要的基础资料,也为研究水库泥沙问题积累了宝贵的资料。

　　1960～1990 年各不同运用时期水库的冲淤情况列于表 2。全库共淤积 61.3 亿 m³,其中潼关以上约占 53%。可以看出,自 1974年采用蓄清排浑控制运用方式以来,库区虽略有淤积,但基本上处于冲淤平衡。为了较确切地评价水库的冲淤状况,对库区进行了沙量平衡的分析计算,蓄清排浑控制运用以后,汛期水库的回水影响一般均不超过潼关,非汛期蓄水位较高的短时期内,潼关以上汇流区略受影响。

2.2　水库沙量平衡分析计算

　　根据三门峡水库的实际情况,沙量平衡方程可列为如下形式

---

❶　三门峡水库泥沙问题基本经验总结小组,三门峡水库泥沙问题初步总结,黄委会水科所,1970 年。

表 2　　　　不同运用时期水库冲淤情况统计　（单位：10^8m^3）

运用方式	统计起讫年月	库区冲淤量(断面法)					
		全库区	潼关以下	潼关以上			
				小计	北干流	渭河	北洛河
蓄水	1960.5～1964.10	45.37	36.52	8.85	6.52	1.85	0.48
滞洪排沙	1964.11～1973.10	11.71	−9.23	20.94	12.03	8.11	0.80
蓄清排浑	1973.11～1990.10	4.22	1.54	2.68	2.47	0.09	0.12
	1973.11～1979.10	1.00	1.30	−0.30	−0.22	−0.19	0.11
	1979.11～1986.10	−0.52	−0.74	0.22	0.39	−0.21	0.04
	1986.11～1990.10	3.74	0.98	2.76	2.30	0.49	−0.03
小计	1960.5～1990.10	61.30	28.83	32.45	21.00	10.05	1.40

$$S_t + S_i - S_w + S_b \times \gamma_1 \pm \gamma_2 \times V = S_0$$

2.2.1　进库水文站输沙量（S_t）

实测悬移质输沙量系根据每年 15～25 次全断面输沙率测验求出的断面平均含沙量与每年约 400 余次的单位水样含沙量所建立的单断沙关系，经过整编求出逐日、月、年输沙量。输沙率和单样含沙量均系用选点法进行测验。由于未能包括推移质以及计算断面平均含沙量方法的局限性，求出的输沙量存在一些系统误差，特别是 $d > 0.05\text{mm}$ 粗泥沙的误差较大，必须进行修正[1]。按 50 年代实测资料统计，各站推移质约占悬移质沙量的 0.2%～0.9%。文献[4]讨论了用含沙量与修正值和实测值的比值建立关系，并以断面法所测冲淤量为根据以修正逐日输沙率的方法，以潼关站为例，修正后输沙量与实测值的差在 1.9% 左右。本文参照上述方法对进库站及潼关站的实测资料进行了修正。

2.2.2　区间支流来沙量（S_i）

建库初期曾设有几处代表性小河站，并在所控制的流域内设立若干雨量站，利用这些实测资料建立雨量和径流及产沙量关系，

---

❶　林斌文、梁国亭，全沙输沙率计算方法的修正和应用，黄委会水科所，1987 年。

以后各年则用实测雨量推求没有实测资料的径流量及沙量。对于没有设站的区间流域,则利用流域面积或有实测资料流域的输沙模数推求[3]。

2.2.3　库岸坍塌沙量(S_b)

潼关至三门峡段库岸线总长近 300km,两岸均系黄土阶地,蓄水后受水浸及波浪作用,多处坍塌。对建库前后共三次实测地形图进行套绘,据以对塌岸量作出估算。

2.2.4　灌溉引沙量(S_w)

根据提灌站实测及调查资料估算灌溉引沙数量。

2.2.5　水库冲淤量(V)

库区设有固定端点的大断面供重复测量确定冲淤量之用。全库共有 145 个大断面,其中潼关以下共 41 个,平均间距 3.3km。在正常运用水位高程以下用同一时段断面法与地形法计算的库容进行比较,误差在 ±5% 以内,可以认为用断面法计算的冲淤量基本上能反映某一时段的冲淤情况。用于断面和地形的测量方法都是常规使用的方法,随着技术进步,每次完成全部断面测量工作的时间不断有所缩短,测量精度也有所提高。

2.2.6　淤积泥沙容重(γ)

建库初期有实测淤积泥沙级配及干容重资料。据分析,可利用实测资料建立的干容重与淤积物中沙、粉土、粘土的比例经验关系,根据各次实测库区河床表层泥沙级配资料计算干容重。计算结果表明,淤积与冲刷时段干容重有差异,大部分床沙样品干容重的变化范围为 $1.25 \sim 1.55 \text{g/cm}^3$[5]。

2.2.7　出库沙量(S_0)

系采用出库站(三门峡站)经整编后的实测资料。该站含沙量系在尾水下端水流充分紊动处取样求得,纵横向分布均匀,没有梯度,所求的含沙量可代表全沙含沙量,不需修正。取样次数也较多,可以反映含沙量的变化过程。

2.3　对沙量平衡计算结果的分析与讨论

　　用上述方法对全库区及潼关以下库区计算的结果如表 3 所示。

表 3　　　　　　　　　　沙量平衡计算结果　　　（单位：10^8 t）

区间	统计起讫年月	进库沙量	区间	灌溉	库岸坍塌	水库冲淤量	出库沙量	
							实测	沙量平衡差
四站—三门峡	1960.5~1964.10	73.85	1.61	−0.05	7.31	60.53	27.65	−5.46
	1964.11~1973.10	156.32	2.40	−0.32	2.89	16.99	145.04	−0.74
	1973.11~1990.10	163.71	4.02	−1.03	3.62	3.26	173.43	−6.37
	小　计	393.88	8.03	−1.40	13.82	80.78	346.12	−12.57
潼关—三门峡	1960.5~1964.10	65.23	0.86	−0.01	6.84	48.62	27.65	−3.35
	1964.11~1973.10	129.95	0.92	−0.03	2.29	−15.05	145.04	3.14
	1973.11~1990.10	163.87	1.99	−0.05	2.90	0.33	173.43	−5.05
	小　计	359.05	3.77	−0.09	12.03	33.90	346.12	−5.26

　　图 3 表示了潼关以下库区实测的和用沙量平衡方程计算的累积冲淤量多年变化过程。可以看出，用沙量平衡方程计算的累积冲淤量基本与断面法实测值相近，除少数年份外，两者系统性误差很小。图中还表示了如不考虑平衡方程式中某些因子，会导致计算冲淤量的系统误差。例如，从 30 年沙量平衡计算结果统计表明，不考虑区间小支流来沙量所引起的系统误差占进库沙量 1.9%；不考虑塌岸量导致的系统误差占 3.3%。分析计算结果还表明，如果不考虑冲淤时段容重差异而采用平均容重也将导致很大的误差。

　　据我们分析，如直接用进出库水文站实测输沙量的差值来反映河段冲淤量，其可靠程度受以下各项因素的制约：①两端水文站泥沙测验的综合误差；②区间加入或引出量占进库沙量的比例；③冲淤量占进入河段总沙量的比例；④采用干容重的相对误差。分析表明，只有当河段冲淤量占进入河段总沙量的比值较大，足以补偿两端水文站实测沙量存在的误差时，才能近似地用两端水文站输沙量的差值来反映水库的冲淤情况。

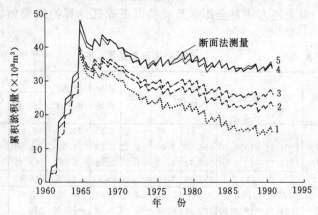

图 3　沙量平衡方程计算结果与断面法测量结果比较

1—端点站沙量差　2—不考虑塌岸量　3—不考虑区间沙量

4—沙量平衡计算　5—断面法实测

　　熊贵枢曾分析了黄河下游断面测量计算冲淤量的可能误差[6]。文献[7]也曾分析了潼关及下游某些站用输沙率法测验资料计算河段冲淤量的可能误差。通过对水库进行沙量平衡计算分析，使我们认识到对水库(包括库区河道)进行重复的断面或地形测量是测定水库冲淤数量的主要和不可替代的方法，定期或不定期的重复测量工作是多泥沙河流水文站网测验工作的重要组成部分。沙量平衡也是指导资料收集工作和确定冲淤数量的重要原则。

3　水库淤积分布及保持可用库容

3.1　不同运用时期水库淤积纵横向分布特征

3.1.1　蓄水运用时期

　　自 1960 年 9 月至 1962 年 3 月，水库初期蓄水运用，非汛期水位较高，最高曾达 332.58m，汛期水位较低，大量泥沙在库首淤积，形成明显的三角洲。顶坡比降 1.5‰～1.7‰，约为原河床比降的

50%,前坡比降为 6‰～9‰。这一时期淤积沿横断面分布比较均匀。

3.1.2 滞洪运用时期

为缓和库区淤积,1962 年 3 月将水库运用方式改为滞洪运用,由于泄流能力有限,遇丰水多沙的 1964 年,汛期洪水期水位仍高达 326m,除发生异重流排出少量泥沙外,水库淤积仍十分严重,其纵剖面形态由三角洲逐步转变为锥体。改建及增建的钢管、隧洞及底孔分别于 1966、1967～1968、1970 年投入运用后,降低了坝前水位,库区一部分前期淤积物逐步被冲刷出库,形成了明显的高滩深槽。据 1973 年汛末实测大断面资料分析,滩面比降约为 1.2‰,主槽纵比降为 2‰～2.3‰。在滩面以下形成了有一定容积的河道主槽,除遇大洪水水流漫滩,或局部河段滩地坍塌外,冲淤主要限于主槽范围,这就为以后实行蓄清排浑运用提供了前提条件。

滞洪运用期的 1967 年,黄河干流发生较大洪水(Q_{max} = 21 000m³/s,龙门站),与北洛河高含沙洪水遭遇,又值渭河小水,干流及北洛河洪水倒灌入渭河,使渭河口约 8.8km 河段全部淤塞,水流漫溢两岸滩地,并引起淤积向上游延伸。1968 年春季在淤塞河段开挖引河,经汛期来水冲刷,河道主槽才逐渐恢复。

3.1.3 蓄清排浑控制运用时期

水库非汛期蓄水水位较稳定的时段,库区可能形成三角洲,或在不同部位形成的三角洲相互叠加,形成类似锥体的纵剖面。非汛期来沙量小,粒径较粗,淤积主要发生在主槽,一般情况下降低水位即可冲刷恢复。如遇当年非汛期运用水位较高,淤积部位靠近上段,汛期洪水较小时,淤积在水库上段的泥沙有时不能完全冲刷下移,则库区当年冲淤不能平衡。剩余的淤积物有待于下一年度洪水较大时冲刷出库。

汛期水库运用的直接回水范围,在一般中小洪水时不会超过距坝 42km 的北村断面(黄淤 22 断面);非汛期运用的直接回水范围一般不超过距坝 98km 的坩垿断面(黄淤 36 断面)。因此,根据水库目前所采取的运用方式和库区受回水影响的情况,可将库区分为三段,中间一段即北村至坩垿可看成是在目前运用和一般来水条件下的变动回水区,在变动回水区上段河道的纵比降主要是在冲刷非汛期淤积物的条件下形成,其稳定值大体在 2.2‰～2.3‰。变动回水区以下的比降主要是在滞洪运用淤积的条件下形成,其稳定值在 1.7‰～2‰之间变化。水库纵剖面比降的沿程变化也是蓄清排浑运用方式水库纵剖面形态的一个特点。

水库淤积泥沙的粒径自上游向下游逐渐减小,其沿程级配随运用方式的改变而变化。在水库蓄清排浑运用期间,河床表层的级配也随着年内运用情况不同所发生的冲淤而变化,图 4 显示了这种变化。

3.2　水库库容特征和可用库容问题

水库蓄清排浑运用时期的冲淤分布有一个明显的特点,就是淤积和冲刷主要发生在主槽。非汛期大部分时间水位不超出滩面,即使在短期内坝前水位超过近坝段的滩面,滩地以上淤积也极少,一般洪水时期的滞洪水位也不会超过滩面高程。淤积在主槽内的泥沙,在水库水位降低后,即可通过溯源冲刷和沿程冲刷的联合作用被冲刷出库,主槽内这一部分冲淤交替的容积也就是水库的调沙库容。

当然,遇到大洪水,滞洪水位有可能超过滩面,回水影响也将延伸到潼关以上,滩地将发生永久性淤积而损失部分库容。但是,主槽部分的库容,仍可在洪水后通过降低水位而得到冲刷恢复。据对 1973 年汛后(即水库实行控制运用以前)实测大断面资料分析,潼关至大坝滩面以下主槽部分容积约为 11.6 亿 m³,1974～1990 年各年调节泥沙的数量最大约为 2 亿 m³。

水库地形的一个显著特点是潼关以上汇流区主槽宽浅游荡。很明显,在多沙的洪水时期,一旦回水直接影响超过潼关,则滩地

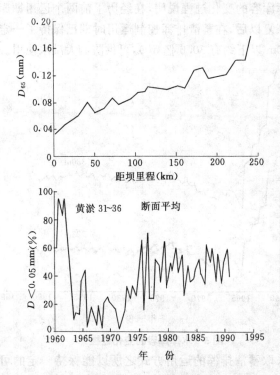

图 4　水库淤积泥沙级配沿程及随时间变化

淤积不可避免,为避免库容损失,运用水位的控制原则之一是在一般洪水期以及非汛期尽可能不使回水直接影响到潼关以上,这个地形特点也是水库调节水沙的一个重要制约因素。

在蓄清排浑运用条件下年内各不同时期可以提供使用的水库库容不同。1974 年以来,在目前控制运用的限制水位范围以内(310~326m),水库平均有 17.6±0.8 亿 m³ 库容可供防凌使用。下游凌汛特别严重的年份,还可提高运用水位以增加必要的库容。汛初,为了不使潼关直接受回水影响,在运用水位 305~323m 内可提供 10.5±0.6 亿 m³ 库容,供对一般洪水进行滞洪运用。图 5

显示的水库库容的变化过程说明,在经历了前两个运用期库容减少和部分恢复以后,在蓄清排浑控制运用时期已保持了一定的可用库容(330m 以下约有 30.6 亿 m³),可供防御大洪水使用。

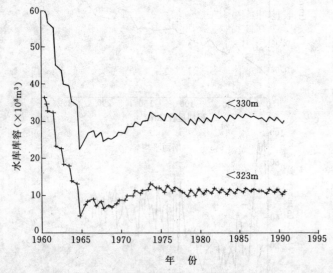

图 5　水库库容的变化过程

水库采取蓄清排浑的运用方式之所以能保持一定的可用库容,除由于水库已具有高滩深槽的断面形态外,还由于在改建以后增大了各级水位的泄流能力。坝前水位为 300m 时的敞泄流量已超过 3 300m³/s,坝前水位为 305m 时敞泄流量为 4 870m³/s。图 6 为根据历年洪水资料绘制的潼三段比降与泄流量关系[1]。图中冲淤平衡范围可用 $QJ=0.25\sim0.45$ 来表示,式中 Q、J 均为洪水平均值。可见,如该河段发生了淤积,在一定的来水流量下,降低水位运用所形成的比降均足以冲刷并输送相应的沙量以恢复库区的冲淤平衡。从另一个角度来说,建库前潼三河段的比降为 3‰~

❶　龙毓骞、李松恒,三门峡水库的泥沙调节,见:第二届水科学与工程讨论会论文集,国际泥沙研究培训中心,1995 年。

3.5‰,属侵蚀性河道。建库后,河道主槽比降有所调平,床沙组成
也有所细化,可以在较小的比降条件下输送全部来沙。换言之,该
河段具有一定的富裕输沙能力。可以在一定限度内通过控制运用
来调节河段的冲淤变化。

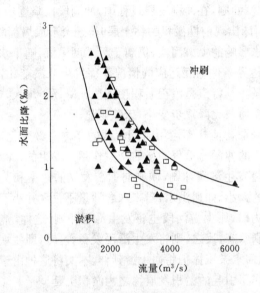

图6　潼关—三门峡段比降与泄流量关系

4　库区河床演变及淤积上延问题

4.1　潼关以下库区冲淤演变及潼关高程

4.1.1　基本特点

目前采用的运用方式,年内坝前水位的变幅可达 25m 以上。
水位较高时,在一定的水沙条件下会形成潜入库底运行的浑水异
重流,潜入点的位置符合修正佛汝德数 $Fr=0.6$ 的条件。据分析,
水库初期运用的洪水时期,通过异重流形式排出水库的泥沙约占
同期进库泥沙的 26.5%,如按全年沙量统计,则排出水库的泥沙

仅占约 6%。

　　汛期水库水流流态在更多情况下属于明渠水流，根据坝前水位变化，回水曲线也发生变化。水位稳定上升时期水库壅水，产生溯源淤积；水库水位骤降，局部比降增大，产生冲刷，逐步向上游发展，形成溯源冲刷，在冲刷发展过程中，冲刷段比降逐步变缓，床沙粗化。当河床出现前期淤积的粘土层时，还会形成局部跌水。在不直接受回水影响的上游河段，仍属于天然明渠流，随来水来沙的变化与河床边界条件相互适应的情况下而发生冲淤变化，此处称之为沿程冲淤。其特点是沿程淤积使河段比降逐步增大，床沙细化；沿程冲刷使河段比降逐步变小，床沙粗化。

　　水库采取蓄清排浑运用时期库区的年内冲淤变化，正是在这种溯源性质的冲淤与沿程冲淤的交替作用下发生的。库水位降低，近坝河段将发生溯源冲刷，冲刷向上游发展的速率和范围取决于来水流量的大小。如遇洪水，当来水含沙量不很大并小于上游河段的输沙能力时，则上游河段也将发生沿程冲刷，这样，整个库区均将处于冲刷状态，反之，则将发生沿程淤积，这时，即使坝前段处于冲刷状态，回水淤积体仍将向上游延伸。本文将这种由于冲积河流自动调整作用引起的淤积发展称之为淤积上延。

　　潼关以下库区的高滩主要是在初期蓄水和滞洪运用时期形成的。在上述主槽的冲淤变化过程中，除由于直接靠流的库岸及高滩受水流或风浪冲击，或由于主流摆动而发生坍塌外，滩地不会冲刷，滩地淤积是否继续发展将取决于主槽过洪能力及来水流量的对比，因此，在一般情况下只有较大洪水在变动回水区以上河段发生漫滩时，滩地淤积才会继续发展。至于一般洪水形成的较低的滩地，冲淤变化则时有发生。在高含沙洪水过程中，主河槽两侧均会形成新滩，使 $\sqrt{B/H}$ 减小。洪水过后，由于滩地淤积增高，主槽刷深，滩槽的过洪能力也会随之而调整，使洪水漫滩的机会有所减少。

库区河道主槽因比降变化引起的淤积上延,以及高含沙洪水时期的滩槽冲淤,都是冲积河流自动调整作用的表现。钱宁等在文献[8]中曾对黄河自动调整作用进行了讨论。冲积性河流的自动调整趋势是使河道恢复其输沙和过洪能力的准平衡状态,力求适应来自流域的水沙条件。由于黄、渭等河流来沙十分丰富,这种调整往往十分迅速,在较短时间内就可完成,例如由于河床冲淤引起的床沙粗细化现象,或在一次高含沙洪水过程中的宽度调整等。但是对于滩槽过洪能力的调整,则只能在发生大洪水时才能进行,完成这类调整则与大洪水发生的频次有较大关系。

4.1.2 河道的平面演变

在水库冲淤变化的过程中,河道平面形态也在演变。一个运用年度内,即使在一般来水来沙条件下,库区都经历淤积和冲刷的过程,河床演变迅速而剧烈。非汛期黄淤22断面以下的近坝库段,处于每年汛期降低水位运用所导致的溯源冲刷的直接影响范围,河道的平面位置变动较小;自黄淤22～36断面约56km的河段,属于主要的变动回水河段,不仅非汛期淤积数量较多,而且溯源性质与沿程性质冲淤交替发生,河床演变也较剧烈。这一段河道平面变形具有两个特点:一是河段下段即黄淤22～31断面间河段,曲流发育,在未受到两岸护岸(滩)工程约束之处,常常导致一岸库岸或高滩的坍塌而在对岸形成边滩,引起主流移位;二是河段上端31～36断面,以及36～41断面之间河段,在上下游两个节点间河势趋于游荡,主流摆动频繁。从河流地貌观点,这两个演变特点与水库三角洲顶坡上河道的平面演变趋势极为相似。图7显示了1977年以后27～31断面间河道平面位置的演变情况。

4.1.3 潼关高程

位于渭河北洛河与干流交汇点附近的潼关河床或水位,实际上对渭河北洛河下游起着局部侵蚀基面的作用。因此,水库运用的一个重要限制就是要保持潼关高程在一定幅度内变化,力求不致

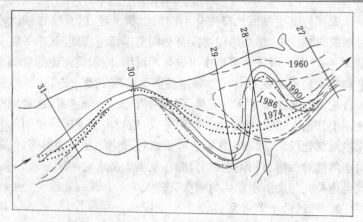

图 7 黄淤 27～31 断面间河道平面位置的演变

连续抬高以控制淤积上延。图 8 为潼关高程变化过程。可以看出，1974～1985 年潼关高程基本上保持在±1m 范围内变化。近几年入库水沙条件变化较大，汛期水量减少很多，洪水发生次数较少，

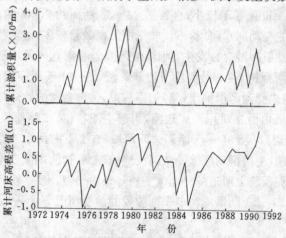

图 8 潼关高程变化过程

库区出现累积性淤积，潼关高程也出现累积性抬高的趋势。

建库以前多年的资料表明潼关河床是微淤的，其演变特点一

般是非汛期和汛期流量较小时发生淤积,流量较大时发生冲刷,汛期洪水过程则表现为涨冲落淤。建库以后,除初期蓄水运用时期以外,潼关河床高程或同流量水位受坝前运用水位壅高的直接或间接影响而变化,另一方面也受制于来水来沙条件。据实测资料分析,当坝前运用水位达到 323m 左右时,壅水将直接影响到潼关断面;当坝前水位达到 320m 左右时,壅水将影响到潼关下游约20km 处的圪垆断面。运用水位继续上升,将使潼关—圪垆段水面比降逐步变小,发生淤积。当潼关—圪垆河段壅水作用消除以后,还会由于前期淤积引起河床自动调整而发生冲淤。潼关以上河段在一定来水来沙条件下所发生的沿程冲淤,也将影响到潼关河床的变化,因此,潼关河段的冲淤实质上是来水来沙条件与根据河段水流及河床边界条件所确定的输沙能力对比的结果。如取潼关上下各约 20km 的范围(即 45～36 断面间)作为一个大河段,上下两段冲淤量与相应河段内各断面河床升降的平均值的对应关系如图9。可以看出,相应于±0.1 亿 m³ 的冲淤量,平均河床高程升降值

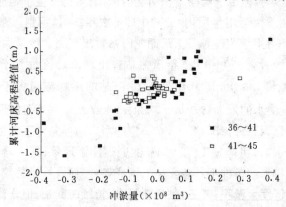

图9　冲淤量与平均河床升降值的对应关系

大体上可达±1m。

孙绵惠曾分析了由于曲流发育所引起的水面线变化和对潼关

高程的影响❶，由于曲流发育引起了河道长度的变化，对潼关高程的影响可达 0.3~0.4m。

水沙条件对潼关高程影响的一个特例，就是潼关以上河道在高含沙洪水时段河道滩淤槽冲的剧烈冲淤现象。1977 年经历了来自干流的几场高含沙洪水，整个汛期 45~36 断面间河段淤积约 0.72 亿 m³，而这一河段的主槽河床平均高程却下降了约 0.8m（潼关高程下降了约 0.6m）。

潼关高程是三门峡水库的一个特殊问题，目前已有很多关于潼关高程演变规律的研究成果，此处不一一引述。

4.2　小北干流库区

黄河龙门至潼关河段，简称小北干流，是严重堆积性河段，河势迁徙不定，主流游荡摆动，河道冲淤演变主要取决于来水来沙条件。水库初期蓄水时期，河道下段曾处于坝前壅水的回水范围。1964 年以后，除少数年份的防凌蓄水时期以外，本河段均已脱离直接回水影响，但由于前期淤积引起河床调整，仍发生了相应的冲淤变化，在一个运用年度内，9~10 月至次年 5 月，河道一般均发生冲刷，6~8 月多发生淤积。汛期龙门站常出现高含沙量洪水，据实测资料统计，1960~1990 年潼关站曾出现洪峰流量大于 3 000 m³/s 的洪水 136 次，其中有 35 次龙门站的洪峰流量大于 6 000 m³/s，相应洪水的最大含沙量平均为 437kg/m³。洪水对河道冲淤的作用可分为三种情况：其一，在一定的河床边界条件下发生高含沙量大洪水时，可能发生"揭河底"的剧烈冲淤现象；其二，当河床边界条件和水沙条件不具备发生揭河底条件，而含沙量又较大时，则滩槽均将发生淤积；其三，洪峰流量大，持续时间长，但含沙量较小，则河道将发生明显冲刷，河床以塌滩展宽为主，同时冲刷下切。

---

❶　孙绵惠，三门峡库区河势变化及对潼关高程影响（讨论稿），三门峡水文水资源局，1995 年。

整个汛期第二、三两种情况出现的几率较多。

综观河道冲淤演变的基本物理模式为：随着来水来沙周期性的变化，河床调整存在一个往复性演变过程。在一定的河床边界和水沙条件下，发生揭河底冲刷，主槽刷深束窄，滩地淤高，形成高滩深槽，河势趋于归顺，洪水漫滩机遇减少，削峰滞沙的作用减小。以后，在一般来水来沙条件下，滩地坍塌，主槽回淤，河槽趋向宽浅，河势游荡摆动，平滩流量和输沙能力减小，洪水漫滩几率增加。这一水文周期性循环和河道往复性演变，是小北干流河道冲淤演变的一个基本特点。

小北干流河道下段的冲淤演变，除受来水来沙条件控制外，还受三门峡水库运用的影响，在河床调整过程中，淤积末端的位置也出现上移下挫现象。当龙门站出现高含沙洪水的揭河底现象时，小北干流沿程河道主槽也会发生剧烈的冲刷，其影响范围与洪水水流强度、持续时间以及沿程河道边界条件有关。

龙门站上、下河段所发生的揭河底现象，是河道高含沙水流泥沙运动的特殊现象，它只能在一定的水沙条件和河床边界条件下发生。图10分别以龙门站1960~1991年洪峰流量大于5 000m³/s的各次洪水的洪峰流量为纵坐标，与其相应洪水的最大含沙量作为横坐标，黑点为发生揭河底的各次洪水，空白点为没有发生揭河底现象的各次洪水，图中还列上了1951及1954年两次洪水。从图上可粗略地看出产生这种剧烈冲淤现象的水沙条件。此外，据焦恩泽分析[1]，在全部泥沙中 $d < 0.01$mm 泥沙的含量必须大于100kg/m³ 也是一个必要条件。河床边界条件则包括前期河床淤积抬高的程度和纵比降以及组成河床淤积物的密实程度等等。根据实测发生揭河底现象的洪水资料，可以列出有关河床边界条件和水沙条件的经验数据，作为判别是否产生揭河底现象的依据。

---

[1]　焦恩泽，河口镇至龙门河段冲淤特性研究，八五攻关项目子专题报告，黄委会水科院，1995年。

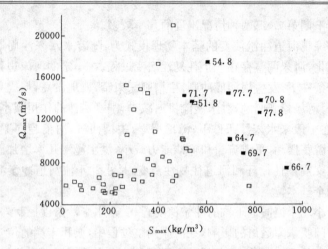

图 10　龙门站 1960～1991 年洪峰流量及最大含沙量

　　小北干流河段对来自河龙区间的粗泥沙也具有一定的调整作用。据分析,在龙门、华县、㧑头及河津四站至潼关区间的全部淤积泥沙中,$d>0.05$mm 的泥沙约占 66%,而 $d<0.025$mm 的细泥沙仅占约 13%。龙门至河口镇的区间是黄河流域的主要粗泥沙来源区,据多年平均悬移质泥沙级配统计,龙门站来沙年内级配分布差异很大,粗泥沙所占百分数 6～8 月为 24%,12 月至翌年 2 月为 65%。华县站来沙的年内级配分布差异较小,相应的数字仅为 11%及 15%[9]。可见,上述粗泥沙的调整主要发生在小北干流。

4.3　渭河和北洛河库区

　　泾河和渭河在临潼以上约 13km 处交汇,泾河上游马莲河和北洛河上游也是一个粗泥沙来源区,来自这些地区的洪水,泥沙组成较粗,与来自本流域内其他地区泥沙组成较细的洪水汇合,常常会形成含沙量较大的洪水。据统计,1960～1990 年潼关站洪峰流量大于 3 000m³/s 的 136 次洪水中,渭河华县站洪峰流量大于 3 000m³/s 的洪水有 33 次,其中有 13 次洪水的最大含沙量平均为 527kg/m³,最大一次达 795kg/m³。

库区渭河、北洛河下游,比降较小,曲流发育,建库前遇漫滩洪水则滩地发生淤积,主槽则视水沙条件有冲有淤;水库初期蓄水时期,一部分河段曾一度处于坝前壅水的回水范围发生淤积;1964年以后,除少数年份防凌蓄水期河口段受回水影响外,河道均已脱离回水影响,但是,由于前期淤积,河床调整引起的淤积上延现象较为显著。截止 1990 年,渭河、北洛河库区的淤积量为 11.4 亿 m³,占潼关以上总量的 1/3;渭河华县断面以下为 7.4 亿 m³,华县同流量水位($Q=200\mathrm{m^3/s}$)较建库前上升了 1.5～3m,1970 年最高时曾达到 3.1m,1974 年以后大多时间在 1.5～2.5m 间变化,近几年为 2～2.5m。

由于泾、渭河水沙特性和遭遇情况不同,对渭河下游冲淤产生不同的影响。当泾河出现高含沙量的较大洪水时,渭河将产生剧烈冲刷,包括揭河底冲刷,主槽淤积末端下移;当泾、渭河出现含沙量较大的小洪水时,河道主槽将发生显著淤积;当洪水主要来自渭河林家村以上(占 40%以上)时,河道以淤积为主;当洪水主要来自渭河南山各支流时(占 40%以上),河道则以冲刷为主。

用建库后各年河道主槽同流量水位($Q=200\mathrm{m^3/s}$)水面线与建库前相应的水面线交点来代表河道主槽的淤积末端位置,其变化过程见图 11。目前,河道主槽淤积末端位置在渭淤 26 断面上下变动,它的变化反映了在前期淤积影响下,冲积河流河床在各不同年份来水来沙条件下自动调整的结果[10]。渭河 10 断面(华县)滩槽冲淤变化以及滩面以下 $\sqrt{B/H}$ 及面积的变化如图 12。

赵文林等对渭河下游河槽调整及输沙特性曾进行了较详细的分析[11]。河床受前期淤积影响而进行的调整,既包括在已经发生的来水来沙条件下对河床边界条件如床沙组成、河床形态和河床纵比降的调整,也包括对某一河段平滩流量、滩槽高差等滩槽过洪能力的调整,调整的趋向是力求使河道的行洪和输沙能力适应来水来沙条件。此外,近十余年来渭河沿程还修建了不少桥渡和抽水

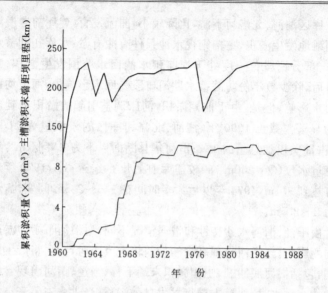

图 11　渭河淤积末端位置变化及 1960～1990 年累积淤积量

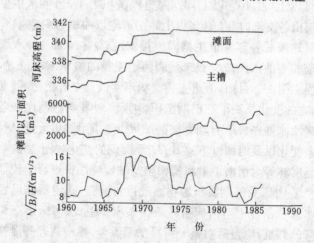

图 12　渭河 10 断面(华县)滩槽冲淤变化

灌溉的工程,这些工程修建后所发生的局部河道冲淤,也将引起河床调整,有些河段的冲淤演变也同时受到上述这两种调整作用的影响。60 年代初渭河下游沿河滩地上还修建了生产堤,淤积发展的结果,在赤水(渭淤 16)以下逐渐形成了堤内滩面和水位高于堤外滩地的情况。

三门峡水库建库前北洛河下游就是一条具有宽阔滩地和窄深河槽的河道,建库初期受水库壅水影响滩槽均发生大量淤积,1965年以后已脱离回水影响,河道冲淤主要受控于来水来沙条件的变化,在前期淤积的边界条件下河床仍不断进行调整,经多次洪水塑造,形成了高滩深槽的河道。高含沙洪水塑造的窄深河槽有很大的输沙能力,即使流量较小(例如只有 $100\mathrm{m}^3/\mathrm{s}$)也能使洪水顺利地通过而不致发生淤积[12]。

4.4　库区淤积上延的控制问题

从前几节的分析可以看出,三门峡水库淤积特点之一是淤积上延十分显著。淤积末端的位置超出坝前最高水位与原河床交点以上 80～120km,影响范围远远超出正常回水影响的范围。前节已经提到,潼关高程对潼关以上河道起到局部侵蚀基面的作用,黄河小北干流及渭河下游河道河床高程既随着潼关高程的变化而相应地发生变化,同时又受本身水沙条件的影响发生冲淤。为了控制水库淤积上延,一方面要控制潼关高程的升高;另一方面,水库上游流域干支流已修建了大量工程,来水来沙条件已经在一定程度上受到这些工程运用的影响。在研究如何控制淤积上延问题时应考虑由于水沙条件变化所带来的影响,同时还应充分注意利用大流量冲刷河道主槽前期淤积的作用。

5　近坝库段冲淤形态及工程泥沙问题

5.1　近坝库段冲淤形态

近坝库段是指在控制运用时期汛期水位变幅很大所主要影响的河段。枢纽工程在施工过程中修建了施工围堰,即已在近坝库段产生一些淤积,数量虽不大,但覆盖着原为砂砾石或大卵石组成的河床,渗透系数小($k=2.9\times10^{-8}\sim1.5\times10^{-7}$),起到一些防渗铺盖的作用。经过蓄水和滞洪运用,近坝库段形成高滩深槽,滩面高程318m左右,沿纵深方向淤积泥沙组成粗细相间[13],河道主槽则是在前期淤积的基础上,改建的底孔投入运用后经泄空冲刷而形成的。蓄清排浑运用时期,每年均经历幅度很大的冲淤变化,相应于每年汛期7～8月运用水位下近坝库段的纵剖面形态可概化为三个底坡不同的河段。泄水建筑物前的一个河段是受泄水孔前三维水流影响而形成的冲刷漏斗,其顶点一般均在距坝2.5km范围内,河宽则取决于泄水孔开启的孔数、泄量大小和淤积物组成,大体上在420m,纵剖面多呈上凸形,纵向坡度为2‰～53‰;漏斗以上为过渡段,河宽约540m,长度约5 400m,水深自上而下逐渐增加,属渐变流,底坡5‰;过渡段上端相当于水库内所形成的锥体淤积的顶点,顶点以上锥体淤积的纵坡大致在1.7‰～2.3‰,河宽平均约为617m。

库区近坝库段河床形态随着水库泄流建筑物运用情况的不同而发生变化,上述只是一种概化的图形。在运用水位305～310m以下有0.5～1.0亿 m³的库容可以用于调节水沙,进行日调节发电。

5.2　不同高程泄流建筑物泄流能力与排沙比

改建前后枢纽工程的泄流能力如图13,可以看出,经过改建,大幅度地增加了各级水位,特别是低水位的泄流能力,为进行水沙调节提供了条件。目前,坝前水位315m的泄流能力约为9 000 m³/s(不计电站),305m的泄流能力为4 870m³/s,300m的泄流能力3 360m³/s。由于水流含沙量垂向分布有一定的梯度,因此,利用位于不同高程的泄流设施泄流的含沙量也有差异,前人试验研究结果如表4。

改建后的发电引水口底槛高程287m,高出底孔7m,因此利用底孔泄流也将减少过机含沙量。据实测资料分析,机组过流的含沙量仅相当于出库含沙量的 75% 左右。

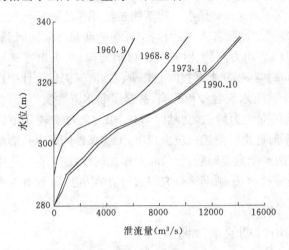

图 13　改建前后枢纽工程泄流能力

表 4　　　　　　泄流建筑物排沙能力差别

名　称	底　孔	隧　洞	深　孔
进口底槛高程(m)	280	290	300
相对含沙量	1.35	1.08	1.00
相对中值粒径比	1.43	1.12	1.00

5.3　枢纽水工建筑物泥沙问题

　　近坝库段特别是漏斗段的水流和泥沙运动,以及含沙量较大的水流通过各种泄流建筑物以及机组,将引起许多泥沙问题,本文统称之为水工建筑物泥沙问题。前两节已简略地论述了近坝库段的河床形态和不同高程泄流建筑物的排沙特点,应当说,坝区的水流流态十分复杂,和水工建筑物的总体布局有密切的关系,在对枢纽工程各建筑物进行总体设计时,还必须考虑坝区水流和泥沙运动的特点,这也是多沙河流枢纽工程设计不同于少沙河流的一个特点。

　　含沙量较大的水流通过水工建筑物机组时引起的泥沙问题，大体上可分为几类：一类是水工建筑物过流部件的磨损与气蚀问题；另一类是机组过流部件如叶片、中环等的磨损与气蚀问题；其他还有如闸门启闭力问题、泄水孔出口消能问题、机组冷却水问题、拦污栅问题等等。其中有些问题在少泥沙河流工程设计中也都存在，但由于黄河水流含沙量较高，甚至引起水流性质的变化，使问题的严重程度大为增加，文献[14,15]中对此已有较详细的介绍，本文将不对此进行论述。应当指出，工程泥沙问题也是影响水库正常运用的一个重要问题，三门峡水库在设计、施工和运行中取得了一些经验教训，还须继续研究探索解决的方法，使现有工程能发挥更多的效益。

6　控制运用时期的水沙调节

6.1　水量调节

　　水库实行蓄清排浑控制运用与滞洪运用的主要差别就是在非洪水期可以在一定的运用水位范围内进行水量调节，每年12月至次年2月的防凌运用期间，水库可以调蓄一部分水量在下游河道行将封冻之时下泄，以推迟封河日期，避免小流量封河，增大冰盖下过流能力。封冻期间根据需要控制下泄，避免武开河。水库控制凌汛的能力取决于允许运用水位的上限以及可用库容的大小，而在这一期间水库淤积的部位以及其相应的数量又是对后者一个主要的制约因素。

　　水库对每年3月下旬桃汛进行调节的主要目的是利用桃汛洪水的沿程冲刷作用，降低潼关高程并调节在防凌期间淤积的部位，使其尽可能搬运到近坝库段，以便在汛期洪水时期降低水位排出水库。每年桃汛历时约10天，水量平均约12.3亿 m^3，最大流量一般为2 000～3 000m^3/s。据分析，桃汛开始时运用水位应限制在

315m,以有利于淤积在库首的泥沙搬家下移。3～4月份的部分水量,包括桃汛的部分水量,经过水库调蓄,在5～6月下泄,可补充春灌用水需要。据1974～1990年实测资料统计,每年水库为春灌而调蓄的水量达11～16亿m³,平均为12亿m³。

从上述可见,水库在非汛期的运用主要是对天然径流的时程分配进行了调节,同时,通过运用水位的变化使部分库首淤积物能被搬运到近坝库段以利于汛期降低水位时排出水库。但是,由于受潼关高程的制约,无论防凌期还是春灌期,最高水位以及高水位持续的时间都有一定的限制。

三门峡水库的主要任务是防洪。汛期水库的运用主要是控制下游河道不能安全宣泄的较大洪水。遇一般洪水则力求敞泄,以冲刷前期非汛期淤积物,避免滞洪淤积和排沙出库。汛期的非洪水时期,则适当抬高运用水位以限制在流量较小时期排出过多泥沙,淤积下游河道主槽。可见水库的水量调节,是在保证水库有足够的防洪库容以控制较大洪水并使下泄水流有利于减缓下游河道淤积的前提下进行的水量调节,通过这种调节,可在一定限度内发挥水库的综合利用效益。在一个运用年度内,不仅各运用时段的控制水位因来水来沙条件的差异而有所不同,而且,还可视前期淤积的情况而允许运用水位有较大的变幅,与少沙河流修建的水库相比,这是修建在多沙河流水库在水量调节方面一个极为鲜明的特点。控制运用时期水库在一个典型年内水沙量的调节过程如图14。

6.2 水库调节泥沙的作用

6.2.1 利用汛期来水排泄全年泥沙

对1974～1990年实测资料进行统计如表5。表中洪水时段是指洪峰流量大于3 000m³/s的洪水时段。

由表5可以看出,来水正常或较丰年份,水库都能达到年内冲淤平衡甚至略有冲刷;来水偏枯,特别是汛期来水偏枯,洪水次数少,洪水流量小或汛期含沙量很大时,采取现行运用水位,非汛期

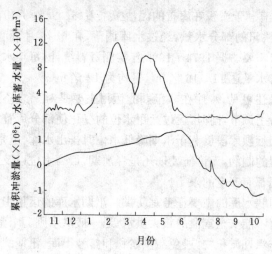

图 14　典型年 1983～1984 年水库水沙量调节过程

表 5　　　　年内各时段水沙量统计(1974～1990 年)

（单位：水量，$10^8 m^3$；沙量，$10^8 t$）

来水来沙特点	年数	全年平均		汛期平均		洪水时段平均			冲淤量	
		水量	沙量	水量	沙量	天数	水量	沙量	非汛期	汛期
枯水少沙	5	271	5.62	121	4.17	16.8	28.6	1.59	1.22	−0.79
枯水丰沙	1	333	22.13	166	0.66	17.0	53.7	16.67	1.14	0.35
中水平沙	5	358	10.57	203	9.07	41.6	103.9	6.08	1.24	−1.41
丰水少沙	6	478	9.89	298	8.18	80.3	238.6	6.97	1.27	−1.48

淤积不能在当年汛期全部冲走，库内将发生累积性淤积。可见，当汛期运用水位相近时，水库能否保持冲淤平衡，汛期来水量是一个主要因素，同时还与洪峰大小、洪水次数有关。

6.2.2　汛期利用洪水排沙并控制长时期小流量排沙

据实测资料统计，在控制运用期的洪水时段进库沙量占全年沙量平均为 53.8%，出库沙量占年沙量平均为 63.5%，较多的沙量集中于洪水期排出，不仅有利于减缓库区淤积，而且有利于下游河道输送。

水库进行滞洪运用期间,由于泄流能力不足,洪水期间滞洪淤积,洪水退落期水库泄空,流量减小而出库水流的含沙量增大。采取这种运用方式,除发生大洪水漫滩外,就整个洪水期而言,水库不会产生永久性淤积,库容可以保持,但是,在洪水退落期小流量大量排沙,下游河道主槽会发生严重淤积。1974年以后,由于对小流量排沙进行了控制,因而在一定程度上可以减轻下游河道的淤积。当然,从统计中可以看出,受到水库调沙能力的限制,仍有一部分泥沙在流量较小时期排出。

6.2.3 对泥沙级配的调节

龙毓骞[●] 曾按不同运用时期分别统计进出库各粒径组沙量的差值,以反映各粒径组泥沙的冲淤,列如表6。由表6可以看出,不同运用条件下水库对各粒径组泥沙的拦滞作用。就 $d>0.05mm$ 的粗泥沙而言,蓄水运用期有84%淤在库内,滞洪时期及控制运用期分别为26%及21%;对 $d>0.1mm$ 的泥沙,三个时期分别为96%、48%及46%。可见即使水库进行蓄清排浑运用,也有一些拦粗排细的作用。钱宁曾指出,粗泥沙是形成下游河道淤积的主要成份[16],水库拦粗排细对减缓下游河道淤积是有利的。

表6　　　水库不同运用时期各粒径组泥沙冲淤量　　（单位：10^8t）

时段（年）	年平均进库沙量	各粒径组冲淤量			
		<0.025	0.025~0.05	0.05~0.1	>0.1
1960~1964	15.2	2.8	3.7	2.7	1.7
1965~1973	17.2	−0.1	0.4	0.3	1.1
1974~1988	9.6	−0.4	−0.2	0.1	0.4

6.2.4 改善了出库水沙搭配

经过长距离冲积河段的调整,进入水库的流量和含沙量过程一般是比较协调的,滞洪运用改变了出库水沙搭配情况,控制运用

● 龙毓骞,黄河流域水沙变化及其对水库及下游河道影响,黄河流域水沙变化研究论文集,第二集,国际泥沙研究培训中心,1993年。

期有所改善。图 15 给出了洪水退落过程相似的两个运用年即 1966 年(滞洪期)及 1976 年(控制运用期)洪水退落期的过程线,可以看出这种差别。

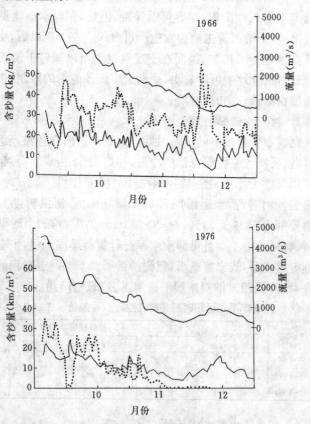

图 15 典型年洪水退落期过程线

6.2.5 调节淤积部位

前一节已经指出,非汛期淤积在库内的泥沙必须依靠汛期洪水的溯源冲刷和沿程冲刷排出水库。水库调节泥沙不仅要在数量上达到冲淤平衡,而且要通过这种联合作用使淤积在库首的泥沙得以冲刷下移。控制运用以来潼关高程的升降情况已绘如图8。图中第一个时段，即1974～1979年,潼关河床上升的主要原因是非汛期蓄水位较高,高水位持续时间较长,淤积在变动回水区的泥沙未能在汛期冲刷下移所致;第三个时段,即1986～1990年则主要是汛期来水流量小,汛期水量尚不足150亿 m³,中等以上洪水发生次数也少,洪水峰量均小,位于库首附近的河段如潼关—岩峪段已出现累积性淤积;第二个时段,即80年代前半期,水沙条件较有利,非汛期运用水位较低,潼关高程冲刷下降。实践证明,依靠溯源冲刷和沿程冲刷的联合作用可以在一定程度上保持并控制潼关高程以控制淤积上延。但是,其作用还在很大程度上取决于入库的水沙条件。

6.2.6 汛期发电的泥沙调节

1974～1979年水库实行了全年低水头发电,由于水轮机叶片和底孔进口门槽磨损气蚀严重,影响了水库的正常运用,1980～1988年仅在非汛期进行蓄水发电。在这一期间,除进行底孔的二期改建工程外,还对磨损及气蚀多种防护材料进行现场试验,以检验其功能。通过对运用方式的研究,认识到在汛期后半期即8月下旬以后的非洪水时期,入库含沙量较小,如适当调整运用水位可通过泥沙调节减小出库含沙量及其粒径,由于底孔位置较低,通过水轮机的含沙量和粒径还可进一步减小。可供泥沙调节的库容随运用水位的变化而变化,水库的作用类似于周期冲洗式沉沙池,通过这种运用可使过机含沙量减少到可以容许的限度以内以换取一定数量的发电效益。

可用1990年汛期的运用来说明上述调节泥沙的情况。1989～1990年运用年度内非汛期的淤积泥沙基本上于7～8月洪水期间冲出水库。在305m高程以下约有0.5亿 m³ 库容可用于泥沙调节,9月2日将运用水位从302m抬高到305m左右,至9月14日库区壅水范围内累计淤积约0.21亿t,与进库含沙量比较,出库含

沙量减少了约 $10kg/m^3$,大于 0.05mm 的粗泥沙含沙量仅为进库的 46％。此后,9 月下旬又经历了两次小洪水,库区累计淤积达到近 0.3 亿 t,10 月初水库泄空冲刷,历时 10 天,将这部分淤积物全部冲刷出库。在整个过程中运用底孔进行调节。

6.3 水库进行泥沙调节的条件和限制

我们分析三门峡水库进行泥沙调节的条件和限制有以下几个方面。

6.3.1 非汛期有水可供调蓄,汛期有水可用于排沙

处于半干旱地区多泥沙河流的水库非汛期蓄水,可供调蓄利用的能力主要受非汛期来水量的制约。三门峡水库非汛期八个月的来水量为 160~180 亿 m^3。有水可蓄是实行这种运用方式的一个必要条件。另一方面,全年泥沙要求在汛期四个月内排出,排沙要求一定的水量和较大的洪水流量,这也是实行蓄清排浑运用的另一个必要条件。近几年来水量偏枯,又受上游大型水库调蓄影响,汛期来水量偏小,没有足够的水量用于排沙,大于 3 000 m^3/s 的洪水次数也少,沿程冲刷不能充分发展。可见,汛期要有一定的水量也是实行蓄清排浑运用的另一个必要条件。

6.3.2 水库地形条件应当基本上是峡谷型

三门峡水库潼关以下大部分库区,经过前期运用已形成高滩深槽;潼关以上汇流区河道宽浅,一旦淤积,不易冲刷恢复,因此水库的运用水位应尽量使回水不影响到潼关以上地区,才能达到控制淤积部位的目的,这也是三门峡水库实行蓄清排浑运用的一个制约条件。

6.3.3 必须使各级水位有足够的泄流能力及灵活的启闭设施

枢纽工程的泄流设施经过改建以后,水位 305m 时不发生滞洪作用的流量级已提高到 5 000~6 000 m^3/s,大体上相当于下游河道在正常情况下的平滩流量;低水位 295~300m 的总泄量为 2 250~3 360 m^3/s。对下游河道冲淤的分析指出,对应于最大排沙

比的流量为 5 000～6 000m³/s,流量大于 2 500m³/s,下游河道包括下段相对窄深河段也不致发生淤积。因此,可以认为经过改建后的泄流规模大体上适应了库区和下游河道的冲淤特性,只要灵活运用,就能在一定程度上实行泥沙调节。

6.4 水库调节泥沙对下游河道的减淤作用

为了分析流域水沙变化对库区及下游河道冲淤的影响及研究水库运用,一些作者研制了适用于三门峡水库和下游河道的数学模型[1]。借助于数学模型,采用 1974～1988 年三门峡及潼关两站的实测资料,可计算有无水库时下游河道的冲淤量。图 16 是用清华大学王士强模型计算的有无三门峡水库的下游河道冲淤过程。

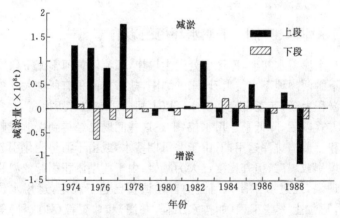

图 16 有无三门峡水库的下游河道冲淤过程

从图中可以看出,在计算的 15 年期间,多数年份有减淤作用,少数年份为增淤。如将控制运用期分为三个时段,统计各时段的平均减淤量如表 7。

可见,三门峡水库的减淤作用主要在 1985 年以前,近几年还

---

❶ 钱意颖等,黄河泥沙数学模型的研究和应用,八五攻关项目专题报告,黄委会水科院,1995 年。

有一些增淤作用.减淤的作用主要在高村以上河段,就整个下游河道而言,多年平均减淤量约为 0.49 亿 t.从计算结果也可以看出,如来水流量太小,水库调节泥沙能力很小,遇到不利的水沙条件,水库和下游河道均将发生淤积.

表 7 控制运用期下游各河段平均减淤情况 (单位:10^8t)

时段(年)	下游河道总计年平均减淤量	河段年平均减淤量		
		铁谢—高村	高村—艾山	艾山—利津
1974~1979	1.00	1.22	−0.02	−0.20
1980~1985	0.03	−0.17	0.11	0.09
1986~1990	−0.54	−0.49	−0.08	0.03
合 计	0.49	0.56	0.01	−0.08

注 (十)为减淤,(一)为增淤

7 水库修建对上、下游水环境的影响

水库蓄水初期,库区多处发生塌岸,汇流区黄河干流下段和渭河下游两岸地下水位上升,水井塌陷,盐碱化面积有所扩大.更由于淤积上延,使正常变动回水区以上河段洪水位有所抬高.改变运用方式以后,降低了运用水位,上述这些问题已经得到缓解或趋于缓和.蓄清排浑运用期,由于非汛期蓄水,或由于河势变化引起局部塌岸或塌滩,但其程度已大为减轻,由于前期淤积引起的淤积上延现象,经过多年冲积河流的自动调整已趋于稳定,运用水位降低,再加上一些工程(如排水工程、井灌)和非工程(如改种)等措施,渭河下游两岸的盐碱化程度也大为减轻.值得注意的是由于工程改建前,主槽和滩地淤高,再加上修建的生产堤,潼关以上汇流区黄河干流下段及渭河下游已出现地上河.再由于流域水沙变化,遇持续枯水年份,河道主槽萎缩,行洪能力降低,遇较大洪水,增加了防洪的负担.

水库调节水沙,进入下游河道的水沙条件发生了一些变化,下游河道也随之调整以适应这种变化.潘贤娣等曾对此进行过系统

的分析[17],三个运用时期下游河道的冲淤情况如表 8 所示,表中列出了建库前的数值,由于当时实测资料较少,列出的数值仅供参考。从 30 多年来下游河道累积冲淤量的发展过程可以看出,水库初期蓄水和滞洪运用相当于下游河道约 12 年内没有累积性淤积,蓄清排浑运用非汛期下泄清水,下游河道由建库前淤积转变为冲刷,但因流量较小,主要影响高村以上的河段。另一方面,如比较库区及下游河道上下两个河段在各时段冲淤的相互关系,可以看出,在正常年份,如库区发生淤积,下游河道上段(高村以上)将发生冲刷,下游河道下段将出现淤积;反之,如库区发生冲刷,则下游河道上段淤积,下段冲刷,这种上下河段的冲淤交替关系正是说明冲积河流的自动调整作用。在来水偏枯的时段,或含沙量与流量比值较大的年份,如 1977、1987、1988、1990 和 1991 年等年份,库区和下游河道均将发生淤积;来水较丰的时段,则库区和下游河道均将出现全程冲刷。从统计情况可见,1974 年以后,来沙量较小,下游河道总的淤积速率有所减小,但淤积在下游河道下段的比例有所增加。建库前,艾山至利津河段的淤积量约占全下游河道淤积量的 12%,而这一时期这一比例平均已增至 20% 左右,可见,三门峡水库在目前条件下调节泥沙的影响主要还限于下游河道的上段。

表 8　　　　　　　　　黄河下游河道冲淤情况

| 时段(年.月) | 年数 | 水沙条件 | | 年平均冲(一)淤(十)量(10^8t) | | | | |
		年水量 (10^8m³)	年沙量 (10^8t)	总　计 河段长 (km)	铁一花 287	花一高 198	高一艾 282	艾一利 78
1950～1960	10	480	17.9	2.87*				
1960.9～1964.10	4	546	5.74	−4.23	−1.49	−1.98	−0.39	−0.37
1964.10～1973.9	9	425	16.3	3.08	0.57	1.50	0.53	0.48
1973.9～1990.10	17	426	10.8	0.68	−0.01	0.26	0.29	0.14
1960.9～1990.10	平均			0.66	−0.06	0.29	0.26	0.17

注　* 系根据输沙量差除以密度 1.35g/cm³ 估算值

三个不同运用时期按流量级统计的水库和下游河道的冲淤量

如图 17。

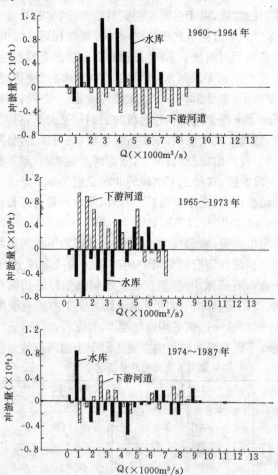

图 17　不同运用期按流量级统计的水库和下游河道的冲淤量

通过水库调节,改变了进入下游河道的水沙条件,从年内水沙量的分配来说,控制运用时期非汛期下泄的总水量没有变化,但时程分配有所改变,沙量主要在汛期排往下游。由于上游大型水库的调节,非汛期进入三门峡水库和下游的水量占全年的比例有所增加,汛期有所减少。改建以前,水库削减洪峰流量的作用比较显著,改建以后,对小于 5 000～6 000m³/s 的中小洪水,水库没有或很少拦蓄,对大于 6 000m³/s 的中等或较大洪水,水库仍将起到一些削峰滞洪作用。经过水库调节,下泄水沙的搭配情况有些变化,蓄清排浑控制运用提高了对应于最大输沙量的流量级,这一变化与下游河道平滩流量的变化是一致的。据实测资料分析,建库前下游河道的平滩流量为 5 000～7 000m³/s,平均为 6 200m³/s,滞洪运用期降至 2 000～4 000m³/s,平均为 3 400m³/s;控制运用的 1974～1985 年又恢复至 4 000～6 000m³/s,平均为 5 040m³/s,1986 年以后又有所降低。从宏观上分析,下游河道的输沙能力是随着平滩流量的变化而变化的,水库进行泥沙调节的一个重要目标就是要设法提高下游河道的平滩流量以减缓下游河道的淤积[1]。

  水库的水沙调节不仅影响到河道的冲淤演变,而且关系到水环境的变化。蓄水运用时期水库对下泄水温有一些调节作用,下泄中水持续时间较长也引起了高滩坍塌,控制运用期则变化较小。自 60 年代后期开始下游沿河灌溉引水量逐年增长,80 年代引水量与引沙量分别占同期来水来沙量的 17％及 26％,灌溉引沙量已超过同期河道淤积量,每年 3～6 月份水库为春灌蓄水补充天然来水量。由于沿河大量引水,下游河道下段经常出现断流现象,断流河段长度和持续时间有逐渐延长之势。

  黄河下游河道上宽下窄,上段游荡摆动演变剧烈,实施河道整治工程的结果,缩小或限制了主流摆动幅度,过渡段的宽深比 (B/H) 从 60 年代中期的 420～550 缩减到 80 年代后期的 200～260,缩小了近一倍。

  流域治理引起的水沙变化、三门峡水库的运用、下游沿程灌溉

---

[1] 钱意颖、龙毓骞等,黄河流域水沙变化及其对冲积河流自动调整的影响,见:第二届国际水科学与工程讨论会论文集,1995 年。

引水以及为防洪而修建的河道整治工程对黄河下游河道水环境演变都有一些影响,必须进行综合分析评价。相对来说,控制运用时期,三门峡水库调节能力较小,因此对水环境的影响居于次要地位。

在环境评价中曾对水库淤积物进行深层取样以探讨其组成成分和各种污染物含量以及是否会产生次生污染问题。对库区淤积物中重金属 Cu,Pb,Zn 及 Cd 的赋存形态进行了试验,实验说明泥沙除本底含砷和重金属外,还对外来的砷及重金属类物质有较强的吸附性,泥沙本底和吸附的砷及重金属在酸性水环境条件下才能解析,而黄河水属偏碱性(pH≥7.5),氧化还原电位较稳定,不会解析造成次生污染源。泥沙的存在还能起到一定的净化水质的作用。

8 入库水沙条件变化对水库淤积的影响

8.1 入库水沙条件变化概况及其特点

黄河流域水沙变化的初步研究成果在有关文献中已有较详细的论述。表 9 是三门峡水库各年代水沙量统计。30 余年来,进入水库的水沙条件有如下特点:

表 9 三门峡水库各年代年平均水沙量统计

时段(年)	按年代统计		时段(年)	按运用情况统计	
	水 量 ($10^8 m^3$)	沙 量 ($10^8 t$)		水 量 ($10^8 m^3$)	沙 量 ($10^8 t$)
1930~1959	453	17.3			
1960~1969	465	17.2	1960~1964	474	15.2
1970~1979	360	13.6	1965~1973	394	17.2
1980~1989	365	7.8	1974~1990	372	9.6

(1)水沙量在年际间呈现一些丰枯变化,一方面是由于自然条件如降雨的差异,另一方面也是受流域治理情况及各种社经活动的影响。30 多年来水沙量均呈明显减小的趋势,同时,粗泥沙在

全部泥沙中所占比例也有减小的趋势。从变化过程还可看出,80年代的来沙量和1986年以后的汛期来水量的减少均较为突出。

(2)由于大型水库的水量调节,沿河灌溉引水以及各种水利、水保措施的作用,水量年内分配发生了明显变化。例如上游大型水库的年内调节使汛期水量减少、非汛期水量增加,非汛期水量所占比例已由原来的40%增加到50%以上。

(3)入库干支流水沙变化的总趋势是一致的,但各河流的情况有所差异。如以50年代的水沙量作为基数,70~80年代黄河干流及渭、北洛、汾河水沙量减少的百分数如表10。

表10　　　　70~80年代黄河干支流水沙量减少百分数

(单位:水量,$10^8 m^3$;沙量,$10^8 t$)

年　代	黄河龙门		渭河华县		北洛河狱头		汾河河津	
	水量	沙量	水量	沙量	水量	沙量	水量	沙量
70年代(%)	10	32	31	10	12	14	41	73
80年代(%)	16	62	11	35	-7	46	61	93
50年代年均值	321	11.9	85.5	4.3	6.7	0.9	17.6	0.7

(4)经干支流水库的调节,下泄的洪峰流量均有所减小,如果暴雨强度不是很大,各类水土保持措施也都有削峰滞洪作用,因此,入库洪水的洪峰流量和大于某级流量出现的机遇均有减少。

8.2　水沙变化对水库淤积及其分布的影响

入库水沙条件的变化对水库淤积将会产生影响。非汛期来水量增加,加剧了沿程河道的冲刷,在水库防凌蓄水运用期间将加重库首变动回水区的淤积;汛期水量减少,特别是大流量出现的机遇减少和小流量持续时间加长,对汛期利用洪水冲刷库首淤积十分不利,使近十年来潼关上下河段均出现累积性的淤积,潼关高程居高不下。

此外,入库水沙条件的变化还削弱了库区河道水流的输沙能力。图12所示1984~1985年渭河10断面主槽过水面积很大,平滩流量已基本上恢复到建库前水平。1986 年以后,河槽萎缩,滩面以下主槽面积和平滩流量减小很多,进入 90 年代尤为显著,这与近几年水沙条件有很大关系。

不少同志均曾对上游龙羊峡、刘家峡等大型水库进行水量调节后对三门峡水库和下游河道冲淤影响进行了分析研究,我们也曾用数学模型计算以比较有无大水库调节对库区冲淤的影响。这些分析和计算结果定量上有些差异,但定性上是完全一致的,即由于上游水库的调节,均将对三门峡水库起到减冲增淤的作用。

由于流域水沙变化对水库和下游河道的影响,在三门峡水库运用研究的总结工作中提出了水库各时期的运用指标应根据库区和下游河道的淤积状况和来水来沙情况适时进行必要调整的建议。这也从一个侧面反映了对于多泥沙河流水库,不仅在规划设计中必须考虑泥沙问题,而且在运用水库进行水沙调节时也必须注意对泥沙淤积部位的调整。

通过以上分析,可以得出以下几点主要认识:

(1)三门峡水库修建以来所取得的一条基本经验就是在规划、设计和运用的全过程中必须正确处理泥沙,工程经过改建,扩大了各级水位的泄流能力,采取了蓄清排浑控制运用方式,水库在实行水量调节的同时进行了泥沙调节,既保持了一定的可供长期使用的防洪库容,控制了淤积上延,又使下泄水沙有利于下游河道输送,起到了减缓下游河道淤积的作用,这不仅使三门峡水库能在一定程度上发挥其综合利用的效益,也为多泥沙河流水库的兴建提供了经验。

(2)水库淤积的发展与入库水沙条件有密切关系,经过多年的黄河治理和流域内各种社会经济活动,黄河流域的水沙情况正在发生变化,进行水沙调节的各时期运用水位应根据来水来沙以及库区和下游河道的淤积情况及时进行调整,以保持库区在一定时期内的冲淤平衡。

（3）对水库和下游河道进行了长期系统的测验研究,取得了大量资料,提供了深入认识水库泥沙问题的坚实基础。根据实测资料对库区河道冲淤演变、河床调整以及水流泥沙运行规律的分析研究,不仅为解决水库泥沙问题提供了依据,而且使我们的认识由感性上升为理性,促进了学科的发展。

（4）经过多年的实践,虽然已经探索了一条通过水库合理运用处理泥沙的方法,但是,黄河的泥沙问题十分复杂,水库泥沙冲淤规律也还有许多未被认识的领域,必须遵循辩证唯物论的实践→认识→再实践→再认识的指导原则,在今后的实践中继续深化我们的认识。

参 考 文 献

[1] 大坝会议论文编写小组.黄河三门峡水库的泥沙问题.见:坝工建设经验汇编.北京:水利出版社,1976

[2] 杨庆安,龙毓骞,缪凤举.黄河三门峡水利枢纽运用与研究.郑州:河南人民出版社,1996

[3] 程龙渊等.三门峡水库淤积测量方法初步分析.见:黄河三门峡水利枢纽运用研究文集.郑州:河南人民出版社,1994

[4] 李松恒,龙毓骞.黄河下游输沙率修正方法和应用.泥沙研究.1994

[5] 程龙渊等.三门峡水库淤积初期干容重观测与应用的探讨.见:黄河三门峡水利枢纽运用研究文集.郑州:河南人民出版社,1994

[6] 熊贵枢.黄河下游泥沙测验误差分析.见:第二届河流泥沙国际学术讨论会论文集.北京:水利电力出版社,1983

[7] 龙毓骞,林斌文等.输沙率测验误差的初步分析.泥沙研究.1982

[8] 钱宁.黄河下游输沙能力自动调整机理初步研究.地理学报.1981

[9] 杜殿勖.黄、渭、汾、北洛河粗细泥沙来源及汇流区分组泥沙冲淤规律.见:黄委会水科院科学研究论文集.第四集.北京:中国环境科学出版社,1993

[10] 杜殿勖.三门峡水库不同运用期渭河及北洛河下游河道冲淤规律分析.

见:黄河三门峡水利枢纽运用研究文集.郑州:河南人民出版社,1994

[11] 赵文林.渭河下游河槽调整及输沙特性,黄委会水科院科学研究论文集.第四集.北京:中国环境科学出版社,1993

[12] 齐璞,孙赞盈.北洛河下游河槽形成与输沙特性.地理学报.1995

[13] 涂启华,何宏谋.坝区水流泥沙运动和漏斗形态分析研究.见:黄河三门峡水利枢纽运用研究文集.郑州:河南人民出版社,1993

[14] 魏永晖,胡德祥.三门峡水利枢纽底孔的破坏和修复设计.见:黄河三门峡水利枢纽运用研究文集.郑州:河南人民出版社,1993

[15] 金瑞俊,詹道经等.三门峡水电站运行情况总结.见:黄河三门峡水利枢纽运用研究文集.郑州:河南人民出版社,1993

[16] 钱宁等.黄河中游粗泥沙来源及其对黄河下游冲淤的影响.见:第一届河流泥沙国际学术讨论会论文集.北京:光华出版社,1980

[17] 潘贤娣,赵业安,李勇等.三门峡水库修建后黄河下游河道演变.见:黄河三门峡水利枢纽运用研究文集.郑州:河南人民出版社,1993

小浪底水库调水调沙问题的研究

1 小浪底水库的基本情况

1.1 小浪底水库工程在治黄中的地位与作用

小浪底水利枢纽位于三门峡水库下游 131km 处,是黄河最后一个峡谷河段水库。小浪底坝址控制流域面积 69.4 万 km^2,占花园口断面以上流域面积 73 万 km^2 的 95.1%,处在控制黄河下游水沙的关键部位。小浪底水库调节水沙能发挥重大作用。

下游花园口站洪峰流量大于 8 000m^3/s 的大洪水,按不同的来源区可分为三种类型:①上大型洪水,以三门峡以上来水为主,含沙量大。②下大型洪水,以三门峡以下来水为主,含沙量小。③上下较大型洪水,以三门峡以上和以下来水组成,含沙量较小。小浪底以上洪水占花园口洪量的 49% 以上,加上陆浑、故县水库,黄河下游的洪水即可在较大程度上得到控制。

黄河中游黄土高原水土流失严重,产生大量泥沙在黄河下游强烈堆积,年平均以 0.1m 的速度淤积抬高河床,成为地上悬河,一般已高出堤背地面 3~5m,个别地段达 10m。在历史上,黄河下游决口频繁,造成严重灾害。在相当长的时期内,黄河依然是条多泥沙河流,同时由于上游水库汛期蓄水,上、中游工农业用水日益增长,黄河下游汛期水少沙多的矛盾更趋严重,黄河下游河床将继续淤积抬高,防洪形势更加严峻。因此,解决黄河下游泥沙淤积问题是迫在眉睫的要害问题。

多年来,对黄河下游防洪、减淤工程选点进行广泛的规划论证,研究了黄河下游加高堤防防洪方案;开辟黄河下游分洪道方案;黄河下游大改道方案;扩大东平湖水库蓄洪量方案;增大三门峡水库防凌及拦蓄洪水作用方案;利用黄河滩区放淤方案;引汉江水冲刷黄河方案;兴建黄河中游干流大型水库工程(桃花峪、小浪底、龙门、碛口等)方案。经过比较确认,小浪底水利枢纽是近期黄河下游防洪减淤工程最优的方案,能够发挥防洪、防凌、减淤,兼顾供水、灌溉、发电等综合作用,改善黄河下游环境影响,产生巨大的综合利用效益。

1.2　小浪底水库工程的开发任务

根据黄河下游洪水泥沙的突出问题,本着黄河治理与水资源开发利用相结合的原则,小浪底水利枢纽的开发任务是以防洪(包括防凌)减淤为主,兼顾供水、灌溉、发电,除害兴利,综合利用。

(1) 防洪、防凌。在防洪方面,小浪底水库担负的任务为:①将黄河下游防洪标准由现状的花园口站 60 年一遇(22 000m³/s)提高到千年一遇(34 420m³/s 削减为 22 500m³/s),千年一遇以下(含千年一遇)洪水不再使用北金堤滞洪区;②对特大洪水有可靠的对策;③对常遇洪水(12 000m³/s 以下)滞蓄,减轻下游防洪负担;④减轻三门峡水库防洪运用的负担,对三门峡以上洪水,要缩短高水位运用历时,对三门峡以下洪水,减少蓄洪运用几率,百年一遇洪水不用三门峡水库。

在防凌方面,与三门峡水库联合运用,共需防凌库容 35 亿 m³,其中小浪底水库 20 亿 m³。小浪底水库先进行防凌运用,不足时三门峡水库补充。

(2) 减淤。小浪底水库修建高坝的目的,就是要利用巨大的库容拦沙和调水调沙运用,为下游河道减淤是水库担负的一个主要任务。

(3) 供水和灌溉。小浪底水库要进行径流调节,使黄河下游来水适应引黄灌溉要求,为下游灌溉与城镇生活、工农业用水增加可利用的水源。

(4) 发电。小浪底水电站在河南电网的位置适中,靠近全省的负荷中心,因此小浪底水电站的供电范围为河南电网,担负河南电网的调峰任务,要求水电站装机 180 万 kW,发挥巨大发电效益。

1.3 工程规模

1.3.1 最高蓄水位的论证与选定

小浪底水库最高蓄水位上受三门峡枢纽尾水位的限制,下受坝址北岸单薄分水岭地形地质条件的限制。

关于小浪底水库修建高坝的技术可能性和经济合理性,除了对坝址北岸的单薄分水岭进行工程措施处理后满足要求外,还要澄清两个关键性的泥沙问题,即小浪底水库的平衡比降和小浪底水库的减淤作用。对这两个问题回答得如何,决定了小浪底水库工程规模的大小。

(1) 关于小浪底水库平衡比降。曾有专家认为,三门峡至小浪底河段,天然河道比降 11‰,峡谷型水库糙率系数为 0.03,比降要陡,建议采用比降 8‰作为规划设计的依据,小浪底死水位以 170m 为宜,小浪底只能建中坝,正常蓄水位为 230m,在上游再建任家堆径流电站。

黄委会勘测规划设计研究院分析认为,小浪底水库拦沙淤积后糙率系数将大大减小,坝前至尾部 4 个河段,糙率系数分别为 0.013、0.014、0.017、0.022,比降分别为 2.0‰、2.9‰、3.5‰、6‰。平均比降约为 3.3‰。在三门峡至小浪底河段应一级开发,小浪底水库修建高坝选择死水位为 230m,最高蓄水位 275m,不影响三门峡枢纽尾水。

(2) 关于小浪底水库减淤作用。曾有专家认为,小浪底水库若修高坝,支流库容为 40.7 亿 m³。在河口形成拦门沙坎后,支流库容不能拦沙,因此小浪底水库拦沙量将大为减少。同时小浪底水库是空库,造滩造床,要拦很大一部分细泥沙,影响下游减淤效益。因此认为小浪底水库修建高坝在经济上不合理,主张修建中坝,防洪蓄水位 240m,非汛期正常蓄水位 230m,在上游修建任家堆径流电站,在下游搞温孟滩放淤。

　　黄委会勘测规划设计研究院分析认为,小浪底水库降低初始运用起调水位,逐步抬高主汛期水位拦沙和调水调沙运用,可以做到库区支流与干流基本上同步淤高,可以做到水库多拦粗泥沙多排细泥沙,小浪底水库将有很大的拦沙减淤作用。

　　综上分析,小浪底水库修建高坝在技术上是可能的,在经济上是合理的。

1.3.2　泄流规模的论证与选定

　　最高蓄水位泄量。考虑三门峡水库工程可能再增建扩大泄流能力,防洪运用最大下泄流量 15 000m³/s 的可能性,加上区间汇流,并留有余地,选定水位 275m 时,枢纽最大泄流量 17 000m³/s。

　　死水位泄量。为了满足水库排沙保持有效库容和调水调沙对下游防洪减淤的要求,死水位泄流规模应该考虑:①水库利用冲刷能力大的 3 000～6 000m³/s 流量冲刷排沙,在下游接近平滩流量 5 000～6 000m³/s 时输沙能力大,可以输沙减淤;②对来水 8 000 m³/s 以下的一般含沙量的洪水不滞洪削峰,水库并可于汛期造峰 5 000～8 000m³/s,在下游淤滩刷槽;③对来水大于 8 000m³/s 的洪水滞洪削峰,以利于下游防洪安全。因此,选定水库正常死水位 230m 的泄量为 8 000m³/s,非常死水位 220m 的泄量为 7 000 m³/s,大于下游河道平滩流量 5 000～6 000m³/s。

　　水库平滩水位泄量。小浪底水库为了进行拦沙、调水调沙运用以减少下游河道淤积,要尽量抬高库区滩地和形成较大的调水调沙槽库容;同时要在库区滩地以上预留 41 亿 m³ 库容供防洪和兴利调蓄运用。因此,选定小浪底水库主汛期限制水位为 254m。水位 254m 的泄量应满足 50 年一遇洪水不上滩淤积。经过调洪计算,最后选定水库平滩水位 254m 的泄量为 11 000m³/s,可以满足上述要求。

　　水库初始运用起调水位泄量。为了适应水库在初始运用起调水位调水及逐步抬高主汛期水位调水调沙运用的要求,选定水库初始运用起调水位 205m 的泄量为 5 000m³/s。

小浪底水利枢纽泄水建筑物布置满足上述特征水位的泄量要求,枢纽工程招标设计书确定的水库泄流能力见表 1。

表 1   **小浪底水库库容与泄量表**

水位(m)	190	200	205	220	230	254	265	275
原始库容(10⁸m³)	9.0	13.9	17.1	29.6	40.8	78.2	101.5	126.5
有效库容(10⁸m³)					0.14	10	26.5	51.0
泄流能力(m³/s)(不含机组)	1 119	4 431	4 930	6 769	8 048	11 200	13 153	16 821

1.3.3 工程主要指标

小浪底水利枢纽工程的最大坝高 154m,坝长 1 317m,坝型为粘土斜心墙堆石坝。坝顶高程 281m,正常蓄水位 275m,总库容 126.5 亿 m³,水库面积 272.3km²,有效库容 51 亿 m³,正常死水位 230m,非常死水位 220m,主汛期限制水位 254m,设计洪水位(千年一遇)274m,校核洪水位(万年一遇)275m,初始运用起调水位 205m,坝址天然河道 100m³/s 流量平均水位 133.5m。主要泄洪排沙设施有:3 条孔板泄洪洞,进口高程为 175m,275m 水位总泄量 4 582m³/s;3 条高位明流泄洪洞,275m 水位总泄量 6 450m³/s;3 条排沙洞,进口高程 175m,275m 水位总泄量 2 025m³/s;一条溢洪道,275m 水位泄量 3 764m³/s。水电站装机容量 180 万 kW,装机 6 台,平均水头 119m,保证出力 35.2 万 kW,年发电量 58.3 亿 kW·h。

2 小浪底水库水文泥沙特性与设计水沙条件

2.1 水文泥沙特性

2.1.1 来水来沙量

小浪底水库坝址处的小浪底水文站,自 1955 年观测至今,把水文资料插补延长至 1919 年。根据 1919 年 7 月至 1989 年 6 月水文年统计,小浪底水文站实测多年平均水量为 415.77 亿 m³,输沙量为 13.95 亿 t,含沙量为 33.5kg/m³。最大年水量为 679.55 亿 m³(1964 年 7 月至 1965 年 6 月),最大年输沙量为 37.3 亿 t(1933 年 7 月至 1934 年 6 月),最大含沙量为 941kg/m³(1977 年 8 月 7 日),最大洪峰流量为 17 000m³/s(1958 年 7 月 17 日)。悬移质泥沙中值粒径约为 0.024mm(光电法)。库区干、支流年平均砂卵石推移质输沙量约为 30.9 万 t。

2.1.2 水沙特点

(1)汛期水少沙多。水利水保工程和人类活动影响很小的 1919 年 7 月至 1950 年 6 月和 1950 年 7 月至 1960 年 6 月,多年平均汛期水、沙量分别占年水、沙量的 60.8%、61.1% 和 84.2%、86.2%。1974 年三门峡水库蓄清排浑运用以来,使汛期沙量增加,非汛期沙量减少,汛期沙量占年沙量的 97.2%。水、沙量变化特点见表 2。

表 2　　　　小浪底水文站水、沙特征值表

时　段 (年.月)	水量(10⁸m³)			沙量(10⁸t)			含沙量(kg/m³)		
	汛期	非汛期	年	汛期	非汛期	年	汛期	非汛期	年
			汛/年(%)				汛/年(%)		
1919.7～1950.6	262.4	169.4	431.8	60.8	12.96	2.44	15.4	84.2	49.4	14.4	35.7
1950.7～1960.6	262.7	166.9	429.6	61.1	15.15	2.42	17.6	86.2	57.7	14.5	40.9
1960.7～1974.6	228.4	191.3	419.7	54.4	9.71	2.60	12.3	78.9	42.5	13.6	29.3
1974.7～1989.6	213.9	156.0	369.9	57.8	9.76	0.28	10.0	97.2	45.6	1.8	27.1
1919.7～1989.6	245.2	170.5	415.7	59.0	11.94	2.01	14.0	85.6	48.4	11.8	33.6

(2)水沙异源。据 1919 年 7 月至 1989 年 6 月统计,河口镇多年平均年水量 248.1 亿 m³,年沙量 1.37 亿 t,年平均含沙量 5.5kg/m³,来水量占小浪底水量的 59.7%,而来沙量仅占小浪底沙量的 9.8%。河口镇至龙(门)、华(县)、河(津)、洑(头)区间,多年平均年水量 169.3 亿 m³,年沙量 13.67 亿 t,年平均含沙量

$80.7kg/m^3$,来水量占小浪底水量的 40.7%,而来沙量却占 98%。河口镇至龙门站为粗泥沙高含沙水流来源区,其年水量为 65.9 亿 m^3,年沙量为 8.3 亿 t,渭河为较细颗粒泥沙来源区,年沙量 4.02 亿 t。在龙、华、河、㳇至三门峡区间有一定的泥沙淤积。三门峡至小浪底区间水、沙量很小。

(3) 水、沙量年际变化幅度大。小浪底站 1919～1989 年实测最大年水量 679.55 亿 m^3,是最小年水量 201.02 亿 m^3(1928 年)的 3.38 倍;最大年沙量为 37.04 亿 t,是最小年沙量 2.02 亿 t(1961 年)的 18.3 倍。并有持续的枯水沙段。

(4) 水、沙量年内分布不均,洪水输沙量大,含沙量高。小浪底站多年平均 7～8 月的水、沙量分别占汛期(7～10 月)水、沙量的 50.6%和 70.5%,8 月份水、沙量分别占汛期水沙量的 28.7%和 43.7%。10 月来水量大,占汛期水量的 23%,而来沙量小,仅占汛期沙量的 9.6%。

洪水输沙量大,含沙量高。如 1933 年 8 月 10 日陕县洪峰流量为 22 000m^3/s,含沙量 518.6kg/m^3,8 月份沙量达 27.8 亿 t,最大一日沙量高达 7.66 亿 t。又如 1977 年 8 月 7 日小浪底站洪峰流量为 10 100m^3/s,含沙量 941kg/m^3,8 月份沙量达 10.4 亿 t,最大一日沙量为 2.90 亿 t。

(5) 小浪底库区支流水沙少,有短时暴雨洪水,洪水期沙卵石推移质运动剧烈。库区有较大的支流 15 条,仅东洋河、亳清河和畛水有水文观测资料。支流常水流量一般为 0.5～10m^3/s,常遇洪水 100～200m^3/s,较大洪水一般历时 1～2 天,陡涨陡落。据畛水、东洋河、亳清河的洪水频率分析,百年一遇的洪水为 3 000～5 000 m^3/s,25 年一遇的洪水为 1 500～2 500m^3/s。主要支流水沙特征见表 3。

据实测资料和类比估算,15 条支流年平均水量约 7.1 亿 m^3,悬移质输沙约 371 万 t,砂卵石推移质输沙量约 22.8 万 t。三门峡至小浪底区间年水量 9 亿 m³,悬移质输沙量 470 万 t,砂卵石推移质输沙量 30.9 万 t。

表3 库区支流特征表

河名	距坝里程 (km)	河道长度 (km)	流域面积 (km²)	河道比降 (‰)	水位275m 回水长度 (km)	水位275m 原始容积 (10⁸m³)	历史调查最大洪水 (m³/s)	年 平 均		
								流量 (m³/s)	沙量 (10⁴t)	含沙量 (kg/m³)
大峪河	3.9	55	258	100	12.3	6.02	3 000	2.04	28	4.3
畛 水	18.0	53.7	431	56	21.3	17.5	4 280	2.32	89.7	12.2
石井河	22.1	22	140	120	10.3	3.62	2 200	2.04	33.6	5.2
东洋河	31.0	60	571	92	11.7	3.1	2 530	2.89	27.5	3
西阳河	41.3	53	404	106	9.4	2.18	2 360	2.04	29.4	4.6
东 河	57.6	72	576	120	7.2	3.21	3 000～5 000	2.04	35	5.4
亳清河	57.6	52	647	72	11.1	2.21	4 420	2.04	51.3	8.0

2.1.3 悬移质泥沙颗粒组成和矿物成分

1974 年三门峡水库蓄清排浑运用以来,小浪底水文站汛期悬移质泥沙粒径大于 0.05mm 的泥沙所占的百分数多年平均为 20.5%～24.6%,小于 0.025mm 的泥沙所占的百分数多年平均为 41.2%～52.8%。非汛期来沙很少。小浪底站 1974～1988 年多年平均悬移质泥沙颗粒级配见表 4,其 d_{50} 为 0.024mm。

表4 小浪底悬移质泥沙颗粒级配表(光电分析法)

粒径(m)	0.005	0.01	0.025	0.05	0.1	0.25	0.5
平均小于某粒径沙重百分数(%)	21.6	28.6	51.1	77.8	94.8	99.7	100

小浪底站泥沙颗粒组成与含沙量大小有关,一般情况下,含沙量 40～80kg/m³,悬沙中径较小;含沙量小于 40kg/m³,悬沙中径随含沙量的减小而增大;含沙量大于 80kg/m³,悬沙中径随含沙量的增大而增大,含沙量越大,粗泥沙所占的比重越大,在含沙量为

900kg/m³ 时,悬沙中径达 0.105mm。

泥沙矿物成分大多数是石英、长石、云母,颗粒形状多为三角形和棱形,坚硬矿物质含量占 85% 以上,莫氏硬度大于五级。

2.2 设计水沙条件

2.2.1 设计来水量

小浪底水文站天然径流按 1919～1975 年 56 年系列计算,平均年水量 504 亿 m³,延长至 1986 年,67 年系列平均年水量增加 2%,据分析,选用 1919～1975 年 56 年系列具有代表性。

小浪底设计水平为 2000～2050 年,按天然径流量和设计水平黄河上中游工农业用水计算来水量。根据 1987 年国务院办公厅批准的黄河可供水量分配方案,在南水北调生效前耗用黄河水量控制为 370 亿 m³,其中小浪底以上为 226.1 亿 m³,考虑库区用水和水库蒸发渗漏损失后,通过上游水库调节,小浪底年平均入库水量为 277.1 亿 m³。其中 7～9 月来水量 123.3 亿 m³,10 月至次年 6 月来水量 153.8 亿 m³。

2.2.2 设计水沙量的计算条件

设计水沙考虑了龙羊峡、刘家峡、三门峡水库的调节作用;黄河中、上游水利、水保工程措施继续加强;龙门至潼关灌区 25.87 万 hm²,在保证河道基流不小于 200m³/s 的条件下,引水 20.3 亿 m³;三门峡至小浪底区间水沙量很小,一般年份不予考虑,但对 1954、1958 年洪水期,分别考虑增水 5.6 和 17.8 亿 m³。小浪底水库来水来沙从龙门、华县、河津、洑头四站算起,经过各河段及三门峡水库调节后进入小浪底水库。小浪底出库水沙加上黑石关、小董的来水来沙作为黄河下游河道来水来沙条件。

2.2.3 计算代表系列

小浪底水库减淤运用方式的计算系列采用 50 年。经分析,选择 1919～1975 年 56 年系列中不同丰、平、枯水段为先后顺序组成的 6 个 50 年代表系列。其中增加了 1977 年高含沙洪水的平水丰沙的条件,以检验对水库运用及对下游影响的敏感性,如表5。

表5　　　　小浪底水库减淤运用计算系列水沙条件(年平均)

计算系列 (年)	龙、华、河、洑、 黑、小六站			小浪底入库			黑石关+小董		
	W $(10^8 m^3)$	W_S $(10^8 t)$	S (kg/m^3)	W $(10^8 m^3)$	W_S $(10^8 t)$	S (kg/m^3)	W $(10^8 m^3)$	W_S $(10^8 t)$	S (kg/m^3)
1919~1969	343.97	14.37	41.8	289.32	12.83	44.3	34.69	0.253	7.29
1933~1975+ 1919~1927	353.35	14.61	41.3	298.60	13.06	43.7	34.71	0.253	7.29
1941~1975+ 1919~1935	325.00	13.95	42.9	274.10	12.30	44.9	30.83	0.199	6.45
1950~1975+ 1919~1944	329.37	14.01	42.5	276.50	12.33	44.6	32.99	0.244	7.40
1950~1975+ 1950~1975	369.72	14.89	40.3	315.00	13.35	42.4	34.20	0.258	7.54
1958+1977+ 1960~1975+ 1919~1952	332.37	14.09	42.4	280.85	12.60	44.9	31.66	0.212	6.70

2.2.4　洪水水沙条件

1933年型洪水系来自三门峡以上的高含沙洪水。选用该典型洪水,分析对小浪底水库长期有效库容的影响。分别考虑刘家峡与龙羊峡水库调节与不调节两种条件下的洪水泥沙及其过程,以三门峡水库敞泄滞洪运用的出库水沙过程,作为小浪底入库洪水水沙条件。

对于三门峡以下大洪水,因洪水沙量少,不作为水库滩库容损失计算控制条件。

3　水库减淤运用方式研究

3.1　减淤运用方式

小浪底水库减少下游河道泥沙淤积的运用方式,基于以下三点要求:

(1)下游河道超饱和输沙淤积严重,通过水库拦沙运用,使下游河道不淤积。

（2）下游河道接近平滩流量的大水流量输沙能力大，在自由变化的冲积性河流，河槽水力几何形态与流量和含沙量关系密切。水库调水调沙，塑造大水输沙的河槽，提高下游河道输沙能力，使下游河道输沙减淤。

（3）黄河来水来沙变化复杂，有多种多样的组成，使下游河道冲淤变化大，河床极不稳定。小浪底水库调水调沙，水沙两极分化，拦蓄容易在下游淤积的平水和小水，将大量泥沙主要集中在接近下游平滩流量（3 000～6 000m³/s）时输送，以及调放低漫滩洪水（6 000～8 000m³/s）在下游淤滩刷槽，减少河槽淤积，增大滩槽高差，增大河槽排洪和输沙能力，使河槽趋向相对稳定。

小浪底水库减淤运用的基本原则为拦沙与调水调沙。主要措施是：主汛期（7～9月）避免长时期下泄清水；控制对下游河道产生不利影响的高含沙洪水；拦蓄来水小于2 500m³/s的水沙，按400～800m³/s流量下泄，保证发电流量和河道基流用水要求；泄放大于2 500m³/s的流量，满足大水输沙要求；调水造峰和调沙淤滩，增加5 000m³/s洪水冲刷河槽，增加8 000m³/s漫滩洪水淤滩刷槽。使水沙过程两极分化。改善河床形态，增大滩槽高差，增大河槽排洪和输沙能力。10月和非汛期蓄水调节径流，满足供水和灌溉的要求，提高发电水头，增大发电效益。小浪底水库减淤运用方式着眼于发挥下游河道输沙能力，全下游同步减淤，减少河床冲刷和滩地坍塌，避免河道展宽，保持河槽较长时期微冲微淤，逐渐进行河型转化，有利于因势利导，稳步地进行河道整治。

为了实现上述目标，水库初期拦沙运用时期，采取逐步抬高主汛期水位拦沙和调水调沙运用方式。在满足发电要求的前提下，尽量降低初始运用起调水位，尽量缩短水库蓄水拦沙下泄较清水流的运用时间，尽量延长水库逐步抬高主汛期水位拦粗（沙）排细（沙）和调水调沙运用时间，提高水库排沙比，发挥下游河道输沙能力,以获得最大减淤效果。

在水库逐步抬高主汛期水位拦沙约 100 亿 t,坝前淤积高程达 245m 后,转入逐步形成高滩深槽阶段,滩地继续淤高至 254m,河槽逐步下切至与死水位 230m 相应的河底 226.3m,在形成高滩深槽过程中,水库有较大的水位升降和冲淤变化。但水库累积淤积量不增加,主汛期水位下降。

水库形成高滩深槽平衡形态后,具有有效库容 51 亿 m³,转入水库后期运用,即正常期运用,水库继续进行调水调沙,使下游河道减淤。

3.2　拦沙和调水调沙运用方案泥沙冲淤计算

3.2.1　水库拦沙和调水调沙库容

小浪底水库最高蓄水位 275m,原始库容 126.5 亿 m³,要求最大防洪库容 40.5 亿 m³,供防洪、防凌和兴利使用。因此,防洪、防凌和兴利调节库容共计为 41 亿 m³。考虑库区支流河口拦门沙坎倒锥体淤积形成死水容积 3 亿 m³,其余 82.5 亿 m³ 库容为拦沙及调水调沙库容。

如何使拦沙库容与调水调沙库容综合运用对下游减淤效益最大,是需要研究的重要问题。对此,我们研究了三种组合方案,即在水库拦沙完成后进入正常运用时期,按所选择不同死水位,降低水位冲刷恢复槽库容。选择的死水位分别为 205、220 和 230m,坝前滩面高程为 254m,形成高滩深槽后的永久性拦沙库容分别为 55.5、67.3 和 72.5 亿 m³,在主汛期限制水位 254m 以下的调水调沙库容分别为 27、15.2 和 10 亿 m³,在最高蓄水位 275m 以下的有效库容分别为 68、56.2 和 51 亿 m³。各方案水库正常运用期有效库容见表 6。

3.2.2　水库拦沙运用方案选择

水库拦沙运用方案主要有高水位蓄水拦沙和逐步抬高主汛期水位拦沙和调水调沙两种。水库初始运用研究了起调水位分别为

200、205、220、230、245m 等 5 种方案,起调水位以下的库容分别约为 13.9、17.1、29.6、40.8 及 60.5 亿 m³。

表 6　　　　　　小浪底水库不同死水位方案有效库容

死水位 (m)	坝前滩面高程 (m)	不同高程(m)下有效库容(10^8m^3)											
		205	210	215	220	225	230	240	250	254	260	265	275
205	254	0.14	1.00	2.13	4.00	6.40	9.00	15.5	23.2	27.0	34.6	43.5	68.0
220	254				0.14	1.0	2.13	6.27	12.0	15.2	22.8	31.7	56.2
230	254						0.14	1.70	6.40	10.0	17.6	26.5	51.0

根据不同的起调水位,按相同的调水调沙方式,进行水库运用 50 年的泥沙冲淤计算。按死水位 230m,坝前滩面高程 254m 条件下相同的拦沙库容 72.5 亿 m³,分析比较其减淤效益,见表 7。

表 7　　　　　小浪底水库不同起调水位拦沙减淤效益比较

起调水位 (m)	拦沙量 (10^8t)	拦沙减淤比	总减淤量 (10^8t)	下游相当 不淤年数
200	94.3	1.24	76.05	20.1
205	94.3	1.27	74.03	19.6
220	94.3	1.37	68.83	18.2
230	94.3	1.45	65.03	17.2
245	94.3	1.61	58.57	15.5

从计算结果看出,起调水位越低,减淤效益越大。起调水位 205 与 200m 相比,减淤效益相差不大。因最低发电水位为 205m,故选定初始运用起调水位为 205m 的逐步抬高主汛期水位拦沙调水调沙运用方案。

3.2.3　小浪底水库运用方式

研究水库逐步抬高主汛期水位运用的目的是为充分利用水库拦沙库容,多拦对下游河道造成淤积的粒径大于 0.025mm 的较粗泥沙,并进行调水调沙,发挥下游河道大水输沙能力强的作用,提高下游河道减淤效益,避免一次性抬高水位高水位蓄水拦沙,长时期下泄清水,河床冲刷塌滩,下切与展宽同时发生,河床粗化,比降变缓,流速减小,降低河道输沙能力,甚至上冲下淤、降低拦沙减淤效益的情形发生。

　　水库运用分初期和后期运用两个时期。初期运用分三个阶段,即起调水位蓄水拦沙阶段、逐步抬高主汛期水位拦沙阶段、形成高滩深槽阶段。后期运用为正常运用,多年调沙,长期冲淤平衡。水库初期运用起调水位 205m 以下库容为 17.1 亿 m³。当起调水位以下库容淤满后,再逐步抬高主汛期水位拦沙和调水调沙,逐步升至主汛期限制水位 254m(不影响 254m 以上防洪库容),库区淤积面随淤积量的增加而抬高。最终形成坝前滩面高程为 254m,与死水位 230m 相应的槽底高程为 226.3m 的高滩深槽以及与此相应的河床纵剖面。以后在 254m 高程以下槽库容内调水调沙,用 254m 高程以上的 41 亿 m³ 库容进行防洪、防凌和供水灌溉及发电调蓄运用。在水库各运用时期各运用阶段均实行相同的以调水为主的调水调沙运用方式,库水位有升降变化,库区有冲淤变化。其运用原则为:

　　(1)提高枯水流量。当来水流量小于 400m³/s 时,水库利用前期蓄水量补水,按 400m³/s 下泄,保证发电流量 400m³/s,保持河道基流,保护水质。

　　(2)泄放小水流量。当来水流量为 400~800m³/s 时,水库按来水流量下泄,满足下游用水要求。

　　(3)避免平水流量下泄。当来水流量为 800~2 500m³/s 时,水库拦蓄,按 800m³/s 流量下泄,避免下游河道平水淤积和上冲下淤的不利情形发生。

　　(4)中水流量和大水流量敞泄排沙或冲刷。当来水流量为 2 500~8 000m³/s 时,水库先泄空前期蓄水量,然后按来水流量敞泄排沙或冲刷,在下游河道大水输大沙和 6 000~8 000m³/s 洪水淤滩刷槽。

在泄空水库前期蓄水时,泄水方式为:来水为 2 500～5 000 m³/s 流量时,按 5 000m³/s 流量下泄;来水为 5 000～8 000m³/s 流量时,按 8 000m³/s 流量下泄。

(5) 调节对下游河道有不利影响的高含沙洪水,泄放对下游有利的大水输大沙和淤滩刷槽的水沙过程。一般来讲,要拦蓄 500～600kg/m³ 以上的高含沙洪水,通过调节形成流量 3 000～8 000 m³/s 和含沙量 200～500kg/m³ 的水沙过程,由下游河槽水力几何形态与流量和含沙量关系的规律,自动调整塑造下游大水输大沙的窄深河槽。

(6) 控制水库低壅水蓄水。水库拦蓄来水 800～2 500m³/s 的水沙按 800m³/s 下泄,但限制调蓄水量不大于 3 亿 m³。当调蓄水量大于 3 亿 m³ 时,则按 5 000m³/s 流量泄放蓄水至留 1 亿 m³。

(7) 滞蓄洪水。当来水大于 8 000m³/s 时,水库滞蓄洪水,并按 8 000m³/s 下泄;当来水大于 12 000m³/s 时,下泄流量不大于 10 000m³/s 防洪运用。

非汛期 10 月至翌年 6 月调蓄运用:

10 月水多沙少,可以提前蓄水,但 10 月上半月有后期洪水,要预留防洪库容 25 亿 m³,蓄水位不超过后期洪水防洪限制水位。10 月至次年 6 月水库调蓄运用,其径流调节除 2 月防凌外,主要是供水、灌溉。考虑两个方案,方案 1 为灌溉供水量及灌溉面积较小;方案 2 为将水量优化分配在农作物生长期内不同阶段,并减少弃水,增加灌溉供水量和灌溉面积。非汛期下泄的月平均流量方案 1 为 400～643m³/s,方案 2 为 358～1 210m³/s。

非汛期各月限制水位为:10 月上半月控制蓄水位不超过 264m;10 月下半月至 12 月蓄水位不超过 275m;12 月底预留防凌库容 20 亿 m³,控制蓄水位不超过 267m;1～2 月防凌运用蓄水位不超过 275m,不足时,由三门峡水库补充防凌运用;3～6 月蓄水位不超过 275m。在水库运用前 10 年,按分期移民要求,限制蓄水位不超过 265m,10 年后,蓄水位可达 275m。

　　如遇丰水年,按设计流量泄放后,水库蓄水位若超过限制水位,则加大泄量,控制不超过限制水位。至 6 月底,保留 10 亿 m³ 蓄水量供 7 月上旬下游灌溉用。

　　小浪底水库于主汛期 7~9 月按上述以调水为主的调水调沙方式运用,其基本特征是在水库来水流量小于 2 500m³/s 时,水库处于低壅水的蓄水拦沙状态,在来水流量大于 2 500m³/s 时,水库处于敞泄排沙状态,进行沿程淤积或沿程冲刷,库水位主要是随着淤积面的下降而下降,适当控制溯源冲刷强度,以利下游输沙减淤和行洪安全。

3.2.4　小浪底水库对下游河道减淤运用方案计算

　　用 2000 年水平,1950~1975 年系列作为代表系列,对逐步抬高主汛期水位拦沙和调水调沙运用方案,在后期运用时选择不同死水位,进行库区及下游河道泥沙冲淤计算,以比较不同死水位运用对下游减淤效益的差别,并对仅有三门峡水库存在的现状方案进行计算作为比较的基础。

　　(1)逐步抬高方案后期运用不同死水位减淤效益比较。从表 8 看出,三门峡水库现状方案,下游 50 年淤积 189.57 亿 t,年平均淤积 3.79 亿 t,其中艾山以下河道淤积 22.75 亿 t,年平均淤积 0.455 亿 t。有小浪底水库后,对下游有很大的减淤作用。小浪底水库逐步抬高方案,死水位为 230、220 及 205m,在库区淤积量基本相同的条件下,50 年下游淤积量有一定的差别,以死水位 230m 方案下游淤积较多,达 105.02 亿 t,死水位 205m 方案下游淤积较少,为 97.49 亿 t,死水位 220m 方案下游淤积量介于两者之间,为 102.6 亿 t。死水位 230、220 及 205m 方案,艾山以下河道的淤积量分别为 12.07、12.0 及 11.59 亿 t,亦稍有差别。从下游不淤年数看,分别为 22.1、22.9 和 24.3 年,最大相差 2.2 年。说明在水库正常运用期,死水位降低,调水调沙库容增大,则水库调节能力增强,对下游河道的减淤作用增大。但是差别仍然较小,而从发电效益讲,死水位230与220和205m比较,则差别较大。故仍以230m为正常死水位,以220m为非常死水位,不考虑再降低至205m。

表8   各方案库区及下游河道淤积计算成果表

(设计水平 1950~1975 年＋1950~1975 年系列 50 年)

(单位:10^8t)

方　　　案	小浪底库区淤积	下　游　河　段　淤　积					
		铁谢一花园口	花园口一高村	高村一艾山	艾山一利津	铁谢一艾山	铁谢一利津
三门峡水库现状		15.52	91.16	60.14	22.75	166.82	189.57
小浪底水库逐步抬高(死水位230m)	101.20	7.88	50.41	34.66	12.07	92.95	105.02
小浪底水库逐步抬高(死水位220m)	101.47	7.18	49.04	34.37	12.00	90.60	102.60
小浪底水库逐步抬高(死水位205m)	100.6	6.34	46.31	33.25	11.59	85.90	97.49

(2)水库减淤效益敏感性分析。对选定的运用方案,即逐步抬高主汛期水位拦沙和调水调沙,初期运用起调水位205m,后期运用正常死水位230m,主汛期限制水位254m运用,选用六个50年不同的水沙系列,进行减淤效益的敏感性分析,其下游不淤年数为19~22年,以六个50年系列计算结果的平均值作为采用结果。

黄河下游总引水量约100亿 m^3,其中汛期7~9月限制引水量不大于30亿 m^3。六个50年系列计算结果见表9。

由表9看出,六个50年系列平均,小浪底水库可使下游总减淤78.2亿t,相当不淤年数为20年,主要减淤效益在水库初期运用20年。小浪底水库运用20年及运用50年时期,黄河下游各站设防流量下相应水位见表10。按六个50年系列平均计算,小浪底水库运用前20年,水库拦沙约100亿t,下游河道(利津以上)减淤约 69 亿 t,进入河口段的沙量减少约 31 亿 t。后 30 年库区为动平衡,不再持续性拦沙淤积,但由于调水调沙作用,下游河道仍继续减淤,可以多排沙入海。

表 9　　　　　　　　小浪底水库 50 年对下游河道减淤效益

代表系列 (年)	小浪底 水库淤 积量 (10^8t)	下游河道淤积量 (10^8t)				下游减淤量 (10^8t)		拦沙 减淤 比	下游 相当不 淤年数 (年)	下游 最大 冲刷量 (10^8t)
		无小 浪底	年 平均	有小 浪底	年 平均	全 下游	艾山— 利津			
1919～1969	101	198	3.96	123.1	2.46	74.9	9.0	1.35	18.9	3.5
1933～1975+ 1919～1927	103.4	193.3	3.87	121.2	2.42	72.1	8.7	1.43	18.6	15.4
1941～1975+ 1919～1935	104.3	208.4	4.17	128.7	2.57	79.7	9.6	1.31	19.1	17.9
1950～1975+ 1919～1944	101.3	198.6	3.97	121.9	2.44	76.7	9.2	1.32	19.3	17.7
1950～1975+ 1950～1975	99.9	189.6	3.79	105	2.10	84.6	10.2	1.18	22.3	17.7
1958+1977+ 1960～1975+ 1919～1952	100.3	221.7	4.43	140.6	2.81	81.1	9.7	1.24	18.3	14.3
平　均	101.7	201.6	4.03	123.4	2.47	78.2	9.4	1.30	19.4	14.4

表 10　　　　　　　　黄河下游各站水位表　　　[单位:m(大沽)]

断　　面		花园口	夹河滩	高村	孙口	艾山	泺口	利津
距河口距离(km)		768	662	579	449	386	278	104
设防流量(m^3/s)		22 000	21 500	20 000	17 500	11 000	11 000	11 000
无小浪底 水　库	2000 年	96.25	77.62	66.38	52.56	46.33	35.96	17.43
	2020 年	98.23	79.60	68.29	54.39	47.73	36.92	18.39
	2050 年	101.4	82.77	71.33	57.31	49.94	38.43	19.90
有小浪底 水　库	2020 年	96.51	77.88	66.63	52.80	46.51	36.09	17.56
	2050 年	99.40	80.77	69.41	55.47	48.54	37.48	18.95
降低值 (m)	2020 年	1.72	1.72	1.66	1.59	1.22	0.83	0.83
	2050 年	2.0	2.0	1.92	1.84	1.40	0.95	0.95

4 小浪底水库对下游减淤作用论证分析

4.1 不同计算方法对减淤效益计算的敏感性检验

黄河下游泥沙冲淤计算方法有水文学方法和水动力学方法，各计算方法都有其特点，需要用不同的方法进行泥沙冲淤计算的敏感性检验，以评估小浪底水库对下游河道减淤效益的可靠性。

选择 2000 年设计水平 1950～1975 年＋1950～1975 年系列，三门峡水库现状方案和小浪底水库运用方案下游的来水来沙条件，用黄委设计院、黄委水科院和长委长科院的方法计算下游的泥沙冲淤。小浪底水库运用方案为初始运用起调水位 205m，逐步抬高主汛期水位拦沙和调水调沙，正常运用期死水位 230m 方案。不同方法的计算结果列于表 11。由表 11 可见：

表 11　三门峡、小浪底水库运用 50 年下游冲淤计算成果表

(单位：10^8t)

计算方法	方案	淤积量			下游 50 年减淤量			累计最大冲刷量		50年内相当不淤积年数(年)
		铁谢—艾山	艾山—利津	铁谢—利津	艾山以上	艾山以下	全下游	运用年数	冲刷量	
黄委设计院	三门峡水库现状	166.82	22.75	189.57						
	小浪底水库	92.41	12.60	105.01	74.41	10.15	84.56	14	17.70	22.3
黄委水科院	三门峡水库现状	147.56	6.42	153.98						
	小浪底水库	77.82	5.38	83.20	69.74	1.04	70.78	15	13.40	23.0
长委长科院	三门峡水库现状	181.17	22.98	204.15						
	小浪底水库	68.79	13.22	82.01	112.38	9.76	122.14	13	25.49	29.9
三家方法平均	三门峡水库现状	165.18	17.38	182.57						
	小浪底水库	79.67	10.40	90.07	85.51	6.98	92.49	14	18.86	25.3

(1)三门峡水库现状方案，三种方法计算下游 50 年淤积分别为 189.57、153.98 和 204.15 亿 t，其中艾山以上河段淤积分别为

166.82、147.56 和 181.17 亿 t,艾山以下河段淤积分别为 22.75、6.42 和 22.98 亿 t,分别占下游淤积量的 11.9%、4.2%、11.3%。黄委设计院和长委长科院计算结果相近,黄委水科院计算结果偏小,尤其艾山以下河段计算偏小甚多。

(2) 三门峡水库现状方案,下游年平均水量 349.2 亿 m^3,沙量 13.61 亿 t,含沙量 39kg/m^3。黄委设计院和长委长科院计算下游年平均淤积 3.79 及 4.08 亿 t,比 1950 年 7 月至 1960 年 6 月下游年平均水量 479.6 亿 m^3,沙量 17.95 亿 t,含沙量 37.4kg/m^3 下游年平均淤积 3.87 亿 t(输沙率法)或 3.61 亿 t(断面法)相近或有所增加,是可能的。黄委水科院计算下游年平均淤积 3.08 亿 t 可能偏小些。黄委设计院和长委长科院计算艾山以下河段年平均淤积 0.45 及 0.46 亿 t,比 1950 年 7 月至 1960 年 6 月的年平均冲刷 0.52 亿 t(输沙率法)大相径庭,与按断面法计算的年平均淤积 0.45 亿 t 则相同,黄委水科院计算艾山以下河段年平均淤积 0.13 亿 t,偏小较多。

(3) 有小浪底水库后,黄河下游河道严重淤积的形势将被改变。按黄委设计院计算,水库运用 14 年,按总量讲,艾山以上河段累计最大冲刷量达 18.41 亿 t,此后,艾山以上河段出现回淤,至水库运用第 20 年,回淤量仍小于冲刷量,有 20 年不淤积。按长委长科院计算,水库运用 13 年,艾山以上河段累计最大冲刷量达 25.87 亿 t,此后,艾山以上河段出现回淤,至水库运用第 29 年,回淤量约等于冲刷量,有 30 年不淤积。黄委水科院计算成果,亦显示出先冲刷而后回淤过程,水库运用 13 年,累计最大冲刷量达 11 亿 t,此后逐步回淤,至水库运用第 20 年累计淤积量小于 0.5 t,有 20 年不淤积。

在艾山以下河段,按黄委设计院计算,水库运用第 18 年,累计冲刷量为 0.62 亿 t,在水库运用第 20 年,累计淤积量为 0.15 亿 t,亦有 20 年不淤积。按长委长科院计算,在艾山以下河段,水库前 6

年为微冲,累计冲刷量为 0.04 亿 t,在水库运用第 18 年累计淤积量为 1.12 亿 t,基本上有 18 年不淤积。黄委水科院计算,艾山至利津河段在水库运用 13 年累计最大冲刷量为 2.2 亿 t,此后逐步回淤,在水库运用第 20 年累计冲刷量 0.2 亿 t,亦有 20 年不淤积。

(4) 小浪底水库初期运用时期,由于采取逐步抬高主汛期水位拦沙和调水调沙方式,使得水库在初期拦沙运用的主要阶段排沙比较大,20 年内总入库沙量 283.9 亿 t,总出库沙量 183 亿 t,排沙比达 64.4%。按黄委设计院计算,在 20 年内下游减淤 72.51 亿 t,水库拦沙 1.39 亿 t,下游减淤 1.0 亿 t。下游河道逐年缓慢冲刷。据计算分析下游坍滩面积约 203km²,与三门峡水库拦沙期下游坍滩面积 329km² 相比,亦有较大的减少。

(5) 在水库形成高滩深槽后的调水调沙正常运用时期,小浪底水库不再拦沙损失库容,三种方法计算结果显示,下游河道是继续淤积的过程,但继续减淤。黄委设计院计算,水库运用 50 年,下游河道减淤量为 84.56 亿 t,其中前 20 年减淤量为 72.51 亿 t,年平均减淤 3.63 亿 t,后 30 年减淤量为 12.05 亿 t,年平均减淤 0.40 亿 t。长科院计算,水库运用 50 年减淤 122.14 亿 t,其中前 20 年减淤 96.02 亿 t,年平均减淤 4.8 亿 t,后 30 年减淤 26.12 亿 t,年平均减淤 0.87 亿 t。黄委水科院计算,水库运用 50 年减淤 70.78 亿 t,其中前 20 年减淤约 61.5 亿 t,年平均减淤 3.08 亿 t,后 30 年减淤 9.28 亿 t,年平均减淤 0.31 亿 t。黄委水科院与黄委设计院计算结果相近,而长委长科院计算减淤效益大。

综上说明,不同方法计算结果大同小异。在小浪底水库运用 50 年内,相当 23~30 年不淤,下游艾山以上和艾山以下河段基本上同步减淤。

4.2　水库初期运用拦沙和调水调沙的优化设计

小浪底水库初期蓄水拦沙运用和调水调沙遵循的泥沙运动规律为:

（1）要调节进入下游的流量、含沙量过程，调整下游河床形态，形成大水输大沙的河槽水力几何形态，提高河槽输沙能力，将泥沙主要集中在较大流量输送，获得减淤效益。

分析黄河下游的河槽水力几何形态变化规律，有以下特点：河槽水力几何形态主要是由流量和含沙量决定的。水面宽是否可以自由变化其河槽水力几何形态形成规律也不同。河槽水力几何形态与水流输沙能力关系密切，其中流速是影响水流输沙能力的主要因素。在河南河段可以自由变化的河段，大流量大含沙量时，其过水面积减小，水面宽减小，水深增大，流速增大，输沙能力增大，而在山东河段，水面宽受到限制，不能自由变化，大流量大含沙量时，却是过水面积增大，水深增大，流速减小，输沙能力降低。高村以上河段，在由大流量大含沙量塑造窄深河槽水力几何形态时，艾山以下河段将成为下游河道长距离输沙的控制性河段。因此在黄河下游要妥善处理艾山以上和艾山以下河段的输沙关系，使艾山以上和艾山以下河段保持基本相同的输沙能力，避免上冲下淤，以达到同步减淤的目的。

黄河下游河道河槽水力几何形态与流量和含沙量关系，如表12所示。

表 12　　　　黄河下游河槽水力几何形态（$Q > 1\,500\text{m}^3/\text{s}$）

断面	$B = aS^eQ^f$			$h = bS^mQ^n$			$V = cS^rQ^t$			$A = dS^uQ^w$		
	a	e	f	b	m	n	c	r	t	d	u	w
花园口	185	−0.615	0.509	0.066	0.442	0.186	0.082	0.173	0.305	12.192	−0.173	0.695
夹河滩	63.06	−0.338	0.509	0.417	0.100	0.186	0.038	0.238	0.305	26.296	−0.238	0.695
高 村	50.41	−0.350	0.509	0.182	0.216	0.186	0.109	0.134	0.305	9.175	−0.134	0.695
孙 口	33.6	−0.250	0.500	0.419	0.100	0.187	0.071	0.150	0.313	14.080	−0.150	0.687
艾 山	408	−0.019	0.004	0.015	0.065	0.650	0.163	−0.046	0.346	6.120	0.046	0.654
利 津	467	−0.043	0.029	0.025 3	0.150	0.511	0.084 7	−0.107	0.460	11.815	0.107	0.540

由表12所示水力几何形态与流量和含沙量关系可知，流速随流量增大而增大，在艾山以上河段，同流量下流速随含沙量增大而

增大,在艾山以下河段,又随含沙量增大而减小。

由此可以得出一个重要认识:在艾山以上河段要提高输沙能力,主要途径是通过增大流量和增大含沙量;在艾山以下河段要提高输沙能力,主要途径是通过增大流量;小浪底水库调水调沙要运用这个规律,以艾山以下河段输沙能力作为控制条件。

另外,花园口和高村水文站断面的河槽水力几何形态与流量和含沙量关系,也显示艾山以上河段高含沙量区水面宽小、水深大、流速大,低含沙量区水面宽大、水深小、流速小,一般含沙量则在二者之间。

因此,小浪底水库运用方式要符合水力几何形态形成规律和水流输沙力规律。一方面,应当避免长时期高水位蓄水拦沙下泄清水,应当逐步抬高主汛期水位拦沙和调水调沙,即:拦蓄平水和小水流量的水沙,提高水库排沙比,拦粗沙排细沙,泄放大水大沙,利用大水输沙,因大水输大沙过程中塑造水面宽减小、水深增大、过水面积减小、流速增大、输沙能力增大,具有较大滩槽高差、相对窄深的河槽。另一方面,要注意艾山以下河段输沙能力制约关系,使艾山以上和艾山以下河段输沙能力关系协调。

(2)黄河下游河道在 2 500m³/s 以上流量输沙能力明显增大,在 4 000～6 000m³/s 接近平滩流量时输沙能力迅速加强。小浪底水库调水调沙要发挥下游河道大流量的输沙能力,在主汛期要泄放 2 500m³/s 以上流量的水沙,并造峰 5 000 和 8 000m³/s 洪水冲刷河槽和淤滩刷槽。分析黄河下游河道输沙能力,有如下关系

$$Q_{S\text{下}} = a\left(\frac{S}{Q}\right)_{\text{上}}^{m}\left(\frac{BV^4}{\omega_S}\right)_{\text{下}}^{n}$$

式中:$Q_{S\text{下}}$ 为河段下口断面输沙率,t/s;$(S/Q)_{\text{上}}$ 为河段上口断面来沙系数,kg·s/m⁶;B 为水面宽,m;V 为平均流速,m/s;ω_S 为泥沙群体沉速,cm/s;系数 a 和指数 m、n 与水沙条件和河段特性有关。流量大于 1 500m³/s,$n=1.225$,流量小于 1 500m³/s,$n=0.65$。

$(S/Q)_{\pm}$大于 0.03，$m=0.625\sim1.52$，上段大，下段小，(S/Q)小于 0.03，$m=0.13\sim0.45$，上段小，下段大，系数 a 值依河段而异。

根据黄河下游花园口和利津水文站实测资料点绘水力要素 (BV^4/ω_S) 与流量关系，显示两个水文站的 $(BV^4/\omega_S)\sim Q$ 关系一致。因此，需要水库调节水沙过程同时适应艾山以上和以下河段的输沙能力，才能保持长距离输沙，避免上冲下淤。

（3）若水库长期下泄清水，黄河下游河道河槽和滩地将产生冲刷，使河床粗化，并展宽河道，减缓水流比降，降低输沙能力。小浪底水库运用要避免长时期蓄水拦沙下泄清水和避免泄放大流量小含沙量。要调节水沙两极分化，将泥沙调节到 $2\,500\text{m}^3/\text{s}$ 以上大流量输送，发挥下游河道大水输沙能力强的作用。

（4）黄河紊流高含沙水流特性具有破坏力强的一面。黄河下游实测资料分析认为，高含沙洪水对防洪的不利影响有：①河道冲淤变化剧烈，水位异常抬升；②洪峰流量变化异常，洪峰流量增大，突然发生洪水涨落；③容易诱发"揭底河"冲刷；④河势易发生突然变化。

综上所述，小浪底水库应控制可能对下游造成危害的高含沙洪水。

4.3　小浪底水库对下游河道的减淤作用论证分析

小浪底水库对下游河道的减淤作用，包括了拦沙和调水调沙的减淤作用，计算结果如表 13 所示。

根据六个 50 年水沙系列，水库初期运用 $13\sim17$ 年连续拦沙淤积 $100.35\sim103.57$ 亿 t，下游河槽淤积量为 $2.84\sim-19.57$ 亿 t，河槽减淤 $19.11\sim34.91$ 亿 t。

水库运用 $18\sim44$ 年，六个系列年，河槽淤积量为 $-0.80\sim1.78$ 亿 t，保持微冲微淤水平。

鉴于选用的六个 50 年系列，有五个系列包含有 1922 年 7 月至 1933 年 6 月枯水段系列，实际上该枯水段出现的机遇是稀少

表13　小浪底水库减淤计算成果分析表

（单位：10^8 t）

下游冲淤特点	水库运用特点	系列（年）	1919~1969	1933~1975+1919~1927	1941~1975+1919~1935	1950~1975+1919~1944	1950~1975+1950~1975	1958+1977+1960~1974+1919~1951
下游河槽连续冲刷	水库拦沙淤积	年数	17	13	14	14	14	15
		水库淤积量	101.28	102.63	101.17	103.57	103.57	100.35
		下游槽淤积量	2.84	-10.03	-15.54	-19.57	-19.57	-12.67
		减淤量	19.11	25.94	29.32	33.43	33.43	34.91
		下游滩淤积量	14.55	1.72	4.99	1.89	1.89	10.96
		减淤量	48.01	37.59	36.35	32.16	32.16	37.33
		拦沙减淤比	1.509	1.615	1.54	1.579	1.579	1.389
		下游总减淤量	67.12	63.53	65.67	65.59	65.59	72.24
		槽减淤占总减淤（%）	28.47	40.83	44.65	50.97	50.97	48.33
下游河槽先冲刷，后回淤	水库先拦沙，后多年调沙至冲刷前相对平衡状态	年数	20	18	31	29	44	22
		水库淤积量	104.52	103.73	99.76	100.24	101.41	99.15
		下游槽淤积量	0.28	0.42	0.43	0.06	-0.80	1.78
		减淤量	19.07	18.74	31.96	33.13	39.73	29.40
		下游滩淤积量	20.13	7.70	40.69	38.72	79.86	30.08
		减淤量	51.96	43.25	42.57	41.36	44.01	42.92
		拦沙减淤比	1.471	1.673	1.338	1.345	1.211	1.371
		下游总减淤量	71.03	61.99	74.53	74.49	83.74	72.32
		槽减淤占总减淤（%）	0.39	0.68	0.58	0.05	-0.95	2.5

续表 13

下游冲淤特点	水库运用特点	系列(年)	1919~1969	1933~1975+ 1919~1927	1941~1975+ 1919~1935	1950~1975+ 1919~1944	1950~1975+ 1950~1975	1958+1977+1960~1974+ 1919~1951
下游河槽连续淤积	水库多年调沙,冲淤平衡	年数	30	32	19	21	6	28
		水库淤积量	−3.497	−0.312	3.52	1.014	−1.508	1.105
		水库淤积量	20.38	32.0	24.89	23.73	11.75	30.12
		下游槽淤积量	5.14	2.44	−5.86	−8.17	0.16	−7.21
		减淤量	82.35	81.08	62.68	59.35	14.21	78.59
		下游滩淤积量	−0.78	7.64	10.99	13.46	0.65	15.97
		拦沙减淤比	−0.802	−0.031	0.686	0.1917	−1.86	0.126
		下游总减淤量	−4.36	10.08	5.13	5.29	0.81	8.76
		下游总减淤量	123.6	24.2	−114.2	−154.4	19.8	−82.3
		槽减淤占总减淤量(%)	31.6	29.39	32.76	31.29	47.18	27.37
下游河槽50年先冲后淤	水库50年先拦沙后,多年调沙冲淤平衡	水库淤积量	101.02	103.41	104.34	101.26	99.90	100.26
		下游槽淤积量	20.66	32.42	25.32	23.79	10.95	31.90
		减淤量	23.65	21.18	26.10	24.96	39.89	22.19
		下游滩淤积量	102.48	88.78	103.37	98.07	94.07	108.67
		减淤量	51.18	50.89	53.56	54.82	44.66	58.89
		初期不淤年数	10	15	17.4	20.4	20.4	15.3
		50年不淤年数	18.9	18.6	19.1	19.3	22.3	18.3
		拦沙减淤比	1.35	1.43	1.31	1.27	1.18	1.23
		下游总减淤量	74.83	72.07	79.66	79.78	84.55	81.08
		槽减淤占总减淤量(%)	31.6	29.39	32.76	31.29	47.18	27.37

的。所以小浪底水库采用的该六个50年系列平均计算减淤效益是留有余地的。

关于下游滩地。按六个不同系列水沙条件计算,在小浪底水库初期运用至13～17年,下游滩地仅淤积1.72～14.55亿t,滩地减淤32.16～48.01亿t。水库运用至18～44年,滩地淤积7.7～79.86亿t,减淤41.36～51.96亿t。

小浪底水库运用50年,按六个50年系列水沙计算,50年水库淤积99.90～104.34亿t;下游河槽减淤21.18～39.89亿t,平均为26.33亿t;滩地减淤44.66～58.89亿t,平均为52.33亿t;全断面减淤72.07～84.55亿t,平均78.66亿t。河槽减淤量占总减淤量的27.4%～47.2%,平均占总减淤量的33.5%。

水库运用50年,按六个50年系列,全断面相当不淤年数为18.3～22.3年,平均为20年;拦沙减淤比为1.18～1.43,平均为1.3。全断面不淤年数是衡量减淤效益的一个重要指标,主要反映在防洪效益上,减少大堤加高和相应的河道整治工程及引黄涵闸工程等建筑物的改造。

按六个50年系列平均,小浪底水库初期运用14.5年,拦沙减淤比为1.53。三门峡水库1960年11月至1964年10月,拦沙减淤比为1.62。因小浪底水库采取逐步抬高主汛期水位拦粗排细并调水调沙的运用方式,因此拦沙减淤效益较三门峡水库为好是合理的。

4.4 小浪底水库运用对山东河段的减淤作用分析

六个50年系列的泥沙冲淤计算表明,小浪底水库运用在艾山上下河段的减淤是同步的,但表现方式有差异。在艾山以上河段,一般为河槽先连续冲刷后连续回淤,均为较缓和地进行;在艾山以下河段,一般为微冲微淤,相对平衡。小浪底水库调水调沙使水沙两极分化,是利用2 500m³/s以上大水流量在河槽输沙减淤和利用6 000～8 000m³/s低漫滩洪水淤滩刷槽。

根据六个 50 年系列的计算,在艾山以下河段有连续 14～23 年的累计淤积量小于 1.0 亿 t,其中连续 5～19 年是微冲的,个别系列最大累计冲刷量 1.68 亿 t。

按六个 50 年系列平均计算,水库运用 20 年,艾山至利津河段总减淤量为 8.09 亿 t,年平均减淤 0.405 亿 t,基本不淤积;水库运用后 30 年,艾山至利津河段总减淤量为 1.31 亿 t,年平均减淤 0.044 亿 t,减淤效益衰减。由于下游河道泥沙冲淤计算方法的局限性,水库后期运用调水调沙对下游的减淤效益包括对艾山以下河段的减淤效益反映不很明显。例如,对于 1950～1975+1950～1975 年系列,黄委设计院计算水库后 30 年下游平均减淤 0.40 亿 t,而长委长科院计算水库后 30 年下游年平均减淤为 0.87 亿 t,说明计算方法不同,计算成果有差异。

4.5 小浪底水库运用对黄河河口的影响

黄河每年有大量泥沙注入渤海,造成了河口的强烈淤积延伸。黄河侵蚀基准面的相对抬高对艾山以下河道淤积的影响也具有趋向性。所以减少进入河口的泥沙量对于延缓河口延伸,以减少其对艾山以下河道淤积的影响是有意义的。按六个 50 年系列平均计算,水库在初期运用 15 年拦沙 102.1 亿 t,拦沙减淤比为 1.53,下游河道减淤 66.73 亿 t,则进入河口的泥沙量减少 35.37 亿 t,年平均减少 2.36 亿 t,将减缓对河口的延伸,有利于河口流路较长时期地保持相对稳定。在小浪底水库拦沙完成后的调水调沙运用时期,由于主汛期利用 2 500m³/s 以上较大流量输沙并有泄水造峰冲刷河槽和淤滩刷槽,通过大水流量,增加送到深海的泥沙。同时需要研究河口处理泥沙的途径与措施,配合小浪底水库运用方式,进行河口治理。

4.6 小浪底水库运用对下游河槽水力几何形态调整变化的影响

水库初期拦沙运用,采取逐步抬高主汛期水位拦沙和调水调沙运用方式,主汛期平均排沙比约为 70%,在水库拦沙完成后调水调沙,大量泥沙均是以 2 500m³/s 以上大水流量输送,使河槽减淤比重增大,大水调沙淤滩较多,滩槽高差增大,河槽平滩流量和排洪能力增大,按前所述河槽水力几何形态与流量和含沙量的关系,在艾山以上尤其在高村以上河段,河槽形态将趋向窄深,输沙能力将增大。

以 1950～1975＋1950～1975 年系列为例,在 50 年的 7 月 11 日至 9 月 30 日共 4 100 天内,小浪底日平均入库和出库的流量和含沙量特征值如表 14 所示。

表 14　　　　　小浪底水库进出库流量、含沙量特征表

项目	流量(m³/s)						含沙量(kg/m³)			
	≤8 000 ≥5 000	<5 000 ≥2 500	≥2 500	<2 500 >800	≤800	≥300	<300 ≥200	<200 ≥50	<50 ≥10	<10
入库天数	138	822	960	2 286	854	64	136	1 852	2 036	12
出库天数	300	924	1 224	1 001	1 875	92	116	1 267	1 665	960

由表 14 可以看出,小浪底水库运用,改善了出库水沙过程,使 2 500m³/s 以上大流量和 800m³/s 以下小流量增加,800～2 500 m³/s 平水流量减少;由于水库拦沙和调沙,使 50～200kg/m³ 含沙量的天数减少较多,而小于 10kg/m³ 含沙量的天数大幅度增加,大于 200kg/m³ 含沙量天数增加,10～50kg/m³ 含沙量的天数也减少。这些情况反映了水沙两极分化。根据前述的分析小浪底水库运用的出库水沙过程,将有利于下游河道形成比较窄深规顺的河槽,促进下游游荡型河段平稳地进行河型转化。

5　小浪底水库综合利用方式研究

小浪底水库的运用首先满足防洪、防凌、减淤的要求,相应进行供水、灌溉和发电运行,发挥综合利用效益。

为了提高水库对下游河道的减淤效益,尤其是水库初期拦沙

运用,要提高下游山东河段的减淤效益,防止上冲下淤对山东河段的不利影响,需要采取降低水库初始运用起调水位,逐步抬高主汛期水位拦沙和调水调沙,在10月至6月蓄水,调节径流兴利运用的综合利用运用方式。

拟定水库正常运用期调度图分七个大区,依次是调水调沙区、防洪区、防凌区、降低出力区、保证出力区、保证供水区、加大供水区,见附图。

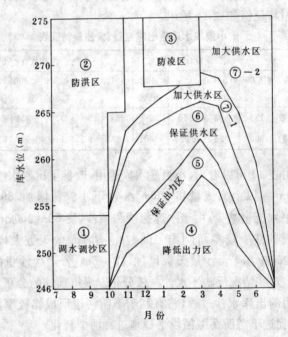

附图　小浪底调度图

各区的调度原则分别为:

(1)调水调沙区:主汛期库水位在正常死水位230m至防洪起调水位254m间变动,平均水位245～246m,该区内进行水沙调节,主汛期调蓄2 500m³/s以下流量,一般库内蓄水1～3亿m³。

（2）防洪区：防洪期库水位为 254～275m，7～9 月预留防洪库容 40.5 亿 m³。10 月份库水位在 265～275m，上半月预留后期洪水防洪库容 25 亿 m³。

（3）防凌区：12 月初库水位不超过 267.6m，预留防凌库容 20 亿 m³；防凌期最高蓄水位 275m。

（4）降低出力区：电站发 80% 保证出力，向冀、津供水 70%。

（5）保证出力区：发电不小于保证出力，向冀、津供水不低于 80%。

（6）保证供水区：发电出力不小于保证出力，出库流量不小于 350m³/s，满足沿黄城乡工业用水、外流域调水及 120 万 hm² 灌区内的灌溉用水。

（7）加大供水区：在两个子区内发电不小于保证出力，出库流量不小于 350m³/s，3～6 月灌溉面积分别不小于 160、266.7 万 hm²，10 月至翌年 2 月灌溉面积分别不小于 140 和 233.3 万 hm²。兴利调节最高蓄水位 275m。

6 研究结论

（1）为了提高水库拦沙对下游减淤的效益，需要在水库初期拦沙运用采取逐步抬高主汛期水位拦沙，并进行调水调沙，这样对下游艾山以上和以下河段均有利。

（2）水库采取逐步抬高主汛期水位拦沙、提高水库排沙比，使库区淤积物具有可冲刷性，容易进行调水调沙和保持调水调沙库容的正常运用。

（3）水库拦沙和调水调沙运用，要发挥下游河道输沙能力，进行水沙两极分化，将泥沙调节到大水流量输送，并利用洪水淤滩刷槽，使下游逐渐在水沙的两极分化过程中，形成滩槽高差增大，具有增大河槽输沙能力和排洪能力的相对窄深的河槽，促进河型河性转化。

（4）在水库调水调沙进行下游大水输沙的调节中,要控制对下游有破坏力的过高浓度的高含沙洪水,同时在水库冲刷排沙中要防止泄水建筑物前滩地的坍塌淤堵泄水孔口,造成不安全的事故。

（5）水库后期运用调水调沙,提高下游减淤效益是有潜力的,要在水库初期拦沙和调水调沙运用中总结经验,进行试验研究,为进一步优化水库调水调沙运用提供科学依据。

（6）水库初期拦沙和调水调沙运用是减淤的重要时期。因此,采取逐步抬高水位拦沙和调水调沙运用利多弊少,可操作性强,能保证水库安全正常运用,必须搞好水库初期运用。

水库高含沙异重流

我国自60年代以来,先后在红山、黑松林、巴家嘴、恒山、小河口、红领巾、冯家山等十余座水库观测到高含沙异重流,其运动特性与美国米德湖及我国官厅水库观测到的低含沙异重流有很大的不同,表现在高含沙异重流容易形成、前锋传播速度快、挟带的粒径粗、排沙持续时间可大于洪锋持续时间、排沙效率高等方面。图1为高、低含沙量异重流各自的排沙过程,三门峡水库入库水流含沙量较低,通过水库的调节,出库流量、含沙量过程线与入库相比,变形很大。巴家嘴水库入库水流含沙量高,水库的调节作用只改变出库流量过程,而含沙量过程线基本不变,这是高含沙异重流的显著特性。

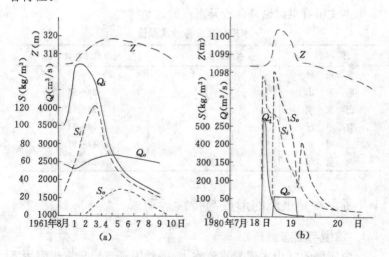

图1　水库异重流排沙过程线

(a)三门峡水库　(b)巴家嘴水库

表1是一些水库异重流排沙实测成果。巴家嘴水库利用高含

沙异重流排沙,在不泄空水库的情况下,可将入库泥沙的 60%～90%排出库外,冯家山水库高含沙异重流排沙比达 68%[1],比低含沙异重流的排沙比高一倍多。因此,高含沙异重流排沙是一项有效的水库调沙技术,它可延长水库蓄洪运用期的时间,延长水库泄空排沙周期,使水库有可能实现泥沙多年调节,并有利于下游的浑水利用。

黄河流域地域辽阔,流经粗沙区的黄甫川、窟野河等粗泥沙支流的最大含沙量可达 1 500kg/m³,粒径较巴家嘴等水库大几倍甚至十几倍。为预测这些粗泥沙支流中含沙量很高的洪水进入水库后能否产生异重流,我们通过水槽试验得出这样的结论,即含沙量很高、粒径粗的挟沙水流的流型为牛顿体,但其粘性较清水大许多倍,使颗粒沉速减小,等效于泥沙组成细化,所以仍能产生异重流,这是很有意义的。

本文将着重讨论高含沙异重流的运动特性。

表 1	水库异重流排沙实测值	
库　　名	水库长度(km)	异重流排沙比(%)
黑 松 林	2	16～90
冯 家 山	12～14	23～68
巴 家 嘴	10～25	24～92
官 　 厅	17～48	19～34
三 门 峡	80	18～21
米 德 湖	128	18～39

1　高含沙异重流的形成与持续运动

1.1　流型与流态

由实测的红山水库异重流水力、泥沙因子点绘异重流阻力系数 $\lambda_m = \dfrac{8ghJ\Delta\gamma}{v^2\gamma_m}$ 与雷诺数 $Re = \dfrac{4hv}{v}$ 的关系可以发现,点群分散无序,按常规判断,$Re > 10^5$ 时应是阻力平方区,但阻力系数 λ_m 不是常数,当然也不是层流条件下 $\lambda_m = K/Re$ 的关系。这说明红山水库异重流的流型为非牛顿体,流态不能按 $Re = \dfrac{4hv}{\nu}$ 作出判别。为此,在红山水库现场取样进行流变参数的测定,求出了红山水库异重流淤积物的流变参数 η, τ_B。经分析并点绘 $\lambda_m \sim Re_m = 4hv\gamma_m/g(\eta + \dfrac{R\tau_B}{2v})$ 的关系,证实了红山水库中的高含沙异重流流型为非牛顿体,可按宾汉体对待,很多情况下,流态为层流。

由于来水来沙情况的不同,从一些水库观测到的高含沙异重流的流型可以是非牛顿体、也可以是牛顿体,流态可以是层流、也可以是紊流。高含沙水流流型的非牛顿体性质,将影响高含沙异重流的形成、传播和输沙等全部运动特性。

1.2 形成条件

50 年代,范家骅通过低含沙异重流水槽试验,得出异重流的形成条件为[2,3]潜入断面的密度修正佛汝德数 $Fr' = 0.78$。这一判数也得到官厅、刘家峡等水库实测资料的证实,但它不能描述高含沙异重流的情况。图 2 绘出高含沙异重流形成条件 $Fr' \sim \Delta\gamma/\gamma_m$ 关系的水槽试验结果,表明潜入条件 $Fr' = 0.78$ 只在潜入断面流态为紊流的情况下才适用。试验表明潜入断面存在层流、过渡及紊流三种流态,如图 3 所示。这个结论也得到焦恩泽水槽试验的证实。本文作者根据潜入断面纵剖面特征从动量方程及能量方程推导出高含沙异重流的形成条件[4]为

紊流区

$$Fr' = \frac{v_p}{\sqrt{g\,\dfrac{\Delta\gamma}{\gamma_m}h_p}} = 0.78 \tag{1}$$

过渡区

$$h_p = C\,\frac{q^{2/3}}{(\dfrac{\Delta\gamma}{\gamma_m}gJ)^{1/3}} \tag{2}$$

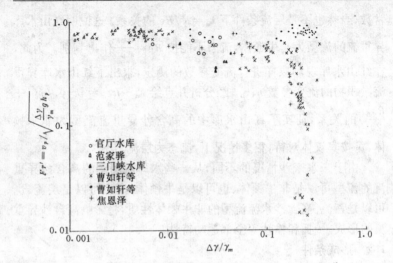

图 2 潜入点 $Fr' \sim \dfrac{\Delta \gamma}{\gamma_m}$ 关系

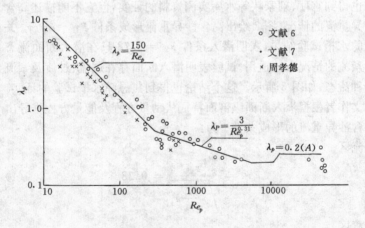

图 3 潜入断面 $\lambda_p \sim Re_p$ 关系

由试验资料得 C 的经验关系为

$$C = 0.106\ 51\mathrm{g}\tau_B + 0.685\ 5 \tag{3}$$

层流区

流态为层流且异重流为高含沙均质流时,过渡段不发生动量变化,而是一个阻力问题,根据阻力规律得

$$h_p = K_p \tau_B / 64 \Delta \gamma J \tag{4}$$

以上各式中:v_p、h_p 分别为潜入断面处流速、水深;$\Delta \gamma$ 为清、浑水容重差;γ_m 为浑水容重;q 为单宽流量;J 为比降;τ_B 为极限剪应力;g 为重力加速度;K_p 为系数,平均值为 $K_p = 150$。

关于粗泥沙高含沙水流进入壅水区后能否形成异重流的问题,作者在文献[5]中通过试验得出,在一定条件下均能形成粗泥沙高含沙异重流。由图 2 中 $Fr' \sim \Delta \gamma / \gamma_m$ 关系可见,虽然粗泥沙高含沙水流含沙量很高,但异重流的形成条件与低含沙异重流的一致,即 $Fr' = 0.78$。这是由于粗泥沙高含沙水流泥沙组成粗,细颗粒含量少,形不成絮网结构,流型为牛顿体,流态为紊流两相。但毕竟含沙量很高,故粘滞系数仍较清水的大许多倍,使沉速减小,其效应相当于粒径组成细化,所以粗泥沙高含沙水流能形成两相异重流,而不能形成巴家嘴水库那样的伪一相异重流。

1.3 持续运动条件

低含沙异重流挟带的泥沙靠水流紊动以保持悬浮,一旦进库洪峰消失,异重流便迅速停止流动,全部泥沙就地淤积下来[2]。因此,要实现异重流排沙,洪峰持续时间必须大于异重流传播时间。

高含沙非均质异重流前锋流态一般为紊流,后续异重流一般为层流。由于 $\Delta \gamma / \gamma_m$ 值大,故锋速大,传播时间要比低含沙异重流短得多,异重流很快抵达坝前。水库的下泄流量一般小于异重流流量,因而形成浑水水库,浑水水库中的泥沙只有少量的粗颗粒仍呈分选沉降,落入正在运动着的异重流中,大量的细颗粒则是以界面形式整体下沉[4,6]。巴家嘴水库几场异重流排沙过程中,清浑水界面沉降的观测资料说明界面沉速仅为 0.001 9cm/s 及 0.000 115 cm/s,相当于单颗粒 $d = 0.001 \sim 0.005$mm 在清水中的沉速。正是

由于界面沉速如此之小,只要水库持续下泄水流,浑水水库中的浑水就可不断下泄,故异重流排沙时间大于洪峰持续时间,图 4、5、6 为巴家嘴水库一次洪水异重流排沙过程中水力、泥沙因子变化,反映了上述特性。

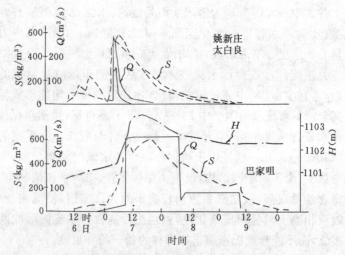

图 4　巴家嘴水库 1983 年 9 月 6～9 日
进出库流量、含沙量、坝前水位过程

高含沙均质异重流受阻力特性制约,洪峰消落后,只要基流含沙量仍属高含沙量范畴,则异重流仍能以阵流、间歇流形式持续运动,直至 $\Delta \gamma hJ < \tau_B$,异重流才停滞下来。巴家嘴水库尽管进、出库含沙量比几乎为 1,但由于异重流的滞留,排沙比一般只能达到 60%～90%。

停滞层不容易固结,若在它未固结前又来洪水,则异重流就能使停滞层起动,发生冲刷。表 2 为巴家嘴水库 1982 年 4 月 26～29 日异重流排沙特征值,该场洪水历时不足 8 小时,但洪水全部在主槽中流动,单宽流量大,在长达 36 小时的下泄流量过程中,出库流量都大于进库流量,故该场异重流的排水比(η_w)达 242%,排沙比

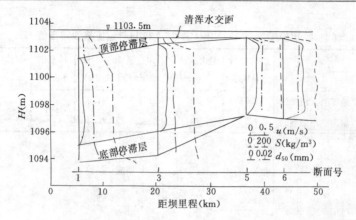

图 5　巴家嘴水库异重流流速、含沙量、d_{50}分布

（1983 年 9 月 7 日 12～16 时）

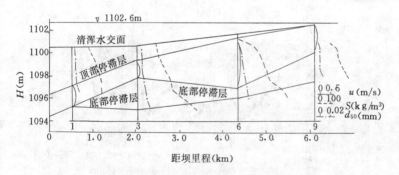

图 6　巴家嘴水库异重流流速、含沙量、d_{50}分布

（1983 年 9 月 8 日 8～12 时）

（η_s）达到 190%。

　　本文作者曾在水槽中做过异重流的不稳定性试验。图 7 为一组观测资料，初始流量 1.1L/s、含沙量 410～440kg/m³、d_{50}＝0.011mm。此时只出现阵流，阵流壅波高 0.3～0.5cm，壅波间隔时间 2～5 分钟，保持含沙量不变，流量减小到 0.2L/s，则出现

表2 巴家嘴水库1982年4月26～29日异重流排沙特征值

项 目		洪峰流量 (m^3/s)	最大含沙量 (kg/m^3)	水 量 $(10^4 m^3)$	沙 量 $(10^4 t)$	排水比 $\eta_w(\%)$	排沙比 $\eta_s(\%)$
进库	太白良站	45.5	897	117.6	41.8	242	190
出库	巴家嘴站	70.4	791	285.1	79.4		

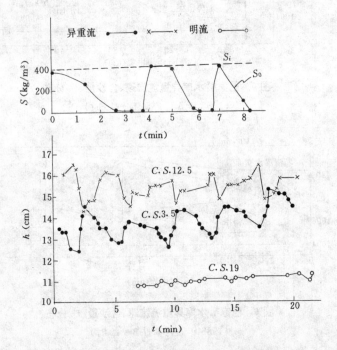

图7 阵流和间歇流水位及进出口含沙量变化

新的情况,明流段仍只有阵流而无间歇流,异重流段则同时出现阵流及间歇流。之所以发生这种异常现象,其机理是细颗粒含量大的高含沙均质流的流型是与时间有关的非牛顿体,它具有触变性,流体与槽底接触处流速为零,形成停滞层。停滞层的 τ_B 值较上层的

流动层的 τ_B 大,层间流速分布呈突变形状[7],不但异重流如此,明流也同样具有这种流速分布的突变形状。当流量减小后,停滞层发展增厚,当 $\Delta\gamma hJ<\tau_B$ 时,流动就停止,发生浆河。尔后由于源源不断的来流,使水深增加,当能量积聚到足以克服 τ_B 时,流动才恢复。但来流能量毕竟不足以维持正常流动,必然又重复上述过程。

异重流中的间歇流与明流中的间歇流不同,明流中的间歇流呈同步浆河或开河,即相邻断面流动、停止是同步发生的,而异重流的间歇流则表现为有规则的自上而下的传递,水槽中发生的传递时距大约为 3.5 分钟,这可能是因为异重流还受到上层流体交面阻力所致。

2 高含沙异重流的阻力

2.1 流速分布

流速分布是阻力的内在反映,高含沙异重流流速分布与水流条件及浑水特性密切相关而具有多种形状。图 8 为水槽试验流量为 2.5L/s 时,不同含沙量的异重流流速分布。可以看出,随着含沙量的变化,当含沙量大于一定值后,其流型为与时间有关的非牛顿体,具有触变特性,使临底层流体的 τ_B 较上层的大。而在非牛顿体的层流流态下,流速分布出现不同的形状,好像在雷诺数相同的情况下,非牛顿体层流异重流的阻力系数可以有不同的数值。其实是随着含沙量的不断减小,非牛顿体层流异重流逐步向牛顿体过渡流、紊流异重流转化,同时也伴随着出现不同形状的流速分布。

图 8(a)为具有触变特性的非牛顿体层流异重流流速分布,它有流核,临底有停滞层,它与上层流动层之间有很大的流速梯度,形成流速分布的突变。在考虑了非牛顿体的触变性后,这种 a 类异重流停滞层以上 $y_0<y<h$ 范围的流速分布可用 P. H. 希辛柯结构流体的流速公式描述,即

$$u = \frac{\Delta \gamma J}{2\eta(1+\alpha)}(h^2 - y^2) - \frac{\tau_B}{\eta}(h - y) \tag{5}$$

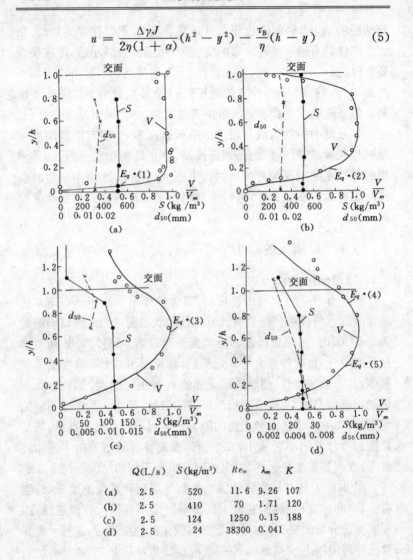

	$Q(\text{L/s})$	$S(\text{kg/m}^3)$	Re_m	λ_m	K
(a)	2.5	520	11.6	9.26	107
(b)	2.5	410	70	1.71	120
(c)	2.5	124	1250	0.15	188
(d)	2.5	24	38300	0.041	

图 8　不同含沙量的异重流流速分布

式中：u 为 y 点处的流速；h 为异重流的厚度；J 为交面比降；η 为刚度系数；α 为交面阻力与底部阻力的比值，$\alpha = \tau_i/\tau_0$；y_0 是停滞层的厚度。

含沙量的减小使 τ_B 值相应减小，非牛顿体已不具备触变性，停滞层基本消失，流核厚度减小，交面阻力影响增大。交面上下两层流体的相对运动产生一层含沙量较清水大的浑水层。图 8(b)是这种 b 类异重流流速分布，它符合 y 的三次抛物线，在 $y_0 < y < h_y$ 范围

$$\frac{u}{u_m} = \frac{1}{2h_y}(3y - \frac{y^3}{h_y^2}) \tag{6}$$

式中：u_m 为最大流速；h_y 为 u_m 处至槽底的距离。

a 和 b 类异重流有流核，它们是高含沙均质异重流。含沙量继续减小，流型转化为牛顿体，异重流过渡为高含沙非均质异重流，流态由层流向紊流过渡。异重流挟带的粗颗粒将下沉，在床面形成与异重流界限分明的粗颗粒淤积层，异重流垂线含沙量及粒径分布均出现梯度。交面上下两层流体性质接近，交面阻力影响显著，流核消失。图 8(c)是这种 c 类异重流的流速分布，它符合二次抛物线公式，即

$$\frac{u}{u_m} = \frac{2y}{y_m}(1 - \frac{y}{2y_m}) \tag{7}$$

式中：y_m 为抛物线顶点至槽底的距离。

含沙量进一步减小，异重流流态已转化为紊流，流速分布与一般文献中描述的一致，即以最大流速为界，上部符合高斯正常误差定律

$$\frac{u}{u_m} = \exp(-\frac{1}{2}\frac{y-h_1}{\delta})^2 \tag{8}$$

下部符合对数公式

$$\frac{u}{u_m} = C_1 \lg\frac{y}{h_2} + C_2 \tag{9}$$

式中:δ 为最大流速至转折点的距离;h_1 为最大流速处至交面厚度;h_2 为槽底至最大流速点距离。图 8(d)是这种 d 类异重流的流速分布。

　　c、d 类异重流可在三门峡、官厅等水库观测到,a、b 类异重流在巴家嘴水库可观测到,国外只观测到 d 类异重流。图 9 是巴家嘴水库实测的高含沙异重流流速分布,$S = 411 \text{kg/m}^3$,$Re_m = 98.4$,$\lambda_m = 2.2$,$K = 213$。这是我国特有的异重流现象。

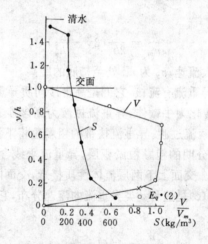

图 9　巴家嘴水库实测的高含沙异重流流速分布

2.2　阻力特性

　　根据二元异重流自由体力的平衡分析,可导出异重流阻力公式[7]

$$v = \sqrt{\frac{2}{C_f}\frac{\Delta\gamma}{\gamma_m}gRJ} \tag{10}$$

式中:R 是异重流的水力半径,$R = \dfrac{h}{1+\alpha}$;C_f 是阻力系数。

　　当异重流含沙量变幅很大时,异重流的流型、流态均有变化,使阻力问题变得十分复杂,要直接求出各种情况下的 α 值是很困难的。为此,参照雷诺的方法[8],把 α 值略去,由此而产生的误差都归并在阻力系数 λ_m 中。

$$\lambda_m = \frac{8gRJ}{v^2}\frac{\Delta\gamma}{\gamma_m} \tag{11}$$

$$v = \sqrt{\frac{8g}{\lambda_m}\frac{\Delta\gamma}{\gamma_m}RJ} \tag{12}$$

式(12)就是异重流的一般阻力公式,λ_m 随流型、流态的不同而变。

不论是低含沙异重流还是高含沙异重流,只要异重流流态是紊流,即 $Re_m > 6\,000 \sim 8\,000$,阻力系数 λ_m 为常数,文献[2,7]指出,$\lambda_m = 0.02 \sim 0.04$。

牛顿体层流异重流

$$\lambda_m = \frac{225}{Re}, Re = \frac{4hv}{v}$$

非牛顿体层流异重流

$$\lambda_m = K/Re_m \tag{13}$$

$$Re_m = \frac{4hv\gamma_m}{g\left(\eta + \frac{R\tau_B}{2v}\right)} \tag{14}$$

图 10 点绘了水槽试验、红山水库、巴家嘴水库实测的 $\lambda_m \sim Re$、$\lambda_m \sim Re_m$ 的关系。由图可看出,$\lambda_m \sim Re$ 不能描述非牛顿体层流异重流的阻力,而 $\lambda_m \sim Re_m$ 很好地表达了 $\lambda_m = K/Re_m$ 的关系,式中 K 不是一个固定值,它与上下两层流体粘性有关,据试验资料分析可得 K 的经验关系

$$K = 96 + \left[166\left(\frac{\eta}{\mu}\right)^{-1.3} + 3\right] \tag{15}$$

2.3 异重流阻力公式

高含沙异重流前锋的流态为紊流,前锋传播速度 v_f 为

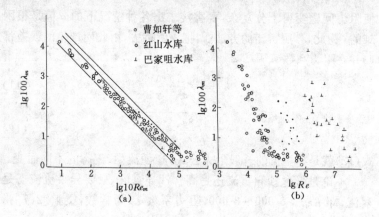

图 10　阻力系数 λ_m 与雷诺数 Re_m 的关系

$$v_f = \sqrt[3]{\frac{8g}{\lambda_f} \frac{\Delta\gamma}{\gamma_m} qJ} \qquad (16)$$

非牛顿体高含沙异重流流态一般为层流,把式(13)代入式(16),又因 $\eta \ll \dfrac{R\tau_B}{2v}$,故可略去 η,整理后得非牛顿体高含沙层流异重流流速 v 为

$$v = 64\Delta\gamma qJ/K\tau_B \qquad (17)$$

通过实测值与式(17)计算值的比较,可见符合良好[7]。

牛顿体高含沙异重流一般为紊流,异重流流速 v 为

$$v = \sqrt[3]{\frac{8g}{\lambda_m} \frac{\Delta\gamma}{\gamma_m} qJ} \qquad (18)$$

3　输沙特性

实测资料分析表明异重流的输沙特性与其流型、流态密切相关。就一场洪水而言,按过程和按均值对待是不同的,按过程讲,有时为低含沙水流,有时为高含沙非均质流,有时又可能是高含沙均质流。洪峰过程中在峰腰、峰顶、落峰等阶段会有各种流型、流态相

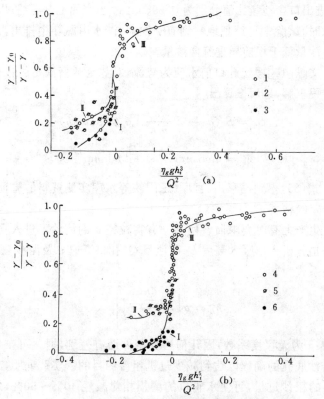

图 11　挟沙异重流孔口出流试验结果

(a)二度孔口　　(b)三度孔口(方孔)

1—孔口高 39cm　2—孔口高 26cm　3—孔口高 13cm

4—孔口高 39cm　5—孔口高 24cm　6—孔口高 7cm

范家骅试验中的泥水异重流浓度不高,所以孔口出流的基本规律与盐水异重流一致。对高含沙异重流来说,由于坝前流速场不对称,当交面上升至孔口中心时,进、出口含沙量比值小于 0.5。作者进行的方孔泥水异重流试验,在流量相同的情况下,含沙量为

$77kg/m^3$ 时,进出口含沙量比值为 0.46;含沙量为 206、452kg/m³ 时,进出口含沙量比值分别为 0.29、0.18。当交面上升至超过孔口上缘时,试验中可清楚地看到有一漏斗,清水由漏斗中排出,使出口含沙量低于坝前异重流含沙量。

文献[10]假定孔口前水流为势流,对势函数所满足的拉普拉斯方程求解,最后推导出

$$S_0 = S_1(\overline{h} + \sum_{n=1}^{\infty} \frac{4}{n^2\pi^2}\overline{A}_n e^{-n\pi k\overline{x}}\sin n\pi\overline{h}) \tag{35}$$

$$A_n = \overline{u}_1\cos n\pi(\overline{Z}_1 + \frac{\overline{D}_1}{2})\sin n\pi\frac{\overline{D}_1}{2}$$

式(35)得到冯家山、官厅、三门峡等水库实测资料的验证,具有一定的精度。

生产上有时要求回答使某一有害粒径 d 的泥沙不进入孔口。方宗岱分析得出吸入高度 h_L 与泄量 Q、孔口流速 v 及泥沙粒径 d 的关系式为[●]

$$h_L = \alpha \left[\frac{Qv}{\dfrac{\gamma_s - \gamma}{\gamma}gd}\right]^{1/2} \tag{36}$$

式中:α 为无尺度系数,因几何边界条件而有差别,据此可布置泄水排沙底孔的高程以达到减少过机粗沙的目的。实践证明,减少 10% 的粗沙过机,可使水轮机的磨损相对减轻 40%~50%,效益是十分可观的。刘家峡水库泄水道高程较机组进水口高程低 15m,在合理的调度下保护了机组。表 5 为刘家峡洮河沙峰平均排沙比统计值,反映了泄水道减少过机沙量的作用[11]。

5　异重流排沙计算

上述异重流运动特性的各计算关系式是建立一维恒定异重流

● 方宗岱,方宗岱论江河治理,1991 年。

排沙模型的理论基础,异重流排沙计算可按以下步骤进行。

第一步对水文泥沙、地形、水库运用等基本资料进行分析和必

表5   洮河沙峰平均排沙比

年份	排沙次数			入库沙量(10⁴t)	出库沙量(10⁴t)				平均排沙比(%)			
	泄水道	机组	溢洪道	沙量(10⁴t)	泄水道	机组	溢洪道	总计	泄水道	机组	溢洪道	总计
1974	3	5		417	125	43.3		168	30.0	10.4		40.4
1975	5	6	5	738	220	117	5.3	342	29.8	15.9	0.7	46.4
1976	5	5		1 841	1 228	334		1 562	66.7	18.1		84.8
1977	4	6		1 142	960	472		1 432	84.1	41.3		125.4
1978	4	10		1 717	624	1 328		1 952	36.3	77.3		113.6

要的论证。如高含沙水流的流变参数水文年鉴中是没有的,对此若无实测资料则可用公式计算,但必须对计算结果进行合理性论证。

第二步判别流态。根据相应公式算出潜入点水深 h_p,再由水面线定出潜入点具体位置,按相应的阻力公式计算传播时间,判别异重流能否抵达坝前及排沙时间。

第三步由已知进口含沙量及泥沙级配组成判别输沙模式,按相应公式计算淤积量、排沙量。

按本文的计算方法对两相异重流和伪一相异重流分别进行了排沙计算。巴家嘴水库1983年9月6～9日洪水过程见图4,进库沙量409.3万t,出库沙量312.9万t,该场洪水最大含沙量及时段平均含沙量均大于 $400kg/m^3$,输沙模式是伪一相流,进出库含沙量几乎相等,库区淤积表现为滞留淤积。按滞留淤积计算方法得出该场洪水过程库区滞留淤积量为98万t,与实测库区淤积量96.4万t吻合。

参 考 文 献

[1] 朱书乐.冯家山水库异重流排沙的初步总结.陕西水利.1988(2)

[2] 范家骅等. 异重流的研究和应用. 北京:水利出版社,1959

[3] Huichiro Akjyama and Heing G. stefan. Plunging Flow Into a Reservoir: Theory,Journal of Hydraulic Engineering,ASCE Vol. 110. 4 April,1984

[4] 曹如轩,任晓枫,巨胜利. Conditions of Formation and Continuous Motion of Density Current with Hyperconcentration. Proceedings of International Workship on Flow at Hyperconcentrations of Sediment. 1985, Beijing,China

[5] 曹如轩等. 粗沙高含沙异重流试验研究. 泥沙研究. 1995(2)

[6] 焦恩泽,陈士丹. 巴家嘴水库排沙问题的初步分析. 人民黄河. 1989(2)

[7] 曹如轩,陈诗基,卢文新等. 高含沙异重流阻力规律的研究. 见:第二届河流泥沙国际学术讨论会论文集. 北京:水利出版社,1983

[8] 钱宁等. 异重流. 北京:水利出版社,1958

[9] 钱宁,万兆惠. 泥沙运动力学. 北京:科学出版社,1983

[10] 吕秀贞. 异重流的孔口排沙问题. 泥沙研究,1984(1)

[11] 蒲乃达,苏凤玉,张瑞佳. 刘家峡、盐锅峡水库泥沙的几个问题. 见:第一届河流泥沙国际学术讨论会论文集. 北京:光华出版社,1980

多沙河流修建水库保持有效库容的措施

在多沙河流上修建水库,泥沙淤积不仅是一个水库安全运行问题,还是一个河流环境问题。这些问题已经引起世界各国环境学家关注,是决定在多沙河流上能否修建水库的关键问题。黄河是世界著名的多沙河流,人民治黄以来,兴建了许多水库,进行防洪、灌溉、发电等综合利用,在流域治理和开发中发挥了积极作用。但是水库泥沙淤积十分严重,据 1989 年调查统计结果[1],黄河流域已建小(Ⅰ)型以上水库共有 601 座,总库容 522.51 亿 m³,已淤积泥沙 108.97 亿 t,占总库容的 21%,还不包括山东省境内的水库,其中支流水库淤积泥沙 29.05 亿 t,占支流水库总库容的 26%,有的支流水库库容淤积损失率达 70%左右(如清水河、偏关河等)。为了保持有效库容,曾采用了许多措施,概括起来主要有二类,一类是根据来水来沙特点、泥沙冲淤情况和河床自动调整演变的规律,对水库进行合理调度;二是采用清淤技术,包括机械、电力、水力和风力等清淤技术。本文主要介绍前一种措施。几十年来,在有关单位共同协作研究、探索了黄河水沙变化、水库淤积和河床演变的基本规律,全面总结了水库泥沙在规划、设计和管理运用中的经验[2,3,4],认为多沙河流上修建的水库,在进行径流调节的同时,必须注意对泥沙的调节,使之保持一定的有效库容长期使用,才有可能进行综合利用,并有利于改善下游河道的冲淤变化,为在多沙河流上修建水库摸索出一条新的途径。

1　水库的冲淤变化和可用库容

水库冲淤变化(库区河道)进行河床自动调整的机理与冲积河流自动调整的机理是一致的。由于在河流上修建水库,破坏了天然河道的边界条件,河流将自动调整使上游带来的泥沙输送到下游。对于多沙河流来说,由于来沙量多,水库淤积快,河床调整迅速,从而带来的问题严重。三门峡水库是在黄河干流上兴建的第一座大型水利枢纽,1960 年 9 月投入运用,由于泥沙淤积,严重危害关中地区的工农业生产,1962 年初改为滞洪运用。但因泄流规模不足,在洪水期坝前壅水较高,库区淤积,特别是淤积向上游的延伸还没有得到控制。1964 年底决定对枢纽进行改建和增建,至 1973 年底第一台机组安装完成,水库采用蓄清排浑运用方式,即在非汛期来沙量少时,水库蓄水运用,汛期来沙量多时,则降低库水位控制运用,泄洪排沙,将非汛期淤积的泥沙排出库外,年内基本达到冲淤平衡。必须指出,水库蓄清排浑运用的汛期控制运用与滞洪运用是不同的,后者是泄水建筑物全部敞泄排沙,洪水滞洪淤积,小水冲刷排沙;前者水库运用方式是考虑下游河道的输沙特点,控制水位时考虑相应的流量是下游河道输沙能力最大的流量。这样有利于减少下游河道淤积。实践证明三门峡水库改建是成功的。

　　将水库的库容分为滩地库容和河槽库容两部分,这两部分库容在水库冲淤调整过程中的变化是不同的。图 1 是三门峡水库在冲淤过程中的库容变化,原始库容在 330m 高程以下为 59.6 亿 m³,其中滩地库容和河槽库容分别占 58% 和 42%,到 1964 年 10 月,由于泄流能力不足,总库容损失达 36.8 亿 m³,占原始库容的 63.8%,其中河槽库容和滩地库容的损失量分别占各自原始库容的 54.3% 和 57.2%。滩地库容的损失量略较河槽库容大,使滩、槽库容的比例发生变化,约各占一半。而后由于枢纽的改建,泄流能力增加,库水位降低,使潼关以下发生冲刷,至 1973 年汛后,总库容恢复到 32.6 亿 m³,为原始库容的 54.8%。库容恢复约 10 亿 m³,主要是河槽库容增大了,约为其原始库容的 90%,滩地库容基本不变,滩、槽库容的比例变为 1:2。从此水库采用蓄清排浑运用。十几年的运用实践表明,库区冲淤年内基本可以平衡,其中河槽库容在冲淤交替中基本保持平衡,滩地虽然非汛期蓄水运用时也常进水,由于含沙量小,淤积量很小,汛期库区滩地基本不上水,所以滩地库容也基本不变。这样,三门峡水库在335m高程下约有60亿 m³ 库容可供长期使用,约占原始库容的60%。

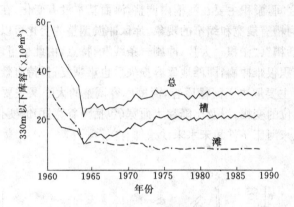

图1 三门峡水库库容变化

在黄河上还有一些水库由于泄流规模、运用方式和原河道地形条件等不同,可供长期使用的有效库容与原始库容的比例也不同[6],如盐锅峡水库为27%,黑松林水库为23%~29%,宝鸡峡水库为20%,红领巾水库为18%~24%,此外,柳河闹德海水库可达59%~71%。

2 水库泥沙冲淤的一些基本特点

2.1 水库泥沙冲淤与运用方式的关系

图2为三门峡水库不同运用方式下库区的冲淤变化。可以看出:在水库蓄水拦沙阶段(1960~1964年),泥沙大量淤积,从1961年10月的纵剖面图可以看出,水库淤积形成三角洲,三角洲顶点在 CS31 附近,在其以下的横断面淤积基本上是平行升高,滩槽高差较小,在其以上至潼关(CS41)断面滩槽高差增大。滞洪排沙运

用阶段(1964～1973 年),由于枢纽改建,泄流能力增加,坝前水位降低,在前期淤积的河床上冲出一条深槽,滩面基本没有变化,滩槽高差自下而上逐渐减小。蓄清排浑运用以后,由于汛期控制运用与滞洪运用时不同,故坝前段河槽发生回淤,淤积范围在 CS22～CS31 之间,淤积主要在河槽内调整,滩面基本没有变化,在调整过程中,河槽有展宽和缩窄的现象。库区冲淤调整的变化可以概括为"死滩活槽"、"淤积一大片,冲刷一条线"的特点。由此也可以看出,滩地淤积很难冲刷,即滩地库容损失后也难恢复;保持有效库容长期使用主要取决于河槽库容,河槽库容调整的大小又主要取决于坝前水位的变幅,以及比降和水面宽(包括河谷宽度)的变化,后者又与原来河床条件和来水来沙条件有关。

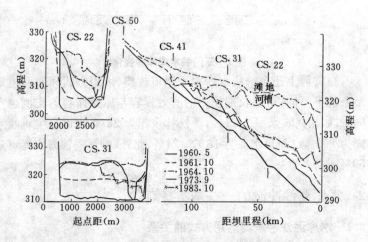

图 2　三门峡水库黄河干流滩槽纵横断面图

2.2　水库淤积末端的变化

　　水库淤积末端是指水库淤积向上游发展与原河床相交的地方。由于水库淤积向上游延伸,增加了浸没和淹没范围,影响库周的工农业生产和恶化生态环境等问题,引起人们的关注。表 1 为我

表 1　　　　　　　　我国部分水库淤积末端上延情况[*]

水库名称	所在河流	多年平均含沙量 (kg/m³)	原河床比降 (‰)	淤积年限 (年)	ΔH (m)	上延系数 $\xi=\dfrac{L}{L_0}$	备注
三门峡	黄河	37.5	3.5	12	+23.4	1.46	北干流原属堆积性河道，下游段原属微淤河道，现末端上延比降较陡
	渭河	58	1.4	12	+16	1.44	
	北洛河	110	1.68	12	+16	1.34	
镇子梁	浑河	62.9	11	14	+3.5	1.44	原河床中细沙，低坝
宝鸡峡	渭河	71	23	7	+7	1.4	低坝，纵剖面已平衡
闹德海	柳河	64.3	8.6	30	+9.5	1.2	
官厅	永定河	49.2	14～15	20	+4.4	1.12	
巴家嘴	蒲河	175	22.8	13	+2.6	1.1	
黑松林	冶峪河	49.8	110	13	+8	1.1	
冶源	瀂河	2.21	25.8	13	+3.3	1.06	推移质来量较多
青铜峡	黄河	7.20	7.07	7	+1.5	1.06	
大伙房	浑河	2.04	1.27	15	0	1.0	推移质来量较多
上犹江	营前水	0.14	20.8	14	0	1.0	推移质来量较多
西津	郁江	0.24		11	−0.58	0.981	
龚嘴	大渡河	0.718	14		−3.0	0.94	
柘溪	资水	0.21		12	−7.5	0.934	
二龙山	东辽河	7.03	10～15	15	−3.3	0.91	
丹江口	汉水	3.24	33	13	−8.8	0.877	
丰满	松花江	0.39	4.6	14	−2.2	0.87	
黄坛口	乌溪江	0.16	11	5	−9.6	0.83	
石门	襄河	0.93	47	5	−22.4	0.79	

* 表中数据来源不同，精度不一，仅供参考

国部分水库淤积末端上延的情况，表中 ΔH 为淤积末端处的高程与最高库水位的高程差，上延系数 ξ 表示淤积末端距坝距离与最高库水位时和原河床的平交点距坝距离之比。虽然表中的数据来源不同，精度不一，但是还可以看出一些变化的基本规律：一是悬移质含沙量或推移质来沙较多的水库，$\Delta H > 0$，$\xi > 1.0$，表示水库淤积过程中出现上延现象，这种现象曾被形象地称为"翘尾巴"。悬移质含沙量小于 $2\sim3\,\mathrm{kg/m^3}$，原河床比降较大的水库，$\Delta H < 0$，$\xi <$

1.0,即水库淤积过程中没有出现"翘尾巴"现象。二是在多沙河流上兴建的水库,其淤积末端向上游延伸的长度与坝的高低和原河底的条件(以比降表示)有关,其中巴家嘴和黑松林水库的入库含沙量很高,分别达 175 和 49.8kg/m³,属于表中的高含沙量之列,而原河比降分别达 22.8‰和 110‰,也属于表中较高之列,但其上延系数在入库高含沙量的水库中是最小的。

渭河下游是上延系数较大的河流,但是据有关资料分析[4],交口以下的河槽床面泥沙的最大粒径为 1～5mm 的粗沙和小卵石,交口以上河床质突然变粗,最大粒径达 26～65mm 的卵石、砾石含量达 27.8%～65.65%,而交口以下不足 0.3%,耿镇桥以上的砾石含量也突然减少,不足 6.54%,表明耿镇桥至交口之间砾石主要来自泾河和灞河,交口以下逐渐变为堆积性河床,砾石含量减少。由于三门峡水库淤积引起的在渭河下游上延表明,在交口以下的上延速度很快,交口以上就较慢。这也表明水库淤积向上游延伸与原河床的条件有关。必须指出的是,水库淤积延伸不是单向地向上游延伸,还与来水来沙条件有关,在有利的水沙条件下,还有冲刷后退的现象,渭河下游河槽淤积末端在延伸过程中,曾发生四次明显的大幅度后退,五次上延,上延和后退交替发生,逐渐达到相对平衡。

上述水库的泥沙冲淤特点,对在多沙河流上修建水库,选择坝址很有参考价值。为了获得较大的库容长期使用,库区应选在峡谷侵蚀性河段,河道输沙能力富裕,这样河床调整幅度大,淤积末端延伸长度短,侵蚀、淹没损失小,迁移人口少,这符合我国人多地少的国情。

2.3　水库泥沙冲淤与来水来沙条件的关系

多沙河流的水沙特点是水少沙多,时空分布不均,一般说来,汛期四个月的水量占年水量的 60%～70%,沙量占 80%～90%以上。而且汛期的沙量又往往集中在几次洪水,年沙量愈高则愈集中。如黄河陕县站 1933 年实测年沙量 39.1 亿 t，为有实测资料记录以来的最高值。其中 8 月 9 日至 13 日五天的沙量达 21.2 亿 t，占年沙量的 54.3％，这是造成水库严重淤积的主要原因。表 2 为三门峡水库不同运用阶段来水来沙情况和库区冲淤变化。

表 2　　　　　　　　　三门峡水库的水沙情况及冲淤量

项　　目		1960.11~ 1964.10	1964.11~ 1968.10	1968.11~ 1973.10	1973.11~ 1986.10	1986.11~ 1989.10	1989.11~ 1994.10
潼关站水量	年水量($10^8 m^3$)	501	477	308	393	293	287
	汛期水量($10^8 m^3$)	303	281	146	228	156	121
	占年水量百分数(%)	60.5	58.9	47.4	58.0	53.2	42.2
	洪水期水量($10^8 m^3$)	242	225	66.2	148	58.4	47.6
	占年水量百分数(%)	48.3	47.2	21.5	37.7	19.9	16.6
潼关站沙量	年沙量($10^8 t$)	14.33	15.74	13.34	9.98	8.45	8.65
	汛期沙量($10^8 t$)	12.02	13.48	10.95	8.33	7.06	6.27
	占年沙量百分数(%)	83.9	85.6	82.1	83.5	83.6	72.5
	洪水期沙量($10^8 t$)	10.20	12.22	7.69	6.67	5.27	4.32
	占年沙量百分数(%)	71.2	77.6	57.6	66.8	62.4	49.9
洪水期	天数	85	76	33	58	29	30
	占年天数百分数(%)	23.3	20.8	9.0	15.9	7.9	8.2
库区冲淤量	年冲淤量($10^8 t$)	8.90	-1.77	-1.75	-0.61	-0.29	0.30
	汛期冲淤量($10^8 t$)	8.02	0.51	-1.52	-1.92	-1.44	-1.51
	占年冲淤量百分数(%)	90.1		86.8	314.8	496.6	
	洪水期冲淤量($10^8 t$)	7.19	1.34	-0.45	-1.33	-1.24	-1.44
	占年冲淤量百分数(%)	80.8		25.4	218.0	427.6	
三门峡水库运用情况		蓄水拦沙	滞洪排沙	滞洪排沙	蓄清排浑	蓄清排浑	蓄清排浑
上游大型水库投入运用情况		盐锅峡三盛公	青铜峡	刘家峡	八盘峡	龙羊峡水库蓄水运用	龙羊峡水库初期运用

　　由表 2 可以看出：在水库蓄水拦沙时期，水库发生淤积，年均淤积量占入库沙量的 62.1％，其中汛期淤积量占年淤积量的

90.1%,洪水期淤积量达 80.8%,其历时仅占 23.3%。滞洪运用时期,其中 1964 年 11 月至 1968 年 10 月水库经过初步改建,泄流能力虽有增大,但还不足,库内虽然发生冲刷,但汛期还是发生淤积,洪水期由于泄流滞洪拦沙,水库淤积更为严重;1968 年 11 月至 1973 年 10 月水库进一步改建,泄流能力进一步加大,库水位在 315m 时,泄流能力由初步改建的 6 064m³/s 增加到 10 000m³/s,水库年内继续发生冲刷,其中汛期冲刷量占年冲刷量的 86.8%,洪水期仅占 25.4%。蓄清排浑时期,根据上游水库运用情况分为三个时段,可以看出库区年内冲淤量不大,汛期发生冲刷,基本上输送了全年的泥沙,在汛期冲刷中主要集中在洪水期,特别是后两个时段,洪水期历时仅占年天数的 8% 左右,而冲刷量占汛期冲刷量的 80%~90% 以上。由此可以认为:在多沙河流上修建水库,根据其水沙特点,若有足够的泄流能力,采用合理的运用方式,可以使高含沙洪水由严重淤积转化为冲刷,达到库区冲淤平衡,保持一定的有效库容长期使用。充分利用高含沙洪水排沙,可以减少输沙耗水量,为下游充分利用水资源改善条件,也为枢纽电站平水期发电提供含沙量较低的水流条件[5]。但是,也应指出,由于水库上游的水资源开发和利用,使洪水期来水量减少,以致没有能力将非汛期淤积在库内的泥沙在当年冲掉,从而造成库区淤积,这又出现了新的问题。

　　综上所述,为了保持一定的有效库容长期使用,必须具备下列三个条件:

　　(1)选择优良的水库地形,峡谷侵蚀性河段,具有富裕的输沙能力,冲淤调整幅度大,可得到较大的可用库容。

　　(2)具有足够的泄流规模,是保持可用库容长期使用的必备条件。

　　(3)合理的水库运用方式,是保持可用库容长期使用和充分发挥水库效益的保证条件。

3 水库泄流规模的确定

对于一般水库来说,泄流规模是根据水库的开发目标要求和枢纽工程的安全运行而定,对于多沙河流的水库来说,除此之外,还必须考虑到由于来沙多,水库严重淤积,河床迅速调整和淤积末端延伸引起的库区淹没浸没问题,以及水库调节水沙对下游河道冲淤的影响。

泄流规模既不能过小,也不必过大。如果泄流规模过小,就像三门峡水库改建以前那样,即使闸门全部敞开,进行滞洪运用,坝前淤积床面还会升高,淤积末端向上游发展,以适应河床自动调整的需要;另外,水库削峰滞沙,使出库水沙过程遭到严重破坏,小水排沙,使下游河道淤积加重,达不到除害兴利的目的[4]。反之,泄流规模过大,给水工设计带来很多困难,以致造成不必要的投资和管理上的麻烦。因此,如何合理确定水库的泄流规模,是水库综合利用、工程投资和保持水库长期使用的重要问题。

在三门峡水库枢纽工程改建规划时曾提出,坝前水位 315m,下泄流量 10 000m³/s(相当洪水频率 5%～10%)时,回水不影响潼关,就不致造成渭河、北洛河以及黄河的连锁反应,而且淤积在库内的泥沙有冲去的可能。并且考虑到下游河道的输沙规律,汛期控制运用水位 305m 时,下泄流量 6 000m³/s,相当于下游河道的平滩流量,排沙能力最大。此后许多单位对保持有效库容,确定泄流规模提出了大量研究成果[7],其中主要有两种不同意见[2],一种意见是从保证下游安全和防止库容损失出发,认为水库的泄流规模,即水库限定水位(库区漫滩时的库水位)下的泄量,宜大于频率为 5%～10%的洪峰流量,即对三门峡水库来说,坝前水位 315m,下泄流量 10 000m³/s。另一种意见是从造床流量,河流自动调整达到相对平衡的概念出发,认为泄流规模系指一定运用水位下的水库泄流能力,为了保持一定有效库容长期使用,泄流规模与水库运用方式有关,滞洪运用水库,泄流规模略小于入库造床流量,蓄清排浑运用水库,泄流规模约为入库造床流量的 1.05～1.1 倍,即相当于三门峡水库汛期坝前水位 305m,泄量 6 000m³/s。这两种意见究竟哪一种符合水库淤积自动调整的规律,本文作者曾分析了三门峡水库蓄清排浑运用以来的实测资料,见图 3。图中给出了各年最大洪峰流量中的最小流量(约为 4 000m³/s,接近该时段的

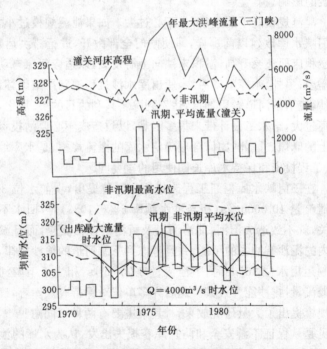

图 3　潼关河床高程历年变化情况

造床流量)相应的坝前水位。可以看出,当坝前水位低于 305m 时,潼关河床高程下降幅度大,几乎可以将非汛期的淤积物完全冲掉;坝前水位高于 305m 时,则下降幅度很小,非汛期的淤积物不能冲掉。如 1976 年以后,由于非汛期和汛期运用水位较高,潼关河床高

程逐年升高,至 1979 年汛后,较 1973 年汛后升高 1.0m,这就表明潼关河床的冲刷主要取决于汛期洪水。同时分析了 1976~1979 年潼关河床高程的升高原因,据实测资料分析,该时段的造床流量为 4 000~5 000m³/s,相应此流量时实测的坝前水位为 306.3~309.2m,较泄流曲线偏高 2.7~3.6m,根据坝前水位与潼关至史家滩之间的比降推算,可以得到潼关河床高程为 327~327.5m,比按设计的泄流曲线运用要偏高 0.4~0.82m,与实测情况基本一致。这就表明,在多沙河流上修建水库,其泄流规模必须满足在汛期运用水位下的河道造床流量,否则河流将自动调整,以适应自动调整规律的要求。也就是说,水库下泄相应河道造床流量时的相应水位,是水库上游河床淤积调整的局部侵蚀基准面,它决定水库淤积延伸的范围,应慎重研究。

关于造床流量的确定,文献[2]曾提出用水库上下游冲积河流的平滩流量。如没有这方面的资料,建议采用经验公式计算。在天然河道来水条件下,造床流量与多年汛期平均流量的关系为

$$Q_b = 7.7 Q_f^{0.85} + 90 Q_f^{1/3}$$

式中:Q_b 为造床流量,即平滩流量;Q_f 为多年汛期平均流量,均以 m³/s 计。随着流域的治理和开发,人类活动对水沙量及其过程均产生较大的影响。则冲积河流的平滩流量也将引起自动调整,上式不再适用,建议改用

$$Q_b = 8.82 Q_{cmax}^{0.77}$$

式中:Q_{cmax} 为相应于流量与各级流量的输沙量关系图中峰值的流量,以 m³/s 计。

4　水库的合理运用方式和调沙库容

多沙河流的水库调度运用极其复杂,三门峡水库的实践经验表明,水库调度运用的基本原则是在调节径流的同时,必须注意合理调节泥沙,这也是保持有效库容长期使用和充分发挥水库效益

的保证条件。但是,水库的合理运用方式又取决于来水来沙条件、泄流规模、调节库容和水库的综合效益。蓄清排浑运用水库主要是利用非汛期来沙少,进行蓄水运用,汛期来沙多时,降低水位进行控制运用,泄洪排沙,在年内库区基本上达到冲淤平衡,三门峡水库的实践证明是可行的。但是从水资源利用角度来说,只是非汛期的水量得到比较充分的利用,汛期水量基本上还是天然径流,没有得到充分利用。对于多沙河流来说,水量的年际变化很大,遇到枯水年份,来水来沙的量均很少,水资源利用是个重要问题,同时枯水年份虽然来沙量少,但由于来水量少,洪峰流量也小,造床作用和输沙能力很弱。三门峡水库近几年的运用情况表明,遇到枯水年份,水库年内达不到冲淤平衡,潼关河床高程升高,下游河道断流,需要水库进行年调节,这是值得研究的新问题。

在多沙河流上的水库进行年调节或多年调节,就其库容来说,必须满足径流调节和泥沙调节的需要。前者为满足水库除害兴利的需要;后者要在径流调节过程中,预留一部分库容作为调节泥沙之用,在水库调节周期内,库区泥沙基本上达到冲淤平衡,这样才能保证前者调节径流,否则就无法实现。但是,径流调节和泥沙调节的要求不同,前者就水资源开发利用来说,是将洪水期的水量调到枯水期,将丰水年的水量调到枯水年;对于后者来说,水库蓄水阶段泥沙淤积,放水阶段不一定就能排沙,即使发生排沙,小流量冲刷排沙的作用不大,并且对下游河道淤积不利,主要淤积在河槽内,使河槽的泄洪输沙能力降低。水库排沙主要依靠大流量降低水位冲刷,大水输沙对下游河道也有益,这样调节径流和泥沙又存在矛盾。解决这对矛盾的途径就是合理使用调沙库容,科学地调节泥沙,充分利用水资源,在小浪底水库的调度运用中已经做了大量研究,提出了逐步抬高、分阶段抬高、控蓄速冲、人造高含沙和高蓄速冲等水库运用方式。这些研究结果表明,小浪底水库进行多年调节是可能的,水库多年调节运用需要较大的调沙库容,并且调沙库容的大小与下游河道的减淤作用成正比。

为了研究水库的合理运用方式,需要建立较好的泥沙冲淤数学模型,以便进行比较计算。泥沙冲淤数学模型的计算,在黄河上具有丰富的理论基础和实践经验,在许多专著和手册中已有详细的介绍。考虑到近年来黄河水沙发生显著的变化,这些数学模型是否还能适用,在"八五"国家重点科技攻关项目"黄河治理与水资源开发利用"中列有黄河泥沙冲淤数学模型的应用专题,对黄河长期使用的水文学模型[11]和水文水动力学模型[12]进行了详细的验算,并吸收了泥沙基础理论的最新研究成果修改补充了原来的模型,使这些模型适用范围进一步扩大。并对国内外最近普遍应用的水动力学模型进行了研究,结合黄河水沙和河床演变的特点,吸收了泥沙基础理论研究的成果,经过大量的实测资料验算和方案计算,基本合理,可以在黄河上应用,希望在实践中不断检验、修正、提高。并且这些模型的计算成果可以互相进行检验和印证。限于目前的条件,建议采用几个模型进行平行计算,这样可以提高计算成果的置信度。

5　水库淤积极限形态和终极库容

5.1　水库淤积的极限形态

在河流上修建水库都存在泥沙淤积问题,由于多沙河流泥沙多,水库淤积快,水库淤积过程就是使库区河流发生冲淤调整的过程,也是新河道的发育过程。在建立起与来水来沙和河床组成相适应的平衡河床后,淤积就达到极限状态,库区形成高滩深槽,如图2所示。必须指出水库淤积达到平衡后的极限状态,不是说水库就不再发生冲淤变化了,它与来水来沙条件和水库运用方式有关,即使在一种水库运用方式下,由于来水来沙条件的变化,库区也发生相应的变化,在一定运用周期内库区达到平衡。水库运用周期与水库运用方式有关,如蓄清排浑运用就是全年内达到冲淤平衡,调水调沙运用则需多年调节冲淤平衡。如上所述,在多沙河流上进行径流调节,必须考虑泥沙调节,泥沙调节的要求与径流调节的要求不同,在水库运用中必须注意。不过,在径流和泥沙调节中必须有库容可进行调节,这是保持有效库容长期使用的关键问题。

在库区冲淤过程中,滩地和河槽的冲淤特点不同,河槽随着来水来沙条件和水库运用而发生冲淤变化。相应河槽库容可以重复使用,也就是可以长期使用。但是滩地淤积就难冲刷,所以滩地库容就难恢复,这样就需要合理运用,减缓滩地库容的损失。为了充分利用滩地库容调节径流,在水库运用中还应研究如何才能使泥沙淤积在河槽内,滩地调节径流,泥沙淤积又不严重,如三门峡水库非汛期蓄水运用那样,这是可以达到的,这样就可能获得较大的有效库容而长期使用。

5.2　终极库容的估算

由于在多沙河流上的水库淤积快,水库淤积的终极库容极其重要,水库淤积过程相对来说就降到次要位置。终极库容是水库淤积达到相对平衡后,保留下来的可供长期使用的库容,这与一般水库设计中的水库寿命是两个性质不同的概念,后者在设计中要研究水库的寿命,即使用年限,所以淤积过程十分重要,研究水库排沙也只是为了延缓水库的淤满时间,即延长水库的寿命,则终极库容不是考虑水库泥沙淤积快慢,而是考虑水库淤积达到相对平衡后有多少终极库容可供长期使用。但是在终极库容设计中,也必须注意到水库淤积过程中损失库容的合理利用问题,特别对于下游防洪减淤的水库来说更为重要,因为水库对下游河道的减淤作用主要依据两个方面,一是减少来沙量,二是调节水沙过程,充分发挥下游河道的输沙能力,减轻河道的淤积。在水库运用初期,必然拦沙淤积,但是如何拦沙,减少多少泥沙进入下游河道,并结合调节水沙过程,减轻下游河道淤积的作用为最优,是有很大的潜力;水库运用后期,库内淤积达到相对平衡后,对下游河道减淤来说,只有通过调节水沙过程,其作用较前者为小。

水库淤积达到相对平衡后的库区的纵横断面概化为图4,图中显示滩槽形态及水库正常高水位,就此图来计算库容是一个简单的数学运算,计算中关键问题是如何确定纵横断面的要素。

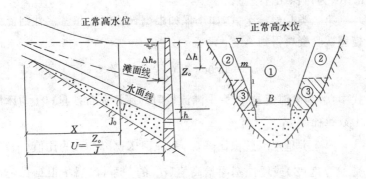

图4　水库淤积达到相对平衡后的概化纵横断面图
①槽库容　②滩库容　③滩地淤积

5.2.1　纵断面的要素

纵断面的要素有四个,即河槽的坝前淤积高程和淤积比降及滩地的坝前淤积高程和淤积比降。

(1)河槽的坝前淤积高程,起局部侵蚀基面的作用,这已在水库的泄流规模部分介绍了。淤积比降极其复杂,目前研究成果很多,详见文献[8],《泥沙手册》将水库淤积比降的计算方法总结为三类,几十个公式,本文仅将与黄河有关的公式摘录如下,以便进行比较计算。

第一类是根据水流运动方程,连续方程,挟沙力和河相关系联解,具有一定的理论基础。如姜乃森公式

$$J = 1.45 \times 10^4 \frac{S_*^{5/6} d^{5/3} D_{50}^{1/3}}{q^{1/2}}$$

焦恩泽公式

$$J = 1.3 \times 10^{-4} \frac{D_{50}^{1/3} d^{5/3} S^{5/6}}{q^{1/2} e^{5.6 S_v}}$$

式中：J 为比降，‰；S_* 为汛期平均床沙质含沙量，kg/m³；q 为汛期平均流量的单宽流量，m²/s；d、D_{50} 分别为悬沙和床沙的中值粒径，m；S_v 为体积比含沙量。

第二类是经验公式，如李保如根据天然河流和游荡性河流的模型试验资料得到

$$J = 0.0045 \left[\left(\frac{S}{Q} \right)^{1/2} D_{50} \right]^{0.59}$$

式中：Q 为平滩流量；S 为平滩流量时的床沙质含沙量；D_{50} 为床沙中数粒径。

第三类是水库淤积比降（J）和原河床比降（J_0）的比值（$\frac{J}{J_0}$）与淤积厚度（Z）或侵蚀基面抬高值（H）的关系，涂启华根据已建水库实测资料得到

$$\frac{J}{J_0} = f(J_0^{0.56} Z^{0.68})$$

清华大学用同样方式得到

$$\frac{J}{J_0} = f(H J_0^{0.2})$$

这些公式计算结果往往并不完全一致，还需根据类似水库具有长期运用的实测资料比较确定，这是非常必要的。

（2）滩地的坝前淤积高程和淤积比降，这是非常复杂的问题，严格说来没有淤积达到相对平衡，坝前淤积高程可以根据水库拦沙淤积要求，通过水库运用方式来确定，滩地淤积比降可以参考实测资料确定，如三门峡水库为 1.2‰。

此外，还可以通过泥沙冲淤数学模型进行计算。

5.2.2　横断面的要素

横断面的要素有两个，即河槽宽度和边坡系数。河槽宽度可以

用一些经验公式进行计算,如

$$B = A\frac{Q^{0.5}}{J^{0.2}}$$

式中:B 为河宽,m;J 为淤积比降,‰;Q 为平滩流量或造床流量,m³/s;A 为系数,据盐锅峡、青铜峡、三门峡、闹德海和官厅等水库的实测资料验算结果采用 1.70。

边坡系数 m 值实测资料变化范围很大,根据一些水库的实测资料取平均值,一般在 4～8 之间。

于是根据一个"标准横断面"沿库区积分得到终极库容[6]为

$$V = \frac{1}{J}\left[BhZ_0 + \frac{1}{2}BZ_0{}^2 + \frac{1}{3}mZ_0{}^3\right] + \frac{\Delta h_0 + a_0\Delta h_0{}^2}{Z_0 + a_0Z_0{}^2}V_{*,0}$$

上述右边第一项为河槽容积,第二、三项为河槽库容,第四项为未被淤积的滩地库容。式中符号除在图 4 中标明外,补充说明如下:$V_{*,0}$ 为淤积前的滩地库容,a_0 为滩地库容的分布系数,由滩地库容与高程的关系曲线中求出。未被淤积的滩地库容 V_* 为

$$\frac{V_*}{V_{*,0}} = \frac{\Delta h_0 + a_0\Delta h_0{}^2}{Z_0 + a_0Z_0{}^2}。$$

参 考 文 献

[1] 杨庆安,龙毓骞,缪凤举.黄河三门峡水利枢纽运用与研究.郑州:河南人民出版社,1995

[2] 夏震寰,韩其为,焦恩泽.论长期使用库容.见:河流泥沙国际学术讨论会论文集.第一集.北京:光华出版社,1980

[3] 陕西省水利科学研究所,清华大学.水库泥沙.北京:水利电力出版社,1979

[4] 中国水利学会泥沙专业委员会.泥沙手册.北京:中国环境科学出版社,1992

枢纽工程泥沙问题

1　黄河水利水电枢纽工程的泥沙问题概述

黄河水少沙多,年平均输沙量 16 亿 t(三门峡站),居世界之冠。新中国成立后,黄河治理开发取得巨大成就,在干流上已经建成龙羊峡、刘家峡、盐锅峡、八盘峡、青铜峡、三盛公、天桥、三门峡等八座水利水电枢纽工程,在枢纽运用过程中,枢纽工程泥沙问题是直接影响枢纽正常运用,充分发挥工程效益的关键问题之一,为此在实践中积累了丰富的经验。小浪底水利枢纽工程的泥沙问题极其复杂,在规划设计阶段,做了大量的调查研究和试验研究工作,该工程已于 1991 年 9 月开工,1994 年 9 月主体工程开工,计划于 2000 年开始运用,2001 年全部工程竣工。因此,总结经验教训,以改进和提高水利水电枢纽工程处理泥沙问题的水平,具有十分重要的意义。

(1) 根据黄河水利水电枢纽工程已经发生的泥沙问题,归纳为以下几个方面:

① 泥沙对水轮机和泄水建筑物的磨损。由于泥沙对水轮机的严重磨损,造成开停机困难、增大漏水量,降低机组效率、缩短大修周期、增大检修工程量、增加检修时间和难度等;由于泥沙对泄水建筑物和金属结构的严重磨损,造成闸门启闭困难,增大漏水量,增大检修工程量,甚至影响到不能正常调度运行发挥泄流作用,威胁枢纽工程安全。

② 泥沙水草等污物堵塞和压断拦污栅。由于洪水时挟带大量泥沙和水草及其他污物,堵塞拦污栅,使拦污栅前后压差急剧增大,压弯、压断拦污栅,甚至拦污栅掉入蜗壳造成停机事故。

③ 泥沙淤堵泄水孔口,造成闸门提起后不能及时泄流。

④ 泥沙淤积闸门和淤塞门槽,增大摩擦力,增大启门力,使启闭机过载,甚至发生闸门拉杆多次被拉断,影响泄水闸门的调度运行。

⑤ 泥沙淤堵机组供、排水系统。造成机组冷却水中断,机组温升过高,被迫停机。

⑥ 水库泄洪排沙时,含沙量很高,发生泥雾,造成坝区环境污染。

⑦ 泥沙淤积损失调节库容,影响调节过机含沙量和电站调峰发电运行,并降低防洪能力,威胁度汛安全。

(2) 这些工程泥沙问题与黄河水沙特点的关系主要有以下几个方面:

① 水沙量年际变化大,在大水大沙年工程泥沙问题突出。

② 年内沙量主要来自汛期,工程泥沙问题主要集中在主汛期 7~9 月。

③ 汛期沙量主要集中在时间很短的几场洪水。工程泥沙问题的突发性和严重性主要集中在洪水沙峰时期。

④ 汛期小水小沙时间比较长,水库适当调蓄运用可以缓解工程泥沙问题。

⑤ 10 月水多沙少,可以调蓄兴利运用;11 月至次年 6 月为非汛期,水多沙少,可以高水位蓄水拦沙运用。

2 已建工程泥沙问题及防治措施

2.1 刘家峡枢纽工程泥沙问题及防治措施

刘家峡水库自 1973 年洮河口沙坎形成后,干流异重流挟带的泥沙被其阻挡而淤积在永靖川地库段,只有洮河泥沙能运行到坝前,并对枢纽运用产生影响。刘家峡枢纽工程发生的泥沙问题有:

(1) 水轮机泥沙磨损严重,影响了机组运行;洮河口沙坎阻水,影响电站调峰运行。

（2）泥沙堵塞机组冷却水系统,导致机组负荷下降。

（3）泥沙淤堵泄水孔口。

（4）淤积洮河死库容,形成洮河口沙坎堵塞干流,洮河泥沙对枢纽工程造成不利影响。

关于防治洮河泥沙对枢纽工程影响的措施,主要是采取汛期异重流排沙和汛前低水位冲刷,减轻洮河泥沙对电站运行的威胁,并依靠水库调度运用,形成与保持坝前冲刷漏斗,是减少过机泥沙的重要措施。

关于防治泄水孔口淤堵问题,刘家峡水电厂制定汛期进行孔口前泥沙淤积面高程测量、规定测量范围、提闸门冲沙标准、开启闸门冲沙历时、冲刷效果监测以及关闭闸门标准等措施。

2.2　盐锅峡、八盘峡、青铜峡、天桥枢纽工程泥沙问题及防治措施

综合盐锅峡、八盘峡、青铜峡和天桥水电站的工程泥沙问题及防治措施,主要有 8 个问题:

（1）水轮机问题。提高过流部件的材质和制造工艺水平是解决水轮机质量的首要问题,这是电站防沙的主要措施。

（2）水轮机过沙问题。青铜峡水电站不注意汛期排沙,造成水库淤积加快,大量损失库容,仅有 0.23 亿 m³ 库容,无调沙能力。由于青铜峡水电站汛期不排沙,不弃水,全部水流泥沙过机,使水轮机磨损严重。青铜峡在机组下面设置泄水管,目的是为了减少机组过沙。在泄水管使用时,其水流含沙量为过机含沙量的 2 倍,但在水电站运行中经常不使用泄水管泄流排沙,所以泄水管未发挥较大的排沙作用,致使全部泥沙包括推移质过机,泥沙对水轮机磨损极为严重。

（3）泄水孔口淤堵问题。由于泥沙淤积,使泄水孔口被淤堵,难于开启泄水闸门泄洪,对安全运用不利。

（4）机组冷却水系统堵塞问题。盐锅峡、青铜峡水电站,在来

沙多时,常发生机组冷却水系统因泥沙堵塞,使机组温度升高而被迫降低负荷甚至停机的事故。八盘峡电站采用蜂窝斜管沉淀池沉沙,解决冷却水供水净化和防冷却水系统泥沙堵塞问题,基本上未发生冷却水系统堵塞事故。在天桥电站采用清水水源冷却,故机组冷却水系统无泥沙堵塞问题。

(5) 拦污栅堵塞问题。盐锅峡水库在刘家峡水库运用前,洪水泥沙水草多,常发生泥沙水草严重堵塞拦污栅,压差高达 7m 多,压弯和压断拦污栅。1980 年拦污栅改造为不锈钢管栅条,并将栅距放宽为 20cm,主要拦大的污物,让小污物过机,解决了拦污栅堵塞问题。

(6) 水轮机检修质量问题。水轮机检修质量好,可以为防治水轮机磨损发挥很大作用,否则,会造成恶性循环。盐锅峡水电厂创造了水轮机叶片修型的成功经验,取得很好效果。主要经验是要水轮机叶片线型适应水流工况。

(7) 调节库容保持问题。要保持调节库容,就要水库排沙。因此要正确处理水库排沙与发电的辩证关系。

天桥水库运用中也存在排沙与发电的关系问题,制定发电服从防洪排沙的运用原则,在洪水沙峰多发时期的 7~8 月份,限制低水位 830m 运行。在水多沙少的 9~10 月适当提高水位至 832m 运行。这样运行,可以保持调节库容 0.28 亿 m³,对于水电站防洪和发电调峰运行的调节作用是明显的。

(8) 水、沙、电协调调度问题。在电调服从沙调和水调方面统一认识,是枢纽工程处理水、沙、电协调调度的主要问题。但是有几种特殊情况需要考虑短时间主动停机:①高含沙量过机,机组震动和摆动厉害,不出力;②高含沙洪水时,有时大量污草伴随而来,拦污栅清污不及;③高含沙水流发生机组冷却水系统堵塞,被迫停机,或粗泥沙高含沙水流过机,水轮机磨损严重。这几种情况下,都应主动停机。

2.3 三盛公水利枢纽工程泥沙问题及防治措施

枢纽任务以灌溉为主,兼有供水。枢纽的泥沙问题,主要有以下三个方面:

2.3.1 人工弯道凹岸冲刷

枢纽运用初期,主流靠凹岸,形成正向环流,可有效减少泥沙入渠。但造成了拦河闸上下游河道的集中冲刷,影响到工程安全运用。为了解决这种矛盾,将闸门调度方式改为从左到右梯级开启和中偏左或右的均匀开启形式,同时还规定,相邻两孔开启高度不得超过0.5m,并限制了过闸流量。控制运用方式改变后,闸上下游河道有了明显的改善,闸前主流引向右侧,左侧回淤,闸后左侧滩地冲刷减缓,效果显著。

2.3.2 拦河闸排水井和测压管淤堵

拦河闸下游海漫中设排水井两排共52个。由于泥沙淤塞,普遍存在着排水不畅或排水孔堵塞现象,导致基础扬压力增大,对闸身安全稳定极为不利,并影响运用水头的提高。采用"沉箱法"处理后,35个排水井基本恢复排水性能,但未得到根本解决。从工程运行实践看,在多泥沙的黄河上,用排水井这种减压措施,是否妥当,值得研究。

2.3.3 库区淤积问题

(1)为了保持一定的有效库容,采取了以下几项措施:

① 控制闸前水位。由于回水区淤积均系闸前壅水所致,所以根据灌溉要求及渠道输水能力,尽量压低闸水位,严格控制,随着用水变化及时调整水位,减少无效壅水。

② 缩短用水期,减少壅水时间。

③ 进行泄水泄洪冲刷。在壅水期结合上游来水来沙情况,于灌溉期停灌5～10天,进行泄水冲刷,对延缓淤积作用显著。

(2)1972年内蒙古水利厅勘测设计院为了进一步探求节约用水的措施和选择电站进口位置,委托原黄委会水科所进行了三盛公枢纽泥沙模型试验。通过试验获得如下几点认识：

①枢纽初建时，曾经在枢纽附近修建了人工弯道和引水口拦沙坎工程，目的是利用人工环流和拦沙坎及调节库容的共同作用，减少入渠泥沙。试验证明，该枢纽位于内蒙古平原河段，枢纽附近河床宽浅散乱，主流极不稳定，河势变化复杂。在不利河势条件下，枢纽附近很难形成人工环流。在有利河势条件下，利用拦河闸闸门不均匀开启，在枢纽附近可以形成人工环流，这时引水闸前的含沙量比对岸含沙量小15％，环流减沙作用是明显的。但这时引水闸进口位于弯道凹岸，发生严重的淘刷。拦河闸前产生明显的侧向水流和大漩涡，下游河岸发生侧蚀坍塌。这种运用给工程的安全带来一系列问题。因此，在三盛公枢纽具体条件下，利用人工环流措施减少入渠泥沙的问题较多。

②利用调节库容和拦沙坎及其他措施的共同作用，可减少入渠泥沙60％，其中调节库容是减少入渠泥沙的主要措施，但利用调节库容的沉沙作用减少入渠泥沙，当调节库容淤满之后，需要进行泄水冲刷，将淤在库内的泥沙冲出库外，恢复调节库容之后方能继续使用。试验结果表明，泄水拉沙的效率与出库流量的平方成正比，即 $W_S = 0.3Q_{出}^2$。根据上式的计算得知，若采用 $500 m^3/s$ 的流量进行拉沙，每天能从库区冲出泥沙7.5万 t；若用 $1\ 000 m^3/s$ 拉沙，每天能从库区冲出泥沙30万 t。说明在拉沙耗水量相同的情况下，采用大流量泄空拉沙，比采用小流量泄空拉沙的效果要好。将三盛公小水泄空拉沙的方式改为大水泄空拉沙，可以节约水量。

③泄空拉沙的效果不仅与泄空拉沙的流量大小有关，而且与库区前期淤积的多寡有关。模型试验证明，库区前期淤积愈多，泄空拉沙效果愈佳(见表1)。

④黄河来水来沙的特点之一，是来沙量集中在汛期，而且往往集中在几次大洪峰期。试验证明，发生大洪峰时，进行泄洪排沙，不仅可以避免库区产生严重淤积，而且有可能把前期淤在库内的

泥沙冲出库外(见表 2)。由表 2 可以看出,泄水拉沙的较佳历时是五天。

表 1　　　　　　　　三盛公模型泄水拉沙效益统计表

试验组次	泄空冲刷天数	泄空冲刷平均流量 (m³/s)	拉沙效益 (10⁴t/h)	前期淤积量 (10⁴t)
1	6	2 075	139	992.9
2	7	3 217	95.4	661.4
3	4	2 640	47.5	340.4
4	7	2 519	29.6	308.4
5	7	2 596	132.3	866.4

表 2　　　　　　　　三盛公枢纽汛期洪峰排沙效率统计表

起止日期 (年.月.日)	天 数	入库沙量 (10⁴t)	出库沙量 (10⁴t)	冲刷量 (10⁴t)	平均流量 (m³/s)
1964.7.25～8.5	11	4 440	4 560	120	4 690
1968.8.5～8.12	8	1 790	2 080	290	2 586
1970.8.21～8.25	5	1 970	2 420	450	2 660
1976.8.8～8.10	3	1 190	1 440	250	2 630

⑤ 三盛公枢纽多年平均流量约为 $1\,000\text{m}^3/\text{s}$,左岸灌溉引水平均流量为 $500\text{m}^3/\text{s}$,电站拟建于枢纽的右岸,计划引水流量亦为 $500\text{m}^3/\text{s}$,在入库流量小于 $1\,000\text{m}^3/\text{s}$ 时,入库水流全由电站和灌溉引水闸下泄,拦河闸不过流。模型试验发现,在此情况下,拦河闸前经常形成河心滩,对泄洪排沙非常不利。因此,模型试验指出,三盛公枢纽右侧不宜再兴建电站或其他大型引水工程。

2.4　三门峡枢纽工程泥沙问题及防治措施

2.4.1　三门峡枢纽工程泥沙问题

三门峡水利枢纽工程于 1960 年 9 月 15 日开始蓄水运行,最高蓄水位为 332.58m。由于水库淤积严重,于 3 月 20 日降低水位改为滞洪排沙运用。接连进行工程改建增大泄流能力,于 1973 年 12 月 26 日开始实行"蓄清排浑"控制运用。

第一台机组于 1973 年 12 月 26 日并网发电运行,其余四台机组也相继于 1975～1979 年并网发电,总装机容量 25 万 kW,现扩建两台 7.5 万 kW 机组,6 号机组已安装。机组进水口高程 287m。从 1973 年 12 月至 1980 年 6 月为全年发电运行。由于泥沙问题,机组运行不正常。因此,从 1980 年开始,停止汛期发电,变为非汛期发电。1989 年开始,进行汛期浑水发电试验,一般在主汛期过后进行。浑水发电试验是在水轮机组即将大修更新报废叶片的条件下进行的,主要内容有:①进行水轮机过流部件遭受泥沙磨蚀破坏的观测研究、水轮机抗磨蚀材料及防护材料和工艺现场试验;②对水库进出库泥沙和过机泥沙含量及特性进行观测分析;③对库水位及泄水建筑物进行优化调度运用,对如何减少过机含沙量进行观测研究。

由于汛期低水位排沙运用,大量泥沙来到坝前,而坝前冲刷漏斗在水位 305m 甚至 300m 运用下库容很小,没有调节泥沙的能力,使工程泥沙问题突出。主要有:①底孔门前淤堵。底孔关闭时发生孔口前严重淤积,影响闸门的正常开启泄流。如 1972 年 2 月 6 日底孔全部关闭,到 4 月 4 日测得底孔前淤积面高程达到 297～298m,底孔门前淤积厚度达 17～18m。该时段除有三天含沙量为 25～49kg/m³ 外,其余时间含沙量均小于 10kg/m³。4 月 27 日打开 4# 底孔后,有半个小时没有过水,随后浑水突然汹涌而出。门前发生大量淤积,不仅增加了泥沙对闸门的水平压力,同时增加了泥沙对闸门的附着力。在库水位相同条件下,门前有泥沙淤积时启门力要比无泥沙淤积时大 16%～33%;有泥沙淤积时启门力均大于 400t,最大启门力竟达 650t,远远超过启闭设备的容量。②泥沙将机组工作闸门完全淤没。汛期不发电,电站坝前段淤积形成大滩,淤积面高程为 300～302m,机组进口前淤高 13～15m,闸门完全被淤没,造成开机时提闸门困难。采取增大油泵的工作油压或降低库水位提起闸门。③泄流排沙钢管内淤满泥沙。泄流排沙钢管于汛后关闭其检修闸门,但门前发生泥沙淤积,于下一年汛前提门时,提不动检修闸门。因此,改为只关闭工作闸门,而让检修闸门始终处于开启状态,结果经过非汛期泥沙淤积,钢管内淤满泥沙,于汛期提起工作闸门时,却不能及时过流。这种情形几乎每年都发生。④泄流排沙隧洞检修闸门的旁通管常被泥沙淤堵。⑤电站出口尾水闸门泥沙淤堵严重。尾水闸门原设计按 4m 高淤泥计算,但运用时实测淤泥高达 16m,为此,对尾水闸门进行了加固。而且尾水淤泥回淤速度很快,一旦停机,尾门闸门就关不到底。只好先关尾水闸门,后停机。⑥底孔磨蚀破坏严重。曾对泄水建筑物进行全面检查,其中隧洞、深水孔和钢管有局部磨损,而底孔的磨蚀破坏已严重影响其正常运行。因闸门主导轨被泥沙磨蚀,底孔进口斜门原设计启门力为 200t,而实际启门力最大曾达 600t,在门机容量已定情况下,只有将库水位降到 317m 以下才能运用,影响防洪安全。破坏严重的部位有进口门槽、工作门槽的正向导轨和底板等部位。⑦电站机组运行受泥沙危害的影响。主要问题是高含沙水流对水轮机过流部件气蚀和磨损联合作用所造成的破坏,以及转轮叶片根部产生裂纹,如 1987 年 4 号机叶片在运行中断裂,成为影响电站正常发电的主要问题。目前,在三门峡电站运行的水轮机无论在设计、制造工艺、材质等方面,都不能适应在黄河多泥沙河流中运行。⑧机组进水口拦污栅堵塞严重。污物和淤泥堵塞严重时,几次出现整片拦污栅被压垮,掉进蜗壳内的严重情况。三门峡汛期泥沙水草多,据估计,汛期水库每昼夜来草总量为 $1.4 \sim 2.1$ 万 m^3,如此大量水草对汛期发电机组拦污栅运用带来极大困难,如 1989 年汛期浑水发电试验,两个月清污量达 800t,由于人工清污慢,造成拦污栅平均压差 1.51m,最大达 3.55m,严重影响发电效益。⑨尾水渠下游右岸护坡不断遭受隧洞出口水流冲刷及波浪的淘刷,岸坡发生数次坍塌,进厂公路局部被冲毁。由于回流,沿右岸至尾水渠出口段,块石堆积 $2\,000m^3$,部分块石常被带入尾水门槽内,阻碍尾水门正常启闭。

2.4.2 三门峡枢纽工程泥沙防治措施

为了解决工程泥沙问题,三门峡水利枢纽管理局和设计、科研单位、高等院校协作对工程改建和汛期发电问题进行了大量的科学试验研究,对底孔进行了修复设计与改建施工,对水库汛期发电进行了浑水发电试验,开展了机组技术改造和工程管理科学研究等工作,为工程安全运用与全年发电的目标的实现解决工程泥沙问题的防治措施,取得了重大的进展,还在继续进行更大的努力,争取在这一领域内有一个新的突破。其主要成果有以下几个方面。

(1)底孔修复设计。三门峡枢纽底孔的破坏与修复是枢纽泄流建筑物改建中出现的主要工程水力学和泥沙问题。由于黄河含沙量大,底孔体型不适应高速含沙水流的要求,造成严重磨蚀。通过水工模型和原型观测,摸清了高含沙水流对结构物的破坏机理,改变了不合理的体型,进行进口斜门槽改建、工作门槽改建、底板修复、出口压缩、边墙喷射高强水泥砂浆等施工,取得了较好的水力学条件并采取了经济有效抗磨措施。三门峡的经验表明,减免磨蚀要控制泄流建筑物内最大流速。对于钢材,不超过 10m/s;对于高强混凝土,不超过 25m/s;对于一般混凝土不超过 12m/s。多年试验成果表明:环氧砂浆、高强混凝土和高强砂浆抗磨效果较好。底孔的抗磨层在高含沙水流作用下,并不能做到一劳永逸,必须加强维修和养护。创造了钢叠梁围堰,解决了底孔修复的关键技术问题,并为今后维修准备了条件。

(2)坝区泥沙问题研究。对坝区泥沙淤积形态、水流泥沙运动特点、坝区泥沙冲淤变化及其对枢纽工程和泄水建筑物的影响、泄流建筑物的排沙情况等问题进行了现场观测和科学试验研究。三门峡工程运用实践表明,泄水孔口前形成冲刷漏斗的作用,对于在调度运用中防止工程受泥沙问题的不利影响具有重要作用,要充分地很好地加以利用。

（3）汛期浑水发电试验。研究三门峡汛期发电问题，它涉及到水库调度运用，抗磨蚀防护材料的研究以及机组技术改造等问题，今后还要继续进行试验研究。已取得的主要成果有：①水轮机过流部件磨蚀观测。明确了叶片破坏严重部位，可以总结提出现机型叶片、中环需进行抗磨蚀防护的部位及面积。今后汛期发电，将主要破坏部位进行有效的防护，将大大减轻汛期水轮机的破坏。②水轮机过流部件防护材料试验。试验研究了几种比较好的有应用前景的水轮机过流部件防护材料，如采用环氧钢砂砂浆涂层防护；沈阳研究所的 GB_1 硼不锈钢焊条堆焊；中国水利水电科学研究院的喷焊合金粉末材料；云南工学院的电镀复合板材料试验，其电镀层表面光洁度高，表面硬度达 HRC69，具有较好的抗磨蚀性能等。③水情与泥沙资料观测研究。试验资料表明，将汛期发电水位控制在305m 附近，使机组运行工况有所改善，对减轻水轮机破坏是有利的。④泄水建筑物排沙与过机含沙量观测。从不同进口高程泄流建筑物的排沙效果看出，进口高程越低和含沙量越大时，过机沙量的减少率越大。对于 0.05～0.1mm 的泥沙，进口高程为 280m 的底孔含沙量可达进口高程为 300m 的深孔含沙量的 2.4 倍。由于大部分水库冲刷物质经底孔和其它泄流建筑物下泄，从而进入水电站机组的泥沙较少（为出库含沙量的 80% 左右），且泥沙颗粒较细。⑤避开高含沙洪水时段发电运行的经验。采取避开高沙峰，躲开 7 月下旬至 8 月上旬的高含沙洪水频发时段，机组在 8 月中旬以后投入运行，可以减轻水轮机过流部件的严重磨蚀破坏。根据黄河入库的水沙特征选择发电运行时段，发挥电站的汛期发电能力是可行的。

（4）机组改造研究。为恢复汛期发电，使主要过流部件叶片和转轮室中环的大修周期达到三年以上的部颁标准，并解决叶片根部裂纹问题，采取了四个方面的综合措施：①机型选择和模型试验。要有适用于三门峡水头段和泥沙条件的气蚀性能好、能量指标具有现代化水平的模型转轮。哈尔滨电机厂362机型在巴家嘴水电站试验取得较好效果后,已决定将A79型更换为362型机型,于1993年投入运行试验。②水轮机设计参数选择。机组应选择低参数,比转速要选择得合适,以降低叶片出口相对流速,达到减轻水轮机破坏的目的。③过流部件选用的材料。要选用目前抗磨蚀性能最优的材料和处理工艺。④抗磨蚀防护材料及工艺。在过流部件强气蚀区,用试验成功的抗磨蚀材料加以保护。

(5)拦污栅改造研究。为了减少清污量,将拦污栅栅条间距加大,由220mm改为300mm,并研究拟在坝上游采取设置导漂浮筒等措施。

为了解决工程泥沙的防治问题,要从水库运用方式上和泄流排沙系统与水电站的综合调度运用方式上解决。利用坝区大漏斗域的库容进行调水调沙,调节水流泥沙运动形态,从而为解决枢纽工程泥沙问题创造条件。在此基础上研究泄流建筑物的抗泥沙磨损和水轮机的抗泥沙磨损等问题会收到更好的效果。1989年汛期黄委设计院为研究小浪底水库日调节运用,在三门峡水库进行日调节运用模拟试验,对枢纽工程泥沙防治问题进行了比较系统的观测和分析,为三门峡枢纽工程泥沙防治措施的研究提供了宝贵资料。现将主要研究成果介绍于下。

(1)坝区漏斗域具有调节流量两极分化的能力。1989年7月12、13日潼关入库日平均流量分别为626和1 220m³/s,比较平稳,而调峰运行使出库流量两极分化,小则泄流50和64m³/s,大则泄流2 320~2 230和2 240~2 660m³/s。若坝区漏斗域的调节水位提高,调节库容增大,则调节流量两极分化的效能更可提高。

(2)坝区大漏斗域有较大的调节库容。日调节调峰运行的库水位变化一般为304.2~309.5m,个别时段因调节泥沙冲淤部位需要,调节水位最低至301.9m。库水位最大变幅为7.6m,而日调节调峰运行中的水位变幅最大为5m左右。坝区漏斗域调节水位变幅是 6m 左右,库水位可达 310m。

实测资料表明:在水位 310m 以下坝区大漏斗域内可以有 1.0 ~1.5 亿 m³ 的调节库容,调水调沙作用会较大。

(3) 坝区大漏斗域能形成异重流运动。在坝区漏斗域的日调节运行中,基本上是由库区浑水明渠流在坝区大漏斗域转化为异重流运动,在个别时段坝区仍为浑水明流,但水流泥沙运动特性及流速和含沙量分布形态不同于库区浑水明流。在 1989 年 7 月 7 日至 14 日的日调节运行中,基本上为异重流运动,少数时段为浑水明流。

浑水明流流态的壅水指标($\overline{V}/Q$)值在 2.22×10^4 以下,异重流流态的壅水指标($\overline{V}/Q$)值在 2.63×10^4 以上,而当壅水指标($\overline{V}/Q$)值在 $2.22 \times 10^4 \sim 2.63 \times 10^4$ 范围,则为异重流或为浑水明流,主要与前期水流流态有关。

在漏斗域其佛汝德数 Fr 值满足形成异重流条件。现场调查看,在库区为河道浑水明流,而在坝区大漏斗域为清水水面,隧洞和底孔出浑水,清浑水交界面在水面以下深层,流速分布呈上小下大形态,上层含沙量很小,在底部含沙量很大。

(4) 孔口泄流对异重流运动影响。试验中观测到,在坝区大漏斗域形成异重流运动时,孔口前的清浑水交界面位置与孔口泄流有关,在异重流趋近隧洞孔口时,异重流被隧洞泄流吸引,由隧洞泄出,清浑水交界面在洞顶附近;当隧洞和底孔同时泄流,异重流由隧洞和底孔分流泄出;将底孔泄流加大至大大超过隧洞泄流时,隧洞由泄异重流浑水转变为泄上层清水,异重流全部由底孔排出。

(5) 泄水排沙建筑物调度运用对分流分沙的影响。日调节运行试验中分别调度运用隧洞和底孔,发挥底孔排沙和隧洞泄水的主导作用,可以使进口低的底孔分流小而分沙大,使进口高的隧洞分流大而分沙小。这种现象在三门峡各泄水孔口高差不很大(底孔比隧洞低 10m)的条件下能得到明显的显示,对于三门峡水电站汛期恢复发电进行调峰运用有重要意义。

表3列出了三门峡水库日调节运行试验隧洞和底孔分流分沙特点。由表3看出,底孔含沙量为隧洞含沙量的2～4倍,在加大泄量时,开底孔排沙,可以使隧洞分流占70%,底孔分流占30%,减少隧洞分流含沙量,而且多为细颗粒泥沙,增加底孔分流含沙量,而且多为粗颗粒泥沙。对于坝区大漏斗域形成异重流运动时,底孔分流少而分沙多更为显著。

表3　　　　　三门峡水库调节试验孔口分流分沙特点

| 时　间 | 库水位 | 流态 | 泄流量(m³/s) | | | 含沙量(kg/m³) | | 输沙率(t/s) | |
（日.时.分）	(m)	(坝区)	出库	隧洞	底孔	隧洞	底孔	隧洞	底孔
12.23;15	306.7	异重流	1 140	810	330	6.89	12.9	5.58	4.26
13.10;0	309.47	异重流	1 200	840	360	20.9	64.5	17.6	23.2
13.12;0	309.46	异重流	1 230	870	360	4	15.8	3.48	5.7
13.15;0	308.86	异重流	2 000	1 300	700	6.34	15.1	8.24	10.6
13.16;0	308.59	异重流	2 300	1 600	700	1.96	5.0	3.14	3.5
13.20;0	309.06	异重流	2 640	1 560	1 080	3.54	4.9	5.52	5.3
14.6;40	304.4	异重流	970	655	315	12.8	22.4	8.38	7.1

(6)坝区大漏斗域调整流速、含沙量及泥沙颗粒分布形态。表4为坝区大漏斗域形成异重流运动时的流速、含沙量分布的观测数据。由表看出,在距坝1 010和700m的断面,虽然290m高程的隧洞泄流占70%,而280m高程的底孔泄流占30%,而且隧洞还处在底孔的上游处,可是水流底部流速显著比顶部流速大,愈近坝前,底部流速愈增大,顶部流速愈减小;含沙量分布,则主要集中在底部,底部含沙量333～150kg/m³,而在相对深度0.4以上,含沙量为0.16～0.54kg/m³,在相对深度0.6～0.8,含沙量为2～18kg/m³。虽然底孔泄流量比隧洞少,但是底孔泄流分沙的影响比隧洞大。在这个时段,底孔分流含沙量15.8kg/m³,而隧洞分流含沙量仅为4kg/m³,底孔含沙量为隧洞的4倍,底孔泄流量虽为隧洞的41%,而其输沙率却为隧洞的164%,底孔分流小而分沙多的

现象十分显著。这个特点为水电站汛期发电调峰运行多引水发电，仅引细泥沙低含沙量水流甚至引清水发电，而在底孔泄高含沙水流排沙创造了条件。

表4　　　　　　　　三门峡水库坝区漏斗流速、含沙量分布

测　时	断面流量	来水含沙量	流态	距坝(m)		1 010 (垂线2)		700 (垂线1)	
				库水位(m)		309.46		309.46	
				水深(m)		17.5		20.0	
				项目		V (m/s)	S (kg/m³)	V (m/s)	S (kg/m³)
1989年7月13日11~13时	1 230m³/s，隧洞泄流870 m³/s，底孔泄流360m³/s	4~6 kg/m³	异重流	相对深度 h/H	0	0.13	0.16	0.09	0.16
					0.2	0.18	0.24	0.27	0.24
					0.4	0.26	0.54	0.35	0.54
					0.6	0.26	2.5	0.26	2.04
					0.8	0.26	18.5	0.29	5.73
					1.0	0.29	333	0.74	150

　　8月21日大水流量3 700~4 100m³/s，含沙量28kg/m³，库水位308m条件下，观测了库区(黄淤14断面)和坝区漏斗域的流速分布和含沙量分布。此时都是浑水明流，但显示出库区与坝区漏斗域流速分布的不同。在坝区漏斗域逐步调整为呈上小下大的流速分布，底部流速增大，顶部流速减小，含沙量分布亦有一定梯度，呈上小下大。

　　坝区漏斗域悬移质泥沙颗粒分布表明，在异重流运动时，较粗泥沙大部分在底部，中值粒径一般为0.021mm，中上部中值粒径一般为0.009mm左右；在浑水明流时，泥沙颗粒分布亦为上小下大，但相对中上部较粗泥沙增多一些，底部泥沙中值粒径一般为0.018mm左右，中上部泥沙中数粒径为0.016~0.011mm。

　　因此，底孔排粗泥沙效果要大，在异重流排沙时大部分较粗泥沙由底孔排出，在漏斗为浑水明流时，底孔排粗沙相对也多，但上

层隧洞也会排一部分较粗泥沙。利用这个特点,使坝区大漏斗域调节形成异重流,可使底孔排粗沙,上层孔口排细沙,有利于减少机组泥沙磨损,对机组运行非常有利。即使在浑水明流时,利用底孔泄流排沙也可减少粗泥沙过机,减轻泥沙磨损。

(7)日调节运行可以防止泄水孔口淤堵。表5为日调节试验运行中底孔门前淤积面高程变化过程。在试验期,蓄水时关闭底孔数小时至十几小时,在加大泄流时,轮流开1~3个底孔泄水约1/3,隧洞泄流约占2/3。

由表5可知,在日调节运行中底孔门前淤积面高程趋向降低。试验开始时1#、2#底孔门前淤积面高程为284.5~285m,经过两天日调节运行,降至280m左右。不出现淤积面升高淤堵孔口的情形。

底孔开启泄流后,迅速形成孔口前冲刷漏斗,向上游发展溯源冲刷,同时进行横向冲刷,将邻近未开启底孔的淤积物冲刷,降低其门前淤积高程。开一个底孔泄流排沙,可以影响到一定的范围。

日调节运行中的底孔门前实测的淤积物颗粒级配是很细的,中值粒径一般为0.025mm左右,由于时间短,未固结,新淤积物容重小,容易冲刷。

如前所述,在来沙多的时候,不能长时间关闭所有底孔,否则会在底孔门前淤积很高,发生淤堵情形。

(8)水库日调节运行中库区泥沙冲淤特性分析。试验表明,日调节运行水位在309.5m以下,没有影响库区泥沙冲淤。对此观测试验前7月7日和试验后7月14日的漏斗段水下地形,可以看出,坝区大漏斗域河段河床降低,河槽扩大,冲刷向上游发展。充分表明了在日调节运行中底孔的冲刷排沙作用。底孔的泄流作用使坝区漏斗域底部流速增大,发生溯源冲刷。

在坝区大漏斗域以上的库区,冲淤变化照常进行。统计日调节运行时期库区的水位站的水位变化,显示发生冲刷现象。

表 5　　三门峡日调节调峰运行底孔门前淤积高程（1989 年）

测　时（月.日.时）	库水位（m）	底 孔 号				出库流量（m³/s）	备　注
		1	2	3	4		
7.7.8:30	304.5				282.63	47	蓄　水
7.7.15:00	305.42				282.46	44	蓄　水
7.8.3:00	305.98				282.41	55	调峰后蓄水
7.8.8:00	304.94			282.53		66	调峰后蓄水
7.8.16:00	305.80	284.53	285.07	283.59	282.87	64	调峰后蓄水
7.8.20:00	305.88			283.87		505	加大泄流
7.9.8:00	305.08	284.91	282.07	279.95	282.14	58	调峰后蓄水
7.9.12:00	305.53		281.84			43	调峰后蓄水
7.9.16:00	305.93	284.96	282.17	280.12	282.17	44	调峰后蓄水
7.10.4:00	305.60	283.32	282.23	279.81	282.14	41	调峰后蓄水
7.10.8:00	306.08	282.27	282.17	279.92	281.88	47	调峰后蓄水
7.10.16:00	306.98	282.95	282.17	279.94	281.67	50	调峰后蓄水
7.11.4:00	302.86			279.93		1 570	加大泄流
7.11.8:00	302.86			279.89		62	调峰后蓄水
7.11.12:00	303.88	279.58	281.71	279.89	282.11	64	调峰后蓄水
7.11.16:00	304.71	279.77	281.97	279.89	282.02	64	调峰后蓄水
7.12.0:00	302.78			279.65		1 730	加大泄流
7.12.4:00	303.76	279.91	280.32	279.69	281.04	64	调峰后蓄水
7.12.8:00	305.0	279.64	280.22	279.6	281.2	64	调峰后蓄水
7.12.12:00	306.36			279.65		64	调峰后蓄水
7.12.16:00	307.40	279.6	280.17	279.92	281.07	64	调峰后蓄水
7.13.4:00	308.50	279.76	280.29	280.06	280.26	55	调峰后蓄水
7.13.8:00	309.47	279.65	279.93	279.99	279.72	471	加大泄流
7.14.4:00	304.56		279.92	280.0	280.27	970	加大泄流

　　（9）水库日调节运行不稳定出流对下游河道的影响。水库进行日调节运行，形成不稳定出流过程。通过对小浪底、花园口和夹河滩站的观测表明，小浪底站流量和水位起伏变化大，而花园口站流量和水位变化平稳，基本不受影响，说明水库调水调沙与发电调峰运行相结合的日调节运用是完全可行的。

综上所述,坝区大漏斗域对解决枢纽工程泥沙问题具有重要作用。要利用坝区大漏斗进行调水调沙和发电调峰运行相结合的日调节运用。三门峡水库为了提高经济效益,应在汛期恢复发电运行,水位可以在 304～310m 之间调节,不影响库区冲淤平衡和潼关高程的相对稳定,比现在采取的汛期敞泄排沙运用或在 305m 水位控制运用具有优越性。

3 小浪底水利枢纽工程泥沙问题研究

3.1 小浪底枢纽工程泥沙问题

3.1.1 水库调水调沙与发电调峰运行相结合的调度运用问题

小浪底水库对下游河道减淤,是通过水库调水调沙来实现的,小浪底水利枢纽装机 180 万 kW,主要担负电网的调峰任务。因此,小浪底水库于汛期要进行调水调沙与发电调峰运行相结合的日调节运用。1989 年汛期在三门峡水库进行的日调节模拟试验运行表明,小浪底水库完全具备调水调沙与发电调峰运行相结合的日调节运用的可行性,而且其条件比三门峡水库更优越。小浪底水库调水调沙库容大,坝前水深大,泄水排沙建筑物和电站进水口集中布置和分层布置,排沙洞位置低,泄流能力大,有利于防沙和防淤堵,适应泄洪排沙系统和电站综合调度运用方式的要求;对于日调节不稳定出流的影响在花园口断面已经不明显,在花园口以上的影响可以采取相应措施解决。在这些有利的条件下,要优化水库调水调沙与发电调峰运行相结合的日调节运用方式,提高减淤和发电效益。

3.1.2 泄水孔口防淤堵和电站防沙问题

小浪底水利枢纽工程泄水排沙建筑物和电站进水口的前面,有水库淤积的高滩地,在水库调水调沙运用的水位升降变化过程中要防止高滩坍塌淤堵泄水孔口和电站进水口,充分利用坝区大漏斗域形成异重流排沙,调节水沙运用,解决工程泥沙问题和电站防沙问题。

　　为了解决上述主要问题,进行枢纽工程泥沙设计,开展了以下工作:①分析总结黄河已建水利水电工程泥沙问题及防治措施;②进行枢纽工程泥沙及坝区泥沙问题的模型试验研究;③进行坝区冲刷漏斗形态和水沙运动的数学模型研究和计算分析。综合这三个方面的研究成果,应用于小浪底枢纽工程泥沙设计。

3.2　小浪底枢纽工程泥沙问题模型试验研究

　　黄河泥沙问题十分复杂,进水塔的防淤堵和电站防沙问题又是枢纽工程安全正常运用的关键。由于坝址地形地质条件复杂,泄水建筑物和电站布置的设计难度大。黄委水科院于1983~1990年对黄委设计院提出的各种泄水建筑物和电站布置方案进行了模型试验研究。黄委会勘测规划设计研究院通过模型试验资料分析和优化设计研究,提出了小浪底泄水建筑物和电站优化布置方案,并提出"进水塔防沙、防淤堵浑水整体模型试验研究任务书",委托黄委会水利科学研究院、中国水利水电科学研究院和南京水利科学研究院于1990~1992年同时进行模型试验研究,并于1994年进行进水塔右侧导墙布置试验。通过多年来小浪底水利枢纽总体布置的模型试验,检验了总体布置设计方案的进水塔防沙、防淤堵效果和坝区冲刷漏斗形态及水流泥沙运动特性,这些模型试验研究成果对优化小浪底枢纽工程设计和泄水建筑物的调度运用起到了良好的作用,同时也从模型试验中反映出了需要注意的问题。三家模型试验成果大致相近,取得以下主要成果。

3.2.1　泄水建筑物布置型式的试验研究

　　利用1:100悬沙模型试验,进行了两种类型七种布置方案的对比试验。

　　第一种类型是泄洪洞和电站、排沙洞分散布置,沟口电站布置方案和沟里电站布置方案,均属于这种类型。沟口电站布置方案是将经常过流的电站和排沙洞布置在沟口,将泄洪洞布置在沟里;沟里电站布置方案是将经常过流的电站及泄洪洞均布置在沟里。

第二种类型是泄洪洞和电站、排沙洞集中布置形式；小圆塔方案，错台"一字型"排列方案，错台"人字型"排列方案，均属此种布置类型。

通过试验检验，发现沟口电站方案，当泄洪洞不过流时，整个风雨沟淤死断流，泄洪洞很难使用。沟里电站方案，当泄洪洞不过流时，泄洪洞前淤积高程在 210～220m，泥沙淤堵严重，也不宜采用。小圆塔方案，水流围绕小圆塔乱转，塔内产生螺旋型水流，很难形成对冲消能作用，泄洪洞口淤堵严重，也不宜采用。错台"一字型"排列方案和"人字型"排列方案，在泄水建筑物门前形成单一小河槽，但泄洪洞不过流时，个别泄洪洞前淤堵现象仍然发生，门前清问题仍未解决。"微错台"和"不错台"一字型排列方案（进水塔右侧设置导墙），在风雨沟内，形成单一逆时针回流，水流流态基本归顺，在正常运用条件下，闸门淤堵现象基本上不复存在。

根据以上试验成果得出，泄流建筑物采用一字型不错台集中布置，并在进水塔右侧设置导墙，进水塔架尽量靠近沟口，为优化布置方案。

电站进水口布置在进水塔中层，排沙洞、孔板泄洪洞布置在进水塔下层，明流泄洪洞布置在进水塔上层，有利于电站防沙和泄洪洞防淤堵，还有利于排漂浮物。

3.2.2　进水塔右侧导墙布置试验研究

试验证明，进水塔右侧，修建直线型导墙或圆形裹头后，进水塔前均能形成逆时针方向单一回流，对改善进水塔前水流流态效果明显。若从施工角度考虑，修建圆形裹头导墙，比修建直线导墙省工多，困难少，对圆形裹头尺寸进行试验研究，圆形裹头导墙比较合理，可供采用。

3.2.3　优化布置方案试验研究

（1）通过试验获得以下主要成果：

① 水位逐步抬高阶段,由于水位不断抬高,河床来不及调整,坝前段河床普遍漫水,水流散乱,沙洲林立,主流位置变化不定。但泄水建筑物门前仍然有一个逆时针方向的回流,其两侧有时也出现不同尺度的反方向的小回流。

② 水位逐步降低阶段,坝前段开始河床散乱,随后水流逐步集中,由多股流逐步变为单股流,河道向微弯发展,两岸逐步坍塌后退。泄水建筑物门前主流集中,流态平顺,仅有逆时针方向的单一回流。

③ 经过长时间的拦沙和调水调沙运用及水流冲刷下切造床作用,坝前段形成高滩深槽,河势比较稳定。泄水建筑物门前形成相对稳定的小漏斗,边坡系数 0.2～0.7,漏斗宽度为 80～180m。

④ 排沙洞均匀泄水排沙的效果优于单独泄水排沙。

⑤ 排沙洞关闭,洞前淤积以后,开启排沙洞泄水排沙,可较快地将排沙洞前的淤积面冲刷降低至孔口进口底槛高程175m,说明淤堵问题可以解决。

⑥ 水库形成高滩深槽以后调水调沙运用,当水位抬高的速度大于坝前段河床淤积抬高的速度时,坝前段出现异重流。潜入点处含沙量垂线分布呈"椅子型",表层含沙量很小,而底层含沙量则很大。

⑦ 发生坝前异重流时,潜入点处的佛汝德数 Fr 为 0.26～0.64。

⑧ 在固定水位下,随着坝区淤积的增多,潜入点的位置逐步向坝前推移。

(2) 通过模型获得以下几点认识:

① 黄河水少沙多,洪峰暴涨猛落。泄水孔口关闭时,孔口前泥沙淤堵现象非常突出。因此在黄河上修建水利枢纽,应采取泄洪洞和发电洞排沙洞集中布置的型式。

② 将发电洞布置在进水塔的中层,泄洪洞分别布置在进水塔

的下层和上层,排沙洞布置在进水塔的下层,有利于电站防沙和泄水孔口防淤堵。

③ 在地形和地质条件相当复杂的条件下,需要将泄水建筑物布置在与大河垂直相交的支沟时,为了避免泄流建筑物门前产生复杂的螺漩流,泄水建筑物进水塔的塔架,应采取"不错台一字型"排列。

④ 在支沟沟口地貌条件差时,要对沟口地形进行整修,因地制宜地在沟口修建导流工程,可以改进泄流坝前段的水流流态。

⑤ 综合利用水利枢纽工程的防沙和防淤堵,不仅取决于建筑物的布置形式,而且与泄水建筑物和电站的调度方式有关,在优化泄水建筑物和电站调度运用下,才能保证优化布置方案获得最佳的防沙防淤堵效果。

3.3 小浪底坝区冲刷漏斗形态

小浪底水库的泄水排沙建筑物集中布置在同一个立面,排沙洞和孔板泄洪洞进口高程175m,电站的发电引水洞进口高程为195m,另有上层明流泄洪洞。水库死水位230m,汛期在槽库容内调水调沙运用,水位变化为230~254m,平均水位约为245m。所以,小浪底水库坝前水深大,达55~79m,平均水深70m,属深水孔口类型。

在此条件下,小浪底水库坝区冲刷漏斗范围和调节库容的大小,是规划设计的一个重要问题。

统计分析已建水库的坝区冲刷漏斗形态资料,建立模型计算小浪底水库坝区漏斗平衡形态,列于表6。

据表6设计两种方案的坝区漏斗平衡形态,其漏斗平衡库容分别约为0.23~0.3亿m³。在漏斗未达到淤积平衡时,其漏斗域范围及库容更大。

小浪底水库主汛期调水调沙运用,在坝前滩面高程254m以下10亿m³的槽库容内调水调沙。调水调沙运用水位在230~

表6　小浪底水库坝区漏斗平衡形态特征

（单位：m）

方案	项目		漏斗分段					漏斗区
				1	2	3	4	
主汛期调水调沙运用平均水位	库水位	245	纵坡(‰)	381	87	55	9.5	54
	底孔高程	175	长度	42	288	293	526	1 149
	水深	70	深度	16	25	16	5	62
	冲刷坑尺寸 长度	250	顶点高程	191	216	232	237	237
	宽度	75	顶点水深	54	29	13	8	8
	水深	2	底宽	75~100	100~150	150~200	200~250	75~250
	进口高程	237	水面宽	350	350~400	400~450	450~500	350~500
	进口水深	8	侧坡	0.5~0.43	0.43~0.29	0.29~0.17	0.17~0.16	0.5~0.16
	漏斗深度	64						
正常死水位	库水位	230	纵坡(‰)	283	63	44	6	48
	底孔高程	175	长度	46	302	297	333	978
	水深	57	深度	13	19	13	2	47
	冲刷坑尺寸 长度	250	顶点高程	188	207	220	222	222
	宽度	75	顶点水深	42	23	10	8	8
	水深	2	底宽	75~100	100~150	150~200	200~250	75~220
	进口高程	222	水面宽	350	350~400	400~450	450~500	350~500
	进口水深	8	侧坡	0.4~0.34	0.34~0.23	0.23~0.13	0.13~0.12	0.4~0.12
	漏斗深度	49						

254m 变化,在进行调蓄水沙时,还可调蓄 3.0 亿 m³ 库容,为水库充分调节坝区水流泥沙运动提供了更有利的条件。

坝区大漏斗域除了漏斗库容外,还有调水调沙库容,大漏斗域范围超过了坝前冲刷漏斗区。在大漏斗域,调整流速分布和含沙量分布,使底部流速增大,含沙量增大,以及形成异重流将绝大部分泥沙尤其是粗泥沙由底孔排出。

3.4　水沙运动数学模型

小浪底枢纽工程泥沙设计中的一个重要问题是坝区冲刷漏斗形态和水沙运动特性,除了分析总结已建枢纽工程的实测资料和进行小浪底坝区泥沙模型试验研究外,黄委会勘测规划设计研究院还委托武汉水利电力大学进行坝区冲刷漏斗形态和水沙运动数学模型研究。同时,黄委会勘测规划设计研究院统计分析已建枢纽工程的坝区冲刷漏斗形态资料,建立坝区冲刷漏斗形态计算的经验关系。坝区冲刷漏斗为多级坡降,近孔口的坡降大,依次向漏斗段进口坡降变小,横向侧坡亦是分段变化,近孔口侧坡陡,依次向漏斗段进口侧坡变小,槽底宽近孔口窄,依次向漏斗段进口增宽;漏斗纵坡和侧坡与水深、淤积组成有关,与流量和流速有关,它是由明渠流向孔口有压泄流过渡的形式。参考模型试验资料和数学模型研究成果,以及已建水库的坝区冲刷漏斗资料,综合分析计算小浪底水库坝区冲刷漏斗形态。

谢鉴衡于 1990 年 1 月提出《黄河小浪底水库坝区漏斗形态的分析研究》报告。这一数学模型的基本方程为水流连续方程、纵向及垂向水流运动方程及剖面二维悬移质扩散方程。计算采取非耦合解法。算出每一个时段的漏斗流场及含沙量分布,再增加河床变形方程算出每一个时段的河床变形。按此程序逐时段计算下去,求得漏斗变化过程及达到输沙平衡阶段终极形态。采取简化作法,即任意假定一个初始漏斗形态,在算出相应的流场及含沙量分布之后,利用所得到的计算数据,检查漏斗是否处于输沙平衡状态。如果属于淤积,就抬高河床高程,增大纵坡坡降。如果是冲刷,就降低河床高程,减少纵坡坡降。如此反复试算,直至达到输沙平衡为止,此时的漏斗形态即为动平衡的终极形态。上述所建立的剖面二维数学模型,用于探讨漏斗纵坡的陡缓程度及漏斗范围的大小,可以得到一定的结果。但对模拟漏斗中的流场与含沙量分布尚存在问题,需进一步深入研究计算。

3.5 小浪底枢纽工程泥沙设计

3.5.1 泄洪排沙系统和发电引水建筑物调度运用方式

这里讲的是主汛期7～9月水库泄洪排沙系统和发电引水建筑物调度运用方式,非汛期则完全由发电引水泄流。

(1)泄水建筑物布置。小浪底泄水建筑物布置型式的选择要有利于泄水孔口防淤堵和电站防沙问题。经过多年研究,采取泄洪排沙和发电引水系统集中布置于风雨沟内。进水塔直线型排列,泄水孔口多层次分布。模型试验表明,设置导水墙后,在由大河转入风雨沟的不同来水方向条件下,都能在进水塔前形成单一的逆时针大回流,有利于各泄水孔口不被泥沙淤堵。进水塔多层泄水孔口,包括6条发电引水洞,3条底孔排沙洞,3条低位孔板泄洪洞,3条高位明流泄洪洞及溢洪道,有利于保证工程泄洪安全。各泄水建筑物的泄流能力见表7,每条发电引水洞引水流量平均按300m³/s计算。

表7 洞群及溢洪道泄流能力

水位(m)		190	200	210	220	230	240	250	260	270	275
泄流能力 (m³/s)	排沙洞	1 119	1 256	1 383	1 500	1 608	1 709	1 806	1 896	1 986	2 025
	孔板洞		3 025	3 280	3 508	3 727	3 900	4 129	4 314	4 489	4 582
	明流洞		150	760	1 761	2 714	3 883	4 790	5 517	6 123	6 450
	溢洪道								180	2 230	3 764
	Σ	1 119	4 431	5 423	6 769	8 049	9 493	10 725	11 907	14 828	1 6821

(2)泄水建筑物调度原则。在主汛期(7～9月)的沙峰时段水

流含沙量高,因此在电站调度运行中,根据坝前含沙量的大小,调节发电机组开启台数。底孔排沙洞位于发电洞下部,进口高程175m,比发电洞低20m,泄流规模较大,可在进水口前形成较大范围的冲刷漏斗。冲刷漏斗既有利于电站防沙和泄水孔口防淤堵,又有利于减少泥沙对闸门启闭力的影响,使泄水建筑物和电站能够安全、正常运行。因此,在来水流量满足发电引水流量的要求之外,应优先考虑从排沙洞下泄。低位孔板泄洪洞亦具有进口低(进口底部高程175m)、泄流规模大的特点。但鉴于孔板泄洪洞运用实践经验少,从孔板泄洪洞运用安全考虑,在满足底孔排沙洞泄量后可轮流启用孔板洞泄流,其剩余流量由明流洞泄放后再启用孔板洞,减少孔板泄洪洞运用的机遇和运用历时,以策安全。

根据机组运行、泄流排沙和扩大坝区冲刷漏斗作用的要求,拟定闸门开启的顺序为发电洞、排沙洞、一条孔板洞、明流洞、其余两条孔板洞、溢洪道,此为调度方案1。

同时,为减少孔板洞运用机遇和历时,又拟定按发电洞、排沙洞、明流洞、孔板洞、溢洪道的开启顺序方案,此为调度方案2。对两种调度方案进行比较。

(3) 泄水建筑物调度方式。发电洞的开启条数取决于来水来沙条件。根据坝前水流含沙量的大小,分两种调度方式。

当坝前水流平均含沙量小于或等于 $150kg/m^3$ 时,主要根据出库流量的大小确定发电洞过流量及机组开启台数。当 $Q_{出} < 400m^3/s$,$Q_{电} = Q_{出}$;$400 \leqslant Q_{出} < 572m^3/s$,$Q_{电} = 400m^3/s$,$Q_{排} = Q_{出} - 400m^3/s$;$572 \leqslant Q_{出} < 2\,143m^3/s$,$Q_{电} = 0.7Q_{出}$,$Q_{排} = 0.3Q_{出}$;$Q_{出} > 2\,143m^3/s$,$Q_{电} = 1\,500m^3/s$,其余水量从排沙洞等其它泄水建筑物下泄。

根据发电引水流量的大小确定机组开启台数,见表8。

在含沙量大于 $150kg/m^3$ 的情况下,为减少泥沙对水轮机的磨损,适当减少机组开启台数。首先根据坝前水流平均含沙量的大小初步拟定允许机组开启台数,见表 9。然后再根据上述出库流量大小及发电分流大小的关系综合确定机组开启台数。

表 8　　　　　　发电流量与机组开启台数关系

发电流量(m³/s)	<300	300~600	600~900	900~1 200	1 200~1 500
机组开启台数	1	2	3	4	5

表 9　　　　允许机组开启台数与坝前水流平均含沙量关系

坝前水流允许含沙量(kg/m³)	150~300	300~500	>500
允许机组开启台数	4	3	2

满足发电引水流量之后的剩余流量由排沙洞等其它泄水洞泄流。各泄水洞开启条数根据下泄流量及各泄水洞相应水位下的泄流能力而定。

(4) 泄水建筑物调度运用频率计算。小浪底泄洪排沙系统调度运用频率计算分别按 50 年系列年水沙条件和大洪水防洪运用条件进行。只计算系列年主汛期 7~9 月和不同等级洪水建筑物调度运用频率。大洪水水沙条件选择 1933 年型百年一遇、千年一遇、万年一遇洪水的 45 天水沙过程进行计算,计算结果见表 10 及表 11。由表 10 及表 11 可以看出泄水闸门调度运用特点:①小浪底水库各运用阶段,主汛期以发电洞和底孔排沙洞运用时间长。②低位孔板泄洪洞运用时间短。③高位明流泄洪洞运用时间亦短。④在水库遇百年一遇以上(含百年一遇)大洪水进行防洪运用时,只在短时间瞬时泄流量大于 12 000 m³/s 情况下,才启用溢洪道且泄流量较小,出现的机遇也很稀少。⑤在百年一遇以上(含百年一遇)大洪水的 45 天洪水期,每条发电洞平均运用约 35 天。大洪水时期高位明流洞运用天数多于低位孔板泄洪洞。⑥从发挥低位孔板泄洪洞的排沙作用和扩大冲刷漏斗的作用看,推荐调度方案 1,即在发电洞、底孔排沙洞之后,先轮流开启一条低位孔板泄洪洞,然后启

表10　小浪底水库各运用阶段主汛期闸门启闭情况及泄水洞运用历时统计

运用阶段	运用年序	调度方案	每条发电洞			每条排沙洞			每条孔板洞			每条明流洞			溢洪道	
			启(次)	闭(次)	运用时间(天)	启(次)	闭(次)	运用时间(天)	启(次)	闭(次)	运用时间(天)	启(次)	闭(次)	运用时间(天)	启(次)	闭(次)
1	1~3	1	8.3	7.8	50.5	10.3	9.9	50.7	3.1	3.1	4.3	1.8	1.8	2.2	0	0
		2	8.3	7.8	50.5	10.3	9.9	50.7	1.4	1.4	1.8	6.7	6.7	8.4	0	0
2	4~15	1	5.2	4.7	51.7	6.7	6.2	51.6	2.2	2.2	5.4	1.5	1.5	2.7	0	0
		2	5.2	4.7	51.7	6.7	6.2	51.6	0.4	0.4	0.7	3.6	3.6	7.9	0	0
3	16~30	1	4.1	3.5	49.6	5.4	4.9	42.2	1.3	1.2	3.7	0.8	0.8	1.6	0	0
		2	4.1	3.5	49.6	5.4	4.9	42.2	0	0	0	0	2	5.1	0	0
4	31~50	1	4.3	3.7	51.4	5.7	5.1	46.3	1.6	1.6	4.8	1.2	1.1	2.4	0	0
		2	4.3	3.7	51.4	5.7	5.1	46.3	0.1	0.1	0.2	2.7	2.6	7.0	0	0
合计	1~50	1	4.7	4.1	50.9	6.1	5.6	46.6	1.8	1.7	4.6	1.2	1.1	2.2	0	0
		2	4.7	4.1	50.9	6.1	5.6	46.6	0.2	0.2	0.3	2.9	2.9	6.7	0	0

注　1　启闭次数为各运用阶段主汛期每条洞平均启闭次数
　　2　发电洞启闭次数不包括日调峰运行的启闭次数

水 库 泥 沙

用明流泄洪洞,再启用其余两条低位孔板泄洪洞。⑦鉴于底孔排沙洞于主汛期运用历时长而高程又低,应特别注意加强底孔排沙洞对泥沙磨损的防护措施,使底孔排沙洞发挥正常运用的作用。⑧发电洞于主汛期运用历时也长,应在小浪底水电站主汛期过机泥沙特性计算分析成果的基础上,进行水轮机的抗泥沙磨损的试验研究。

表 11 　　　　大洪水期 45 天各泄水洞闸门启闭情况及运用历时统计(1933 年型)

频率 (%)	调度方案	每条发电洞			每条排沙洞			每条孔板洞			每条明流洞			溢洪道	
		启	闭	运用时间	启	闭	运用时间	启	闭	运用时间	启	闭	运用时间	启	闭
		(次)	(次)	(天)	(次)	(次)	(天)	(次)	(次)	(天)	(次)	(次)	(天)	(次)	(次)
1	1	2.2	1.3	35.3	1.3	0.3	44.7	1	0.7	14	5	5	24	0	0
	2	2.2	1.3	35.3	1.3	0.3	44.7	2	2	4	4	3.7	34	0	0
0.1	1	2.2	1.3	35.2	1	0	45	1.3	1	15.7	5	4.7	33.7	0	0
	2	2.2	1.3	35.2	1	0	45	3.3	3.7	7.3	3	2.3	41	0	0
0.01	1	2.2	1.3	35.5	1	0	45	2	1.7	16.7	4.3	3.3	36.3	0	0
	2	2.2	1.3	35.5	1	0	45	3.7	3.3	10	3	2	41.7	0	0

(5)关于调水调沙与发电调峰运行相结合调度运用方式,若小浪底水库下泄流量小于 2 500m³/s,水库为蓄水拦沙运用,水电站按调峰发电运行,水库进行日调节运用;若小浪底水库下泄流量大于 2 500m³/s,水库为敞泄排沙,水电站按基荷运行。

3.5.2 小浪底水电站过机泥沙特性

(1)小浪底电站过机沙量计算分析。对小浪底水库招标设计阶段采用的六个 50 年系列进行水库拦沙和调水调沙运用的泥沙冲淤计算,按电站引水原则和机组引水、引沙量,统计各级过机含沙量出现天数及频率,取六个 50 个年系列的平均值。按照水库的运用过程,将 50 年系列划分为 5 个时段,即 1～3、4～10、11～14、15～28 及 29～50 年。从计算结果看,由于水库 10 月份提前蓄水,下泄流量及沙量均较小,因此 10 月份 90%以上的时间,含沙量小于

$5kg/m^3$,出现的最大含沙量小于 $35kg/m^3$,而且每年出现天数不足一天。11 月～翌年 6 月份基本为清水,仅在 6 月下旬水库降低水位排沙时坝前出现浑水。因此,在每年的 10 月至翌年 6 月份基本上为清水发电,见表 12。

表 12　各时段调节期(10 月～翌年 6 月)平均过机含沙量表

时段(年)	1～3	4～10	11～14	15～28	29～50
过机含沙量(kg/m³)	0.25	0.22	0.28	0.29	0.28

每年主汛期 7～9 月份来沙比较集中,对机组引水含沙量的影响较大。表 13 列出了 7～9 月水库运用不同时段坝前断面平均含沙量及过机含沙量。可以看出,在蓄水拦沙期,断面平均含沙量很小,仅 $17.1kg/m^3$,随着水库运用年数的增加,坝前含沙量逐渐增大,而各时期过机含沙量则明显小于断面平均含沙量。各运用时期 7～9 月过机含沙量小于 $50kg/m^3$ 时出现的几率分别为 99%、92%、81%、62%、60%。

水库在前 15 年的拦沙运用中,过机含沙量小。在以后的运用过程中,在调水调沙的作用下,大多数时间过机含沙量较小,只是遇高含沙洪水入库或水库发生较强烈的冲刷时,含沙量才较大。

表 13　各时段 7～9 月坝前断面平均及过机含沙量表　(单位:kg/m³)

时段(年)	1～3	4～10	11～14	15～28	29～50
断面平均	17.1	45.4	54.9	91.2	95.7
过机	7.4	21.5	35.3	64.5	68.6
机组分沙比	0.43	0.47	0.65	0.71	0.72

(2)过机泥沙级配分析。实际情况表明,不同粒径的泥沙过机,对水轮机的磨损作用不同,泥沙越粗则磨损作用越大。因此分析过机沙量的级配同样具有重要意义。由于 10 月至下年 6 月的调节期基本上引清水发电,因此仅对主汛期 7～9 月过机沙量的级配进行分析。

由于泥沙的分选作用及排沙底孔的存在,过机泥沙往往较断面平均泥沙颗粒为细。按三门峡水库汛期发电试验资料统计,过机泥沙级配与出库泥沙级配相比,粒径小于 0.025mm 的细颗粒泥沙含量增加,而粒径大于 0.025mm 的中、粗颗粒泥沙含量减少。

根据前述小浪底水库的六个 50 年系列的计算,求得小浪底坝前断面平均含沙量的级配成果。参考三门峡水库电站过机泥沙级配与坝下断面泥沙级配的差别,分析得到小浪底水库汛期 7~9 份不同运用时期过机沙量的级配,在水库运用初期 1~14 年中值粒径约为 0.01mm,15~50 年中值粒径为 0.02mm。

河口泥沙

黄河入海水沙和海洋动力特征

1 黄河口径流和输沙特征

1.1 径流量与输沙量

现今黄河口是 1855 年 8 月在河南铜瓦厢决口,经山东省大清河注入渤海形成。在 1855~1875 年期间,下游河道无堤防,洪水泛溢于长垣至张秋镇之间湖泽区,大量泥沙沉积,经山东入海的水量少。1875~1919 年,黄河下游两岸防洪大堤陆续修建,入海水沙量逐渐增多。

过去由于缺乏入海水沙观测资料,故按照三门峡 50 年天然径流量平滑曲线,推算利津 1855~1919 年平均径流量为 562 亿 m^3,输沙量为 15.9 亿 t,以此作为入海水沙量显然偏大,因此,只能供参考。

1919 年泺口建立水文站,但 1919~1947 年的 31 年间,有 8 年上游段决口频繁,1938~1947 年花园口扒口,黄河夺淮河入海,山东河竭九年。因此,该时段径流量和输沙量有 1/3 的年份是推估的,其中 40 年代推估的年份更多,所以,年径流量 560 亿 m^3 也比较大。

1949 年以后,利津水文站建立,水沙测验资料比较全,而且比较连续,表 1 中统计了 73 年径流量和输沙量(按水文年),平均年入海水量 423 亿 m^3,沙量 10.6 亿 t。如果全部按实测资料计,近 40 年平均入海径流量仅为 393 亿 m^3,沙量 9.9 亿 t。

表1   利津站入海水、沙量

时段(年)	径流量(10^8m³)			输沙量(10^8t)		
	汛　期	非汛期	年	汛　期	非汛期	年
1920～1929	258	158	416	8.7	1.5	10.2
1930～1939	327	172	499	12.6	1.9	14.5
1940～1949	359	201	560	11.1	1.9	13.0
1950～1959	299	165	464	11.5	1.7	13.2
1960～1969	292	221	513	8.7	2.3	11.0
1970～1979	187	116	303	7.6	1.3	8.9
1980～1989	190	101	291	5.8	0.7	6.5
1990～1992	88	64	152	2.9	0.8	3.7
1920～1949	314	177	491	10.5	1.7	12.2
1950～1989	242	151	393	8.4	1.5	9.9
1920～1992	265	158	423	9.1	1.6	10.7

1.2　来水来沙量分布特征

1.2.1　来水来沙分布

黄河口来水来沙年内分布不均匀。黄河地处中纬度,四季分明。黄河发源于青海,流经九省(区),又经过高寒地区。因此,黄河下游来水一年有两个汛期,即3月份冰雪融化形成的桃汛和7～10月降雨较多,形成的伏秋大汛。桃汛期时间较短,水量较小,经过黄河下游800km河道调节,入海峰量坦化,尤其是三门峡水库蓄清排浑运用后,桃汛已不明显。目前,从水沙过程线看,只有伏秋大汛集中了63%的水量和85%的沙量,月平均最大值出现在8月(或9月),$Q_{max}=2\,730$m³/s,$S_{max}=44$kg/m³,最小值出现在2月(或5月),$Q_{min}=300$m³/s,$S_{min}=2$kg/m³。

黄河口来水来沙年际变化大。实测最大年径流量904亿m³(1964年),最大年输沙量21.08亿t(1958年),最小年径流量54亿m³(1991年),最小年输沙量0.89亿t(1987年),年入海水量变幅16.7倍,沙量变幅23.7倍,实测年平均最大含沙量58.9kg/m³(1959年),来沙系数0.08kg·s/m⁶,最小含沙量8.96kg/m³,来沙

系数 0.028kg·s/m⁶。从年平均情况看,无论是大水年,还是小水年,都表现出黄河水少沙多的特征。

汛期洪水具有大水带大沙的特点,例如大水的 1964 年,年输沙量 19.07 亿 t,汛期平均流量 5 600m³/s,含沙量 26.5kg/m³,来沙系数为 0.004 7kg·s/m⁶,汛期输沙量达到 15.9 亿 t;大沙的 1958 年径流量 598 亿 m³,汛期平均流量 4 200m³/s,含沙量 43 kg/m³,来沙系数 0.01kg·s/m⁶;但是,枯沙的 1987 年,径流量 108 亿 m³,汛期平均流量 480m³/s,平均含沙量 15.1kg/m³,来沙系数为 0.031kg·s/m⁶。因此,从汛期水沙搭配可以看出,黄河大水年份,相对来讲水多沙少,而小水年份,则相对水少沙多。显然,从下游河道减淤角度讲,大水大沙年份比小水年份是有利的。

1.2.2 输沙粒度变化

黄河是以悬沙为主的河流,$d < 0.05$mm 的来沙量占 82% 以上,$d < 0.025$mm 的冲泻质占 57%,悬沙中数粒径多年平均 $\overline{d}_{50} < 0.035$mm。因此,黄河下游是细沙河流,而且是汛期较细,非汛期较粗。

根据分组粒径计算结果,泥沙组成在不断地发生变化。如图 1 所示,细泥沙 $d < 0.025$mm 所占百分数有减小趋势,粗泥沙($d > 0.05$,下同)所占百分数则略有增加。与来水量过程线对照,细泥沙变化与水量变化趋势一致,粗泥沙的变化则相反。但是,在来水量减少过程中,有的年份减得多,即来水量少,细泥沙所占百分数增加,粗泥沙所占百分数减少,反之,有的年份减得少,即来水量偏多,则粗、细泥沙所占百分数恰好相反。鉴此情况,如果来水来沙量趋向性减少,黄河下游河床组成将有发生粗化的可能。

1.2.3 近期三条流路时期水、沙分配特征

近期三条流路,是指神仙沟、钓口河和清水沟。各条流路期间水、沙时空变化(见表 2),有三个比较突出的特点:其一,年径流量和年输沙量顺序逐渐减少;其二,前两条流路时期水、沙量比近 40

年平均值偏多,清水沟时期偏少,分别减少 28％和 30％;其三,前两条流路时期水、沙量年内分配基本一致,清水沟流路汛期分配比例增大,即水、沙集中程度增高。

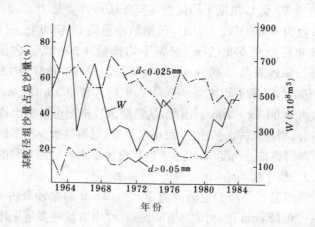

图 1   悬沙粒径与径流量变化关系

表 2   近期三条流路水、沙分配特征   (单位:W,$10^8 m^3$;W_s,$10^8 t$)

流路	时段	W	距平 (%)	W_s	距平 (%)	汛期(7～10月)			
						W	占全年 (%)	W_s	占全年 (%)
黄河	1953.7～1992.6	372	0	9.3	0	228	61	7.9	85
神仙沟	1953.7～1963.12	472	27	12.0	29	287	61	10.1	84
钓口河	1964.1～1976.5	419	13	11.0	18	249	59	9.1	83
清水沟	1976.6～1992.6	268	—28	6.5	—30	176	66	5.8	89

1.3   水、沙减少原因

黄河入海水沙呈减少趋势[1],80 年代比 50 年代水量减少了 37％,沙量减少了 51％,90 年代初期减少得更多,平均年水量只有 152 亿 m^3,沙量只有 3.7 亿 t,分别比 50 年代减少了 67％和 72％。水、沙量减少的原因有降雨因素和人类活动的影响,人类活动对水沙变化的影响,已经成为不可忽略的因素,如50年代黄河干流上水利工程刚开始建设,还没有起控制作用,河道水流还属天然径流,河道处于自然演变状态。其后,陆续修建了三门峡、刘家峡、龙羊峡等大、中、小型水库3 380余座,总库容521亿 m³,引水工程5万余处,黄河不再是一条天然河道,而是受人类活动影响很大的河流。水库起到拦蓄调节水沙作用,很大程度上改变了天然水沙过程。工农业引黄用水量大量增加,据近40年引水引沙资料统计[2],50年代全河引水量115.8亿 m³,80年代增加到256.7亿 m³,引水量净增加140.9亿 m³,上、中、下游分别增加50%、62%、717%,越向下游增加越多。黄河两岸经济发展方兴未艾,今后用水量增长形势还在发展,入海水沙还将继续呈减少趋势,并且非汛期经常出现断流现象。

2 海洋动力基本特征

2.1 沿岸潮汐、潮流特性

黄河注入的渤海,是半封闭海区,固有振动很小,潮汐主要是大洋潮汐胁迫振动。渤海有三个海湾,即辽东湾、渤海湾和莱州湾,黄河口位于渤海湾和莱州湾交界处。由于该海区水浅、坡缓、岸线曲折,潮汐、潮流特性非常复杂。

2.1.1 潮汐特性

潮汐类型。潮汐随地点、地理环境的不同而变化。一般把潮汐划分为正规半日潮、正规全日潮和混合潮,其中混合潮又分为不正规半日潮和不正规全日潮。潮汐的类型,一般采用主要全日分潮(K_1、O_1)和主要太阴半日分潮(M_2)的调和常数之比值来判别。

在黄河三角洲北部和东部附近海区

$$0.5 \leqslant \frac{H_{K_1} + H_{O_1}}{H_{M_2}} < 2.0 \tag{1}$$

在神仙沟口外

$$\frac{H_{K1} + H_{O1}}{H_{M2}} > 2.0 \qquad (2)$$

　　根据式(1)、(2)可以判定,黄河口海区,除了神仙沟口外局部
海区基本为全日潮外,大部分海区为不正规半日潮,与图 2 所示的
实测潮位过程线相符。

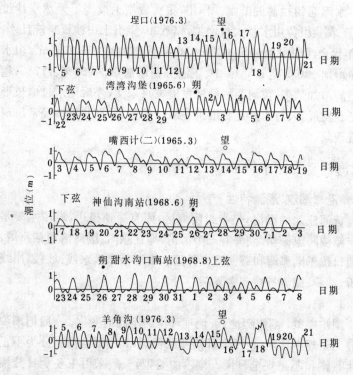

图 2　黄河口沿岸实测潮汐过程线

　　潮时。潮汐的最大特征是有明显的规律性。黄河三角洲沿岸
潮汐种类多,各地发生高潮的时间也不相同,但对某一地点来说,
每天向后推迟 48 分钟,与月中天的变化一致。属于天文潮特征。但
是,地球、月球和太阳在运动过程中,它们的相对位置不断地发生

变化,因此图 2 中潮位周期复杂,不仅有半日(或全日)周期,而且有半月周期,在上(下)弦时出现小潮,朔(望)期间出现大潮,半月重复一次。同时,潮汐还有年变化周期和多年变化周期,其中月变化是三者相对位置变化,而长周期变化,则是太阳的视运动周期变化结果[3]。

黄河三角洲沿岸,潮汐变化还有一些地方特点:①神仙沟口外全日潮区,由于海岸线曲折,地形变化大,倍潮波振幅比较大,$H_{M4}/H_{M2}=0.63$,从而在上(下)弦,太阴赤纬较高时,有时一天出现 3~4 次涨潮现象,这是浅海潮波的主要特征之一。②三角洲沿岸潮汐具有潮时不等现象,主要特征是涨潮历时短,落潮历时长。在河口附近明显,受河水作用,地形的影响涨潮波超前,落潮波拉长,低潮时的潮位落不下来。③黄河三角洲所毗邻的两个海岸,从图 3 中潮时分布曲线可以看出,渤海湾和莱州湾发生高潮的时间相差 6 个小时。如刁口站半日潮 4 点 18 分发生高潮,而相距只有 26.6km 的老黄河口站,发生高潮的时间为 10 点 24 分。对于半日潮区,恰好是一边涨潮,而另一边落潮。这种潮时的突变现象,是潮波旋转的结果。同时 M_2 分潮的"无潮点"很靠近渤海湾南岸湾口,从而使潮时变化明显。其相位差,可根据上述两站回归潮和迟角的关系计算出来。对刁口站有 $[K_{M2}-(K_{K1}-K_{O1})]=150°06'$,而老黄河口站为 $[K_{M2}-(K_{K1}+K_{O1})]=340°02'$,二者相差 $189°56'$,对半日潮来说,恰好是半个周期。这充分证明了渤海湾涨潮、莱州湾落潮或莱州湾涨潮、渤海湾落潮的此起彼伏的潮汐规律。

潮位和潮差。天文潮的潮高取决于地球、月球和太阳的相对位置,其变化导致引潮力场出现半月、一月、半年、一年和多年的变化,从而潮位发生相应的变化。在一个月内,朔(望)时大潮,上(下)弦时小潮,潮差变幅 1m 左右。同样在半年变化中,春分(秋分)的分点潮潮差,比其他月份的分点潮大 0.2~0.4m。

现代黄河三角洲,因为地处渤海湾与莱州湾交界处,岸线突

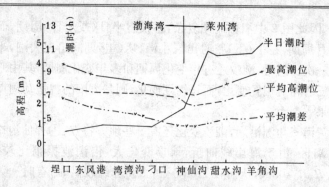

图 3　潮时、潮位沿岸分布

出,地形变化大,又有径流加入,潮位沿岸分布,具有许多特点:①潮差分布变化大,从小清河口至套儿河口,平均潮差 0.75～1.77m,最大潮差变化为 1.56～5.07m。由图 3 可以看出,神仙沟口外潮差最小,沿两个海湾向里,逐渐增大。潮位沿岸分布呈"马鞍形",中间低,两边高。黄河入海口门经常变迁,自从改道顶点[4]由宁海下移到渔洼后,在平均潮差小于 1.3m 的沿岸段变动。②对于某一测站,潮位具有日潮不等现象。这种不等现象,对于渤海湾和莱州湾不同的海区来说,具有性质上的差别。如在渤海湾嘴西计站,低高潮位与相邻的高高潮位相差甚小,而在莱州湾甜水沟站,则低高潮位与相邻的高高潮位相差甚大,两个海湾的潮位变化,位相恰好相反。因为海平面一般是采用多年验潮记录每小时潮位的平均值。从而我们认识到,相邻的两个海湾,由于潮位的相位差,导致了海平面的高低不等,但愈向湾里,差距愈小。

2.1.2　潮流特性

潮流是潮波中水质点的运动,虽然它和潮位是同一种现象的两种不同的表现形式,但是海水在流动过程中受海岸轮廓、海底地形等影响,潮流的变化比潮位复杂得多。

潮流的一般特性,在大洋中受地转偏向力的作用,每时每刻都在改变着方向,中心矢量图基本是一个圆形。但潮波传到边缘海,因受海岸阻挡,图形变成椭圆形。对于渤海区的潮流矢量图,比边缘海更复杂,矢量端点连线很不规则,但能看出顺时序是一个回转曲线,在24小时内基本上转两周,因此属于半日旋转流[5]。

潮流的区域特性,按照周期长短,采用M_2、K_1、O_1三个分潮的最大潮流速比值,即$(W_{K_1}+W_{O_1})/W_{M_2}$作为潮流类型的判式。计算结果表明,黄河三角洲附近海区,潮流可分为两种类型,一是渤海湾,比值小于0.5,属于正规半日潮流;二是莱州湾沿岸,比值稍大于0.5,属于不正规半日潮流。莱州湾的潮流比较复杂,从上述比值在海区的分布看,东径119°30′以西基本属于正规半日潮流,以东则是逐渐向全日潮流过渡的不正规半日潮流。在海湾的中线上(纵向),倍潮流和复合潮流振幅相对较大。尽管如此,整个海湾范围内,主要分潮的调和常数,仍以M_2分潮流时振幅最大,起着决定性作用。所以,我们认为这个海区属于半日潮流,而全日潮流和浅海分潮流迭加其上,只是增加了潮流的复杂性,并未改变潮流的类型。

黄河口潮流具有驻波特性。驻波是前进波和反射波迭加的结果,前进波中的潮位与潮流同步,即潮位最高时流速最大,潮位最低时流速最小。而在驻波中,潮位最高(或最低)时,潮流速为零,半潮面(即潮位升降的中间位置)时,流速最大。图4为该海区X_1站潮位、潮流速过程线。其对应变化关系,表明了潮波的驻波特性。然而当潮波再继续向渤海湾及莱州湾里传播,水深逐渐变浅,由于底摩擦的作用,使二者位相差相应变小,出现前进波的某些特征。

潮流椭圆的椭率反应潮流受浅海地形影响变化特征。在三角洲近岸,椭率小于0.1,离开海岸椭率渐大,在两个海湾的中部,为0.3左右。其长轴,不管是莱州湾一侧,还是渤海湾一侧,都与海岸平行,而在海湾的顶部,则几乎与岸线垂直。

关于潮流的旋转方向,可用最大流速方向角的时变率$d\theta/dt$判别。在渤海湾$d\theta/dt>0$,故为逆时针旋转;在莱州湾大部分水域

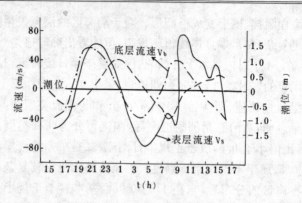

图4 $X_1 \sim 221$ 站潮位、流速过程线

$d\theta/dt < 0$，为顺时针旋转。但是在同一海湾中，潮流旋转方向也不尽相同。在莱州湾的顶部水域，潮流是逆时针旋转，与该海湾大部分水域相反。另外，在同一测站上下层潮流旋转方向也存在差别。除在黄河口附近，径流水舌两侧存在着相反方向的环流外，大体上还可概括为一个右旋和两个左旋系统。在两个海湾口附近最大的右旋转域，占据了两个海湾的绝大部分。莱州湾北纬 37°30′以南及渤海湾北纬 38°10′以南水域为两个左旋系统，仅占据海湾的很小一部分。三个潮流系统分布，以渤海中央区顺时针旋转的为主，这是地转偏向力作用的结果，两个边缘区的逆时针旋转系统，则是地形对右旋系统限制而产生的。

潮流速分布基本特征。潮流速度大小是海区潮汐动力强弱的重要标志之一。本海区潮波是驻波，潮流是旋转流，岸边是往复式流，在神仙沟口外，M_2 分潮"无潮点"附近，形成高流速辐散中心，最大表层流速大于 120cm/s，向两海湾里边递减（见图5）。流速水平梯度分布，在渤海湾较小，而在莱州湾，流速梯度较大。产生这种差别的主要原因是渤海湾水深较大，纵轴（东西向）较长，底坡平缓，而莱州湾水深较小，纵轴（南北向）较短，底坡相对较大[6]。

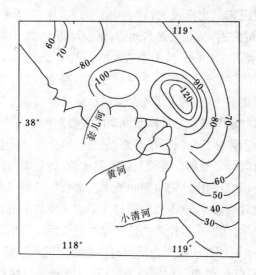

图 5　黄河口外流场(1955～1979 年实测)　(单位:cm/s)

　　黄河三角洲沿岸流场变化特征。由于黄河经常变迁,沿岸流场发生相应变化。据近 40 年来的观测资料证明,河口沙嘴突出后,其前端产生高流速场,这个高流速场构成封闭式辐散中心,最大流速值不在岸边,而在相当于海岸向海底转折的水平范围,海岸的坡度越陡,岸边等流速线越密,即水平流速梯度越大,河口门距高流速中心的距离越近[6]。这种流场变化特征,对于加大排沙入海,减缓河口淤积延伸,稳定河口流路治理具有重要意义。

2.2　河口潮汐和风暴潮

2.2.1　河口潮汐

　　黄河口经常变迁,三角洲沿岸潮差分布不均匀,又加上各岸段潮汐、潮流性质差异大,因此,潮汐对河口影响情况众说纷纭。但是根据沿岸潮汐特性,河口在三角洲沿岸变动范围内,平均潮差都小于 2m,按照潮位分类方法,可以明确地说黄河口是弱潮河口。根据河口段河床纵比降较大，达 0.7‰～1‰，按平均潮差计感潮段只有 30km 左右，如果按最高潮位，潮汐可影响 50～60km；潮流段很短，枯水期约 10km，洪水期盐水楔上界仅 2～3km，潮流基本进不了河口门。显然，黄河口潮汐动力与河流动力处于短距离接触，潮波能量集中消耗，这也可能是流域巨量来沙沉积在河口门附近，造成河口严重淤塞和河口剧烈变动的重要条件之一。

由于黄河三角洲沿岸潮差，呈马鞍形分布，不同流路河口的潮汐影响有一定差别。近期三条流路比较，神仙沟河床比降最小，潮差最小，但感潮段比钓口河和清水沟都长。从河口变动情况看，神仙沟相对最稳定。这不仅是河口外潮流速大的关系，还有潮能消耗过程差异。潮能在短距离内消耗比在较长距离消耗，对河流的顶托作用小。泥沙在长距离内沉积与在短距离沉积形态不同。因此，调平河道比降，改变潮汐作用距离，可以改善河口稳定程度，再加上人工治导，减少河槽宽深比，河口情况会更好。

2.2.2 风暴潮灾害

风暴潮是黄河口三角洲严重的自然灾害。由于三角洲前缘坡度小，风暴潮增水，侵淹高程到 2.5～3.5m，神仙沟以南比以西厉害，莱州湾顶最严重。

莱州湾是风暴潮多发区，据文献资料记载，新中国成立前 268 年发生潮害 45 次，羊角沟潮位站潮位达 3m 以上 10 次，4m 以上 3 次。近 40 年来 4 次大风暴潮，都在 3m 以上，平均 10 年一次。

风暴潮发生机制，一般是先持续刮东南风然后转东北风，风力急剧增大到 8～9 级，再加上东北—西南方向，风区长，造成黄河三角洲沿岸大量增水。1969 年 4 月 23 日渤海沿岸各站（见图 6），水位过程线，辽东湾减水，营口潮位降低 1.5m 以上，而莱州湾大量增水，羊角沟最高水位 3.75m 以上（黄海基面）的风暴潮增水过程。

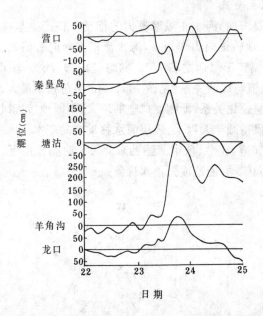

图6 1969年4月22~24日渤海风暴潮增减水过程线

风暴潮发生时间多在4月份,有时在8月份,这主要是春夏(或夏秋)之交,蒙古冷高压和黄海中部低压相对峙的强冷锋,东北—西南向通过渤海,冷锋前偏东风,冷锋过境后偏北风,天气发生剧烈变化的结果。

2.3 余流

在大海中观测到的流动统称海流。从海流中消去周期性的潮流,剩余下的非周期性流动,称之为余流。余流的产生主要是风力、压强梯度力、地形及径流等多种因素影响的结果。渤海水深较浅,海水垂向密度差小,压强梯度力较小。黄河口沿岸海区余流复杂,河口附近有径流性余流,强潮流区有潮汐残流,影响范围比较大的是风生余流。

2.3.1　风生余流

风掠过海面,海水在风摩擦力的推动下将产生与风向一致的流动,但在地转偏向力作用下,海水流动方向向右偏(北半球),余流向一般偏转于风向之右 45°。渤海是内海、浅海,岸形、地形复杂,统计余流与风的关系(见图 7),以 45°偏角频率最大,余流的流向与风速呈反比关系,即随着风速的增大,不断地接近风向。统计结果四级风持续半天以上,表层海水移动方向基本与风向一致。由此也可以知道,在春、秋季节强劲东北风长时间作用下,海水向莱州湾顶方向流动,能造成强增水现象。

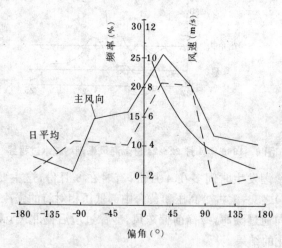

图 7　余流和风向、风速的关系

余流的流速,表层为 7～15cm/s,底层为 3～4cm/s,流速随深度增大而减小。余流的能量主要来自表层,在向下层传递过程中受摩擦影响不断地消耗,使流速沿水深方向呈指数分布形式。

2.3.2　径流性余流

黄河口附近海区余流,具有明显的径流性质。主要表现是,在河口门外余流方向主要是沿着河流动力轴线方向。与此同时,因河流淡水较轻,浮在上表层向外海运动,海水则潜入下层,以补偿流形式向岸运动,尤其在洪水期这种垂向环流形式更强,不过洪水挟带的沙量较大,往往一部分潜入下层,但输移距离较短;还因往复式潮流,流速相对较大,作用于入海水流,使得沿岸输沙较强,河口沙嘴两侧发展着相反方向的水平环流,从而形成两个"烂泥湾"。根据海岸带调查结果证实,现黄河口—清水沟口以南,顺时针环流系统,至小清河口,最大表层流速25cm/s,中、底层流速比表层略小,但方向相反。

2.3.3　潮汐余流

五号桩外海域处于渤海顺时针潮波系统,但在 M_2 分潮"无潮点"强潮流区附近,潮汐类型复杂,同时潮流受岬角地形变化大的影响,近岸存在潮汐残流,常年流动方向 NNW,流速一般 10 cm/s。

综上所述,黄河口海区余流分布很复杂,概括起来余流季节性明显,冬半年在偏北风作用下多流向南,夏半年盛行偏南风,多流向北。余流的流速相对于潮流很小,一般在 10cm/s 左右,但它是非周期性的,具有定向长距离搬运泥沙的重要作用。

2.4　波浪

黄河口附近海区的波浪,据五号桩区的观测资料,主要是风浪,波浪的大小随风速而变化。强浪向为 NE 向,$H/_{1/10}$ 最大波高达 3.6m,次强浪向 NNW,常浪向 S,出现率 14.6%。该海区最大波浪由寒潮形成,实测最大浪高 5.7m,周期 9.0s。寒潮一般每年 10 月份开始,7~15 天出现一次,波高 3m 以上。

渤海地处中纬度,台风很少到达,因此台风海浪出现率很小,渤海平均 3~4 年一次,最多一年两次,实测气旋产生的波浪波高 2.1m,年出现率 2~3 次。一般的天气过程,波浪的高度不超过 1.5m。

波浪输入浅水区,当水深为该点波高的 1.28 倍时,波浪便发生破碎,实际上波浪破碎还与波周期和海底坡度有关,当海底坡度小于1:20时,波浪可能在水深等于波高时才发生破碎。

黄河口沿岸,由于波浪是由许多大小不同的波叠合,各种波破碎深度也不同,因此沿岸有一个破波带。据破波水深统计(如表3),有一个1～6m水深的范围,影响宽度3～4km。

表3　　　　　　　　　　不同风向波浪破碎水深

风向	S	SE	E	NE	N	NW
破波深度(m)	0.9	0.9	2.8	4.6	1.9	2.6

黄河口三角洲是淤泥质海岸,波浪破碎后释放出的大量能量(表4)将发生强烈的侵蚀作用,掀起的泥沙,通过回流进入破波带,形成沿岸输沙。因此,波浪是影响黄河三角洲沿岸变形的重要因素。

表4　　　　　　　　　黄河三角洲沿岸波能分布

风　向	水深6m(10^3J)	水深14m(10^3J)
各向平均	10.4	32.2
偏北风	17.4	59.1
偏南风	4.2	10.2
东北风	22.9	84.4
西北风	15.4	46.0

2.5　海水物理特性

海水的温度、盐度是海水的重要物理因子。受自然环境和气候的影响,其动力结构形式具有明显的季节性。

春季(3～5月),气温上升,表层海水处于吸热过程,同时河道里融冰,径流量逐渐增加,因此,温度、盐度垂向分布开始出现不均匀现象。

夏季(6～8月),气温达到全年最高,表层海水温度相应 T_{max} =25～26℃,径流量最多,因浮在上表层,温度、盐度垂向分布出现上均匀层。在上均匀层下端水深6～10m范围,有较强的温度、盐度梯度,在其下层又是垂向均匀分布,因此,渤海区夏季形成三层结构模式。由于夏季黄河径流量大,因此,在水平方向上沿岸带高温低盐,而渤海中央区受陆地影响小,处于相对低温高盐状态。

秋季(9~11月),气温下降,海水处于散热过程,水温下降,上表层密度增大,对流混合增强,温跃层逐渐消失。大陆径流注入海区,由于淡水堆积,一般在每年9月份出现盐度最小值。黄河口岸边盐度降低到16‰,到渤海海峡附近,可降到29‰。

冬季(12~2月),二月份水温全年最低($T_{min} = -1 \sim 0.5℃$),河流径流量最少,河水注入不出现射形流,冲淡水多散布在沿岸带,从整个海区来说,此期间出现盐度最高值 $S_{max} = 28‰ \sim 32‰$。由于冬季的气温低于海水,陆地温度低于海水,因此,对流发展结果,在垂向温度、盐度分布均匀,在水平方向上,岸边温度低,而中部温度高,所以结构形式是岸边低温低盐,外海是低温高盐。

综上所述,海水温度、盐度形成的动力结构有一个年变化过程。黄河径流入海形成的冲淡水体,占据海域的范围,有一个从小到大,又从大到小的年回归过程(见图8)。夏季黄河径流量大,淡水在岸边大量堆积,高盐海水被稀释,而且受到挤压,29‰等盐度线退到海峡附近;相反,冬季径流量减少后,沿岸水势力消弱,外海高盐水乘机入侵,29‰等值线回到黄河三角洲东北角附近海域,此时,除莱州湾被冲淡水占据外,三角洲沿岸其他海区,基本都被高盐水控制,冲淡水被挤压到岸边一个狭窄的带子内。这充分显示,在渤海内,除陆地和气候因素外,主要是黄河径流形成的沿岸水和外海高盐水两种势力的消长变化,规定着这个海区的水文物理特征。使这个海区,不管黄河从渤海湾,还是从莱州湾入海,也不管是冬季还是夏季,常年处于南部盐低、北部盐度高,海水密度北高南低,因此,等压面向北倾斜。海水的流动在科氏力的影响下,出现从西向东的流动,对黄河入海泥沙扩散,对河口沙嘴的发育方向,都起着重要的作用。

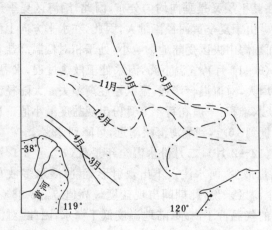

图 8　黄河口 29‰等盐度线（表层）

2.6　盐水楔特征

2.6.1　咸淡水混合特性

黄河口的盐水楔,涨潮时伸入河口内,落潮时退到拦门沙坎以外。咸淡水发生混合现象,其混合类型与下泄流量密切相关。

根据拦门沙水文测验,在流量小于 500m³/s 时,盐水楔内盐度垂向分布很均匀,纵向盐度梯度约为 1.5‰/km;当流量为 900 m³/s时,盐度分布纵向、垂向都不均匀,盐度梯度分别为 4‰/km 和 1~20‰/m;当流量为 3 000m³/s 时,涨潮咸水基本进不了河道,在拦门沙坎以外的盐水楔内,等盐度线向河口方向倾斜,垂向梯度较大,纵向梯度很小。黄河口咸淡水混合的类型,具有明显的季节性差异,即枯水期为强混合,洪水期为缓混合。

2.6.2　层化现象

黄河口咸淡水混合,枯季很强烈,垂向盐度分布均匀;洪水季,径流势力大,盐度垂向梯度大,咸淡水也没有明显的分界面。但是,根据盐度梯度的突变层指示参数,修正的佛汝德数 $Fr = \dfrac{u^2}{g'Z}$（式中

u 为 Z 层厚度内的流速；g' 为经上、下层液体密度修正后的重力），可以判别其层化程度。

选用汛期两个潮周期连续观测资料计算结果，$Fr < 1$ 的情况很少出现，证明不是弱混合。$Fr > 1$ 的情况，占 90% 以上，其中 $Fr > 10$ 的情况，占 20% 以上，证明黄河口咸淡水混合比较剧烈，根本不存在稳定的界面，但是，咸淡水混合是很不均匀的，具有较大的垂向盐度梯度，$\dfrac{\mathrm{d}s}{\mathrm{d}h} > 5\text{‰}/m$ 的时间占 50%，说明洪水季节，层化现象是比较明显的。

2.6.3 有效重力

由于洪水期盐水楔中，咸淡水混合很不均匀，垂向盐度梯度比较大，泥沙在水流中的有效重力必然减小，其有效重力取 g'，可表示为

$$g' = \frac{\rho_2 - \rho_1}{\rho_2} g \tag{3}$$

式中：ρ_1、ρ_2 分别为上、下层液体的密度。令

$$\tag{4}$$

η_g 可称为重力修正系数，是一个很小的数，仅有 0.002～0.018，但重力作用大大减小，惯性力相对增大，对加大排沙入海是很有意义的。

3 径流与泥沙扩散特征

3.1 径流扩散

由于黄河口流路经常变迁，径流扩散影响范围相应发生变化。据 1957 年以来海洋调查资料，以 26‰ 等盐度线为准，可以确定近期三条流路径流扩散范围。神仙沟口位于渤海湾与莱州湾口交界

处,冲淡水沿三角洲海岸扩散,向西可影响到 118°40′E,向南到 37°35′N,河口动力轴线方向(ENE)到达 120°00′E 附近;钓口河注入渤海湾,向西影响到 118°25′E,向南可到 37°50′N,纵向(N)到 38°40′N,向东到 120°00′E 附近;清水沟注入莱州湾,向北影响到 38°05′N,向南到 37°25′N,向东到 119°40′E 附近。

　　径流扩散范围与入海流量大小密切相关。流量小的时候,惯性力相对瞬息万变的海洋动力小得多,水流受水体及潮汐顶托,淡水只能散布在靠近岸边比较窄的范围内;当流量比较大的时候,惯性力相对比较大,径流将冲出淡水舌伸到较深的海域。26‰等盐度线为冲淡水特征线,其包围的面积,与流量的相关性比较好,满足下式

$$S_{26} = KQ^3 \tag{5}$$

式中:S_{26} 为冲淡水舌表层面积,km^2;Q 为利津站日平均流量,m^3/s;K 为扩散系数。

　　径流扩散,冲淡水成楔状散布于海面,靠近河口厚度大,远离河口趋向变薄。一般是水下3km 附一层,悬浮在淡水之上,但是,其扩散面积不仅取决于流量大小,还与入海水流的流速有关。流速的大小不仅与流量有关,而且受制于河口边界条件。因此,如果要使径流扩散范围增大,除考虑加大入海流量外,应注意维持河口附有一个良好的泄洪排沙河道。

6.6　泥沙扩散

　　黄河入海泥沙扩散,在大面积同步观测资料很少的情况下,可以通过海底质和地形资料得到一些初步认识。

　　图 9 是 1978 年洪水期实测的海底质分布,大体分三个带,即从坡上、坡下和外海 d_{50} 分别为 0.10～0.05、0.005～0.015、0.02～0.03mm,呈现由粗到细,再变粗的分布,显示了泥沙扩散的分选过程。坡脚下海底一定范围内,存在大范围的 $d_{50} < 0.01$mm 的细沙区,其分布形状现行河口门附近最宽,沿海岸方向垂直海岸的

范围逐渐缩窄,但泥沙扩散向南可到莱州湾顶,向北可出莱州湾口。

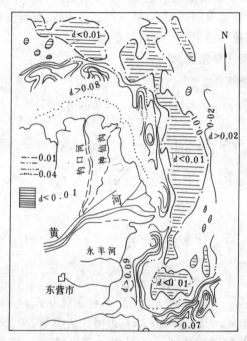

图9 黄河口海底质分布(1978年) (单位:mm

黄河入海泥沙,在扩散过程中不断地沉积,其厚越薄。根据水下三角洲淤积分布的年变化,基本可以确定黄泥沙扩散的有效影响范围。以清水沟口淤积厚度为例,冲积扇边缘厚度1m范围呈椭圆形,长轴约30km,平行于海岸,短轴约15km,垂直于海岸。分布形状犹如潮流椭圆,但椭率较大,因此入海泥沙扩散不仅受潮流的作用,而且受径流动力作用,使垂直海岸方向扩散范围增大。

同时,由于黄河口门不稳定,经常左右摆动,改变河口出流动力轴线方向。因此,入海泥沙沿岸扩散范围相应增大,并且河口摆动距离愈大,扩散影响范围也愈大。尽管如此,黄河入海泥沙直接扩散沉积的有效范围仍较小,就在河口门附近。只有漂移的极细泥沙在渤海环流作用下才可能扩散很远。

3.3　沿岸输沙数值模拟[8]

3.3.1　基本方程

$$\frac{\partial z}{\partial t} + \frac{\partial q_1}{\partial x} + \frac{\partial q_2}{\partial y} = 0 \tag{6}$$

$$\frac{\partial q_1}{\partial t} + \frac{\partial}{\partial x}\left(\frac{q_1^2}{h}\right) + \frac{\partial}{\partial y}\left(\frac{q_1 q_2}{h}\right) + g h \frac{\partial z}{\partial x} - f q_2 + \frac{\tau_{sx}}{\rho} + \frac{\tau_{bx}}{\rho} = 0 \tag{7}$$

$$\frac{\partial q_2}{\partial t} + \frac{\partial}{\partial x}\left(\frac{q_1 q_2}{h}\right)^2 + \frac{\partial}{\partial y}\left(\frac{q_2^2}{h}\right) + g h \frac{\partial z}{\partial y} + f q_1 + \frac{\tau_{sy}}{\rho} + \frac{\tau_{by}}{\rho} = 0 \tag{8}$$

$$\frac{\partial S}{\partial t} + u \frac{\partial S}{\partial x} + v \frac{\partial S}{\partial u} = \alpha \frac{\omega}{h}(S^* - S) \tag{9}$$

$$\gamma \frac{dz_b}{dt} = \alpha \omega (S - S^*) \tag{10}$$

式中,z 是水位,h 是水深,q_1、q_2 及 u、v 分别为 x、y 方向的单宽流量和流速,$q_1 = u \cdot h$,$q_2 = v \cdot h$;f 为柯比力参数,按 $f = 2\Omega\sin\varphi$ 计算,Ω 是地球转动角速度,φ 为计算点所在纬度,ρ 是水的密度,τ_b 为底摩擦力,引用 Chezy 公式后,$\tau_{bx} = \rho \dfrac{g\sqrt{q_1^2 + q_2^2}}{C^2 h^2} q_1$,$\tau_{by} = \rho \dfrac{g\sqrt{q_1^2 + q_2^2}}{C^2 h^2} q_2$,其中 $C = \dfrac{1}{n} R^{1/6}$,n 是糙率,R 为水力半径(宽浅水域 $R \approx h$);τ_s 是风应力;S、S^* 分别为垂线平均含沙量与相应的水流挟沙能力;ω 为泥沙颗粒沉速;γ 为床面泥沙干容重;z_b 为床底高程;α 为泥沙恢复饱和系数;t 为时间。

上述五个方程,采用破开算子方法求解。本模型特点:采用四个主要分潮(即 M_2、S_2、K_1、Q_1),能使潮位符合实测潮汐过程和量级;采用动边界设置虚拟水深为递减函数处理技术;采用实测资料回归的挟沙能力公式;具有可以预测未来流场和输沙的功能。流场模拟符合实际,输沙计算结果令人满意。

3.3.2　河口沿岸流场与输沙计算结果

(1)潮流场特征。1977 年 8 月 10 日河口海岸属于稍有突出的情况,黄河口外流场基本特征(见图 10):涨潮流从北向南进入莱州湾,落潮流从南向北流出莱州湾;涨潮流情况下,只在清水沟沙嘴南侧存在一个旋转流系统,但是高高潮涨潮流势强,显示顺时针旋转,而低高潮涨潮流势弱,显示逆时针向旋转。落潮期间流况更复杂,有三个旋转流区,两个分离带,高高潮时沙嘴南侧为逆时针向,沙嘴北侧和正前方为顺时针向。低高潮时,沙嘴南、北侧都是顺时针向,正前右方则为逆时针向。

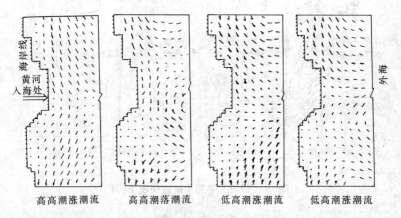

高高潮涨潮流　　高高潮落潮流　　低高潮涨潮流　　低高潮涨潮流

图 10　黄河口外流场(计算结果)

但是,假定海岸为平直情况,涨潮流场沿岸并无旋转流系统,只有落潮流场在 37°30′附近有分流带,以南呈逆时针旋转,以北为顺时针旋转。显然,海岸形态对涨落潮流场影响很大,沙嘴延伸既增加复杂性,也增加沙嘴前端的流场强度。不管哪种岸形,流场分布,在海岸与海底转折的坡脚范围总是为强流带。

　　(2)沿岸输沙。1981 年 8 月 6 日洪水泥沙入海扩散模拟(图11):无论涨落潮泥沙皆主要沿海岸输移,近海岸含沙浓度大,远河口区含沙浓度小;含沙浓度衰减速度较快,从入海口门到海底坡脚浓度衰减率为 91%,以致趋于零;高高潮落潮流,低高潮落潮流和高高潮涨潮流三个时刻河口附近水流挟沙能力较大,泥沙扩散势头强,唯独低高潮涨潮流时水流挟沙能力较小,泥沙扩散势头较弱;当高高潮涨潮流与河流动力迭加时,泥沙向东南方向扩散距离明显较远,但随着潮流转向,泥沙向北扩散,直到低高潮落潮流时又恢复朝东南扩散。

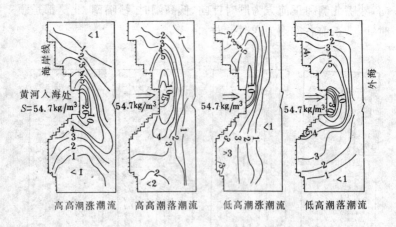

图 11　黄河入海泥沙扩散情况(计算)

参 考 文 献

[1] 钱意颖,叶青超,周文浩. 黄河干流水沙变化与河床演变. 北京:中国建材工业出版社,1993

[2] 王云璋,彭梅香,温丽叶. 80 年代黄河中游降雨特点及其对入黄沙量的影响. 人民黄河. 1992(5)

[3] 李泽刚．黄河口沿岸潮汐、潮流特性．黄委会水科院科学研究论文集．第三集．北京：中国环境科学出版社，1992

[4] 山东省科学技术委员会．黄河口调查区综合调查报告．北京：中国科学技术出版社，1991

[5] H.V.斯费德鲁普著．毛汉礼译．海洋.北京：海洋科学出版社，1958

[6] 李泽刚．黄河口外流场及其变化．人民黄河．1990(4)

[7] 文圣常．海浪原理．北京：科学出版社，1963

[8] 张青玉，李泽刚．黄河口潮流数值模拟．人民黄河．1994(1)

黄河三角洲的演变规律

1 黄河三角洲的历史演变

黄河挟带大量泥沙进入下游平原后,泥沙落淤,河身抬高,在无完整堤防控导时,则不断漫溢改道,从而使下游河道入海流路相应不断变迁。有史以来曾发生过多次大规模的改道,其影响范围波及海河和淮河两大流域的下游,北流注入渤海,南流侵淮汇注黄海,使黄河入海口摆动于海河口和长江口之间。从宏观上讲,整个淮、海平原均主要属于黄河大三角洲冲积扇的范畴。

据历史记载,大禹治水时,河出孟津后走向北东,至于大陆,北播为九河,同为逆河入于渤海。众书多称周定王五年(公元前602年)或汉武元光三年(公元前132年)河决濮阳瓠子,东南注巨野,泛淮泗,为黄河有史南侵夺淮之始。东汉明帝时王景修汴堤导河自荥阳至千乘(今利津)入海后,直至唐代有关河患的记载缺少。

宋朝时黄河经常南决入淮,然不久即复归北流。一般经德、沧入海。宋、金对峙期间,河渐南移,金章宗明昌五年(公元1194年)黄河大决阳武故堤,灌封丘南,东北注梁山泺,北派沿北清河经济南入海,南派由南清河夺泗水达淮入海,久不塞,北流断绝,籍载多称此次为黄河一次大徙。元朝至元二十五年(公元1288年),黄河主河改趋陈、颍,经由颍河、涡河入淮。泰定元年(公元1324年)河复东行合泗入淮,不久桃源(今泗阳县)河决改由清口会淮,清河县县城湮毁,黄河与淮河交汇口的清口附近始受河患。

元、明两代为保漕运,防河北决,以分疏南流为主;黄河南徙入淮流路主要有四:自上而下分别为沿颍河、涡河、濉河或泗水。当时黄河纵横于汴、归、亳、徐之郊,漫溢于陈、睢、宿、清之境,黄、淮之水皆经清口由云梯关入海。此时泥沙淤积在清口以上,海口和尾闾未闻有淤患。如明吴桂芳上书所云："黄河自淮入海而不淤塞海口者，以黄河至河南即会淮河同行，浊沙所及上游受其病，故数百载无患也"。正德三年(公元1508年)大河东徙至徐州小浮桥会泗入淮，全河大势尽趋徐州，废黄河流路基本形成。嘉靖中期黄河下游两岸堤防日臻完善，大量泥沙下排，泥沙淤积黄淮交汇口和海口的奏文渐多，1534年总河朱裳奏曰："今黄河汇入于淮，其势已非其旧，而涧河、马逻港及海口诸套已湮塞，不能速泄，下壅上溢梗塞通道，宜将沟港次第开浚，以广入海之路"。1578年潘季驯三任总河时，倡筑堤塞决，束水攻沙，蓄清刷黄，导河浚海后，堤防逐渐修到云梯关以下河口三角洲地区。

清代继承明之敝河，主流仍下徐、宿，继续遵循筑堤束水，藉清敌黄的方策，并大建减水坝，实施黄、运分治，直至1855年铜瓦厢决口改道，黄河流路无大变化。但海口淤积延伸、清口倒灌和尾闾摆动决溢问题较前更加严重。

废黄河口三角洲伴随着此过程不断发展形成，其直接影响范围北迄连云港临洪口，南至新洋港之间，其中以灌河口到射阳河口区间为主。三角洲摆动改道轴点，由于受人为的影响，上提下移较为频繁。明嘉靖年间三角洲轴点在清口上下，万历后筑堤达于安东(今涟水)，三角洲轴点下移至云梯关附近；清康熙十六年，筑堤至云梯关以下30余公里的灶工尾和泗汾港，嘉庆十五、十六年(公元1810、1811年)又进一步接筑云梯关以下堤防50余公里，累至大淤尖。此期间轴点虽经常上提下移，但总的趋势是下移的，其中以云梯关以下的北岸二套或南岸的陈家浦为主。二套距目前大淤尖海口84km，距改道前当时的海口150余公里，与现黄河河口大三角洲宁海轴点长度相近。以目前海岸线计算，二套以下北迄灌河口，南至射阳河口的小三角洲面积为4 545km²。若考虑海岸蚀退面积，显然废黄河口三角洲面积要大得多。三角洲地势基本平衍，西高东低，废黄河堤内河床高出两侧洲面数米，成为自然分水岭,堤外两侧 10m 厚的土层均为黄河近代淤积物。

上述表明,由于入海水沙条件不同,废黄河海口及其尾闾河段的演变发展大体上经历了两个阶段。1194 年至明嘉靖中期黄河尽趋徐州、两岸不断筑堤到海口之前的 330 年为第一阶段,废黄河海口无淤害。如《阜宁县志》记载:"清口以下淮岸甚阔而归流仟深,滨淮之海亦渊深澄澈,足以容纳巨流,二渎并流未相轧也。……正德年间汝、颍、涡、汴诸分流第次湮塞,河日北徙,合成一派南出徐州,于是黄强淮弱,清口合流,淤沙汇注,县境淮渎之受病自此始矣。"当时黄淮尾闾为地下河,两岸支河沟汊均汇入尾闾入海,属网状型河口三角洲。尔后大量泥沙下排,到 1855 年改由山东入海前的近 330 年,河口三角洲基本上处于不断淤积延伸,尾闾相应不断摆动改道的循环演变之中。同时尾闾和下游河道相应淤积升高,决溢增多,部位上移,如明赵思诚疏言:"黄河挟百川万壑之势,益以伏秋潢潦之水,拔木扬沙,排山倒海,……所赖以容纳者海,而输泄之路则海口也,海口梗塞一夕则无淮安,再夕则无清河,无桃源。"清靳辅亦疏曰:"臣闻治水者必先从下游治起,下流即通则上流自不饱满,……下口俱淤势必渐而决于上,从此而桃、宿溃,邳、徐溃,曹、单、开封溃奔腾四溢。"显然,河口尾闾不断摆动改道延伸,并直接影响下游河道淤积。

1855 年黄河于河南铜瓦厢决口夺大清河入渤海至今,随着进入河口地区的水沙条件的不同,山东河段和河口三角洲塑造演变过程同样经历了两个不同性质的阶段。决口初期清廷忙于镇压农民起义,无暇堵口和修治泛区堤防,黄河的来沙绝大部分都淤积在铜瓦厢至陶城铺之间的泛区内,进入大清河故道的水相对又大又清,原大清河故道河身窄小,致使整个故道发生冲深展宽,河口亦然。当时大清河和故道均为地下河,故不为患。同治 11 年(公元 1872 年)开始修治张秋以上堤防,其下民埝亦基本完备,此后下排的泥沙增多,河道和河口三角洲的淤积日趋严重。但尚未发生开口夺溜情况,同治十二年李鸿章奏称:"臣查大清河原宽不过十余丈,今自东阿鱼山下到利津,河道已冲宽半余里,冬春水涸尚深二、三丈,……目下北岸自齐河到利津,南岸齐东、蒲台民间皆接筑护堰迤逦不断,虽高仅尺许,询之土人,每有涨溢出槽不过数尺,并无开口夺溜之事"。当时河口三角洲尾闾经由原大清河口铁门关入海,河口尾闾宽深稳定,海艘停泊可直达距海20余里的肖神庙。当大量泥沙下排至河口后,产生淤积使河口和三角洲岸线向外显著延伸,三角洲尾闾开始产生显见的摆动和改道,同时尾闾和下游河床相应淤积抬高。据利津县志记载:"按大清河由二河盖东行二十余里归海,至同治十二年(公元1873年)旧河门淤,旋于二河盖冲开一口门,长三十余里名新口门为入海之道,速光绪七年(公元1881年)闰七月淤塞,仍归旧河门入海"。光绪九年巡抚陈士杰奏称:"东省黄河现在两岸离水不过四尺,低者仅二、三尺,经前任皋司于光绪元年到东河之时,河身去水尚两丈至一丈四、五尺不等,今不及十年而情况变迁,至此稍遇盛涨便行出槽,以故伏秋两汛此防彼决,被灾弥甚,盖河身难容纳也,以前例后不出四、五年河水必将平岸,再经数年,河岸恐变为河身,一交伏秋危险更不可问"。光绪十五年(公元1889年)"是年三月韩家垣漫口,张曜以其地距海较近请勿堵,于两岸筑堤各三十里,束水中行为入海之路,从此河流东移由毛丝坨入海,为黄河尾闾二大变迁"。显然,自此以后黄河口开始出现位于三角洲扇面轴点附近的尾闾改道,河口段河道水位发生相应的升降,在升降过程中逐渐升高,这一现象表明黄河河口的演变发生了性质上的变化。当时三角洲轴点位于垦利县宁海附近,河口摆动于套儿河口和支脉沟口之间海域,三角洲面积5 450km²,新中国成立后三角洲轴点下移到四段、渔洼以下直接影响海域,在湾湾沟口与小岛河口之间,面积约为2 200km²。

综上所述,黄河下游河道改道后在无堤防约束的条件下,泥沙主要淤积在泛区,河口河段为清水,河床刷深拓宽,三角洲呈网状地下河,无决溢之害。在堤防逐渐完善、流路相应固定后,黄河的大量泥沙输排到河口并产生严重淤积,随着河口及三角洲岸线的淤积延伸,河口演变发生了质的变化,由此带来了两个问题,一是三角洲尾闾淤积升高,经常发生摆动改道;二是尾闾河段的淤积延伸,也逐渐向上游发展,从而决口部位不断向上游发展。由此表明,尽管堤防的决溢主要受社会和人为影响较大,同时也受自然演变规律的制约。废黄河和现黄河决溢部位和时间关系图(见图1)均明确表现出先自上而下、后自下而上两个不同性质的发展阶段,第一阶段时段较短,第二阶段时段较长,后阶段下游冲积性河段的淤升幅度,受来水来沙条件和河口状况的共同制约。

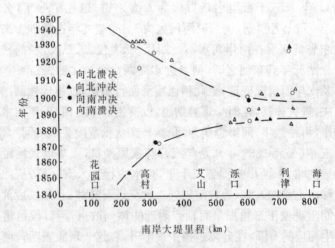

图1　铜瓦厢改道后下游决口部位与决口年份关系图

2　三角洲尾闾演变规律

2.1　三角洲演变的基本规律

现黄河口在大量泥沙下排到海口后,河口和三角洲因泥沙淤积虽有摆动,但总的趋势是不断向海域延伸。由图2知,河口的淤积延伸即尾闾流路增长(ΔL),并相应使尾闾河段及河流近口段河床和水位升高(ΔH),将意味着河口基准面相对升高(ΔH),从而不断加大尾闾河段自然悬河的程度,同时使近口河段堤防的防御标准相应降低。当淤积和悬河状态达到一定程度时,在来水来沙和潮汐的影响下,尾闾河段将发生改变入海口门部位的出汊摆动,随着淤积延伸的发展,出汊点将上移,摆动范围加大。若任其自然演变,出汊点将最终发展到三角洲扇面轴点附近,此种发生在三角洲轴点附近较大范围的流路变迁通常称之为改道。在黄河大量泥沙入海的情况下,尾闾不稳定是主要的、绝对的,稳定是次要的、相对的。摆动和改道是水流自寻捷径,走最小阻力流路入海的表现。与淤积延伸相反,摆动改道意味着尾闾流路的缩短,改道较摆动缩短的流程大,河口相对基准面的降低也相对显著,一般均形成改道点以上河道的溯源冲刷,水位相应下降,与此同时改道点以下的新流路又开始处于淤积延伸摆动改道演变之中。显然,河口尾闾淤积延伸摆动改道循环演变是黄河河口及三角洲演变的基本规律。

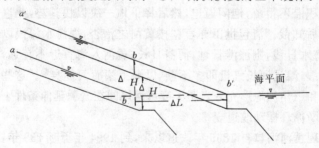

图 2　河口延伸与侵蚀基准面相对升高关系示意图

ab—延伸前尾闾水面　$a'b'$—延伸后尾闾水面

bb'—河口延伸长度　ΔH—尾闾水面升高值

2.2　三角洲尾闾流路演变规律

历史上有关三角洲尾闾流路演变的记载不多,较早的以宋欧阳修在其疏奏中记述的较为详细,其奏曰:"河本泥沙无不淤之理,淤常先下流,下游淤高水行渐壅,乃决于上流之低处,此势之常也。……横垄(埽名)即决,水流就下,所以十余年间河水无患,至庆历三、四年横垄之水又自海口先淤,凡一百四十余里,其后游、金、赤三河又淤,下流即梗,乃决于上流之商胡(埽名)。"显然其已认识到,海口先淤,淤到一定程度时,乃于上游低处发生改道,待游、金、赤三河又相继淤塞后,改道点上移,且流路多不重复的规律。

废黄河三角洲演变的第二阶段,尾闾始终处于不断淤积延伸摆动改道过程是十分明确的,由于决溢和改道过于频繁和记载不全,故难以系统地进行统计分析,但"以往水到海口向东北冲出,……今河流转向东南趋注"等有关尾闾流路摆动和康熙三十五年董安国所奏:"下流之宣泄即迟,则上游之壅积愈甚,水势不能容受,小则倒灌,大则漫溢,断断不免矣,见今河臣于云梯关下马家港地方挑挖引河一千二百余丈,导黄河之水由南潮河东注入海,急应攒挑开放"等自然和人为尾闾流路改道的记载却屡见不鲜。正如明万恭曾言:"夫身与岸平,河乃益弱,欲冲泥沙则势不得去,欲入于海则积滞不得疏,饱闷逼迫,然后择下地一决以快其势,此岂待上智而后知哉。"清包世臣亦言:"按黄河之治否,视海水深浅以为转移,海水日浅,则涨滩日远,河身日长;黄河入海宜近不宜远,宜捷不宜缓,滩远河长气机即多不顺,以渐上壅而河徙矣❶。"这些实践总结和三角洲地形充分表明了废黄河尾闾在淤积延伸条件下遵循着不断循环摆动改道规律。

现黄河河口自1855年改道以来,到1994年历时139年,除去决口河竭无水入海的年份,实际行河104年,发生在三角洲轴点附近的改道共十次,具体改道部位见图3。历史经验和实测资料表明,各次改道流路在三角洲平面上多互不重复,同时表现出循环形式,如初夺大清河时,河在三角洲中部向东北方向入海,第二次改

---

❶　王恺忱,废黄河尾闾演变及其规律问题,黄委会水科所,1978年。

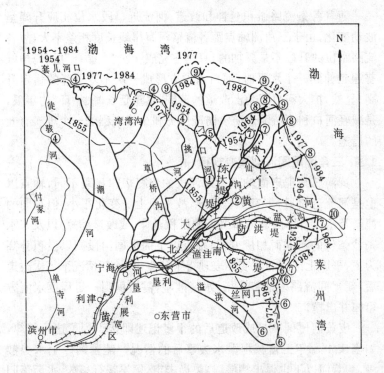

图3 现黄河尾闾流路改道状况示意图

道摆向南部入海,第三次更向南摆注入莱州湾,第四次则突然改向左侧的渤海湾海域入海,至第五次改道又趋向中部海域,可以认为尾闾在大三角洲内基本上完成了一次平面上的循环演变。5、6、7次改道同样遵循了互不重复循环演变的规律。发生在顶点下移后小三角洲上近期的三次改道,即由向东的甜水沟,1953年改走三角洲中部的神仙沟,1964年由神仙沟改走向北部入海的钓口河,1976年又回到甜、神两沟之间的清水沟流路,已完成了小三角洲内的一次循环演变。此种在三角洲洲面上流路改道循环演变的规律通常称之为"大循环"。

随着各条流路淤积延伸和改道,河流近口段水位相应升降呈波动变化,由于三角洲轴点距各流路深海岸线长度相差不大,故各流路水位的升高不是累加的,只是在完成一次"大循环"后,海岸线普遍延伸到一个水平时,河口水位方形成一次不复下降的稳定升高。显然,扩大河口三角洲改道的范围,尽量延长"大循环"的年限,是减轻河口和下游河道防洪防凌压力和少修工程的一个现实有效的措施。

2.3 三角洲尾闾河型演变规律

黄河三角洲扇面轴点上下河段的演变规律显著不同,轴点以上是河流近口段,多有工程控导,故平面上的变化很小,但垂向的冲淤及水位升降随着河口尾闾的淤积延伸(或改道缩短)以及来水来沙条件的不同而相应变化,轴点以下的尾闾河段则以淤积升高为主,平面上河型的演变亦表现得十分突出。一般情况下每次改道后,新尾闾流路多地势平衍,水流散漫,需淤积到一定程度水流方可归并出槽。

废黄河尾闾决口或改道后的很多记述即认识到了这一规律,如嘉庆十一年王营减坝泄水失事后的情况,"鲍营河以上水势散漫,鲍营河以下也俱出槽漫滩,势尚未定,须俟畅行稍久,水渐落归并一路,始可定改移之议"。现黄河三角洲尾闾河段河型演变的过程为我们认识其规律提供了可靠的依据,一般情况下,一条尾闾流路在其发展过程中,平面上河型的演变大体上要经历:改道初期的游荡散乱—归股—中期的单一顺直—弯曲—后期的出汊摆动—出汊点上提—再改道游荡散乱的循环过程;亦即要经历散乱游荡不稳定—河槽单一相对稳定—出汊摆动再散乱不稳定三个大的阶段。此一条流路平面河型循环演变的规律,通常称之为河口演变的"小循环"[1]。

河型的状况对河口的淤积和排沙影响很大,改道初期一二年内尾闾即可淤高 2m 左右,排往滨海区以外的泥沙数量很少,成陆面积相对要大得多。河槽单一相对稳定的中期,随着河口沙嘴的显著延伸,一方面尾闾河床淤积升高,悬河程度不断加剧,为发生出汊摆动创造条件,另一方面来沙外排的比例逐渐增加到50%以上。一旦发生出汊摆动,泥沙外排的比例又明显减少。依据此演变规律可以科学地对河口三角洲演变发展趋势进行预估。

3 黄河三角洲的延伸与蚀退规律

黄河河口属陆相弱潮性河口,与其它大江大河河口的显著不同点,就是黄河在以堤防束水入海时挟带大量泥沙到河口,经径流和海洋动力共同输运后,仍在河口口门附近发生严重淤积,并向两侧岸滩运移,从而形成河口尾闾和三角洲岸线的延伸,由此带来了黄河河口特有的演变规律和下游河道的淤积抬高。河口尾闾的延伸是指一条流路短时段内河口沙嘴及其摆动范围岸线的延伸,三角洲岸线的延伸则是指较长时段经过多次改道的整个三角洲范围岸线的延伸,二者的概念和延伸速率显然是不同的。此外,延伸的速率不仅取决于黄河来沙数量的多少和粗细,而且与河口入海处的海域深浅、海洋动力的强弱、尾闾河型处于散乱还是单一顺直阶段、流路走河时间的长短以及三角洲岸线范围的大小、三角洲的地形和改道的次数等密切相关。

但当入海沙量很少或无沙量入海时,河口沙嘴和突出的岸线在海洋动力的作用下,将发生蚀退现象,影响蚀退速率的因素很多,主要是海洋动力的强弱和泥沙沉积的状况以及河口和岸线突出的程度,被掀移的泥沙将主要随着潮流,以沿岸流的形式不断向其两侧运移,同时使凹岸和附近其它河口产生淤积。显然,河口及三角洲岸线的延伸和蚀退贯穿于三角洲整个演变过程,且情况十分复杂。不仅年际间存在着差异,而且年内亦因来水来沙和海洋动力条件的不同而不同。

3.1 废黄河三角洲的延伸与蚀退情况

明嘉靖以前废黄河流路尚未完全固定,泥沙淤在上段,河口的延伸不十分明显,故多谈海壅而不论延伸。明万历六年(公元 1578年)潘季驯于《两河经略疏》中曾记述当时海口位于四套以下,距云梯关约 30 余里,按夺淮前海口位于云梯关计,1194 年至万历六年期间海口每年平均淤积延伸约为 15 丈多。清康熙十六年(公元1677 年)靳辅在其疏奏中开始明确提出了海口的延伸问题,奏中云:"往时关外即海,自宋神宗十年黄河南徙距今仅七百年,而关外洲滩离海远至一百二十里,大抵日淤一寸。滨海父老言:更历千载便可策马而上云台山,理容有之,此皆黄河出海之余沙也"。实际上未及千载而是在靳辅疏奏后的 34 年(公元 1711 年)便由于"海涨沙淤,渡口渐塞,至五十年,忽成平陆,直抵山下矣",粗略估算明万历六年至康熙十六年期间每年平均淤积延伸约 0.8 里。

尔后海口查勘增多,到铜瓦厢北徙前,有关淤积延伸情况的记述不下一二十例,如:康熙三十六年(公元 1697 年)董安国题称:"案查云梯关迤之为昔年海口,今则日淤日垫,距海二百余里,下流之宣泄即迟,则上游之壅积愈甚……"。乾隆二十一年(公元 1756年)陈士倌奏称:"今自关外至二木楼海口二百八十余里,且此二百八十余里中,昔年只有六套者,今增至十套,……河流至十曲而后出海"。乾隆四十一年(公元 1776 年)萨载奏曰:"黄河自安东县云梯关以下计长三百余里,迂回曲折,……自雍正年间至今两岸又接淤滩长四十余里"。嘉庆九年(公元 1804 年)徐端等奏:"自云梯关外至海口,以沿河程途计算有三百六七十里,河面逐渐宽阔"。另"海口淤沙渐积,较康熙年间远出二百余里"等等。按直线距离粗略估算各时段平均延伸速率每年多在 1 里以下,康熙以后大些。此与南京大学研究成果基本一致[1]。综合分析结果如表 1 所示。

---

❶ 张忍顺,苏北黄河三角洲及滨海平原的成陆过程,南京大学,1983 年。

表1 废黄河河口三角洲延伸成陆情况表

起止年代	时段年数 (a)	河口延伸 (km)	延伸速率 (m/a)	成陆面积 (km²)	成陆速率 (km²/a)
(宋)1128～(明)1578年	450	20	44.4	1 670	3.7
(明)1578～(清)1660年	82	35	426.8	1 770	21.6
(清)1660～(清)1747年	87	10	115.0	1 360	15.6
(清)1747～(清)1855年	108	34	314.8	2 360	21.8
(明)1578～(清)1855年	277	79	285.2	5 490	19.8

综上所述,废黄河河口的延伸相应于其演变同样可分为两个阶段,即在黄河下游堤防完善巩固泥沙大量输排入海前,河口延伸及三角洲造陆面积很小,尔后随着入海沙量的增多和决口次数的减少,延伸和造陆速率加大,当尾闾发生摆动改道和河口沙嘴过分突出或决口年份较多时延伸的速率相对较小。三角洲演变的第二阶段每年平均延伸约300m,成陆20km²,此数值较现黄河三角洲小些,这可能与废黄河决口频繁、入海沙量减少、海域深阔、海洋动力较强,使蚀退严重和泥沙外输能力较大有关。

废黄河三角洲蚀退问题在1855年黄河北徙前无记载,北徙后因无泥沙来源,三角洲蚀退十分明显。据光绪十二年刊《阜阳县志》载:“县境之海,在昔渊深莫测,吴越迭用舟师,元明且屡行海运,云梯关庙子湾即海口也,黄淮合流即久,滩涨日远,海口日益徙而东,海中积沙远亘数百里,⋯⋯近年黄河北徙,海滩日塌,昔之青、红沙,新丝网浜均塌入海,渐至小另案矣,亦平陂往复之至理也”。此清楚地概述了废黄河三角洲的演变过程。据调查近100年塌入海中的村庄多达数十个,如大、小林安、蒋庄、小另案等,每年约塌退半里,据观测60年代塌退速率为150～200m/a。北徙初期和岸线突出部位蚀退严重,逐渐递减。蚀退的部分泥沙不停地向两侧输移,北至临洪口,南到海安,引起灌河口以北、射阳河口以南海岸的淤长和苏北各挡潮闸下游的严重淤积。70年代在废黄河口大淤尖蚀退严重岸段,开始修建护岸试验工程,蚀退现象逐步减弱。

3.2　现黄河河口延伸与蚀退情况

　　1855 年改由现黄河口入海以来,河口尾闾已经历了 10 次改道,三角洲淤积延伸情况如图 4 和表 2 所示。由图 4、表 2 知,三角

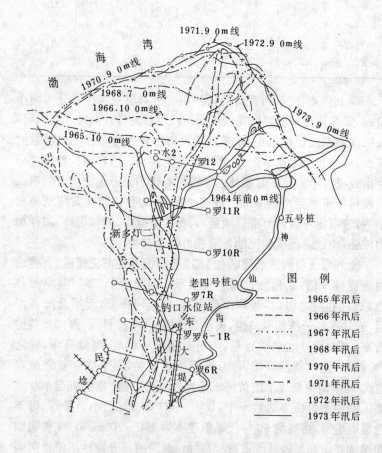

图 4　钓口河流路尾闾淤积延伸成陆过程图

洲中部延伸最长,愈往两侧愈短,这主要与人们为避免引起两侧排

水干河北部的徒骇、马颊河和东南部的小清河河口的淤塞,以及为了利用中部海域条件较好,有利于泥沙外输与减缓岸线延伸速率有关。除修建堤防控导外,三角洲顶点由宁海下移到渔洼以下充分体现了这一主导思想。由于有蚀退影响,使统计的时段愈长,其延伸和成陆的平均情况愈小。当然延伸与成陆状况主要与来沙的数量和粗细有关,单位来沙量情况下延伸成陆不同,主要是因为河口入海部位的海域深浅、海洋动力的强弱、尾闾河型处于散乱抑是单一顺直阶段、流路行河时间的长短以及摆动改道范围的大小,还有三角洲的地形和改道的次数等影响所致。与表1废黄河口延伸成陆情况相比,现黄河口的数值较大,这主要与废黄河决口频繁入海泥沙减少,黄海海域深阔,海洋动力较渤海大得多和废黄河三角洲堆沙范围较现黄河口也大等有关。三角洲岸线延伸的状况决定着黄河下游冲积性河段的淤升幅度。

表 2 现黄河河口延伸成陆情况表

流路	时段 (年)	实际行河 年限 (年)	时段 来沙量 (10⁸t)	岸线 长度 (km)	成陆 面积 (km²)	成陆 速率 (km²/a)	平均延 伸长度 (km)	延伸 速率 (km/a)
1953年前	1855~1953	64		128	1510.0	23.6	11.8	0.19
神仙沟	1954~1963	9	116.25	26	412.0	45.8	15.8	1.76
钓口河	1964.1~1973.9	9.75	113.30	28.8	506.9	52.0	17.6	1.80
清水沟	1976.6~1989.10	13.34	99.01	25	441.3	33.1	17.7	1.32

河口三角洲延伸成陆统计中,实际上包含着蚀退的影响,它是延伸和蚀退二者共同作用的体现。蚀退问题在黄河三角洲演变中不容忽视,因为它关系着三角洲的发展和整治方针。三角洲的蚀退情况如表3所示,由表3知发生强烈蚀退的岸段均发生在刚刚停止行河的沙嘴部位,这是由于沙嘴突出受风浪和潮流的冲蚀作用大,加之新淤积物尚未充分固结,容重小,极易被冲蚀运移所致。沙嘴两侧因有沙嘴隐蔽形成凹湾,不仅不蚀退,而且有所淤长。就整

个三角洲而言,也是中部和突出部位蚀退的情况明显,向两侧逐渐减少,并转化为淤长。淤长的影响范围西到大口河赵家堡,南到小清河口一带。河口沙嘴岸线的蚀退意味着河口基准面的相对下降和三角洲大循环年限的延长,从而有利于增加流路走河年限和延缓下游河道的淤升速度。

表3 **现黄河三角洲高潮线蚀退情况表**

时段 (年)	蚀退范围	停止走河年份 (年)	岸线长度 (km)	蚀退面积 (km²)	蚀退面积速率 (km²/a)	蚀退长度 (km)	蚀退长度速率 (km/a)
1947~1953	永丰河口—支脉沟口	7	12	6	0.86	0.5	0.07
1947~1953	旧钓口河—湾湾沟口	7	24	24	3.43	1.0	0.14
1954~1975	湾湾沟口附近	22	30	20	0.91	0.67	0.03
1964~1975	神仙沟口—甜水沟	12	50	166	13.83	3.32	0.28
1961~1963	神仙沟口	3	20	56	18.67	2.80	0.93
1961~1963	神仙沟口	12	25	94	7.83	3.76	0.31

具体到一条流路的延伸,由尾闾河型演变过程得知,其情况要复杂得多,不同尾闾演变阶段、沙嘴突出程度和海域状况以及是否发生摆动等均有影响,尾闾入海河段流程有增有退,但总的趋势是淤积延伸的,如图4及表4所示。其变化与河型状况共同对短期河口河段水位的升降起着直接影响。一般改道初期因尾闾低洼、河型散乱,河口凹于平均海岸线,外输的泥沙很少,故河口延伸和成陆面积较大;当河型演变成单一顺直状态时,三角洲洲面上淤积很少,泥沙外输比例和口门延伸明显增加,此阶段成陆面积最小;一旦发生出汊摆动后,入海流程较原沙嘴有所缩短,但河型散乱,故成陆面积又明显加大,口门延伸相对加速,并很快与原沙嘴流程相近。伴随着尾闾河型的不同演变阶段,一般成陆面积和延伸速率要相应经历大、小再到中的阶段,但由于海域和尾闾条件不同,其具体数值将有所差异。

表 4　　　　　　　　　钓口河流路延伸成陆情况表

时段 (年.月)	走河 年数 (年)	时段 来沙量 (10⁸t)	岸线 长度 (km)	成陆 面积 (km²)	成陆 速率 (km²/a)	平均延 伸长度 (km)	延伸 速率 (km/a)	备注
1964.1~1965.10	1.83	24.38	31	180.5	98.6	5.82	3.18	改道初期河型散乱
1965.11~1966.10	1	15.42	32	65.8	65.8	2.06	2.06	主槽逐渐合并归股
1966.11~1968.7	1.75	24.80	35	105.8	60.5	3.02	1.73	1967年摆动缩短2km
1968.8~1970.9	2.17	24.74	34	87.5	40.3	2.58	1.19	河型单一顺直
1970.10~1971.9	1	6.59	14	18.3	18.3	1.31	1.31	河型单一顺直
1971.10~1973.9	2	17.37	21	49.0	49.0	2.34	1.17	1972年摆动缩短5km
1964.1~1973.9	9.75	113.3	28.8	506.9	52.0	17.60	1.80	1976年改道清水沟

4　黄河三角洲尾闾摆动问题

如前所述,淤积延伸摆动改道是目前黄河水沙条件下河口尾闾演变的基本规律.尾闾不稳定是绝对的、主要的,稳定是相对的、次要的。改道系指发生在三角洲扇面轴点附近的较大范围的流路变迁,它是一条流路的终结和新流路循环演变的开始。而摆动仅指三角洲轴点以下范围内尾闾口门相对较小的口门改移,它贯穿于河口尾闾演变的全过程。现就摆动问题总结如下。

4.1　尾闾摆动的分类

黄河尾闾摆动之频繁和幅度之大为其它河口所罕见。广义的摆动是泛指所有尾闾入海口门的变动,它经常不断地发生,就好象游荡性河段的主流变迁一样,一场洪水一个样,就是在单一顺直相对稳定的中期阶段入海口门也是经常变动的。这里讨论的摆动是狭义的,是指幅度较大且显见的河口变迁。依据摆动的成因、摆动的时机以及摆动的形式不同,大体上可将摆动分为三类,即改道初期尾闾河段处于游荡散乱阶段的游荡摆动和标志着初期向中期转化发展的大流量取直摆动以及发生于后期阶段的出汊摆动,三种摆动类型的特点如表5所示。

表5　　　　　　　　**尾闾摆动分类及特性表**

摆动类别	游荡摆动	取直摆动	出汊摆动
摆动时机	改道初期	初期向中期转化时	后期阶段
流路及发生时间	钓口河 1964.1~1967.8 清水沟 1976.5~1981.6	钓口河 1967.9 清水沟 1981.7	神仙沟 1960.8 及 1963.7 钓口河 1972.7 及 1972.9 钓口河 1974.9 及 1974.10
摆动原因及特点	尾闾滩槽不分,主流摆动不定,入海口门频繁变动,逐渐淤滩成槽,尾闾水位发生明显升高	尾闾主流归并成股,在大流量下走最小阻力路线入海,变动后形成单一顺直河槽,尾闾水位出现明显下降,入海口相对稳定,河口沙嘴迅速延伸突出	河口沙嘴突出近20km,尾闾日益弯曲,流路加长,河槽淤高,自然悬河加重,阻力大,河走捷径,先在近口门处出汊,出汊点逐步上提到轴点后改道

4.2　出汊摆动的判别方法

出汊摆动的发生标志着一条流路自然演变过程已进入演变后期,一般将需改道,为此对其预报具有现实意义。尾闾摆动主要受来水来沙条件(水沙量的大小、水沙峰形式、出现的时机等),河床边界状况(河型、滩槽差、弯曲率、沙嘴突出长度等)和海洋动力要素(潮汐、潮流、风浪、余流等)的综合影响。出汊摆动一般发生在沙嘴突出、尾闾弯曲过甚和悬河程度严重时,海洋因素一般可视为常值。依据水沙和边界条件影响的因素,可得到如下的判别关系

$$K = f\left(\frac{L_{沙}}{B_{沙}} \cdot \frac{G_{槽}}{G_{滩}} \cdot \frac{Q_{最大}}{Q_{平槽}}\right)$$

式中:K 为发生摆动的不稳定系数;$L_{沙}$ 为沙嘴突出两侧低潮线的长度,km;$B_{沙}$ 为低潮线时沙嘴平均宽度,km;$G_{槽}$ 为沙嘴根部主槽平均高程;$G_{滩}$ 为沙嘴根部附近滩面高程;$Q_{最大}$ 为多年最大流量平均值(6 110m³/s);$Q_{平槽}$ 为沙嘴根部主槽平槽流量,m³/s;$L_{沙}/B_{沙}$ 为沙嘴长宽比;$G_{槽}/G_{滩}$ 为相对滩槽差;$Q_{最大}/Q_{平槽}$ 为流量比。

从上式知,$B_沙$、$G_滩$、$Q_{平槽}$与 K 值呈反比,此表明沙嘴的平均宽度愈宽,滩面高程愈高,平槽流量愈大时 K 值愈小,河口尾闾愈稳定而不易摆动。换句话说,$L_沙/B_沙$、$G_槽/G_滩$、$Q_{最大}/Q_{平槽}$ 的比值愈大,河口尾闾愈易于摆动。据 1960 和 1972 年两次出汊摆动资料得到 $L_沙/B_沙 \approx 2$,$G_槽/G_滩 = 1.05 \sim 0.83$,$Q_{最大}/Q_{平槽} = 4.2 \sim 4.5$,故 K 值的范围介于 $7 \sim 9$ 之间。据此则可进行出汊摆动预报,由于资料不多,上式有待补充修正。

目前河口发展趋势预报尚多依靠河型由游荡散乱—单一顺直—弯曲—出汊的循环演变的规律及各种单项指标(如沙嘴突出长度近 20km,河道弯曲系数≥ 1.1,一条流路累计来沙量超过 100 亿 t 等)并结合航片或卫片进行综合分析判断。

4.3 摆动对水位的影响

摆动后影响水位升降的因素,除水沙和边界条件外,还与海域状况和摆动的类型有关。由于摆动引起的尾闾流程缩短一般不大,因而对水位的影响不明显。加之出汊摆动后和游荡摆动时尾闾流路均为散乱漫流入海,流路植被茂密阻水严重,新口门海域多为浅凹海湾且与老口门相邻,致使此两种摆动一般形不成水位下降,而是变化不大或略有升高。大流量取直摆动虽然其缩短的流程不大,但由于其形成单一顺直窄深河槽后,相对基准面降低,加之窄顺河槽要求的比降缓,因此可以获得较为明显的溯源冲刷水位下降的效果。如 1967 年摆动过程水位先升后降,水位下降持续到 1969 年,影响范围在杨房与张肖堂之间,当年罗家屋子站 $3\,000\text{m}^3/\text{s}$ 水位下降了 0.28m。

5 黄河三角洲尾闾改道问题

5.1 改道影响因素分析

影响改道效果的因素主要有三:①相对基准面落差大小;即改道后尾闾流程缩短的大小,缩短流程愈大,冲刷效果愈好;②来水来沙条件：指来水来沙量大小，洪峰的形式等，一般水大沙少效果好；③新尾闾边界状况：如有无河槽，植被状况和阻水障碍情况等。50 年代以来三次改道的情况如表 6 所示。

表 6 黄河尾闾近代改道情况表

改道时间	1953 年 7 月	1964 年元月	1976 年 5 月
改道流路名称	甜水沟改道 神仙沟	神仙沟改道 钓口河	钓口河改道 清水沟
改道地点	小口子	罗家屋子	西河口
改道点距轴点里程(km)	3.0	10.6	7.5
人为对改道的影响	人工开挖引河 175m	人工爆破小 防洪堤	开挖引河 6km 破除东大堤
改道点距旧口门(km)	50	48	64
改道后缩短里程(km)	11	22	37
改道点上下河段情况	新旧河汛期水位 差 70cm	新旧河平均河 底高程相近	旧河淤高 1m，新 旧河差 2m
改道时新尾闾边界情况	改道前 3 股入 海，改道后神仙沟 独流入海，河槽窄 深	未开挖引河， 河型散漫，植被 密实，土质抗冲	引河下有清水沟， 未很好接通，破除障 碍，植被一般
海域状况	海域开敞，海洋 动力强	改道初期为凹 湾逐渐增强	入莱洲湾，海域相 对浅弱
水沙条件系数 K	1.04	3.7	1.71
改道后水位变化特点	明显下降	继续升高	明显下降
改道后当年与上年水位差	+0.21	+0.12	−0.57
改道后当年与次年水位差	−0.87	+0.14	−0.09
改道当年与次两年水位差	−1.07	+0.33	+0.07

注 1 三角洲轴点位于四段、渔洼

2 水位差指利津站 3 000m³/s 水位差，m

3 水沙条件系数 $K = Q_{年平均}/Q_{多年平均} \cdot Q_{年最大}/Q_{多年最大} \cdot S_{多年平均}/S_{年平均}$

由表 6 知：1976 年缩短流程最大，1964 年水沙条件最好，1953 年尾闾边界条件最优，三次各占一优，但效果不同。显然，影响改道后溯源冲刷效果的决定性因素是改道后形成的落差大小，但此落差需要有利的水沙条件和集中的水流冲刷新尾闾，落差作用方可体现,否则水位下降影响将很快为河口延伸河床淤高而抵消,三因素缺一不可,其中落差是基础[1]。

5.2 改道的效果分析

1953 和 1976 年两次改道对上游水位的影响,均经历了改道初期因破口处过水断面不足而产生短时壅水阶段,和随着破口口门的冲大和新流路的冲深后落差作用的显现,继之在一定水沙条件下产生溯源冲刷并逐渐向上游发展阶段。溯源冲刷的影响范围和冲刷发展速率与落差和流量的大小呈正比,与河床的耐冲性呈反比,两次直接影响范围均在刘家园至泺口之间,距河口约200km。以改道清水沟为例,改道后一般可维持一段低水位状态,约两年后溯源冲刷河段将随着河口尾闾的淤积延伸而回淤并逐渐向上游影响。单纯的有利水沙条件只能造成该河段暂时性冲刷,随之很快回淤,不能形成相对持久的水位下降,1964 年和 1975 年即是明证。

参 考 文 献

[1] 王恺忱. 黄河口演变规律及其对下游河道的影响. 见:黄委水科院科学研究论文集(第二集). 郑州:河南科学技术出版社,1990

[2] 洪尚池,吴致尧. 黄河河口地区海岸线变迁情况分析. 海洋工程. 1984 (2)

河口演变及对黄河下游的影响

1 近代黄河三角洲的流路变迁

黄河口可分为三部分,即河口段、三角洲及滨海区。河口段系指受周期性溯源堆积和溯源冲刷影响的主要河段,粗略地可以认为是滨州市以下至入海口 130 余公里的河段。三角洲系指以宁海为顶点,北至徒骇河以东,南至南旺河以北约 5 400km² 的扇形地面。如果从经济区划角度来划分,还可以再大一些。1946 年人民治黄以后由于人工控制,顶点下移至垦利县渔洼一带,缩小了黄河在三角洲上摆动改道的范围,北起挑河南至宋春荣沟,扇形面积约2 200km²。三角洲地势是西南高、东北低,故道两侧高,故道之间低洼。平均坡降 1‰～1.5‰,形成大致以东北方向为轴线,凸于渤海的扇面。滨海区系指毗连三角洲的弧形浅海区域。

黄河多年平均有 371.4 亿 m³ 水量、9.28 亿 t 沙量进入河口,(利津站 1950～1994 年实测资料统计),这是黄河下游及河口多淤善变的根本原因。据史料记载,黄河下游大的改道共有 9 次。现今黄河下游的流路是 1855 年(清咸丰五年)黄河下游最晚的一次大改道形成的。1855 年之前黄河在下游演变沉积的广大平原我们习称为古三角洲,而 1855 年至今在山东半岛以北流入渤海的三角洲为近代三角洲。

黄河自 1855 年夺大清河入渤海以来,由于自然或人为因素,在近代三角洲范围内决口、改道频繁。据史料记载及实地调查的不完全统计,决口改道达 50 余次,其中较大的 10 次(见表 1)。其中1855～1938 年发生 7 次,1938 年 6 月至 1947 年 3 月山东河竭,1947～1976 年发生了 3 次。1855～1938 年三角洲上实际行水历时

是一个复杂问题.经多方查对历史文献,扣除了由于河口段以上的
决口改道使三角洲河竭的时段,黄河自 1855 年 7 月至 1994 年 12
月北流入渤海的 139.5 年中,在三角洲上实际行水历时为 105 年.
每条流路行水历时 3~19 年不等.

表 1　　　　　　　1855~1976 年黄河尾闾历史变迁表

改道顺序	改道时间	改道地点	入海位置	至下次改道时距	至下次改道实际行水历时	累计实际行水历时（年）	备注
1	1855 年 7 月（清咸丰五年）	铜瓦厢	利津铁门关以下肖神庙牡蛎嘴	33 年 9 个月	18 年 11 个月	19	铜瓦厢决口
2	1889 年 3 月（清光绪十五年）	韩家垣	毛丝坨(今建林以东)	8 年 2 个月	5 年 10 个月	25	决口改道
3	1897 年 5 月（清光绪二十三年）	岭子庄	丝网口东南	7 年 1 个月	5 年 9 个月	30.5	决口改道
4	1904 年 7 月（清光绪三十年）	盐窝	老鸹嘴	22 年	17 年 6 个月	48	决口改道
5	1926 年 6 月（民国 15 年 7 月）	卢家园子坝头	钓口河东北	3 年 2 个月	2 年 11 个月	51	决口改道
6	1929 年 8 月（民国 18 年 9 月）	纪家庄	南旺河、宋春荣沟、青坨子	5 年	4 年	55	决口改道
7	1934 年 8 月（民国 23 年 9 月）	合龙处（一号坝上）	老神仙沟、甜水沟、宋春荣沟	18 年 10 个月	9 年 2 个月	64	决口改道
8	1953 年 7 月	小口子	神仙沟及汊河	10 年 6 个月	10 年 6 个月	74.5	人工裁弯并汊
9	1964 年 1 月	罗家屋子	钓口与清拉沟之间	12 年 4 个月	12 年 5 个月	87	人工破堤改道
10	1976 年 5 月	清河口	清水沟				人工截流改道

　　1855 年以来历次变迁的事实表明,以三角洲的扇形轴为顶
点,改道的顺序大体是,最初行三角洲东北方向,次改行三角洲东
或东南方向,然后改行三角洲北部,基本上在三角洲上普遍行河一
次.而在每一条具体的流路演变阶段上,又是由河口向上游方向发

展演变,出汊改道点逐次上移,经过若干小时段的三角洲变迁,从而使流路充分发育成熟以至衰亡,向下一次改道演进。我们对它的发展理解为:在整个近代三角洲的发育过程中,是由上而下向海推进的,而在每一个具体流路的演变阶段上,三角洲摆动顶点又是从下而上演进的,通过每个具体流路从下而上的演进,构成自上而下三角洲发育的总过程。

根据实际调查及历史文献,依照沿海渔民坨堡分布的位置,并参照航空照片判读的结果,大体定出一条1855年的海岸线。同时根据各种图片和调查报告,编绘了1909、1947、1954、1964、1976及1982年高、低潮线,加以比较,得到1855~1985年海岸线向前推进共计28.5km,实际行水96年,推进速率为0.3km/a;其中1947年以前海岸线向前推进13.3km,实际行水历时为57年,推进速率为0.23km/a;1947年以后海岸线向前推进15.2km,推进速率为0.39km/a。后者增快的原因是三角洲顶点下移,摆动范围缩小所致。

渤海湾的最强向岸风是东北风,也是春季黄河枯水季节的盛行风。风吹流及风浪对停止行河的岸段产生强烈的侵蚀作用,使故道岸段蚀退,即使是行河的岸段,延伸和蚀退也在交替进行。1947~1985年的39年中,共蚀退面积330km^2,占造陆面积的1/4。三角洲中部地区岸线蚀退率要比两侧大。

河口延伸造陆的速度与来水来沙的数量、三角洲岸线的范围、河口与海岸的相对位置,海岸深浅和海洋动力强弱有关。1855~1985年实际行水历时96年,共延伸造陆2 620km^2,造陆速率为27km^2/a。其中,1855~1938年实际行河57年,共造陆1 400km^2,平均每年造陆24.6km^2;1947~1985年共延伸造陆1 220km^2,平均每年造陆31.3km^2。

2 近期河口流路演变

近期河口流路演变是指 1947 年黄河由徐淮故道复行山东河道迄今的演变过程。从 1947 年黄河归故至 1996 年的 49 年中,先后经过 1953 年小口子裁弯并汊,1964 年罗家屋子人工破堤改道及 1976 年截流改道三次较大的变迁。从各条流路行水年限看,神仙沟、甜水沟、宋春荣沟并行 9.2 年,而后神仙沟独流入海 10.5 年(含汊河 3 年);钓口河 12.5 年;清水沟至今已行水 19 年。神仙沟及钓口河流路发育比较充分,清水沟流路由于水、沙条件变化,流路尚未充分发育。从表 2 可以看出清水沟流路年平均来水量为 263.6 亿 m³,只占神仙沟流路年平均水量的 57.4%,占钓口河流路年平均水量的 61.0%,清水沟流路年平均沙量为 6.48 亿 t,占神仙沟流路年平均沙量的 54.7%,占钓口河流路年平均沙量的 58.1%。这就是清水沟流路发育相对缓慢的重要原因之一。

表 2　　　　　　　三条流路来水来沙量对比表

时段 (年)	平均年水量(10⁸m³)			平均年沙量(10⁸t)			流路
	全年	汛期	汛期占全年 (%)	全年	汛期	汛期占全年 (%)	
1953~1963	459.6	286.5	62.3	11.85	10.08	85.1	神仙沟
1964~1975	431.8	248.8	57.6	11.15	9.03	81.0	钓口河
1976~1994	263.6	170.0	64.5	6.48	5.78	89.2	清水沟
1950~1994	371.4	227.6	61.3	9.28	7.84	84.5	

2.1 三条流路发育的共同特点

(1)改道初期,改道点附近形成跌水,局部比降增大,改道点以下水面突然增宽数倍,水流散乱,主流不定,漫流入海。改道点以下的河槽是在原始滩地上由泥沙堆积成槽,而不是水流冲刷下切成槽,1934、1964、1976 年都是如此。此阶段对黄河下游产生溯源堆积反应。

（2）经过淤积造床过程，一般要在新滩面上普遍淤积 2m 以上形成河槽，并形成分汊入海的形势。

（3）各股水流的输水输沙能力极不平衡，各股流路向两极转化，优胜劣汰，逐渐过渡到单一河道，断面拓宽，滩槽差增大，至此沉积造床过程基本完成。河势开始趋向稳定，口门摆动范围相对变小，此阶段一般具有较好的输沙能力，对黄河下游产生溯源冲刷反应。

（4）随着沙嘴延伸，河道伸长，并自上而下逐步由单一顺直河道向弯曲性河道过渡，溯源冲刷又转为溯源堆积，由下而上发展。滩槽高差由大变小，河势由稳定向不稳定过渡。

（5）河道向蜿蜒曲折发展，比降减小，造成淤积壅水；在不能满足泄水排沙情况下，水流选择凹岸塌岸，漫流行水，经过刷沟拓口，可能发展为出汊夺溜，甚至是新的改道。

（6）三条流路所受的潮汐影响均很小，感潮河段只有 15～30km；潮流段极短，仅限于枯水季节时的口门附近。由于径流与潮流力量的对比相差悬殊，三条流路的拦门沙均在口门附近，长 5～7km，越过坎顶迅即由陡坡过渡向较深的滨海。盐水楔力量较弱，上溯至拦门沙的上下两端之间。

2.2　三条流路的不同点

（1）神仙沟及钓口河流路时期，来水来沙比较丰沛，黄河中、下游引用水量较少，河口演变剧烈；而清水沟流路时期，黄河中、下游引用水量较大，来水来沙偏少，洪峰次数也大为减少，1976～1994年河口断流累计达到 495 天，河口演变速率减缓。

（2）神仙沟流路及钓口河流路在改道点以下均没有治理措施，属自然演变；清水沟流路在西河口以下采取了控导工程等治理措施，取得了一定的成效。这些控导工程，对稳定河势、集中水流、增大输沙能力起到了有益作用。

2.3　河口泥沙淤积的数量分布

巨量黄河泥沙输送至河口区,除部分沉积在河口段外,大部分输送入海。入海的泥沙中,除一部分在海洋动力因素的挟运下输往较远的海区,大部分泥沙淤积在口门及口门外两侧;发育着口门沙嘴及两侧岸滩。其淤进模式如图1所示。用已有的地形图对1958年以来各个时段不同部位泥沙淤积量进行了一些粗略计算,计算结果如表3。

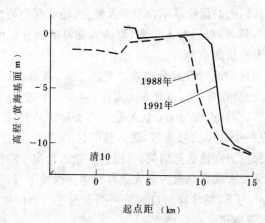

图 1　黄河河口纵断面比较图

表 3　　　　　　河口泥沙淤积分布

时段 (年·月)	来沙总量 (10^8t)	陆上		滨海		输往外海		备注
		淤积量 (10^8t)	占来沙量 (%)	淤积量 (10^8t)	占来沙量 (%)	沙量 (10^8t)	占来沙量 (%)	
1958.10~ 1960.10	19.62	0.70	3.6	8.92	45.5	10.0	50.9	神仙沟 后期
1964.1~ 1973.9	113.2	27.50	24	45.10	40	40.60	36	钓口河
1976.5~ 1991.10	105.96	27.89	26.3	64.92	61.3	13.15	12.4	清水沟

表中第一、二行分别为神仙沟后期及钓口河时期的泥沙淤积分布情况,陆地部分是 0m 线至利津断面,滨海部分是 0m 线至—15m 等深线;第三行为清水沟时期的泥沙淤积分布情况,陆地部分是—2m 线以上至利津断面,滨海部分是—2m 线以下,其范围在南北方向 43km,东西方向为 20～45km。这一范围较前一种算法偏大,因此淤在滨海区的沙量可能偏大,而输往外海区的沙量可能偏小。但大体上可以看出,在一条流路行河的初期和中期,有60%～80%以上的泥沙堆积在滨海及陆上,输往深海的量较少,而在行河的后期,沙嘴已伸入深海,则输入深海的部分则增加较多,可能占到来沙量的一半。

从滨海区潮流特性及分布规律可以了解,潮流在近海区的分布是不均衡的。在神仙沟口外东北海区,存在一个与节点位置相对应的强流区,潮流速随距中心区的距离增加逐渐减弱;而在清水沟口外,存在一个较小的强流区,送入该海区的泥沙,从强流区沿潮流等值线梯度方向输送至弱流区,泥沙在输送过程中沿程沉积。三角洲滨海区最大涨落潮流方向大致与三角洲岸线平行。不难理解,在潮流的作用下,泥沙自河口区沿两侧大致平行海岸的方向向渤海湾、莱洲湾输送。

余流对泥沙的输移作用,在其它海洋动力要素如风浪、潮流的协助下,其搬移能力是不可忽视的。根据对滨海区余流分布特性分析,北部海区常年有一底层余流由东向西或向西北方向流动。另外,在偏南风场作用下,表层余流也指向西或西北。余流持续不断地将入海泥沙向西、西北搬移。尽管这种流动每天行程不过几公里,多者几十公里,但它定向地持续不断地搬移泥沙,是其它动力要素难以比拟的,见图 2。

风浪是搬移浅海区泥沙十分活跃的因素。风浪的作用,一方面可以扰起浅滩泥沙,增加海流的挟沙能力,另一方面它在浅海区产生裂流,对粉沙可以直接起到搬运作用。有时一场大风过程,能改

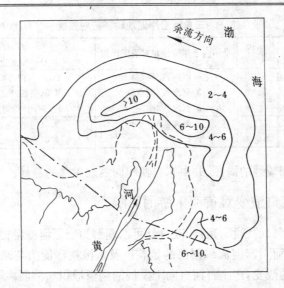

图 2　黄河河口泥沙淤积厚度图(1958.10~1960.10)　(单位:m)

变河口出口方向,还可使一片淤泥归于"消亡"。为了说明风场对三角洲沿岸泥沙的搬移能力,根据三角洲沿岸风况资料,引用Munch-Petersen 关于在缺少波浪资料情况下估算年总输沙能力的经验公式,即在年中某一风向下沉积物沿岸移动的相对强度(沉积物运动力):$M = K \cdot S^2 F \sqrt{D} \cdot \cos\alpha$,其中 K 表示底质及浅滩坡度的特征系数;S 为平均风速,m/s;F 为风的频率,‰;D 是一定方向的波浪传播距离,km;α 为岸线与波向线的夹角。分别计算了三角洲各岸段泥沙输移的相对强度,如表 4。说明三角洲北部岸段向西输送泥沙的能力较东部岸段向南输送泥沙的能力要强;其强度沿湾口向湾顶逐渐削弱。北部岸段在年内 7~10 月间有增强趋势,东部岸段则反而削弱。因此黄河在北部岸段入海时汛期向西搬移泥沙能力较强。

　　另外,据该海域海底沉积物的类型图及对沉积物中重矿物成分分析的结果,进一步证实了黄河泥沙在海洋动力因素挟带下能

表 4 三角洲沿岸泥沙输移相对强度

岸别	站别	全年内沿岸输沙相对强度比值	7～10 月份沿岸输沙相对强度之比值
北岸段	钓口	8.8(向西/向东)	14.8(向西/向东)
	耿局	3.5(向西/向东)	4.9(向西/向东)
	岔尖	3.4(向西/向东)	11.7(向西/向东)
东岸段	孤岛	3.0(向南/向北)	2.0(向南/向北)
	羊角沟	2.7(向南/向北)	2.0(向南/向北)

输送到较远的海区,并由东向西和向西北搬移的趋势。

3 河口演变对黄河下游的影响

河口的淤积、延伸、改道都可以理解为变更河流侵蚀基面的高程,从而引起河流纵剖面的调整以及水流挟沙能力与来沙量对比关系的改变,产生自河口向上发展的溯源堆积和溯源冲刷。这种溯源性质的堆积和冲刷与河流在塑造平衡纵剖面的过程中所产生的沿程淤积和沿程冲刷是性质不同的两种河床变形。前者自下而上发展,变化幅度下大上小,受制于流程的增长和缩短;后者自上而下发展,变化幅度一般上大下小,受制于水流挟沙力与来沙状况的对比关系。

铜瓦厢决口初期,下游无堤防控制,直至 1875 年之前,各部分河段修有民埝御水,洪水极易出槽,所挟泥沙绝大部分沉积在张秋镇以上的冲积扇上。因而自 1855 年铜瓦厢决口夺大清河道至 1889 年韩家垣决口改道毛丝坨,这 34 年的前期和中期,并不产生明显的溯源堆积。1875 年,陶城铺以上在泛区开始修筑南北大堤,泺口以下淤积发展严重,决口频繁,直到 1889 年黄河为获得输沙能力而对大清河纵剖面所进行的改造大体完成,此时河口演变对黄河下游的影响才相对突出出来。这种影响主要反应在泺口以下河段,表现在由改道初期产生的溯源性质的冲刷和淤积延伸所产生的溯源堆积的交替发展上。应当指出,当相临两次河口改道所形成的延伸长度大体一致,侵蚀基面的高度并未发生重大改变时,河床这种周期性的抬高和降低,并不造成河床的稳定性抬高。只是当河口流路在其顶点所控制的扇面普遍摆动,海岸线普遍外延,也就是说,当侵蚀基面的高程发生稳定性抬高之后,下游水位将出现一次稳定性抬高,此后溯源堆积及溯源冲刷的交替变化将在一个新的高度上进行。

图 3 为泺口、利津站 3 000m³/s 水位历年变化图,从图可以大体看出水位呈三个台阶,第一个台阶是在 1918～1934 年,第二个台阶是在 1936～1965 年,第三个台阶是在 1975～1994 年。这三个台阶之间同流量的水位发生两次稳定性抬高,第一台阶与第二台阶之间水位大约稳定性抬升 1m,此后便在第二台阶的水位上波动;第二台阶与第三台阶之间水位大约稳定上升 2m,此后水位便在第三台阶上波动。山东黄河下段的两次水位稳定抬升,其原因之一是河口淤积延伸造成岸线外移;另一重要原因是过量来沙超过

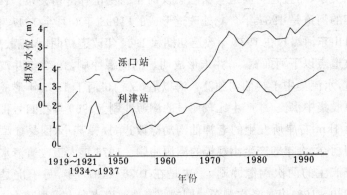

图 3 泺口、利津站 3 000m³/s 水位历年变化图

水流挟沙力而产生的沿程堆积。简言之,水位的稳定性抬升是溯源堆积和沿程堆积二者叠加的结果。第三台阶之所以比第二台阶水位上升幅度大,是由于人民治黄以来,黄河下游伏秋大汛未决过

口,大量泥沙被带到河口段淤积所致。

根据大、小四次改道(含汊河一次)的背景条件及对下游河道直接影响的范围、幅度和作用历时进行了如下分析:

(1)改道对下游产生影响,其物理实质主要表现在河道纵比降的变化。改道后在改道点以下形成集中单股水流以后,流速及挟沙力自上而下由小变大,再由大变小,使得改道点上游发生溯源冲刷,而下游则发生沿程堆积,比降逐渐朝调平方向发展,使改道点下游河段比降的增加很快受到限制;因为在三角洲面发生堆积的同时,口门也在堆积和延伸,当延伸达到一定规模,由洲面堆积所增加的落差不能抵消由河口延伸所要求的落差时,改道点以下河段比降开始减小,使以后的堆积转而具有溯源淤积的性质。

(2)1953、1960、1964、1976年的各次改道都产生程度不同的溯源冲刷,如表5所示。这种冲刷产生的时机不仅与比降变化有密切关系,而且还与河道平面形态及河相的变化有密切关系。1953年的河道是1934年合龙处改道形成的(1938年6月至1947年3月山东河竭),在1934年改道初期和1964年改道初期,水流散乱,改道点以下河面宽广,并未形成明显的溯源冲刷,1953年并汊改道,水流集中于神仙沟独流入海以后,又钓口河于1967年形成了单股集中水流,才产生比较明显的溯源冲刷。1960年在四号桩以上1km右岸所发生的老神仙沟劫夺改道,规模甚小,因是成型沟槽劫夺,次年即产生小规模的溯源冲刷。1976年人工改道清水沟曾产生的两次溯源冲刷,一次是在1976～1977年,另一次是在1980～1984年。各次溯源冲刷的幅度由改道点向上沿程减小。在同一次冲刷过程中,随着流量的增加,溯源冲刷的幅度有所增强,影响范围也有向上延伸的趋势;在四次改道中,溯源冲刷效果最大的是1953～1955年,影响长度达200km,前左水位下降1.85m。

表5　　　　　　河口变化对下游河道影响的强度、范围及历时

时段 (年)	冲淤类别	3 000m³/s			说明
		影响上界	影响长度 (km)	水位升(＋)降 (一)值(m)	
1953～1955	溯源冲刷	渔口	208	−1.70 (前左)	前左在改道点上游 12.5km
1955～1961	溯源堆积	刘家园	224		罗家屋子距口门约 45km
1961年 汛前至汛后	溯源冲刷	一号坝	52	−0.65 (小沙)	小沙在改道点上游 13km
1961～1964	溯源堆积	一号坝	74	＋0.95 (罗家屋子)	罗家屋子距口门48km
1963～1964		宫家至 道旭间	100	＋0.35 (罗家屋子)	罗家屋子即改道点，距 口门约36km(改道前河长 58km)
1964～1967	溯源堆积	刘家园	229	＋1.10 (罗家屋子)	罗家屋子距口门约 50km
1967～1968	溯源冲刷	杨房	153	−0.47 (罗家屋子)	1967年汛中在罗家屋 子以下25km处发生摆动 一次
1968～1975	溯源堆积 沿程				
1975～1976	溯源冲刷	刘家园	177	−0.62 (利津)	西河口即改道点，距口 门约27km，利津距西河口 约50km
1976～1979	溯源堆积	刘家园	215	＋0.73 (西河口)	1979年汛后口门距西 河口38km
1979～1984	溯源冲刷	刘家园	177	−1.24 (西河口)	1984年西河口距口门 52km
1984～1994	溯源堆积 沿程			＋1.29 (西河口)	1994年西河口至口门 65km

注　1 溯源冲刷影响长度自改道点起算，溯源堆积影响长度自口门起算
　　 2 表中3 000m³/s系指沿程各站的同级流量

(3)溯源冲刷或溯源堆积是自下而上发展的,但并不是在所影响的范围内同步发生,需要有一个传递的时间,逐渐向上传递,如当河口已由冲刷变为淤积时,而距河口较远的冲刷作用还在继续向上发展,不过其幅度沿程递减而已。溯源冲淤的发展主要在主槽内进行。溯源冲刷发展明显的河段,滩槽高差增加,宽深比减小。溯源堆积的后果则与此相反。

(4)在相邻两次改道所产生的溯源冲刷过程中发展着溯源堆积,溯源冲刷是以溯源堆积为前提条件的,即溯源堆积发生在溯源冲刷之前。河口沙嘴延伸是渐进的,不停止的,由此而造成的溯源堆积过程也是逐渐积累的,占河口演变中的大部分历时。河口流路变迁是河口演变过程中的跃变,由此而造成的溯源冲刷过程是比较剧烈的,历时也比较短暂。从整个河口演变的历程来看,溯源冲刷和溯源堆积交替发展,但以溯源堆积造成的后果为主。溯源堆积与沿程堆积叠加在一起形成水位抬升的最后结果。对黄河口来说,由于来沙超过水流的挟沙能力,溯源堆积作用并不超过沿程堆积的作用。

(5)影响溯源堆积的主要因素有:改道点上下游河道的地理条件、海域条件和上游来水来沙条件,见表6。有利于发展溯源冲刷的地理条件如:改道点河床较高,且距入海口较远,因改道而缩短的河长较大;改道点上游前期地形较高,下游有成型沟槽,滩面植被少。海域条件包括海域面积与水深大小及海洋动力的强弱等。沙嘴突出开敞海域,水深大,动力强,则有利于带走较多的泥沙,其结果将增强溯源冲刷,延缓溯源堆积。来水来沙条件直接影响溯源冲淤的发展,特别是在改道初期如来水多,来沙少,则增强水流输沙能力,有利于溯源冲刷的发展。

表6 改道条件对比表

	改道时间	1953年7月	1960年	1964年1月	1976年5月
改道情况	改道地点	小口子	四号桩以上1km	罗家屋子	西河口
	改道点距前左距离(km)	10	45	20	16
	改道性质	挖引河,并汊	自然改道	爆堤改道	截流改道
	改道点至旧入海口距离(km)	50	20	48	64
	改道后缩短流程(km)	11	12	22	37
地理条件	改道点上游河道地形	河床较高	道旭以下低于1963年,道旭以上高于1963年	河床略低于1953年改道前	最高
	改道点下游地理条件	改道前三股入海,改道后由神仙沟独股入海	有老神仙沟故道	无束水河槽,且植被密实	开挖引河,引河以下为清水沟
海域条件	河口情况	沙嘴凸出较深海区	两段河口沙嘴间海湾	海湾	海湾
	水深情况(m)	>10	3～5	3～5	3～5
	动力情况	动力作用强	动力作用弱	动力较弱	动力较弱
来水来沙	年径流(10^8m^3)	580.7(1954年)	519.9(1961年)	971.1(1964年)	449.1(1976年)
	年最大流量(m^3/s)	7 220	5 350	8 660	8 020
	年输沙量(10^8t)	19.80	8.99	20.3	8.97
	年来沙系数($10^{-2}kg\cdot s/m^6$)	1.85	1.05	0.67	1.42

参 考 文 献

[1] 庞家珍,司书亨. 黄河河口演变 I. 近代历史变迁. 见:海洋与湖沼. 北京:科学出版社,1979.136～141

[2] 庞家珍,司书亨. 黄河河口演变 II. 河口水文特征及泥沙淤积分布. 见:

海洋与湖沼．北京：科学出版社，1980.295～305

[3] 庞家珍，司书亨．黄河河口演变Ⅲ．河口演变对黄河下游的影响．见：海洋与湖沼．北京：科学出版社，1982.218～224

[4] 庞家珍，余力民．从徐淮故道看黄河三角洲的行河潜力．人民黄河．1987(4)

[5] 庞家珍，张广泉，霍瑞敬等．黄河下游河道冲淤演变(1950～1990 年)．山东水利科技.1992(4)

[6] 庞家珍．黄河三角洲流路演变及对黄河下游的影响．见：中国科学院院士咨询报告总第 1 号(地 01 号)．海平面上升对中国三角洲地区的影响及对策.北京：科学出版社，1994

[7] Pang Jiazhen，Yang Fengdong，Gu Yuanze *et al*. Fluvial Process of the Yellow River Estuary and the Principle of Its Regulation. Advances in Hydro-Science and Engineering Vol. Ⅱ，PartB. Chinese Hydraulic Engineering Society (CHES)International Research and Training Center on Erosion and Sedimentation (IRTCES)，March 1995，Tsinghua University Press，Beijing. March 1995

引黄渠系泥沙

黄河流域引水引沙概况

　　黄河引水历史悠久,上游的宁蒙地区引黄灌溉历史可追溯到秦汉。陕西关中平原,战国时就建成了著名的郑国渠。新中国成立以来,随着国民经济的发展,黄河流域农田灌溉事业发展迅速,灌溉面积由 50 年代的 80 万 hm^2 发展到目前的 600 多万公倾,灌溉耗用水量也由 40 年代的 50 多亿立方米增加到目前的 300 亿 m^3 左右。

　　黄河流域引用的河川径流量有 90% 以上耗于农田灌溉。随着国民经济的发展,城市生活、工业用水也大量增加。目前黄河流域及下游引黄地区以地表水为主要水源的城市有:兰州、包头、白银、郑州、开封、济南、滨州、东营等。80 年代城市工业耗用地表水量年均达 10 亿 m^3 左右。

1 现有引水引沙工程分布情况

　　由于黄河河川径流主要耗于农田灌溉,引水量耗于城市工业用水的比例很小,因而不将城市工业供水工程单独分开叙述。表 1 统计了 1993 年黄河流域供水工程的基本情况。由表 1 可以看出,目前全流域共有大、中、小型蓄水工程 1 万多座。其中大型蓄水工程主要分布在兰州以上和龙门—三门峡区间,二者库容之和占全流域总库容的 70% 以上;而小型蓄水工程最多的是在龙门—三门峡区间和花园口以下区间,总座数占流域总座数的 70% 以上。全流域现有大中小型引提水工程 3 万多座。引提水工程数量最多的是在兰州以上、河口镇—龙门、龙门—三门峡、三门峡—花园口河段,四个河段小型提水工程总量占流域小型引提水工程总量的 89%。而引提水工程供水能力最大的是兰州—河口镇、龙门—三门峡河段。两河段设计供水能力占全流域设计供水能力的 78%。蓄水工程与引提水工程总供水能力最大的河段为兰州—河口镇、龙门—三门峡、花园口—利津三个河段。三河段的设计供水能力占流域总供水能力的 85%。1993 年流域实际供水能力达 324 亿 m³。

表 1　　黄河流域 1993 年现状供水工程基本情况统计表（单位：10^8m^3）

河段	规模	蓄水工程					引提水工程			总计	
		座数	总库容	兴利库容	设计能力	现状能力	数量	设计能力	现状能力	设计能力	现状能力
兰州以上	大型	3	306.2	235.07	8	8	0	0	0	8	8
	中型	1	0.31	0.12	0	0	0	0	0	0	0
	小型	610	1.83	0.42	3.52	3.02	4 826	21.95	18.48	25.47	21.5
兰州—河口镇	大型	1	8.5	0.5			14	136.45	115.6	136.45	115.6
	中型	10	7.17	1.04		0.27	143	33.63	26.21	33.63	26.48
	小型	163	8.37	2.6	3.39	3.04	1 615	23.96	20.64	27.35	23.68
河口镇—龙门	大型										
	中型	6	0.97	0.31	0.2	0.19	3	0.13	0.1	0.33	0.29
	小型	1 342	22.59	16.4	2.75	1.89	4 992	6.82	5.17	9.57	7.06
龙门—三门峡	大型	5	111.5	68.04	15.11	14.16	11	12.26	6.51	27.37	20.67
	中型	68	11.06	6.26	14	2.48	229	20.94	16.26	34.94	18.74
	小型	2 132	22.2	9.15	13.1	8.73	14 278	38.07	26.27	51.17	35
三门峡—花园口	大型	2	24.95	8.52	8.27	3.29	1	4.77	3	13.04	3.29
	中型	19	4.19	1.85	1.27	2.45	10	2.1	1.05	3.37	3.5
	小型	574	4.64	2.53	2.25	1.66	4 954	6.35	6	8.6	7.66
花园口—利津	大型	3	43.22	31.47	1.35	1.22	2	24.63	16.15	25.98	17.37
	中型	23	6.64	4.1	4.7	2.57	4	3.02	1.92	7.72	4.49
	小型	5 080	7.36	5.34	4.74	4.07	1 882	6.5	3.79	11.24	7.86
全流域	大型	14	494.4	343.6	32.73	26.67	28	178.11	141.26	210.84	167.93
	中型	127	30.34	13.68	20.17	7.96	389	59.82	45.54	79.99	53.5
	小型	9 901	66.99	36.44	29.75	22.41	32 547	103.65	80.35	133.4	102.76
	总计	10 042	591.7	393.72	82.65	57.04	32 964	341.58	267.15	424.23	324.19

黄河流域引水灌溉耗用水量大,万亩(667hm²)以上灌区灌溉面积占流域总灌溉面积的90%左右,分布情况见表2。从表可以看出,80年代黄河流域万亩以上灌区共有671处,其中引水灌区数量较多,占灌区总数的76%。万亩以上灌区设计总灌溉面积达

表2　黄河流域80年代万亩(667hm²)以上灌区分布表

河段	灌区处数	引水方式		设计规模(处)			设计灌溉面积	
		自流(处)	提水(处)	50万亩以上	50～10万亩	1～10万亩	面积(万亩)	占总量(%)
兰州以上	71	63	8		2	69	189.23	2.34
兰州—河口镇	110	72	38	7	12	91	2 620.40	32.4
河口镇—龙门	26	21	5			26	54.34	0.67
龙门—三门峡	252	178	74	7	25	220	1 777.30	22.0
三门峡—花园口	56	54	2	2	9	45	528.60	6.54
花园口—利津	156	124	32	9	47	100	2 914.20	36.0
全流域	671	512	159	25	95	551	8 084.10	100

注　1hm²=15亩

538.94万hm²。从设计灌溉面积河段分布上看,主要分布在兰州—河口镇、龙门—三门峡和花园口—利津河段。分别占流域总设计灌溉面积的32%、22%和36%。兰州—河口镇河段主要包括了古老的宁蒙灌区,灌区位于上游冲积平原,地势平坦、土质肥沃,引用黄河水方便。该地区既得黄河水之利,也得黄河泥沙之益,无论旱涝,年种年收,是优越的灌溉农业区,素有"黄河百害,唯富一套"之称。龙门—三门峡区间也有着悠久的灌溉历史,主要灌溉关中平原和汾河盆地。引泾灌田始于公元前246年战国时代。新中国成立后先后修建、新建的百万亩(6.67万hm²)以上灌区主要有宝鸡峡引渭灌区、泾惠渠灌区、交口抽渭灌区、汾河灌区等。目前该地区灌溉面积达133多万公顷。下游引黄灌区是新中国成立以后才发展起来的,有人民胜利渠、位山、打渔张、武嘉等大型引黄灌区。目前下游灌溉面积也达133多万公顷。80年代黄河流域灌溉面积与耗

用水量分布情况见表 3。

表 3   黄河流域 80 年代灌溉面积与耗水量分布情况

河　段	包括主要灌区	耕地面积（万亩）	灌溉面积（万亩）		河川径流耗水量（$10^8 m^3$）	占总实灌面积（%）	占总耗水量（%）
			有效	实灌			
兰州以上	湟水灌区	1 426	393	307	15.2	4.66	5.62
兰州—河口镇	宁蒙引黄灌区	3 400	1 690	1 492	101.5	22.7	37.54
河口镇—龙门		2 089	174	133	3.55	2.03	1.31
龙门—三门峡	关中、汾河、涑水灌区	8 231	2 785	2 187	34.8	33.2	12.9
三门峡—花园口		1 411	531	402	18.8	6.10	6.95
花园口—利津	下游引黄灌区	6 163	4 273	2 067	96.5	31.4	35.7
全流域		22 720	9 846	6 589	270	100	100

由表 3 同样可以看出，灌溉面积主要分布在兰州—河口镇、龙门—三门峡、花园口以下引黄地区。黄河流域及下游引黄灌区，共有耕地面积 15 亿 hm^2，三个河段区间耕地面积不到全流域耕地面积的 80%，而有效、实际灌溉面积则占全流域的 88.3% 和 88.9%，因为下游引黄灌溉的部分面积不在流域内。这三个河段农业灌溉耗水量占全流域农业耗水量的 86.1%。其中兰州—河口镇区间占 37.5%；龙门—三门峡区间占 12.9%；花园口以下引黄灌区为 35.7%。从表 3 灌溉面积和用水量分配上也不难看出，兰州—河口镇区间单位面积耗水量最大，花园口以下引黄灌区次之，龙门—三门峡区间最小。兰州—河口镇区间及花园口以下引黄灌区一般是直接从黄河干流引水；龙门—三门峡区间的灌区，大部分是从支流渭河、北洛河及汾河引水。该地区工农业发达，耕地面积多，人口集中，但水资源相对贫乏，灌溉用水定额较小。

由表 2 与表 3 对比还可以看出，兰州—河口镇区间，主要分布着 50 万亩（3.33 万 hm^2）以上的大型灌区，万亩以上灌区设计面积与表 3 中的该区间的有效灌溉面积比较接近。龙门—三门峡区间,万亩以下小灌区较多,万亩以上灌区的设计灌溉面积小于表 2 中的有效实灌面积。

2　引水引沙发展情况

2.1　引水发展情况

　　黄河流域引水灌溉历史上早有记载。本次统计了黄河流域 1920~1990 年各年代不同河段的年均耗水量,其结果见表 4。可以看出,从 20 年代到 40 年代,黄河流域引水量变化不大,年平均增加耗水量不足 10 亿 m³。50 年代以来,随着黄河流域经济建设的发展,耗用水量增加较快,由 40 年代的 53.6 亿 m³,增加到 80 年代的 290.9 亿 m³,是 40 年代的 5.43 倍。黄河流域不同区间的耗水量变化过程见图 1,由表 4 和图 1 可以看出,不同区间耗水量变化情况不同。

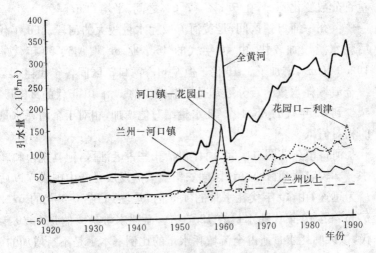

图 1　黄河不同河段耗水量变化过程线

表4　　　　　黄河流域各区间耗水量分年代统计分析　　　（单位：$10^8 m^3$）

时段	兰州以上		兰州—河口镇		河口镇—花园口		花园口—利津		全流域	
	耗水量	占总量(%)	耗水量	占总量(%)	耗水量	占总量(%)	耗水量	占总量(%)	耗水量	占总量(%)
1920～1929	2.1	5.13	36.5	89.9	2.0	4.95	0.0	0.0	40.6	100
1930～1939	3.1	6.37	43.2	87.9	2.8	5.70	0.0	0.0	49.1	100
1940～1949	3.6	6.70	45.5	84.9	4.5	8.45	0.0	0.0	53.6	100
1950～1959	8.8	7.04	66.2	53.0	28.7	23.0	21.3	17.0	124.9	100
1960～1969	12.3	6.96	81.7	46.3	49.0	27.8	33.4	18.9	176.4	100
1970～1979	16.4	6.68	84.4	34.3	60.1	24.5	84.8	34.5	245.8	100
1980～1990	17.7	6.10	102.9	35.4	57.2	19.7	113.0	38.8	290.9	100
1950～1990	13.9	6.57	84.3	39.9	49.0	23.2	64.3	30.4	211.5	100
1920～1990	9.3	6.51	66.3	46.6	29.6	20.8	37.2	26.1	142.3	100

兰州以上耗水量由40年代的3.6亿 m^3，增加到80年代的17.7亿 m^3，增加的过程比较平稳。每个年代耗水量占全流域耗水量百分数变化不大，在5.1%～7.0%之间，平均约6.5%。

兰州—河口镇区间，是黄河流域耗水量较大的河段。50年代后耗水量增加较快，由40年代的45.5亿 m^3 增加到80年代的102.9亿 m^3，增加了1.16倍。但兰州—河口镇区间各年代耗水量占全流域耗水量的百分数却是逐渐减少的。由40年代的84.9%减少到80年代的35.4%。耗水量绝对值增加，相对于全河耗水量的相对值减少。

河口镇—花园口区间，同样包括一些古老灌区，但其规模和耗水量却较宁蒙灌区小。该区间农田灌溉的发展是新中国成立以后最为迅速，由40年代耗水量的4.5亿 m^3 增加到80年代的57.2亿 m^3，是40年代耗水量的12.7倍。而耗水量最大的是在70年代，该区间耗水量所占全流域耗水量的比例基本上是不断增加的。所占比例最小的是20年代，耗水量仅占全河总耗水量的4.95%，最大的是60年代，达到27.8%。50年代到90年代平均占全河耗水量比例为 23.2%。

花园口以下及沿黄地区的引用水量主要是 50 年代才开始的。但增长幅度特别快。50 年代到 80 年代,短短 40 年,耗水量从 21.3 亿 m³ 增长到 113 亿 m³,80 年代耗水量均值是 50 年代的 5.3 倍。该段耗水量占全河耗水量的比值,也是从零发展到 80 年代占全流域耗水量的 38.8%。并且所占流域耗水量的百分比一直是递增的。80 年代耗水量占全流域耗水量的比值是最大的。可见,新中国成立以来,黄河下游及沿岸地区的引用黄河水量是发展最快的。

从整个河段看,1950～1990 年的耗水量均值中,耗水量最大的是兰州—河口镇区间,多年平均耗水量为 84.3 亿 m³;其次是花园口以下的引黄地区,多年平均耗水量为 64.3 亿 m³;河口镇—花园口区间多年平均耗水量为 49 亿 m³;兰州以上地区最小,多年均值为 13.9 亿 m³。全流域多年平均耗水量为 211.5 亿 m³。1920～1990 年各年代耗水量均值的总趋势是增加的,与上述相同,只是增加的幅度较均匀。

2.2 引沙量变化情况

黄河流域引沙自新中国成立以来才有观测资料。1950 年以来不同河段的引沙量统计见表 5。从表 5 可以看出,兰州以上引沙量在全河为最小,该段引水量本身就小,加之水量中含沙量小,所以该段引沙量就小。花园口—利津河段引沙量最大,该段处于黄河下游,径流量中本身含沙量就大,加上引水量也大,所以引沙量也就大。多年平均引沙量占全流域的 59.6%。兰州—河口镇区间的径流量本身含沙量较兰州以上大,较中下游小,由于该段引水量大,所以引沙量在全河引沙量中也占有一定比例,多年平均占 22.8%。河口镇—花园口区间包括了主要产沙区河口镇—龙门区间,由于河口镇—龙门区间引水量很小,而龙门—花园口区间引水量主要在支流上的非洪水期,故河口镇—花园口区间多年平均引沙量仅 0.271 亿 t,占流域引沙量的 15.8%。黄河流域多年平均年引沙量 1.71 亿 t。各河段的引沙过程线见图 2,由图 2 可以看出,其引沙变化过程基本上与引水过程趋势一致。由于黄河下游 1958~1960 年大量引水,使利津以上 1960 年最大引沙量达 8 亿 t。

表 5　　　　　　　黄河流域各区间引沙量分年代统计　　　　（单位：10^8 t）

时段	兰州以上		兰州—河口镇		河口镇—花园口		花园口—利津		全流域	
	引沙量	占总量（%）	引沙量	占总量（%）	引沙量	占总量（%）	引沙量	占总量（%）	引沙量	占总量（%）
1950~1959	0.039	2.47	0.590	37.3	0.404	25.5	0.550	34.7	1.58	100
1960~1969	0.030	2.58	0.360	30.9	0.247	21.1	0.531	45.4	1.17	100
1970~1979	0.030	1.36	0.287	12.9	0.248	11.1	1.66	74.7	2.23	100
1980~1990	0.022	1.19	0.332	17.6	0.219	11.6	1.31	69.6	1.88	100
1950~1990	0.030	1.77	0.391	22.8	0.271	15.8	1.02	59.6	1.71	100

图 2　黄河不同河段引沙量过程图

　　通过以上分析可知,①黄河从上游到下游各个河段中,一般都是引水量大,引沙量小,主要原因是引清水用于工农业,而含沙量较高时则停止引水或少引水,以防止渠道淤积或减少处理泥沙的费用。②各河段各年代引水量增加,而引沙量减少,由于各河段产生的原因不同,发生的时间也不一致。如兰州至河口镇河段由于三盛公和青铜峡枢纽分别于 1961 和 1967 年投入运用,使原来的无坝引水改为有坝引水,扩大了引水能力及保证率,同时通过合理的运用使枢纽壅水段形成"定期冲洗式沉沙池",在停灌时降低水位冲刷排沙,灌溉时壅水拦沙,从而使引沙量反而减少,所以 60 年代以来引水量较 50 年代增加很多,而引沙量减少很多;黄河下游引黄灌溉以来,主要依靠灌区沉沙池来处理泥沙。由于长期沉沙使可用的洼地逐渐减少,而后加强管理,尽量减少入渠泥沙,同时近期黄河沙量明显减少,特别是黄河下游一方面高含沙洪水出现的几率增加,而平水和枯水期的含沙量降低,从而 80 年代黄河下游引水量增加,引沙量减少。

2.3 工业城市引水发展情况

以上介绍了整个黄河流域引水引沙的情况。由于新中国成立以来黄河流域工业飞速发展,特别是改革开放以来发展更快,逐渐改变了以前工业、生活用水全部依赖于地下水的状况。表 6 列出了黄河流域地级城市 1990 年的用水现状。花园口以下的城市用水,属于流域外引水,没有单独列出。

从表 6 可以看出,黄河流域这些城市供水水源共有四种类型。以地下水为供水水源的城市有太原、呼和浩特、银川、咸阳、乌海、天水、晋城和三门峡市;以地表水为供水水源的城市有白银市;以地表水为主要供水水源的城市有兰州、包头和铜川市;以地下水为主要供水水源的城市有西安、洛阳、西宁、泰安、宝鸡和石嘴山市。

表中的工业用水包括工业生产过程中生产设备和生产产品冷却、冲洗、漂洗及生产产品含水等几个方面。把工业企业分成 10 个行业进行统计,分别为冶金、机械、电力、建材、煤炭、化工、纺织、造纸、石油、食品加工和其它行业。生活用水包括城市居民日常生活用水和公共设施用水两部分。城镇生活用水标准与城镇供水人口、

表 6　　黄河流域地市级以上城市 1990 年现状实际供水统计

城市名称	实际供水 ($10^4 m^3$)		实际用水 ($10^4 m^3$)			废水排放量 ($10^4 m^3$)		供水水源占总量(%)	
	总供水	自备水源	总用水	生活	工业	工业	生活	地表水	地下水
西安	31 794	9 255	31 794	10 822	20 972	11 230	8 116	4.9	95.1
太原	23 676	10 074	23 676	6 812	16 864	11 222	5 747		100
兰州	35 356	7 547	35 356	7 331	28 025	11 921	5 718	80.0	20
包头	19 698	11 476	19 698	2 898	16 800	9 382	1 640	73.5	26.5
洛阳	18 767	2 583	18 767	8 302	10 465	6 030	5 645	4.0	96
呼和浩特	9 747	2 143	9 747	4 559	5 188	1 476	3 556		100
西宁	11 292	2 991	11 292	2 967	8 325	2 793	2 267	21.8	78.2
银川	7 449	4 585	7 449	1 984	5 465	1 805	1 568		100
咸阳	8 414	6 240	8 414	2 662	5 752	4 586	1 774		100
泰安	3 371	994	3 371	1 497	1 874	780	1 230	5.0	95
宝鸡	7 605	4 440	7 605	3 310	4 295	2 195	2 515	21.0	79
铜川	1 400	274	1 400	758	642	326	553	70.1	29.9
乌海	7 303	6 729	7 303	1 369	5 934	985	722		100
石嘴山	6 535	5 017	6 535	1 772	4 763	3 497	1 366	1.0	99
天水	3 829	2 696	3 829	844	2 985	2 500	632		100
白银	5 886		5 886	1 231	4 655	1370	854		
晋城	2 087	1 577	2 087	326	1 761	1 035	228		100
三门峡	2 248	1 132	2 248	1 007	1 241	862	750		100
合计	206 457	79 753	206 457	60 451	146 006	73 995	44 881		

城市规模、水源条件、生活水平、自来水普及程度及管理水平有关。公共设施用水主要是指城市建设、绿化、环境卫生等方面所需用水。在统计调查的基础上,分析对照《中国城市统计年鉴》,从而得出结果。

在城市生活、工业用水中,本文主要是反映地表水引水量的发展情况,仅对完全以地表水和主要以地表水(占 70％以上)为水源的城市进行了系列年份的统计计算。铜川市虽然是主要以地表水为水源的城市,由于用水量很小,本次也没有统计。花园口以下的城市用水虽是流域外用水,但因都是用黄河地表水,且用水量增加很快,故对花园口以下各河段的用水也进行了系列年份调查计算。统计的主要城市有:兰州、白银、包头、郑州、开封、德州、天津、济南、滨州、东营等城市。统计计算结果见表7。

表7 黄河流域城市工业、生活地表水耗水量分年代统计 (单位:10^8m^3)

时段	兰州以上		兰州—头道拐		头道拐—花园口		花园口—利津		全流域	
	水量	百分数 (%)	水量	百分数 (%)	水量	百分数 (%)	水量	百分数 (%)	水量	百分数 (%)
1950~1959	0.185	80.9	0.044	19.1	0.0	0.0	0.0	0.0	0.23	100
1960~1969	1.42	60.1	0.69	29.2	0.0	0.0	0.25	10.7	2.36	100
1970~1979	2.23	36.2	1.01	16.5	1.76	28.7	1.15	18.6	6.15	100
1980~1990	2.53	24.2	1.41	13.5	1.91	18.2	4.62	44.1	10.47	100
1950~1990	1.61	29.6	0.80	14.7	0.94	17.3	2.09	38.4	5.45	100

从表7可以看出,城市工业、生活用水量,整个黄河流域和各个分区河段都是逐年增加的。全流域由50年代的0.23亿m^3增加到80年代的10.47亿m^3,是50年代的近46倍。全流域多年平均城市工业生活耗用地表水量为5.45亿m^3。兰州以上河段城市工业用水量主要是兰州市。兰州市引用黄河地表水较早,在清朝末期就已开始。大规模引水从1954年后,1958年达到小高峰。1974年建设的西固水厂二期工程,于1980年底投产,日供水能力达98万m^3,合计引水能力达118万m^3。兰州—河口镇区间主要是包头、白银两城市用水。白银市供水全部取用地表水。包头市主要是包钢水源地,1959年投产,1983年又在包头镫口扬水站农业用水中分出部分给市区,该地区城市引用水量由50年代的0.04亿m^3增加到80年代的1.41亿m^3,增长幅度较大。头道拐—花园口区间主要是郑州市提用黄河水量,先后建成邙山提灌站、花园口闸为郑州市供水。两个水源地都是70年代建成投产。引用黄河水量从50年代的零值增加到80年代的1.91亿m^3。花园口—利津河段的引用水,主要是从下游引黄闸门引出后分给各城市工业生活用水,其用

水量从 50 年代的零值增加到 80 年代的 4.62 亿 m³。

从以上分析可以看出,引黄量最大的河段分别为兰州以上河段和花园口—利津河段,多年平均占全流域城市工业总引用水量的 68%。城市工业引用地表水的同时也引沙,因其数量很少且大多在农业引水引沙中一并作了统计,故不作赘述。

通过以上黄河流域引水引沙概况分析,说明了黄河流域水资源利用发展很快,供需矛盾日益尖锐。目前黄河年耗水量已达 300 亿 m³,占天然年径流量的 50% 以上。随着工农业生产的发展,这种水资源供需矛盾还将进一步加剧。黄河工农业用水主要集中在上游宁蒙灌区和下游的引黄灌区。由于黄河流域水资源不能统一管理调度,上游有大引漫灌现象,缺乏节水措施。使下游水资源严重缺乏,造成断流。在 1972~1995 年的 24 年中,山东河段就有 10 年发生断流,利津站有 18 年发生断流。1995 年黄河断流天数达 122天,断流河长上达距河口 672km 的夹河滩断面。黄河断流不仅造成下游工业停产,农业停灌,人畜饮水困难,而且加剧下游河道萎缩,河口盐碱沙漠化,加速生态环境恶化。

从引水引沙情况也可以看出,黄河引水量增加的幅度大,引沙量增幅相对较小,这也说明了工农业引用水量耗用了黄河径流中的相对清水,大大影响了中游高浓度含沙洪水的稀释,不仅增加了高含沙洪水出现的机遇,而且加大了下游河道的淤积,对下游防洪不利。

由此可见,要想维持黄河流域国民经济的持续发展,必须统一管理调度黄河有限的水资源,增强黄河两岸人民的节水意识,不要在加大引水上下功夫,而要在节约水资源上下功夫,使有限的黄河水资源发挥出更大的经济效益。

渠首泥沙及防治

1 引水渠首工程概况

黄河上的引水工程若按引水方式分类可以分为自流引水和提水引水两类,若按渠首工程分类则可以分为有坝渠首和无坝渠首等类型。有坝渠首又可分为低坝引水枢纽、弯道式引水枢纽、拦河闸式引水枢纽、底栏栅式引水枢纽、分层式引水枢纽、复合式引水枢纽以及低水头电站引水枢纽等。无坝引水渠首可分为涵(洞)闸(敞开)式引水渠首、抽水站式引水渠首、虹吸式引水渠首以及碉堡式引水渠首等。本文主要论述渠首泥沙问题的研究与防治。

1.1 有坝渠首

有坝渠首一般是指在引水河道建有水头不超过十几米、库容难以调节水量的枢纽。可用于灌溉、工业、生活和发电等用水,建筑物包括拦河坝(或拦河闸)、进水闸、冲沙闸、沉沙区和上下游河段整治工程以及各种防沙排沙导流措施。黄河流域已建的有坝渠首主要有以下几种形式。

1.1.1 低坝引水枢纽

低坝引水枢纽又称改良印度式枢纽,是30年代李仪祉先生在陕西省指导修建的,如图1所示的梅惠渠引水枢纽。

低坝引水枢纽布置将进水闸设在河流侧面,引水方向与水流垂直,挡水、泄洪、冲沙等建筑物呈一字排列,正面冲沙,侧面引水。实践证明引水时进沙多,又与冲沙相互影响,上下游无整治段水流摆动,引水困难,冲沙槽长度不够。

西北水利科学研究所曾为改善引水防沙效果,在进水口前的沉沙冲沙槽中布置潜没式分水墙和导沙坎等一套防沙设施,减少了进沙量,如渭惠渠渠首,见图2。

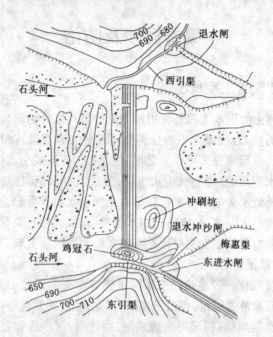

图1 陕西梅惠渠低坝引渠式渠首

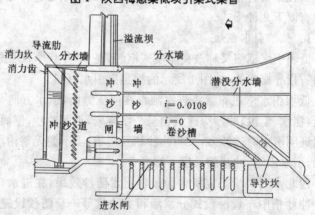

图2 渭惠渠渠首冲沙槽改善平面布置图

改建后的枢纽适用于上、下游水头差较小,河流泥沙较细(包括推移质为粗沙或细沙)的河段。将沉沙冲沙槽平面由矩形改为弧形,并在槽内增设潜没分水墙和导沙坎,引水口由直角改为锐角,防沙效果更好。如陕西汉惠渠枢纽,甘肃、青海相继修建许多这类枢纽,经模型试验,逐步完善了引水防沙形式。

当枢纽位于峡谷出口处,河道狭窄难以布置冲沙闸等工程时,可采用低坝引水式枢纽。在坝上游岸边开挖引水渠或隧洞,在适当位置建拦河闸。在其下游修建岸侧沉沙冲沙槽。一般常以引水渠作为沉沙冲沙槽。在槽末端布置正面进水闸和侧面冲沙闸。如宝鸡峡引渭枢纽,见图3。

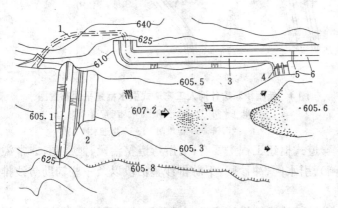

图 3 陕西省宝鸡峡引渭枢纽工程平面布置图

1—引水隧洞 2—溢流坝 3—沉沙槽 4—冲沙闸 5—进水闸 6—总干渠

1.1.2 弯道式引水枢纽

弯道式引水枢纽是引进前苏联费尔干式枢纽的经验,借助天然河弯或修建人工河弯增强环流作用,采用"正面引水,侧面排沙"的原理,减少入渠泥沙,50年代开始在新疆地区修建了不少这类枢纽。经过多年运用总结经验,逐步完善了工程布置。把泄洪闸或溢洪坝上移到弯道首端凸岸处,改进了人工弯道段的设计流量和建筑物布局。图4所示为新疆伊犁哈什河弯道引水枢纽平面布置示意图。

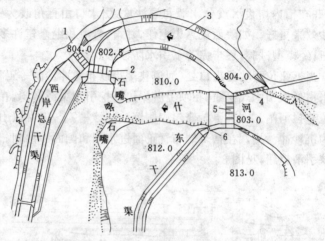

图4　新疆伊犁哈什河人工弯道式引水枢纽平面布置图

1—西岸进水闸　2—冲沙闸　3—人工弯道引渠
4—拦污栅　5—泄洪闸　6—东岸进水闸

弯道式枢纽工程主要有:上游弯道整治段、泄洪闸、非常溢洪堰(闸)、引水闸、冲沙闸、下游排沙整治段以及一些辅助防沙排沙措施。

上游整治段的设计流量一般采用每年可能出现的洪水,使弯道内常年保持较强的环流,每年有几次大洪水来冲刷弯道中的淤沙。根据设计流量来确定稳定坡度、整治段宽度和适宜的弯道曲率半径。泄洪闸布置在弯道上游凸岸边,可调节洪水流量排除较多的底沙,进水闸和冲沙闸在弯道末端,进水闸在凹岸,与水流垂直,与冲沙闸成一夹角,一般不大于35°,闸底板高出冲沙闸底板1.5～2.5m。下游整治段适当缩窄,长度不少于稳定河宽的两倍,河段冲刷量大时增至4～5倍。

在黄河干流已建成有几百处,装机容量在 500kW 以上的大型抽水站有 20 多处,布置型式基本有以下几种。

(1)岸边闸—引水渠—前池型式。在岸边设引水闸,闸后接引水渠,渠尾接扩散形前池,池内设水泵。在 50、60 年代修建的抽水站多属这一类型。图 6 为山西夹马口抽水站,设计流量 9.5m³/s,扬程 30m,引水渠和水泵管口淤积,影响正常引水。

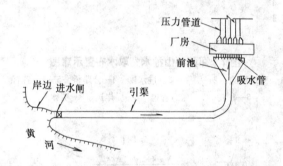

图 6 山西夹马口抽水站取水布置示意图

(2)闸前引水渠,闸后前池型式。在堤岸布置进水闸,闸前滩地挖引水渠,闸后分格前池。图 7 为郑州邙山抽水站,流量 9.6m³/s,扬程 35m。引水渠严重淤积,难以正常运用。

(3)岸边喇叭口形翼墙进水闸,分格取水型式。在岸内设进水闸,闸前翼墙成喇叭形伸向水边,闸后前池分格,如山西尊村一级扬水站,见图 8。流量 56m³/s,扬程 6.8m。闸前淤积严重,影响正常抽水。

(4)临河闸,单孔单泵型式。进水闸前缘伸入水边线内,两翼墙与闸前缘基本平行水流线。闸与厂房结合为一体。水泵直接在闸孔内抽水,每孔一台水泵。如甘肃景泰川抽水站,流量 10.7m³/s,扬程 74.5m,见图 9。这种型式防淤效果好,能保持正常引水。

(5)临河厂房,直接在河中取水型式。厂房直接布置在水边,厂

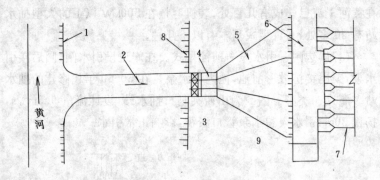

图 7　郑州邙山抽水站取水布置示意图

1—滩地岸边　2—引渠　3—进水闸　4—公路桥　5—分格前池
6—厂房　7—压力管道　8—堤岸边　9—吸水管

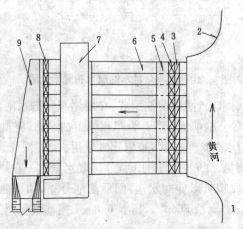

图 8　山西尊村一级抽水站

1—岸边　2—翼墙　3—拦污栅　4—进水闸　5—交通桥
6—分格前池　7—厂房　8—出水池闸门　9—出水池

房前墙挡水,不设进水闸,水泵吸水管从前墙穿过,伸入河中吸水。
如山西龙门抽水站,流量 $3m^3/s$,扬程 12m,见图 10。有少量淤积,
不影响正常引水。

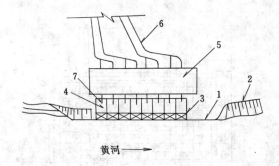

图9 甘肃景泰川一级抽水站取水布置示意图

1—翼墙 2—岸边 3—进水闸 4—分格前池
5—厂房 6—压力管道 7—吸水管

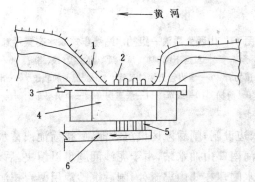

图10 山西龙门抽水站取水布置示意图

1—岸边 2—吸水管 3—厂房前墙 4—厂房 5—压力管 6—出水池

(6)缆车取水型式。在岸边坡道上装轨道及压力管道,与水泵连接,水泵装在车上,泵车用钢丝绳由缆车牵引,沿轨道随水位升降来取水。如山西大禹渡抽水站,流量 8m³/s,扬程 20m(一级),见图11。此种型式防淤性能好,取水有保证,适用于水位变差大的河流或水库取水,引水含沙量小于大河含沙量。

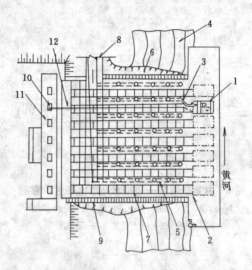

图 11　山西大禹渡一级抽水站缆车式取水布置示意图

1—泵车　2—坡道下部砌护　3—泵车出水接口联络管　4—岸坡

5—压力管　6—压力管上接口叉管　7—坡道上的轨道　8—出水池

9—阶梯　10—绞车　11—绞车房　12—牵引泵车的钢丝绳

(7)水边设闸,闸后滩区设沉沙池,后接前池或蓄水池,泵站抽水型式。河南邙山抽水站,由于泥沙问题难以解决,后改为这种型式。把引水闸建在邙山靠流处,闸后沉沙池用两台挖泥船清淤,前池水流基本是清水,改善了水泵磨损和引水沉沙困难的问题。

综合上述,引水口的位置应选在洪枯水均能靠流的岸边,最好在弯道下段凹岸;引水口前需设进水闸,闸前缘需伸入枯水线,应使水流平顺,防止回流和拦门淤积;厂房尽可能靠近水流,取消引水渠和前池,闸厂结合;闸孔单孔单泵取水,以防淤积;门前设拦沙叠梁,取表层水,防底沙;有条件的地方选用缆车式取水,以适应水位变化,有利取水防沙。

1.2.3　虹吸式引水渠首

虹吸工程是黄河下游特有的引水型式,因为下游河道临背高差一般 3～5m,较适宜用这种取水方式。管径一般 1m 左右,吸水流量 1～2m³/s,每处装 2～6 根管子。虹吸管布置在大堤险工处,用钢管成倒 U 形,临河有一节橡胶管道,可仰俯活动,吸水口可随水位升降取表层水。虹吸管可分为灌水式和抽气式两种,虹吸工程施工容易,不必挖深大堤不影响防洪,适应黄河水位变化,工程量小,投资少,适用于小型引黄灌区。

1.2.4　碉堡式引水渠首

碉堡式渠首多用于高原和远距离工业和生活用水,引水流量不大但保证率较高,渠首为钢筋混凝土圆筒式结构,内设抽水装置,碉堡可修建在河道固定凹岸边,河床较低处,枯水期也能保证引水。青海省和甘肃省境内修建了大量这类引水渠首。在下游山东垦利一号坝险工坝头处建有碉堡式引水渠首,为胜利油田送水,即使在黄河断流期也可抽取凹岸洼坑中的水。在直段河道或游荡性河道上,可将碉堡修建在河中深泓线处,这里水深最大,枯水期也可以引水,如内蒙古包头市工业引水渠首,在河中建两处碉堡式引水渠首,用管道引向岸边。

根据设计引水要求,在不同高度设多处口门引水,高水位用高口,低水位用低口,可保证适时引水。既能防止底沙入口,又能引取含沙量较小的表层水。

1.2.5　其他型式引水渠首

(1)船式引水渠首。多为工业用水,把船设在岸边靠流处或河中,船上装抽水设施,用管道通向岸边,船可适应水流摆动和水位变化。在包头和山东胜利油田采用这种引水形式。

(2)流动泵站引水渠首。在黄河下游游荡性河段。为适应河势变化,采用活动式泵站。在大堤上和护滩工程处,临时安设水泵和拖拉机动力来抽水灌溉,机动灵活。

2　引水口前分水分沙特性

引水口的分水分沙状况对保证引水防沙具有重要作用,国内外进行了大量试验研究和原型实测资料分析,取得了不少有意义的成果。

2.1　引水口前分水特性

2.1.1　分水口附近河道水流形态

分水口前因分流离心力作用,流态发生复杂变化。罗福安等经水槽试验得到不同水层的分流形态,见图 12。从图 12 可看出,愈

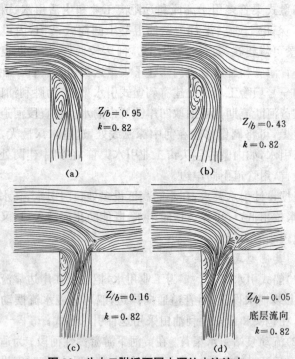

图 12　分水口附近不同水深的水流流态

靠近引水口流线密度愈大,弯曲度也愈大,最大出现在下唇外缘附

近。底层和表层流态不同,在下唇外缘处底部有反向水流,正反向水流相持,出现滞流区。分水口上唇出现回流。上层水流分流宽度比下层水流小。

经分析可以将分水口附近水流分成八个不同区域,即加速区、稳速区、扩散区、分离减速区、潜流加速区、潜流减速区、滞流区、回流区等,见图 13。

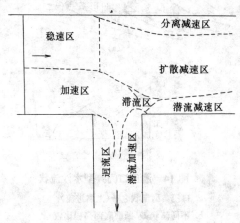

图 13 流态分区图

卞玉山等根据山东潘庄引水口实测资料分析,把引水口前喇叭口内水流分成三个区:即上唇均匀流区,下唇旋涡区、中间残基区,见图 14。由于潘庄渠首坐湾迎流,口门形态为对称喇叭口,轴线与岸边基本垂直。口门上唇顺流淤积,下唇撞岸分流分沙,翻流淘沙,所以进沙量大。

从试验和野外观测得到结果,说明引水口附近流态是复杂的,难以用一般的明渠水流来表示。

2.1.2 直段侧向分流的分流宽度

在直段河道上,由于断面形态对称,断面中心垂线平均流速最大,向两岸均匀减小。含沙量等值线基本是水平的,分流后由于离

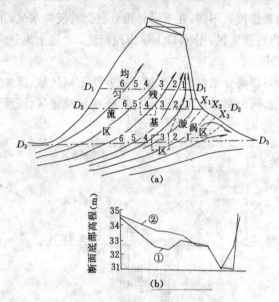

图 14　潘庄口门典型水沙流状

a. 口门典型流状之一（上唇进流）

b. 不同流状 D_2 断面底部高程比较

①线对应 I 型流状（1986 年 5 月 10 日测）

②线对应 II 型流状（1986 年 5 月 21 日测）

心作用,表层水流宽度小于底层宽度,前苏联学者曾从试验资料分析得到:分水口前表底层宽度与分流比关系式为

当 $k<0.8$ 时　　$B_d=2kb$

$$B_b=(1.07k-0.107)b$$

当 $k>0.8$ 时　　$B_d=(1.1k+0.7)b$

$$B_b=(0.86k+0.22)b$$

式中:k 为单宽分流比;b 为分水口宽度;B_b、B_d 分别为分水口前表层、底层水流宽度。罗福安等经试验资料分析得到表底层分流宽度为

$$B_d = 0.72(k + 0.07)b$$
$$B_b = 1.15(k - 0.35)b$$

式中符号意义与上式相同。

沿水深各层分流宽度,前苏联沙乌兔得到的关系式为

$$B_z = B_d + (1 - \eta^2)(B_b - B_d)$$

式中:$\eta = Z/H$,相对水深,Z 为距河底距离;H 为水深。罗福安等得到分流宽度在水面附近变化不大,近河底宽度愈来愈大,其关系式为

$$B_z = 1.88 \exp(2.12Fr)k^{1.57}(u/u_z - 0.6h - 0.75Fr - 0.1)b$$

式中:Fr 为佛汝德数;u、u_z 分别为开始分流处平均流速和 Z 层流速;B_z 为 Z 层分流宽度;其余符号意义同前。

严镜海根据紊流动量变换产生剪应力的原理导出沿水深分流宽度关系和分沙关系。

2.1.3 引水口前河道水流特性

(1)分水口前河道的水面线。在直道侧向分流情况下,分水口上游水面沿水流方向呈降水曲线,而在分水口前呈壅水曲线,流速沿程减小,水深横向分布靠引水口较浅,流速较大。根据能量微分方程导出分水口前纵横向水面线。

(2)引水口前的环流强度。在分水口前表底层水流流线有明显的扭曲现象。由于分流产生横比降,形成环流,从表底层水流开始分离点,视为环流发生的界限。据此推导分水口附近各点环境强度 V_s

$$V_s = Kul$$

式中:u 为纵向流速;l 为距分离点距离;K 为系数,随流量比变化。

根据上式可以算出分水口附近的环流流速分布。

(3)分流引起的能量损失。分流时能量损失与分水角度成正比。最小能量损失的分水角与干支渠流速比有一定关系。据德国波立布试验得到,在同一分流比时,分水角度愈大,能量损失系数

愈大;当分水角为锐角时,分流比与能量损失系数成反比,钝角时
成正比。

2.2　分水与分沙的关系

2.2.1　在细沙河流上引水与分沙关系

　　根据黄河下游引水口分水分沙实测资料,引水含沙量与大河
含沙量不完全相等,引水含沙量大小与引水工程布置形式、来水来
沙和河势变化有一定关系。黄河下游几处引水口的分水含沙量与
大河含沙量关系,见图 15。打渔张引水口的点群关系在 45°线上
方,说明黄河各级含沙量均大于相应引水含沙量,其引水含沙量约
为大河含沙量的 85%～90%,其他引水口的点子关系比较散乱,
但分布在 45°线的两侧,平均值基本相等。

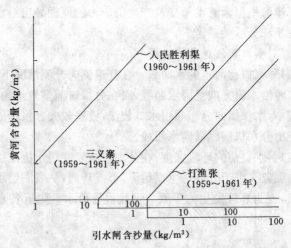

图 15　黄河含沙量与入渠含沙量关系

2.2.2　分流比与底沙分配关系

　　在直段侧向分流底沙试验中,日本学者得到分流比与底沙分
配关系为

$$K_g = 1 - 4(0.55 - K)^2$$

式中：K_g 是底沙引沙与来沙比；K 为分流与来流量比。

上式适用于 $0.06 < K < 0.55$，当 $K > 0.55$ 时全部泥沙入分水口。

2.2.3 分流比与分沙比关系

图 16 为黄河下游六处引水口的实测分流比与分沙比关系。当黄河含沙量大时相应分流比较小，入渠含沙量稍小于河道含沙量，在枯水期分流比较大时，分沙比大于分流比，即引水含沙量大于黄河含沙量。当分流比达到 $50\% \sim 70\%$ 时，分沙比可接近 100%。形式上与底沙试验结果相仿。实际上是由引水口前局部冲刷或挖滩引水增加的入渠含沙量，不完全是上游来沙量。

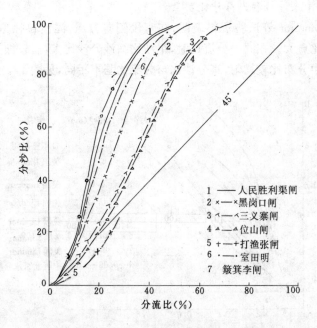

图 16 黄河下游引黄闸分流比与分沙比关系

黄委会勘测规划设计院根据黄河下游主要引黄渠首实测的分

水分沙资料,得到分沙比与分流比成正比,与来水流量成反比的关系式,即

$$K_g = AK^{1.2}Q^{-0.2}$$

式中:K_g 是分沙比,即引沙量与来沙量之比;K 为分流比,即引水量与来水量之比;A 是系数,与引水渠的长度和河床高差有关,$A=5\sim9$。

2.2.4 水深、流速与分沙比关系

当分流比一定时,水深愈大,分沙比愈小,当水深较大时,流速与分沙比成反比。当水深较浅时,两者没有明显关系。

2.3 来水来沙和引水口形式对分沙比的影响

2.3.1 来沙粒径与分沙比关系

Lindnor等试验资料表明,在直段侧向分流,泥沙粒径愈粗,分沙比愈大。在同一分流比时,粗沙比细沙分沙比大,而较细泥沙在水中分布比较均匀,其分沙比与分流比基本相同,见图17。

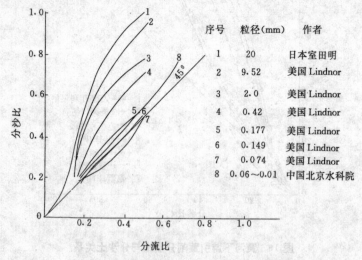

序号	粒径(mm)	作者
1	20	日本室田明
2	9.52	美国 Lindnor
3	2.0	美国 Lindnor
4	0.42	美国 Lindnor
5	0.177	美国 Lindnor
6	0.149	美国 Lindnor
7	0.074	美国 Lindnor
8	0.06~0.01	中国北京水科院

图 17 各种泥沙粒径的分流比与分沙比关系

60年代人民胜利渠引水口主流南移,南北岸水位差达0.6~2m。经常挖滩引水,泥沙粒径变粗,入渠含沙量常大于黄河含沙量的2~4倍。

2.3.2 分水角度对分沙比的影响

一些学者在清水和底沙试验中得到,在直道侧向分流时各种引水角度的分流比与入渠底宽和底沙关系基本一致,相差5%~10%。

2.3.3 分水口迎流宽度与分沙比关系

迎流宽度是指引水口侵入主河道的相对宽度,用$P=d/B$表示。侵入宽度愈大,愈符合正面分流,分沙比也愈小,见图18。并得出关系为

当$P<K<0.4(1+1.5P)$时

$$K_g = K + 10(K - P) \cdot m \sqrt{5 - 23m + 27.1m^2}$$

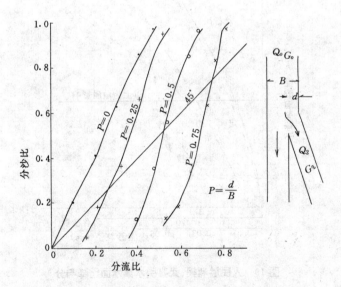

图18 不同侵占宽度的分流比与分沙比关系

当 $0.6P < K < P$ 时

$$K_g = K - 10(P - K) \cdot m' \sqrt{5 - 23m' + 27.1m'^2}$$

式中：$m = \dfrac{K-P}{1-P}$；$m' = \dfrac{P-K}{P}$。

当分流比与入侵的宽度比相等时，其分沙比也相等。当 $K = 0.5(1+P)$ 时，几乎全部底沙入渠，$K_g \approx 1$。当 $K = 0.5P$ 时，可完全防止底沙入渠，$K_g \approx 0$。

2.3.4　引水渠比降与分沙比关系

张永昌等分析了黄河下游人民胜利渠、武嘉引水口实测资料得到，引水渠比降增大时，入渠含沙量和分沙比相应增大，悬沙粒径变粗。如图 19，当比降小于 4‰时，含沙量和分沙比的点群十分

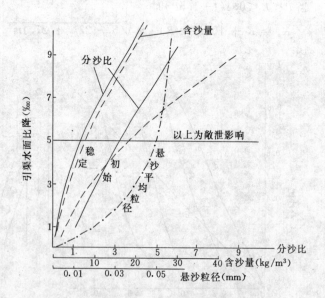

图 19　人民胜利渠、武嘉引水渠水面比降与分
沙比、含沙量、悬沙平均粒径关系图

集中,相应入渠含沙量小于 $10kg/m^3$,引水含沙量与大河含沙量比小于 1,泥沙粒径小于 0.05mm;而比降大于 4‰时,点子分散,多属短时启闸敞泄拉沙所致。

2.3.5 引水渠宽度对分沙比的影响

当分流比一定时,分水口愈宽,分沙比愈小,相差范围不大,相对宽度(b/B)增加一倍,其分沙比减少不到 5%。

3 渠首引水防沙措施

为减少泥沙入渠或防止底沙入渠,在渠首附近增设一些排沙、导沙或防沙等工程技术措施是非常必要的。主要措施有:利用环流作用修建人工弯道、弧形冲沙槽、曲线导流墙和导流装置等;利用各种措施表层取水,底层排沙,如底部冲沙廊道、拦沙坎、潜堰、叠梁闸门等;利用拦河闸(坝)壅水沉沙、减少泥沙入渠、洪水期开闸冲沙;利用水面导流、底部导沙等人工导流排沙装置等,如导流板、导沙船、导沙坎、导沙潜坝和透水坝等。

3.1 低水头引水枢纽防沙措施

3.1.1 矩形冲沙槽

改进后的渭惠渠枢纽,增加了冲沙槽,宽 25.2m,为进水闸宽的 77%。同时采取复式底部排沙坎(即潜没分水墙)、导沙坎和卷沙槽等措施,参见图 2,防沙效果得到明显改善。

矩形冲沙槽适用于主槽比较稳定,水流充分,推移质为主的山区河流,把引水闸改为锐角,防沙引水效果更好。

3.1.2 弧形冲沙槽

弧形冲沙槽将侧向引水,反向的弯曲环流改为正向环流,形成凹岸引水,凸岸排沙。如陕西省千河上的千惠渠引水枢纽,见图20。经多年运用,入渠泥沙很少,坝下游河道排沙防冲效果良好。

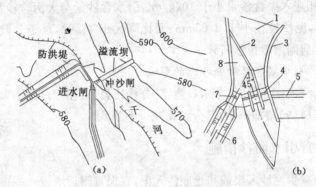

图 20　陕西省千惠渠渠首

(a)渠首平面布置　(b)弧形冲沙槽布置

1—弧形冲沙槽　2—导沙坎　3—导流墙　4—冲沙闸

5—溢流坝　6—渠道　7—进水闸　8—卷沙槽

3.1.3　冲沙廊道

适用于坝上下游水位差大,有足够的水量和水头用以冲沙。冲沙廊道有侧向和底部两种形式。

3.1.4　冲沙闸

冲沙闸是枢纽防沙冲沙的主要建筑物,控制闸前淤积和泄洪,来维持主槽不致淤塞,冲沙闸流量不得小于进水闸流量的两倍。如有泄洪排沙要求时,可在冲沙闸旁另设泄洪排沙闸,用分水墙与冲沙闸隔开。

3.1.5　分水墙

分水墙位于坝和冲沙闸连接处,用来分水分沙,阻挡坝前泥沙进入引水口,与进水闸上游翼墙共同组成冲沙槽,分水墙高度应高出溢流坝顶 0.5m 左右。分水墙长度一般是引水口宽度的 3 倍。

3.2　无坝引水渠首防沙措施

无坝引水渠首的防沙措施主要靠引水渠首位置的选择、渠首上下游河道的整治工程、引水渠首的布置型式以及一些辅助防沙措施等等。

3.2.1　引水渠首平面位置

为了保证引水减少泥沙入渠,一般将引水渠首设在天然弯道末端的凹岸或修建导流工程,形成弯道。由于弯道凹岸边的垂线平均含沙量小于断面平均含沙量,而流速大于断面平均流速,有利于取水防沙。最优引水口位置的选择,通常采用前苏联达涅里亚计算式,即

$$L = KB\sqrt{4R/B + 1}$$

式中:L 为引水口距弯道起点的距离;B 为河道水面宽;R 为河弯曲率半径;K 是系数,取 $0.6 \sim 1.0$,$K = 0.8$ 处进沙最少。如山东打渔张引水渠首,位于弯道顶点下 700m 的凹岸边,引水稳定,并减少入渠泥沙 15% 左右。

黄河下游均为无坝引水,位山以下河段,水流受治河工程控制,主流线与工程外型基本一致,引水防沙效果较好,但是有的引水渠首设在险工处两座坝垛之间。险工坝垛头部外型不光滑平顺,水流局部顶冲紊乱翻沙增加了进沙量。如山东刘庄新渠首和潘庄渠首枯水期进沙量增加几倍。位山以上因河势摆动主流线与控导工程外型不完全一致,有的完全不一致,即使选择较好的位置,也难以起到取水防沙效果。

3.2.2　拦沙潜堰和叠梁闸板

拦沙潜堰(或底坎)的防沙效果,前苏联学者进行过许多试验,观测不同进水口坎高对底流宽度和底沙减少作用。并得到完全防止底沙入渠的分流比与相对坎高关系,见表1。

表1　　　　　完全防止底沙入渠时相对坎高与分流比关系

相对坎高 s/h	0.03	0.13	0.21	0.30	0.43	0.47	0.50	0.54	0.7	0.8
分流比 K	0	0.008	0.015	0.025	0.038	0.044	0.048	0.06	0.1	0.15

黄河下游引水渠首有的设有拦沙潜堰,起到了一定的防沙效

果。从打渔张和三义寨引水渠首拦沙潜堰前后实测含沙量和悬沙中数粒径关系(见图 21),得到堰后含沙量是堰前含沙量的 90%,中数粒径是堰前的 85%~95%。

也有利用工作闸门,形成叠梁溢流。如山东潘庄渠首闸,闸底板低于河道深泓高程,引水时大量底沙入渠。增设叠梁闸板高 2m,实测入渠含沙量为大河含沙量的 74.5%~88.6%。而未加闸板的入渠含沙量是大河含沙量的 117.8%。汛期含沙量大时,可减少入渠含沙量 11.4%。

3.2.3 引水口形式

引水口指进水闸前引水渠口,为了引水水流通顺,不引起乱流和回流,引水口前导流堤呈圆滑的顺流形式,引水口上下唇呈圆弧形,引水口宽度大于进水闸宽度,引水口宽度与分流前后流速比和分水角度有关,见表 2。

表 2 引水口前尺寸参考数据

V_0/V	0	0.05	0.1	0.2	0.3	0.4	0.5	0.7	0.9	0.95
α	90°	87°08′	84°15′	78°28′	72°32′	66°25′	60°	45°34′	25°50′	18°12′
B/B_0	0.65	0.57	0.57	0.56	0.55	0.4	0.29	0.29	0.20	0.14

注 V_0 是行进流速;V 是进水闸首流速;α 为引水角度;B 为进水闸宽度;B_0 为进水口宽度

根据表 2 可求出引水口的轮廓,也有将引水口下唇占进水口部分河宽的布置,可起到引水防沙的综合效益。

黄河下游引水渠首设在两坝垛之间,难以形成有利防沙引水的形式。在游荡性河段,引水渠口难以固定,不利取水防沙。

3.2.4 引水角度

引水口法线与河道水流夹角称为引水角度。在直段侧向分流时,测得不同分水角度的底沙入渠变化不大,相差约 5%。但是不同分水角度的引水能量损失不同。引水角度愈大,副流作用愈强,引水口上唇发生淤积,使进水口过水断面减小,引水角度与引水流

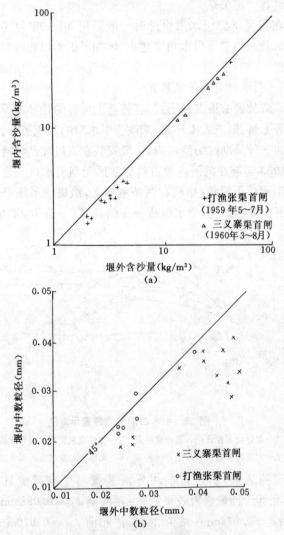

图 21　黄河下游引水口拦沙潜堰防沙效果

(a)拦沙潜堰内外含沙量关系　(b)堰内外悬移质中数粒径关系

速比也有一定关系。

在黄河下游引水渠设计时一般采用 30～60°为宜,通常通过模型试验来确定。引水角度愈小,增加了引水口边缘长度,工程难以布置。

3.2.5　引水口前设导流装置

导流装置有许多种形式,在黄河上用过的是导流浮厢,利用导流板等工具,制造人工环流,来改善引水口的水流条件。减少入渠泥沙的一种辅助性防沙措施,一般安装在直段或凸岸河道上。

1953 年起在黄河内蒙古后套灌区无坝引水口安装导流浮厢。利用半圆弧形浮筒,串联在两条木杆上,组成一系统,一般侵入水面以下 1/3 水深处,与水流成一定的角度(一般为 18°左右),参见图 22。

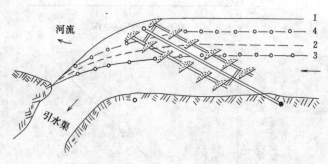

图 22　引水口前导流装置示意图

1—有导流装置表层入渠水流界限　　2—有导流装置底层入渠水流界限
3—无导流装置表层入渠水流界限　　4—无导流装置底层入渠水流界限

观测表明,引水口前用导流装置可平均减少悬移质泥沙 15%,底沙含沙量愈大效果愈好。浮厢前 $d_{90}=0.098mm$ 时引水口断面 $d_{90}=0.074mm$,减少 25%,浮厢前 $d_{90}=0.076mm$ 时,厢后 $d_{90}=0.03mm$,减少 17%。

黄河下游人民胜利渠引水口也曾使用过导流浮厢。形式与内蒙古用的相同。实测入渠含沙量为黄河含沙量的 78%。使用导流浮厢,要求引水口前河势稳定靠流,有一定水深,且含沙量沿水深梯度愈大,效果愈显著。

3.2.6 渠首的河段整治

渠首附近进行河道整治,可以固定主槽,保证引水,减少入渠泥沙。河段整治的形式和尺寸与来水来沙有一定的关系。

整治河段的稳定河宽,一般采用前苏联阿尔图宁关系式,即

$$B = A \frac{Q^{0.5}}{J^{0.2}}$$

式中:Q 为常年流量;J 为河床比降;B 为稳定河宽;A 是系数,在黄河采用 2.23~5.14。

整治河段的曲率半径,可采用进口段:$R_1=(7\sim8)B_K$,中间段 $R_2=(5\sim6)B_K$,弯顶最小曲率半径为 $R_3=3.5B_K$,B_K 为弯道水面宽度,是直段水面宽度的 0.5~0.75 倍。

整治工程视河流情况而定。有的采用挑坝、顺坝和垛组成的整体人工弯道来调整水流束窄河床使水流靠近引水口;有的为保护河岸,避免淘刷,修建护岸、护滩工程;还有截堵河汊,集中水流靠近引水口;清除引水口前河床或河岸凸出体,使水流光滑、流畅。

综合各种渠首布置形式和防沙措施,在推移质为主或底沙较多的河流上,防沙效果十分明显,但在含沙量大、颗粒细的黄河下游,其防沙效果并不理想。据分析,在黄河下游河道中悬移质泥沙粒径小于 0.03mm 的部分沿水深分布比较均匀。这部分泥沙利用弯道环流和分层取水等措施,引水含沙量是不会减少的。对粒径大于 0.03mm 的泥沙有一定防沙效果,且粒径愈粗作用愈明显。黄河下游粒径小于 0.03mm 的泥沙占 30%~40%,洪水期更细。在黄河下游引水口综合各种防沙措施,其防沙效果可达 20%。但多数引水渠口防沙设施并不完备,加之河势变化频繁,引水口善淤善变,河床逐年淤高和枯水期分流比大、拉滩引水等,有的引水口入

渠含沙量是黄河含沙量的好几倍。

为此,除总结已有经验加以推广外,根据黄河特点改进现有防沙设施和研制新型防沙措施以及布置型式是非常必要的。

4　渠首工程管理运用

工程修建后,除工程维修养护,保持工程长期正常运行外,还要合理调度,保证引水,减少泥沙入渠,以达到最大效益。

4.1　低坝引水枢纽的管理运用

主要内容有:合理启闭进水闸门和泄水冲沙闸门;制订渠首水力冲沙措施;洪水期泄洪排沙,把泥沙送到下游;减少泥沙入渠;控制枢纽上游淤积部位和高度;建立水文泥沙站网,观测水文泥沙运行状况、淤积分布和冲刷情况以及整理资料,提出规律性的建议,以便改进管理调度。

4.1.1　低坝冲沙槽式引水枢纽

通过冲沙闸门的调节,使进水闸前沿冲沙槽起到沉沙和冲沙作用,有两种运用方式:①间歇性冲沙,定期停止引水,开冲沙闸冲沙;②冲沙闸半开启壅水调节,边引水边冲沙,冲沙闸门开启高度,靠近进水闸最大,依次逐渐减小,要保持来水顺畅流向进水闸,特别是枯水河槽靠近进水口。

4.1.2　弯道式引水枢纽

合理启闭进水闸和冲沙闸,保持闸前形成环流。制订枢纽间歇和集中冲沙以及泄洪冲沙排沙措施,上游泄洪闸的运行,要保持导流堤段不发生淤积。

4.1.3　拦河闸式引水枢纽

利用有限库容来调节泥沙,保持长期运用淤沙库容。如青铜峡水利枢纽,采用沿程冲刷和溯源冲刷相结合的方法,来处理坝前淤积。1981年洪峰期降低水位敞泄,沿程冲刷排出同期来沙量的186%,汛后两次降低水位溯源冲刷量达 3 600 万 m^3,冲刷长度约

3km,平均冲深1.5m,冲刷流量2 000~3 000m³/s,是多年平均流量的2~3倍。基本保持枢纽上游"门前清"。

黄河三盛公枢纽,经过多年观测资料分析总结出:来水流量在3 000m³/s以下时,随流量的增加冲刷强度增大;当流量大于3 000 m³/s时,冲刷强度逐渐减小。所以最优冲刷流量为3 000 m³/s。

开始冲沙其排沙量大于来沙量的几倍到十几倍,但历时有限,随时间增加,冲刷强度逐渐减小。观测表明,1~2天效率最高,5天以后效果甚微。所以最优冲刷时间为2~3天,最多不超过5天。

4.2 无坝引水渠首的管理运用

无堤引水渠首,控制河道能力较差,要及时调整闸门和引水渠,在各种来水情况下,使水流靠近引水口,保持有利引水条件,减少泥沙入渠。

4.2.1 在河势相对稳定的河道上

黄河下游位山以下河段,一般引水渠首修建在大堤险工处,靠近水流,闸前引水渠较短呈喇叭口形,引水时调整闸门顺序减少引渠淤积。汛期不引水时,闸前成死水,随黄河水位升高而淤高,当黄河降水时,需及时开闸拉沙,否则水位低于淤积表面不能引水。当引水流量小于设计流量时,闸前引水喇叭口上唇回流淤积,下唇局部冲刷。要及时调整闸门开启顺序,避免不能正常引水。

引水口前险工坝垛是为河道整治而修建的控导工程。不完全适应引水工程要求,加之整治工程不光滑,引起水流局部紊乱,翻沙入渠,增加进沙量和引水渠淤积,需经常清淤或拉沙。

4.2.2 在游荡性河段上

黄河下游位山以上河段,渠首工程距水流较远,一般引水渠长1~5km。为避免引水渠淤积,保持正常引水,其方法有:①及时调度渠首闸门。山东刘庄老引水闸汛期主流外移,引水渠长920m,引水口无防沙措施。在运用中采取避、顶、泄、冲、帮五种措施,即在黄河洪峰过程中涨水关闸、落水开闸,避开沙峰。关闸时引水渠清水顶浑水,降低闸后沉沙池水位,加大输沙渠比降,为峰后引水渠冲沙创造条件,在拉沙时若引水渠冲沙能力过小,辅以人帮,加速冲沙作用。该引水渠采用这种措施均未发生淤积,也未清淤,节省了大量劳力和资金。②在引水渠口设置网帘、网坝,减少泥沙进入引水渠。③临时在引水口前修筑土坝,引水时再扒开以防止引水渠淤死,增加清淤量。

4.2.3　控制高含沙量引水

黄河下游灌区地势平坦,渠道难以输送高含沙水流,所以水利部颁发黄河下游引黄灌溉规定中指出,含沙量大于 $35kg/m^3$ 时,停止引黄用水。

参 考 文 献

[1] 华东水利学院主编．水工设计手册．北京:水利出版社,1984

[2] 黄河志编纂委员会．河南省志·黄河志．郑州:河南人民出版社,1991

[3] 严晓达,刘旭东等编著．低水头引水防沙枢纽．北京:水利电力出版社,1990

[4] 佟二勋．人工弯道式引水枢纽及其他．泥沙研究．1983(1)

[5] 于鲁田．引黄渠首抽水站取水布置的探讨．水利学报．1986(10)

[6] 佟二勋．关于目前分水分沙的研究成果综述．水利水电技术．1962(9)

[7] 罗福安等．直角分水口分水宽度的试验研究．泥沙研究.1994(4)

[8] 卞玉山．潘庄引黄闸引水口门水沙观测与分析．人民黄河.1991(1)

[9] 严镜海．低水头枢纽及引水口分水分沙的初步分析．水利水运科学研究.1982(1)

[10] 佟二勋．黄河下游涵闸引水防沙效果初步分析．人民黄河.1983(4)

[11] 张永昌等．黄河下游游荡性河段建闸引水泥沙问题初析．人民黄河.1990(4)

[12] 钱宁等．黄河下游河床演变．北京:科学出版社,1965

[13] 温善章．黄河下游淤筑相对地下河的总体布局.人民黄河.1996(4)

[14] 佟二勋．黄河下游引黄供水泥沙问题．见:中美黄河下游防洪措施学

术讨论会论文集．北京：中国环境科学出版社，1988

[15] 王延贵．簸箕李灌区引水引沙资料分析．人民黄河．1996(1)

引黄渠系泥沙运行规律的研究

　　黄河水少沙多,引黄灌溉供水,多出现渠道冲刷和淤积等泥沙问题。尤其在黄河下游地势平坦,渠道坡降很缓,不集中处理部分较粗颗粒泥沙,即会造成渠系的大量淤积,严重影响正常引黄供水。自 50 年代大力发展引黄灌溉供水以来,在黄河上、中、下游的大中型引黄灌区均出现程度不同的泥沙问题。为此,有关科研单位和大专院校,结合生产部门,开展了大量的野外观测和室内分析试验工作,进行引黄渠系泥沙运行规律的研究,提出了许多处理利用泥沙的有效措施和渠系泥沙运行规律的研究成果。为流域的引黄规划设计提供了理论依据。

　　本文主要系统总结了 50 年代以来,各家所提出的渠系泥沙运行规律——渠道挟沙能力、阻力和断面形态等主要研究成果。

1　引黄渠系基本特点和泥沙问题

　　黄河流域的引黄灌区,上自青海,下至河口,整个大河上下均有发展,成片大规模的灌溉区域,主要集中在上游宁夏、内蒙的河套地区,中游的泾、洛、渭、汾流域和下游河南、山东沿黄两岸的黄淮、黄海平原。这些地区的灌溉面积占全流域总灌溉面积的 70%以上。灌区土壤、渠系等各有特点,简述如下。

1.1　灌区土壤基本特点

1.1.1　河套灌区

　　西起宁夏下河沿,东至内蒙古托克托,海拔 1 200～900m,北靠贺兰山和阴山山脉,南临黄河,绵长近千公里,宽数十公里的沿河前后套平原,面积 2.0 万 km² 左右的肥沃土地,其土壤为黄河冲积物和山前洪积物而成。由于黄河的频繁改道泛滥和周边沙漠的影响,土壤在平面上呈现远澄红泥近澄沙的带状分布特征。在靠近现黄河和古黄河河道地带,土壤以砂土和砂性土为主,远离黄河和古河道地带,土壤则以粘土及粘性土为主,过渡地带的土壤多为砂壤土和轻砂壤土。总的以轻粉壤土为主,渗透性较大,抗冲性能差,在这类土地上修建灌排工程,渠道既有淤积问题,又有冲刷、坍塌等问题。

1.1.2 汾、渭流域灌区

为黄土高原中的汾河和渭河中下游地堑式构造盆地,在北起太原市兰村,南至介休洪相村,南北长 140km,东西宽约 20km 的位于汾河中游的晋中盆地和南依秦岭,北据陕北高原,西接甘肃,东临黄河,东西长 390km,南北宽 200km 的八百里秦川,面积近 6 万 km² 土地(其中陕西 5.54 万 km²,山西 0.28 万 km²),是经黄土堆积与河流冲积而成。海拔分别为 800~330m 和 600~330m,土地肥沃,地势平坦,为晋、陕两省的粮棉重要生产基地。但土质疏松,易湿陷渗透,故在此类土质修建的灌排渠系,亦存在渠道冲淤问题。

1.1.3 黄河下游灌区

自太行山以东至滨海的黄淮、黄海约 20 万 km² 黄河冲积平原,海拔在 100m 以下,由于黄河频繁改道,故道分布密集,土层深厚,土质轻沙,分布不均,并随河道演变而变化。土类属潮土(淤粘土、盐潮土、湿潮土)和褐土。河口三角洲地区主要是滨海盐土。在这类土质上建设的灌排渠系,冲淤问题比较突出。由于受黄河含沙量高和平原地势平缓的影响,引黄渠系存在普遍严重淤积的问题。

1.2 灌区渠系特点

黄河流域引黄渠系,除渠床土质条件的差异外,渠道取水条件、渠系级数和渠道的水力断面等因素亦各不同,对渠道的冲淤和稳定产生直接影响。由于所在河段地理情况各异,上、中、下游的灌区渠系工程体系各有特点。

1.2.1　上游灌区渠系

宁蒙河套引黄,直接从干流引水,取水口门均经历过无坝自流和有坝控制引水两种情况。例如,宁夏银川灌区自青铜峡水库1967年截流以后,分散的各渠首均统一自青铜峡大坝向河西、河东灌区供水。内蒙古自治区的后套灌区,原为傍河开口和建闸自流引水,1961年三盛公水利枢纽建成后,变多首引水为单首引水,彻底改变了这一地区渠系引黄的条件。随着引水方式的改变,渠系泥沙问题也发生了很大变化。如在无坝自流引黄时期,输水渠道普遍淤积,每年清淤量仅后套灌区就达896万 m^3,占年入渠沙量的42%(其中包括240万 m^3 排水河渠的清淤)。其中引水渠占13%,干渠占5.5%,支渠占5%,斗农毛渠占76.5%,平均每公顷灌溉土地要负担21.9m^3 的清淤任务。

枢纽工程建成以后,泥沙为枢纽控制,大量落淤在枢纽库区,进入灌区的泥沙减少,而且粒径变细。如1961、1962和1963年,三盛公总干渠进口平均含沙量分别为4.3、2.2和3.2kg/m^3,泥沙的中数粒径为0.015mm,远小于无坝引水时期。在沙量减少粒径变细的条件下,渠槽普遍冲刷展宽和冲深,三年总冲刷量1 040万t,约750万 m^3(1961年冲刷500万t,1962年冲刷376万t,1963年冲刷164万t),总干渠以下各大干渠也略有展宽,渠底则淤高0.3~1.3m。随着渠底淤积,渠道水位相应抬高,水面宽增加,主流摆动,横向冲刷加剧,渠道进一步展宽。如杨家河附近的渠宽由40m左右展宽至60m左右,断面宽浅,对输沙不利。于是在70年代分别采用水力冲桩钢筋混凝土板栅式透水丁坝和水力冲桩铅丝挂网(笆)透水丁坝进行束窄渠道,稳定渠岸,逐步恢复平衡,收到较好效果。内蒙古灌区渠道水力因素特征值如表1。

1.2.2　中游灌区渠系

以陕西省关中泾、洛、渭河为代表。该处渠系分别从泾河张家山、北洛河曲里和渭河的宝鸡峡拦河枢纽取水。这些河流均源自黄

表 1　　　　　　　　　　　内蒙古灌区渠道水力因素特征值

渠名	桩号	渠底宽(m)	渠水深(m)	边坡	纵坡	流速(m/s)	流量(m³/s)	渠长(km)	说明
总干渠		60~90			1:7 000~1:8 000		480~516	180.8	三盛公枢纽建成后
杨家河干渠	0~23	28	3.0	1:1	1:6 400	0.56	52.3	58.0	
	23~39	27	2.3	1:1	1:8 500	0.69	46.9	58.0	
新支渠	0~3	9.0	1.3	1:1	1:6 500	0.53	7.37	58.0	
	3~7	6.1	1.25	1:1.2	1:8 000	0.22	6.5		
新胜斗		3.0	1.07	1:1	1:10 000	0.23	3.48		
		0.7	0.7	1:0.75	1:2 300	0.40	0.29		
永济渠		50.0	3.14		1:10 870	1.63	303	49.4	1958 年 7 月
皂火渠		30.0	2.04		1:6 700	1.40	96.2	52.0	未建枢纽前

土高原,泥沙量大,7、8 月暴雨洪水时,含沙量高达 700~800 kg/m³,所以,长期以来,沿用"含沙量超过 165kg/m³ 关闸停水"的规定,使大量浑水弃而不用,造成夏灌用水紧张。70 年代后,随着灌区面积的不断扩大,供需水矛盾日益突出和渠系工程质量的提高,引水含沙量由 165kg/m³ 提高到 448~947kg/m³,见表 2。

表 2　　　　　　1974~1976 年关中各渠夏灌引沙情况

灌区名称	泾惠渠	洛惠渠	宝鸡峡引渭	
			塬上	塬下
引水最高含沙量(kg/m³)	449	947	448	560
平均引沙量(10⁴t)	816	769	700	327

关中地区的渠系因地势条件有利,渠道比降较大,一般在 1:1 000~1:5 000 范围,所以在未引用高含沙水流前,上述灌区的绝大部分干、支渠长期能够保持冲淤平衡;在引用高含沙水流以来,大部分干、支渠亦能不淤,或局部轻微淤积,年内冲淤基本可平

衡。但其下的斗、毛级渠道亦有淤积。关中渠系级别因地域条件不同有多有少,一般为4~5级,即总干、干、支、斗、毛等。泾、洛、渭干支渠道情况分别见表3、表4、表5。

表 3 泾惠渠干渠情况

渠道名称	长度 (km)	流量 (m³/s)	比降	底宽 (m)	边坡	衬砌情况
总干渠	21.21	50	1:2 000	7.0	1:1	衬砌
北干渠	12.97	17~10	1:2 800~1:2 300	5~4.0	1:1	衬砌
南干渠	20.3	27.0	1:2 500~1:2 000	7~6.5	1:1	衬砌
南1干渠	18.44	16~8.5	1:2 500	5~3.5	1:1	衬砌
南2干渠	8.28	9	1:2 000	4		土渠

表 4 洛惠渠干支渠情况

渠名	长度 (km)	流量 (m³/s)	比 降	底宽 (m)	水深 (m)	边坡	说明
总干	21.5	18.5	1:2 500	4.8	1.8	1:1	
东干	26.6	7~5	1:3 000	2.2~1.6	1.8~1.65	1:1	表中有
西干	12.18	5~3.5	1:2 500~1:2 000	1.8~1.4	1.58~1.30	1:1	"~"两个
中干	18.67	10~5	1:1 000~1:2 000	1.6~4.8	1.75~2.0	1:1	数字为上
洛西干	22.1	7.0	1:2 750	1.6	1.85	1:1.25	下渠段的
洛西一支	9.02	7.0	1:2 750	1.6	1.85	1:1.25	数据

1.2.3 下游灌区渠系

在黄河下游两岸大堤建闸,自流无坝引水向两侧平原输送。黄河河床滩地虽高出堤外地面3~5m,自流引水方便,但出闸后即进入广阔的平原,渠系比降平缓。加之,渠道级别多,一般为总干、干、支、斗、农、毛六级;部分大型灌区面积达数十万公顷以上,在控制面积内还必须控制壅水,方能把水输送到田间,以及修桥便于交通,桥闸增多,常出现卡水阻水现象,故各级渠道普遍存在淤积。除地理条件和工程影响外,无坝引水、引不到设计流量和引水含沙量大也是造成渠道淤积的重要原因。特别是上级输配水渠道,因水流

表 5 渭河宝鸡峡灌区干支渠情况

位置	渠名	长度 (km)	比降		流量(m³/s)		衬砌长度 (km)	说明
			一般	范围	设计	校核		
塬上	总干	170.2	1:4 000	1:5 000~1:2 020	35~50	50~60	170.2	由宝鸡峡引水
	东干	26.3	1:3 000	1:3 500~1:2 750	6.7~19.7	9.5~28.4	26.3	
	西干	18.5	1:2 750	1:2 750	8	11.8	18.5	
	支渠	485.4	1:1 500~1:2 000	1:2 500~1:1 250	0.45~5.1	0.7~6.8	195.4	
塬下	总干	17.0	1:3 000	1:3 000~1:1 440	45	55	17.2	由渭河滚水坝引水
	北干	105.4	1:3 100	1:3 500~1:1 750	5.8~25.3	8~29	50.0	
	南干	76.0	1:2 500	1:5 000~1:2 000	5~25	7~27		
	支渠	248.45	1:2 000	1:2 000~1:1 000	0.3~5.0	0.4~6.0	27.5	

泥沙分选,淤积十分严重。所以,在黄河下游引黄灌溉中,干渠以上的淤积比较严重,河南河段的渠系,一般要占入渠泥沙的近一半;山东河段,地势更平缓,河渠水位差更小,干渠以上渠道的淤积占入渠泥沙 60% 以上(均包括沉沙池沉沙)。下游渠道基本特性以人民胜利渠和山东位山等地引黄灌区的骨干渠道为代表列于表6、表7。

可以看出,下游不同河段引黄渠道的水力条件和引水条件对输沙是不利的,特别是比降过小致使渠道流速和输沙能力锐减,故淤积突出。但同时又存在土质轻沙,水力坡度和流速增大以后,渠道即会发生冲刷。所以,在黄河流域上、中、下游的引黄渠系,均不同程度地存在着比较严重的冲淤问题。

表 6　　　　　　　　河南人民胜利渠渠系基本情况

渠名	长度(km)	灌溉面积(10⁴hm²)	流量(m³/s)	底宽(m)	水深(m)	比降	边坡	糙率	衬砌长度(km)	说明
总干渠	52.712	9.5	60~85	20~15	2.0	1:4 150~1:1 800	1:2	0.022 5	局部	为控制面积
东一干	5.875	1.0	28.5	7.0	2.4	1:4 000	1:2	0.02	31.569	为全部干渠
新磁支渠	9.415		14.6	3~2.2	2.8	1:4 000	1:2	0.02	101.812	为全部支渠
东二干	4.21	1.5	12~14	3.5	1.8	1:4 000	1:2	0.022 5		控制面积
东三干	38.198	3.6	35~15	11~7.0	2.5~1.9	1:6 000~1:5 000	1:2	0.022 5		控制面积
南分干	29.795	0.6	12.0	6~5.4	1.85	1:6 000	1:2.5	0.022 5		斗农渠衬砌长252.339 km
西一干	23.65	0.7	13~5	3.5~2.8	1.8~1.4	1:3 500~1:4 000	1:2	0.022 5		全人民胜利渠衬砌渠道总长391.358 km,占渠道总长的15.4%
西三干	19.40		5~7	4~2.5	1.5~1.3	1:5 000~1:6 000	1:2	0.022 5		

表 7　　　　　　　　山东位山引黄渠系情况

渠名	长度(km)	底宽(m)	水深(m)	比降	边坡	流量(m³/s)	糙率	灌溉面积(10⁴hm²)
东输沙渠	15.0	20~30	2.0	1:8 000	1:2.5	80	0.02	6.4
西输沙渠	15.298	30~50	2.0	1:10 000~1:8 000	1:2.5	160	0.02	16.9
一干渠	63.06	22~2	2.8~1.4	1:13 000~1:8 000	1:3~1:2	72~3	0.02	6.4
二干渠	90.85	62~2	3.15~1.5	1:20 000~1:7 000	1:2.5	62~4	0.02	6.5
三干渠	79.90	80~4	3.0~2.05	1:30 000~1:23 000	1:3.0	69~4	0.02	10.4

2　渠系水流泥沙运行规律的试验研究

　　新中国成立后,引黄灌溉蓬勃发展,由于黄河泥沙多,含沙量变幅大,一些新建和扩建的渠道都存在不同程度的泥沙问题,从而引起有关单位进行现场观测和室内试验研究。黄委水科院和西北水科所分别在人民胜利渠和渭惠渠进行了系统的观测研究;山东省水科院为打渔张灌区设计曾在窝头寺虹吸灌区进行现场试验研究,打渔张灌区建成后又进行长期的观测研究;宁夏和内蒙古水利厅等单位在宁、蒙灌区进行了观测研究。当时研究的目的主要为稳定渠道断面的设计,黄河下游灌区还研究了沉沙池的设计。由于研究目标一致,黄委水科院曾召开过试验研究成果交流会,交流资料,交流成果,并邀请有关科研单位和高等院校参加。这些观测资料和研究成果,不仅为引黄灌溉进行规划设计和管理运用提供了科学依据,也对我国泥沙基础理论研究有促进作用。

2.1　引黄渠系水流阻力的研究

　　在渠道设计中,水流阻力公式一般采用曼宁公式

$$V = \frac{1}{n} R^{2/3} J^{1/2} \tag{1}$$

式中:V 为流速,m/s;R 为水力半径,m;J 为比降;n 为糙率系数,与河床形态和组成物质有关。由于动床糙率极其复杂,在生产上主要根据本地区河渠的实测资料,或相似水流资料,通过对比分析等方法确定。

2.1.1　沙玉清的糙率公式

　　沙玉清等曾根据西北黄土渠道大量实测资料,通过分析研究,提出了黄土渠道的糙率经验公式

$$n = 0.011 + \frac{0.012}{Q^{1/3}} \tag{2}$$

2.1.2　黄委水科院的糙率系数表

黄委水科院在人民胜利渠、共产主义渠和原(阳)延(津)封(丘)总干渠的观测资料和初步分析的基础上,广泛搜集黄河流域渠道的实测资料,进行综合分析,于1958年提出曼宁糙率系数与渠床情况和含沙量大小有关的数值表,见表8。

表8　　　　　　　　　　　糙率系数 n 值

分类	渠床情况	含沙量(kg/m³)					所在渠段
		0	5	10	15	20	
I	纵横断面不规则,石块、水草阻塞显著。两岸有较严重的坍塌,渠底有较大的沙浪。块石护岸	0.035 0	0.021 5	0.017 7	0.016 0	0.015 2	唐徕渠,复兴渠,人民胜利渠
II	渠段顺直,渠道部分长有水草,渠底有卵石或粗沙砾,岸有局部的坍塌。冲淤变化大。岸坡对水流有影响,流向摆动	0.030 0	0.018 9	0.015 7	0.014 2	0.013 5	唐徕渠,杨家河,渭惠渠,人民胜利渠,共产主义渠,打渔张
III	渠段顺直,渠床系淤积泥沙组成。复式断面,冲淤变化较大,且有漫滩现象,岸坡有少量坍塌	0.027 5	0.017 4	0.014 6	0.013 3	0.012 6	唐徕渠,永济渠,复兴渠,桑干河南干渠
IV	渠段顺直,冲淤较小,流向弯曲。岸坡有局部坍塌,长有杂草。新开挖的粘土渠道渠底凹凸不平	0.025 5	0.016 5	0.013 8	0.012 6	0.011 9	人民胜利渠,共产主义渠,原延封总干渠
V	紧密粘土、黄土砂砾土质的渠道,冲淤变化很小,规则的纵横断面	0.022 5	0.015 0	0.012 8	0.011 7	0.011 0	人民胜利渠,共产主义渠,原延封总干渠
VI	渠段顺直整齐,渠床表层是淤积层,养护较好的大渠道	0.020 0	0.013 2	0.011 4	0.010 3	0.009 8	唐徕渠、打渔张

2.1.3 钱宁和麦乔威等的综合阻力公式

钱宁和麦乔威等认为影响糙率的主要因素是河槽的水力条件,含沙量对糙率的影响是派生的,又指出把曼宁系数作为常数看待,只是一种近似的做法,低水位时,会引起相当大的误差。故需从产生河流阻力的五个部分(沙垄、沙粒、河岸及滩面、河槽形态及外加阻力等)综合分析研究,经分析,认为影响黄河下游河道曼宁系数的主要因素是沙粒阻力和沙垄阻力,他们从曼宁—斯特里支勒公式出发,得

$$V = \frac{A}{K_s^{1/6}} R^{2/3} J^{1/2}$$

式中:V 为流速;R 为水力半径;J 为水力坡降;K_s 为糙率尺寸;A 为系数。如取 $K_s = D_{65}$,则上式变成

$$V = \frac{A}{D_{65}^{1/6}} R^{2/3} J^{1/2} \tag{3}$$

式中:D_{65} 为河床质中以重量计小于 65% 的粒径。并认为 A 应与控制沙波发展消长的因素有关,作为近似分析,可以用水流参数 φ 表达,即

$$\varphi = (\frac{\gamma_s - \gamma_f}{\gamma_f}) \frac{D_{35}}{R_b' J} \tag{4}$$

式中:γ_s 及 γ_f 分别为泥沙及水的容重;D_{35} 为河床质中以重量计小于 35% 的粒径;R_b' 为与沙粒阻力有关的水力半径。

根据黄河下游河道资料分析得到

当 $\varphi > 0.9$ 时,$n = \dfrac{D_{65}^{1/6}}{18} \varphi^{0.43} \tag{5}$

$\varphi < 0.9$ 时,$n = \dfrac{D_{65}^{1/6}}{19} \tag{6}$

综上所述,对于曼宁糙率系数的研究,好像得到不同的结果,其实是一致的,对冲积渠道来说,其糙率系数主要与渠床组成物质和沙垄发展过程有关。沙垄发展过程主要受水流作用而变,但是对

于引黄渠道来说,流量变化不是很大的,而含沙量则随黄河含沙量
的变化具有较大的变幅,由此渠道发生相应的冲淤调整,主要表现
出比降、渠床组成物质和沙垄的消长。所以,在黄河下游引黄渠道
设计中,一般多按糙率系数随水流含沙量增大而减少的关系选择。

2.2 引黄渠系水流挟沙能力的研究

　　水流挟沙力是泥沙运动力学研究中的一个基本问题,但是,目
前认识还不一致,正如《泥沙手册》指出的那样,水流挟沙力"应指
水流挟带全部泥沙的能力,⋯⋯然而,习惯上往往将水流挟沙力一
词仅限于指水流挟带悬移质中床沙质的能力"。不过,引黄渠系水
流挟沙能力大部分是 50 年代的成果,当时对水流挟沙力的认识
为:某一特定水流条件下的水流,能够挟运某一定型泥沙的数量,
通常以每一单位体积浑水内,能够挟运的泥沙重量表示。对于渠道
设计来说,希望通过水流挟沙力的计算,能使设计的渠道达到断面
稳定,从而有的研究成果提出不淤挟沙能力和不冲挟沙能力,或不
淤流速和不冲流速。

2.2.1 沙玉清的挟沙能力公式

　　1956 年,沙玉清整理分析了大量国内外河流、渠道及水槽资
料,用相关分析法求得了挟沙能力公式,其基本形式为

$$S_0 = K \frac{d}{\omega^{4/3}} (\frac{V - V_0}{\sqrt{R}})^n \tag{7}$$

式中:S_0 为挟沙能力,kg/m^3;K 为挟沙系数;d 为泥沙粒径,mm;ω
为泥沙沉速,mm/s;V_0 为挟动流速,$V_0 = V_{01} R^{0.2}$,V_{01} 为挟动么速,
m/s;n 为指数,当佛汝德数 $Fr < 0.8$ 时,$n = 2$,$Fr > 0.8$ 时,$n = 3$。

　　并利用黄土渠槽资料分析建立了黄土渠系的不淤挟沙能力和
不冲挟沙能力公式

$$S_H = \frac{K_H d}{\omega^{4/3}} \frac{(V_H - V_{H1} R^{0.2})^2}{R} \tag{8}$$

式中:S_H 为不淤挟沙能力,kg/m^3;K_H 为不淤挟沙系数,$K_H = $

3 200；V_{H1} 为止动么速，m/s，黄土 $d_{50}=0.02$mm，$V_{H1}=0.18$m/s；d 为泥沙粒径，mm；ω 为泥沙沉速，mm/s。

$$S_K = \frac{K_K d}{\omega^{4/3}} \frac{(V_K - V_{K1}R^{0.2})^2}{R} \qquad (9)$$

式中：S_K 为不冲挟沙能力，kg/m³；K_K 为不冲挟沙系数，$K_K=$ 1 100；V_{K1} 为起动么速，m/s，当 $d=0.02$mm 时，$V_{K1}=0.68$m/s。

将式(8)和(9)移项整理后，分别导出不淤流速和不冲流速公式

$$V_H = \frac{S_H^{1/2} \omega^{2/3} R^{1/2}}{56.6 d^{1/2}} + V_{H1}R^{0.2} \qquad (10)$$

$$V_K = \frac{S_K^{1/2} \omega^{2/3} R^{1/2}}{33.2 d^{1/2}} + V_{K1}R^{0.2} \qquad (11)$$

2.2.2 黄委水科院的挟沙能力公式

该院自 1953 年起，在人民胜利渠组建引黄测验队，对人民胜利渠的干、支、斗、农渠和沉沙池的水沙运行规律进行了长期系统的观测，并在下游一些灌区进行补充观测，搜集了大量实测资料；同时在室内进行了水槽试验，提出许多阶段性成果，供当时生产上使用。1958 年广泛利用该院观测的引黄渠道、黄河干支流和室内试验资料，并搜集黄河流域灌溉渠道和桑干河、长江等其他河流的资料，综合分析建立了下列挟沙能力公式

$$S_0 = 77 \left(\frac{V^3}{gR\omega}\right) \left(\frac{H}{B}\right)^{1/2} \qquad (12)$$

式中：g 为重力加速度，9.8m/s²；ω 为悬移质平均沉速，cm/s；H 为平均水深，m；B 为水面宽，m；其它符号和单位与沙玉清公式相同。

同时，该院还对黄河流域各灌区的渠道进行渠道土壤特性分析，根据实测资料建立了不同土壤的不冲流速表或公式。渠道土壤特性的分类是根据《土工规范》按照土壤颗粒组成确定，同时结合不冲流速实测资料综合分析。将黄河流域引黄灌溉的土渠分为四

类,即砂壤土及粉质砂壤土,砂土,粉质壤土和粘土。其中砂壤土及粉质砂壤土的观测资料多,得到不冲流速公式

$$V = V_0(2.5R\sqrt{R\omega} + 1)^{1/3} \tag{13}$$

式中:V_0 为在清水条件下的不冲流速,m/s,它与水力半径的关系见表9。

表9 **砂壤土及粉质砂壤土清水时的不冲流速表**

水力半径 (m)	0.50	0.75	1.00	1.25	1.50	1.75	2.00	2.25	2.50	2.75	3.00
不冲流速 (m/s)	0.35	0.40	0.45	0.48	0.49	0.51	0.52	0.54	0.56	0.57	0.58

其它土壤实测资料较少,难以找出经验关系式,仅根据现有资料,列出不冲流速资料表(见表10、11、12),供设计时参考。

表10 **砂土不冲流速表**

水力半径 (m)	$\omega=0.15\sim0.25$(cm/s)				清水
	$S=1$	$S=5$	$S=10$	$S=15$	
0.45	0.49	0.65	0.76	0.84	0.46
0.75	0.63	0.89	1.05	1.12	0.49
1.00	0.81	1.17	1.34	1.42	0.52
1.25	0.98	1.41	1.58	1.68	0.54
1.45	1.10	1.58	1.77	1.89	0.56

表11 **粘土不冲流速表**

水力半径(m)		0.50	0.75	1.00	1.25	1.50	1.75	2.00	2.25	2.50
不冲流速 (m/s)	$\omega=0.1$, $S=4$ 时		0.74	1.01	1.05					
	清水时	0.47	0.55	0.60	0.65	0.69	0.73	0.77	0.80	0.83

表 12 粉质壤土不冲流速表

水力半径 (m)	$\omega=0.015\sim0.05$	$\omega=0.05\sim0.068$	$\omega=0.145\sim0.25$
	$S=0.8\sim2.5$	$S=0.7\sim5.89$	$S=9.5\sim14.2$
0.25	0.29		0.56
0.50	0.42	0.51	0.79
0.75	0.51	0.62	0.95
1.00	0.58	0.71	1.09
1.25	0.63	0.79	1.22
1.50	0.67	0.86	1.36
1.75		0.92	
2.00		0.99	

1982 年该院和河南新乡地区水科所,利用上述测验资料,采用因次分析法(π 定理),建立了分组泥沙挟沙能力公式(该泥沙分组以 $d>0.05$mm 和 $d<0.05$mm 分成两组,分别建立公式)

$$S_* = 2.46(\frac{V^2}{gR})^{1.303}(\frac{V^*}{\omega})^{1.038}, \quad d>0.05\text{mm}$$

$$S_* = 23(\frac{V^2}{gR})^{1.4}(\frac{V^*}{\omega})^{0.7}, \quad d<0.05\text{mm}$$

$$(14)$$

以上诸式中:S_* 为分组挟沙能力,kg/m³;ω 为悬移质泥沙加权平均沉速,cm/s;其余符号意义同前。

黄委水科院段学琪在 80 年代利用上述引黄渠系实测资料,点绘单宽输沙率 q_s 与 $\frac{V}{\omega}$ 的关系(以断面平均粒径 d_{cp} 作参变数),每种粒径的 q_s 与 $\frac{V}{\omega}$ 形成双值关系。表明影响水流挟沙能力的因素,除水流、泥沙和渠床边界条件外,尚有其它因素。于是利用不同水温对水流挟沙能力影响的作用,作 $\rho/Q\sim T$ 关系图,出现了三种情况:

$$T<13℃,\rho/Q>0.2,低温多沙;$$

$$T>13℃,\rho/Q<0.2,常温少沙;$$

$$T < 13℃, \rho/Q < 0.2, 低温少沙。$$

以此建立　　　　$S_0 = K \dfrac{V^{a-1}}{H} \dfrac{d_{cp}^{\beta}}{\omega^a}$ 关系　　　　　　(15)

引入斯托克公式（求 K），整理得到以水温为分区的两个挟沙能力公式

$$S_0 = K_1 \frac{V^{2.91}}{H \omega^{0.335}} \tag{16}$$

$$S_0 = K_2 \frac{V^{3.9}}{H} \tag{17}$$

式中：$K_1 = 513.6 \dfrac{1}{(\gamma_s - \gamma)^{3.575}} \cdot \dfrac{1}{(1+0.033\,7T+0.000\,221T^2)^{4.9}}$；

$K_2 = 1\,035.4 \dfrac{1}{(\gamma_s - \gamma)^{4.9}} \cdot \dfrac{1}{(1+0.033\,7T+0.000\,221T^2)^{4.9}}$。

K 值亦可作成 $T \sim K$ 曲线图查用。

　　上述两公式通过大量实测资料与引黄常用公式验算比较，标准误差在 22.3 左右，较其它公式为小，并经与引黄扩建总干渠实测资料验证，比较接近，说明考虑增大水温对挟沙能力的影响有一定作用，值得进一步研究。

2.2.3　西北水利科学研究所的挟沙能力公式

　　1958 年西北水利科学研究所，根据水流相似原理，利用黄土渠道悬移质泥沙测验资料，分析得到黄土地区渠道挟沙能力公式为

$$S_0 = 18 \frac{V^4}{R^{3/2} \omega} \tag{18}$$

将（18）式移项得不淤流速公式

$$V = 2.72(S_0 \omega)^{1/4} R^{3/8} \tag{19}$$

该所的不冲流速公式为

$$V_c = 0.96 R^{0.4} \quad （泾、渭渠系） \tag{20}$$

$$V_c = 0.86 R^{0.4} \quad （洛惠渠系） \tag{21}$$

式中：V_c 为不冲流速，m/s；R 为水力半径，m；V 为流速，m/s；S_0 为

挟沙能力,kg/m³;ω 为悬移质泥沙加权平均沉速,m/s。

2.2.4 山东省水利科学研究院的挟沙能力公式

该院结合山东引黄发展情况,进行水沙观测和泥沙问题调查的大量实践资料,先后研究提出了打渔张挟沙能力公式和土渠、混凝土衬砌渠道的挟沙能力公式。

打渔张挟沙能力公式是针对该灌区接近河口,入渠泥沙经过条形沉沙池将粗颗粒沉于条渠的特点,通过对实测该渠系的 155 测次中 38 次比较稳定的资料建立了该灌区渠系挟沙能力公式

$$S_0 = 28.33 \frac{V^{1.31} R^{0.13}}{\omega^{0.17}} \tag{22}$$

式中符号意义和单位与(11)式相同。

山东引黄土质输沙干渠及经初沉后的浑水渠系挟沙能力公式是该院又扩大了资料范围后建立的

$$S_{输干} = 5.036 (\frac{V^2}{R\omega^{2/3}})^{0.629} \tag{23}$$

$$S_{浑} = 8.05 \frac{V^{1.28} R^{0.36}}{\omega^{0.12}} \tag{24}$$

式中:$S_{输干}$ 为土质干渠挟沙能力,kg/m³;$S_{浑}$ 为初经沉沙浑水渠系挟沙能力,kg/m³。

山东引黄混凝土衬砌输沙干渠挟沙能力公式是根据混凝土衬砌渠道的观测资料建立的

$$S = 0.117 (\frac{V^2}{gR})^{0.381} (\frac{V}{\omega})^{0.91} \tag{25}$$

上述后两组公式,经与现有其它公式相比,在山东引黄渠系,挟沙能力计算精度可分别提高 13% 和 14%,比较适用于山东引黄渠道规划设计。

2.2.5 河套灌区的挟沙能力公式

内蒙古自治区水利厅根据 1954~1958 年河套灌区重点渠道实测资料,按规范精选了 71 个时段代表性水沙资料进行渠系挟沙

能力研究,并得到类似黄委会水利科学研究院 1958 年的挟沙能力公式

$$S_0 = 50(\frac{V^3}{gR\omega})^{2/3}(\frac{H}{B})^{1/2} \tag{26}$$

根据同样的资料,建立了不淤流速公式

$$V = AQ^{1/3} \tag{27}$$

式中:V 是不淤流速,m/s;Q 为流量,m³/s;A 是系数(当 $Q>4$m³/s 时,$A=0.25$;$Q<4$m³/s时,$A=0.42$)。

范家骅利用人民胜利渠的资料建立起来的挟沙能力公式为

$$S_0 = 2.34\frac{V^4}{R^2\omega} \tag{28}$$

1957 年武汉水利电力学院和黄委水科所也利用人民胜利渠的资料建立了挟沙能力公式

$$S_0 = C\gamma_s\frac{V^3}{gR\omega} \tag{29}$$

式中:γ_s 为泥沙容重,kg/m³;C 为无尺度系数。

综上所述,引黄渠系的挟沙能力很多,各家研究提出的挟沙能力公式,均系根据室内外观测资料通过分析建立的半经验半理论公式,地区性反映较强,使用时应根据地区和处理泥沙的要求选用相应的挟沙能力公式。同时也表明水流挟沙能力的研究尚不成熟,但是有一定的基础,需要进一步研究。最近张红武、吴保生等对此又进行了研究。

2.3 稳定湿周、水面宽或河相系数的研究

这三个问题在渠道设计中是一个重要因素,其目的是为了能设计出比较稳定的断面形状。

2.3.1 稳定湿周

拉塞早在 1930 年指出:印度冲积性稳定渠道的湿周和流量具有一定的关系,而与河床的泥沙粒径无关;不过,河床为粗沙的断面形状比较宽浅,细沙的比较窄深。湿周与流量的关系为

$$P = K_p \sqrt{Q} \tag{30}$$

式中：P 为湿周，m；K_p 为湿周系数。

沙玉清根据陕西泾惠、洛惠和渭惠三渠系的资料研究，得到湿周系数的经验关系

$$K_p = 3.3 + \frac{0.30}{Q^{3/4}} \tag{31}$$

张浩等也根据陕西关中三渠的资料研究，得到湿周与流量的关系式

$$P = 3.5Q^{4/9} \tag{32}$$

黄委水科院根据黄河上、中、下游许多渠道的实测资料分析，认为湿周系数与渠床的土壤特性有关：粘土及黄土，$K_p = 3.75$；壤土（粉质壤土及粉质砂壤土），$K_p = 4.5$；细砂，$K_p = 5.5$。

2.3.2 水面宽与流量关系

山东水利科学研究院研究提出

$$B = 3.15Q^{0.6} \tag{33}$$

式中：B 为水面宽，m。

2.3.3 河相系数

黄委会水利科学研究院采用河相系数为

$$K = \sqrt{B}/h \tag{34}$$

式中：B 为水面宽，m；h 为设计水深，m；K 为河相系数，据黄河下游引黄渠系资料分析，$K = 3 \sim 6$，平均取 4。

山东水利科学研究院采用渠底宽（b）与水深（h）之比

$$K = \frac{b}{h} \tag{35}$$

式中：K 为河相系数，与流量有关。当 $Q = 25 \sim 30 \text{m}^3/\text{s}$ 时，$K = 6$；$Q = 35 \sim 40 \text{m}^3/\text{s}$ 时，$K = 7$，一般取用 7。

另外，沙玉清在 1959 年分析了西北黄土渠道的稳定断面形状，认为比较接近盘形。由此得到渠道水面宽 B 和渠水深 h 与湿

周 P 的关系为：$B = 0.86P$，$h = 0.2P$。根据这些关系设计的断面形状与边坡 $m = 1$ 的梯形断面形状很接近。在面积和水力半径相等的情况下，梯形断面的水面宽 B 和水深 h 与湿周 P 的关系为：$B = 0.84P$，$h = 0.198P$。

3　渠道稳定平衡断面设计问题的研究

3.1　稳定渠道的设计方法

3.1.1　不冲不淤稳定渠道设计方法

　　不冲不淤渠道系指设计渠道渠床和渠岸的耐冲流速大于渠道引水的设计和校核流速，且渠道挟沙能力又大于进渠最高含沙量。严格说来，可以利用上述渠系水流泥沙运行规律的试验研究中的公式进行计算。为满足设计渠道的不冲要求，可以采用水流阻力公式、水流连续公式（$Q = BHV$）、稳定湿周和不冲流速（或不冲挟沙能力）公式联解。为满足设计渠道的不淤要求，只是将上述四个方程组中的不冲流速换用不淤流速（或不淤挟沙能力）公式联解，即能满足设计渠道不冲不淤的要求，这也是一般常用设计方法。

　　张浩、董恒礼在 1958 年调查陕西省泾、洛、渭三渠系后，建立了不淤断面因素湿周、面积和水力半径，以及断面平均流速与流量的关系，即 $P = 3.5Q^{4/9}$；$A = 1.5Q^{5/6}$；$R = 0.429Q^{7/18}$ 和 $V = 0.667Q^{1/6}$。并建立了这三渠系的耐冲流速与水力半径和最大许可含沙量的关系，即 $V_c = K_1 R^{0.4}$（泾、渭二渠的 K_1 为 0.96，洛惠渠为 0.86）；最大许可含沙量 $S_{max} = 76.2\dfrac{Q^{1/12}}{\omega}$。由此与张浩的挟沙能力公式（18）联解，设计不冲不淤的稳定断面。

3.1.2　冲淤平衡稳定渠道设计方法

　　这个方法是沙玉清在 1958 年提出来的，由于黄河四季含沙量不同，夏秋季节黄河含沙量高，渠道容易淤积，冬春季节黄河含沙量低，渠道容易冲刷，因此渠道设计，不能按上述简单地按照不淤流速或不冲流速进行设计。冲淤平衡稳定渠道设计方法的基本概念是,渠道的设计流速(假定水力半径不变),应略大于来沙量最小时的不冲流速,而又略小于来沙量最大时的不淤流速,以便在含沙量高的时期(浑水期)内渠道的淤积物能在下一个清水期冲干净,在一年内渠道基本达到冲淤平衡。为了避免浑水期可能的淤积量超过清水期可能的冲刷量,或者渠道的断面因淤积过多妨碍行水,于是提出了浑水期的极限挟(来)沙量,叫做"最大许可挟(来)沙量 S_{max}(kg/m³)"。并将最大许可挟沙量 S_{max} 和渠系的不淤挟沙能力 S_H 的比值,定义为"许可挟沙比 E",E 值根据泾、洛、渭三渠系得到 0.77~1.12,平均为 1.03。

在渠道设计时,根据设计流量,渠床粒径和边坡系数,以及最大许可挟沙量,首先根据最大许可挟沙量算出渠道的不淤挟沙能力,而后用沙玉清的阻力、挟沙能力及稳定湿周公式,和水流连续公式联解,计算出渠道断面形状的尺寸和比降。

近期,随着水资源利用量的增大,流域节水灌溉逐步倡行,田间渠系的工程化程度大力加强,采用 U 形混凝土衬砌的渠道有了广泛发展。渠道断面设计除惯例采用最佳梯形断面外,U 形和半圆形断面亦在斗、农渠道大量采用。而且部分地方(陕西关中地区)还设计建造了适用于不同过水能力渠槽的定型施工机型和机械配套设施。采用 U 形渠槽,不仅可节省占地 1/4~1/2,而且水力条件亦接近最佳梯形和半圆形渠槽(见表 13)。该计算中 $Q = 120$ m³/s,$i = \dfrac{1}{6\ 000}$,$n = 0.015$。

表 13　　　　　　　　　不同型式断面尺寸计算比较

断面型式	水面宽 (m)	水深 (m)	过水面积 (m²)	湿周 (m)	平均流速 (m/s)	水力半径 (m)
最佳梯形	14.2	6.15	65.5	21.3	1.82	3.08
半圆形	12.8	6.40	64.4	20.1	1.87	3.20
U 型	10.0	7.60	65.3	20.9	1.84	3.13

从表13可知,占地面积以U形渠槽最省,初砌面积以半圆型最小,水深以梯形最浅。看来,黄河上、中、下游引黄灌溉渠系工程,正日趋向科学化和规范定型化方向发展。当渠系逐步衬砌规范化后,输水输沙条件将会得到进一步改善。

3.2 渠道输水输沙能力比较试验

在国家"六五"和"七五"计划期间,黄委会水科院根据加大输沙到田的要求,在室内进行了引水流量100L/s左右,分组泥沙、断面形态和护面材料等的输水输沙能力比较试验。

3.2.1 分组泥沙输沙能力比较试验

利用混凝土梯形渠槽,去掉 $d > 0.05mm$ 泥沙粒径和全沙水流进行了88组不同坡降和流量条件下的比较试验,取得了去掉 $d > 0.05mm$ 粗沙较全沙增大输沙能力近1倍的成果,见表14。

表14 分组泥沙输沙能力比较试验成果

项目	全沙			细沙(去掉 $d > 0.05mm$ 的粗沙)		
渠道比降	1/2 500	1/6 000	1/10 000	1/2 500	1/6 000	1/10 000
流 量 (L/s)	123	121	64	100	70	129	116	64	96	77
含沙量 (kg/m³)	14.4	8.7	3.7	2.1	1.1	26.6	14.2	8.3	4.4	2.5

3.2.2 渠道断面形态比较试验

以相同面积的混凝土U形和梯形断面,在相同流量和坡降下进行的输水输沙对比试验结果表明:U形和梯形渠槽的断面流速和糙率基本接近,主要差别在混凝土U形渠槽的水深和水力半径较梯形渠槽大,尤其在小坡降时为甚,故二者的输水能力比较接近。但输沙能力在同流量、同坡降和同一泥沙组成条件下,梯形混凝土渠槽要比U形混凝土渠槽大1～3倍,大坡降较小坡降更显著,见表15。

表 15　　　　　　　混凝土 U 形和梯形渠槽对比试验成果

项目			水力因素				泥沙因素					
流量 (m³/s)	比降	渠形	A (m²)	V (m/s)	n	h (m)	比降 (‰)	泥沙组成	含沙量 (kg/m³)		差值	
									S_U	S_T	值	%
0.1	1‰	U	0.268	0.36	0.008 5 ~0.013	0.34	1	I	2.0	4.0	2	100
		梯	0.268	0.36	0.008 5 ~0.013	0.26	1	II	4.0	8.0	4	100
	4‰	U	0.262	0.58	0.008 5 ~0.013	0.219	4	I	3.5	15.5	12	343
		梯	0.262	0.58	0.008 5 ~0.013	0.184	4	II	14.0	38.0	24	171

注　1　S_U、S_T 分别为 U 形和梯形渠槽含沙量

　　2　I、II 分别为全沙和 $d < 0.05$mm 泥沙分组

3.2.3　不同护面材料比较试验

以混凝土梯形护面与土质梯形断面进行的输水输沙能力比较试验表明:在同流量和同比降条件下,混凝土护面梯形渠槽的断面、水深和水力半径均小于土质梯形渠槽,渠坡大时,差别更大。糙率,混凝土护面渠槽小于土质渠槽。故在同流量同坡降下混凝土护面渠槽的流速和输沙能力均大于土质梯形渠槽,见表 16。这种情

表 16　　　　　　不同护面材料输水输沙能力比较试验

流量 (m³/s)	比降 (‰)	水深 (m)		断面面积 (m²)		水力半径 (m)		流速 (m/s)		含沙量 (kg/m³)		糙率	
		砼	土	砼	土	砼	土	砼	土	砼	土	砼	土
0.1	1	0.262	0.265	0.282	0.306	0.196	0.206	0.348	0.340	15.0	9.0	0.009 ~ 0.013	
	4	0.182	0.224	0.186	0.224	0.149	0.175	0.620	0.460	36.0	13.0	0.012 ~ 0.015	

注　含沙量为全沙和 $d < 0.05$mm 分组泥沙成果

况在大坡降和较细颗粒分组泥沙水流条件下更明显。因此说明，在同样水流泥沙条件下，进行渠道光滑面衬砌硬化和在上游拦沉粗沙，对增大输沙到田是有积极意义的。

综上所述可见，近50年来，通过对引黄渠系泥沙进行长期观测研究，为黄河流域上、中、下游渠道规划设计提供了丰硕成果，促进了生产发展，提高了我国泥沙的科研水平。但是，这些成果是在近半个世纪积累起来的，随着社会经济和科学技术的发展以及引水引沙条件的改变，对新出现的问题仍需继续研究探讨，以满足生产发展的需要。

黄河下游引黄渠系泥沙的处理与利用

黄河下游沿黄 1 451.7km 大堤,兴建引黄涵闸 80 余座,虹吸及扬水泵站百余处。设计引水能力约 4 450m³/s,建成万亩(667hm²)以上灌区 119 处,设计灌溉面积超过 283 万 hm²,实灌200 多万公顷。截止 1990 年,共计引黄水量 2 455 亿 m³,引沙 45.6亿 t,年均引水 100 多亿立方米,引沙 1.0 亿多吨。并向京、津、河北、山东半岛及沿黄大中城市及中原油田、胜利油田等工矿企业供水。为促进和保障沿黄所及地区的工农业持续稳步发展,起到极其显著的作用。在引黄的同时,利用涵闸淤改沿黄低洼碱地 20 多万公顷,淤填堤后决口坑塘上百处,既彻底改变了"黄河百害,唯富一套"的历史,又为下游的防洪安全打下了良好的基础,使豫鲁沿黄地区成为我国重要的粮棉生产基地之一。

但是,黄河水少沙多,引黄水流含沙量大,平原地势平坦开阔,渠道比降很缓,水流挟沙能力极低,入渠泥沙必须妥善处理方能维持正常的引黄供水。处理得不好,一是淤渠,二是淤河,使群众的清淤负担加重。不仅影响引黄供水的正常进行,而且会造成内涝和土地次生盐碱化的发生发展。50 年代末,大引大灌造成两岸大面积内涝和 133 万 hm² 次生盐碱地,严重制约了该地区经济的发展。因此,处理好引黄供水的泥沙,是发展引黄供水的关键之一。

本文主要介绍黄河下游 40 多年来引黄泥沙的处理利用途径、方式方法等方面的技术措施与管理经验。

1 黄河下游引黄供水的基本条件与问题

1.1 引水引沙条件

黄河下游河道高出地面数米,为向两岸平原供水提供了良好条件。因此,绝大部分以自流引水为主,充分利用了黄河水沙资源。

渠首工程依托黄河大堤和险工建闸投资少,也比较安全,因此在较少投资和较短时期内建设成为我国最大规模的灌溉农业区域之一。

1.2 引黄口门条件

下游河道存在游荡、过渡和蜿蜒三种河型。引黄口门建于不同河型的大堤上,为无坝引水,取水条件便随河道演变及河水位而变化。如在高村上下的游荡过渡性河段,主流摆动频繁,滩面宽阔,引水口一旦脱流,不仅取水困难,拉滩引水,还增大入渠泥沙。在弯曲稳定的山东窄河段,引水口门虽比较稳定,但自 50 年代迄今,河底抬高 2m 多,局部抬高达 3m 以上,引水闸底相应下降,枯水期拉槽引水,入渠沙量既高且粗。如聊城位山引黄,输沙渠淤积物泥沙粒径>0.025mm 占 92%,沉沙池泥沙粒径>0.025mm 占 68.3%;菏泽刘庄引黄,闸前河工挑流,输沙渠淤积物粒径平均值在 0.15mm 左右,入渠的泥沙几乎全为河床粗沙。一个引水季节,渠道淤塞,渠道比降由 1/5 000 变成 1/3 000~1/4 000,1983 年以来,入渠泥沙平均粒径 0.047~0.092mm,分沙比 1:1.3,最高达 1:2.3,大大高于河道水流含沙量,渠道严重淤积。

1.3 引黄的输水输沙条件

黄河在孟津白坡以下即进入黄淮海冲积平原。由于受海平面和黄河长期轮番改道影响,地形坡降平缓。上部平均坡降为 1/4 000~1/5 000,中下部为 1/6 000~1/10 000。所以,引黄渠道的水力坡降很小,渠水流速低,挟沙能力小。再者,引黄灌区面积较大,一般均在 6~7 万 hm² 以上,最大达 33.3 万 hm²。随着灌溉区域的增大,输水距离既远,渠道级数亦多,一般多为 5 级,最多达 7 级。

由于水流过闸即进入广阔的平原,各级渠道能利用的地形坡降有限。特别是干渠以上骨干输水渠道,设计纵坡多在1/5 000~1/13 000,个别沿等高线走的渠道,如位山三干,纵坡缓到

1/30 000。在无坝引水情况下,难以引到渠道设计流量,更增加了渠道的淤积。

1.4　引黄泥沙带来的问题

下游引黄成效显著,但泥沙淤积问题长期以来一直是引黄事业发展的障碍。一是处理泥沙需占用大量土地,山东自 1965 年复灌至 1990 年,全省开辟沉沙土地 4 万多公顷,干渠以上渠道清淤 5 亿多立方米,平均堆高 4m,占地 1 万多公顷。如典型的位山引黄,两条各 15km 长的东西输沙渠,形成宽 100m 左右,高 6m 的堆沙带,占地 400 多公顷。目前,正以每年占地 26.7hm² 的速度发展。其它引黄也大多类此。二是清淤负担沉重,全下游每年清淤 3 000 多万立方米。三是给生态环境和社会经济发展造成不良影响。例如土地沙化,泥沙退排到地区排水沟河,淤塞抬高河道,降低除涝排水能力,为大面积内涝、地下水位升高和次生盐碱地的发生发展潜藏隐患。1993 年菏泽地区大面积涝灾和位山灌区输、沉沙渠包围的 144km²,风沙、盐碱、土地占压给地区内群众生产生活造成的贫困,需要花大量投资才能改造的事实即是很好的佐证。所以,引黄泥沙必须妥善处理才能保持引黄供水的正常发展。

2　引黄泥沙处理利用试验研究

40 多年来,黄河下游引黄泥沙处理利用的方向,主要是从处理与利用结合,变害为利,充分结合农田改造和堤防加固,以及建材用沙等途径,进行淤灌和利用泥沙,达到减轻处理负担,变废为宝的目的。主要的方式为集中与分散,或二者相互结合。

2.1　集中处理利用泥沙

根据下游河道高于堤外地面数米,渠首闸建于大堤的有利条件,入渠泥沙即可在闸后(灌区上游),结合农田填洼改造和堤防加固集中沉沙,清水回渠,远送下游引用。这是下游引黄入渠泥沙处理利用的主要方式。

2.1.1 自流沉沙

充分利用黄河决口泛滥遗留的堤后坑塘洼地条件自流沉沙，分三类：

(1)自流沉沙灌溉。是在灌区的上部，充分结合土地改造，修建沉沙地，自流沉沙。此方式具有处理泥沙和改土造田的双重效益，故为沿黄地区广泛采用。因为采取拦粗排细运用方式，较细颗粒泥沙既能远送下游，淤后的土地盖以洪淤又可成为稳产高产良田，一举两得。

此种自流沉沙池的面积较大，一般在数千公顷，其平面形式有：梭形、带条形和不规则的湖泊形等。按引水流量和沉沙要求设计。一般情况多按有利拦沉粗沙和沉淤均匀，分条拦沉。据长期运用观测，平均拦沙效果在40%左右，初期可达80%以上。0.03mm以上粗中泥沙均可拦在沉沙池内。从而起到减轻渠道淤积，增大泥沙入田的目的。典型规格情况列入表1。

表1   **下游引黄自流沉沙池典型规格情况**

| 名称 | 流量 (m³/s) | 规格尺度 | | | 平面形态 | 拦沙效果 | | 运用情况说明 |
		长 (m)	宽 (m)	面积 (km²)		沙量 (10⁴m³)	拦沙率 (%)	
人民胜利渠三条渠	18	5 000	100	0.5	梭形	30.4	49~97	$d>0.04$mm 泥沙拦在池内
打渔张五条渠	29	8 000	93	0.744	梭形	87.22	40~60	$d>0.04$mm 泥沙拦在池内
位山东池	80	4 751	780	3.70	带条形	394.9	45~97	随调控变化，效果较好
位山西池	80	5 800	640	3.70	梭形	741.8	66.0	出池含沙量为1.1~2.6kg/m³
罗家屋子池	30	9 000	250	2.25	带条形	1 543.2	74.2	出池含沙量小于2.0kg/m³，用13年
共产主义池	200	8 000	1 700~2 500	13.00	梭形	4 483.0	50~70	随出口调控变化
原延封池	60	8 120	1 500	10.2	带条形	2 423.0	50~70	随出口调控变化

下游引黄沉沙池泥沙淤积设计多采用准静水沉降法和一维超饱和不平衡输沙法计算,具体计算方法可参阅有关文献。

(2)自流沉沙淤背。利用汛期水流多沙条件,引洪淤沉堤后历史决口坑塘和局部洼地。河南河段利用此法,淤背土方达 4 664 万 m³,占各种方式加固堤防土方的 54.8%,淤平堤后坑塘 50 余处;山东河段自流引黄沉沙淤背土方 10 531 万 m³,占各类加固堤防土方的 25%,淤填坑塘 125 处。这些自流引黄淤沉,既减小了大堤临背高差,又消除了堤身的渗漏、管涌等防洪隐患,作用十分显著。

2.1.2 自流沉沙挖淤筑堤淤地

随着引黄时间的延长,地面逐步淤积抬高,自流沉沙条件逐渐丧失,引黄供水处理泥沙,遂走上自流引水沉沙,和轮番挖淤筑高池周地面的方式。即"以挖待沉"方式。此方式也有两类情况。

(1)引黄灌溉沉沙挖淤筑高地面。山东德州潘庄、李家岸和聊城位山等引黄灌区,长期以来采用该方式处理了入渠的大量泥沙。

潘庄、李家岸灌区,70 年代以来,沿总干渠上、中、下游分别设沉沙池各 1 处,实行按比例沉沙办法,沉下的泥沙采用人力和机械挖出筑高池周地面,沉沙池则轮番挖沉。20 多年中,共挖沉沙池 14 条,面积 20 多平方公里,处理泥沙 5 600 多万立方米,占入渠泥沙总量 12 760 万 m³ 的 44.2%。现已在三级沉沙池周堆筑高 4m、总面积 15.8km² 的高台地三处。这些台地经过盖淤整平,设置水利灌溉设施交还群众建设住房和恢复农耕。

位山灌区,1970 年恢复引黄设置的面积约 0.3 万 hm²,东西各一处的自流沉沙池于 80 年代初已用完。1983 年采取"以挖待沉"方法处理每年入渠的近 1 000 万 m³ 泥沙。加上分别长 15km 的东西输沙渠的连年清淤,目前池周和输沙渠侧已堆筑高 5~7m、总面积 0.24 万 hm² 的大片高地。该灌区由于对沉、输区高地恢复土地利用工作动手较晚,生活环境和社会经济发展受到较大影响,需大量投资进行全面整治才能使影响区的经济建设得到恢复。

上述潘庄和位山泥沙处理示意图见图1、图2。

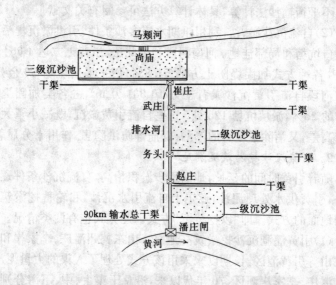

图1　潘庄引黄泥沙处理(三级沉沙)示意图

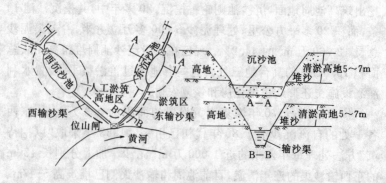

图2　位山输、沉沙及淤筑高地位置示意图

(2)引黄沉沙挖淤筑堤。"六五"计划科技攻关泥沙处理技术研究专题,结合人民胜利渠灌区泥沙处理,于灌区上游马营堤段,征用长 1 660m、宽 50～150m 紧临堤背土地 1.0km²，设置两条 400m ×50m 轮沉轮挖沉沙池，池进出口用活动橡胶坝调控水沙，通过 1985 和 1986 年放水沉沙，用 4PNL－250 型泥浆泵挖淤，机械挖 淤成本仅及当时人力施工的 1/3 左右。试区规划布置示意见图 3。

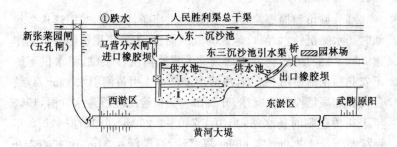

图 3　人民胜利渠结合大堤淤背沉沙机械挖淤筑堤工程总体布局示意图

　　(3)城乡供水引黄沉沙挖淤筑堤淤地。下游沿黄大中城市和工 矿供水，多采用引黄涵闸引水。即在渠首附近利用既有坑塘洼地沉 沙蓄水，机械挖淤筑堤淤地。诸如开封市利用黑岗口和柳园口闸后 的黑池和柳池 253hm²，水深 4m 左右的条件，引黄沉沙供水。并设 置 100～250m³/h 挖泥船常年挖淤，截止 1993 年，共挖泥 2 450 多 万立方米，每年平均挖淤 100 多万立方米，保持了黑、柳两池长期 使用和开封市每年近 1 亿 m³ 水的供应。其中有 667 万 m³ 泥沙送 到大堤淤临淤背，其余则送到池周洼地改土造田 600 多公顷，收到 了供水、筑堤和淤地改土的多重效果。此种处理利用泥沙的方式， 沿黄的郑州、濮阳和济南等市普遍采用。特别是山东半岛的青岛 市，1986～1989 年利用打渔张闸引黄河流量 45m³/s，在闸后设面 积 36.3km² 的沉沙区(9 条，每条面积 3～5km²，长 6～9km，宽 550m)自流沉沙，出池水流含沙量 1～2kg/m³，经过 290km 混凝土 衬砌明渠输水至青岛市水厂蓄水库备用。该工程 1990 年建成通水,效果显著。该沉沙池原设计高低渠输水二次沉沙。即先用低渠和第一期沉沙面积,此面积用完,改渠首扬水用高渠输水,在原沉沙面积淤沉 5m 高还耕。目前采用以挖待沉方式运用,即停水时挖淤,挖后再沉,保持沉沙池的长期使用。

2.1.3 扬水沉沙

部分城市和局部险要堤段,动力供应条件较好,采用建永久和临时扬水站沉沙。如河口地区的胜利油田,于罗家屋子西河口北岸建 30m³/s 船扬站,将浑水送到北大堤临河沉沙淤临,清水供下游工农业和生活使用。近期,淄博市于马扎子引黄闸引水 19m³/s,结合大堤加高培厚扬水沉沙。开封市柳园口险工堤段渗水管涌,1969年于花桥建临时扬水站,出力 1 740~2 260m³/h,1973~1979 年连续淤沉长 1 200m、宽 800m 堤背洼地,淤深 4.31m,土方 262 万 m³,彻底解决了该堤段渗水管涌等隐患。

2.2 分散处理利用泥沙

这种处理利用泥沙的方式,寓意较多。一是以多形式处理利用泥沙,即通过各级渠道自然落淤,清淤处理泥沙,或把浑水引到灌区内部有淤沉条件的干、支渠旁设池沉沙,诸如河南人民胜利渠西干故县沉沙池和德州潘庄、李家岸灌区县乡建的 12 个干渠沉沙池,面积达 529.7hm²,处理泥沙 488 万 m³ 等。

另一种分散处理利用泥沙的方式,是把浑水送到田间灌溉(包括送到田间农毛渠道),达到既浇地又肥田的目的。因为黄河泥沙较细,含氮、磷、钾和有机质成分亦高。自古就有"河水一石,其泥数斗,且溉且粪,长我禾黍"的记载。沿黄近堤种植水稻的灌区,多沿堤脚修渠,抬高水位,浑水直接进田。

再是一些有潜力可挖的引黄灌区,对原来修建不合理的渠系和建筑物进行合理改建,提高渠道工程质量,如光滑面衬砌,和加强科学用水管理等措施,减少阻力损失,增大流速,多送泥沙至田。这里主要介绍长期引黄积累的一些行之有效的经验。

2.2.1　灌区工程改建挖潜

下游引黄灌区,开发建设较快,并囿于当时的技术经济条件,规划建设不周是难免的。同时,经过长期引黄灌溉和淤改,地面高程相应发生变化。因此,为在灌区进行调整改建提供了条件。典型事例有:

河南人民胜利渠的改建经验。该灌区为黄河下游 50 年代初期最早修建的引黄灌区。根据实践过程中暴露出的问题,于 70~80 年代从渠系调整、归并抬高引水水位、增建提水泵站等方面对东一、新磁、东四、西三等干渠的渠系和口门进行了调整改建,争取到了加大水流输沙的水位和流速,为多送泥沙到田间起到显著的作用,改变了原来渠系严重淤积的局面。如东一、新磁灌区,原灌溉1.05 万 hm²,分别在 1# 及 2# 跌水引水。水位低,渠坡缓,淤积严重。经合并,自 1# 跌水上游引水,抬高水位 4.52m,渠坡由1/6 000调到 1/3 000,既缓解了渠道淤积,又扩大了灌溉面积,使原来东三干提灌的面积变为自流灌溉。西三干引水口由总干提高到东一干五斗口,水位增大 3m 多,渠坡由缓变陡,同样取得了较好的效果,见表 2、表 3。

表 2　　　　人民胜利渠东一、新磁新旧渠道水力因素

| 渠名 | 流量
(m³/s) | 灌溉面积
(10⁴hm²) | 进口渠
底高程
(m) | 渠道水力因素 | | | | | 说明 |
				b	h	m	n	J	
原东一干渠	12~14	1.05	82.89	4.5	1.8	2	0.022 5	1/5 000	个别渠段为 1/6 000
新东一干渠	25~30	2.05	87.41	7.0	2.4	2	0.02	1/4 000	个别渠段为 1/3 000

同时,将原东四干引水口位置由古阳堤下 71.06m 高程,移至古阳堤上 75.24m 处东三干进水闸下进水,水位抬高 4.0m,消除了每年清淤 16 万 m³ 的负担,并把浑水直接送入稻田灌溉。

表 3　　　　　　　　　人民胜利渠西三干引水口改建成果

渠名	引水口位置	高程 (m)	引水流量 (m³/s)	渠道比降	渠道水力要素				
					V(m/s)	b	h	m	n
原西三干	墩留店总干渠	78.21	7.0	1:6 000		4.0	1.5	1.5	0.022 5
新西三干	东一干老五斗口	81.75	8.18~10.14	1:3 000~1:5 000	0.93~1.15	2.5	1.8~2.0	1.0	0.017

　　东三干沿线及灌区内部的局部高地,强求自流灌溉,增多渠道阻水工程,增加了渠道淤积。经过在这类地区修建永久和临时提水工程,既扩大了灌溉面积,减少渠道壅水建筑,又减轻了渠道淤积。目前,该灌区局部高地提水灌溉面积达 0.52 万 hm²,占总面积的10%,效果良好。

　　上述人民胜利渠挖潜改建的经验,在山东部分灌区亦有实践。例如潘庄引黄总干,为能把泥沙分别在三级沉沙池处理,将一级池下赵庄闸—务头闸间的 17.9km 渠道比降由 1:12 300 调整到1:7 200,再配合 57.3km 衬砌,满足了输沙到二、三级沉沙池的要求。而且还提高了 25% 的输沙能力。

2.2.2　渠道衬砌

　　下游引黄渠道,土质轻沙,断面宽浅,糙率和边坡取值均大,在引水量不足的情况下,淤积更重。为增大渠道输沙能力,自 60 年代复灌以来,部分灌区即逐步进行重点输配水渠道的硬化衬砌。通过实践取得了防渗、降低渠道糙率、减小边坡系数和提高输水输沙能力等的综合效益。如人民胜利渠各级渠道衬砌长度 390 多公里,占固定渠道总长的 24%,收到防渗和加大泥沙下输的积极作用。据观测,衬砌前后渠道淤积部位发生了较大变化,即由上级渠道向下级渠道转移。进入斗级以下田间渠道的泥沙达到 20%~30%,极有利于细泥进田,详见表 4。

表 4　　人民胜利渠不同渠道衬砌程度与渠道清淤量比较

渠道系统	项　　目	干渠	支渠	斗渠	农渠	合计	渠道状况说明
东一系统	清淤量($10^4 m^3$)	2.08	41.17	160.64	91.27	295.16	干、支渠衬砌
	（%）	0.7	13.9	54.4	30.9	100.0	（二支未衬砌）
东二系统	清淤量($10^4 m^3$)	15.0	67.88	51.52	29.27	163.73	干渠衬砌,支、
	（%）	9.2	41.4	31.5	17.9	100.0	斗未衬砌
东三系统	清淤量($10^4 m^3$)	27.7	8.1	59.96	34.07	129.83	干渠未衬砌,部
	（%）	21.5	6.2	46.1	26.2	100.0	分支渠衬砌
西干系统	清淤量($10^4 m^3$)	45.3	123.35	134.1	76.19	378.9	干渠少部衬砌,
	（%）	12.0	32.5	35.4	20.1	100.0	其余未衬砌

　　山东引黄灌区自 70 年代开始也逐步进行了渠道衬砌工程,总长达 520km,同样取得防渗和增大泥沙下输的作用。如位山输沙渠衬砌以后,同样输水条件下,减淤 20%～50%,渠道断面也大大缩小,渠底宽减少了一半。

　　渠道硬化衬砌的作用主要是减阻增速和稳定渠道断面两个方面的作用。因为引黄土渠糙率一般取值为 0.02～0.025,边坡系数为 1:1.5～1:2.5,而混凝土光滑面衬砌渠道的 n 值仅为 0.012～0.015,边坡系数为 1:0.5～1:1.5。随着这些因素的变化,同流量条件下渠道水深、流速和挟沙能力即有适当增大。

　　引黄衬砌渠道的断面形式多随渠道输水级别分别采用。干、支级多用梯形断面,斗、农级用半圆形,田间广泛采用 U 形断面。

2.3　远距离输沙

　　随着引黄供水范围的不断扩大,泥沙处理条件日趋困难,一些地区采取进一步挖掘灌区内部地形地势、工程技术和用水管理等综合潜力,使浑水远送。此设想同前述灌区工程调整改建和提高渠道工程质量以加大渠道输沙能力、减少渠道淤积的目标是一致的。只是近期在山东近海一些骨干输水渠道取得一定成效,并正在逐步试验研究,几处实践情况简介于后。

2.3.1　东营曹店干渠远距离输沙实践

该渠自曹店闸引黄,引水 50m³/s,渠长 50km,全部用混凝土衬砌,梯形断面,比降 1:7 000,沿程有扬水泵站 50 处,总装机 5 000kW,另外在距闸 28 和 50km 处分别建有扬水能力为 10 和 35m³/s 的较大扬水站两处,向耿井和广南水库集中供水。1984～1995 年共引水 21 亿 m³,引沙 2 200 万 m³。其中 45% 的泥沙为沿途引水引走,1 200 万 m³ 泥沙为渠尾扬水泵抽进广南水库。干渠基本能够在引水含沙量 50kg/m³ 以下保持冲淤平衡。主要的技术条件为:

(1)全渠道均进行了混凝土光滑面硬化衬砌,糙率系数 n 由 0.022 5 降至 0.014,输水阻力大大减小。

(2)渠道纵坡由 1:10 000 增至 1:7 000,边坡系数亦随之由 1:2 变成 1:1.5,为渠水通流提供了比较合理的水力断面条件。

(3)沿程 50 处扬水站前池均低于输水渠底,抽引底水,使进入支渠的含沙量增大,减轻了输水干渠的淤积。

(4)干渠中部和尾部两座水库扬水站,提水能力大于渠道输水流量许多,扬水时,可分别增大渠水流速 1.05～1.49 倍,为防止泥沙淤渠起到积极作用。

2.3.2　簸箕李总干和二干远距离输沙实践

该灌区输水总干 14.85km 和二干 32km 过流不足,结合挖潜进行改建:调整了渠道比降、断面形态,增大了过水能力,同时进行了光滑面混凝土衬砌。通过这些措施,使近 50km 渠道淤积量由每年约淤 27 万 m³ 减少到 3.6 万 m³,总干保持年内冲淤平衡。主要的技术指标为:

(1)总干 14.85km 全部衬砌,渠底由 28～32m 缩窄到 22～24m,糙率由 0.022 5 降至 0.014;

(2)二干流量由 25m³/s 增至 40m³/s,19～32km 渠段比降由

1∶7 000调至 1∶6 000,因此渠道流速增大,挟沙能力提高,渠道淤积减少,泥沙输往下级渠道和田间的沙量增大。

2.3.3 滨州市小开河远距离输沙试验

该工程自黄河北岸小开河闸引黄 60m³/s 向滨州、沾化、阳信、无棣等县供水。输沙渠长 52km,上段 25km 采用全断面混凝土衬砌,下段衬边不衬底,边坡 1∶1.5。按比降划分,上段 7.2km,比降 1∶5 500;中段 10.5km,比降为 1∶6 500;下段 33.4km,比降为 1∶7 000,渠尾设沉沙池,而且在 25km 以上渠段不设引水支渠,11 条分水支渠集中在 25km 以下至沉沙池间设置。设计引水含沙量 6.3～11.5kg/m³,3～6 月和 11 月引水。通过室内试验,输沙渠淤积 35.3%,支渠引沙 32.2%,沉沙池沉沙 32.5%,基本可实现远距离输沙。但为防止输沙渠过量淤积,考虑在适当部位增建扬水站。

综上所述可见,远距离输沙,是通过灌区改建挖潜在有条件的情况下实现的,应视具体条件进行。

2.4 防淤减淤措施

利用简易工程和管理措施,在一些灌溉渠道试验实践中取得一定减淤成效。简介于下:

2.4.1 人工制造紊动防淤减淤

根据紊流挟沙原理,采用人工制造紊动,以延长泥沙沉降距离,从而达到防淤减淤目的。分别采用了水面、水下和岸边束水等三项措施。

(1)浚深器。为设置于渠道水面的梯形导流浚深设施。该设施以两条方形木梁和若干导流板组成,人工绳索固定在两堤顶桩上,或移动上下牵引,使水流形成紊动冲刷渠底泥沙,延长泥沙落淤距离,达到减淤防淤目的,见图 4(a)。据在人民胜利渠西干一支和东三干渠 2～20m³/s 流量渠道试验,100～180 分钟可形成深 0.4m、宽 2.5m、长 15m 的构状冲刷坑,清淤效率较人力大 12～36 倍,每天可清淤 30～70m³，适时往返牵移可保持渠道不淤。

（2）丁字板。是按渠道过流断面，集中等距离设置在渠底中心或渠底两侧的人造 T 形木板。当水流撞击木板时，即会产生紊流和搅浑底沙，延长泥沙下输距离，见图 4(b)。同样据在人民胜利渠等引黄渠道的现场试验和室内水槽试验，在渠道过水达 70％～80％时，20～50kg/m³ 含沙量可保持设置渠段不淤，每板可形成13～25m 长的冲刷坑，冲刷速度可达 1.7～2.8cm/h。因此，连续在易淤积渠段设置，即可保持渠道不再落淤。

（3）柳桩丁坝束水。为设置于宽浅渠道两侧的束水导流设施。在渠段连续设置，水流导于渠中，以增大紊流挟沙，见图 4(c)。据在山东刘庄、位山、王庄和河南东风等引黄输沙渠段设置，取得了防止渠道淤积的效果。

2.4.2　机船、人力拖淤减淤

以机动船只携带各种拖具，或人畜力牵引拖具，往返渠道拖淤防淤减淤的措施。50 年代和 80 年代，在河南人民胜利渠前引水渠和山东打渔张渠道分别根据渠道引水流量设计制造拖船拖具进行现场试验，取得一定效果。

（1）机船拖淤。80 年代初，人民胜利渠根据引水渠道过流能力和断面情况设计制造了长 9.5m、53 瓦特具有自航、拖淤和冲淤设施的机船一艘，于引水渠拖淤冲淤。打开口门拦门沙坎的冲淤效率在 100m³/h 左右，携带耙齿形拖具往返渠道拖淤可增大水流输沙能力 1～3 倍。因此，认为在游荡宽浅河段引水，利用机船适时打开引渠口门和往返在引渠拖淤以保持引水是有效的。

山东水利科学研究所在 80 年代末和 90 年代初分别制造了7m 长、30～40kW 柴油动力拖淤机船 2 艘，于菏泽刘庄东干和东营曹店干渠试验。可使表层 0.2 水深处含沙量由 18.9kg/m³ 增大到 38.2kg/m³，底部 0.7 水深处的含沙量由 35.4kg/m³ 增大到39kg/m³，而且泥沙的粒径也相应变粗。船只规格形式见表 5。

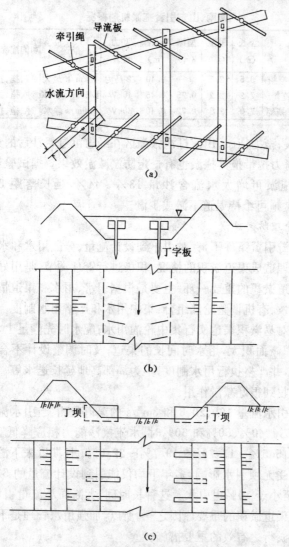

图 4 人工防淤减淤工程设施示意图

(a)浚深器 (b)丁字板 (c)柳丁坝

表 5   **河南、山东引黄拖淤机船概况**

机船	型长 (m)	型宽 (m)	型深 (m)	吃水深 (m)	动力 配置	航速	功能配套情况
人民胜利渠拖船	9.5	2.2		0.40	72 马力	15km/h 最大	冲、拖、扰动
曹店干 1# 拖船	7.2	2.2	0.75	0.45	40kW	1.69m/s 静水	冲、拖、扰动
刘庄东干 2# 拖船	7.0	2.6	0.72	0.40	30kW	3.0m/s 静水	冲、拖、扰动

（2）人、畜力拖淤。山东打渔张灌区在经过沉过粗沙后的渠道，利用人、畜力携带拖具拖淤也有一定防淤减淤效果。据试验观测，人、畜力拖淤可增大水流含沙量 13%～44%，延长落距 300～1 200m，常拖可维持渠道不淤或少淤。

2.4.3　管理防淤减淤

在下游引黄条件下，针对引不到设计流量、分散用水和水量分配不尽合理造成渠道淤积的情况，积极进行管理调节，是用好引水和减少渠道淤积的重要一环。主要是根据引水、用水和渠道情况合理调配水量、有机调整轮灌组合、集中用水和严格用水制度。如人民胜利渠对易淤积渠道实行集中轮灌用水；配水时先满足上水难，流量小，灌溉面积大，用水时间长的渠道；及时调整设计不合理的轮灌组合，并严格执行用水制度，不为局部高地延长送水等。通过这些措施收到很好减淤作用。

据对引水流量 100、20、6 和 3m³/s 的渠道观测：当引水流量分别减少 25%、40%、50% 和 60% 时，水流挟沙能力相应降低 5.7%～7.3%、15.5%～17.7% 和 19.7%～22.0%。长期以来下游一些引黄灌区受无坝引水影响，多年平均仅能引到设计流量的 50%～60%，甚至小于 10% 也引水。这种长时间、大断面小流量引水，是造成各级渠道淤积的重要原因之一。所以，加强用水管理是下游引黄防淤减淤行之有效的重要措施。

2.5　废沙利用

从沉沙池和渠道清淤出的泥沙，既占压土地，又影响环境卫

生,如何妥善将这些废沙变成污工建材的原料,也是下游引黄泥沙
处理利用的重要课题。这方面的试验研究和生产实践已取得了一
定的成绩,主要为废沙白灰砖、细沙混凝土和淤沙水泥土等,简介
如下。

2.5.1　废沙白灰砖

废沙白灰砖是以引黄淤积物为原料,再加入适量白灰,经配
料、加水搅拌、消化、压制成型、饱和水蒸养一定时间而成的色白质
硬,适宜墙体砌筑的建材。强度高于 $100^{\#}$ 普通红砖,重量大,抗冻
性能好($D_{15\sim25}$),为引黄地区取代挖土烧砖的较好泥源。淤沙的化
学和中小型工艺试验结果见表6、表7。

表6　　　　　　　　山东位山引黄淤沙化学成分

取样地点	化验日期	化学成分(%)					化验单位
		SiO_2	Al_2O_3	Fe_2O_3	MgO	CaO	
沉沙池	1988.9.17	75.06	8.0	4.32	4.62	2.56	北京加气混凝土
沉沙池	1988.9.17	65.46	6.97	4.27	5.58	3.18	

表7　　　　　　　　山东位山淤沙白灰沙砖试验成果

取样地点	小型试验			中型试验			试验单位
	日期(年·月)	抗压(kg/cm²)	抗折(kg/cm²)	次数(日期)	抗压(kg/cm²)	抗折(kg/cm²)	
关山口输沙渠	1984.8	175.0		第一次(1984.6.28)	95.9	25.0	1. 小型为北京玻璃制品厂
关山桥下输沙渠	1984.8	176.5		第二次(1984.7.3)	114.1	27.9	2. 中型为北京双桥稀土砖厂
关山桥上输沙渠	1984.8	150.2					
沉沙池	1988.9	152.0	40.0				

表列结果符合 JC153-75 部颁制砖标准。产品的工艺规格
88%～90%为粉细沙,10%～12%为生石灰,经球磨机粉碎,加水

搅拌均匀成坯,入高压蒸养釜蒸养定型。砖的规格为 240mm×
115mm×53mm,同一般粘土砖规格。沿黄的中牟、东明和聊城等
地广泛建厂生产。位山引黄在输沉沙区建成年产 3 000 万块灰沙
厂一座,计划 2000 年前再建 10 座。这样既可以使废沙变成建材,
减少占压土地,又为该区群众提供了一条工副业生产的途径。

2.5.2　淤沙混凝土

花园口以下淤沙的细度模数为 0.7 以下,一般为 0.06～0.3。
有适当的配合比和外加剂即可得到相同水泥用量和相同稠度条件
下的中沙混凝土强度。更由于淤沙有良好的填孔效应,所以淤沙混
凝土具有较高的抗渗性能和抗冻强度。此类混凝土标号一般可达
$300^{\#}$,抗冻性能标号在 $D_{150}^{\#}$ 以上,故可广泛用于渠道衬砌、预应力
板和城市碾压式路面等工程。

90 年代以来,黄科院对黄河花园口和位山淤沙进行试验,取
得可供生产应用的配合比和生产工艺。

2.5.3　淤沙水泥土

河南新乡市水科所和山东省水科所等单位,80 年代利用引黄
淤沙及黄河淤沙按一定水泥与淤沙配合碾压成型,适当养护即可
用作渠道衬砌和小型水工建筑物的建材。

新乡市水科所的水泥土配比为:10%～15%$400^{\#}$水泥,10%
～12%自来水,经过搅拌压制成 31mm×31mm×(6～8)mm 型块
于 20℃温度下养护 28 天,平均达到 53.1～56.7kg/cm² 强度,一
年半后的强度增长到 123.6～142.5kg/cm²,密度 1.8～1.9
kg/cm³,渗透系数 $1×10^{-6}$～$1×10^{-8}$m/s。

山东水科所水泥土配比为:水泥 15%、淤沙 85%,砖型 31cm
×31cm×8cm,300t 双盘摩擦压力机压实,容重 1.8t/m³,20℃温
度养护 20 天。

以上水泥土型材,分别用于渠道衬砌和小型水工建材,作用与

一般砖材相似,造价则小于或接近普通砖材。

2.5.4 淤泥砖瓦

在下游沿黄地区,广泛利用引黄条件,引洪沉沙挖淤作砖瓦原料。方法为利用夏秋黄河高含沙细颗粒期的洪水,引至预备好的坑塘沉积,然后排水挖出晾晒做砖瓦原料。个别则建厂于沉沙池以克服烧砖取土毁地。

3 引黄泥沙处理利用前景展望

黄河下游引黄泥沙同来水来沙条件密切相关。来水泥沙多则处理量大,相反则处理量少。但它还与河道物质组成有关系。所以,预估今后相当长时期的来水来沙条件和引水引沙量的可能变化,对引黄泥沙处理利用具有重要意义。

3.1 下游来水来沙条件

根据黄委会勘测规划设计研究院和一些科研院所对黄河相当长一个时期水沙量的预测预估,认为随着上中游地区工农业生产的发展,用水量必将增大,水保治理措施也会相继发挥减沙作用。但是进入下游的水沙搭配将会恶化,即水少沙多的情况更加突出。小浪底枢纽建成投入运用后,下游的洪水威胁可望得到大大缓解,但正常运用阶段,来水来沙仍将恢复到建库前的情况,下游河道的来沙状况今后相当长时期不会有根本性的改观。

3.2 下游引水引沙

引黄泥沙随引水量变化。引水多则引沙多,处理量亦大。特别是下游河道的中下部引黄,引沙量更难减少。因为河道为深厚的泥沙覆盖,来水含沙量低时,水流不饱和,必然产生沿程冲刷,增大引水含沙量。近20多年来山东河段引黄含沙量明显高于河南河段引水的含沙量即是因此而产生,见表8。这种状况预计很难改变。

表 8 黄河下游非汛期引水含沙量统计

项 目	高村以上河南河段		高村以下山东河段		说 明
	70 年代	80 年代	70 年代	80 年代	
河道含沙量(kg/m³)	4.1	2.0	12.6	7.8	"—"表示冲刷
引黄含沙量(kg/m³)	7.2	7.7	8.4	9.3	
河道冲淤量(t/m³)	−0.061	−0.061	0.02	0.012	

3.3 下游引黄泥沙处理利用前景及可行的途径

随着黄河下游地区工农业生产和人民生活水平的提高,引黄用水量将会与日俱增,泥沙处理问题相应增大,而且日趋困难。因受平原条件限制,入渠的巨量泥沙必须在干渠以上地区集中处理。这些地区 40 多年来已结合淤改沉沙大部利用过 1~2 遍,成了稳产高产良田。所以,一些灌区逐步采取"以挖待沉"方式处理泥沙。大多数灌区则任其自然,年年清淤,浑水入河造成排水困难,地下水位升高,内涝和次生盐碱化等隐患威胁着引黄的顺利发展。即使是前者,由于泥沙处理量增大,输、沉、淤区占地较多,筑高区风沙危害周边群众的生产生活日趋严重,引黄泥沙处理的难度将会逐步增大。

但是,目前黄河下游防洪任务仍很艰巨。随着上中游用水量的增大,下游来水来沙搭配更为不利,小水带大沙的情况将更加常见。河床越淤越高,横河、斜河出险机遇增大。为确保下游防洪安全,继续加高培厚黄河大堤仍将是一条可行出路。因此,若将引黄供水的近亿吨泥沙处理到黄河大堤临背,既解除了引黄泥沙处理的困难,同时又可为大堤加固提供丰富泥源,事半功倍,防洪供水共同受益。

因为泥沙处理在引黄闸后,即灌区的上游沿堤地带,清水既可回渠远送到下游引用,同时也就完全可避免在灌区内部处理泥沙或处理不好所带来的种种不良影响。采用机械清淤把泥沙淤筑大堤,尚可省去筑堤用土挖毁大量耕地。长期进行下去,即能逐步形成固若金汤的防洪屏障,将目前的地上悬河变成相对地下河。该设想经过国家"八五"科技攻关研究,提出了技术上切实可行,经济上比较合理和社会各方均可接受的初步成果。部分堤段已按此设想进行规划设计并逐步实施。所以,下游引黄供水的泥沙长远妥善处理,充分结合黄河大堤修筑用土,利用现有引黄涵闸在堤后淤沉,挖淤筑堤是大势所趋,应促其早日逐步实施,确保现行河道长期行河和引黄供水的健康持续稳定发展。

经过40多年引黄供水泥沙的处理利用实践,取得下述认识:

(1)从黄河这样的多沙河流引水,应长期树立妥善处理利用泥沙的观念,并因地制宜地对入渠泥沙的处理途径和处理方式方法作出全面规划布局具有十分重要的生产意义。

(2)在泥沙处理规划中应根据供水区域地理条件妥善规划引、沉、输、淤工程位置,尽量使入渠泥沙各得其所。重要的是能长期使用有利的堆沙场地,节省处理造价和减轻对环境卫生等造成不利影响。

(3)黄河下游地势平坦,引黄泥沙按集中处理为主,分散利用、部分清淤的方式处理利用是适当的。根据多年引黄经验,河南引黄供水集中处理30%～40%较粗颗粒泥沙,渠道淤积20%～30%,其余下输田间(包括田间渠道);山东引黄限于地形更缓和从沟渠提水,需集中处理60%以上的较粗泥沙,渠道淤积30%左右,少量泥沙送到田间。其中分散处理泥沙,需在有条件情况下通过灌区改建挖潜——调整改建归并引水渠道和建筑物、衬砌硬化渠道等相机进行。诸如渠道坡降很缓,又必须节制分水,虽进行光滑面混凝土衬砌,但仍不能减轻渠道淤积。

(4)在下游引黄初期,充分利用堤后洼地改造和堤防加固大量沉沙放淤,为引黄供水泥沙处理提供了方便条件,是有利的。但是,随着这些条件的逐步丧失，应重新安排巨量入渠泥沙到灌区上游，结合大堤加高加宽，有效地处理利用泥沙。因为集中处理泥沙挖淤筑高地面的方式，在灌区内部和灌区上游近堤沉淤是一致的，都要沉沙和挖淤。但是结合大堤淤筑所造成的不利影响则远远小于内部处理，而且尚具有维持现河道长期走河和安全防洪的战略意义。因此，结合引黄供水沉沙淤筑黄河大堤应成为下游引黄泥沙处理利用独特的新的里程碑。

高含沙水流

黄河干支流的高含沙水流

1 高含沙水流的涵义与地区分布

黄河含沙量之高举世瞩目。其干流三门峡站多年平均含沙量 35kg/m³,最高含沙量 911kg/m³。一些支流,汛期洪水含沙量高于 500kg/m³ 的屡见不鲜,最大可达 1 500~1 700kg/m³。这样高的含沙水流,有其不同于一般挟沙水流的特性,而且容易造成黄河下游河床淤积抬高。据资料统计[1],黄河三门峡站 1950~1977 年出现的 11 次高含沙洪水,历时仅 104 天,来水量、来沙量分别占同期总水量、总沙量的 2.2% 和 15.5%,但造成的河道淤积量却达 37.3 亿 t,占同期淤积总量的 57%,不仅淤积量大,淤积强度也高,给防洪带来很大威胁。因此,研究黄河干支流的高含沙水流问题,不仅具有十分重要的理论意义,而且也是生产实际中亟须解决的问题。

1.1 涵义

什么叫高含沙水流,迄今为止,尚难给出一个较完整的科学定义,下面根据近年来的一些研究成果,就此问题作一些简要的介绍和阐述。

钱宁认为[2],高含沙水流必须有一定含量的细粉沙及粘土作为骨架,含沙量增大以后,泥沙沉速大幅度降低,含沙量愈高,水流中所挟带的泥沙也愈粗。一般高含沙水流属于紊流型两相流,当流域中细沙(粒径小于 0.01mm,下同)的泥沙来量相当大时,泥沙有可能全部转化为中性悬浮质,使水流成为均质悬浮液,具有伪一相流的性质。对黄河中游干支流的水流,钱宁以日平均含沙量大于 400kg/m³ 作为高含沙水流含沙量的下限。

张瑞瑾在阐述高含沙水流时曾指出[3],如果挟沙水流的含沙量超出一定的数量(如当 $S > 200 \sim 300$kg/m³ 时),在挟沙中又包含一定数量(如 $S > 5 kg/m^3$)的细颗粒,浑水有效雷诺数 Re_m 又小于一定数量(其大小视其它条件而增减),当这些结合在一起,足以在悬移质中产生絮凝现象,形成疏松不同、大小不同的网络结构时,会使流体失去牛顿体的性质,显出宾汉体或半牛顿体半宾汉体的性质,此时的水流称为高含沙水流。

钱意颖等通过水槽试验研究认为[4]:细颗粒含量较多的高含沙水流为非牛顿体,可以近似地用宾汉模型描述。当含沙量小于 $400 \sim 500 \ kg/m^3$ 时,仍属于一般挟沙水流,泥沙颗粒依靠水流的紊动而悬浮,含沙量再高时,由于粘性大,粗颗粒不再分选,水沙组成一相均质浑水参于运动。这时不存在水流挟沙问题,只是均质浑水克服阻力而流动的问题。

从以上各家对高含沙水流特性的描述可以看出,决定高含沙水流与一般挟沙水流不同的主要因素有:水流的强度,泥沙组成,特别是细颗粒含量,流变特性,水力学及泥沙运动力学规律等,据此,我们将高含沙水流的涵义概括为[3,5]:在某一水流强度的挟沙水流中,其含沙量及泥沙颗粒组成,特别是细颗粒所占百分数,使该挟沙水流在物理特性、运动特性和输沙特性等方面基本上不能再用牛顿流体的规律进行描述时,这种挟沙水流可称为高含沙水流。

对于渭河细沙河流而言,当含沙量不到 $100 kg/m^3$ 时水流便可能具有宾汉极限剪切力而呈宾汉流体性质,对陕北地区的一些支流,由于所含泥沙颗粒较粗,当含沙量高达 $400 kg/m^3$ 时才可能呈宾汉流体性质,对于黄河下游干流而言,当水流含沙量达 $200 kg/m^3$ 左右时,水流便属宾汉流体,可称为高含沙水流。所以水流是否可称为高含沙水流,不能简单地以含沙量多少来划分,而应以影响水流性质的主要因素,如水流强度、含沙量、颗粒级配及细沙含量和力学规律等方面来分析确定。

1.2　地区分布

黄河干支流的高含沙水流主要分布在陕北和晋西北以及关中地区的黄土高原地区,直至黄河下游干流艾山水文站,仍可测得最大含沙量达 250kg/m³ 左右的高含沙水流。

黄河中游由于地表组成的物质不同,可分为粗泥沙($d >$ 0.05mm)来源区及细泥沙来源区,前者包括河口镇至无定河的右岸支流和广义的白于山河源区(即泾河支流马莲河的河源区),后者包括汾河、渭河上游及除马莲河以外的泾河干支流。表1[2]所示为黄河中游粗、细泥沙来源区所形成的高含沙水流。

表1　黄河中游粗、细泥沙来源区所形成的高含沙水流

泥沙来源区	河流	测站	流域面积（km²）	输沙模数[t/(km²·a)]	悬移质级配		实测最大含沙量(kg/m³)	出现年份	相应洪峰流量(m³/s)
					D_{50}(mm)	$d>0.05$mm(%)			
粗泥沙来源区	黄甫川	黄甫	3.199	18.06	0.079	58	1 570	1974	1 230
	孤山川	高石崖	1.263	22.13	0.046	46	1 300	1976	2 339
	窟野河	温家川	8.645	15.27	0.069	56	1 500	1964	
	秃尾河	高家川	3.253	9.88	0.069	61	1 410		
	葫芦河	申家湾	1.121	24.98	0.045	44	1 480	1963	1 670
	无定河	川口	30.217	5.27	0.040	37	1 290	1966	4 980
	大理河	绥德	3.893	16.30			1 420	1964	
	北洛河	洑头	25.154	3.81	0.030	22	1 190	1950	346
细泥沙来源区	泾河	张家山	43.216	5.92	0.025	20	1 040	1963	5 120
	泾河	杨家坪	14.214	6.69			900	1979	
	渭河	咸阳	46.827	4.06	0.015	13	729	1968	
	渭河	南河川	23.385	6.16			953	1959	4 130
	蒲河	毛家河	7.190	6.58			992	1965	
	汾河	兰村	7.705	1.86			544	1973	715
	汾河	义棠	23.925	5.97	0.018	17	731	1953	
	泾河	泾川	3.145	6.01			762	1973	

粗泥沙来源区和细泥沙来源区所形成的高含沙水流在性质上

有所不同,主要表现在:泥沙愈粗的地区,高含沙水流的含沙量也愈大,其日平均含沙量可达 800kg/m³,实测最大含沙量可达 1 500~1 700kg/m³,如黄甫川、无定河等;而泥沙愈细的地区,河流的日平均含沙量多在 800kg/m³ 以下,实测最大含沙量一般不超过1 000kg/m³,如渭河、汾河等。至于来自沙漠地区的洪水,由于缺乏黄土(细颗粒),则难以形成高含沙水流,如无定河支流榆溪河。

由黄土高原所形成的高含沙水流在流经干流潼关和三门峡水库后,在三门峡水文站仍可观测到 900 多公斤每立方米的含沙量,由三门峡至小浪底为峡谷河段,坡陡流急,含沙量变化不大,高含沙水流出峡谷后,泥沙迅速淤积,至花园口,仍可观测到 800 多公斤每立方米的高含沙水流,至艾山水文站降至 250kg/m³ 左右,直至利津水文站,仍可发生 200kg/m³ 含沙量的高含沙水流。表 2[6]为 1977 年所发生的两次高含沙水流实测最大含沙量沿程变化情况。说明黄河中游的干支流及下游的干流均存在高含沙水流。下游干流高含沙水流的泥沙组成及粒径粗细也和其上游来水来沙的上述地区特点有关。

表 2　　　　　1977 年高含沙洪水最大含沙量沿程变化

时　间	含沙量沿程变化(kg/m³)								
	三门峡	小浪底	花园口	夹河滩	高　村	孙　口	艾　山	泺　口	利　津
1977 年 7 月	589	535	546	405	405	227	218	218	196
1977 年 8 月	911	941	809	338	284	235	243	195	188

2　高含沙水流的形成

根据文献[7,8]的研究结果,可将黄河中游干支流高含沙水流形成过程阐述于下。

高含沙水流形成的必要条件:一是高强度的降雨所形成的动力条件,二是具有大量容易侵蚀的土壤条件。位于黄河中游面积达

23.6万km²的黄土丘陵沟壑区正具备这两方面的条件,是形成高含沙水流的主要地区。

黄土丘陵沟壑区是由黄土经过长期侵蚀分割形成。黄土土质疏松,多柱状孔隙,土层厚度可达200m,遇水极易被侵蚀,加上本区暴雨集中,降雨强度可达3.5mm/min,多形成超渗的地表径流。黄土丘陵沟壑区实际上是由许多沟道小流域组成,这些小流域在地质、地貌、侵蚀方式、产沙输沙过程等方面是基本相同的,因此,可以通过分析一个典型的沟道小流域的侵蚀、输沙及沿程冲淤情况,来探求高含沙水流的形成过程及机理。图1所示为典型小流域的横剖面图。

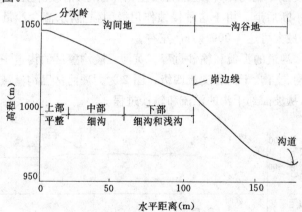

图1　大理河团山沟左岸横剖面

通常以峁边线为界,将其以上部分称为沟间地,以下部分称为沟谷地,沟间地坡度平缓,为10～35°,多为耕地;沟谷地包括沟坡及沟床,地形较复杂,坡面破碎,多为35°以上的陡坡和大于60°的悬崖。

高含沙水流的形成过程及机理包括坡面产沙和沟道产沙。

坡面产沙主要由雨滴溅蚀引起,雨滴溅蚀的能量很大,可使沟间地地表各种粒径的土粒被溅起,溅起的土粒散落于周围的洼地积水中,雨滴还可使洼地积水受到紊动作用而使泥沙悬浮。当降雨强度大到一定程度时,洼地积水中的土粒被地表漫流带走,这种由雨滴溅蚀所形成的水流含沙量一般可达 $100\sim200kg/m^3$,最大可超过 $600kg/m^3$。当降雨强度继续增加,水流便侵蚀坡面,在坡面形成深 $5\sim20cm$ 的细沟和 $0.5m$ 的浅沟,沟中含沙量增大,坡面侵蚀可使峁坡区的最大含沙量达到 $900kg/m^3$ 以上。含沙量随坡长的增加而增加,当坡长超过 $40m$ 后,含沙量将趋于稳定。

沟道产沙包括水力侵蚀和重力侵蚀。从峁坡区下泄的水流,流入沟谷区,由于沟坡区坡陡流急,或形成跌水,水流强烈淘刷,除水力侵蚀冲刷沟床外,还经常发生沟岸崩塌、滑坡等重力侵蚀,使沟头不断后退。由于这种侵蚀作用极为强烈,水流含沙量也随之增大,最大可达 $1\,000kg/m^3$ 左右。

沟道的汇流和输沙过程。黄河丘陵沟壑区的沟道一般可分为毛沟、支沟、干沟和支流四级。图2为大理河岔巴沟流域一次暴雨后,从坡面到干沟的汇流和输沙过程。

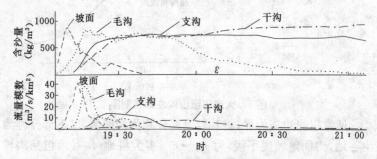

图2　1966年8月15日岔巴沟流域流量模数和含沙量变化图

从图也可看出,由于汇流和槽蓄作用,流量模数过程线随集水面积增加而变得平坦些,而含沙量过程线则在坡面产流开始便出现高含沙量的峰值,然后经毛沟汇入支沟、干沟后,峰值变化不大,且历时加长,干沟的含沙量还略有增大。这说明泥沙流经各级沟道不但不淤积,还可能由于沟谷的侵蚀而有所增加,其泥沙输移比可保持在 1 左右。实际观测表明,黄河中游河口镇至龙门区间的支流,从多年平均情况看,其泥沙输移比也接近于 1。这是黄河中游黄土丘陵沟壑区各级沟道和支流泥沙输移的一个很重要的特征,是与高含沙水流输沙能力很大的性质有关。

3 黄河干支流高含沙水流的特殊现象

在黄河干支流的高含沙水流中,往往可以观测到一些在一般挟沙水流中见不到的特殊水流现象,这些水流现象被称为:不稳定现象、浆河现象、揭河底现象和洪水过程的异常现象,从其运动机理来说,均可属于河床演变的突变过程。

3.1 水流不稳定现象

无论在天然河流还是在室内水槽试验中,当水流含沙量高、有效雷诺数 $Re_m(=\gamma_m U^2/(g(\eta \frac{U}{4R}+\frac{1}{8}\tau_B)))$ 较小时,可以观测到水流不稳定现象,图 3 所示为泾河水系蒲河支流黑河兰西坡站于 1965 年 7 月 16 日所观测的高含沙水流不稳定现象[9]。观测时段河道的流量由 2.16m³/s 降至 0.58m³/s,含沙量变化范围为 600~700kg/m³,流速变化较小,为 0.41m/s 左右,而水位却出现了周期性起伏变化,水面波高达 0.15~0.26m,周期为 8~10 分钟,历时 10 小时,佛汝德数较小,分别为 0.23 及 0.24。

根据万兆惠、钱意颖等人在水槽试验中所观测的水流不稳定现象[10],试验表明,当水流强度不是很大时,水槽近底部有时会形成一定厚度的"停滞层",此"停滞层"为浓度较大的泥浆,具有较弱的流动性,随着"停滞层"的发展增厚,其上游水槽中水位也相应抬升,水面比降增大,边壁切应力和流速也相应变大,使形成的"停滞层"遭受破坏,水位也相应急剧下降,水面线变平,比降和流速又变小,水深恢复原状。然后又再一次出现新的"停滞层",如此周而复始,在一段时间内便出现水位周期性起伏的不稳定现象。这种不稳定现象也常被称为阵流,在王明甫等人于 1981 年所进行的高含沙水流试验研究中也曾在水槽中观测到,如图 4 所示[11]。

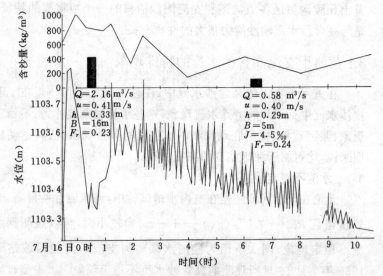

图 3　蒲河支流黑河兰西坡站高含沙水流的不稳定现象

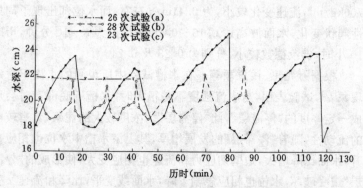

图 4　水槽试验中高含沙水流的不稳定现象

　　形成高含沙水流不稳定现象的原因和停滞层的形成、发展与消失息息相关,由于近底部流层水流含沙浓度较大,流速较小,水流处于层流区,阻力较大,其宾汉极限切应力 τ_B 也较大,当水流的剪切力 $\tau = \gamma_m(h-y)J$ 接近于 τ_B 时,该流层便可能停滞或流速变得很小,直至上游段水位升高,水深和水面比降增大,使剪切力大于 τ_B 时,停滞层便被破坏而恢复流动。自然,这种解释仅是初步的,如何进一步从机理上深入阐述不稳定现象形成的原因,仍有待研究。

　　关于发生水流不稳定现象的条件,文献[10]根据试验资料分析,建立了阵流强弱程度 $\Delta H/H$(ΔH 为水位起伏大小,H 为断面水深)与有效雷诺数 Re_m 的关系,见图 5。从图 5 可以看出,当水流处于紊流区时,一般不发生不稳定流现象,当 $Re_m < 2\,000$,水流进入层流区时,可发生不稳定流(阵流)现象,当来流流量更小、来沙量更大,有效雷诺数 $Re_m < 1.1$ 时,可出现时流时停的间歇流现象,当来流条件进一步减小,水流边壁剪切力 $\tau_0 \leqslant \tau_B$ 时,则水流即可停止流动,出现"浆河"现象[11]。

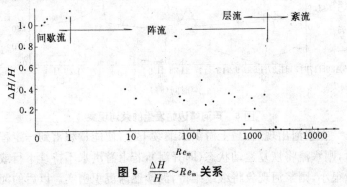

图 5 $\dfrac{\Delta H}{H} \sim Re_m$ 关系

3.2　浆河现象

　　所谓浆河现象,是在含沙量特别高的水流中,当水流能量不足以继续带动所挟泥沙前进时,一河泥浆骤然停止下来,造成淤积性质的河床突变。这种突变过程多发生在黄河中游的较小支流上,当高含沙洪水突然降落、流速迅速减小时,水流的能量急剧降低,泥沙大量淤积,使河床高程抬高、水面增宽、水深变浅,但水位并未因流量变小而降低,有时反而升高。图6为1964年6月无定河上游芦河靖边站所观测到的一次浆河及开河的过程[9]。图中 BC 及 CD 段和 EF 及 FG 段为该站连续两次所发生的洪峰急剧降落后的浆河及开河过程。DE 及 GH 为两次开河时段,AB 及 HI 为水流的自然涨落过程。

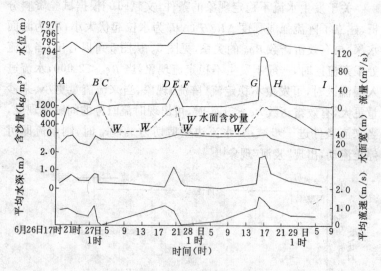

图6 芦河靖边站发生的浆河现象

在浆河出现后,当上游洪水继续下行,使能量积蓄到一定程度后,则水流将恢复运动状态(即开河),若上游洪水不持续下行或流量很小,则浆河现象将继续维持,泥沙逐渐沉积密实。以后的河床演变过程,将和一般挟沙水流的河道相同。

关于浆河现象形成的力学机理,是和高含沙水流的特性有关的,由于发生浆河的高含沙水流多为含有粘性细颗粒的宾汉流体,当水流提供的能量小于为了维持泥沙运动状态所需临界能量,或当含沙量很高,泥沙不再分选形成伪一相均质流时,则单位时间单位流程水流所提供的功率为 $\gamma_m AUJ$,为了维持流动,必须克服由边壁切应力所形成的阻力,而此边壁切应力最小极限条件为 τ_B,所以,当

$$\gamma_m AUJ \leqslant \tau_B \chi U \tag{1}$$

或
$$\tau_0 \leqslant \tau_B \tag{2}$$

时,水流将停止流动,出现浆河现象。式中:A 为过水断面面积;χ 为湿周;τ_0 为边壁剪切力。

关于浆河形成的临界条件,文献[13]曾在水槽中进行了试验研究,并从其受力情况加以分析,最后导出了浆河形成的临界条件关系式和浆河面方程。

设在二维浆河形成的水体中,选取一微小段单宽六面体 $ABCD$,如图 7 所示。

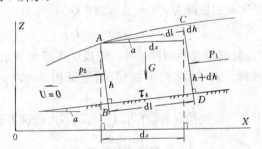

图 7 浆河受力分析图

图中:τ_k 为临界条件下的床面切应力;P_1、P_2 为作用在所讨论水体两端的总水压力;G 为该水体的自重。则在浆河形成的临界条件下,可写出力的平衡方程式

$$P_1 + G\sin\alpha = P_2 + \tau_k dl \tag{3}$$

式中:$P_1 = \dfrac{1}{2}\gamma_m(h+dh)^2$;$P_2 = \dfrac{1}{2}\gamma_m h^2$;$G = \gamma_m(h+\dfrac{1}{2}dh)dl\sin\alpha$

当浆体处于临界状态时,其床面切应力 τ_k 恰与宾汉极限切应力 τ_B 相等,在下面的推导过程中将采用 τ_B 代替 τ_k。将 P_1、P_2 及 G 的表达式代入式(3),整理简化,并略去方程中的高阶微小量 $\mathrm{d}h^2$ 及 $\mathrm{d}h\mathrm{d}l$ 后,可得出

$$\tau_B = \gamma_m h \frac{\mathrm{d}h}{\mathrm{d}l} + \gamma_m h \sin\alpha \tag{4}$$

上式等号右边第一项为单宽微段水体两端的压力差,第二项为该水体的自重在水流方向的分力。对于二维均匀流,$\frac{\mathrm{d}h}{\mathrm{d}l}=0$,则 $\tau_B = \gamma_m h \sin\alpha$,与前述的二维均匀流模式获得结果完全相同。对于水平底坡,$\sin\alpha=0$,则 $\tau_B = \gamma_m h \frac{\mathrm{d}h}{\mathrm{d}l}$。由此可见,宾汉极限切应力 τ_B 对浆河形成可起两个方面的作用,一是用于克服浆体两端的压力差,二是用来克服浆体自重沿床面下滑。只有当床面为平坡时,τ_B 才全部用以塑造浆河面的形态。对于 α 较小的情况下,$\sin\alpha=J_0$,令水面相应于床面的坡降为 $J'(=\frac{\mathrm{d}h}{\mathrm{d}l})$,则式(4)可写为

$$\tau_B = \gamma_m h (J' + J_0) \tag{5}$$

式(5)即为浆河形成的临界条件。若以 J 表示浆河水面相应于水平床面坡降。对于 J_0 较小的情况,可证明 $J \approx J' + J_0$,则 $\tau_B = \gamma_m h J$。

对于非二维流情况,同样可以获得其浆河的临界条件为

$$\tau_B = \gamma_m R (\frac{\mathrm{d}h}{\mathrm{d}l} + J_0) \tag{6}$$

式中:R 为水力半径,其余符号同前。

3.3 揭河底现象

所谓揭河底现象,系指黄河干支流上常伴随高含沙水流发生的一种河床剧烈冲刷现象,属于河床演变的突变过程,其冲刷形式视来水来沙条件和河床物质组成的不同,河床常成片地被冲起或成层地被冲刷输移,几小时可使河床冲深达数米甚至 10m,冲刷距

离可达数十公里至百公里以上。

据报道,在黄河干流龙门水文站曾多次观测到揭河底现象,在渭河临潼一带和黄河潼关以及孟津以下的河段,也有发生揭河底现象的记载。据水文年鉴描述,"当这种大冲刷发生时,能看到大块河床泥沙被水流掀起,露出水面达数平方米,像是在河中竖起一道墙(与水流方向垂直),两三分钟即扑入水中消失"。又据黄河河务局1977年高含沙洪峰通过后调查记录,船工的描述是:"从河底揭起的泥坏有房子那么大,像箔一样,足有丈把高,立起来以后,'扑通'倒进水中,揭泥坏是一阵一阵地揭,不是接续的"。

图8所示为龙门站1970年8月1日至5日揭河底冲刷过程。

表3列出了一部分龙门站揭河底时水沙参数和主要情况[14]。

表3　　　　　　　　龙门站揭河底时水沙参数和主要情况

| 年份 | 剧烈冲刷时段 | | | 冲刷深度 (m) | 含沙量 (kg/m³) | 流量 (m³/s) |
	起 (月.日.时:分)	讫 (月.日.时:分)	与洪峰关系			
1951	8.14.10:00	8.17.14:00		2.6	35～542	2 200～5 530
1954	9.2.23:30	9.4.0:30	峰前开始冲刷	2.3	130～605	11 800～16 400
1964	7.6.19:00	7.7.6:30	自峰顶开始冲刷	3.1	350～610	1 000～8 050
1966	7.18.18:00	7.19.20:30	峰后开始冲刷	7.4	580～933	1 000～5 300
1969	7.27.22:00	7.28.8:10	峰后开始冲刷	1.8	660～750	1 500～5 000
1970	8.2.19:25	8.3.10:10	峰前开始冲刷	8.8	540～825	2 980～13 800
1977	7.6.14:10	7.7.8:50	峰前开始冲刷	4.8	226～690	2 900～12 200
1977	8.6.2:50	8.6.14:30	峰前开始冲刷	2.1	503～805	5 320～11 300

因此,可将揭河底冲刷的特点和机理阐述于下:

(1)揭河底现象是在高含沙水流条件下发生的,而且多发生在每年汛期前一两次洪峰峰顶及峰顶前后的涨落峰阶段。

(2)并不是每一次高含沙洪水都发生揭河底冲刷,只有当水沙条件和河床组成条件适合时才能发生。一般而言,水流强度足够大,充分紊动,挟沙处于次饱和状态。若河床组成不均匀,含有一定量粘性细沙,河床形态较复杂时,有可能形成块状或片状揭河底冲刷,若河床组成为均质松散沙,则可发生成层冲刷的揭河底现象。

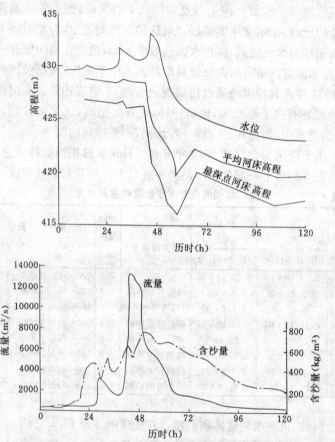

图8　龙门站 1970 年 8 月揭河底时的水位、河底高程及
流量、含沙量过程线

(3)揭河底冲刷并不是沿整个河宽发生,而是在水流强度大的部位沿水流方向成带状分布。

揭河底现象的机理是和高含沙水流的特性有关的,对含有一定细沙颗粒的高含沙水流而言,在水流强度很大充分紊动时,可成为无含沙量梯度的均质流,尽管含沙量很大,但和其巨大的挟沙能力相比,仍属于次饱和水流;另外,高含沙水流的重率大,动水有效重量很小,河床上块状或片状淤积物质比河床上那些单颗粒泥沙更易被掀起;再次,高含沙水流的流速分布较均匀,底部流速相对较大,作用在沉积物上的动量也较大。因此,当河床为可冲性物质组成时,便可形成揭河底冲刷现象。

关于揭河底现象发生的条件,不少人曾进行了分析研究,使对这一问题的认识不断深入。

在文献[15]中,张瑞瑾对揭河底冲刷的条件进行了分析,认为必须具备以下两方面的条件:一是河床上前期淤积物含有一定细颗粒泥沙,成大片淤积物能被水流掀起,此时作用在淤积物上的动水浮力要等于或大于淤积物体的有效重量,即应满足下述关系式

$$C_1 C_2 \frac{V^2}{2g(At)^{1/3}} \geq \frac{\gamma' - \gamma_m}{\gamma_m} \tag{7}$$

式中:C_1 为浮力强度系数;C_2 为面积系数;A 和 t 分别为被掀起的每一片淤积物的面积和厚度;γ' 和 γ_m 分别为淤积物湿容重及浑水容重。由于高含沙水流的紊动流速一般较大,且水流中的 $\frac{\gamma' - \gamma_m}{\gamma_m}$ 数值要比清水中的小很多,所以上式关系甚易得到满足。

发生揭河底冲刷必须具备的第二个条件是被掀起的淤积物能被水流带走。由于高含沙紊流流速大,泥沙沉速较小,所以挟沙力很大,水流为次饱和状态,被掀起的成块或成片淤积物能被水流击碎,并不断将其带向下游,发生长距离的揭河底冲刷现象。

由于缺乏揭河底的实测资料,故式(7)未给出定量的指标。

万兆惠、沈受百早在1974年曾对揭河底现象问题进行了很多有价值的研究,近年来文献[14]又对揭河底冲刷的条件进行了分

析,认为龙门站成片揭河底冲刷发生的两个条件为

(1) $\qquad \Theta \Delta = \dfrac{\gamma_m H J}{\gamma' - \gamma_m} > 0.01\text{m}$ (8)

(2) $\qquad S > 500\text{kg/m}^3$

文中并分析给出了成片河床被掀起的条件和单颗粒泥沙的起动条件,认为在高含沙量条件下,成片河床可以优先于单颗粒泥沙起动。上式中 $\Theta = \dfrac{\gamma_m H J}{(\gamma' - \gamma_m)\Delta}$ 为舍尔兹数,Δ 为成片河床的厚度,其余符号同前。这一研究成果给出了适用于龙门站成片揭河底冲刷现象发生的定量条件,并进行了实测资料的验证,是很有进展的。

最近,匡尚富等对均质松散河床的揭河底冲刷发生的机理和临界条件作了分析,并进行了室内水槽试验[16],得出了产生揭河底成层冲刷的临界条件为

$$\gamma_{mc} = \dfrac{\{S_{V*} \cdot (\gamma_s - \gamma)\text{tg}\varphi - J[S_{V*} \cdot (\gamma_s - \gamma) + \gamma]\}n d_b}{h J}$$ (9)

$$S_{Vc} = \dfrac{\gamma_{mc} - \gamma}{\gamma_s - \gamma}$$ (10)

式中:γ_{mc}、S_{Vc} 分别为高含沙水流发生成层冲刷的临界容重及体积比浓度;S_{V*} 为静止淤积层中的固体成分体积比浓度;φ 为淤积层中的内摩擦角;$n d_b = D_{zc}$,为河床不稳定层厚度,d_b 为床沙粒径,n 为倍数,只有当 $n \geqslant 1$ 时方可发生成层冲刷。上式经试验资料验证,符合较好。

从以上阐述可以看出,揭河底冲刷现象是一个十分复杂的问题,迄今为止,对这一问题的研究虽已取得了不少进展,并在一些问题上获得了一些很有意义的成果,但由于缺乏揭河底时成块成片状物体和河床物质组成的实测资料,因此就影响了对这一复杂问题的深入认识和具体剖析,今后,应克服困难,进行上述实际资料的观测工作,并设法在实验室中能加以复演,才有可能在理论上和实际应用上对这一问题取得突破性的进展。

3.4 洪水过程的异常现象

高含沙洪水过程的异常现象系指当上、下游站间无支流入汇时,发生洪峰流量沿程增加、水位会在较短时间内发生大幅度的猛涨猛落情况,往往给防洪带来难以预测的威胁。

这种现象多发生在黄河中、下游具有宽浅复式断面的游荡性河道中。如1977年8月发生的一次高含沙水流[6],小浪底水文站洪峰流量为10 100m³/s,含沙量为941kg/m³,当水位开始上涨,含沙量猛增时,相应花园口水文站的流量不仅未曾上涨,反而发生降落,6小时后实测峰谷流量为4 600m³/s,而随后流量又发生猛增,3.7小时后洪峰流量达10 800m³/s,反而大于小浪底的流量。其水位变化过程也和流量一样,花园口水位最大变幅达到0.6m,而位于其上游的驾部水位变幅竟高达2.8m。又如,1992年8月黄河中、下游发生的一次高含沙水流也发生了类似的异常现象,当时,花园口站的最大含沙量为488kg/m³,洪峰流量为6 260m³/s,扣除小浪底至花园口的区间来水150m³/s后,还比小浪底的洪峰流量4 570m³/s大1 540m³/s,同时,花园口的水位达到了94.33m,比1982年流量为15 300m³/s的水位还高0.34m,如图9及图10所示[17]。

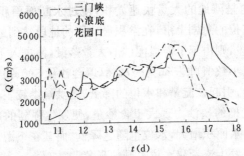

图9 1992年8月10～18日三门峡、小浪底、
花园口三站流量过程线

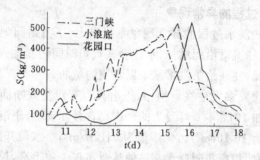

图 10 1992 年 8 月 10~18 日三门峡、小浪底、花园口含沙量过程线

关于高含沙洪水异常现象发生的原因,不少科技工作者曾进行了阐述和分析,尽管存在这样或那样的认识,但总起来看,对最主要原因的认识在日益深入。

3.4.1 水位猛涨猛落原因分析

高含沙洪水所以出现猛涨猛落现象,与高含沙水流引起河床大冲大淤和滩槽断面形态调整有关[18,19]。当高含沙水流进入宽浅游荡河段时,若洪峰过程的水沙组成(如沙峰在洪峰前)使洪峰上涨初期发生强烈的淤积,特别是滩地(包括嫩滩)淤积量很大,主槽淤积量相对较小,一方面使滩槽高差加大,断面形态向窄深方向发展,更重要的是滩地的大量快速淤积,使过水断面面积大幅度减小,便造成水位的急剧上涨,在淤积最严重的地段达到最大值。而在其下游某段,则由于上游段泥沙的大量落淤,使进入下游段的水体减小,其减小数值可达 36%~72%(以含沙量 500~1 000kg/m³ 全部淤积计),引起该流量和水位的降低。若洪峰继续上涨,在峰顶附近,由于主槽的挟沙力远大于含沙量,便发生强烈的冲刷,形成窄深河槽,过水面积增大,水位也随之降低。而其在下游,则与上述情况相反,可发生流量和水位上升的现象。

高含沙水流洪峰过程中滩槽大淤大冲的根本原因是由于挟沙力与流速的高次方成比例,对流速反应极为敏感,水流漫滩后,随

着滩地流速迅速降低,挟沙力降低的幅度将成倍增加,据文献[20]的研究结果,滩槽水流挟沙力之比与流速之比的关系可表示为

$$\frac{S_{f*}}{S_{m*}} = \left(\frac{U_f}{U_m}\right)^{1.86} \tag{11}$$

式中:S_{f*}、S_{m*} 及 U_f、U_m 分别为滩、槽的水流挟沙力及流速。根据数学模型和概化模型的资料,可粗略算出滩槽挟沙力之比 (S_{f*}/S_{m*}) 变化于 0.02～0.47 之间。由此不难看出,滩地大量淤积引起过水断面减小、水位猛涨的本质原因是和水流挟沙力大幅度降低紧密相关的。

此外,高含沙洪水水位异常升高的原因还和前期河床淤积程度有关,例如,1992 年 8 月黄河下游高含沙洪水引起花园口水位升高的原因,是由于前期泥沙强烈堆积抬升的结果。

3.4.2 流量沿程增大原因分析

在宽浅游荡性河段,高含沙洪峰过程发生流量沿程增大的原因,除因上述的上游段主槽大幅度冲刷,下泄水体因增加了泥沙含量而增大了流量外,更重要的是[21]:或由于主槽冲刷,断面形态调整,主槽洪峰传播速度变大,发生后浪赶前浪现象,以致流量沿程增大,或由于主槽冲深、水位降低,洪峰传播速度较慢的滩地水流,归槽时与主槽洪峰遭遇,便发生了流量大幅度增加的现象。

最后应当指出,引起发生高含沙洪峰过程异常现象的上述诸因素,可能是单项在起作用,也可能是多项因素综合在起作用,情况是很复杂的。另外,并不是每一场高含沙洪水都会发生异常现象,发生异常现象的高含沙洪水,其影响因素也不完全一样,应对每一场高含沙洪水洪峰过程出现的异常现象进行具体分析,才能找出具体的影响因素和原因。所以在现阶段,要想对此异常现象进行预报还较困难。今后,仍需不断地观测积累实际资料,继续进行深入研究,以便能对高含沙洪峰过程异常现象这一至为重要而复杂的问题进行预报工作,为国民经济建设事业服务。

参 考 文 献

[1] 黄河水利委员会治黄研究组.黄河的治理与开发.第 1 版.上海:上海教育出版社,1984

[2] 钱宁主编.高含沙水流运动.第 1 版.北京:清华大学出版社,1989

[3] 张瑞瑾,谢鉴衡,王明甫等.河流泥沙动力学.第 1 版.北京:水利电力出版社,1989

[4] 钱意颖,杨文海,赵文林等.高含沙均质水流基本特性的试验研究.见:齐璞,赵文林,杨美卿编.黄河高含沙水流运动规律及应用前景.第 1 版.北京:科学出版社,1993.56~74

[5] 王明甫主编.高含沙水流及泥石流.第 1 版.北京:水利电力出版社,1995

[6] 齐璞,赵业安,樊左英.1977 年黄河下游高含沙洪水的输移与演变分析.见:齐璞,赵文林,杨美卿编.黄河高含沙水流运动规律及应用前景.第 1 版.北京:科学出版社,1993.75~90

[7] 龚时旸,熊贵枢.黄河泥沙来源和输移问题.见:河流泥沙国际学术讨论会论文集.第 1 集.北京:光华出版社,1980

[8] 王兴奎,钱宁,胡维德.黄土丘陵沟壑区高含沙水流的形成及汇流过程.水利学报.1982(7)

[9] 钱宁.西北地区高含沙水流运动机理的初步探讨.见:钱宁论文集.北京:清华大学出版社,1990.623~638

[10] 万兆惠,钱意颖,杨文海等.高含沙水流的室内试验研究.人民黄河.1979(1).53~65

[11] 王明甫,王运辉,王木山等.高含沙水流流速及紊动强度沿垂线分布.武汉水利电力学院学报.1981(3)

[12] 钱宁,万兆惠,钱意颖.黄河的高含沙水流问题.清华大学学报.1979(2)

[13] 詹义正,王明甫,白永峰.论浆河形成的临界条件.泥沙研究.1991(1)

[14] 万兆惠,宋天成."揭河底"冲刷现象的分析.泥沙研究.1991(3)

[15] 张瑞瑾.高含沙水流流性初探.武汉水利电力学院学报.1978(1)

[16] 匡尚富,徐永年,李文斌.高含沙水流的揭河底现象及机理研究.见:第二届全国泥沙基本理论研究学术讨论会论文集.北京:中国建材工业出

版社,1995.405～419

[17] 马秀峰,霍世青.黄河花园口"92.8"洪水异常现象成因调查.人民黄河.
1992(11)

[18] 赵业安,潘贤娣,樊左英等.黄河下游河道冲淤情况及基本规律.见:黄
委会水科所科学研究论文集.第1集.郑州:河南科学技术出版社,
1989.12～26

[19] 齐璞,赵业安.黄河高含沙洪水的输移特性及河床形成问题.见:黄委会
水科所科学研究论文集.第1集.郑州:河南科学技术出版社,1989.231
～244

[20] 陈立,周宜林,王明甫.游荡型河段漫滩高含沙水流水位异常的分析.
见:第二届全国泥沙基本理论研究学术讨论会论文集.北京:中国建材
工业出版社,1995.426～430

[21] 张红武,江恩惠,白咏梅等.黄河高含沙洪水模型的相似律.第1版.郑
州:河南科学技术出版社,1994

高含沙水流的基本特性

黄河干支流的高含沙水流不仅引起河床的强烈冲淤,还出现了一般挟沙水流不具有的一系列特殊现象。这些现象及其产生的后果,都和高含沙水流的基本特性有密切关系,这些特性包括高含沙水流的悬沙组成特性、高浓度含沙悬液的流变性质、颗粒在高含沙水流中的沉降特性,以及高含沙水流的流态与流动模式等。

1 高含沙水流的悬沙组成特性

河流中水流含沙量不高时,悬沙组成的规律性较差,但当含沙量达到或超过 200kg/m³ 时,悬沙组成会呈现出明显的规律性。

1.1 悬移质组成随含沙量增加而变粗的特性

图 1 是黄河中游粗沙来源区高含沙水流悬沙组成级配曲线随含沙量变化而改变的情况,图 2 是略经概化后的黄河下游不同含沙量下悬沙组成的级配曲线。

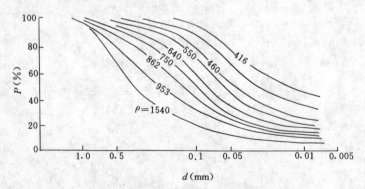

图 1 黄甫川站高含沙水流悬沙级配

从图 1、图 2 可看出,高含沙水流的悬沙粒径组成,随含沙量增大而变粗,对于不同泥沙来源区,相同含沙量下,悬沙粒径粗细还有较大区别。如图 3 所示,粗沙来源区的泥沙中径比相同含沙量下细沙来源区的中径要高出近 1 倍。

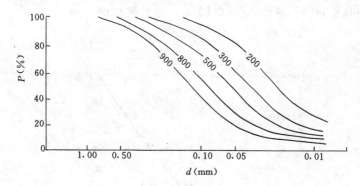

图 2　黄河下游高含沙水流悬沙级配

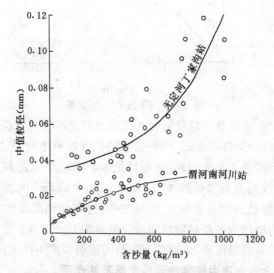

图 3　粗、细沙来源区悬沙 d_{50} 与含沙量关系[1]

悬沙组成随含沙量增大而变粗的特点,更明显地表现在悬沙

上限粒径 d_{90} 的变化。图 4 所示是渭河下游高含沙水流的悬沙上限粒径 d_{90} 与含沙量关系,可以看出,含沙量从 300kg/m³ 增加到 600kg/m³ 时,悬沙 d_{90} 由 0.068mm 增大到 0.096mm。

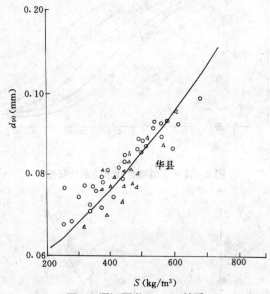

图 4 渭河下游 $d_{90} \sim S$ 关系

高含沙水流悬沙粒径随含沙量增加而变粗的另一表现是悬沙中,粗颗粒($d>0.05$mm,下同)含量随总含沙量增加而加大。图 5 是黄河下游悬沙组成资料,由图可见 $S=250$kg/m³ 的高含沙水流中,粗泥沙约占总重量的 40%,而在 $S=500$kg/m³ 的高含沙水流中,粗泥沙已占到总重量的 60% 左右,这充分说明高含沙水流中含沙量的增加主要是粗颗粒泥沙含量的加大。正由于高含沙水流挟带着大量的粗泥沙,才对黄河下游河道淤积产生严重影响。

1.2 高含沙水流中细颗粒泥沙含量及其作用

高含沙水流悬沙组成的另一重要特性,是细颗粒($d<$ 0.01mm,下同)含沙量维持相对稳定。据黄河中、下游资料分析,

当含沙量在 $200\sim900kg/m^3$ 大范围内变动时,细颗粒含沙量保持在 $30\sim60kg/m^3$ 范围内,很少变化,如按沙重百分比来计算,随着含沙量增大,细泥沙百分比含量反而减少。由于细颗粒泥沙在水中的电化学作用,促使浑水粘性增大,支持粗泥沙不沉,因而是维持高含沙水流运动不可缺少的骨架。细颗粒泥沙还是高含沙水流由牛顿体转变为宾汉体的重要因素。总之,没有细泥沙,就难以形成高含沙水流。

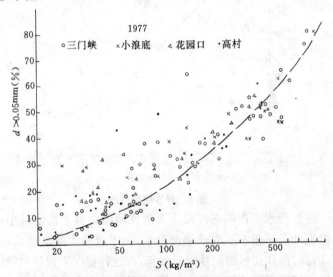

图 5　黄河下游高含沙洪水粗泥沙含量与总含沙量关系

1.3　高含沙水流悬沙沿程分选与补给的特性

　　黄河高含沙水流来自中游粗、细泥沙来源区,沿程经过小北干流、三门峡库区及下游高村以上的游荡性河段的冲淤调整,到艾山站基本上调整结束,水流含沙量降至 $200kg/m^3$ 以下,悬沙粒径组成也相应变细。

　　高含沙水流由于与低含沙水流交汇,使浓度稀释,或是河道纵比降变缓或水面展宽使流速减小,使泥沙分选落淤,含沙量及级配都发生变化。作为例子,图6所示级配变化系来自黄甫川的高含沙洪水,进入黄河干流后,尽管处于峡谷地区,流速较大,但因含沙浓度稀释,产生了明显的分选淤积。落淤的泥沙以粗沙为主。至义门站含沙量下降,悬沙组成变细。

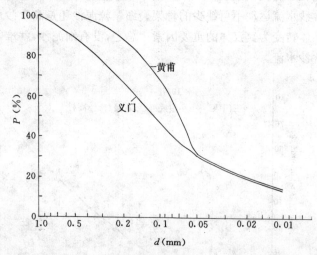

图6　悬沙组成分选

　　高含沙水流由峡谷河段进入宽浅河段后由于流速减小,也会引起泥沙分选淤积。对于漫滩洪水,由于滩地水流流速远小于主槽,因此,往往使粗细泥沙同时淤积,在这种情况下含沙量降低,悬沙组成相应变细的程度要小一些,但并不改变含沙量沿程减小、悬沙组成相应变细的趋势。图7为黄河下游高含沙水流含沙量的沿程衰减情况,悬沙中径平均值也从 0.05mm 下降到 0.025mm。

　　高含沙水流悬沙组成的粗细,主要取决于流域的泥沙补给条件。此外,水流还会通过河床冲刷取得泥沙补给。高含沙水流从总的来看是沿程分选落淤。但由于高含沙洪水的强烈造床作用,在游荡性河段会通过淤滩刷槽,从而塑造出输沙能力高的窄深断面,在一定条件下出现主槽的强烈冲刷,从河床淤积物中取得粗泥沙的

对黄河沙样的流变特性进行了试验研究,并把这种方法推广使用到黄河中下游的一些水文站及水库。

竖管粘度计通过测试垂直管两端压差及流量关系,在层流流态下可以推算出悬液的流变参数。其原理如下:竖管中任一截面径

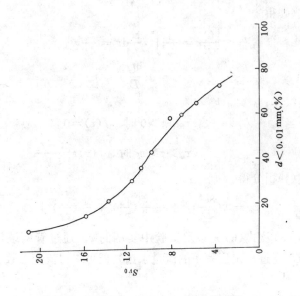

图9 $S_{v_0} \sim d < 0.01\text{mm}$ **含量关系**[3]

向任一点的剪切力是该点流速梯度的函数,即

$$-\frac{\mathrm{d}u}{\mathrm{d}r} = f(\tau) \tag{2}$$

积分后得径向流速分布

$$u(r) = \int_r^R f(\tau)\mathrm{d}r \tag{3}$$

通过全管流量为

$$Q = \int_0^R 2\pi r u(r)\mathrm{d}r = \pi \int_0^R r^2 f(\tau)\mathrm{d}r$$

因

$$\frac{r}{R} = \frac{\tau}{\tau_w}$$

故

$$\frac{Q}{\pi R^3} = \frac{1}{\tau_w^3} \int_0^{\tau_w} \tau^2 f(\tau) d\tau \tag{4}$$

对于牛顿体，$-\dfrac{du}{dr} = \dfrac{\tau}{\mu} = f(\tau)$

代入式(4)得

$$\frac{Q}{\pi R^3} = \frac{1}{\tau_w^3} \int_0^{\tau_w} \frac{\tau^3}{\mu} d\tau = \frac{\tau_w}{4\mu}$$

或

$$\tau_w = \mu \left(\frac{8U}{D}\right) \tag{5}$$

对于宾汉体：

当　　　　　　　$\tau_B > \tau > 0$ 时　$f(\tau) = 0$

　　　　　　　$\tau_w > \tau > \tau_B$ 时　$f(\tau) = \dfrac{\tau - \tau_B}{\eta}$

代入式(4)积分得

$$\tau_w = \eta \left(\frac{8U}{D}\right) \Big/ \left[1 - \frac{4}{3}\left(\frac{\tau_B}{\tau_w}\right) + \frac{1}{3}\left(\frac{\tau_B}{\tau_w}\right)^4\right] \tag{6}$$

利用式(5)及式(6)关系及试验中实测的 τ_w（通过管两端压差求出）及 U（通过一定压差下的流量求出），便可求得流变参数 μ、η 与 τ_B。

很显然，由悬沙取样配成各种浓度，测验其悬液的流变参数，未能反映出悬沙级配变化对流变参数的影响。

钱意颖、杨文海、赵文林等曾于1980年根据黄河泥沙取样进行过试验，得出了高含沙水流的相对粘滞系数公式。

另外，张浩、任增海等采用渭河、洛河浑水试样测定高含沙水流的粘滞系数，引进了细颗粒对粘性影响的因素，也得出了经验关系式。

1980年，褚君达从爱因斯坦的相对粘度理论公式出发，考虑粘性颗粒周围薄膜水对悬浮液粘性的影响，求得了浑水相对粘度公式。

至于宾汉剪切力,也有许多学者根据试验资料给出各种形式的经验表达式。不过,唐存本 1981 年提出的公式,则是引用粘性颗粒粘结力的概念,并结合试验资料得出宾汉切应力公式。

1985 年,我们以爱因斯坦在球形颗粒稀悬液条件下推得的相对粘度理论公式 $\mu/\mu_0 = 1 + 2.5S_V$ 为基础,将反映高含沙组成特性的非均匀颗粒组成分为很多组相当于均匀粒径的稀悬液,应用爱因斯坦理论公式进行积分,最后得出高浓度泥沙悬液相对粘度公式[4]

$$\mu/\mu_0 = \left[1 - K\frac{S_V}{S_{Vm}}\right]^{-2.5} \tag{7}$$

式中:系数 K 系固体浓度修正系数;S_V 及 S_{Vm} 分别为固体体积比浓度及一定级配组成的极限浓度(最大堆积浓度,或相当于 $\mu \to \infty$ 时的浓度,可由试验资料外延求出)。根据试验结果,得到表达宾汉剪切力 τ_B 的经验公式,即

$$\tau_B = 9.8 \times 10^{-2}\exp(B\varepsilon + 1.5) \tag{8}$$

式中:$B = 8.45$;$\varepsilon = (S_V - S_{V0})/S_{Vm}$;$S_{V0} = 1.26S_{Vm}^{3.2}$。

式(7)、(8)反映出泥沙悬液流变参数的主要影响因素,即悬液体积比浓度及粒度组成,但并不能反映出泥沙矿物成分对流变参数的影响,因此只适用于泥沙矿物成分基本相同的流域或产沙条件基本相同的情况。

1988~1989 年我们在黄委水文局及有关水文站的支持下,采集了黄河中、下游十几个站的悬沙样品,进一步作了系统的流变试验,试验浓度范围 $S_V = 0.072 \sim 0.433 (S = 190 \sim 1\,150\text{kg/m}^3)$,悬液最大上限粒径 d_{90} 达 0.7mm,共 54 组试验结果,验证了式(7)是可靠的,其试验点据与式(7)符合情况如图 10,并由试验点据分析,将式(7)中表达有效浓度(考虑薄膜水及封闭水对浓度的修正)的系数表达为

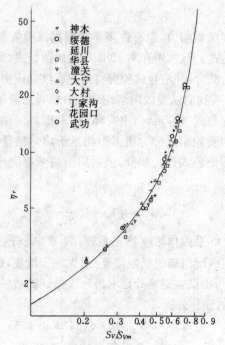

图 10 $\eta_r \sim S_V / S_{Vm}$ **关系式**[5]

$$K = 1 + 2.0(\frac{S_V}{S_{Vm}})^{0.3}(1 - \frac{S_V}{S_{Vm}})^4 \tag{9}$$

可使试验点据与式(7)关系得到最好的配合。此外,根据试验结果,验证了极限浓度与颗粒比表面积和有图 11 所示的关系,并可用下式表示[5]

$$S_{Vm} = 0.92 - 0.21\lg(\Sigma \frac{\Delta p_i}{d_i}) \tag{10}$$

对式(8)的进一步验证结果,如图 12。

这样,在已知高含沙水流含沙浓度及其相应的悬沙级配情况下,可按式(10)、(7)、(8)直接计算其流变参数。作为例子,表 1 列出黄河下游高含沙水流含沙量为 600、420 及 208kg/m³ 的流变参数及流型。

　　极限浓度 S_{Vm} 是反映颗粒组成的最好的特征参数。

　　表 1 中同时表明,如果含沙量为 420 及 600kg/m³ 的悬液仍按 $S=208kg/m³$ 的悬沙组成来计算流变参数,其结果如表中带括

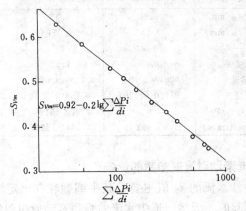

$$S_{Vm}=0.92-0.2\lg\sum\frac{\Delta P_i}{d_i}$$

图 11　$S_{Vm}\sim\Sigma\Delta P_i/d_i$ 关系

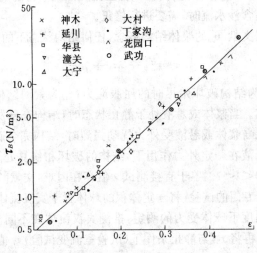

图 12　$\tau_B\sim\varepsilon$ 关系

号的数据,与实际数值相差很多。可见悬沙颗粒组成对于流变参数计算有多么重要。

表 1   **高含沙水流流变参数计算**

含沙浓度 S/S_V	208/0.078 5	420/0.158 5	600/0.226 0
上限粒径 d_{90}(mm)	0.10	0.13	0.18
中值粒径 d_{50}(mm)	0.034	0.051	0.058
$\sum \dfrac{\Delta P_i}{d_i}$	160	69	62
极限浓度 S_{Vm}	0.48	0.55	0.56
相对粘度 η_r	2.16(2.10)	3.40(4.06)	5.20(6.60)
界限浓度 S_{V0}	0.120(0.120)	0.186(0.120)	0.197(0.120)
宾汉剪切力 τ_B(Pa)	0	0(0.864)	0.69(2.84)
上限沉速 ω_{90}(cm/s)	0.402	0.384(0.321)	0.443(0.349)

2.3 水流紊动对流变参数的影响

高含沙水流的 τ_B 值主要是其中细颗粒在一定浓度下形成絮凝结构引起的。天然河道中水流的强烈紊动使脆弱的絮凝结构遭到破坏,τ_B 不复存在。因而由试验室流变试验求得的 τ_B 值,在应用到河流高含沙水流时,需要进行修正。

根据文献[6]的浆体结构概念,任何结构状态下的剪切力为

$$\tau = \tau_0 + \lambda \tau_1 + \mu \frac{\mathrm{d}u}{\mathrm{d}y} \tag{11}$$

式中:τ_0 为结构破坏殆尽时的屈服应力;τ_1 为絮网结构应力;λ 为结构系数。当浆体或悬液处于静止状态时,结构充分发育,$\lambda = \lambda_{max}$ $=1$,相反当浆体或悬液受外力扰动强烈时,结构完全破坏,$\lambda = \lambda_{min}$ $=0$,当悬液在一定外力作用下,结构的破坏和修复处于某一平衡状态时,$0 < \lambda < 1$。鉴于直接测试 λ 值存在困难,文献[7]的作者设计了一个专门的试验,将一定体积的球体置于宾汉流体中,通过不同流动强度下球体受力的测定,推测宾汉流体在不同流动条件下的 τ_{BT} 值,再将 τ_{BT} 与静止条件下(试验室流变试验)τ_B 值相比,定义 $\lambda = \tau_{BT}/\tau_B$,来确定 λ 与以雷诺数表示的流动条件的关系,其结果如

图 13。

图中：$Re_* = \dfrac{UD\rho_m}{\eta(1 + \dfrac{\tau_{BT}D}{6\eta U})}$，对于明渠流动雷诺数应改写为

$$Re_* = \frac{4UR\rho_m}{\eta(1 + \dfrac{1}{2}\dfrac{\tau_{BT}R}{\eta U})} \tag{12}$$

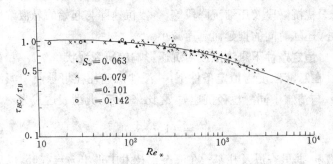

图 13　$\lambda \sim Re_*$ 关系[7]

图 13 关系还可近似地用下式表达

$$\lambda = 1 - \left[\frac{Re_* - 200}{40\,000}\right]^{0.25} \tag{13}$$

限于试验条件，图 13 中 Re_* 范围不够大，但通过阻力计算验证[7]，上述关系可外延到更大的雷诺数应用。这样由式(13)可见，对于干流河道的高含沙水流，Re_* 远超过 4×10^4，这使 $\lambda \to 0$，即不计 τ_B 的存在是允许的。在一些小支流或渠道中的高含沙水流，Re_* 值较小，可参考图 13 或式(13)估算 τ_{BT} 值。

3　高含沙水流中泥沙的沉降特性

相同粒径的泥沙颗粒在高浓度悬液中的沉降速度远比在清水中小。浓度对一定颗粒沉速的影响，现有研究成果很多，但无统一认识，这在一定程度上影响了高含沙水流挟沙力的研究。

在实际工作中要区分浓度对沉速影响的两种不同情况。一种是泥沙颗粒在浓度不变的悬液中沉降,如平衡输沙条件下,一定粒径的泥沙沉速,只与恒定的浓度(如垂线平均浓度)有关,而与时间无关。另一种是泥沙颗粒在浓度随时间变化的悬液中沉降,如静止悬液中的泥沙沉速,随着悬液分选沉淀,泥沙沉速也发生变化。这种沉降的不恒定过程及其沉速的随时变化,通常划分为自由沉降段、干扰沉降段及压缩沉降段等,各段沉速除与起始的悬液浓度有关外,还随时间的推延而迅速减小。

3.1 恒定条件下悬液浓度对沉速影响的研究现状

在悬液浓度为恒定条件下,其泥沙沉速往往用悬液中泥沙沉速 ω 与清水中同一粒径沉速 ω_0 之比来表示,典型表达式为

$$\frac{\omega}{\omega_0} = (1 - S_V)^m \tag{14}$$

指数 m 据里查逊及札基[8]在流态化技术中得出 $m = 4.65$,以后有人发现 m 值随颗粒雷诺数或粒径大小而变化,对于细颗粒,m 可达到 7 甚至更大。沙玉清采用另一表达式,即

$$\frac{\omega}{\omega_0} = \left(1 - \frac{S_V}{2\sqrt{d_{50}}}\right)^m \tag{15}$$

式中:指数 $m = 3$;d_{50} 为悬沙中径,mm。式(15)一定程度上考虑了颗粒粗细的影响,但还没有考虑悬液组成及其粘性对沉速的影响。万兆惠对于 Stoker 定律范围内的细颗粒推得[1]

$$\frac{\omega}{\omega_0} = \frac{\mu_0}{\mu}(1 - S_V)^2 \tag{16}$$

式(16)包含了粘性对沉速的影响,这比前人公式又进了一步,但万兆惠采用了森—竹粘滞系数公式

$$\frac{\mu}{\mu_0} = 1 + \frac{3}{\dfrac{1}{S_V} - \dfrac{1}{0.52}} \tag{17}$$

式中未反映出粒度组成对粘性的影响,实际上只适用于某一特定的粒度组成的悬液。这样将式(17)代入式(16)得

$$\frac{\omega}{\omega_0} = \frac{(1 - S_V)^2}{1 + \dfrac{3}{\dfrac{1}{S_V} - \dfrac{1}{0.52}}} \tag{18}$$

类似形式的沉速公式还很多,它们共同的不足之处是不能充分反映悬液粒度组成或粘性对沉降速度的影响,因而各式所得结果的差别是可以理解的。以上公式的另一共同缺点是以 $\frac{\omega}{\omega_0}$ 来表示浑水中相同粒径沉速减少程度,要确定某粒径在浑水中的沉速 ω,先要求得其在清水中的沉速 ω_0,由于清水粘度小,可能不在 Stoker 定律区,而浑水中的沉速因粘度高,沉降规律服从 Stoker 定律,把两种不同沉降规律得到的沉速进行比较,也是不可取的。

3.2 高含沙水流中各级粒径泥沙的沉速计算方法

在平衡输沙条件下,含沙水流中固体浓度不随时间变化,因而一定粒径的沉速只与悬液特性(主要是流变特性)有关。

高含沙水流为维持泥沙悬浮输移所作的功,与泥沙在悬液中的平均沉速成比例,为此可先将各级粒径按统一公式计算一定悬液中的沉速

$$\omega_i = \sqrt{\frac{4}{3} g d_i (\frac{\gamma_s - \gamma_m}{\gamma_w}) / C_{Di}} \tag{19}$$

$$C_{Di} = f(\frac{\omega_i d_i \gamma_m}{g \mu}) \tag{20}$$

式中:ω_i、d_i 分别为某粒径在浑水中的沉速及粒径大小;γ_m、μ 为悬液的容重及粘滞系数,而可由本文方法求得;C_{Di} 为沉降阻力系数,可由 $C_D \sim Re$ 的标准关系查得。如各级粒径所占重量百分比为 ΔP_i,则平均沉速可由各级粒径沉速加权求得,即

$$\overline{\omega} = \Sigma \Delta p_i \omega_i \tag{21}$$

　　作为例子,表 2 列出了黄河高含沙水流($S = 420\text{kg/m}^3$, $\eta_r =$ 3.4)的悬沙级配组成及各级粒径的沉速 ω_i。由表可见,平均沉速 $\overline{\omega}$ $= 0.16\text{cm/s}$,其中 $d = 0.25 \sim 0.10\text{mm}$ 这级泥沙对平均沉速的贡献最大,占一半以上,这组粒径与悬沙上限粒径 d_{90} 大致相近;$d <$ 0.01mm 的细颗粒泥沙,对平均沉速已没有什么影响了。由此可见,有的文献中用平均粒径或中值粒径作为非均匀沙代表粒径来计算平均沉速,显然是偏小了。

表 2　　　　　　高含沙水流中分级粒径沉速及平均沉速计算

d_i(mm)	0.35	0.158	0.087	0.061	0.035	0.016	0.008	0.004 6	Σ
ω_i(cm/s)	1.676	0.567	0.172	0.084	0.028	0.005 8	0.001 5	0.000 5	
Δp_i	0.015	0.148	0.157	0.205	0.218	0.113	0.02	0.054	1.0
$\Delta p_i\omega_i$	0.025	0.084	0.027	0.017 2	0.006 1	0.000 7	0	0	0.16

3.3　静止悬液中泥沙的分选沉降与群体沉降

　　在实际工作中常常需要确定静止悬液中颗粒的沉速,如港池中泥沙的下沉、供水工程的浑水澄清及选矿中的浆体浓缩等,这些与高含沙水流中泥沙的沉降性质不同。静止悬液中的固体颗粒是在周围浓度随时变化的不恒定条件下进行的,泥沙沉速不仅与起始浓度有关,而且还与沉降时间及沉降深度等有关。麦克劳林[9]曾通过试验,提出了混合沙沉降现象的基本物理图形。对于非均匀颗粒组成的悬浮液,开始沉降的是其中较粗颗粒,因为其沉速大,故先分选下沉。然后是细颗粒在一定浓度下形成絮团,由于絮团大小基本相同,因而同时下沉,可以在沉降试验筒中观测到悬液上层澄出清水,并出现清、浑水的分界面,界面下降速度与悬液的起始浓度和颗粒级配组成有关,一般需通过对一定悬液特性进行沉降试验,来了解其沉降或澄清过程,对于这种情况,人们感兴趣的是细颗粒的沉速,或表现为浑液面的沉速,这与前述恒定水流中粗颗粒沉速是主要的情况有所不同,但浑液面沉速也不是恒定的,图 14 所示是黄河花园口淤泥悬液在不同起始浓度下于沉降筒中观测到的清、浑水界面随时间的变化过程,显然,界面～时间关系线的斜率,便是浑液面在该时刻的沉速,即 $\omega = \dfrac{\mathrm{d}h}{\mathrm{d}t}$,实际工作中往往需要图中直线段的斜率即浑液面的等速段沉速。因浑液面沉速反映一定尺度的絮团沉速,同样可应用沉速公式

$$\omega = \frac{(1 - S_V)(\gamma_s' - \gamma)}{18\mu_e}d'^2 \tag{22}$$

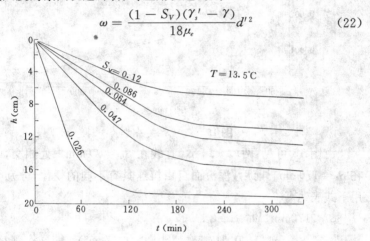

图 14   不同起始浓度的悬液沉降曲线

式中:γ_s' 系絮团容重;d' 系絮团直径,如把它化算到容重为 γ_s 时的直径 d'',并引入关系式 $\mu_e = \mu_0 \cdot \mu_r$,则式(22)改为

$$\frac{\omega\mu_0}{(1 - S_V)(\gamma_s' - \gamma)} = \frac{d''^2}{18} \cdot \frac{1}{\mu_r} = f(S_V, \Sigma \frac{\Delta p_i}{d_i}) \tag{23}$$

为求得式(23)表达式的具体函数关系,我们采用了不同容重、不同颗粒组成的泥沙、尾矿等进行不同浓度下的沉降试验,取得一系列的沉降曲线(如图14),及相应的等速沉速 ω,在半对数纸上点绘 $a_*\sim S_0$ 关系,如图15。

$$a_* = \frac{\omega\mu_0}{(1 - S_V)(\gamma_s - \gamma)}$$

$$S_0 = 6S_V\Sigma \frac{\Delta p_i}{d_i}$$

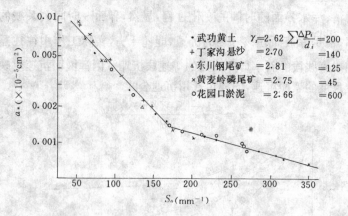

图 15 $a_*\sim S_0$ 关系[10]

由图 15 可见,两段 $a_*\sim S_0$ 直线在 $S_0=170\mathrm{mm}^{-1}$ 处相交,即在 $S_0=170\mathrm{mm}^{-1}$ 前后,浑液面自由沉速具有不同的规律,分别可用下式表达[10]

$S_0<170\mathrm{mm}^{-1}$ 时

$$a_* = 0.017\,5e^{-0.015S_0} \times 10^{-5}(\mathrm{cm}^2) \tag{24}$$

$S_0>170\mathrm{mm}^{-1}$ 时

$$a_* = 0.002\,7e^{-0.004S_0} \times 10^{-5}(\mathrm{cm}^2) \tag{25}$$

由式(24)、(25)关系便可求得不同条件下浑液面沉速。试验还表明,S_0 达到或超过 $50\mathrm{mm}^{-1}$ 时,才出现明显的界面,表明絮团形成并同时下沉的临界浓度为

$$S_{V1} = \frac{S_0}{6\Sigma\dfrac{\Delta p_i}{d_i}} = 8.33(\Sigma\frac{\Delta p_i}{d_i})^{-1} \tag{26}$$

4   高含沙水流的流态和流动模式

4.1   高含沙水流的流态及其判别

水流中固体颗粒含量提高以后,由于粘性的提高,抑制紊动的

作用加强,在黄河中游三级以下小支流或西北引黄灌溉中,可观测到流速并不很小但表面平静的高含沙水流层流流态,也可观测到流速梯度为零的"流核"现象和水位作周期性波动的不稳定流动现象。但在黄河干支流,即使含沙量高达几百公斤甚至上千公斤,但水流仍属强烈的紊流流态。

众所周知,当含沙量很高,水流由牛顿体转为宾汉体时,其有效粘度表示为

$$\mu_e = \eta(1 + \frac{1}{2} \frac{\tau_B h}{\eta V}) \tag{27}$$

试验研究表明,高含沙水流从层流过渡到紊流的临界雷诺数为

$$Re_b = \frac{4RV\gamma_m}{g\eta(1 + \frac{1}{2} \frac{\tau_B R}{\eta V})} \geqslant 2\,100 \tag{28}$$

如假定 $R \doteq h$,则由式(28)可求得层流到紊流的过渡流速为

$$V_0 \geqslant \frac{262.5}{h\gamma_m} g \cdot \eta \left[1 + \sqrt{1 + \frac{h^2 \tau_B \gamma_m}{262.5g\eta^2}} \right] \tag{29}$$

如河道的流速用下式近似表示

$$V = \frac{1}{n} \cdot h^{2/3} J^{\frac{1}{2}} \tag{30}$$

则比较不同条件下 V 与 V_0,便可判别高含沙水流的流态。就黄河下游来说,如采用 $J = 2 \times 10^{-4}$,$n = 0.011$,出现的最高含沙量按 600、800kg/m³ 计,则由表 3 列出的不同水深下 V 与 V_0 的比较可

表 3　　　　　　　　高含沙水流流态判别(下游资料)　　(单位:m/s)

水深	$S = 600$kg/m³, $\eta_r = 5.2$, $\tau_B = 0.69$Pa		$S = 800$kg/m³, $\eta_r = 7.86$, $\tau_B = 2.1$Pa	
h (m)	V	V_0	V	V_0
0.30	0.57	0.363	0.57	0.605
0.50	0.81	0.362	0.81	0.603
0.80	1.11	0.361	1.11	0.602
1.00	1.29	0.361	1.29	0.602

见,黄河下游高含沙洪水基本不会出现层流流态。只有在 $S = 800\text{kg/m}^3$(这在下游十分罕见),而水深不到 $0.3 \sim 0.4\text{m}$ 时才可能出现要求的过渡流速 V_0 大于实际流速而进入层流流态。表 3 计算结果还表明,过渡流速 V_0 基本上与水深无关。

4.2 高含沙水流的流动模式及其判别

含沙水流按其垂向浓度分布均匀程度分为非均质流及伪均质流,这两种流动模式具有不同的流动特性及阻力特性。影响浓度分布的因素除含沙量外,还有颗粒组成以及流速等。

如何判别高含沙水流的流动模式,目前还没有像流态判别那样有定量的判据,就实用意义来说,国外采用 $S_v/S_{va} \geqslant 0.8$ 为伪均质流,有参考价值,上式来自大型管道经验,式中 S_v 及 S_{va} 分别为距管顶 $0.08D$ 处及管中心处的浓度。对实际大型管道测验结果表明,S_v/S_{va} 与上限粒径的悬浮指数存在如下的良好关系,即

$$\lg S_v/S_{va} = -1.8\left(\frac{\omega_{90}}{\beta \kappa u_*}\right) \tag{31}$$

将 $S_v/S_{va} \geqslant 0.8$ 代入上式,经化算可得,伪均质流条件为

$$\frac{\omega_{90}}{u_*} \leqslant 0.054\kappa \tag{32}$$

式(32)中卡门常数 κ 与体积比含沙浓度 S_v 有关,可用文献[11]中的公式计算,即

$$\kappa/\kappa_0 = 1 - 4.2\sqrt{S_v}(0.365 - S_v) \tag{33}$$

表 4 是根据黄河下游及渭河下游高含沙水流特性数据计算的流动模式判别结果,并如图 16 所示。由图可见,黄河下游与渭河下游高含沙水流的流动模式有明显差别。渭河下游高含沙水流悬沙组成细,当 $u_* > 0.052 \sim 0.066\text{m/s}$(或相当于 $hJ > 0.000\,28 \sim 0.000\,44\text{m}$),便形成伪均质流,而且是含沙量越高,形成伪均质流的 u_* 或 hJ 值就越小。黄河下游情况却不是这样,由于悬沙组成粗,不易形成伪均质流,形成伪均质流的条件是 $u_* > 0.15 \sim$

0.23m/s（或相当于 $hJ > 0.002\ 3 \sim 0.005\ 4$m），而且是含沙量越高，由于悬沙上限粒径更粗，反而要求更高的 u_* 或 hJ 值才能形成伪均质流。例如对于 $S = 500$kg/m³ 的高含沙水流，形成伪均质流的条件是 $hJ \geqslant 0.004\ 9$m，假定 $J = 2‰$，即要求水深 $h \geqslant 24.5$m，这是不可能的。

表4 高含沙水流流动模式判别

	黄河下游				渭河下游			
S(kg/m³)	600	500	400	300	600	500	400	300
d_{90}(mm)	0.181	0.151	0.121	0.090	0.096	0.087	0.077	0.066
ω_{90}(cm/s)	0.42	0.38	0.315	0.250	0.096	0.100	0.103	0.110
κ	0.34	0.32	0.31	0.31	0.34	0.32	0.31	0.31
u_*(m/s)	0.23	0.22	0.19	0.15	0.052	0.058	0.062	0.066
hJ(m)	0.005 4	0.004 9	0.003 7	0.002 3	0.000 28	0.000 34	0.000 39	0.000 44

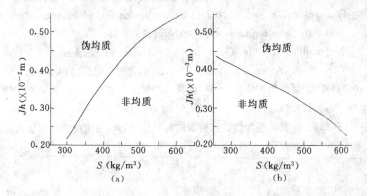

图16 高含沙水流流动模式判别

(a)黄河下游　　(b)渭河下游

由此可见，高含沙水流悬沙组成粗细，对于其流动模式影响很大，渭河下游高含沙水流悬沙细、高含沙水流往往属于伪均质流，而黄河下游高含沙水流悬沙组成较粗，均属非均质流，其流动和输沙特性都与渭河有明显差别，故不能类比。

参 考 文 献

[1] 钱宁,万兆惠. 泥沙运动力学. 北京:科学出版社,1983

[2] 赵业安,潘贤娣,樊左英等. 黄河下游河道冲淤情况及基本规律. 见:黄委会水科所科学研究论文集. 第 1 集. 郑州:河南科学技术出版社,1989. 22

[3] 费祥俊. 高含沙水流的颗粒组成及流动特性. 见:第二次河流泥沙国际学术讨论会论文集. 北京:水利电力出版社,1983. 298

[4] Fei,X. J. and Yang,M. Q. The Physical Properties of Flow with Hyper-concentration of Sediment. Proc. of Intern. Workshop in Flow at Hyper-concentration of Sediment. Beijing China. 1985

[5] 费祥俊. 黄河中下游含沙水流粘度的计算模型. 泥沙研究. 1991(2)

[6] Cheng D. A. Differential Form of Constitutive Relation for Thixotropy Rhed. Acta,12,1973. 228

[7] 费祥俊,朱程清. 高含沙水流运动中的宾汉切应力. 泥沙研究. 1991(4)

[8] Richardson,J. F. and W. N. Zaki. Sedimentation and Fluidisation,Part 1, Trans,Inst. ehem. Engrs. ,vol. 32,No. 1,1954. 35～53

[9] Mclaughlin,R. T. Jr. The Settling Properties of Suspensions. J. Hyd. Div. ,Proc. ,Amer. Soc. civil Engrs,vol. 85,No. Hy12,1959. 9～41

[10] 费祥俊. 泥沙的群体沉降——两种典型情况下非均匀沙沉速计算. 泥沙研究. 1992(3)

[11] 张红武等. 黄河高含沙洪水模型的相似律. 郑州:河南科学技术出版社, 1994

高含沙水流的流动与输沙特性

1 高含沙水流的两种类型

当水流中泥沙含量较高,特别是细颗粒泥沙含量较高时,流变特性可以用宾汉体来描述,即

$$\tau = \tau_B + \eta \frac{\mathrm{d}u}{\mathrm{d}y} \tag{1}$$

在宾汉流体中,宾汉切应力 τ_B 可以支持重颗粒保持静止状态而不下沉。可以为宾汉切应力支持而不下沉的重颗粒最大粒径为

$$D = K \frac{\tau_B}{\gamma_s - \gamma} \tag{2}$$

式中:γ_s 和 γ 分别为重颗粒的容重和浆液(细颗粒泥沙与水的混合物)的容重。为宾汉切应力所支持,在静止状态下也可以不下沉的颗粒称为中性悬浮质[1]。

当细颗粒含量较大,相应地宾汉切应力也较大时,全部泥沙颗粒以中性悬浮质形式运动,这样的高含沙水流称之为伪一相流。否则称之为二相流。

2 伪一相流的流动特性

2.1 流速分布

2.1.1 层流流速分布

(1)二元明渠层流垂线流速分布。二元明渠层流垂线的流速分布可以直接由宾汉流体的流变方程(1)导得。二元明渠中,离渠底 y 处的切应力 τ 为 $\gamma_m(H-y)J$,其中 γ_m 为浑水的容重;H 为水深;J 为比降。

通过对 y 积分,并考虑到渠底 $y=0$ 处流速 u 为零,可以得出

底部切应力大于宾汉切应力的区域内的流速分布公式

$$u = \frac{y}{2\eta}(2\gamma_m HJ - \gamma_m yJ - 2\tau_B), 0 \leqslant y \leqslant H - \frac{\tau_B}{\gamma_m J} \quad (3)$$

而在上部流层间切应力小于宾汉切应力的区域内,浑水整体运动而无相对剪切,称之为"流核"。流核的速度 u_p 为

$$u = u_p = \frac{\gamma_m J}{2\eta}(H - \frac{\tau_B}{\gamma_m J})^2, H - \frac{\tau_B}{\gamma_m J} < y \leqslant H \quad (4)$$

上述流速分布也可以改写成相对流速分布的形式,即

$$\frac{u_p - u}{u_p} = \begin{cases} (1 - \frac{\gamma_m yJ}{\gamma_m HJ - \tau_B})^2 & (0 \leqslant y \leqslant H - \frac{\tau_B}{\gamma_m J}) \\ 0 & (H - \frac{\tau_B}{\gamma_m J} < y \leqslant H) \end{cases} \quad (5)$$

(2)有限宽度明渠表面流速分布。在有限宽度明渠内,两侧受边壁影响,有一定的流速梯度。而中央部分同样显示出没有流速梯度、呈整体流动的特点。

王兆印也曾对此进行过分析[2]。在假定表层流体受渠底影响很小的前提下,得出与前面类似的中央部分出现流核的表面流速横向分布公式。详细的推导在此不再赘述。

2.1.2　紊流流速分布

与清水水流类似,当流动的尺度和流速增大时,高含沙水流将由层流流态转化为紊流流态,其流速分布特点及阻力特性也有相应的变化。

(1)层流向紊流转化的临界条件。现有试验研究表明,宾汉流体的雷诺数应包含宾汉切应力等流变参数在内,对于二元明渠水流,其形式如下

$$Re_m = \frac{4\gamma_m HV}{g\eta(1 + \frac{1}{2}\frac{\tau_B H}{\eta V})} \quad (6)$$

式中:g 为重力加速度。据王明甫等用粘土泥浆进行的明渠试验结

果,当 $Re_m = 2\,000$ 时,层流开始转化成紊流流态,当 $Re_m > 10\,000$ 时已发展成为充分的紊流。亦即 $Re_m = 2\,000 \sim 10\,000$ 为过渡流态[3]。在过渡区内,接近边壁为紊流流态,而上部仍保持层流流态或间歇性地成为紊流流态。

(2)明渠紊流流速分布.杨文海、赵文林的水槽试验结果表明,在充分紊流区,高含沙宾汉流体的流速分布仍遵循对数流速公式,只是其卡门常数 κ 值与清水时的值 0.4 不同[4]。图 1 是实测的几条垂线流速分布,左边的均为充分紊动条件下的流速分布。

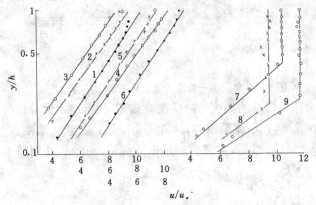

图 1 高含沙伪一相紊流垂向流速分布(水槽试验)

实测的过渡区内的流速分布(图 1 右边的三条垂线)表明,表层存在流速梯度为零的流核区,而在流核下面,流速分布仍遵循对数公式规律。

(3)压力管路中紊流流速分布。宋天成等曾在宽 18cm、高 10cm 的矩形断面压力管路中用 $D_{50} = 0.004\,5$mm 的花园口淤泥浆进行过试验[5]。实测流速分布表明:对紊流伪一相流来说,流核以外的流速分布仍遵循对数规律,只是卡门常数小于 0.4,在 0.2～0.3 之间,实测的流速分布如图 2(b),图中还画出了实测的层流流速分布图 2(a)。

层流及紊流流速分布中流核的高度 b 可以写成

$$b = \frac{\tau_B}{\gamma_m R J} h \qquad (7)$$

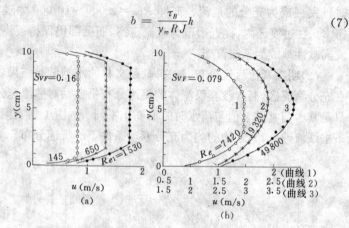

图 2　高含沙伪一相流的流速分布(管路试验)

式中：h 为压力管路的高度。从实测流核高度与(7)式计算值的对比图可以看出，在层流范围内，两者完全一致。在紊流范围内，当 Re_m 大于 1×10^4 以后，实测值略小于计算值，两者的差别随雷诺数增大而增大。

2.2　阻力损失

2.2.1　二元明渠层流的阻力损失

将(3)、(4)式沿水深积分，便可以得出二元明渠层流的单宽流量 q 为

$$q = \frac{\tau_0 H}{3\eta} \left[1 - \frac{3}{2} \frac{\tau_B}{\tau_0} + \frac{1}{2} \left(\frac{\tau_B}{\tau_0} \right)^3 \right] \qquad (8)$$

其中床面切应力为

$$\tau_0 = \gamma_m H J \qquad (9)$$

对于宾汉流体，只有当床面切应力 τ_0 大于 τ_B 时才会有流动。一般情况下，τ_0 比 τ_B 要大得多，因此，(8)式中方括弧内的第三项比 1 要小得多，可以忽略不计。这时，式(8)可以改写成

$$f = \frac{96}{Re_m} \tag{10}$$

其中的雷诺数 Re_m 具有式(6)的形式,阻力系数 f 为

$$f = 8\frac{gHJ}{V^2} = 8\frac{u_*^2}{V^2} \tag{11}$$

式中: u_* 为摩阻流速, $u_* = \sqrt{gHJ}$ 。

2.2.2 圆管层流的阻力损失

对于管流,根据圆管中宾汉流体层流流动时的流量,在忽略 τ_B/τ_w (τ_w 为管壁切应力)高次方的条件下,可得到如下的阻力公式

$$f = \frac{64}{Re_1} \tag{12}$$

其中
$$Re_1 = \frac{4\gamma_m RV}{g\eta\left(1 + \dfrac{2}{3}\dfrac{\tau_B}{\eta V}\right)} \tag{13}$$

式中: R 为水力半径,即 $\dfrac{d}{4}$, d 为管径。

但在 τ_w 十分接近 τ_B ,即流动刚刚开始时,忽略(τ_B/τ_w)的高次项会带来较大的误差。毕景生等曾求得阻力系数 f 的精确解[6]

$$f = \frac{-(b - \sqrt{8y + b^2})/2 + \sqrt{\dfrac{1}{4}(b - \sqrt{8y + b^2})^2 - 4y - 4by/\sqrt{8y + b^2}}}{2} \tag{14}$$

其中
$$y = \sqrt[3]{\frac{cb^2}{16} + \sqrt{\left(\frac{cb}{16}\right)^2 - \left(\frac{c}{3}\right)^3}} + \sqrt[3]{\frac{cb^2}{16} - \sqrt{\left(\frac{cb}{16}\right)^2 - \left(\frac{c}{3}\right)^3}}$$

$$b = -64\left(\frac{1}{b} - \frac{He}{Re^2} + \frac{1}{Re}\right)$$

$$c = \frac{64^2}{3}\frac{He^4}{Re^8}$$

上述阻力系数 f 的解析式表面看来比较复杂,但在计算机上进行这样的运算还是很容易的。

对比精确解式(14)与近似解式(12)可以得出如下认识：①精确解比近似解小；②两者的偏离程度是 He/Re^2 的函数。实测数据表明，精确解比近似解更接近实测点据。

2.2.3 伪一相流阻力损失的试验资料

钱宁、万兆惠曾对各家明渠、管道伪一相流的试验资料进行过综合分析，得出阻力系数与雷诺数的关系见图 3[7]。

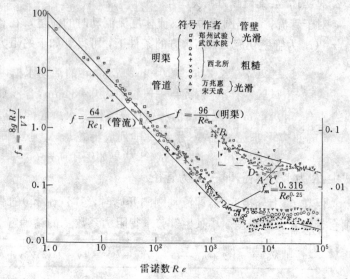

图 3 明渠和管道伪一相流阻力系数与雷诺数关系

注 图中实线为清水通过光滑边壁时的阻力曲线

由图可见，在层流范围内，明渠和管流的阻力系数～雷诺数关系分别符合(10)式和(12)式。也就是说，如果在雷诺数的组成中考虑了宾汉切应力这一因素，则在层流范围内，宾汉流体的阻力系数～雷诺数关系与清水的相应关系无异。

2.2.4 紊流光滑区的阻力系数

据万兆惠、宋天成等在矩形断面光滑圆管内试验的结果，紊流

光滑区的阻力损失遵循勃拉修斯公式[5,8]

$$f = \frac{0.316}{Re_1{}^{0.25}} \qquad (15)$$

2.2.5　紊流粗糙区的阻力损失

西北水利科学研究所曾在明渠内用三种不同的糙率进行过试验,得出紊流区的阻力变化规律[9],试验点据已绘在图 4 中。但应该指出的是,在他们的试验中,大雷诺数,即充分紊动区的点据都是在含沙量不大(绝大多数是在含沙量小于 80kg/m³)的条件下取得的。

杨文海、赵文林在长 24m、宽 0.4m、高 0.4m 的活动水槽内进行了试验[4]。试验沙样取自黄河,中值粒径为 0.034mm,含沙量变幅为 440～590kg/m³。泥浆属伪一相宾汉流体。水槽底部用边长 20mm 的正方形水泥块加糙,水泥块排列成梅花形,中心线间距 60mm。作为对比,也用清水做了试验,结果如图 4 所示。

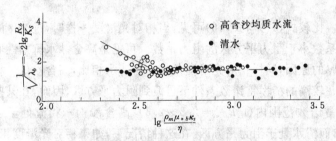

图例:
○ 高含沙均质水流
● 清水

图 4　阻力系数与相对光滑度、粗糙雷诺数的关系

图中:λ_b 为粗糙槽底的阻力系数,$\lambda_b = \dfrac{2g R_b J}{V^2} = \dfrac{f}{4}$;$R_b$ 为与粗糙槽底有关的水力半径;K_s 为粗糙突起的尺寸。该图的横坐标为糙率雷诺数的对数,其中的 u_{*b} 为摩阻流速,$u_{*b} = \sqrt{g R_b J}$。

由图可见,在充分紊动的阻力平方区,高含沙伪一相流的阻力规律与清水几乎完全一致,阻力系数是糙率形式和相对光滑度的函数。在试验中采用一种固定的糙率形式(立方体梅花形排列)的条件下,阻力系数只是相对光滑度 R_b/K_s 的函数,即

$$\frac{1}{\sqrt{\lambda_b}} = 2\lg \frac{R_b}{K_s} + 1.6 \tag{16}$$

而在同一水深和流速下,高含沙伪一相流与清水的阻力损失基本相同。可以用清水的阻力公式计算高含沙伪一相流的阻力系数。

2.2.6 过渡区的阻力损失

杨文海、赵文林利用他们的水槽试验资料和西北水科所的试验资料,分析了伪一相流过渡区的阻力变化规律[4]。

在过渡区,高含沙伪一相流的阻力系数是糙率形式、相对光滑度和糙率雷诺数的函数。在他们所采用的这种固定的糙率形式的条件下,阻力系数为

$$\frac{1}{\sqrt{\lambda_b}} - 2\lg \frac{R_b}{K_s} = 13.81 - 4.71\lg \frac{\rho_m u_{*b} K_s}{\eta} \tag{17}$$

比较式(17)与式(16)可见,当相对光滑度一样时,过渡区的阻力系数小于阻力平方区的阻力系数。可见是高含沙水流粘性底层加厚的原因,同样相对光滑度条件下与清水相比,高含沙伪一相流要在较高的糙率雷诺数条件下过渡到阻力平方区。因而,在某些糙率雷诺数范围内($\lg Re_* = 2.3 \sim 2.6$),高含沙伪一相流处于过渡区,而清水处于阻力平方区。在这种情况下,如果相对光滑度相同,则高含沙伪一相流的阻力系数小于清水的阻力系数,亦即发生减阻现象。

3 两相高含沙水流

3.1 概况

黄河干支流上的高含沙水流常常挟带粒径范围很广的粗细泥沙。高含沙水流来沙还具有如下特点:随着来水含沙量的增大,其

中细颗粒部分的含沙量几乎保持不变,增加的这部分泥沙主要是粗颗粒,因此,来水含沙量愈高,泥沙粒径愈粗。

高含沙水流来沙的这一特点使我们可以把它看成是由细颗粒泥沙与水组成的浆液挟带粗颗粒泥沙的运动。与清水相比,浆液的粘度大幅度增加,甚至具有宾汉流体的特点。相应地,粗颗粒在浆液中的沉速比其在清水中的沉速大幅度减小。流体粘性和颗粒沉速的变化带来了床面形态、垂线含沙量分布、垂线流速分布和挟沙能力的一系列变化。

3.2 细颗粒存在对床面形态的影响

万兆惠曾在矩形断面的管路内进行试验,比较清水与不同浓度的粘土浆液流经散粒体河床时床面形态的差异[8],后来在明渠水槽中进行了类似的试验[14]。最后得出的主要认识是:

(1)与清水相比,在粘土浆液中床面粗颗粒要在较大的流量(或流速)下才能起动。粘土浆液的细颗粒浓度愈大,与清水条件下起动的差别也愈大。

(2)与清水相比,在粘土浆液中床面的沙垄在较小的流量条件下转化成平整床面。

(3)综合以上两条,与清水相比,在粘土浆液中床面出现沙垄的流量范围较小。

(4)在粘土浆液中的沙垄外形比较平滑,其背水面不再是休止角。在粘土浆液中的沙垄具有上下游接近对称的外形。

粘土浆液的浓度愈大,与清水条件下的情况差别也愈大。当粘土浆液的浓度达一定值时,床面不再出现沙垄。

粘土浆液中床面形态的这一变化是高含沙水流阻力较小的一个重要原因。

3.3 细颗粒存在对粗颗粒含沙量垂线分布的影响

宋天成等曾在矩形断面管路中,采用接近均匀的 $D_{50} = 0.15\text{mm}$ 的沙作为粗颗粒,$D_{50} = 0.0045\text{mm}$ 的花园口淤泥作为细颗粒,量测了清水和细颗粒不同浓度的浑水流经粗颗粒床面时的流速垂线分布、粗颗粒含沙量的垂线分布[5]。图 5 是在不同 S_{VF}(S_{VF} 是去除粗颗粒以后浆液中的细颗粒浓度,以体积比表示)条件

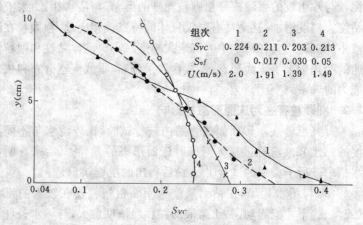

组次	1	2	3	4
S_{VC}	0.224	0.211	0.203	0.213
S_{vf}	0	0.017	0.030	0.05
U(m/s)	2.0	1.91	1.39	1.49

图 5　不同细颗粒浓度条件下粗颗粒含沙量垂线分布的变化(管路试验)

下粗颗粒含沙量 S_{VC}(以体积比表示)的垂线分布。由图可见,在清水中粗颗粒含沙量垂线分布最不均匀,随着 S_{VF} 的增大,粗颗粒含沙量的垂线分布趋于愈来愈均匀。

　　图 6 则是万兆惠、宋天成在水槽中测得的粗颗粒含沙量 S_{VC} 的垂线分布[10]。图中 S_a 是在接近河底 $y=a$ 这一参考点处的粗颗粒含沙量。由图同样可以看出,浆液的细颗粒浓度 S_{VF} 愈大,则粗颗粒含沙量的垂线分布愈均匀。此外,试验点据在双对数纸上大体上沿一直线分布,这说明粗颗粒含沙量的垂线分布仍可用扩散理论的公式来描述。

3.4　细颗粒存在对流速分布的影响

　　如前所述,在宋天成等的矩形断面管道试验中,量测了不同条件下的流速垂线分布,如图 7 所示。

　　图中:κ 是卡门常数。由图可见,没有任何泥沙颗粒的清水水

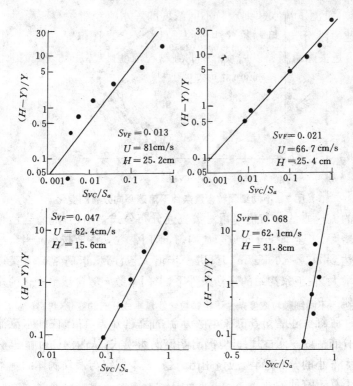

图 6 不同细颗粒浓度条件下粗颗粒含沙量垂线分布的变化（水槽试验）

流的卡门常数为 0.4(No.1)。清水挟带纯粗颗粒(No.5)的流速分布最不均匀，与清水水流的流速分布偏离最甚，卡门常数为 0.19。随着细颗粒浓度 S_{VF} 的增大，挟带粗颗粒的水流的流速分布愈来愈均匀，愈来愈接近清水的流速分布，相应的卡门常数也从 0.19 逐渐增加到 0.37。

60 年代，黄河水利委员会水文局与水利水电科学研究院河渠所合作，曾在渭河南河川站和无定河丁家沟站进行过系统的高含沙水流野外观测。图 8 是丁家沟站流速垂线分布的部分成果[11]。

由图可见，在半对数纸上点据分布接近一条直线，即高含沙水

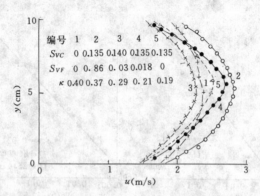

图 7 不同细颗粒含量条件下流速垂向分布的变化

流的流速垂线分布仍可用对数流速分布公式来描述;随着含沙量的增大,流速垂线分布愈来愈均匀,卡门常数 κ 逐渐减小。当含沙量达到 $300\sim400\mathrm{kg/m^3}$ 时,进一步增大含沙量,卡门常数 κ 又逐渐增大。在丁家沟站的来沙条件下,卡门常数 κ 随含沙量变化的规律如图 9。

张红武也曾分析过高含沙水流的流速分布,得出挟沙水流流速分布的统一公式[12]。他提出紊流涡团模式,认为涡团动能具有上大下小的分布趋势。应该指出,这一基本假定与紊动涡体的基本图形是不符的。

3.5 细颗粒存在对阻力损失的影响

戴继岚和钱宁曾清楚地阐明了细颗粒泥沙所起的双重作用[13]。一方面,细颗粒泥沙的存在使得粗颗粒泥沙的沉速减小,从而一部分原来以推移质形式运动的粗颗粒转为悬移运动,相应地阻力减小。另一方面,细颗粒泥沙的存在使得粘性增大,从而使水流阻力增大。这一作用在层流区和过渡区更为明显。

图 10 是宋天成等在矩形断面管路中测得的同时有粗、细颗粒时的阻力系数与雷诺数的关系[5]。图中的曲线为伪一相流的阻力系数～雷诺数关系。由图可见:

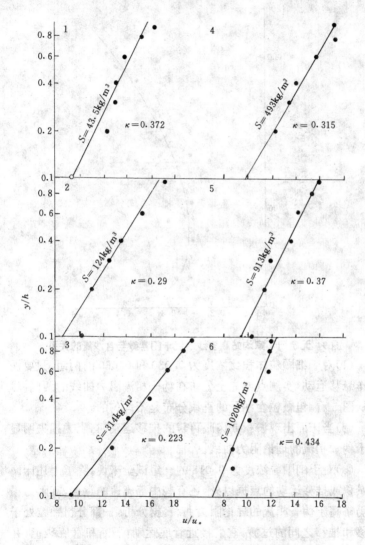

图 8　无定河丁家沟站高含沙水流流速垂线分布

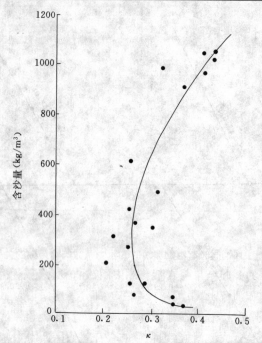

图9　无定河丁家沟站高含沙水流卡门常数与含沙量的关系

（1）对于细颗粒体积比浓度为0.030和0.060的两组，只要泥沙作悬移运动，实测点群完全分布在伪一相流阻力曲线的两侧。尽管从图5看，粗颗粒含沙量的垂线分布是不均匀的。

（2）当床面出现淤积或肉眼可辨的推移运动时，阻力损失明显高于伪一相流的理论阻力曲线。

（3）对于细颗粒浓度为0.018的一组试验来说，除了上述床面有淤积或推移运动的点据以外，还有些中等流速的点据，其阻力损失仍略高于伪一相流的理论阻力曲线。据分析，一部分粗颗粒处于悬移和推移之间的过渡，它们接近管底运动，不断和管底碰撞，并反弹跳起，在进入主流区时会有一个加速的过程。因而，它们的运动需要从水流的势能中取出能量，即增加阻力损失。

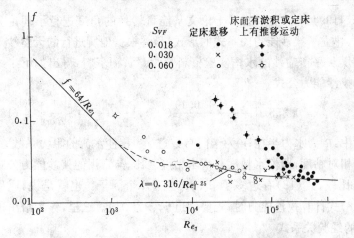

图 10 同时有粗细颗粒时的阻力系数与雷诺数的关系

以上的试验结果与文献[13]中阐述的概念是一致的。

在冲积河流上,阻力的一个组成部分是床面形态阻力。如前所述,与清水相比,在粘土浆液中的沙垄外形比较平滑对称,并较早转化成平整床面。因而,细颗粒的存在将使床面阻力减小。

4 输沙特性

4.1 伪一相流的输沙特性

对于伪一相流,全部泥沙颗粒均为中性悬浮质,它们的水下重量为宾汉切应力所支持,只要水流的势能(明渠流的能坡、管流中的压力坡)足以克服水流的损失,流动就能维持,泥沙就能被输送。

4.2 两相流的输沙特性

天然河流的来沙总是不均匀的,正如 3.1 节中讨论到的,高含沙水流来沙的级配范围很广,一般都有一定数量的细颗粒及随含沙量增大而愈来愈粗的粗颗粒。高含沙水流具有不同于一般挟沙水流的特性,如浑水容重大,细颗粒的存在使粘性增大,呈现宾汉流体特性等,这些都会影响高含沙水流的输沙能力。

　　1994 年舒安平的博士论文从能量转换的角度进行了理论分析,建立了挟沙能力关系式的形式,最终根据他所进行的天然沙与粉煤灰平衡输沙的水槽实验资料及大量黄河资料,得出如下半经验挟沙能力公式

$$S_V = 0.355\ 1\left[\frac{\lg(\mu_r + 0.1)}{\kappa^2}\left(\frac{f_m}{8}\right)^{3/2}\frac{\gamma_m}{\gamma_s - \gamma_m}\cdot\frac{V^3}{gR\omega}\right]^{0.72} \quad (18)$$

式中:R 为水力半径;κ 为卡门常数;f_m 为挟沙水流的阻力系数;μ_r 为相对粘度,即浑水粘度与清水粘度之比。与常用的挟沙能力公式相比较,式(18)右边多了 μ_r、κ、f_m 这几个因子。也就是说,应用(18)式计算挟沙能力时,先要知道 μ_r、κ、f_m 值。这里,作者给出了 κ 的经验关系式

$$\begin{cases}\kappa/\kappa_0 = 1 - 1.5\lg\mu_r(1 - \lg\mu_r) & \mu_r \leqslant 10 \\ \kappa/\kappa_0 = 1 & \mu_r > 10\end{cases} \quad (19)$$

即卡门常数 κ 只是 μ_r 的函数。上式中的 κ_0 为清水水流的卡门常数,即 0.4。这样,实际上(18)式反映挟沙能力随相对粘度 μ_r 增大而增大,并与 $f_m^{1.08}$ 成正比。

　　作者用前面提到的水槽实验资料、黄河中下游、无定河、洛惠渠的野外资料对公式(18)进行了验证,实测资料与公式计算值符合良好。

　　应该指出,除非给出 f_m 的变化规律,否则公式(18)难以应用。从理论的角度看来,挟沙能力与 $f_m^{1.08}$ 成正比,卡门常数 κ 只与 μ_r 有关等论断是值得讨论的。

　　张红武等 1992 年也是从能量转换的角度出发,最终利用黄河土城子挟沙能力测验资料和黄科院水槽及模型资料,建立了包括全部悬沙的挟沙力公式如下[14]

$$S_* = \left[\frac{(0.002\ 2 + S_V)V^3}{\kappa\dfrac{\gamma_s - \gamma_m}{\gamma_m}gH\omega}\ln\left(\frac{H}{6D_{50}}\right)\right]^{0.62} \quad (20)$$

式中：S_* 为挟沙能力；S_V 为以体积百分比计的含沙量；D_{50} 为床沙中值粒径，其余符号意义同前。上式单位采用 kg、m、s 制。

作者应用长江、黄河、北洛河等国内外大量资料对公式(20)进行了验证，在相差将近四个数量级的范围内，计算值与实测值十分接近，相关系数在 0.90 以上。

应该承认，在泥沙学科领域内，理论计算值与实测值如此一致是极为难得的。

可以对公式(20)作进一步的剖析。与常用的挟沙能力公式相比较，公式(20)中多了 κ、$\ln(\frac{H}{6D_{50}})$ 和 $(0.002\,2+S_V)$ 这几项。而在这三项中，κ 的变化范围一般为 0.19～0.40，相差最多一倍；由于取了对数，$\ln(\frac{H}{6D_{50}})$ 的变化范围也很有限，特别是对于同一个断面；真正变化大的则是 $(0.002\,2+S_V)$，而对于较大的含沙量(如 $60\mathrm{kg/m^3}$)，$0.002\,2$ 与 S_V 相比较小一个数量级，可以忽略不计。这里的 S_V 与黄河河床演变分析中常用的上站含沙量不同，它指的是本站或本河段的含沙量。而在应用实测资料验证公式(20)时，实测的挟沙力 S_* 也就是取该断面的含沙量 S_V。因此，在含沙量较大特别是高含沙量的条件下，公式(20)也就可以近似写成

$$S_V \doteqdot S_V^{0.62} F(\kappa, \frac{H}{6D_{50}}, \frac{\gamma_s-\gamma_m}{\gamma_m}, \frac{V^3}{gH\omega})$$

由此可见，(20)式相关关系良好的情况是很自然的。

龙毓骞、梁国亭等[1] 用黄河实测资料对几家挟沙能力公式进行了验证。他们得出的主要认识有：

(1)研究挟沙能力时，区分床沙质和冲泻质，可以提高全沙含沙量的计算精度。

(2)研究高含沙水流挟沙能力，不仅要考虑含沙量和级配对粘

---

[1] 龙毓骞、梁国亭、吴保生，对输沙能力公式的验证，黄委会水科院泥沙所研究报告，1994 年。

滞性系数的影响而修正沉速,还应以某种形式的因子反映浑水特性对挟沙能力的影响。

(3)目前的挟沙能力多为有一定物理意义的半经验公式,把这些公式用于不同河流或河段时,应尽量利用所研究河流或河段的实测资料确定公式中的系数和指数。

参 考 文 献

[1] 钱宁,万兆惠.泥沙运动力学.北京:科学出版社,1983

[2] Zhaohui Wan and Zhaoyin Wang. Hyperconcentrated Flow. Balkema.
1994

[3] 王明甫,詹义正,刘建军等.高含沙水流紊动特性的试验研究.见:第二次
河流泥沙国际学术讨论会论文集.北京:水利电力出版社,1983.36～46

[4] 杨文海,赵文林.粗糙明渠高含沙均质水流阻力的试验研究.见:第二次
河流泥沙国际学术讨论会论文集.北京:水利电力出版社,1983.47～55

[5] 宋天成,万兆惠,钱宁.细颗粒含量对粗颗粒两相高含沙水流流动特性的
影响.水利学报,1986(4).1～10

[6] 华景生,万兆惠.宾汉浆液在管路中输送时的阻力.泥沙研究,1990(2).
31～37

[7] 钱宁,万兆惠.高含沙水流运动研究述评.水利学报.1985(5).27～34

[8] 万兆惠.高含沙水流中的粗颗粒泥沙运动.水利学报.1984(8).1～44

[9] 张浩,任增海.明渠高含沙水流阻力规律探讨.中国科学.A辑,1982(6).
531～537

[10] 万兆惠,宋天成.细颗粒含量对粗颗粒含沙量分布及挟沙能力的影响.
水利学报,1987(8).20～31

[11] 钱宁.西北地区高含沙水流运动机理初步探讨.黄河泥沙研究报告选
编.第4集.1980.224～267

[12] 张红武,江恩惠,白咏梅等.黄河高含沙洪水模型的相似律.郑州:河南
科学技术出版社,1994

[13] 戴继岚,钱宁.粒径分布和细颗粒含量对两相管流水力特性的影响.泥
沙研究.1982(1).24～38

[14] 张红武,张清.黄河水流挟沙力的计算公式.人民黄河,1992(11)

黄河高含沙洪水的河床演变与输移

　　黄河干支流经常发生的高含沙洪水,在不同河段的河床演变与输移特性不同。因含沙量高、洪水造床作用强烈及输移的非恒定性,常出现一些新问题,对黄河下游河道防洪带来一定的影响。因此,研究其输移规律及出现"异常"现象的原因,有助于加深对高含沙洪水运动规律的认识,为黄河中下游河道防洪与治理提供科学依据。

　　冲积河流的河床形态是由挟沙水流塑造的,反过来它又约束水流及泥沙的运动,尤其在河道输送高含沙洪水时,两者间关系更为密切。了解高含沙水流的基本特性,对研究高含沙洪水的河床演变与输移特性十分重要。

1　黄河高含沙洪水特性

1.1　阻力特性

　　由于含沙量的增加,流体粘性增大,黄河高含沙水流的流变特性虽然变成宾汉体,但在充分紊流的条件下,其阻力规律与清水相同,可用曼宁公式进行水力计算[1,2]。表 1 给出黄河小浪底站实测高、低含沙洪水时 n 值的比较可以说明这一点。黄河实测资料分析表明,高含沙洪水的流态均处于充分紊流区。

1.2　含沙量分布特性

　　水流中含沙量的增大,细颗粒含量的增加,一方面引起流体粘性增加,另一方面使流体容重增大,因而会使粗颗粒的沉速大幅度降低,含沙量在垂线上的分布更加均匀。从黄河干支流各站实测资料(图 1)可知,相对水深 0.2 与 0.8 的测点含沙量的比值 K 在含沙量小于 300kg/m³ 时,为 0.4~0.9,含沙量大于 300kg/m³ 时,K

表 1　　　　　　　　小浪底站高、低含沙洪水的 n 值比较

年 . 月 . 日	$Q(\text{m}^3/\text{s})$	$S(\text{kg}/\text{m}^3)$	n	年 . 月 . 日	$Q(\text{m}^3/\text{s})$	$S(\text{kg}/\text{m}^3)$	n
1977. 8. 7	5 420	268	0.036	1982. 8. 1	7 450	56.5	0.038
1977. 8. 7	5 120	324	0.041	1982. 8. 1	7 220	56.5	0.036
1977. 8. 7	6 910	592	0.043	1982. 8. 1	6 230	56.5	0.038
1977. 8. 7	9 720	843	0.042	1982. 8. 2	9 400	55.0	0.036
1977. 8. 8	6 550	356	0.049	1982. 8. 2	9 290	55.0	0.041
1977. 8. 8	4 590	405	0.045	1982. 8. 2	7 710	55.0	0.039
1973. 8. 28	3 110	440	0.041	1982. 8. 2	5 150	69.1	0.038
1973. 8. 28	3 520	508	0.037	1982. 8. 3	5 660	91.1	0.041
1973. 8. 28	2 880	324	0.036	1982. 8. 3	4 790	99.6	0.037
1973. 9. 2	4 150	313	0.040	1982. 8. 4	4 150	82.0	0.041
				1982. 8. 4	3 550	82.0	0.040
				1982. 8. 5	2 970	66.4	0.043
平均			0.041				0.039

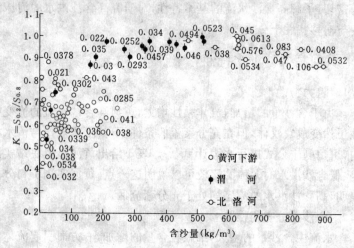

图 1　含沙量垂线分布特性与含沙量间的关系

值为 0.9～1.0。图中点旁的数字为实测悬沙的 $d_{50}(\text{mm})$，其中包括 d_{50} 为 0.106 和 0.083mm 的粗泥沙的测点资料。垂线平均含沙量在横向沿河宽方向分布也表现出比较均匀。致使黄河高含沙水

流可以在较弱的水流条件下能顺利输送。

1.3 河道输沙特性

1.3.1 河槽形态分类

河槽形态不同决定了水流条件在断面上的分布状况,从而影响了河道的输沙特性。根据流量与河道宽深比 B/h 值的变化规律的不同,可以将河道分成宽浅型、窄深型和过渡型。当 B/h 值随着流量的增大而增加时,称为宽浅型;当 B/h 值随着流量增大而减小时,为窄深型;当 B/h 值不随流量变化时为过渡型。图 2 给出黄

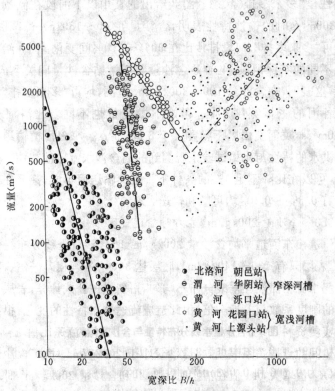

图 2　不同河流 B/h 与流量关系

河下游不同河段的 B/h 值与流量间的变化情况,其中高村以上的游荡性河段为宽浅型,孙口以下的弯曲性河段为窄深型,黄河的主要支流渭河、北洛河下游河道均为窄深型。

1.3.2　窄深河槽的输沙特性

由于窄深河槽随着流量的增大,B/h 值减小,水深流速增大,单宽流量增大,河道的输沙特性,从"多来多排多淤"过渡到"多来多排"状态。对于黄河艾山以下河道,当流量大于 2 000m³/s 时,断面平均流速达到 2m/s,床面进入高输沙动平整状态,河道的输沙特性呈"多来多排"状态。图 3 给出的艾山以下河段在流量大于 1 800m³/s 时的输沙特性表明,含沙量在 40～150kg/m³ 范围内,均可"多来多排",河段排沙比在 90%～110% 间变化。图 4 给出黄河不同的窄深河段,上游站含沙量与下游站含沙量间关系成 45°线,这表明,在含沙量 100～800kg/m³ 范围,均可"多来多排"。由于各河的主槽宽度不同,起始不淤流量也不同。北洛河只有 300m³/s,黄河艾山以下则要大于 3 000m³/s。窄深河槽输送高含沙洪水的特性与水槽试验中观测到的高含沙水流输沙特性十分相似,可以在比降不足 1‰ 的条件下长距离输送而不淤,甚至在比降只有 0.3‰～0.9‰ 均可顺利输送[3]。

1.3.3　含沙量 200kg/m³ 左右时输送最困难

从山东河道平均含沙量 200kg/m³ 时含沙量垂线分布特性可知,表层只有 130～140kg/m³,底层达 300kg/m³,相差一倍。因此引起水流粘滞性在垂线分布不均匀,用费祥俊公式计算,表层与底层的刚度系数相差近一倍,由此造成流速分布特性的变化。根据黄河实测资料点绘的相对水深 0.2 与 0.8 的测点流速比值 K_v 与含沙量间的点群关系表明,在含沙量小于 200kg/m³ 时,随含沙量增加,K_v 值增大,K_v 值在清水时为 1.4,到含沙量 200kg/m³ 时增长为 2.0。含沙量大于 200kg/m³ 时,随着含沙量的增加,K_v 减小,在

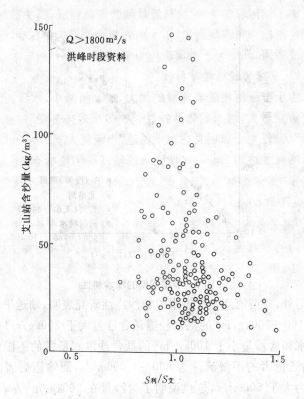

图3 艾山站含沙量与艾山—利津河段排沙比关系

含沙量 300～900kg/m³ 变幅内,平均 K_V 值为 1.4,与清水时 K_V 值相同。K_V 值在含沙量 200kg/m³ 时最大,说明此时的流速在垂线上分布最不均匀,这与张瑞瑾得出的在含沙量 200kg/m³ 时,卡门常数 $\varkappa$ 值最小的结论一致。若平均流速相同,作用在床面附近的流速值最小,而在含沙量大于 300kg/m³ 以后,垂线含沙量均匀分布与流速均匀分布的一致性,说明造成 K_V 值变化的主要原因是含沙量分布特性造成的。以上分析表明,若以作用在床面附近流速大小分析,含沙量 200kg/m³ 左右输送的水流条件最不利。

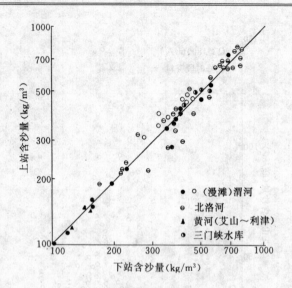

图4 窄深河槽的输沙特性

另外,对渭河高含沙洪水的输沙特性研究表明,输送平均含沙量为 100～200kg/m³ 的洪水较输送含沙量大于 200kg/m³ 的高含沙洪水和含沙量小于 100kg/m³ 的低含沙洪水所需的不淤流量都大,输送前者的不淤流量为 800～1 000m³/s,而输送后者的不淤流量为大于 500m³/s,这也说明了含沙量在 200kg/m³ 左右时,输送最困难。

1.3.4 宽浅河道的输沙特性

在宽浅的游荡性河段,随着流量的增加,漫滩范围迅速增大,使得滩地的淤积量增多,在高含沙洪水时表现尤为突出。因此,造成宽浅河段随着含沙量增大,河道的排沙比逐渐降低。图5给出黄河下游高村以上宽浅游荡河段,流量大于 2 000m³/s 时,河道的输沙特性随含沙量变化。由图中给出的点群关系可知,在进入下游的含沙量大于 50kg/m³ 时,不管流量如何变化,高村以上河段的排沙比均小于100%,且随着含沙量的增大,河段排沙比逐渐降低,

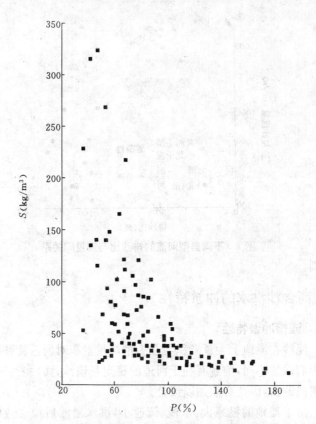

图5 高村以上宽浅河段排沙比与含沙量间关系

在含沙量大于 $200kg/m^3$ 以后,河段排沙比只有 $40\%\sim60\%$,淤积十分严重。

图6给出的黄河主要干支流不同类型河流的河段排沙比与流量的关系表明,游荡性河段的排沙比一般均小于 100%,而具有窄深河槽的弯曲性河流的排沙比一般均为 100%,甚至达到 120%。

综上所述,不同类型的河流具有不同的河槽形态,其输送高含沙洪水的特性也不同。宽浅河道与窄深河槽的输沙特性有截然的

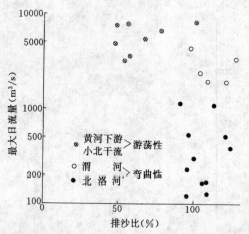

图 6　不同类型河流的排沙比与流量间关系

区别。

2　高含沙洪水的冲淤特性

2.1　滩槽冲淤特性

　　泥沙在滩地上大量淤积与在主槽严重淤积对河道特性所产生的影响截然不同,前者有利于河道的稳定与输沙,而后者则导致河道宽浅游荡,因此必须加以区分。

　　由于滩地的糙率大、水浅、流速小,洪水漫滩后均会造成滩地淤积。漫滩的水流含沙量越高,滩地淤积越严重。高含沙洪水对主槽的冲刷相当强烈,一场洪水可冲深几米,甚至十米。如龙门站1970 年 8 月 1 日至 4 日的洪水,洪峰流量 13 800m³/s,最大含沙量 826kg/m³,主河槽在洪水前后冲深达 9m,见图 7。

　　高含沙洪水在冲积河道上输送时,通过滩淤槽冲塑造成窄深河槽,而低含沙洪水在窄深河槽中通过时往往产生塌滩。从图 8 的北洛河下游河道在高、低含沙量洪水时主槽冲淤特性比较可知,它们对河槽的调整作用不同,高含沙洪水通过时,河宽变化不大,主

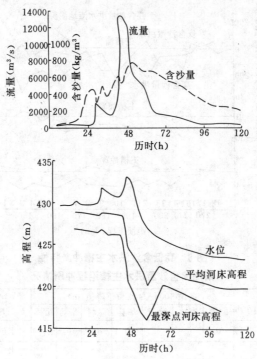

图7　龙门站河床冲刷过程

槽冲深;而低含沙洪水时,主槽明显展宽,河槽淤高。

2.2　沿程冲淤特性

　　高含沙洪水在窄深河道中长距离输送时,沿程产生剧烈冲刷。表2给出渭河下游河道沿程冲刷情况,从洪水前后流量500m³/s水位下降值可以看出[4],这四场洪水在临潼至吊桥100多公里长的河道中,均产生明显的冲刷,并有随着河道纵比降的减缓,水位下降值逐渐增大的变化趋势。为什么河道的纵比降由3‰沿程变缓至1‰以下,而河槽的冲刷强度并没有减弱,反而会沿程增加呢?从洪水的冲淤过程分析可以得到更深入的了解。

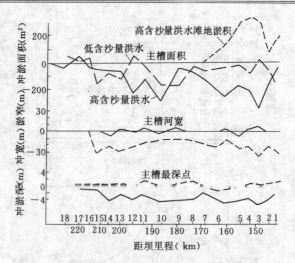

图 8 高低含沙洪水主槽冲淤特性

表 2 渭河高含沙量洪水主槽沿程冲刷情况

时　间 (年.月.日)	各站 500m³/s 水位下降值(m)							主槽最深点 冲刷情况
	临潼	交口	沙王	华县	陈村	华县	吊桥	
1964.8.12～8.17	-0.5			-0.4	-0.7	-0.6	-0.1	洪水过后未测断面
1966.7.26～7.31	-0.9	-0.6	-1.2	-0.5	-0.8	-1.4	-1.4	洪水后测断面 14个,其中 10 个断面最深点降低0.4～3m
1970.8.2～8.10	-0.3	-0.45	-0.6	-0.32	-0.8		-0.7	洪水过后测断面20 个,其中 10 个断面最深点降低0.6～3.7m
1977.7.6～7.10	-0.7		-1.3	-1.9		-2.0		洪水过后测断面 21个,其中 19 个断面最深点降低0.4～3m

2.3 洪水过程中的涨冲落淤

从河床的冲淤过程与洪水过程的对应关系可知,河床的剧烈冲刷主要发生在涨水期,在落水时河床将发生淤积。图7、9给出龙门站、朝邑站主槽冲刷的典型过程。两个站所在的河段特性差别较大,其中龙门站河道最陡,纵比降为6‰,高含沙洪水流量的变化范围常在5 000～10 000m³/s;朝邑站的河道比降为1.7‰,流量的变化范围在300～1 000m³/s,另外,比降不足1‰的华阴站,1977年7月高含沙洪水,流量在1 000～5 000m³/s,河床也发生了剧烈冲刷。关于高含沙洪水对河床剧烈冲刷形成的机理,各方面作了大

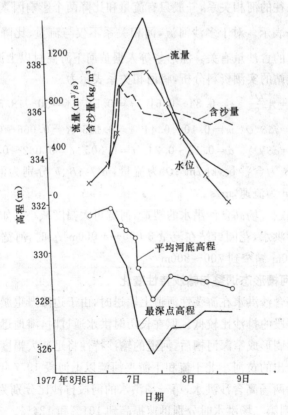

图 9　朝邑站洪水期河床冲刷过程

量的研究,共同的认识是含沙量必须大于 400kg/m³,并要有一定流量和持续时间[5]。从洪水非恒定流演进中,不仅涨水期水流动力大于落水期,同时底沙的运动速度远小于洪水波的传播速度考虑,造成涨冲落淤是很自然的,但这个问题有待深入研究。

3 河槽形态的调整

3.1 来水来沙与河相关系

以往的河相关系,一般只有流量和比降两个影响因素,常用 $B=A\dfrac{Q^a}{J^\beta}$ 表示。对于多沙河流,河相关系不仅与流量、比降有关,还与来水的含沙量有关。涂启华等人据黄河下游高村以上游荡性河段水文站的实测资料分析,将河相关系表示为

$$B=A\frac{Q^f}{S^e} \quad e=0.34\sim0.61 \quad f=0.51 \quad A=50\sim18.5$$

$$h=KS^mQ^n \quad m=0.10\sim0.44 \quad n=0.185 \quad K=0.066\sim0.41$$

$$v=cS^aQ^t \quad a=0.13\sim0.24 \quad t=0.305 \quad c=0.082\sim0.11$$

式中:S 为含沙量,kg/m³;Q 为流量,m³/s;B、h 分别为河宽和水深,m;v 为流速,m/s。

经过一场高含沙洪水的塑造,河宽可大幅度减小。如 1977 年高含沙洪水,花园口站在流量 3 000~4 000m³/s 时,河宽由 2 000~3 000m 缩窄到 700~800m[6]。

3.2 河槽形态调整与输沙特性变化

高含沙洪水在游荡性河道上输送时,由于边滩严重淤积,因此造成河段的排沙比较低。但在长历时洪水通过时,滩地迅速淤高,主槽冲刷形成窄深河槽后,河道的输沙特性将迅速大幅度地提高。表 3 给出的黄河小北干流和下游夹河滩以上河段 1977 年和 1973 年前后两场高含沙洪水,第一场洪水的河段排沙比分别为 78% 和 66%,到第二场洪水时分别迅速提高到 101% 和 124%。

表3　　　　　　　宽浅游荡河道输沙能力变化

河　段	时　段 (年.月.日)	Q_{max} (m³/s)	S_{max} (kg/m³)	d_{50} (mm)	$d<0.01$mm (%)	河段排沙比 (%)
黄河小北干流	1977.7.6~8	14 500	690	0.04~0.05	14~20	78
(龙门—潼关)	1977.8.5~8	12 700	821	0.08~0.13	11~15	101
黄河下游	1973.8.28~31	3 840	477	0.04~0.05	15~25	66
(夹河滩以上)	1973.9.1~3	4 470	331	0.04~0.05	10~25	124

4　洪峰流量沿程增大问题

洪峰流量沿程增大,是高含沙洪水在游荡性河道上输送时特有的现象。由于河槽极为宽浅,高含沙洪水在其输送过程中,因漫滩而发生严重淤积,河道的排沙能力很低,但滩淤槽冲的结果,引起河槽形态变化为窄深型,窄深河槽不仅使河道输沙能力迅速提高,同时也使洪水传播特性发生变化,产生"异常"现象。

4.1　洪峰流量沿程增大

图10给出1992年8月高含沙洪水,小浪底、花园口、夹河滩三站的洪水过程线,在区间加水很少的情况下,花园口站的最大洪峰流量达6 260m³/s,比相应上游小浪底站的最大洪峰流量4 570 m³/s净增1 690m³/s。这种现象在1973年的高含沙洪水过程中也曾出现过[7]。从图10给出的洪水过程线的沿程变化可知,这场洪水历时较长,达6~7天。在洪水初期,沿程削峰明显,下站洪峰流量大于上站发生在洪水的后期。从流量含沙量过程线可知,洪峰流量发生在最大沙峰534kg/m³之后,这种表面现象与其形成过程存在着内在的联系。

4.2　洪水期间河槽的冲淤过程

图11是花园口站流量、含沙量过程线与主槽平均河底高程和最低点的变化过程,由图可见,平均河底高程在高含沙洪水期间,

　　　　　　　　　　　高含沙水流

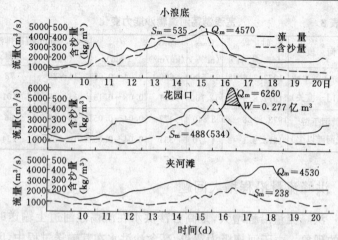

图 10　1992 年 8 月洪水过程线

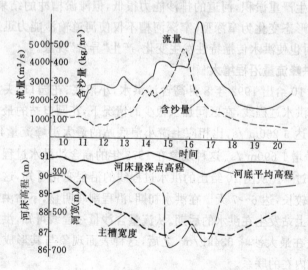

图 11　1992 年 8 月花园口站河床冲淤过程与水沙关系

发生了明显的冲刷,在最大洪峰流量时,河底最低,其中主槽最深点表现得尤为突出,在 8 月 15 日的一天内冲刷深度达 3m。洪水过程中其他断面河床冲淤也一样。距花园口站上游近100km的逯村水位站在 8 月 15、16 日两天内，流量 4 000m³/s 水位下降 2m，主槽发生了强烈的冲刷。从高含沙洪水前后的大断面测量可知，通过滩淤槽冲，宽浅河槽变成了窄深河槽。

4.3　洪水波传播速度

洪水波的传播速度 ω 与水流的平均流速及河槽形态有关，常用 ω＝A・V 表示，在河道较宽时水力半径可用水深代替，洪水的传播速度 ω 值与河槽形态的关系为

$$\omega = v\left(\frac{5}{3} - \frac{2}{3}\frac{R}{B}\frac{\partial B}{\partial y} \right) \tag{1}$$

式中：B 为水面宽；R 为水力半径；y 为水位；v 为断面平均流速。

当 $\frac{\partial B}{\partial y} = 0$ 时，$A = \frac{5}{3}$（河槽形态为矩形）

当 $\frac{B}{R} > \frac{\partial B}{\partial y} > 0$ 时，$A = 1 \sim \frac{5}{3}$（三角形、抛物线形）

当 $\frac{\partial B}{\partial y} > \frac{B}{R} > 0$ 时，$A < 1$（宽浅型）

高含沙洪水通过滩淤槽冲使河槽形态由宽浅变成窄深，使 A 值由小于 1 变成大于 1。此外，断面形态由宽浅变窄深，使平均水深、平均流速增大，A 值增加，v 值增大，造成洪水传播速度发生了较大变化。表4给出的 1977 年三场洪水龙门—潼关河段洪峰传播速度的变化表明，洪峰流量基本相同的三场洪水，河段平均的传播速度由第一场洪水的 2.8m/s 增加到第二场、第三场的 3.61 和 4.81m/s，小浪底至花园口间的传播速度也由第一场的 1.25m/s 增加到第二场的 2.26m/s。

4.4　洪峰流量沿程增大的原因

黄河游荡性河段下站流量大于上站的洪水共发生过 7 次。图 12 给出 1973 年高含沙洪水小浪底、花园口、夹河滩的流量含沙量过程线。

表4　高含沙洪水流量增大情况与水沙及河床前期条件

年份	洪峰序号	河段	月·日：时	Q_m (m³/s)	洪水特征值统计						河床形态变化
					$Q_出/Q_入$	S (kg/m³)	传播时间 (h)	传播速度 (m/s)	S_{max} (kg/m³)	S_{max}与Q_m关系	
1977	1	龙门	7.6.17:00	14 500		575			690		滩淤槽冲
		潼关	7.7.6:00	13 600	0.93	615	13	2.80	616		滩淤槽冲
	2	龙门	8.3.5:00	13 600		145			551		滩淤槽冲
		潼关	8.3.15:00	12 000	0.88	185	10	3.61	235		滩淤槽冲
	3	龙门	8.6.15:30	12 700		480			821	前8.5小时	滩淤槽冲
		潼关	8.6.23:00	15 400	1.21	911	7.5	4.81	911	相应	滩淤槽冲
	1	小浪底	7.8.15:30	8 100		170			535		滩淤槽冲
		花园口	7.9.19:00	8 100	1	450	28.5	1.25	546		滩淤槽冲
	2	小浪底	8.7.21:00	10 100		840			941	前1小时	滩淤槽冲
		花园口	8.8.12:42	10 800	1.07	437	15.7	2.26	809	前3小时	滩淤槽冲
1973	1	小浪底	8.27.1:42	4 320		110			110	前22小时	滩淤槽冲
		花园口	8.28.11:00	4 710	1.10(1.00)	120	33.3	1.07	150	前22小时	滩淤槽冲
	2	小浪底	8.30.0:0	3 630		360			509		滩淤槽冲
		花园口	8.30.22:00	5 020	1.38(1.30)	230	22	1.60	450		滩淤槽冲
	3	小浪底	9.2.12:00	4 400		325			338	前2小时	滩淤槽冲
		花园口	9.3.10:00	5 890	1.34(1.27)	330	22	1.60	348	后2小时	滩淤槽冲

注　1　1973年8月27～28日区间支流来水约400m³/s，故此值属区间来水造成
　　2　括号内的数字扣除丁区间来水影响。8月30日至9月2日区间支流来水约300m³/s

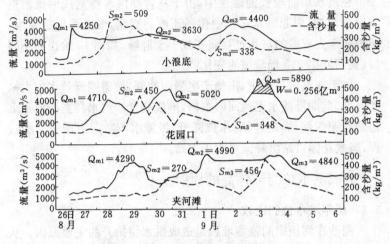

图 12　1973 年高含沙洪水过程线变化

一般来讲,造成洪峰流量沿程增大的因素有:①区间来水;②河槽冲刷、含沙量增加,使浑水流量增加;③测验误差;④洪水传播特性的变化引起的峰型的变化。1992 年 8 月和 1973 年 8 月两场洪水下站洪峰流量大于上站的数值,扣除区间的来水影响,分别达 1 590m³/s 和 1 190m³/s,因此可以排除主要是测验误差造成的。从图 10 和图 12 给出的最大流量与含沙量间的对应关系可知,最大洪峰流量均出现在最大含沙量之后,相应最大洪峰流量时的含沙量与上站相比没有明显的增加,因此可以排除主槽强烈冲刷对洪峰增大的影响。

从这些场次的高含沙洪水过程可知,它们具有下列特点:①洪水历时均比较长,或者几场高含沙洪水连续发生;②洪水期间主槽均产生强烈冲刷,使得同流量水位降低;③由于前期连续几年枯水淤槽,平滩流量小,洪水位很高,漫滩范围广。

从以上分析可知,造成花园口站洪峰流量增大的主要原因,是洪水传播特性变化引起的洪峰变形所致。

在洪水历时较长的过程中,由于高含沙洪水将宽浅河道塑造成窄深河槽,引起洪水过程中传播速度的变化,形成后浪赶前浪,使得原来为双峰的洪水过程演变成一个胖峰。如图12给出的花园口、夹河滩第2、3场峰型的变化。

由于在洪水过程中,主槽产生强烈冲刷,使得同流量水位大幅度降低,前期漫滩水迅速回归主槽,形成高含沙洪水在宽浅河道上边塑造窄深河槽,边冲刷,水位降低,漫滩水不断向主槽回归的过程,造成花园口站洪峰流量大于上站。

5 造成洪水位"异常"高的原因

5.1 历年洪水位的比较

泥沙在河槽中的强烈堆积是造成洪水位抬升的主要原因。从表5给出的历年高含沙洪水位资料表明,1992年8月与1973年8月花园口站的流量分别为6 260和5 020m³/s,而它们的洪水水位却比1982年8月洪峰流量为15 300m³/s的低含沙洪水的水位还高的"异常"现象。但1977年7、8份发生的流量为8 100和10 800m³/s的两场高含沙洪水,却比1982年8月洪峰流量15 300m³/s的水位低,比1976年8月发生的洪峰流量9 210m³/s的低含沙洪水的水位也低。为什么会产生上述差别呢?资料分析表明,主要是前期河床条件不同,其次是洪水过程中河床的冲刷速度与强度不同及断面形态变化的影响。

表5   花园口站历年高含沙洪水位比较

时间(年.月.日)	1992.8.16	1973.8.30	1977.7.9	1977.8.8	1976.8.27	1982.8.2
洪峰流量(m³/s)	6 260	5 020	8 100	10 800	9 210	15 300
水位(m)	94.33	94.18	92.90	93.19	93.22	93.99
最大含沙量(kg/m³)	534	450	546	809	53	47.4

5.2 水位流量关系曲线水力特性

冲积河流的水位流量关系曲线的特性,反映了洪水演进中非恒定流水力特征与河床冲淤特性。由于河道的过流能力与水深的高次方成正比,因此决定了水位流量关系曲线的基本类型。从曼宁公式可知,水位的涨率 dH/dQ 不仅与阻力系数 n、比降 J、水面宽度 B 值有关,还与流量有关,即

$$\frac{dH}{dQ} = \frac{0.6(\frac{n}{\sqrt{J}})^{0.6}}{B^{0.6}Q^{0.4}} \tag{2}$$

由上式可以看出,在其它参数不变时,$\frac{dH}{dQ}$ 与 $Q^{0.4}$ 成反比,流量 5 000m³/s 时的涨率比 10 000m³/s 时的涨率增大 34%。因此形成了水位流量关系曲线随着流量增大,水位涨率越来越小的变化趋势。若随着流量的增加,水面宽也相应增大,则水位流量关系会更加平缓。

在冲积河床上,高含沙洪水对河床的强烈冲刷,会使水位流量关系曲线发生突变,如1977年7月的高含沙洪水的水位流量关系曲线,在落水期流量5 000m³/s 的水位突然下降1m多,见图13。

5.3 造成洪水位高的原因分析

1992和1973年高含沙洪水发生前均经历了连续几年的枯水期,花园口站 1986～1992 年汛前 3 000m³/s 的水位抬升了 0.93m;1969～1973 年汛前 3 000m³/s 水位抬升了 1.02m。而1977年7、8月发生的两场高含沙洪水的前期,1975、1976 年为连续两年丰水,河槽发生了明显冲刷,再加上 1977 年 7 月的大流量的高含沙洪水的强烈冲刷,使流量 5 000m³/s 水位在洪水前后下降了 1.2m,因此形成了 1977 年 7、8 月的两场高含沙洪水的水位并不高,详见图13给出的各场洪水的水位流量关系曲线的特征。

其次是河宽的变化对水位流量关系的影响,高含沙洪水在宽浅河道上输送时,由于滩地迅速淤高,水面宽大幅度减小,使过水面积减小而主槽的冲刷尚未发生,形成最高洪水位。这是形成图13 中 1992 年 8 月和 1973 年 8 月的高含沙洪水"异常"高水位的

原因之一。河床经过强烈冲刷会使洪水位迅速降低,如图 13,1973年第二场洪水的流量较第一场洪水大 600m³/s,而水位还低0.5m。经过对 1992、1973 年两场洪水实测资料的分析,因水面宽大幅度减少对洪水位壅高值的影响,一般只有 0.3m 左右,与河床处于前期连年枯水河槽淤高达 1m 相比,是次要的影响因素[7]。

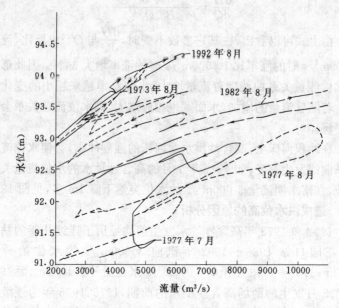

图 13　历年高含沙洪水水位流量关系曲线比较

综上所述,造成高含沙洪水位高的主要原因是前期河床的连年淤积,而本场洪水所引起的断面调整对水位的影响是次要的。

参 考 文 献

[1] 齐璞. 黄河高含沙洪水的输移特性及河床形成. 水利学报. 1982(8)

[2] 齐璞,韩巧兰. 黄河高含沙水流阻力特性与计算. 人民黄河. 1991(3)

[3] 齐璞,茹玉英等. 黄河艾山以下河道输沙能力问题. 人民黄河. 1995(5)

[4] 赵文林,茹玉英. 渭河下游河道输沙特性与形成窄深河槽的原因. 人民黄河. 1994(3)

[5] 万兆惠,宋天成. "揭河底"冲刷现象的分析. 见:黄河高含沙水流运动规律及应用前景. 北京:科学出版社,1993

[6] 齐璞,赵业安等. 1977年黄河下游高含沙洪水的输移与演变分析. 人民黄河. 1984(4)

[7] 齐璞等. 1992年8月高含沙洪水在黄河下游的输移与演变分析. 人民黄河. 1993(8)

[8] 王明甫等. 高含沙水流及泥石流. 北京:水利电力出版社,1995

黄河高含沙水流的应用研究

　　黄河干支流经常出现高含沙水流。高含沙水流有不同于一般挟沙水流的特性,给防洪与生产带来不少新问题。近年来,除对高含沙水流的基本特性、运动特性、输沙规律等的研究做了大量工作外,在对高含沙水流的应用研究方面取得了重要进展。

1　利用高含沙水流输沙减轻黄河下游河道淤积的研究

1.1　利用渠道输送高含沙水流放淤

　　最早提出利用高含沙水流特性输沙放淤治理黄河的是著名治河专家方宗岱[1]。他于 1976 年提出利用小浪底水库高含沙水流调沙放淤的意见,并进行了初步论证。其核心内容是利用小浪底水库泄空冲刷产生高含沙水流,采用清水与高含沙水流分流的原则,当坝前淤至 240m 高程,即按泄水排沙运行。含沙量小于 $150kg/m^3$ 时,泄入下游河道冲刷河床,使其逐步下切,消除防洪威胁;含沙量大于 $150kg/m^3$,引入渠道放淤到河口,而不泄入下游河道,这样可以永久保留一个足够的拦沙库容。

　　方宗岱认为,历代及近代 40 年的治黄,采用过"拦、排、放"三种办法都不能解决治黄的根本问题,高含沙水流在灌溉渠道中长距离输送而不淤的发现和对高含沙水流机理的研究及其在治黄生产实践中的应用,为我们解决黄河泥沙问题提供了新的方向。

　　1983 年吴以敩提出[2],在小浪底水库沿北岸开挖三四十公里长的隧洞作为输沙廊道,每二三公里设置排沙口门,使大水库变成若干小水库,利用高含沙量水力吸泥清淤,经过输沙廊道、输沙渠道,用高含沙水流输送至适当的淤区,这样不仅使小浪底水库变成不淤水库,而且浑水不进入黄河下游河道,使其先期变清,冲刷下游河道;再修桃花峪水库控制洪水,整治下游河道,使它成为良好的航运和灌溉水源,由此实现黄河下游根治水害开发水利的综合目标。

高含沙水流具有较强的输沙能力,若能利用高含沙水流输沙,则会节省大量输沙用水。然而黄河年来沙量达十余亿吨,且绝大部分不是高含沙水流,因此,如何把如此大量的泥沙变成高含沙水流和输送到最合适的地方堆放,却是一个牵涉面很广,极为复杂的问题,既有技术上的难点,又有社会问题和经济问题。因此,产生高含沙水流的方式、输送的条件以及堆放地点的解决等则成为问题的关键。

清华大学费祥俊等也提出了利用渠道输送高含沙水流放淤的方案[4]。由于大规模的放淤,进水、退水、淤区的布置等都相当复杂,因此,涉及到的技术和经济问题都需要进一步研究。

1.2 利用河道输送高含沙水流入海

1.2.1 水库调水调沙运用研究历程及新的调水调沙运用原则

为了减少下游河道淤积,有人在60年代根据河道输沙公式 $Q_s=KQ^m$ 中的 m 值一般为2,提出利用人造洪峰排沙入海的设想,认为把水集中起来调成大流量泄放,可以多输沙入海。为此1963年曾利用三门峡水库进行两次造峰试验,但效果不是很好,流量小时还会产生上冲下淤,其原因是河道输沙公式应该为 $Q_s=KQ^\alpha S_{上}^\beta$,$\alpha$ 值仅为 $1.1\sim1.3$,远小于2。由于今后黄河水资源更加紧缺,这一调水调沙措施难以实施。

三门峡水库的"蓄清排浑"运用方式是在特殊情况下的产物,有其局限性。由于受潼关高程的限制,三门峡水库不可能对水沙进行大幅度调节,即不可能获得较大的调沙库容和较强的泄空冲刷条件,无法产生长历时的高含沙水流,不能充分利用下游河道可能达到的输沙能力输沙。龙羊峡、刘家峡等大型水库相继投入运用后,汛期的基流与洪峰流量大幅度减小,冲刷能力减弱,无法冲刷掉非汛期的淤积物,即使再降低库水位,也难以保持库区冲淤平衡,且小水排沙对下游防洪极为不利,不能适应今后黄河水沙变化的总趋势。

关于利用来沙系数 S/Q 与河道排沙比调沙和以调水为主的调水调沙方式,虽然考虑了下游河道目前的输沙特性与冲淤特性,但没有考虑滩槽不同部位淤积对河道特性带来的不同影响,及调水调沙将改变进入下游的水沙条件,会引起河槽形态的调整,从而对输沙会产生有利的影响。因此不能充分利用下游河道可能达到的输沙能力输沙入海。

以往调水调沙减淤效果不好的主要原因,是对河道输沙规律没有足够的认识。因为在河槽中淤积的粗泥沙主要是小水时造成的,在流量较大时,河床中的粗泥沙也可被冲刷下移,因此,水库拦粗沙应拦截小水挟带的泥沙,排沙则要利用大流量。由于没能利用冲积河流自动调整的理论指导水库调水调沙原则的制定,因此不能充分利用窄深河槽输沙能力输沙入海。

1.2.2 河槽形态是影响河道输沙的主要控制因素

艾山以下属窄深河槽,具有很强的输沙能力,当床面形态进入高输沙动平整状态时,将形成粗泥沙($D=0.05\sim0.1\text{mm}$)也能输送的"多来多排"的水力条件。实测含沙量 200kg/m^3 的高含沙水流,在流量大于 $3\,000\text{m}^3/\text{s}$ 时,河段的排沙比达 100%,详见表1。考虑到含沙量增大,流体的粘性增加,会使泥沙颗粒的沉速大幅度降低,含沙量大于 300kg/m^3 时输送反而更容易。河型相似的渭河、北洛河下游、三门峡库区窄深河槽实测高含沙洪水,在流量较大时,含沙量达 800kg/m^3 的水流也可顺利输送。艾山以下河道在流量大于 $3\,000\text{m}^3/\text{s}$ 时,可顺利输送的含沙量高达 800kg/m^3。造成窄深河槽输沙能力大的主要原因,是随着含沙量的增加,水流粘性增大,粗颗粒的沉速降低,更容易悬浮,而河床对水流的阻力并没有改变,可用曼宁公式进行水力计算,即同样的比降、水深条件下流速不会减小,因此造成黄河高含沙水流可以在较弱的水流条件下输送大量泥沙。

表1 艾山—利津河段输沙情况与河床冲淤情况

时 段 (年.月.日)	站名	Q_{max} (m³/s)	Q_{cp} (m³/s)	S_{max} (kg/m³)	S_{cp} (kg/m³)	河段 排沙比 ($S_下/S_上$)	河床冲淤 面 积 (m²)	$Q=3\ 000$ m³/s 水位差 (m)
1973.8.30~9.8 9.1~9.10	艾山	3 880	3 010	246	145	1.04	−54.1	+0.46
	利津	3 680	2 994	222	151		−174	−0.09
1977.7.9~15 7.10~7.16	艾山	5 540	4 490	218	121	1.02	−292	−0.02
	利津	5 280	4 160	196	124		−168	+0.36
1977.8.8~14 8.9~8.15	艾山	4 600	3 100	243	147	0.97	+20.8	+0.15
	利津	4 100	2 944	188	143		+62.4	−0.20

对实测资料与输沙机理的分析研究表明,含沙量在200kg/m³左右时,输送最困难。主要是此时含沙量在垂线上梯度大,表层140~150kg/m³,底层300kg/m³,其粘滞性相差一半,因此使主流区流速梯度增大,作用在床面附近的流速减小,但1973、1977年艾山以下河道实测最大含沙量大于200kg/m³的洪水均能顺利输送,表明艾山以下河道存在着巨大的输沙潜力。利用河道输送高含沙洪水入海的主要障碍是高村以上的宽浅河段。

1.2.3 小浪底水库新的调水调沙运用方式

根据高村以上河段历年高含沙洪水期主槽的冲淤条件的分析,主槽的冲淤主要与流量大小有关,与含沙量关系不明显。从洪峰前后水位变化判断,流量在4 000m³/s时,主槽均会发生强烈冲刷,用此级流量排沙不会造成河槽淤积。若用艾山以下河段主槽不淤流速应大于1.8m/s推断,流量在3 000~4 000m³/s时,即可使主槽流速控制在2m/s以上,用这级流量排沙,通过边滩淤高,主槽刷深,会塑造出窄深河槽,形成输沙通道。如1973年的高含沙洪水在通过夹河滩以上210km长的宽浅河道时,通过滩淤槽冲塑造成窄深河槽,使河段的排沙比由 8 月 28～31 日的 66％,迅速提高到 9 月 1～3 日的 124％。由此可见利用高含沙洪水塑造新河槽,可以迅速提高河道的输沙能力。

从不同河型的来水来沙条件可知,当进入本河段的输沙率与流量之间的关系($Q_s=KQ^m$)中 m 值较大时,则会形成具有窄深河槽的弯曲性河流。如渭河、北洛河的 $m=4～5$,美国的一些河流 $m=3～4$,也形成窄深河槽($B=KQ^b$ 中的 $b=0～0.1$)的河流。m 值大的主要原因是泥沙主要由高含沙洪水输送,而小水挟带的含沙量低,不会造成主槽的严重淤积,高含沙洪水塑造的窄深河槽得以长期保持,使多年小水坐湾得以累积形成弯曲性河流。对黄河下游实测资料分析发现河宽与流量的 0.5 次方成正比,与来水含沙量的 0.6 次方成反比。若能通过小浪底水库的调水调沙运用,将进入下游的水沙条件调节成泥沙主要由大流量高含沙洪水输送的单一水沙条件,高村以上的宽浅河道则会改造成窄深河槽,河道的输沙能力则会提高,利用河道输送高含沙水流入海才有可能实现(详见图 1)。

为此小浪底水库应进行多年调节,在平水、枯水年蓄水拦沙运用,兴利发电,在丰水年集中进行泄空冲刷,形成大流量高含沙水流输沙,使输沙用水集中在丰水年小浪底水库无法调节利用的汛期,一般年份取消输沙用水。

1.2.4 关于高含沙水流产生问题

从窄深河槽的输沙特性可知,在流量大于一定数值,河道的输沙能力取决于进入本河段的含沙量,因此水库泄空冲刷能产生多大含沙量,成为充分利用河道输沙入海的关键。

对三门峡、恒山、王瑶等水库的实测资料的分析表明,只有蓄水拦沙运用水库突然泄空,库水位大幅度降落,才有利于高含沙水流的产生。图 2 给出的三门峡水库汛前突然泄空产生的高含沙水流,最大含沙量可达 $300kg/m^3$。其原因是处于水下饱和状态的淤

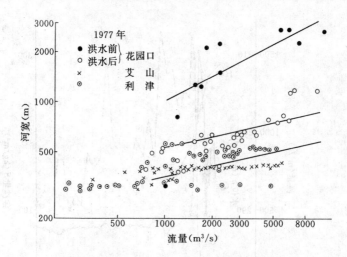

图1　1977年高含沙洪水前后花园口站河宽变化

积物,在水位突然下降到淤积面以下,孔隙水来不及排出,淤积物土力学强度很低,在渗透压力和重力的共同作用下产生滑塌。随着坝前水位降低,主槽迅速冲刷下切,滩槽差加大,边坡上的淤积物向主槽或坝前泄水孔口滑塌,这是产生高含沙水流的主要形式。坝前水位迅速下降,使得纵剖面调整滞后于水流条件的变化,在强烈溯源冲刷的库区往往产生局部跌水,使水流能量损失集中,冲刷加剧,这是产生高含沙水流的必然形式。为了提高冲刷效率,一方面在水库运用中应尽量避免淤积物固结,另一方面应尽量降低坝前水位,加大冲刷比降。考虑到小浪底水库调沙库容大,淤积物多,水位降落幅度大,可达40～50m,突然泄空冲刷产生300～500kg/m³的高含沙水流是完全可能的。

1.2.5　高含沙洪水在宽浅河道塑槽输沙计算方法

　　由于河槽形态是影响河道输沙的主要因素,而以往的河道输沙计算方法一般不能反映河宽迅速变化对输沙的巨大影响,因此不能真实地反映调水调沙的减淤效果。根据水库调水调沙运用原

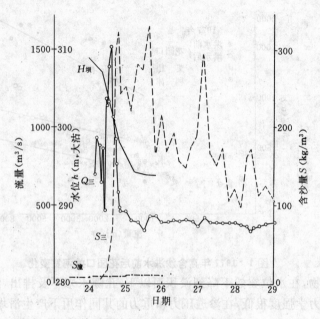

图2　三门峡水库1993年汛前突然泄空
出库流量、含沙量过程

则,高含沙水流在清水冲刷的基础上塑造窄深河槽。根据两种河槽
的断面形成特性、冲淤特性、流量大小、漫滩情况,建立了每次排沙
塑槽淤积量的计算方法。在形成窄深河槽前用天然河道实测高含
沙洪水的输沙关系;当累计淤积量大于塑槽淤积量时,塑槽完成,
用窄深河槽输沙公式计算。不同排沙流量下艾山以上河段的塑槽
淤积量列入表2。表2给出的数据表明,塑槽淤积量随着流量的增
大而增大,塑槽流量为3 000、5 000m³/s时,艾山以上河段塑槽淤
积量分别为3.71和8.87亿t,排沙流量为7 000、9 000m³/s时,塑
槽淤积量分别为15.5和23.1亿t。随着排沙流量增加,塑槽淤积
量成倍增加。当水库下泄清水时,冲刷塌滩;当累计冲刷量大于前
期塑槽淤积量时,下次排沙时需重新塑造窄深河槽;当累计冲刷量

小于塑槽淤积量时,只进行补充塑造。

表 2 塑槽淤积量随流量的变化情况

塑槽流量(m³/s)		3 000	5 000	7 000	9 000
含沙量(kg/m³)		400	400	400	400
塑槽淤积量 (10⁸t)	花园口以上	0.90	1.95	3.63	5.69
	花园口—夹河滩	1.47	3.92	6.99	10.45
	夹河滩—高村	0.63	1.44	2.41	3.48
	高村—艾山	0.71	1.55	2.50	3.52
	合　计	3.71	8.86	15.53	23.14

1.3 小浪底水库泥沙多年调节的研究

1.3.1 计算比较的主要方案

(1)根据上述调沙要求,编制了"高蓄速冲"的小浪底水库调水调沙计算程序,对下游河道输沙计算方法进行了改进,考虑了河槽形态变化对输沙的巨大影响。在水库运用初期采用蓄水拦沙运用,主汛期 7～9 月水位控制在 254m 以下,按最大发电流量运行,$Q_{出}$ =300～1 500m³/s;水位大于 254m 时,$Q_{出} = Q_{入}$,不造峰;水库累计淤积量大于 60～70 亿 m³ 后,当 $Q_{入}$ ＞2 300m³/s,并预报三天有上涨趋势时,水库进行泄空冲刷;当累计冲刷量大于调沙库容或来水小于 2 200m³/s,并有下降趋势时,停止冲刷,转入蓄水拦沙运用。在水库最低冲刷水位 225、200、180m 三种情况下,对初设及招标两种泄流能力、几十种调沙方案进行了调沙演算,计算结果表明经过 8 年的蓄水拦沙运用,可进入调沙运用期。

(2)逐步抬高运用方式的基本思想是"拦粗排细",首先通过蓄水拦沙运用,淤满起调水位 205m 以下 17 亿 m³ 的堆沙库容,然后再通过库内蓄水 3 亿 m³,形成小水淤积,大水自然冲刷。随着库区淤积量的增加,主汛期运用水位不断提高,最终形成坝前滩面254m 和相应死水位之间的槽库容,正常调沙运用期主汛期水位在 254～205m 间变化。具体运用方式为:在水库蓄水量小于 3 亿 m³,$Q_入$＜2 500m³/s 时,$Q_出$＝400～800m³/s,尽量避免下泄 800～2 500m³/s 的流量。若蓄水量大于 3 亿 m³ 时,泄水造峰,控制 $Q_出$ ≤5 000m³/s。当 $Q_入$＝2 500～8 000m³/s 时,$Q_出$≤8 000m³/s。在整个的运用过程中库水位的变化是缓慢的。

(3)控蓄速冲造峰方式,视水库汛限水位下的调节库容大小,决定造峰流量:

当 $V_调$＞10 亿 m³,$Q_入$＝800～3 500m³/s 时,$Q_出$＝800～3 500m³/s;$Q_入$≥3 500m³/s 或库水位大于 254m 时,泄水造峰,$Q_出$＝3 500～5 000m³/s。

当 $V_调$＝5～10 亿 m³,$Q_入$＝800～2 500m³/s 时,$Q_出$＝800 m³/s;当 $Q_入$≥2 500m³/s,S/Q＞0.025kg·s/m⁶ 时,$Q_出$＝800m³/s;S/Q≤0.025kg·s/m⁶ 时造峰。

当 $V_调$＜5 亿 m³,$Q_入$＝800～2 500m³/s 时,$Q_出$＝800m³/s 或 $Q_出$≥2 500m³/s。

泄空冲刷的条件,当水库淤满调沙库容后,在 8 月份,$Q_入$≥3 500m³/s 且持续三天,开始泄空冲刷,迅速降到最低水位。当冲刷完调节库容或 $Q_入$＜2 000m³/s 转入蓄水拦沙运用,水库运用周而复始。

以上三种运用方式 10 月至翌年 6 月运用相同,均为蓄水调节发电、防凌、灌溉。

1.3.2 减淤计算结果分析

对以上三种运用方式进行了设计 2000 年水平 50 年水沙系列的计算,表 3、表 4 给出的逐步抬高、控蓄速冲造峰及高蓄速冲三个主要比较方案计算结果的分析比较,并考虑到黄河水资源越来越紧缺,今后通过造峰冲刷下游难以实施。在初期不同运用方式下下游河道冲刷量虽然有较大差别,见表 3,但主要差别是不同造峰规模造成的,因此靠造峰达到减淤目的不现实。从计算结果分析认

表 3   **初期水库运用冲淤情况汇总表**

运用方式	水库淤积量(10⁸t)	运用年限	下游河道冲淤量(10⁸t)			造峰情况(m³/s)
			全下游	艾山以上	艾山以下	
招标设计	99.9	14	−17.7	−18.41	0.71	蓄 800～2 000
逐步抬高	101.20	14	−19.68	−18.7	−0.98	蓄 800～2 500
控蓄速冲	106.6	14	−24.0	−21.98	−2.11	蓄 800～3 500
高蓄速冲	98.0	8	−5.45	−8.31	2.86	不造峰

表 4   **水库不同运用方式不同运用期减淤效果比较**   （单位：10⁸t）

运用方式	泄空水位(m)	50年平均淤积量		运用初期年平均淤积		正常调水调沙运用期年均冲淤				相应时段无小浪底水库全河年均淤积量
		全河	艾山以下	全河	艾山以下	全河	艾山以下	泄空冲刷水位每降10m的减淤量		
								全河	艾山以下	
招标设计	230	2.10	0.252	−1.26	0.051	3.41	0.33			3.92
逐步抬高	230	2.11	0.243	−1.41	−0.07	3.48	0.365	0.092	0.018	3.92
	220	2.05	0.240	−1.41	−0.07	3.40	0.360			3.92
	205	1.95	0.23	−1.41	−0.07	3.25	0.319			3.92
控蓄速冲	220	1.62	0.277	−1.71	−0.15	2.92	0.44	0.113	0.10	3.88
	205	1.50	0.167	−1.71	−0.15	2.75	0.29			3.88
高蓄速冲	225	2.39	0.376	−0.68	0.36	2.98	0.46	0.32	0.08	3.57
	200	1.65	0.203	−0.68	0.36	2.18	0.26			3.57

为,高蓄速冲方案较招标设计逐步抬高运用方案有较明显的优越性,主要表现在:

(1)在正常调沙期逐步抬高方式年均淤积量最多,几乎没有减淤作用。随着泄空冲刷水位的降低,下游淤积量虽减小,但数量变化不大,而大部分库容得不到充分利用,对兴利影响较大。高蓄速冲方式,有利于发挥水库综合效益,在正常调沙期随着泄空水位降低,淤积量迅速减小,并能产生优化的水沙组合,使泥沙主要由大流量高含沙洪水输送,可对高村以上的宽浅河道进行改造,为利用窄深河槽输沙入海创造条件,年均淤积量由逐步抬高的3亿多吨减少为2亿多吨,输沙用水可节省2/3。

(2)由表5给出的最低冲刷水位对减淤效果的影响表明,随着冲刷水位的降低,调沙库容增大,冲刷效率提高,水库的调沙能力增强,下游河道的淤积量大幅度减少,水位225与180m相比年均淤积量相差1亿多吨。因此尽量降低泄空冲刷水位,保持较大调沙库容对减淤有利。

表5　　　　　　　　水库最低冲刷水位对减淤效果的影响

运　用　方　式		高　蓄　速　冲			控　蓄　速　冲		
泄空水位(m)		180	200	225	180	205	220
最大调沙库容(10^8m^3)		30	20	10	28.9	22	13.4
50年	水库淤积(10^8t)	105.5	108.8	113.9	104.0	104.65	109.2
	调沙比(%)	66.5	53.8	41	16.8	11.22	10.49
	Z<230m 天数	279	309	572	458	512	546
	年平均淤积(10^8t)	1.22	1.47	1.39	0.988	1.50	1.67
	下游不淤年数	32.2	28.8	21.4	36.0	28.7	26.3
	泄空水位每降10m减淤量 (10^8t)		0.26			0.17	
正常调沙期	年均淤积量(10^8t)	1.59	1.88	2.98	2.04	2.75	2.92
	泄空水位每降10m的 减淤量(10^8t)		0.308(42年)			0.220(36年)	

(3)在初期蓄水拦沙运用期,随着下游引水量的增加,高村以上河道冲刷量减小,艾山以下河段淤积量也相应减小。在正常调沙运用期,随着泄空冲刷水位的降低,水库调沙能力增强,使得引水量增加对河道淤积的影响发生质的变化,在泄空水位225m时,下游引水量增加,河道的淤积量增大;泄空水位200m时,引水量增加对河道淤积量影响已不明显;泄空水位180m时,引水量增加,河道的淤积量反而减少。因此对于泄空水位200和180m方案除

排沙期输沙用水量外,其余时间下泄水量都可引用而不会增加下游河道淤积。

(4)通过水库的调节,泥沙主要由大流量高含沙洪水输送,增强了洪水的造床作用,也能使艾山以下河道输沙潜力得到充分的利用,若能配合宽浅河道整治,使宽浅河道能早日形成窄深稳定的新河槽,不仅可减少高含沙洪水的严重淤积,而且目前高含沙洪水在下游宽浅河道输送中产生的"异常"现象也会自然消失。因为产生"异常"现象的主要原因是前期河道极为宽浅,不适合高含沙水流输送。

(5)高蓄速冲方案,不仅能适应黄河的水沙变化,使河道减淤,河型转化,水资源充分利用及水库的兴利紧密结合,与"蓄清排浑"运用方式比较,明显优越,今后需要进一步结合小浪底水库的实际,采用不同典型的水沙系列,进行认真深入的研究,使其早日在生产中发挥作用。

2 高含沙浑水放淤与淤灌[5]

2.1 概况

黄河中上游地区引洪淤灌历史悠久。早在公元前 359 年秦孝公时期就有赵老峪引洪漫地的记载。始建于公元前 246 年的郑国渠长 126km,引泾河水灌溉良田 7.3 万 hm²,是我国古代著名的大型高含沙引水淤灌工程。此后各朝代的引黄淤灌均得到了进一步发展。

新中国成立后,黄河流域把用洪用沙作为流域治理和发展农业的一项重要措施,大力开展引洪淤灌,取得了重大成就和显著的社会经济效益。这其中在技术上有突破的是泾河、洛河和渭河上游的泾惠渠、洛惠渠、宝鸡峡三大灌区的高含沙洪水放淤与淤灌。

三大灌区所在地区干旱少雨,尤其是 6、7、8 月常出现旱情,农业缺水矛盾十分突出。三大灌区尽管有灌溉 30 多万公顷的能力,但由于夏季灌溉季节河流含沙量高,为防止渠道淤积,不得不规定含沙量超过 165kg/m³ 时关闸停止引水。据统计每年因含沙量限制不能引水的天数达 20 天左右,最多的年份多达 30~40 天。干旱年份灌溉需水量 25 亿 m³,在限制引水含沙量条件下,只能引水 13.3 亿 m³,缺水近一半,严重影响了农业生产发展。为了解决这一问题,洛惠渠灌区 1974 年打破原来的引水含沙量界限,引用高含沙洪水淤灌,取得成功。其后,泾、洛、渭灌区于 1976~1980 年开展了大规模高含沙引水淤灌试验,1983~1985 年又在陕北五个试点灌区大面积推广。经过 10 年的科学实践,在高含沙引水淤灌技术上取得突破性进展。

表 6 是三大灌区概况及 1976~1980 年引用高含沙水流淤灌情况[5,6]。由表可见,各灌区最大引水含沙量都在 560kg/m³ 以上,洛惠渠最大达 959kg/m³,宝鸡峡灌区最远输送距离达 200km。由于渠系的改造和科学的管理运用,使高含沙浑水可以长距离输送而基本上不发生淤积。

表 6　泾、洛、渭灌区概况及 1976~1980 年高含沙引水情况

灌区名称	引水能力 (m³/s)	灌溉面积 (hm²)	干渠比降 (‰)	夏灌引水量 (10^8 m³)	夏灌引沙量 (10^4t)	含沙量超过 165 kg/m³ 引水量 (10^4 m³)	最大引水含沙量 (kg/m³)	干渠最长输送距离 (km)	引用泥沙 d_{50} (mm)
泾惠渠	50	6 022	0.36~0.5	1.026	813	1 173	564	67	0.038
洛惠渠	18.5	3 449	0.33~1.0	0.885	991	1 737	959	50	0.035~0.042
宝鸡峡引渭渠	100	13 298	0.20~0.5	2.377	1 353	1 807	577	200	0.02~0.026

此外,洛惠渠从 1969 年至 1981 年,用高含沙洪水放淤改造盐碱地 0.673 万 hm²(次),已改良盐碱地 0.372 万 hm²。中干渠把 848kg/m³ 的高含沙浑水输送到距渠首 40km 的盐池洼,历时 22.5 小时,渠道无淤积。另外洛西干渠将高含沙浑水输送到距渠首约 50km 的卤泊滩,同样无淤积。历史上颗粒无收的盐池洼,已淤改

成一个大农场,卤泊滩也出现了大片稳产高产良田。内蒙古罕台川的马兰滩,原是一片盐碱洼地,1976年引高含沙洪水放淤,淤积厚度0.5~0.7m,地下水位由原来的0.6m下降到2.0m以下,大片盐碱地得到治理变为良田。

本节着重介绍泾、洛、渭灌区高含沙引水淤灌的情况和经验。

2.2 渠道高含沙浑水长距离输送的条件和渠道冲淤情况

在高含沙引水过程中,有时受到条件限制,如流量和比降较小,人为的关闸等,渠道淤积很难避免,特别是斗渠以下,这是高含沙引水中的正常现象。通过多年实践,使我们认识到,应该允许高含沙引水渠道有淤有冲,但要求在短期或季度、年度内实现冲淤平衡,以保证正常引水灌溉。通过规划设计和科学的管理运行,这一目标是可以实现的。

2.2.1 渠道高含沙浑水长距离输送的条件

高含沙浑水长距离输送是引水淤灌的关键,而影响长距离输送的关键是淤积问题。要实现长距离输送,必须保证水流挟沙力和含沙量之间的平衡。要做到这一点,必须从渠道的规划设计和运用管理上给予技术保证。要想实现长距离输送,渠道应满足下列条件:

(1)在输送伪一相高含沙水流时,要控制含沙量,防止水流因粘性过大而进入层流,层流的阻力系数大,容易造成水流停滞堵塞渠道。如1974年7月27日洛惠渠东干渠,水流含沙量突然从200kg/m³增至900kg/m³,浑水宾汉切应力猛增,加上建筑物阻水等原因,雷诺数由1 500急降到1 000,阻力系数由0.02增加到0.05,浑水进入层流状态,表面析出一层清水,两岸树木倒影清晰可见,浑水整层停滞,渠道严重淤积,过水断面从25m²减少到2m²,所以,防止渠道高含沙浑水进入层流是保证高含沙水流稳定输送的一个重要条件。层紊流过渡的临界条件可用以有效粘度表示的雷诺数 Re_m 判别,$Re_m > 2\ 000 \sim 3\ 000$ 时进入紊流区。

（2）渠道高含沙水流为紊流型两相流时，保证沿程水流有足够的挟沙能力十分重要。洛惠渠的实测资料表明，渠道不淤临界流速为 $0.8\sim0.9$m/s[7]。从灌区渠道运行中观察到，宽浅渠段经常发生淤积，是破坏高含沙水流稳定输送的重要原因。而在窄深渠道中，由于水流集中、流速大，常常可以把高含沙水流输送到很远的地方，不引起渠道淤积，根据洛惠渠的观测资料，在含沙量为 $300\sim800$kg/m³、流量为 $3\sim6$m³/s 条件下，干支渠基本不淤的断面宽深比 $B/H=5\sim6$，斗渠为 $6\sim7$。因此，输送高含沙水流的渠道应采用窄深断面，以增加流速，从而实现远距离输送。

当渠道输送的全部是悬移质高含沙水流时，其阻力损失与清水相近。但渠道中有推移质运动时，水流阻力就会大幅度增加，流速降低，泥沙发生淤积。如宝鸡峡灌区 1977 年 7 月 6~8 日，高含沙引水 78 小时，总干渠推移质淤积 12.4 万 m³，淤积范围长达 11km，厚度一般在 1.0m 以上，最厚为 2.2m，严重影响灌溉，后用低含沙水经 100 天方冲净。因此，设计渠道时，除采用足够的比降外，还应考虑布置拦沙冲沙设施，以防止粗沙入渠。

（3）加强水情沙情预报，做好渠道冲淤和流态监测、用水用沙调配、紧急情况处理等项工作，以保证高含沙水流的顺利输送。

2.2.2　高含沙引水渠道的几种冲淤措施

当渠道发生严重淤积时可采用冲淤措施，使渠道在短时间内达到冲淤平衡，确保安全引水。

（1）引用退水闸冲淤拉淤。开启退水闸可使上游渠道比降加大，增大流速，产生溯源冲刷，冲淤拉淤效果十分明显。开启退水闸时下游渠道流量减小，应采取措施防止下游渠道淤积。

（2）扰动冲淤。对淤积物进行扰动，使其重新悬浮而被水流带走。扰动方式有机械和人工两种。机械扰动可以用滚动辊耙、铰刀、高压水枪、拖淤船拖淤等。人工扰动主要用于斗渠以下的渠道，扰动工具可用拖耙等，必要时可在水中踩淤。

3 高含沙引水渠道设计方法

3.1 高含沙不平衡输沙理论

传统渠道设计方法的理论基础,均属水流饱和挟沙力概念。高含沙水流,含沙量及粒径组成变幅大,水流流型、流态都可能改变。这种水沙条件是难以通过冲淤调整实现平衡输沙的。图 3 为洛惠渠一次高含沙引水过程,由图可看出,各站流量变化小,而含沙量变化可达两个数量级,并且都与进口站成明显同步变化,这就反映

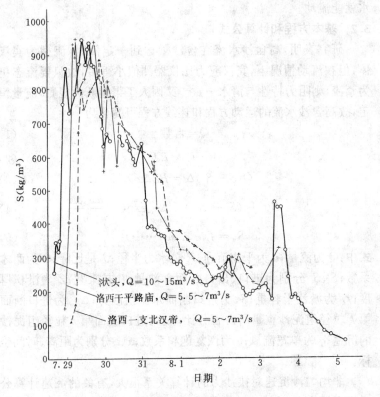

图 3 洛惠渠一次高含沙引水过程

了高含沙不平衡输沙的性质[8]。

野外和实验室都观测到两种淤积形式[9]：一种为高含沙均质流的淤积，淤积表现为浑水的滞留或整体停滞，流量沿程减小，而含沙量和粒径组成沿程基本不变，淤积物稀软，不易固结；另一种为高含沙非均质流的淤积，淤积表现为泥沙颗粒沿程落淤，泥沙粒径组成沿程细化，含沙量沿程减小，而流量沿程不变。据此，可以认为高含沙非均质流输沙特性符合不平衡输沙理论，而高含沙均质流已不存在分选，不是水流挟沙的问题，而是只要能克服阻力，浑水就能流动。

3.2 基本方程和计算公式

研究表明，高含沙水流在含沙量达到一定值时，流型为宾汉体，但在流动情况下，宾汉应力比仪器测值小得多，故只要流态仍为紊流，则阻力特性与清水一致。又因人工渠道断面规则，流量恒定，故高含沙水流的运动方程和连续方程可简化为

$$Q = 常数 \tag{1}$$

$$V = C\sqrt{RJ} \tag{2}$$

$$Q(S_i - S_o)\Delta t = BZ\Delta x \gamma_0' \tag{3}$$

$$S_o = S_* + (S_i - S_*)\sum_{k=1}^{n}\Delta p_{ok}\exp\left(-\frac{\alpha\omega_{ok}\Delta x}{q}\right) \tag{4}$$

$$S_* = f(u, h, w, \cdots\cdots) \tag{5}$$

式中：Q 为流量；u 为平均流速；R 是水力半径；J 是比降；C 为谢才系数；S_i、S_o 分别为进口、出口断面含沙量；B 是渠宽；Z 为淤积厚度；γ_0' 为淤沙干容重；S_* 为进口断面水流挟沙力；Δp_{ok} 为进口断面第 k 粒径组泥沙重量所占百分比；ω_{ok} 为进口断面第 k 粒径组泥沙的沉速；q 为单宽流量；α 为恢复饱和系数；x、t 分别为距离、时间坐标。

非均匀沙沉速对挟沙力的计算关系很大，有关的沉速计算公式可参阅本书"水库高含沙异重流部分"。

高含沙水流挟沙力是影响计算结果的重要因素,本文作者在以往的研究中以一个极限粒径 d_0 将泥沙区分为床沙质(载荷)及冲泻质(载体)两部分,这样区分的物理意义是十分明确的。天然河道挟沙水流的粒径组成和含沙量的变幅大,而实测的级配资料远没有流量和含沙量资料那样详细,不区分床沙质和冲泻质便于计算又能保证精度。

若采用计入容重影响的武汉水利电力大学的挟沙力公式

$$S_V = K(\frac{\gamma_m}{\gamma_s - \gamma_m} \frac{V^3}{g R \omega_{ms}})^m \tag{6}$$

由南京水利科学研究院水槽、西北水利科学研究所明渠和管道、湖南锡矿的现场试验等实测资料可定出式(6)的系数 $K = 1.45 \times 10^{-4}$、指数 $m = 1.0$。对密度 $2\,650\mathrm{kg/m^3}$ 的泥沙来说,挟沙力

$$S_* = 0.385(\frac{\gamma_m}{\gamma_s - \gamma_m} \frac{V^3}{g R \omega_{ms}}) \tag{7}$$

高含沙不平衡输沙公式的验证。含沙量沿程变化按下式计算

$$S = S_* + (S_i - S_*)\exp(-\frac{\alpha\omega_{ms}L}{q}) \tag{8}$$

用洛惠渠资料对式(8)进行验证,表7是距离为 $0.2 \sim 11\mathrm{km}$ 的几个渠段的含沙量计算值与实测值比较。由表可看出两者相当吻合,计算表明,渠段挟沙力都比进口含沙量小,出口含沙量也小于进口含沙量,是淤积过程,只因含沙量大,沉速很小,所以含沙量沿程衰减很慢。

由式(3)可知,淤积量 $\Delta W_s = Q(S_i - S_o)\Delta t$,所以若高含沙洪峰持续时间长,则淤积量较大。实际上洛惠渠高含沙引水实践最基本的并非是引高含沙水流渠道"不冲不淤",而是"冲淤平衡",即允许渠道在引洪期间有淤积,沙峰过后利用泥沙细、含沙量低的水流和冬春灌时的清水水流冲刷,使渠道冲淤平衡,在水沙有利年份,下

表7　洛惠渠高含沙引水含沙量计算值、实测值比较

时间(年.月.日.时:分)	渠段	L (m)	Q (m³/s)	$\bar{B}$ (m)	V (m/s)	R (m)	S_i (kg/m³)	μ_m (10^{-5}g·s/cm²)	ω_{ms} (10^{-4}m/s)	S_* (kg/m³)	S_{om} (kg/m³)	S_{oc} (kg/m³)
1979.8.12.2:00	北闸房—东干义井		4.63	4.35	0.73	0.86	707	6.62	0.64	337	741	707
1979.8.15.12:10			5.51	4.28	0.79	0.95	723	6.70	0.76	320	723	722
1979.8.17.7:00			5.28	4.63	0.64	1.0	500	3.99	1.15	86	474	498
1979.8.18.1:30		874	4.89	4.70	0.58	1.0	260	2.21	2.26	27	244	259
1979.8.16.14:00			5.28	4.63	0.64	1.0	632	5.29	0.64	175	630	631
1979.8.18.20:00			4.89	4.70	0.58	1.0	171	1.64	3.16	17.4	168	170
1980.6.18.11:00			3.19	4.44	0.54	0.80	792	7.01	0.75	133	814	791
1980.6.21			5.04	5.04	0.58	0.84	132	1.84	8.32	7.7	132	131
1979.7.11.19:00	黎起—平路庙		5.19	3.57	0.85	0.89	708	5.82	1.26	254	729	697
1979.7.12.8:00			5.02	3.52	0.83	0.91	630	5.12	1.22	207	637	626
1979.7.12.12:00		10 985	5.33	3.67	0.84	0.88	530	3.96	2.39	120	513	512
1979.7.13.8:00			5.37	3.55	0.85	0.92	330	2.63	4.96	43.4	316	305
1979.7.13.19:55			4.90	3.43	0.84	0.90	230	2.05	2.29	86.0	224	227
1979.7.14.7:50			2.07	2.78	0.71	0.63	183	1.72	3.66	43.8	187	165
1979.8.15.7:30	北闸房—西干义井	1 916	3.21	2.81	1.22	0.59	719	6.71	0.51	2845	681	718
1980.7.1	北汉帝—蒋吉	4 150	1.34	2.60	0.56	0.55	469	3.77	1.78	66.4	454	450
1980.8.2.17:00			3.11	2.90	0.81	0.73	766	6.33	0.91	394	738	759
1980.8.8.20:20	中干二斗	150	0.54	1.52	0.54	0.36	898	11.22	0.35	700	898	897

次沙峰到来之前可将淤沙冲完,多数年份靠冬春灌清水冲刷将淤沙冲完,水沙不利年份,如1973年有5次洪峰,最长一次历时达8天之久,渠道淤积严重,又如1974年7月底洪峰含沙量大于726kg/m³的持续时间就达60小时,东干义井断面在7.28.17:00～8.3.18:00淤积强度0.109m²/h,李家庄断面7.28.20:00～7.31.20:00淤积强度0.136m²/h,后来辅以人工开槽、拖耙、踩踏等措施才将淤沙冲完。

洛惠渠超限引水的实践是巧妙地利用了天然河道来沙集中、含沙量高、粗沙含量少的特点,加以科学管理使渠道达到"冲淤平衡"的。同时证明了渠道输沙规律是遵循高含沙不平衡输沙理论而非平衡输沙概念,即不能用临界不淤流速作为设计准则,必须用不平衡输沙公式预测冲淤量。

3.3 断面设计

由于紊流流态的高含沙水流的阻力与清水水流一致,且输送高含沙水流并不需要更大的水流强度。因此,断面尺寸可先按清水渠槽的一套方法,初定出断面尺寸后,再选择一个水文代表系列3～5年,根据引入各级渠道的水流、泥沙条件,按上述方法进行纵向输沙计算。若各种年份在年内都能达到渠道冲淤平衡,则所定尺寸是合理的,否则对初定的断面尺寸进行调整,如增大比降,增大流量等。

4 高含沙引水淤灌技术与效益

4.1 高含沙引水淤灌技术

淤灌技术包括两个方面:一是田间作物淤灌技术,二是引洪放淤改土技术。

4.1.1 田间作物淤灌技术

田间淤灌要根据作物生长性质合理确定引水含沙量,以达到既控制淤积厚度,又满足作物需水量和田间改土的要求。

淤灌含沙量。根据对比试验资料,玉米以含沙量 450kg/m³ 淤灌增产幅度最高,高于这一含沙量时产量与含沙量呈负相关。棉花淤灌在含沙量小于 300kg/m³ 时较清水灌溉产量高(如宝鸡峡灌区)。陕北榆林地区对谷子和水稻的对比试验表明,含沙量 300kg/m³ 时淤灌最好,增产效益明显。对花生等低矮作物,一般不宜用高含沙浑水淤灌。

落淤厚度。淤层过厚,造成田间渗吸速度小,积水时间长,土壤不透气,特别在气温高时,易闷死作物;另外,还会造成土壤板结夹苗,不利作物生长。对比试验表明,玉米、高粱落淤厚度以 5~7cm 为宜,不应超过 10cm;棉花一般不超过 6cm;水稻拔节后,淤厚以 8~12cm 为宜。应特别指出的是苗期作物的淤厚,以不淹埋生长点为准。播种前淤灌,一般应提前 3~5 天,淤积厚度要小。

淤灌时间。应根据田间作物布局、种类、生长发育情况以及需水程度来确定淤灌时间,不宜淹苗淤灌。糜谷在成熟期、马铃薯开花后期不宜淤灌。

淤灌方式。宜采用沟灌或小畦灌,有利于输沙、落淤均匀和节水。沟畦长度一般应小于 100m,含沙量高时以 30~50m 为宜。畦宽 2~3m、深 0.2~0.3m 为宜;沟宽一般为 0.3~0.35m。

单宽流量。在同样田面坡度条件下,落淤的质量随单宽流量的增加而提高。据试验资料分析,田面坡度大于 1‰时,以单宽流量 5~7L/(s·m)为宜;田面坡度小于 1‰时,单宽流量以 7~9 L/(s·m)为好。

4.1.2 放淤改土技术

指引洪放淤改土或淤地造田和治沟治坡技术。

淤层厚度。放淤厚度应根据土壤盐碱化程度、地下水埋深以及排水条件等因素确定。一般应以淤后耕作层盐碱含量不影响作物生长为宜,根据洛惠渠试验资料,在排水良好情况下,中轻度盐碱化地区(耕作层含盐量 0.5%~0.6%),淤层以 0.2~0.3m 为宜;

重度盐荒地区(耕作层含盐量大于 0.6%),淤层以 0.3~0.4m 较为经济合理。

淤区面积。根据对比试验,畦宽 80m 左右落淤质量较好。

田间工程。放淤时,入口处流速大,易冲刷,畦内水深大,田埂易渗水、滑坡或决口,要保证围埂质量,围埂超高不得小于 0.5m。

排水系统。淤区周围须修建完整的排水系统。淤区排水条件的好坏,直接影响盐碱地改良的效果。排水沟的深度和间距应根据地形、土壤和地下水位等因素确定,规划设计时可参阅有关资料。

4.2 高含沙浑水淤灌增产效益

高含沙引水淤灌不但缓解了作物干旱缺水状况,扩大了灌溉面积,而且还起到了改良土壤、增加肥力以及消灭田间杂草等作用,淤灌后作物增产幅度十分明显。据宝鸡峡灌区的调查资料,浑灌与未灌相比玉米增产 21%、棉花增产 23%、水稻增产 39%。放淤改良盐碱地的增产效益更为明显,据洛惠渠资料,放淤前基本上颗粒无收或低产田,放淤后小麦每公顷产量可达到 4 500~10 500kg,棉花每公顷产量可达 1 500kg。

4.3 渠道管理运用经验

渠道管理包括组织管理、用水管理和工程管理,这里只介绍用水管理和工程管理方面的经验。

4.3.1 用水管理

(1)编制引洪淤灌计划。按来洪大小,确定引水口开启高度及开启次序。注意解决好灌溉与淤地、集中用洪与连片治碱、清浑结合、上下兼顾的关系。

(2)做好水沙调配工作。根据洪水泥沙情况,结合灌区内各级渠道的输沙能力,合理调配水沙,集中流量、集中开斗、迎峰避峰,灵活调配,力求渠道冲淤平衡。

(3)做好渠系水、沙监测工作。灌区的水文泥沙观测资料是合理调配水沙和指导引洪淤灌的重要依据,必须做好日常水、沙监测工作。

4.3.2 工程管理

(1)加强渠首枢纽的管理。在条件许可情况下,尽可能加大渠首引洪能力,有条件的地区,可在其上游修建缓洪水库,延长用洪历时,提高引洪利用率。

(2)改建渠道。为了提高渠道输沙能力,应采用减少弯道、裁弯取直、调整比降、衬砌渠道、改建阻水建筑物、增设冲沙闸、导沙坎等工程措施,提高渠道输沙能力。对倒虹、涵洞、闸门、桥墩等建筑物,以不壅水为好,否则应进行改造。

(3)加强渠道养护。采用人工或机械措施清理渠道淤积物,保证渠道的正常输水能力。

参 考 文 献

[1] 方宗岱.非牛顿体高含沙水流治理黄河的科学机理与生产实践.见:当代治黄论坛.北京:科学出版社,1990

[2] 吴以敩.黄河下游先期变清进而实现根治水害开发水利的目标.见:当代治黄论坛.北京:科学出版社,1990

[3] 齐璞.利用窄深河槽输沙入海调水调沙减淤分析.人民黄河.1988(6)

[4] 费祥俊.黄河下游节水减淤的高含沙水流输沙方式研究.人民黄河.1995(3)

[5] 迟耀瑜,杨廷瑞主编.高含沙引水及淤灌技术.北京:水利电力出版社,1995

[6] 杨廷瑞,迟耀瑜.渠道高含沙浑水输送及引洪淤灌的增产效益.见:黄河的研究与实践.北京:水利电力出版社,1986.263~269

[7] 杨廷瑞,万兆惠.高含沙浑水利用问题的研究.见:第一届河流泥沙国际学术讨论会论文集.北京:光华出版社,1980

[8] 沙玉清.泥沙运动学引论.北京:中国工业出版社,1965

[9] Xu Yian and Wan Zhaohui. The Transport and concentration of Hyper-Concentrated Flow in Luohui Irrigation District. Proceedings of Interna-

tional Workship on Flow at Hyperconcentrations of Sediment, September10-14, 1985. Beijing. China

[10] 窦国仁. 潮汐水流中悬浮运动及冲淤计算. 水利学报. 1963(4)

[11] Cao Ruxuan *et al.*, Mathmatical Model for Sediment Transport Capacity of Hyperconcentrated Flow in Diversion Canal. International Journal of Sediment Research, Vol. 9. No. 1. 1994

[12] 费祥俊. 黄河下游含沙水流粘度的计算模型. 泥沙研究. 1991(2)

[13] 钱善琪. U 型渠—高浓度输送渠槽的最佳形态. 水利学报. 1993(3)

黄河泥沙模型

卡门常数与含沙量无关,即与清水水流的情况 $\kappa_0=0.4$ 相等,并认为流速分布的对数律只适用于近底区;在主流区,由于存在一个"尾流区",其分布规律"偏离"对数律。这两种观点是相互矛盾的[4],即前者认为,在近底区挟沙水流流速分布"偏离"对数分布,而主流区流速分布仍然服从对数规律,只是卡门常数小于清水时的 $\kappa_0=0.4$;后者强调近底区流速分布服从对数律,且 $\kappa_0=0.4$,主流区流速分布"偏离"对数律。此外,秦荣昱[5]分析了动床水流流速分布与卡门常数的关系,取得的一些认识也有较大的参考价值。

近些年,倪晋仁、惠遇甲用水槽试验资料进行了分析和比较后发现,虽然各家对挟沙水流流速分布认识不同,但就实测结果本身来说,各家试验资料的变化趋势颇为一致。原作者曾就边界条件相同的清水与浑水二维恒定均匀流动,用对比的方法对挟沙水流流速分布进行了分析。结果表明,挟沙水流的尾流函数项 $f(x_1,\cdots,x_i)$ 是含沙量分布 $S(z)$、含沙量梯度 $h\mathrm{d}S(z)/\mathrm{d}z$($h$ 为水深)和位置的函数,即挟沙水流流速分布关系式可能具有如下形式[6]

$$\begin{cases} \dfrac{u_m-u}{u_*}=\dfrac{1}{\kappa}\ln\dfrac{h}{z}+f\Big(S(z),\dfrac{h\mathrm{d}S(z)}{\mathrm{d}z},\dfrac{z}{h}\Big) \\ \kappa=0.4 \qquad f\Big(S(z),\dfrac{h\mathrm{d}S(z)}{\mathrm{d}z},\dfrac{z}{h}\Big)\geqslant 0 \end{cases} \tag{2}$$

原作者还进一步将流速分布公式表示为

$$\frac{u_m-u}{u_*}=\frac{1}{\kappa}\ln\frac{h}{z}+\frac{E_e-E_{e_1}}{\gamma u_* J},\kappa=0.4 \tag{3}$$

式中:E_e、E_{e_1} 分别为水中某点及水面处因悬浮颗粒存在而使能耗发生的改变量。

不过也可看出,要得到式(3)中的尾项的具体表达式还有许多困难,目前只能结合实测资料加以确定。

最近,惠遇甲[7]根据一些含沙量小于 $50\mathrm{kg/m^3}$ 的黄河实测资料,检验了对数公式的符合程度。认为卡门常数 $\kappa=0.047\sim$

0.367,随含沙量的增加而减小,且黄河垂线对数流速分布可以用折线表示,主流区 κ 值较大,近壁区 κ 值较小。

为揭示卡门常数 κ 随含沙量变化的机理,Einstein 及钱宁通过深入研究,指出卡门常数 κ 应与水流在单位时间内提供的势能中的悬浮功所占比值 E 有关,并根据一般挟沙水流的资料点绘了 $E \sim \kappa$ 关系图。发现在一开始,含沙量居于主导地位,随着含沙量增加,带来 E 的加大和 κ 的减小;当含沙量超过一定限度后,由于含沙量增加所引起的沉速的大幅度减小起到决定性作用,这时继续加大含沙量,只会使 E 减小和 κ 回增。1985 年钱宁、张仁等在该图上补充了无定河的实测点据,进一步发现,当含沙量接近 $1\,000\,\mathrm{kg/m^3}$ 时,泥沙沉速已减少到这样一个程度:含沙量沿垂线分布相当均匀,κ 就会趋近于清水水流的数值。

从工程实用角度讲,掌握卡门常数与含沙量的定量关系是非常重要的。张红武、张清[8]采用大量包括高含沙水流在内的实测资料,点绘了 κ 与体积比含沙量 S_V 的点群关系,得出

$$\kappa = \kappa_0 [1 - 4.2\sqrt{S_V(0.365 - S_V)}] \tag{4}$$

采用上式确定式(1)中的 κ 值,其计算结果与黄河干支流实测资料也较为符合(部分验证结果见图 2)。表明对数流速分布公式确有很大的使用价值。

1.1.2　指数型流速分布公式

早在 20 年代,Karman 和 Prandtl 根据因次分析的概念,分别提出了如下形式的指数型流速分布公式

$$u = (1 + m)V_{cp}\left(\frac{z}{h}\right)^m \tag{5}$$

式中:V_{cp} 为垂线平均流速;m 为指数,与雷诺数及相对粗糙度有关,一般情况下,$m = 1/8 \sim 1/5$。当雷诺数 $Re < 1 \times 10^5$ 时,$m = 1/7$,即

$$u = \frac{8}{7} V_{cp} \left(\frac{z}{h} \right)^{1/7} \tag{6}$$

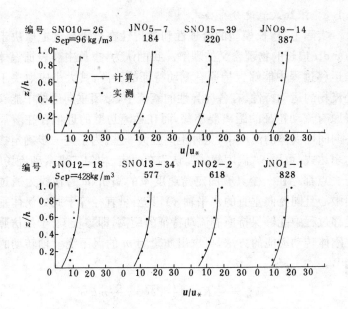

图 2　修正后的对数公式与实测资料的比较

上式称为流速分布的七分之一次方定律。

1983 年,张红武采用大量黄河和室内资料比较分析后认为,相对于修正前的对数型流速分布公式,式(6)与实际较为符合,该式形式简单,且在近壁处也能近似使用,故有较大的使用价值。

陈永宽的研究结果表明,在含沙量较高的水流中,指数流速分布公式如果对 m 取为变化值,具有较对数流速公式为高的精度,并指出指数 m 随沙量增加而有所增加,惠遇甲最近研究也得出了类似的结论[7]。

关于指数公式对于高含沙水流的适用性,最近黄科院张俊华开展了系统的分析,结果表明:$S < 200 \text{kg/m}^3$ 时,m 随含沙量增加

而增加；$S>200\text{kg/m}^3$ 时，m 随含沙量增加而减少，这一研究也颇有价值。

1.1.3　张红武流速分布公式[9]

实际上，掺长模型的合理性和适用性在很大程度上取决于对 Prandtl 掺长的物理含义的理解。我们认为，掺长主要表征涡体垂向运移过程中能够保持原有流动特征的距离，其大小应取决于所处流场的运动特性。在各向异性的紊流中，微团垂向运移中能够保持原有流动特征的距离要小些，而在远离边壁的近似存在着局部各向同性涡体的流区中，这种距离应大一些。为了进一步确定掺长的表达式，可引入"涡团模式"。认为在恒定、均匀二维紊动流场中，任一点都存在一个具有固定角速度 $\overline{\omega}$ 的涡团（$\overline{\omega}$ 的轴线为通过涡团中心且同流向垂直的水平轴 y），其当量直径等于此处涡体垂向运移过程中能够保持原有流动特征的距离，即掺长 l。于是仿照确定刚体转动动能的方法，可求出质量为 m 的涡团绕 y 轴转动的动能 W_m

$$W_m = \frac{1}{2}K_1 m\left(\frac{l}{2}\right)^2 \overline{\omega}^2 = \frac{K_1}{8}ml^2\overline{\omega}^2 \tag{7}$$

式中：K_1 为转动惯量系数，若视涡团为球体，则 K_1 等于 0.4；m 为涡团质量。

离边壁较近的流区，切应力 τ 大，涡团受到一定的制约影响和限制，其动能较小；而在远离边壁的流区，切应力 τ 小，微团垂向运移相当距离后才可能改变原有的流动特征，涡团得到充分发展，其动能较大，亦即涡团动能具有上大下小的分布趋势，与涡团所在位置的势能 W_h 也应存在一定的比例关系，即

$$W_m = K_2 W_h = K_2 mgz \tag{8}$$

式中：K_2 为比例系数。

由式(8)及(7)，可解得

$$\frac{l}{h} = c_n \sqrt{\frac{z}{h}} \tag{9}$$

其中

$$c_n = \frac{1}{\overline{\omega}} \sqrt{\frac{8K_2 g}{K_1 h}} \tag{10}$$

可称 c_n 为涡团参数。当取 $c_n = 0.15$ 时,与 Nikuradze 的实测点据比较符合(图 1),由图 1 同时看出,常见的两家公式 $l = \kappa z$ 和 $l = \kappa z \sqrt{1 - z/h}$ 在广大流区中与实验资料偏离甚多。由式(10)可以看出,涡团参数 c_n 与涡团角速度的大小有关,而 $\overline{\omega}$ 是一个与水流尺度(如水深 h)有关的因子,限于目前的研究水平,尚难以给出确切形式。作为初步研究,首先要考虑水流含沙浓度对涡团参数的影响,因为相对于其它影响因素而言,含沙量的影响毕竟是主要的(实际上早在 1914 年 С. И. Моисееико 就已指出,垂线平均流速与水面流速之比值随含沙量而变[3],表明当时已注意到悬移质含沙量对流速分布的影响)。根据天然河流资料得到涡团参数 c_n 与含沙量 S_V(以体积百分数计)的关系式为

$$c_n = 0.15 - 0.63 \sqrt{S_V (0.365 - S_V)} \tag{11}$$

陈立等试图对式(11)进行修正,将 c_n 与卡门常数 κ 的关系表示为 $c_n = \kappa^2$,这在含沙量较小或含沙量在 $950 \mathrm{kg/m^3}$ 左右时近似成立,否则偏差较大。由卡门常数 κ 与含沙量 S_V 的关系式(4),c_n 应与 κ 存在如下定量关系

$$c_n = 0.375\kappa \tag{12}$$

附带指出,这里引入的"涡团",并不等同于常说的"涡体",在远壁区,前者可包括很多涡体,而在近壁区,前者尺度则可能大大小于后者。根据实验室对紊流的测验能力及理论上的描述能力,人们可能长期甚至永远无法证明"涡团模式"这个科学假设成立与否。这实际上无关紧要,只要该模式有明确的物理含义,给出的结

果可得到实测资料的证实,且能成功地用来解决科研和生产实际问题,显然就有了很大的价值。

将式(9)的 l 表示式引入到 Prandtl 模型给出的紊动切应力表达式中,相应得到

$$\frac{\mathrm{d}u}{\mathrm{d}z} = \frac{u_*}{c_n} \sqrt{\frac{1 - \dfrac{z}{h}}{zh}} \tag{13}$$

对上式积分,并由水面处 $z/h = 1$ 时,$u = u_m$ 确定积分常数,整理即得

$$\frac{u_m - u}{u_*} = \frac{\pi}{2c_n} - \frac{1}{c_n}\left[\sqrt{\left(1 - \frac{z}{h}\right)\frac{z}{h}} + \arcsin\sqrt{\frac{z}{h}} \right] \tag{14}$$

大量清水资料验证结果表明,上式与实验点据构成的速度亏损曲线几乎完全重合。此外,该式在近底流区也能近似适用,克服了对数流速分布公式中,当 z/h 很小时出现偏小甚至负值的缺陷。此外,由式(13)可以看出,水面处 $\mathrm{d}u/\mathrm{d}z = 0$,因此本流速公式不会出现在水面处 τ 为最小值、u 不是最大值的矛盾。

对式(13)从河底至水面积分,即能求出垂线平均流速 V_{cp},再将 $u_* = V_{cp}\sqrt{g}/C$(其中 C 为 Chezy 系数)代入后,不难求出 u_m,即

$$u_m = V_{cp}\left(1 + \frac{\pi}{8c_n}\frac{\sqrt{g}}{C}\right) \tag{15}$$

这就从理论上证明了 Моисеенко"垂线平均流速与水面流速之比值随含沙量而变"的结论是正确的。将式(15)代入式(13),整理可得

$$\frac{u}{u_*} = \frac{C}{\sqrt{g}} - \frac{3\pi}{8c_n} + \frac{1}{c_n}\left[\sqrt{\frac{z}{h} - \left(\frac{z}{h}\right)^2} + \arcsin\sqrt{\frac{z}{h}} \right] \tag{16}$$

上式已得到了大量试验资料的验证。为进一步检验上述流速公式,作者收集了大量的天然河道挟沙水流观测资料,其中包括 60 年代在黄河支流无定河及渭河上所进行的测验结果,这是一套

相当完整的天然河道高含沙水流资料。

图 3 为采用黄河下游花园口等站挟沙水流流速分布资料对式 (16) 的验证结果,表明尽管游荡型河道的野外观测资料精度较低,但也能反映出计算值与测验结果基本是相符的。

图 4 为无定河丁家沟站,垂线流速分布测验值与式(16)相应计算结果的对比。可以看出,野外测验结果与计算结果在很大的含沙量范围内都很接近。

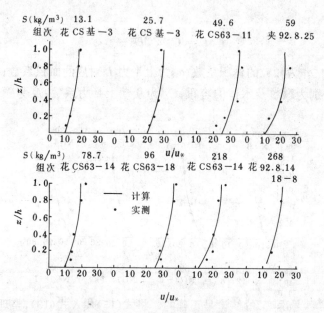

图 3　黄河下游游荡型河段流速测验结果与张红武公式的比较

1.2　悬移质泥沙粒配与紊动特征值的关系

1.2.1　悬移质泥沙粗度与紊动特征值的关系[10]

与河流中大尺度紊动在沿河床表面的垂直方向扩散相伴随,存在着悬移质泥沙的悬浮与运动。实测资料表明,明渠水流中悬移质的粒配分布以及单位体积含量的垂线分布具有连续分布性,这些特征很好地反映了悬移质组成与紊动流场的依赖关系。

由一般力学知识不难理解,流体内悬移质颗粒沿垂向受力平衡条件为

$$W = L \tag{17}$$

式中:W、L 分别为悬移质颗粒在水中所受的有效重力及紊动对颗粒作用的上举力,可分别表示为

$$W = \alpha_1 (\gamma_s - \gamma) D^3 \tag{18}$$

及

$$L = C_L' \alpha_2 \gamma D^2 \frac{v^2}{2g} \tag{19}$$

式中:α_1 为颗粒的体积系数;α_2 为上举力 L 对应的面积系数;γ_s 及 γ 分别为颗粒及水体的容重;C_L' 为紊动上举力系数;D 为颗粒直径。

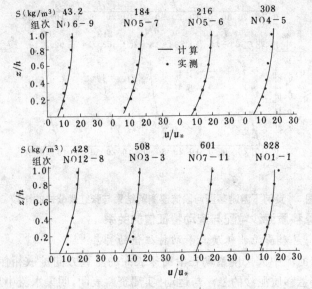

图 4　无定河丁家沟站流速测验结果与张红武公式的比较

将式(18)及式(19)分别代入式(17),则先解出后并写成随机方程,即

$$V^2 = \beta_1 D \qquad (20)$$

式中

$$\beta_1 = \frac{2\alpha_1}{\alpha_2 C_L'} \frac{\gamma_s - \gamma}{\gamma} g \qquad (21)$$

大量实测资料表明[4],垂向紊动流速具有 Gauss 分布性质,于是,由垂向紊动流速相应的概率密度分布式及推求概率分布函数的方法,可以得到悬移质粒径 D 的分布密度函数

$$\psi_1(D) = \frac{\sqrt{\beta_1}}{\sqrt{2\pi}\,\sigma_v\,\sqrt{D}} \exp\left(-\frac{\beta_1 D}{2\sigma_v^2}\right) \qquad (22)$$

其数学期望

$$D_m = \int_0^\infty D\,\psi_2(D)\,\mathrm{d}D$$

令 $t = \dfrac{\beta_1 D}{2\sigma_v^2}$,则上式可化成 Γ 函数形式,即

$$D_m = \frac{2\sigma_v^2}{\sqrt{\pi}\,\beta_1} \Gamma\left(\frac{3}{2}\right) = \frac{2\sigma_v^2}{\sqrt{\pi}\,\beta_1} \frac{\Gamma\left(\frac{1}{2}\right)}{2}$$

故

$$D_m = \frac{\sigma_v^2}{\beta_1} \qquad (23)$$

为了进行上式的数值计算,可参照文献[10]取 $\alpha_1 = \dfrac{\pi}{6}$, $\alpha_2 = \dfrac{\pi}{4}$ 及 $C_L' = 0.370$,则由式(21)及(23)分别为

$$\beta_1 = 3.60 \frac{\gamma_s - \gamma}{\gamma} g \qquad (24)$$

$$D_m = 0.278 \frac{\sigma_v^2}{\dfrac{\gamma_s - \gamma}{\gamma} g} \qquad (25)$$

　　由垂向紊动强度测验资料及计算公式[9]可以看出,在广大流区中,$\sigma_v = (0.45 \sim 1.05) u_*$,将黄河下游河道的摩阻流速值 $u_* = 5.42\text{cm/s}$(黄河下游河道平均情况:平均水深 $H = 2\text{m}$;水力坡度 $J = 1.5‰$)代入式(25),可得河流中悬沙粒径一般为(天然沙取 $\dfrac{\gamma_s - \gamma}{\gamma} = 1.65$):$D_m = 0.010\,2 \sim 0.055\,7\text{mm}$,这一范围值与黄河实测资料颇为符合。另外,我们采用长江、汉江等其它河流的资料进行验证后也得出了类似的结论,例如长江中下游平均情况 $u_* = 7\text{cm/s}$,实测悬移质泥沙粒径一般为 $0.015 \sim 0.1\text{mm}$,依式(25)计算得 $D_m = 0.017 \sim 0.093\text{mm}$,因此上述模式是可以用来分析冲积河流的悬移质运动的。

　　由分布函数 $\psi_1(D)$ 及其数学期望 D_m,还可进一步求出方差和均方差,即

$$V_{ay}(D) = \int_0^\infty (D - D_m)^2 \psi_1(D) \mathrm{d}D$$

令 $t = \dfrac{\beta_1 D}{2\sigma_v^2}$,再将式(25)引入,整理即得方差

$$V_{ay}(D) = 2 \frac{\sigma_v^4}{\beta_1^2} \tag{26}$$

均方差

$$\sigma_D = \sqrt{V_{ay}(D)} = \sqrt{2}\, \frac{\sigma_v^2}{\beta_1} \tag{27}$$

将式(24)代入得

$$\sigma_D = 0.393 \frac{\sigma_v^2}{\dfrac{\gamma_s - \gamma}{\gamma} g} \tag{28}$$

为了便于比较,将数值 $\dfrac{\gamma_s - \gamma}{\gamma} = 1.65$ 及 $g = 980\text{cm/s}^2$ 代入上式得

$$\sigma_D = 0.243 \times 10^{-3} \sigma_v^2 \tag{29}$$

由此看来,水流紊动强弱对于悬移质颗粒组成的分散的影响是很

小的,因而也揭示了天然河流中悬移质泥沙粒径范围并不很大的根源(其根源就在于 σ_D 与 σ_v 的关系微弱)。此外,由于垂向紊动强度 σ_v 沿垂线变化不大,同样可以说明表征悬移质粒配均匀程度的粒径方差 σ_D 沿垂线的变化也较微弱。

1.2.2 悬移质粒配曲线的理论计算

确定了各特征值之间的关系后,张红武还进一步研究了悬移质组成分布与紊动分布的依存关系。以小于某粒径的泥沙数目所占泥沙总数的百分比表示粒配曲线(这种方法对于组成比较均匀的颗粒,所得结果与重量百分比基本接近),从概率论的观点来看,即为

$$p(D_i) = \int_0^{D_i} \psi_1(D_i)\mathrm{d}D \tag{30}$$

将式(22)代入,则

$$p(D_i) = \int_0^{D_i} \frac{\sqrt{\beta_1}}{\sqrt{2\pi}\sigma_v} D^{-\frac{1}{2}} \exp\left(-\frac{\beta_1 D}{2\sigma_v^2}\right)\mathrm{d}D$$

令 $t = \dfrac{\sqrt{\beta_1 D}}{\sigma_v}$, $D = \dfrac{\sigma_v^2}{\beta_1}t^2$, $\mathrm{d}D = \dfrac{2\sigma_v^2}{\beta_1}t\mathrm{d}t$, 于是

$$p(D_i) = \frac{2}{\sqrt{2\pi}} \int_0^T \exp\left(-\frac{t^2}{2}\right)\mathrm{d}t = 2\Phi(T) - 1 \tag{31}$$

式中

$$T = \frac{\sqrt{\beta_1 D_i}}{\sigma_v} \tag{32}$$

$$\Phi(T) = \frac{1}{\sqrt{2\pi}} \int_{-\infty}^T \exp\left(-\frac{t^2}{2}\right)\mathrm{d}t \tag{33}$$

式中,$\Phi(T)$ 可直接从常见的正态概率积分表中查得。

在运用式(31)时,垂向紊动强度取其垂线平均值,所得结果即可反映整个水体内悬移质颗粒组成的平均情况。根据 σ_v 的取值范围,暂近似取

$$\sigma_v = 0.75u_* \tag{34}$$

这就给数值计算带来了方便。

采用大量实测资料对上述理论公式进行的检验结果表明,理论计算不仅与实验点据吻合,而且也符合天然冲积河流的情况。例如,黄河、长江及汉江下游河道悬移质泥沙粒配曲线与按照式(31)计算的理论曲线的比较结果见图5。

有了上述计算悬移质泥沙粒配的方法,即为模拟悬移质泥沙运动与河流紊动流场之间的依存关系,打下了良好的理论基础。

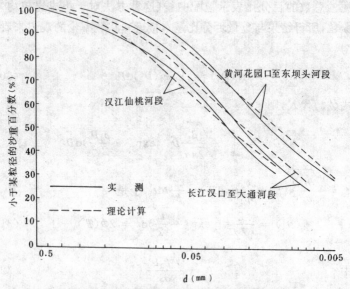

图5 悬沙粒配曲线理论计算结果与实测资料的比较

1.3 含沙量的垂线分布

1.3.1 含沙量沿垂线分布问题的研究现状

悬移质含沙量垂线分布规律的研究有很长历史,迄今为止,研究论文众多,而且从不同的角度出发,都获得了较好的结果。其中,最著名的是 Rouse 根据扩散理论得出的公式[11],即

$$s/s_a = \left(\frac{h-z}{z} \cdot \frac{a}{h-a} \right)^{\omega/\kappa u_*} \quad (35)$$

式中：s 为垂线上 z 点的含沙量；s_a 为 $z=a$ 处的含沙量；ω 为泥沙的沉速。

上式就是二维恒定均匀流在平衡输沙情况下的时均含沙量沿垂线分布的公式，又称 Rouse 公式。很多研究业已证明，如果泥沙颗粒较细且含沙浓度较小，Rouse 公式与实测资料比较符合；但如果颗粒较粗或泥沙浓度较大时，计算结果与实测资料有较大的偏差。实测的含沙量分布往往较依 Rouse 公式计算的分布曲线更均匀些。人们将出现上述状况的原因，多归结于取悬移质扩散系数 ε_s 等于流体的动量传递系数 ε 的缘故。

Rouse 公式存在的另两个缺陷，是计算的水面含沙量总为零和床面含沙量总为无穷大，这既与实际不符，又在理论上难以解释。造成这种缺陷的主要原因是，引用了对数型流速分布公式，即在推求流速梯度等有关问题时，对数型流速分布公式(1)起到了不能令人满意的作用。

正因为这样，有许多学者试图对 Rouse 公式进行修正，还有的着手从其它途径来研究这一课题，倪晋仁等专门进行过分类和比较[6]，并对悬移质浓度垂线分布的类型及力学机理进行了探讨。在此基础上，认为垂向脉动速度是含沙量浓度分布存在的主要根源，通过某些假定和数学处理，得出了新的计算公式，在学术上是很有意义的。

对于高含沙水流中悬移质泥沙浓度分布规律，也有一些学者进行过研究，但由于天然高含沙水流中的悬移质运动特性远较室内试验复杂得多，现有成果远不能直接应用于黄河，因此尚有必要开展新的探讨。

1.3.2　紊流中含沙量垂线分布的统一公式[9]

为使含沙量分布公式在整个流区内都能适用，且能描述黄河中一般含沙量和高含沙量沿水深的分布规律,下面选用本章给出的流速公式(16)求解扩散方程。

由式(16)的导数形式(13)及切应力 τ 的表达式,可求出泥沙扩散系数表达式,即

$$\varepsilon_s = c_n u_* \sqrt{z(h-z)} \tag{36}$$

附带指出的是,与常见的泥沙扩散系数的表达式不同,式(36)同文献[9]给出的垂向紊动强度公式的结构相近。因此,采用上式表示泥沙的扩散系数,更能反映水流紊动对于泥沙扩散作用的影响。

将式(36)代入到扩散方程之中,同样解得

$$s = s_a \exp\left[\frac{2\omega}{c_n u_*}\left(\operatorname{arctg}\sqrt{\frac{h}{z}-1} - \operatorname{arctg}\sqrt{\frac{h}{a}-1}\right)\right] \tag{37}$$

由上式,在水面处($z=h$)

$$s = s_a \exp\left[\frac{2\omega}{c_n u_*}\left(-\operatorname{arctg}\sqrt{\frac{h}{a}-1}\right)\right] \tag{38}$$

在河底($z \to 0$)

$$s = s_a \exp\left[\frac{2\omega}{c_n u_*}\left(\frac{\pi}{2} - \operatorname{arctg}\sqrt{\frac{h}{a}-1}\right)\right] \tag{39}$$

显然克服了 Rouse 公式在水面和河底部位出现的缺陷,即式(37)不仅当悬浮指标不大时在水面处含沙量不为零,而且参考点 a 取得相当小时,含沙量仍不会出现等于无穷大的不合理现象。这在研究近壁含沙量的课题时,具有不可替代的作用。此外,式(37)的结构形式比张瑞瑾采用王志德流速分布得到的含沙量分布公式[12]简便得多。

应该承认,上述公式只能计算出相对含沙量 s/s_a 沿垂线的分布规律,运用它们求某点的含沙量,尚必须事先得知垂线上任意点 $z=a$ 处的含沙量 s_a 才行。为此,曾有学者探讨直接求绝对含沙量

沿垂线分布的途径,谢鉴衡及丁君松的研究具有很高的理论和实用价值[12],其研究方法是将相对含沙量分布中的参考点不选在河底,而选在含沙量等于垂线平均含沙量即已知水流挟沙力之处。这样处理的关键问题是必须找到含沙量等于垂线平均含沙量处的相对水深值 η_{cp}。于是,笔者依照这一处理方法,引入上述含沙量分布表达式(37)及纵向流速分布公式(16),即得绝对含沙量沿垂线分布的表达式为

$$s = \frac{1}{N_0} S_{cp} \exp\left[5.33\,\frac{\omega}{\kappa u_*}\mathrm{arctg}\sqrt{\frac{1}{\eta}-1}\right] \quad (40)$$

式中

$$N_0 = \int_0^1 f\left(\frac{\sqrt{g}}{c_n C},\eta\right)\exp\left[5.33\,\frac{\omega}{\kappa u_*}\mathrm{arctg}\sqrt{\frac{1}{\eta}-1}\right]\mathrm{d}\eta \quad (41)$$

1.3.3 公式的验证

如前所述,在泥沙颗粒较细且浓度较低的条件下,Rouse 公式是适用的,此时该公式基本上被视为经典公式。因此可以首先将式(37)在一般挟沙水流条件下同 Rouse 公式作一比较。为了给出相同的参数,即"悬浮指标"$\omega/\kappa u_*$,引入了涡团参数 c_n 与 κ 的关系式(12)。

由(37)式及 Rouse 公式计算得出的含沙量分布图形如图 6 所示。图中虚线为式(35)的计算结果,实线为式(37)的计算结果。由图可见,两公式相比,当悬浮指标不是很大时,式(37)在水面含沙量并不为零,在临近水面处相对含沙量较 Rouse 公式为大,亦即前者克服了后者在水面含沙量总为零的主要缺点。在其余部位,两条曲线相差不多。

作为统一公式,必须能适用于不同条件下的含沙量分布规律。采用舒安平及我们在水槽试验测得的资料及无定河等天然河道资料,对式(37)进行了系统的检验。为适应高含沙水流情况的需要,公式中的涡团参数 c_n 及沉速 ω 应分别采用式(11)及如下群体沉

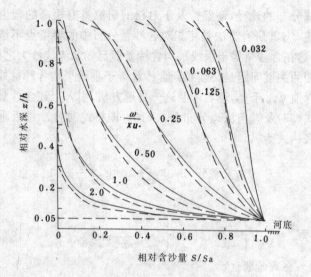

图6　式(37)与 Rouse 公式(35)的比较

速公式确定,后者为[8]

$$\omega_s = \omega_0 \left[\left(1 - \frac{S_V}{2.25\sqrt{d_{50}}} \right)^{3.5} (1 - 1.25 S_V) \right] \tag{42}$$

式中:ω_0 为泥沙在清水中的沉速,对于非均匀沙,应取平均沉速,由各级粒径沉速加权求得,即

$$\omega_{cp} = \Sigma \Delta p_i \omega_i \tag{43}$$

其中,ω_i 及 Δp_i 分别为某级粒径沉速及该级粒径泥沙占全部颗粒的重量百分比。图7为采用无定河丁家沟站资料对式(37)的部分验证结果。不难看出,该式能与天然高含沙紊流中的含沙量垂线分布相符合,这是较为难得的。图8列举了绝对含沙量分布的部分验证结果。式(40)中的 S_{cp} 采用张红武水流挟沙力公式计算。可以看出,该绝对含沙量分布公式,有较大的使用价值。

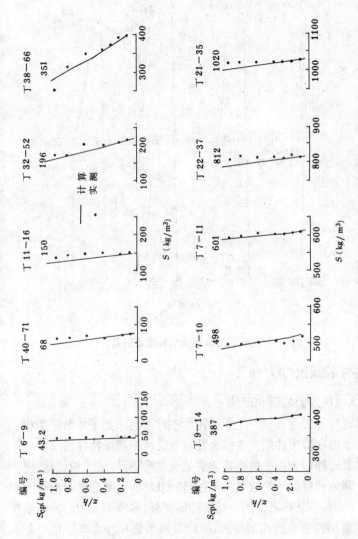

图 7　无定河丁家沟站含沙量资料与式（37）计算值的比较

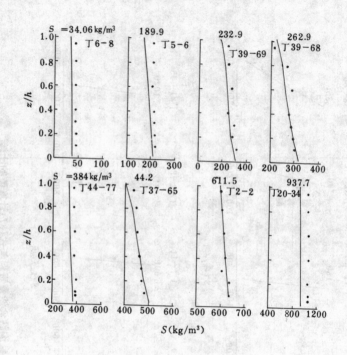

图 8　绝对含沙量分布公式的验证结果

2　黄河水流挟沙力计算

2.1　水流挟沙力的研究现状

　　水流挟沙力是表征一定水流泥沙条件下河床处于冲淤平衡状态时的水流挟带泥沙能力的综合性指标。冲积河流往往将其中对河床冲淤过程影响很小的推移质的数量忽略不计,但无论如何,应包括全部悬移质泥沙的数量。不过,长期以来,大部分学者所谈的水流挟沙力,将悬移质中的冲泻质排除在外。多沙河流中的冲泻质与床沙质相互影响的作用很大,因此黄河水流挟沙力似应指全部悬移质而言(即使在主槽,所谓的"冲泻质"也会通过影响水流挟沙能力大小,来间接发挥造床作用)。

关于水流挟沙力的研究,长期以来,国内外许多学者或从理论出发,或根据不同的河渠测验资料和试验室资料,提出了不少半理论、半经验的或经验性的水流挟沙力公式。远在两千多年前,我国西汉时期的张戎就开始从水流对泥沙作用的角度分析河床冲淤规律,由此提出以水排沙的治河主张,并对水流挟沙能力随流速大小而变化的关系有所认识;1914 年西方学者 Gilbert 通过室内水槽试验,对水流输沙能力进行了系统的研究;40 年代末前苏联出现了著名的 Замарин 公式,主要用于渠系挟沙力的计算;在 50 年代和 60 年代前期,Einstein 通过求单宽悬移质输沙率的方法分析水流挟沙力问题,Великанов 从重力理论出发,认为浑水在单位时间的能量损失除用于克服阻力做功外,还用于悬浮泥沙做功,得到如下形式的公式[13]

$$S_* = k \cdot \frac{V^3}{gH\omega} \tag{44}$$

式中:S_* 为水流挟沙力;V 为断面平均流速;H 为断面平均水深;ω 为泥沙平均沉速;k 为系数。

张瑞瑾整理了大量的长江、黄河和若干水库、渠道及室内水槽试验的资料后,对式(44)进行修正,得到了如下著名的水流挟沙力公式[12]

$$S_* = k\left(\frac{V^3}{gR\omega}\right)^m \tag{45}$$

式中:R 为水力半径,对于宽浅河道可用平均水深 H 代替;k、m 分别为系数与指数。

据原作者分析,k 和 m 本身又是 $V^3/gR\omega$ 的函数,而不是常数,由此也可说明水流挟沙力是相当复杂的,即使对于含沙量较小的水流,其挟沙能力也难以用较为简单的公式形式来描述。

沙玉清在收集了大量的资料后,首先分析出影响挟沙能力的

主要因素,然后用多元回归分析的方法得到挟沙力公式的一般形式为[14]

$$S_* = k \frac{D}{\omega^{4/3}} \left(\frac{V - V_c'}{\sqrt{R}} \right)^n \tag{46}$$

式中:n 为指数,与佛汝德数 $Fr(=V/\sqrt{gR})$ 有关,当 $Fr < 0.8$ 时,$n = 2$,当 $Fr > 0.8$ 时,$n = 3$;k 为挟沙系数,反映水流挟沙力的饱和程度,正常饱和时,可取 $k = 200$,相应不淤保证率为 50%;高饱和时,可取 $k = 400$,相应不淤保证率为 15.9%,低饱和时,可取 $k = 91$,相应不淤保证率为 84.1%。V_c' 为挟动流速,原作者把它定义为水流挟动泥沙达到某种运动形式所具有的最低流速。属不淤平衡时,V_c' 应取止动流速值;属不冲平衡时,对较细粒径($D < 0.08$mm),V_c' 应取起动流速值;对较粗粒径,如系推移质运动,V_c' 应取起动流速值;如系悬移质运动,应取扬动流速值。

前苏联学者 E. A. Замарин 的水流挟沙力公式对我国影响很大,其公式形式为[4]

当 $0.002 \leqslant \omega \leqslant 0.008$m/s 时

$$S_* = 0.022 \left(\frac{V}{\omega} \right)^{3/2} \sqrt{RJ} \tag{47}$$

当 $0.000\,4 \leqslant \omega \leqslant 0.002$m/s 时

$$S_* = 11V \sqrt{\frac{VRJ}{\omega}} \tag{48}$$

上两式中沉速 ω 以 m/s 计,J 为比降。

黄河上早期曾出现了不少经验公式,最有代表性的是麦乔威、赵苏理等提出的黄河河渠水流挟沙能力公式[15],其形式为(B 为河宽)

$$S_* = 70 \left(\frac{V^3}{gR\omega} \right)^{3/4} \left(\frac{H}{B} \right)^{1/2} \tag{49}$$

这类公式只是经过讨论分析,找出主要影响因素,用回归分析

的方法得出的经验性公式,因此也只能在一定范围内解决生产实际问题。

70年代,杨志达从单位水流功率的理论模式入手,建立了包括沙质推移质的床沙质水流挟沙力公式[16]

$$\lg S_* = a_1 + a_2 \lg \frac{\omega D_{50}}{\nu} + a_3 \lg \frac{u_*}{\omega}$$

$$+ \left(b_1 + b_2 \lg \frac{\omega D_{50}}{\nu} + b_3 \lg \frac{u_*}{\omega} \right) \cdot \lg \left(\frac{VJ}{\omega} - \frac{V_c J}{\omega} \right) \tag{50}$$

式中:a_1、a_2、a_3、b_1、b_2、b_3 均为系数,需根据河床形式而定,如对沙质河床,有:$a_1 = 5.435$,$a_2 = -0.286$,$a_3 = -0.457$,$b_1 = 1.799$,$b_2 = -0.409$,$b_3 = -0.314$;D_{50} 为中值粒径;V_c 为起动流速。

上述挟沙力公式由于理论本身的不成熟和采用的分析资料的局限性,使它们难以适用于黄河的高含沙水流。曹如轩基于 Bagnold 能量转换的观点,将水流挟沙力公式的应用向高含沙水流推进了一步,她考虑到由于高含沙水流泥沙含量高和细颗粒的存在,改变了挟沙水流的流变、流动和输沙特性,使其挟沙力问题较一般挟沙水流更为复杂,为此在水力因子 $V^3/gR\omega$ 的前面加上了相对重率项 $\gamma_m/(\gamma_s - \gamma_m)$,即[12]

$$S_* = k \left(\frac{\gamma_m}{\gamma_s - \gamma_m} \frac{V^3}{gR\omega} \right)^m \tag{51}$$

式中:γ_m 为浑水容重,由下式计算

$$\gamma_m = \gamma + \left(\frac{\gamma_s - \gamma}{\gamma_s} \right) S \tag{52}$$

由曹如轩的公式不难看出,随着水流含沙量的变化将直接影响水流挟沙力的大小。改变了水流挟沙力计算不考虑含沙量影响的局面,因而具有十分重要的意义。该公式问世后,已被人们广泛地应用到高含沙水流的挟沙力计算之中。

80年代以来,水流挟沙力的研究又进一步活跃起来,1982年张红武得到的公式形式为

$$S_* = 0.14\left(\frac{V^3}{gh\omega}\ln\frac{h}{6D_{50}}\right)^{0.6} \tag{53}$$

将公式引入了床沙中径 D_{50}（单位与 h 的单位一致），使计算精度及对不同河床条件的适应性有所提高。50 年代末，黄科所对各家公式与黄河土城子测验资料比较后得到的结论是[4]：Замарин和沙玉清两家挟沙力公式比较接近于实际；黄河河渠挟沙力公式次之；Великаиов 公式及引黄渠系挟沙力公式最差。采用同样的资料，将式（53）与上述三家精度较高的公式进行了比较，发现公式（53）更符合实际。

自从曹如轩将公式（45）修正为 $S_* \sim \dfrac{\gamma_m}{\gamma_s-\gamma_m}\cdot\dfrac{V^3}{gh\omega}$ 的关系以后，近些年来，不少学者为了使它更适合于高含沙水流，都希望进一步采用最新成果，通过对沉速 ω 的修正来弥补公式在使用中的不足。由采用实测资料点绘的 $S_* \sim \dfrac{\gamma_m}{\gamma_s-\gamma_m}\cdot\dfrac{V^3}{gh\omega}$ 关系图，可以发现，虽然对沉速 ω 已进行修正，也考虑了相对重率 $\gamma_m/(\gamma_s-\gamma_m)$ 的影响，使 $S<50\text{kg/m}^3$ 的点群关系有所改进，但 $S>50\text{kg/m}^3$，特别是 $S>80\text{kg/m}^3$ 后，点群关系仍很乱，表明采用式（51）的结构形式，无论对 ω 如何修正都不能达到令人满意的程度。

白永峰和王明甫将清水雷诺数 Re 与浑水雷诺数 Re_* 之比作为无因次项，直接将武汉水利电力学院公式修正为

$$S_* = K\left(\frac{Re}{Re_*}\frac{V^3}{gR\omega}\right)^m \tag{54}$$

应该承认，上式与实测数据的相关关系明显改善，因而是颇有价值的。

窦国仁及王国兵提出的水流挟沙力公式的形式为❶

$$S_* = \frac{K_s\gamma_s}{C^2}\left(1-\frac{\tau_B}{\tau_0}\right)\frac{\gamma_m}{\gamma_s-\gamma_m}\cdot\frac{V^3}{R\omega} \tag{55}$$

---

❶ 窦国仁、王国兵等，黄河小浪底枢纽泥沙研究（报告汇编），南京水利科学研究院，1993。

式中：C 为谢才系数；τ_B 为宾汉极限剪切力；K_s 为系数，由实测资料确定为

$$K_s = 0.023\left(1 + \alpha_s \frac{\gamma_s - \gamma}{\gamma} \frac{S}{\gamma_s}\right)^{5/8} \tag{56}$$

其中的系数 α_s 在黄河天然沙和电木粉两种情况下，分别取为 250 和 50。

该公式引进了宾汉极限剪切力，还试图通过某些参量及系数，尽量达到考虑含沙量对水流挟沙力影响的目的，可以把公式适用范围延至高含沙水流，这是很有意义的。

为分析比较，舒安平[16]及江恩惠分别在黄河上、中、下游干支流的窟野河、无定河、洛惠渠、潼关、大禹渡、花园口、孙口、艾山、利津等河段选取近 300 组水流挟沙力实测资料，对武汉水利电力学院公式、曹如轩公式、杨志达公式、沙玉清公式及窦国仁公式等进行了验证，结果表明，含沙量较大后，这些公式偏差很大。

综上所述，现有各家水流挟沙力公式不能直接用于黄河下游洪水的输沙计算之中，也不能用来确定黄河下游洪水模型的水流挟沙力比尺，因此尚需对挟沙力特别是高含沙水流挟沙力的计算方法，进行更为深入的研究。

2.2　水流挟沙力通用公式[8]

水流含沙后其物理性质和紊动结构有所改变，从而又影响到水流能量损失、流速和含沙量分布。因此为得到既适用于一般水流又适用高含沙水流的挟沙力公式，需要从二维水流能耗图形出发，充分考虑泥沙存在对水流的影响。

对二维恒定均匀流的单位浑水水体而言，紊动从平均水流运动中取得的能量就是当地所消耗的能量。令 W_s 表示单位挟沙水体在单位时间内当地消耗的能量，即

$$W_s = \tau_b \frac{\mathrm{d}u}{\mathrm{d}z} \tag{57}$$

式中：du/dz 代表水深 z 处单位浑水水体中心的流速梯度；τ_b 为单位浑水水体的切应力。

根据 W_s 的含义，显然它应包括该点处的单位水体内通过各种途径所消耗的全部能量。而悬浮泥沙的耗能仅是当地耗能的一种途径。于是可列出二维水流单位水体的能量平衡方程式为

$$\tau_b \frac{du}{dz} = W_d + Q_h \tag{58}$$

式中：W_d 为相应条件下悬浮泥沙所消耗的能量；Q_h 代表通过粘性作用及其它途径转化为热量的那部分能量消耗。

仿照物理学常用的方法，将式(58)改写为

$$\eta' \tau_b \frac{du}{dz} = W_d \tag{59}$$

式中：η' 为比例系数，代表单位体积浑水在单位时间内就地消耗的能量中悬浮泥沙耗能所占份数。

在不冲不淤的相对平衡情况下，悬浮泥沙消耗的能量 W_d 应该等于浑水因悬浮泥沙所做的功 A_s，即

$$W_d = A_s = (\gamma_s - \gamma_m) S_V \omega_s \tag{60}$$

式中：S_V 为距河床为 z 的流层中以体积百分数表示的时均含沙量；γ_m 为浑水容重。对于二维水流，τ_b 可表达为

$$\tau_b = \gamma_m (h - z) J \tag{61}$$

将式(60)、(61)及对数流速公式的流速梯度表达式代入式(59)，解出 S_V 后对两边沿垂线积分（视 κ、γ_m、ω 仅为水体平均含沙量 S 的函数），取积分区间为 $[\delta, h]$（δ 为推移层厚度，取 $\delta = 2.207D_{50}$），整理后可推演出

$$S_* = \gamma_s \eta_* \frac{J u_*}{\kappa \omega_s \frac{\gamma_s - \gamma_m}{\gamma_m}} \ln\left(\frac{h}{6D_{50}}\right) \tag{62}$$

$\eta_* = \eta'(c)$，c 为区间 (δ, h) 中的数。将 $J = fV^2/(8Rg)$ 及 $u_* = \sqrt{(f/8)}V$ 代入上式，得

$$S_* = \gamma_s \frac{f^{3/2} \eta_*}{8^{3/2} \kappa \dfrac{\gamma_s - \gamma_m}{\gamma_m}} \frac{V^3}{g R \omega_s} \ln\left(\frac{h}{6D_{50}}\right) \tag{63}$$

式中：f 为挟沙水流阻力系数。

对于式(63)中的 f 和 η_*，由推导过程看，主要反映浑水水流阻力系数和挟沙效率系数的影响，根据目前研究水平，对它们暂放在一起处理。经分析认为，$f^{3/2}\eta_*$ 不仅与清水阻力系数 f_0 和含沙量 S_V 有关，而且还与水流佛汝德数 V^2/gh（代表水流强度）及代表相对重力作用的因子 $\dfrac{\gamma_s - \gamma_m}{\gamma_m}\dfrac{\omega_s}{V}$ 有关，进一步利用黄河土城子挟沙能力测验资料和黄科所水槽及模型资料，可将上式表示为

$$f^{3/2}\eta_* = 0.021\,35(0.002\,2 + S_V)^{0.62}\left[\frac{V^3}{\kappa g h \omega_s \dfrac{\gamma_s - \gamma_m}{\gamma_m}}\ln\left(\frac{h}{6D_{50}}\right)\right]^{-0.38} \tag{64}$$

将上式代入式(63)，整理即得包括全部悬移质泥沙的挟沙力公式（对于冲积河流，取 $R \approx h$）

$$S_* = 2.5\left[\frac{(0.002\,2 + S_V)V^3}{\kappa \dfrac{\gamma_s - \gamma_m}{\gamma_m} g h \omega_s}\ln\left(\frac{h}{6D_{50}}\right)\right]^{0.62} \tag{65}$$

上式单位采用 kg、m、s 制，其中群体沉速可由式(42)计算。由于式(42)中 ω_0 系非均匀沙的平均沉速，且经张瑞清采用天然资料的分析结果表明，式(42)与形式较为繁杂的费祥俊沉速计算方法的计算值相近，较好地描述了群体沉速随含沙量及级配变化的定量关系。因此，式(65)也反映了泥沙级配的影响。

2.3　水流挟沙力通用公式的检验与讨论

2.3.1　水流挟沙力通用公式的检验

采用近些年黄科院及武汉水利电力学院等单位在研究水流挟沙力时使用较多的黄河、长江、渭河、辽河及美国 Muddy River 等河流资料，对式(65)进行的验证结果见图 9。可以看出，该公式不

仅适用于一般挟沙水流,而且适用于高含沙紊流。再者,式(65)计算的属悬移质全沙挟沙力,不需人为地对床沙质及冲泻质加以区划,这不仅便于使用,而且还自动反映了各种粗细泥沙对水流挟沙力的影响,因此,在黄河上有更重要的实际意义。

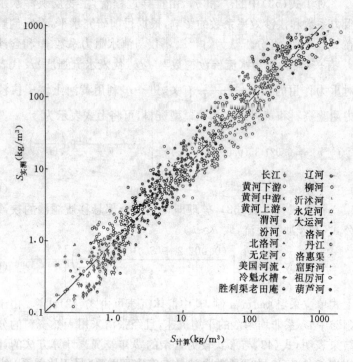

图 9   水流挟沙力公式(65)的验证

另外,舒安平[6]及江恩惠分别开展的验证结果均表明,公式(65)的计算值与实测值之间的相关系数大于 0.90,其符合程度明显优于其他各家公式。

2.3.2   分析与讨论

进一步对公式结构分析后发现,公式(65)之所以与实测资料符合较好,正是因为该公式通过考虑含沙量的存在对于水流摩阻特性、挟沙效率系数以及泥沙沉降特性等因素的影响,进而把握了水流挟沙力的大小。图10为采用公式(65)计算的不同含沙量时水流挟沙力 S_* 与 $V^3/(hg\omega_0)$ 的关系图。由该图可以看出,同一横坐标 $V^3/(hg\omega_0)$ 条件下,挟沙力 S_* 随含沙量 S 的增加而增加,这正与黄河下游河道水流特别是高含沙洪水的挟沙能力具有"多来多排"的特性相同(实际上无论是哪条河流,都具有"多来多排、少来少排"的输沙特性)。早在60年代,麦乔威、赵业安、潘贤娣等已给出了如下水流挟沙力公式[17]

$$S_* = KQ^{\alpha-1}S_{上}^{\beta} \tag{66}$$

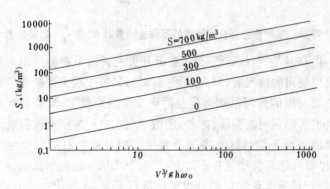

图 10　采用式(65)计算的不同含沙量时 S_* 与 $\dfrac{V^3}{gh\omega_0}$ 的关系图

上式与实际资料比较符合,其主要原因就是引入了上站的含沙量 $S_上$。$S_上$ 与本河段的含沙量 S 有密切关系(呈正比关系),显然是间接地反映了含沙量的存在对水流挟沙能力的影响,因而式(66)具有较大的使用价值。

在式(65)右端所显含和隐含的含沙量,是计算左端水流挟沙力的重要条件,这一点早在70年代就已被曹如轩等学者所认识。图11为采用曹如轩公式计算的不同含沙量时 S_* 与 $V^3/(gh\omega_0)$ 的关系图,该图与图10所取的条件完全相同。可以看出,曹如轩公式已能反映出水流挟沙力随含沙量增减有较大变化,只是在含沙量影响程度上没有像图 10 那样,有更充分的考虑。

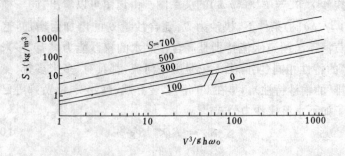

图 11　采用曹如轩公式计算的不同含沙量时 S_* 与 $\dfrac{V^3}{gh\omega_0}$ 的关系图

由刘月兰、张红武[18]及江恩惠开展的黄河下游游荡型河段数学模型使用的情况看,只有采用式(65),其数学模型才能模拟短河段和短时段的黄河洪水运行及河床冲淤变形规律,又能得到高含沙洪水实际资料的验证。此外,中国水利水电科学研究院程晓陶等在完成黄河下游滩区水沙运行数学模型及减灾对策研究的过程中,尽管开始的含沙量并不太大,但由于采用一般的水流挟沙力公式,整个计算无论如何调试也无法进行下去,而换用式(65)后,研究进展很快,甚至对于高含沙水流的计算结果也令人满意。因而表明本文提出的水流挟沙力公式(65)有很大的使用价值。

曹如轩建立的黄河中游龙门—潼关河段泥沙数学模型,引入式(65)后,较好地模拟了小北干流高含沙洪峰期可能出现的揭河底冲刷。

自公式(65)于 1992 年正式发表之后,清华大学舒安平(1994年)❶、武汉水利电力大学陈立及周宜林(1995 年)、四川联合大学

---

❶　舒安平,高含沙水流挟沙能力及输沙机理的研究,清华大学博士论文,1994年。

刘兴年(1995年)、西安理工大学曹如轩(1995年)等,采用类似研究路线和处理手法,相继给出了结构形式相近的试图适用于高含沙水流的挟沙力公式[1]。尽管这些公式还存在着一定的缺陷,适用性也没式(65)强,但毕竟丰富了水流挟沙力的研究内容,特别是舒安平的研究成果,还具有较大的学术价值。采用龙毓骞提供的 30 组资料对诸公式的检验结果表明,除刘兴年公式外,这些公式及式(65)在细沙($d_{50}=0.009\sim0.034$mm,最细的中径为0.002 85mm)及含沙量较高后,挟沙力计算值明显大于含沙量,意味着河道将出现冲刷,这是符合实际的。天然状况即使是远比这些资料泥沙粗的多含沙特别是高含沙洪水,也可能在河槽中出现严重的冲刷。

最近,刘峰的博士论文中给出了如下新的水流挟沙力公式[2]

$$S_* = 2.114\left(\frac{D_{50}^2}{D_{25}D_{75}}\right)^{0.359}\left[\frac{V^3}{\kappa g R \omega \dfrac{\gamma_s-\gamma_m}{\gamma_m}}\ln\left(\frac{h}{6D_{50}}\right)\right]^{0.395} \tag{67}$$

上式引入了泥沙级配中另两个代表粒径 D_{25}、D_{75},试图反映泥沙级配的影响。上式与式(65)非常接近,只是未能像式(65)那样,充分考虑含沙量存在对于水流挟沙力的影响。因此,原作者无论如何率定公式的系数与指标,并对部分验证资料予以删除,但验证点据仍很分散,表明公式结构稍有偏差,都难以给出有很大使用价值的水流挟沙力公式。

附带指出,因测验手段及判别标准的局限性,现用来检验水流挟沙力公式的资料,大部分甚至绝大部分并不是在严格冲淤平衡条件下获得的,而是处于或冲或淤状态。所以,检验某公式时,不能把资料中的含沙量与计算的水流挟沙力等同起来。若计算值位于不太分散的资料点群之中,该公式即已得到验证。

---

[1] 赵业安,周文浩,费祥俊等,黄河下游河道演变基本规律,"八五"国家重点科技攻关专题(85—926—02—01),1995。

[2] 刘峰,水流挟沙力机理试验研究,武汉水利电力大学博士论文,1995。

3 黄河下游河道的糙率计算

3.1 黄河阻力研究现状

黄河河道糙率计算的正确与否,直接影响到洪水位、流速及河床冲淤等方面的模拟结果与实际的符合程度。因此长期以来,不少学者对于黄河阻力的确定方法,进行了探索。

1959 年钱宁及麦乔威等从 Manning—Strickler 公式出发,得出宽浅河道的综合阻力公式[19],即

$$V = \frac{A}{D_{65}^{1/6}} h^{2/3} J^{1/2} \tag{68}$$

式中:D_{65} 为床沙组成中以重量计 65% 较之为小的粒径;A 为系数;J 为坡度(对于均匀流,J 相当于能坡)。

对于 A 值,被认为是与控制沙波发展消长的因素有关。图 12 是黄河下游的一些实测资料的分析结果。在流速较低、泥沙运动强度小、相应的 $\psi (= \frac{\gamma_s - \gamma}{\gamma} \frac{D_{35}}{R_b J}$,$D_{35}$ 为床沙组成中以重量计 35% 较之为小的粒径,R_b 为相应于河床阻力的水力半径)值较大时,由于沙波阻力或其它河槽形态阻力的作用,参数 A 比较小。随着 ψ 的减小和水流的加强,沙波阻力渐渐减小,A 值也相应增加。黄河下游花园口河段沙波测验的资料表明,当 ψ 接近 0.4~0.5 范围时,床面沙波趋于消失。从图 12 中也可以看到,待 ψ 降低到这个范围时,A 值接近一个常数(=19),与 ψ 无关。这时,曼宁系数只与床沙粒径有关,表现为只存在沙粒阻力。

李昌华等以相对流速 V/V_c 为参数,整理黄河、长江及赣江等河渠资料,点绘出 A 与 V/V_c 之间的关系❶。类似的工作,长江科学院、北科院及武汉水利电力大学也进行过,得到的总趋势大体相同。这项工作值得重视的地方是,它包含了由静平床开始的河床形

---

❶ 李昌华,刘建民,冲积河流的阻力,南京水科院研究报告,1963 年。

态的各个阶段;同时,由于采用 V/V_c 作参数,避免了用 ψ 作参数造成沙波增长与衰减两个阶段因 R_b 变化可能不易明确划分的缺点,各个阶段在图上一目了然.根据武汉水利电力大学所整理的黄河资料[12],图中曲线上升到相当于静平床的 A 值之后还继续上升,而这一部分点据的含沙量一般都在 $60\mathrm{kg/m^3}$ 以上,表明问题是相当复杂的,并指出,图中曲线所反映的规律只是一种趋势,不可能很准确.这一点在大部分计算方法中都不同程度地存在着.

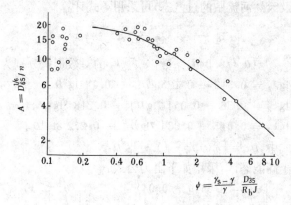

图 12　黄河下游的综合糙率与水流参数间的关系

80 年代末,秦荣昱以 G.H.Keulegan 的阻力公式为理论根据,分析了包括部分黄河资料在内的实测点据,反求综合糙度 K_s.指出在一般情况下,K_s 都大于 D_{65},在有沙波的情况下,K_s 一般比 D_{65} 大 1~3 个数量级,并且随沙波消长而消长.他还引进了沙波的虚拟当量糙度概念,分析了它与沙波要素的关系,给出的计算方法也颇有意义[20].

3.2　王士强阻力计算方法[21]

王士强以 F.Engelund 的研究为基础,通过水槽试验和分析,提出了预报冲积河流床面阻力的计算公式.认为对于黄河下游这种宽深比很大的河流,床面阻力占据了河流总阻力的绝大部分.随着水流增强,冲积床面阻力系数具有由小变大的低能态、由大变小的过渡态及再由小变大的高能态三个规律不同的能态区域。黄河下游主槽一般洪水时多处于阻力过渡区,大洪水时多处于高能态区,而滩面阻力则很多处于低能态区。

因此对于黄河下游,H 相当于整个床面的水力半径,再以 H' 代表沙粒水力半径,故可将参数分别表示为 $\theta_* = \gamma H J / [(\gamma_s - \gamma) D_{50}]$ 及 $\theta_*' = \gamma H' J / [(\gamma_s - \gamma) D_{50}]$。$\theta_*$ 随 θ_*' 的变化规律,对于低能态及天然河流中的过渡态,可采用下式计算

$$\lg \frac{\theta_*}{\theta_*'} = k_1 x - k_2 x^2 + k_3 x^3 \tag{69}$$

式中:$x = \lg(\theta_*'/0.04)$;系数 k_1、k_2、k_3 的对数形式分别为

$$\lg k_1 = 0.513 - 0.123 \lg D_* - 0.141 \lg^2 D_*$$
$$\lg k_2 = 0.56 - 0.064\ 71 \lg D_* - 0.218\ 31 \lg^2 D_*$$
$$\lg k_3 = 0.017 - 0.034\ 71 \lg D_* - 0.272\ 81 \lg^2 D_*$$

以上三式中,$D_* = [g(\gamma_s/\gamma - 1)/\nu^2]^{1/3} D_{50}$

对于高能态区,采用如下阻力公式:

$$\begin{cases} \theta_* = 0.04(\theta_*'/0.04)^4 & (\theta_* \leqslant 1) \\ \lg \theta_* = A\left(\lg \dfrac{\theta_*'}{\theta_1'} + \lg G \dfrac{\theta_*'}{\theta_1'}\right) & (\theta_* \geqslant 1) \end{cases} \tag{70}$$

式中,$A = 1.4/\lg(\theta_1'/0.04)$
$$G = 1 + 4.874 \exp(-0.79 D_*)$$
$$\theta_1' = 0.68 + 0.32 \exp(-0.1 D_*)$$

对于黄河下游,当流速 V 大于临界流速 $V_k = 55 \sqrt{g D_{50}}$ 时,水流阻力进入高能态区。实际计算中对天然河流不必判别能态,按(69)和(70)式分别计算水深,两者中较大者即为真实预报值。θ_*' 内的沙粒水力半径 H' 可由 $V/\sqrt{g H' J} = 1/\kappa \cdot \ln(11 H'/K_s')$ 沙粒阻力公式试算确定,K_s' 一般为 D_{65},当 $D_{50} < 0.11 mm$ 时取 $K_s' = 0.5 D_{65}$,κ 为卡门常数,一般取 0.4,高含沙量时减小。

由王士强采用实测资料的验证结果来看,上列公式与实际较为符合,而且在他的数学模型中得到很好的应用。

3.3　黄科院最新糙率研究成果

黄河动床阻力问题的研究,无论在理论上或实践上均具有重要意义。尽管这一方面的文献相当多,但离问题的彻底解决还有一定的距离,尚缺乏能专门适用于黄河下游且形式较为简便的糙率计算公式。为此,为配合开展黄河高含沙水流运动规律及黄河泥沙数学模型的研究,黄科院开展了糙率问题研究。❶

首先,将垂线平均流速 V 表示为

$$V = \frac{1}{h}\int_0^h u\mathrm{d}z = \frac{1}{h}\int_0^{\delta_*} u\mathrm{d}z + \frac{1}{h}\int_{\delta_*}^h u\mathrm{d}z \qquad (71)$$

式中:δ_* 为引入的摩阻厚度,对于粗糙区,δ_* 取当量粗糙度 Δ,对于光滑区,δ_* 取粘性底层厚度 δ,对于过渡区,由以下计算式确定[22]

$$\delta_* = \Delta - 0.36\Delta\,\sqrt{\sin(3.4\delta/\Delta - 0.24)} \qquad (72)$$

将式(16)代入式(71),同时引入谢才公式等基本水力学公式,积分并按照数值替代原理,整理后即可得出曼宁糙率系数 n 的计算公式(黄河河道宽浅,$R \approx h$)

$$n = \frac{c_n \delta_*}{\sqrt{g}\,h^{5/6}}\left\{0.49\left(\frac{\delta_*}{h}\right)^{0.77} + \frac{3\pi}{8}\left(1 - \frac{\delta_*}{h}\right)\left[\sin\left(\frac{\delta_*}{h}\right)^{0.2}\right]^5\right\}^{-1}$$

$$(73)$$

上式用于黄河时,河滩上的 δ_* 即为当量粗糙度,可根据滩地植被等状况,由水力学计算手册查得(对于黄河下游宽河道,应根据浅滩、高滩状况,将当量粗糙度分得更细一些),而在主槽,通过物理模型试验,发现黄河沙波尺度及沙波波速对水流摩阻特性有

---

❶ 张红武,江恩惠,姚文艺等,高含沙水流运动规律与河床演变特性的研究,"八五"国家重点科技攻关项目(85-926-02-01-02),黄科院,1995 年。

较大的影响。黄河泥沙属粉细沙,抗冲性差,沙波极易形成,水流强度(以佛汝德数 Fr 表示)并不很大时,沙波尺度即已较大,此时沙波波速较小,业已形成的沙波相对水流而言,是凸出的障碍物,阻碍水流前进(沙波下游有涡旋初生,当涡旋强度很大时,沙波可能在水流作用下减小甚至消失),综合结果使得河道糙率较大。随着水流强度增加,沙波高度可能增加,但由于沙波波速的增加,使得沙波对水流的摩阻作用并不一定增加。而当水流强度更大时,相当于水流推力加大,床面泥沙运动速度加快,沙波表层易被冲去,相当于水流对沙波存在"削皮"作用,因而沙波高度减小,此时沙波波速增加,这两方面都促使向沙波对水流作用变小的趋势发展,河道糙率将随之减小,而当 Fr 达到更大数值后,床面出现逆行沙波,糙率还可能增大。

限于目前的研究水平,对上述复杂的影响过程只能综合考虑。根据动床模型试验结果,赵连军、张红武建立摩阻厚度 δ_* 与佛汝德数 Fr 等因子之间的经验关系,可得

$$\delta_* = D_{50}\left\{1 + 10^{[8.1-13Fr^{0.5}(1-Fr^3)]}\right\} \tag{74}$$

根据数值替代原理,上式还可表示为

$$\delta_* = D_{50} 10^{10[1-\sqrt{\sin(\pi Fr)}]} \tag{75}$$

采用黄河铁谢、花园口、夹河滩、高村、孙口各站大量实测资料,其中也包括了高含沙洪水期的资料($S_{min} = 0.5\mathrm{kg/m^3}$, $S_{max} = 486\mathrm{kg/m^3}$),对糙率公式(73)进行了系统的验证(图13)。其结果令人满意,各站资料与计算值的相关系数一般都大于 0.83,因此可以较好地模拟黄河下游河道糙率变化规律。黄科院最近提出的黄河河道数学模型[23]之所以不仅模拟了黄河一般洪水的水沙传播、水位变化、河床冲淤过程,而且成功地复演了高含沙洪水的水沙运动及河床变形,其原因之一就是引入了上述糙率计算方法。

附带指出,最近胡春宏、惠遇甲在专著《明渠挟沙水流运动的力学和统计规律》中介绍的关于具有沙垄形态的床面阻力的研究

成果,也颇有价值。

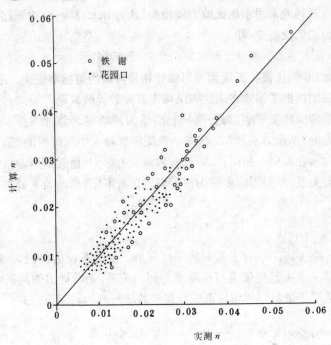

图13　黄河铁谢、花园口站实测糙率与黄科院公式计算结果的比较

4　黄河泥沙起动流速的研究

关于泥沙的起动流速,已有许多研究成果,如我国有著名的张瑞瑾、窦国仁、唐存本起动流速公式。但专门针对黄河泥沙的起动流速研究结果很少,本文下面仅介绍一些与黄河泥沙起动流速试验和计算方法有关的研究内容。

从目前的文献来看,最早进行黄河泥沙起动流速水槽试验的首推李赋都,后来黄委会水科所和西北水科所进行比较系统的试验。后者主要研究粒径为 0.02mm 的黄土,前者则采用了中值粒

径 $D_{50}=0.05\sim0.1$mm 的黄河床沙。

黄科所采用水槽试验资料检验,认为 B.C. Кнороз 如下起动流速公式比较适合,即

$$V_c = 4.34g^{0.394}h^{0.123}v^{0.212}d^{0.06} \tag{76}$$

因此 50 年代曾被人认为可用来计算黄河床沙的起动流速。不过,李保如指出了该式在理论和结构上存在较大的缺陷[24]。

沙玉清关于起动流速的研究,认为沙粒在起动时所受水流作用力的"作用力系数"C_p 与同一颗泥沙在静水中沉降时的"阻力系数"C_d,在本质上相同,二者只有数量上的区别。他假定两者呈指数函数关系,并采用许多室内试验资料进行率定,给出如下公式

$$V_c = 4.66 \frac{(\frac{\gamma_s - \gamma}{\gamma}dg)^{3/4}}{\omega^{1/2}} R^{1/5} \tag{77}$$

在 60 年代,沙玉清对此问题开展了更为系统的研究,其中还考虑了黄土起动流速与孔隙率之间的关系,最后得出的是能够同时适用于散粒体和粘性细颗粒泥沙的统一的起动流速公式[25],即

$$V_c = \left[266\left(\frac{\delta}{d}\right)^{\frac{1}{2}} + 6.66 \times 10^9 (0.7 - \varepsilon)^4 \left(\frac{\delta}{d}\right)^2 \right]^{\frac{1}{2}} \sqrt{\frac{\gamma_s - \gamma}{\gamma}gd} \, h^{\frac{1}{5}} \tag{78}$$

对于天然沙,可简化为

$$V_c = \left[0.43d^{\frac{3}{4}} + 1.1 \frac{(0.7 - \varepsilon)^4}{d} \right]^{\frac{1}{2}} h^{\frac{1}{5}} \tag{79}$$

式中:δ 为薄膜水厚度,取为 0.000 1mm;ε 为孔隙率,其稳定值约为 0.4,但对于落淤不久的黄河细沙,孔隙率往往较大;粒径 d 以 mm 计;水深 h 以 m 计;起动流速 V_c 以 m/s 计。

50 年代末,李保如在开展黄河床沙起动试验的基础上,通过理论推演和分析,提出了既适用粗沙也适用于黄河床沙之类细沙的起动流速计算方法,公式形式为

$$V_c = \Phi\left[\frac{Vd}{v}\left(\frac{d}{R}\right)^{\frac{1}{6}}\right]\sqrt{\frac{\gamma_s - \gamma}{\gamma}gd}\left(\frac{R}{d}\right)^{\frac{1}{6}} \qquad (80)$$

式中的 $\Phi\left[\frac{Vd}{v}\left(\frac{d}{R}\right)^{\frac{1}{6}}\right]$ 是一个表征沙粒直径与近壁层厚度比值 d/δ 或沙粒雷诺数 u_*d/v 的函数,物理意义是明确的。

原作者利用一些资料绘制成图,看出不同试验者、不同粒径及不同比重的沙粒与煤屑的试验资料良好地符合于一定规律(见图14)。

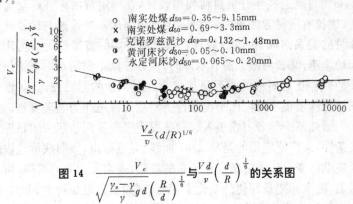

图 14 $\dfrac{V_c}{\sqrt{\dfrac{\gamma_s - \gamma}{\gamma}gd}\left(\dfrac{R}{d}\right)^{\frac{1}{6}}}$ 与 $\dfrac{Vd}{v}\left(\dfrac{d}{R}\right)^{\frac{1}{6}}$ 的关系图

若将图 14 的曲线分几个区域,可分别得出光滑区、过渡区及粗糙区的起动流速公式。其中粗糙区所计算的数值比其他各家的公式偏大。我们的应用结果表明,李保如公式用于粘性较小的模型沙是令人满意的,但对于粘性细颗粒泥沙,其计算结果偏小很多,这是由于该公式建立过程中只涉及非粘性沙。实际上,现有的散粒体及粘性沙的统一起动流速公式最后都是通过调整两个以上待定系数或指数,来与实测资料符合的,因此,对于李保如公式,即使不专门引入粘性细颗粒之间的粘结力,只要在推导过程中的"起动系数"f 中引入修正系数项,如暂定为 $\exp\left[k\left(\frac{\delta}{d}\right)^m\right]$,即不难通过调整系数 k 和指数 m,使公式与那些水槽资料吻合。

我们的实践经验表明,现有公式用于黄河,其计算结果往往偏小不少。既然如此,在实际工作中,可以侧重考虑公式形式的简便性,直接找出所要求粒径范围的起动流速公式。例如,张红武在研究细沙河床的局部冲刷问题时,参考一些公式的形式,并通过量纲分析,得到中径小于 0.15mm 的细沙起动流速公式为[26]

$$V_c = 3.5\left(\frac{\gamma_s - \gamma}{\gamma}g\right)^{2/9}\frac{v^{5/9}}{\sqrt{d_{50}}}h^{\frac{1}{6}} \tag{81}$$

黄科院近些年开展黄河模型设计,在确定黄河床沙起动流速时,建议有三种方法可供参考[9]:①点绘河床不冲流速与床沙质含沙量的关系曲线,由该曲线查含沙量等于零的流速作为黄河床沙起动流速;②若河段上游有水库时,以拦沙期下泄清水后下游该河段冲刷停止后对应的临界流速作为此时床沙的起动流速;③以非汛期含沙量很小时河床平衡条件下对应的流速作为起动流速。

国外不少学者习惯引入起动拖曳力来表征泥沙起动的临界水流条件,最广泛应用的是 Shields 曲线。但应指出,该曲线所选取的纵横坐标变量和因变量存在一定的缺陷。表面上似有些规律,而实际上,横坐标变量即使是变化了 500 倍(如从 2 增加到 1 000)。纵坐标数值也至多变化了 2 倍左右,点群也只是比相同横坐标下的分散幅度大一些,显然,其实用价值是有限的。

采用黄河粗沙开展的水槽试验表明,孤立于床面上的粗沙,在水流作用下往往时滑时滚,甚至时而跃动。但是初始运动形式是滑动还是滚动呢?西方有些文献从理论上证明后得出的结论为"总是滑动早于滚动"。其实这类证明多欠严密性,不能成为定论。张红武的试验结果认为[26],泥沙颗粒初始运动为滑动还是滚动,取决于床面的摩阻状况。亦即,当床面很光滑时,泥沙颗粒滑动早于滚动,而当床面较为粗糙时,泥沙滚动早于滑动,且床面颗粒的运动形式多为滚动。黄河天然情况应属于后者。

此外,我们在研究黄河丁坝根石走失问题时,还提出了如下形

式的根石(块石)直径 D 与稳定临界流速之间的关系式[26]

$$V_c = 0.195 \sqrt{D} \, h^{\frac{1}{6}} \tag{82}$$

参 考 文 献

[1] L. Prandtl. 流体力学概论. 郭永怀等译. 北京:科学出版社,1984

[2] 丁·尼库拉兹. 粗糙管中水流的规律. 张瑞瑾译. 北京:水利出版社,1957

[3] Т. В. 热列兹拿柯夫. 河流水文测验方法在水力学基础上的论证. 中华人民共和国水利部水文局译. 北京:水利出版社,1956

[4] 钱宁,万兆惠. 泥沙运动力学. 北京:科学出版社,1983

[5] 秦荣昱. 动床水流卡门常数变化规律的研究. 泥沙研究. 1991(3)

[6] 倪晋仁,王光谦,张红武. 固液两相流基本理论及其最新应用. 北京:科学出版社,1991

[7] 惠遇甲. 长江黄河垂线流速和含沙量分布规律. 水利学报. 1996(2)

[8] 张红武,张清. 黄河水流挟沙力的计算公式. 人民黄河. 1992(11)

[9] 张红武,江恩惠等. 黄河高含沙洪水模型相似律. 郑州:河南科学技术出版社,1994

[10] 张红武. 冲积河床糙率模拟问题的探讨. 武汉水利电力学院学报. 1986(3)

[11] Rouse, H.. Modern Conceptions of the Mechanics of Fluid Turbulence Transactions ASCE, Vol. 102, 463~543. 1965

[12] 谢鉴衡主编. 河流泥沙工程学(上册). 北京:水利出版社,1981

[13] Ведиканов М. А. , Д инамика Русловых Потоков, ТОМ 2, Гос. Издат. Технико-теоретичсской Литератуы. Москоа,1955

[14] 沙玉清. 泥沙运动的基本规律. 泥沙研究. 1956(2)

[15] 白永峰,王明甫. 高含沙水流挟沙力公式的探讨. 水力发电. 1993(8)

[16] 舒安平. 水流挟沙力公式的验证与评述. 人民黄河. 1993(1)

[17] 麦乔威,赵业安,潘贤娣. 多沙河流拦洪水库下游河床变形计算. 黄河建设. 1965(3)

[18] 张红武,吕昕. 弯道水力学. 北京:水利电力出版社. 1993

[19] 钱宁,麦乔威等. 黄河下游的糙率. 泥沙研究. 1959(1)

[20] 秦荣昱.冲积河床阻力.泥沙研究.1987(4)

[21] 王士强.冲积河渠床面阻力试验研究.水利学报.1990(12)

[22] 赵连军,张红武.紊流阻力系数的计算.见:'95全国水动力学研讨会文集.海洋出版社,1995

[23] 张红武,江恩惠,刘月兰等.黄河河道数学模型的研究.见:第二届全国泥沙基本理论研究学术讨论会论文集.北京:中国建材工业出版社,1995

[24] 李保如.泥沙起动流速的计算方法.泥沙研究,第四卷.1959(1)

[25] 沙玉清.泥沙运动学引论.北京:中国工业出版社,1965

[26] 张红武,马继业,张俊华等.河流桥渡设计.北京:中国建材工业出版社,1993

黄河泥沙数学模型的研究与应用

河流数学模型是河流动力学、水力学及计算数学综合起来的一门新兴边缘性学科。近些年来,随着计算机技术的普及以及泥沙学科的不断完善,加之水利科学界及相邻学科越来越多的学者先后进入泥沙研究的领域之中,使泥沙数学模型得到了蓬勃发展。数学模型的优越性在于能开展长时期、长河段和不同水沙组合及河床边界条件的泥沙冲淤变形研究和预报,并具有周期短、投资少的优势。因此,采用数学模拟手段来解答实际工程中的泥沙课题具有重大意义。

1 黄河泥沙数学模型研究的回顾

黄河泥沙数学模型的研究,是与流域规划、工程建设和管理运用等生产紧密相结合的。早在 1955 年编制黄河综合利用规划技术经济报告中就曾用一维恒定平衡输沙模型对黄河三门峡水库和下游河道的河床冲刷变形进行计算。文献[1]介绍了三门峡水库规划阶段对泥沙问题的研究和计算经过。水库淤积计算采用水流、泥沙连续方程式联解,假定库水面是水平的,粗泥沙先淤,细泥沙后淤,在横断面上淤积平行升高。采用经黄河实测资料验证较好的扎马林公式计算库内各断面的输沙能力,然后根据平衡输沙的概念,应用泥沙连续方程式,计算每一个时段库内各段的淤积量,从而确定泥沙在水库内的淤积位置。应该说当时已经考虑到黄河泥沙的复杂性,计算中尽量采用泥沙基本理论的研究成果,但是计算中存在的主要问题之一是不计算水面线,假定库水面是水平的,即不考虑回水的影响,结果得出淤积末端不上延的结论,这显然不符合黄河的实际情况。此外,采用平衡输沙的概念也是造成计算的淤积分布不符合黄河实际情况的主要问题之一。

对于下游河道的计算采用同样方法,计算结果认为,按黄河技经报告的要求,在桃花峪下游开始冲刷 9 年后共刷深 27m,冲刷量之大、速度之快,都非常惊人。

在三门峡工程开始兴建后,对水库上、下游河道的发展趋势仍存在许多疑问。于是在 1958 年动员有关单位组织成立了黄河下游研究组和三门峡库区模型试验场,采用实测资料分析、数学模型和物理模型三者相结合的研究方法,1959 年在罗辛斯基的指导下[2],采用他的方法进行了水库和下游河道的泥沙冲淤计算。该方法采用了水流运动方程、水流连续方程和泥沙连续方程,用有限差分法联解。实际计算中,水流运动方程式则简化为明渠恒定均匀流公式,即

$$J = \frac{Q^2 n^2}{B^2 H^{10/3}} + \frac{\partial}{\partial x}\left(\frac{V^2}{2g}\right) \tag{1}$$

式中:J、Q、B、H、V 分别表示比降、流量、河宽、断面平均水深及断面平均流速;x 为沿流程的距离;g 为重力加速度;n 为糙率。

水流连续方程可以省去,只要式(1)中取 Q 为定值即可。

泥沙连续方程式采用通常的形式

$$\frac{\partial G}{\partial x} + B \frac{\partial Z_0}{\partial t} = 0 \tag{2}$$

式中:G 为断面输沙率,以 m^3/s 计;B、Z_0 分别为河宽及河底高程;x、t 分别为沿流程的距离和时间。

水流挟沙能力采用由上、下包线组成的经验曲线,上线用于计算淤积,下线用于计算冲刷,在上下包线之间,尽管水力因素有所不同,河床并不发生冲淤现象。计算中只考虑床沙质的冲淤,不考虑冲泻质的冲淤,在冲淤过程中认为含沙量恢复距离很短,滩槽高差固定不变。这种计算方法,按目前泥沙冲淤数学模型的分类系统,是一维恒定平衡输沙的水动力学模型,也是目前国外一些数学

模型常用的基本原理。在计算中已经发现含沙量恢复距离很短,与黄河情况不符,曾用卡拉乌舍夫的不平衡输沙方法计算;含沙量恢复长度仅 7～8km,也是很短。

计算结果,库区淤积和河道冲刷都集中在上段。但是三门峡水库投入运用后,库区发生严重淤积,并迅速向上游淤积延伸,原来计算成果中是没有反映出来的,下游河道的冲刷深度和速度远较原预报值小,迫使三门峡水库不得不进行改建。

为了研究三门峡水库的改建方案,通过分析实测资料建立了许多泥沙冲淤量与主要水文要素的经验关系式,在此基础上,麦乔威、赵业安、潘贤娣[3]提出了下游河道的计算方法,张启舜等在第二次改建规划中提出了水库冲淤的计算方法。同时,黄委设计院、清华大学、西北水科所也分别提出了水库淤积计算方法。这些计算方法考虑了黄河水、沙及冲淤特点,至今已有 20 多年的历史。随着情况的变化,资料的积累,以及对客观规律认识的不断深入,计算方法也得到了不断的改进和发展。实践表明,三门峡水库的改建是成功的。泥沙冲淤预报计算是可靠的。

1975～1977 年黄河规划办公室为研究各种治黄规划方案对黄河河道的减淤作用,黄河水利委员会组织了广大科技人员,对泥沙冲淤计算方法进行了全面深入的研究,提出从龙门至河口的粗、中、细三套泥沙冲淤计算方法,并计算了大量方案,得到了许多有益的认识。麦乔威、李保如[4]曾对此进行了全面的总结。

80 年代,刘月兰、韩少发等[5]在上述经验模型及一系列不同河段汛期、非汛期输沙经验公式基础上,进一步深入分析研究,建立了一套颇具特色的黄河河道的数学模型,在黄河规划中发挥了很大作用。

本计算方法根据黄河下游特点对河床变形基本方程进行简化和经验处理。其中采用马斯京根法进行沿程洪水推演,即

$$Q_{22} = C_0 Q_{12} + C_1 Q_{11} + C_2 Q_{21} \tag{3}$$

式中:流量 Q 的第一下标为计算断面序号,第二下标为时段序号; C_0、C_1、C_2 为洪水演进系数,据黄河下游实测资料推求。

河床边界条件概化为具有滩、槽组成的复式矩形断面,用曼宁公式(水流运动方程)进行滩、槽流量分配及其它水力因子计算。

$$Q = Q_p + Q_n = \frac{B_p J^{1/2}}{n_p}(H_n + \Delta h)^{5/8} + \frac{B_n J^{1/2}}{n_n} H_n^{5/8} \quad (4)$$

式中:Q、Q_p、Q_n 分别为横断面、主槽、滩地过流量;ΔH 为滩槽高差;H_n 为滩地水深;J 为比降;n_p、n_n 分别为主槽和滩地的糙率;B_p、B_n 分别为主槽、滩地的宽度。

主槽输沙能力公式采用

$$Q_s = f(Q_p, S_0, X_d, \Sigma \Delta W_s) \quad (5)$$

式中:Q_p、Q_s 分别为主槽流量和输沙率;S_0 为计算河段进口断面含沙量;X_d 为进口断面悬沙组成参数;$\Sigma \Delta W_s$ 为河床前期累计冲淤量参数。认为 $\Sigma \Delta W_s$ 综合反映了床沙组成的变化、河床纵比降及河槽横断面形态的调整等。

在求得各河段进出口断面的滩地和主槽输沙率后,根据泥沙连续方程便可得到各河段各时段的滩、槽冲淤量。

但是,黄河下游河道第三次加固大堤设计中,预计 1974~1983 年十年内下游河道年均淤积 5 亿 t,而实际淤积只有 1.5 亿 t,相差甚大,为此在第四次加固大堤设计中,水利部要求分析第三次加固大堤设计淤积偏大的原因。分析结果说明主要是来沙量偏小,也引起人们考虑水沙条件的变化,经验模型能否适应新条件下的计算,需要进一步研究。

张启舜等的计算方法[6]自 1963 年提出来以后,在生产中不断检验完善和发展。1983 年提出以泥沙扩散方程为依据,结合黄河水、沙和河床演变特点的水文水动力学泥沙数学模型。其不平衡输沙方程为

$$q_s = q_{s*} + \xi(q_{s0} - q_{s*}) \quad (6)$$

式中：q_{s0}、q_s 分别为河段进口与出口断面的单宽输沙率；q_{s*} 为河段单宽输沙能力；ξ 为不平衡输沙系数，在淤积情况下，$\xi = e^{-C_3 S^{C_4}(0.41-0.771 \lg S)\frac{x}{q}}$，在冲刷情况下，$\xi = e^{-C_5 q^{0.3} J^{0.5} \frac{x}{q}}$，其中 C_3、C_4、C_5 为系数。

输沙能力公式采用

$$q_{s*} = C_1 S^{C_7} (\gamma' q J)^{C_9} \qquad （淤积时） \qquad (7)$$

$$q_{s*} = C_2 (\gamma' q J)^{C_0} \qquad （冲刷时） \qquad (8)$$

式中：S 为进口含沙量；γ' 为浑水容重；q 为单宽流量；J 为河段河床比降；C_0、C_1、C_2、C_7、C_9 为系数。

在计算中考虑到河道的摆动游荡，即计算输沙能力时采用行水河宽 B，计算铺沙时采用摆动河宽 B_0。水库壅水排沙和溯源冲刷采用经验公式计算。

这个模型已在 20 多项工程中推广应用。

80 年代以来，随着计算机技术的发展，国内外的泥沙数学模型有很大的发展，水动力学模型已有很大的发展，黄委会水利科学研究院曾对国内一些泥沙数学模型（包括水动力学模型）进行验算，同时也对美国的 HEC－6 模型进行验算，验算中发现问题很多，看来其它河流上使用很好的模型，直接应用于黄河还需要做很多工作。1987～1989 年黄委会水利科学研究院和武汉水利电力学院合作进行了黄河下游河道变动河床洪水预报的研究，1988 年以来黄河水利委员会曾召开了泥沙数学模型研讨会，组织开展了黄河水库及河道泥沙数学模型的研究和论证工作。"七五"期间，水利部黄河水沙变化研究基金和国家自然科学基金重大研究项目（黄河流域环境演变与水沙运行规律研究）等，均对一维泥沙水动力学模型进行了研究。特别是"八五"国家重点科技攻关项目中，有许多专题吸收研究黄河泥沙数学模型的单位进行联合攻关，取得了很大的进展。

2 黄河泥沙数学模型研究的进展

目前黄河泥沙数学模型很多,仅能选择一些模型编写,期望了解泥沙数学模型研究进展的概况。

2.1 水文学模型

李松恒、张原锋、刘月兰又进行了专门研究。首先对实测资料进行了详细的考证、分析研究和修正,使河道泥沙冲淤数量和颗粒分析成果由于不同的观测方法引起的误差得到改正,基本达到统一;区间来水来沙、库岸坍塌和灌溉引水引沙均经过考证、修正和补充。模型中引进了含沙量对沉速的影响,改善了滩槽水沙分配的计算,使该模型更适应随着来水来沙条件的变化而进行自动调整。计算程序从龙门至河口是统一的,可以连续计算,程序设计用 C 语言,以工程文件方式装载,经过简单处理,便可从龙、华、河、洪至河口之间的任何一处开始起算。整个计算过程配以图形界面,计算结果以图形同时显示,便于随时分析计算成果的合理性。

2.1.1 实测输沙率精度论证

据林斌文等的研究表明,现行输沙率测验存在系统偏小的误差,主要原因是输沙率测验没有测到河底,据沙量平衡计算,从 1961~1980 年花园口和利津站的实测输沙率相对三门峡站(因三门峡站位于水库下游,水流紊动强度高,含沙量分布均匀,取沙样具有很好的代表性)分别偏小 8.2% 和 3.6%。这样必须对使用站的资料进行分析,并进行必要的修正。修正的原理就是将全部水深的输沙率计算值与实际量测区域的计算值的比值作为修正系数,再乘以实测输沙率即可获得修正值。修正方法采用经实测资料验证的 Colby—Hembree 提出的计算全河输沙输沙率法,从这个修正方法可以看出修正系数是受水流雷诺数、流量、含沙量、悬移质粗细组成影响,通过绘制修正系数与含沙量的关系,可以看出点群成密集的包络带,于是引进了灰色系统的概念和处理方法,对实测输沙率进行修正,从而由修正后的输沙率计算河段冲淤量与断面法测量的冲淤量相比,在长时段(30年)内的冲淤总量和过程都比较一致。

2.1.2 改善了滩槽水沙分配计算

在过去的计算方法中,根据下游河道的水文站分为花园口以上、花园口至高村、高村至艾山和艾山至利津四个计算河段。而后又根据河道的平面形态和滩槽冲淤特性,各河段又分成若干小段进行计算。滩槽流量计算是根据洪水演进计算出来的流量和滩槽断面特性,采用曼宁公式计算;每小段进口处滩槽含沙量根据实测资料分析得到的比例系数分配。但是每个小段出口输沙率无法计算,于是首先计算河段出口断面主槽输沙率,根据滩槽输沙率与全断面输沙率关系计算出全断面输沙率和滩地输沙率,用直线内插求出各小段的总输沙率和滩地输沙率,减去由滩地挟沙能力计算出来的输沙率可得到各小段的滩地淤积量。再用河段进出口断面的总输沙率的差值减去该河段内各小段滩地淤积量之和,即可得到计算河段的主槽冲淤量。

在这次计算中分析在计算河段内各小段的滩槽分流比变化不大,这样可假定输沙率沿程为直线变化,即冲淤量沿河长均匀分布,可以自上而下逐小段进行计算。同时将花园口以上的1个小段增加到3个小段,提高了计算精度。

2.2 水文水动力学模型

黄河禹门口至河口包括禹门口至潼关的小北干流河段、三门峡水库、小浪底水库、黄河下游河道直至河口,长达1 000多公里,其间库区有渭河汇入,下游有洛河和沁河汇入,以及沿下游河道的引水引沙,情况十分复杂。因此,曹文洪等针对黄河含沙量高,来水来沙变幅大,河道冲淤变化迅速、断面形态调整剧烈以及有多级水库和沿黄河两岸大量引水引沙等特点,以使水文水动力学数学模型适合于黄河这样特殊复杂的条件,近期研究取得以下进展。

2.2.1 多系统连续计算的实现

为了适应多系统自动连续计算,通过对程序的处理,在计算机上对多个系统成果实现了自动记忆和提取的功能。同时对计算软件进行了大量的优化处理,可在微机上实现多系统连续计算,在程序技巧处理上向前迈进一步。多系统的具体划分和连接是这样的:对于有支流汇入和引水引沙工程以及多级水库的河流,从最上游计算断面到水库大坝止,包括数条支流汇入和数个分水口,作为第一个计算系统。在这个系统内由上游进口断面的水沙条件和初始地形,便可算出冲淤后的地形和出口断面(水库坝址)下泄的水沙量,作为第二个计算系统,将上一系统出口断面的计算结果作为本系统进口断面的水沙条件,并求出本系统的冲淤地形和出口断面的水沙量。以此类推,直至最后一个系统,是从最下游的大坝起至河口止,求出进入河口的水沙量。

2.2.2 水流挟沙能力的调整

本模型认为影响挟沙力的因素主要有三个方面,即河床比降的调整,河床断面形态的调整和河床粒径的沿程变化及冲淤过程中的粗化与细化,分述如下:

(1)河床比降的调整。对长河段而言,比降的调整是十分缓慢的。但对局部河段来说,由于局部边界条件和泥沙演进过程的变化,比降的调整是频繁的。计算输沙率时,河床比降与输沙能力以及河床冲淤在计算过程中总是相互制约和相互影响的。调整的结果使得时段末的河床比降与不平衡输沙能力相适应,且比降形成的冲淤体积又与该输沙能力所决定的冲淤量相适应,因而比降的调整得到反映。

(2)河床断面的调整。对于宽浅的河流全断面面积作为水力计算的因子是不符合实际的。另外对高含沙水流而言,断面调整的影响是很显著的。一方面缩窄河床以增大输沙能力,另一方面与此同时又形成大量的边滩淤积。本模型采用通过调整河宽变单宽输沙率的方法来反映河床断面的调整对输沙率的影响。

(3)河床粒径的调整。河床粒径沿程和随时都发生变化,为此我们引入淤积细化调整系数 CCA 和冲刷粗化调整系数 CCD。

2.2.3 "揭河底"现象

"揭河底"现象是黄河中游剧烈冲刷时的独特表现。例如在进行小北干流验证计算时,如 1977 年小北干流发生了"揭河底"现象,如果不考虑这一现象,计算与实测比较相差甚远。因此在计算程序中首次引入发生"揭河底"现象的发生条件。作者采用万兆惠分析的结果。万兆惠在分析"揭河底"现象机理的基础上,根据龙门水文站的实测资料,给出发生揭河底现象的两个条件,即

$$\frac{\gamma}{\gamma' - \gamma} HJ > 0.01\text{m}$$

和

$$S > 500\text{kg/m}^3$$

式中:H 为水深,J 为比降,γ 为高含沙浑水的容重,γ' 为河床淤积物的饱和容重。

前一条件表示成片河床可以被水流冲走,后一个条件表示冲起的泥沙不增加水流的挟沙负担,很容易被带走。

在上述条件满足后,计算程序中采用增大冲刷挟沙力来增加"揭河底"时的冲刷,通过对 1977 年小北干流冲淤量的拟合,在发生"揭河底"现象时,采用下式计算冲刷条件下的挟沙能力:

$$q_{skp} = 19\,000(\gamma' qJ)^{1.5}$$

2.2.4 库区支流汇入及倒灌淤积

支流的计算模式与主流相同,计算所得的出口断面(即支流河口)的输沙率加入主流之中。问题的复杂性在于,汇流口附近,无论主流或支流,都有可能发生相互的淤积。这种淤积主要是涨水时灌入、异重流潜入及口门附近回流沉积所形成的,统称倒灌淤积。这种汇流口处泥沙运动异常复杂,从机理上讲是三维问题,如何在一

维数学模型中反映呢?根据刘家峡水库洮河支流倒灌主流、官厅水库主流倒灌支流和三门峡水库干流倒灌支流渭河等的实测资料表明,在较长时段内,倒灌淤积面近于水平。因此在计算程序中,按近似水平计算倒灌淤积体积。在汇流口计算冲淤过程中,根据倒灌淤积的情况作主流倒灌支流地形修正或支流倒灌主流地形修正。

2.2.5 黄河口计算模式

黄河口是弱潮河口,河口的淤积形态和过程类似于湖泊型水库。由于潮流的横向搬运作用较弱,泥沙输移主要取决于河流的纵向搬运作用,河口的海流的输沙类似水库异重流排沙。因此,河与海交界处(即河口段)作为动边界水库处理,动边界的范围由扩散而确定。

2.3 水动力学模型

2.3.1 断面概化

黄河河道形态十分复杂,特别是游荡性河段,河道宽浅散乱,沙滩密布,不同断面的主槽宽度和滩槽高差各不相同,洪水过程中,断面上不同部位的水流、泥沙运动条件不同,河床冲淤变化也不同,为了反映黄河河道断面不同部位的调整过程,计算中将实测断面概化为若干个子断面,如王士强在下游河道计算中概化为二滩一槽,水库概化为一滩一槽,滩地为矩形,主槽为梯形;曲少军在水库计算中,水流计算分子断面计算,冲淤计算按水面下等厚分布,张启卫及张红武等在下游河道水流和泥沙计算中均依子断面进行;韦直林根据河谷的宽窄和断面形态的变化情况,概化子断面达 $7 \sim 14$ 个。

2.3.2 基本方程

水动力学模型是以水流、泥沙运动力学和河床演变基本规律为基础建立的,由质量守恒定律和动量守恒定律推导出水流连续方程、水流运动方程、泥沙连续方程和河床变形方程。目前大部分模型在应用中基本方程的表达形式及对其中某些项的取舍可能有所不同,但实质上都是相同的。

水流连续方程

$$\frac{\partial A}{\partial t} + \frac{\partial Q}{\partial x} - q_1 = 0 \tag{9}$$

水流运动方程

$$\frac{\partial Q}{\partial t} + \frac{\partial}{\partial x}\left(\alpha_1 \frac{Q^2}{A}\right) - u_1 q_1 + g A\left(\frac{\partial Z}{\partial x} + S_f\right) = 0 \tag{10}$$

泥沙连续方程

$$\frac{\partial Q_s}{\partial x} + \gamma_0' \frac{\partial A_d}{\partial t} - q_{s1} = 0 \tag{11}$$

河床变形方程

$$\gamma_0' \frac{\partial A_d}{\partial t} = \alpha \omega B (S - S_*) \quad \text{或} \quad \gamma_0' \frac{\partial Z_b}{\partial t} = \omega S - \varepsilon_s \frac{\partial S}{\partial z} \tag{12}$$

式中:Q 是流量;x 为流程;t 为时间;A 为过水面积;z 为水位;S_f 为能坡;q_1 为两岸汇入或流出的流量;u_1 为侧向汇(溢)流的流速在主流方向的分量;α_1 为修正系数;Q_s 为输沙率;A_d 为冲淤面积;q_{s1} 为侧向输沙率;B 为河宽;ω 为沉速;S 为含沙量;S_* 为水流挟沙力;α 为泥沙恢复饱和系数;γ_0' 为淤积物干容重;g 为重力加速度;Z_b 为河床高程。

张红武为使泥沙运动方程在理论上更为完善,没有沿用以往常见的假设和处理,从异质粒子与紊流场的相互作用等方面入手,引入附加系数 K_1 及泥沙非饱和系数 f_1,来考虑紊流脉动在水平方向产生的扩散作用及泥沙存在产生的附加影响,反映含沙量分布状态的区别,最终将泥沙连续方程和河床变形方程分别表示为

$$\frac{\partial}{\partial t}\left(\sum_{j=1}^{m} A_{ij} S_{ij}\right) + \frac{\partial(A_i V_i S_i)}{\partial x} + \omega\Big[\sum_{j=1}^{m}(K_{ij}\alpha_{*ij}f_{1ij}b_{ij}S_{ij})$$
$$- \sum_{j=1}^{m}(K_{1ij}\alpha_{*ij}S_{*ij})\Big] + S_{li}q_{li} = 0 \tag{13}$$

$$\frac{\partial Z_{bij}}{\partial t} - \frac{K_{1ij}\alpha_{*ij}}{\gamma_0}\omega(f_{1ij}S_{ij} - S_{*ij}) = 0 \tag{14}$$

其中，q_l 为过水断面自由面向两旁分流量或由两旁向河道的汇流量；S_{li} 为 q_l 相应的含沙浓度；f_1 为泥沙非饱和系数，$f_1 = (S/S_*)^{[0.1/\mathrm{arctg}(S/S_*)]}$；$K_1$ 为附加系数，一般为 $K_1 = 0.38\kappa^{4.65}(\frac{u_*^{1.5}}{V^{0.5}\omega})^{1.14}$；$\alpha_{1i}$ 为断面形态参数，具体表达式如下

$$\alpha_{1i} = (\sum_{j=1}^m K_{ij}^2/A_{ij})/(K_1^2/A_1) \tag{15}$$

α_* 为平衡含沙量分布系数，代表平衡条件下底部含沙量与平均含沙量的比值，由张红武含沙量沿水深分布式可求得如下理论计算公式

$$\alpha_* = \frac{1}{N_0}\exp\left(8.21\frac{\omega}{\kappa u_*}\right) \tag{16}$$

式中

$$N_0 = \int_0^1 f\left(\frac{\sqrt{g}}{c_n C}, \eta\right)\exp\left[5.33\frac{\omega}{\kappa u_*}\mathrm{arctg}\sqrt{\frac{1}{\eta}-1}\right]\mathrm{d}\eta \tag{17}$$

上式中：κ 为浑水卡门常数；c_n 为涡团参数（$c_n = 0.375\kappa$）；u_* 为摩阻流速；C 为谢才系数；其函数式可表示为

$$f\left(\frac{\sqrt{g}}{c_n C}, \eta\right) = 1 - \frac{3\pi}{8c_n}\frac{\sqrt{g}}{C} + \frac{\sqrt{g}}{c_n C}(\sqrt{\eta-\eta^2} + \arcsin\sqrt{\eta})$$

$$\tag{18}$$

采用式（13）、（14）后，还解决了出现在式（12）中泥沙恢复饱和系数 α 因远小于 1 而与理论要求相差过多的矛盾，这个矛盾解决程度一直是黄河泥沙数学模型完善与否的标志之一。

由于现在泥沙数学模型的基本方程不封闭，以及黄河河道冲淤演变的复杂，不得不建立一些补充关系式来满足方程组解的需要，这是各家模型之间的主要差异所在。

2.3.3　模型中的几个基本问题和关系

（1）动床阻力或糙率。王士强认为宽浅河流的床面阻力占河流总阻力的绝大部分，冲积床面的阻力系数随着水流增强，具有由小

变大的低能态、由大变小的过渡态和再由小变大的高能态三种情况，作者提出了 $\theta_* = \gamma H J / ((\gamma_s - \gamma) D_{50})$ 与 $\theta_*' = \gamma H' J / ((\gamma_s - \gamma) D_{50})$ 的关系来表达冲积床面的阻力规律，进行水流计算，这样不仅克服了不能根据河流进口水沙条件来预报糙率，而且由于这个关系包括了低能态、过渡态和高能态三种情况，反映了黄河情况，提高了预报的精度。

韦直林、张启卫等均为根据实测资料确定曼宁糙率，曲少军在水库计算中主槽糙率为根据各河段糙率与流量关系确定，滩地糙率为常数，据三门峡水库实测资料分析为 0.025；下游河段则根据各河段的实测资料分析确定；韦直林的糙率确定基本上与张启卫对下游河道的相同，只是当流量小于 800m³/s 后，作如下修正：$n = n_{基}\left(1.5 - \dfrac{Q}{1\ 600}\right)$。

张红武、江恩惠等为使模型的水流计算，既能反映水力泥沙因子的变化对摩阻特性的影响，又能反映天然河道中各种附加糙度的影响，采用了黄科院关于糙率的最新成果[8]。

（2）挟沙力及其级配。王士强采用床沙、推移质与悬移质互相交换的关系进行计算，推移质输沙率以跃移力学结合随机分析，得出了推移质相对层厚 a/D、相对运动速度 u_b/u_* 及无量纲单宽输沙率 $\psi = q_b (D^{3/2} g^{1/2} \gamma_s [(\gamma_s - \gamma)/\gamma]^{1/2})$ 与 $\psi (= 1/\theta_*')$、γ_s/γ 的关系；假定推移层内单位高度的输沙率相等，悬移质底部浓度 S_a 与推移层顶部浓度衔接相等，考虑床壁影响的颗粒沉速与不计床壁影响的沉速的比值随离床面距离的减小而减小，经此代入悬移质扩散方程，得到了平衡状态的悬移质浓度垂线分布公式，与流速沿垂线分布公式 $u_y = 5.75 u_* / g (30.2xy/D_{65})$ 相乘后再积分，则得到悬移质单宽输沙率公式。对非均匀混合沙，分别计算各粒径组的输沙率相加即可。高含沙水流采用沉速修正，其公式为 $\omega = \omega_0 (1 - S_V)^7$。

　　韦直林模型及张启卫模型中的挟沙力公式均采用武汉水利电力大学[9]的公式 $S_* = K\left(\dfrac{\gamma_m}{\gamma_s - \gamma_m}\dfrac{V^3}{gh\omega}\right)^m$，曲少军在水库计算中，$K = 0.426$，$m = 0.763$，沉速按水电部 1975 年水文测验试行规范进行计算，高含沙水流采用沉速修正，$\omega = \omega_0(1-S_v)^8$；张启卫在下游河道计算中，$K = 0.451\,5$，$m = 0.741\,4$。韦直林计算各粒径组泥沙的自由沉速采用张瑞瑾公式计算，高含沙水流时采用褚君达公式计算。挟沙力级配计算，曲少军在水库计算中通过分组挟沙力计算，淤积时分组挟沙力 $S_{*k} = D_{*k}S_*$，$D_{*k} = \beta_k P_k/\left(\sum\limits_{k=1}^{N}\beta_k P_k\right)$，$\beta_k = \left(\dfrac{1}{\omega_k}\right)/\left(\sum\limits_{k=1}^{N}\left(\dfrac{1}{\omega_k}\right)^a\right)$，式中 P_k 为第 k 组悬移质粒径的沙重百分数，ω_k 为第 k 组粒径泥沙的沉速，α 为可调参数（0～1）；冲刷时，$S_{*k} = S_k + R_{*k}(S_* - S)$，$R_{*k} = \dfrac{\beta_k P_{bk}}{\sum\limits^{N}\beta_k P_{bk}}$，式中 P_{bk} 为第 k 组床沙的沙重百分数，S_{*k}，S_k 为第 k 组挟沙力和悬沙含沙量；张启卫在下游河道计算中挟沙力级配 $P_{*k} = WP_k + (1-W)P_k{}'$，式中 P_k 为含沙量级配，$P_{*k}' = P_{bk}\left(\dfrac{\omega}{\omega_k}\right)^m/\left(\sum\limits_{k=1}^{N}P_{bk}\left(\dfrac{\omega}{\omega_k}\right)^m\right)$，$0 < W < 1$，韦直林分粒径组挟沙力 $S_{*k} = P_k S_*$，级配 $P_k = \dfrac{S_k + S_{*k}'}{\sum\limits^{N}(S_k + S_{*k}')}$，式中 $S_{*k}' = P_{uk}K \times \left(\dfrac{V^3}{gh\omega_k}\right)^m$，$P_{uk}$ 为床沙组配；冲泻质是将挟沙力概念加以延伸，取 $S_{*kb}\cdot\omega_k/\omega_{kb}$ 与 $P_{uk}Hu\cdot r_k'/(\omega_k\Delta t)$ 两者较小者为冲泻质挟沙力，Hu 为可动层厚度。

　　张红武、江恩惠、刘月兰、程晓陶等数学模型，为了同时适用于一般挟沙水流和高含沙水流，引入了张红武水流挟沙力公式[10]、曹如轩的模型采用张红武公式后，还较好地模拟了小北干流高含沙洪峰期可能出现的揭河底冲刷。

（3）床沙调整及其级配。天然河道的非均匀沙表层床沙级配，随着与水中运动的泥沙及深层床沙的不断交换而变化，对阻力、挟沙力及河床冲淤影响十分显著。王士强认为床沙交换主要通过沙波运动来完成，据此物理模式，床沙活动交换层厚度取决于沙波高度变率及计算时段，经调节计算床沙活动交换层厚度 dH_b 为 2m，大体上与平均沙波高度相等。设冲淤厚度为 dz，由计算时未活动层底面以上新的床沙级配分别为，当 $dH_b > dz$ 时，$P_{bk} = ((dH_b - dz)P_{bk_0} + dzP_{bsk})/dH_b$，或 $dH_b \leqslant dz$ 时，$P_{bk} = P_{bsk}$，或 P_{bk_0} 为活动层底以上第 k 粒径组初始床沙级配，P_{bsk} 为冲积物级配。

曲少军在水库计算中采用分层储存淤积物级配模式，取床沙与水体泥沙的交换层厚作为每层厚度，稳定河宽为床沙变化宽度，这样各层的面积均相同，用 A_{mv} 表示。对于第一层发生淤积或冲刷后，将和下一层床沙发生补给关系，形成该层新的级配，以下各层因上下位置变化亦作相应调整，根据泥沙连续条件可推得河床下各层沙的级配计算公式。在下游河道计算中设河床在水流、泥沙作用下，其冲淤变化限定在一定的深度范围内，即所谓活动层厚度 dH_b，活动层顶面高程与冲淤变化的河床高一致，dz 为泥沙冲淤总厚度，dz_k 为分组泥沙的冲淤厚度，床沙级配的计算公式为 $P_{bk} = [dz_k + P_{bk_0}(dH_b - dz)]/dH_b$。

韦直林将各子断面分表、中、底三层计算，各层的厚度和床沙级配分别记为 H_u、H_m、H_b 和 P_{uk}、P_{mk}、P_{bk}，每一计算时段内冲淤变化只影响表层的级配，时段末根据床面的冲淤情况重新调整各层位置，并计算各层的级配，调整的原则是表、中层厚度不变。具体计算为：设在某一时段的初始时刻，表层级配有 P_{uk_0}，该时段内的冲淤厚度和第 k 组泥沙的冲淤厚度分别为 dz 和 dz_k，则时段末表层底面以上部分的床沙级配为 $P_{uk}' = (H_u \cdot P_{uk_0} + dz_k)/(Hu + dz)$，据此再重新计算各层的位置和床沙级配。

(4)恢复饱和系数的处理。现有的大部分黄河数学模型,往往根据实测资料进行验证,给出适用黄河某一河段或某一类水沙组合的恢复饱和系数。但在"八五"期间,还有几家数学模型从理论上进行了探讨。例如,王士强从韩其为的不平衡输沙方程出发,以悬移质底部的沉速代入,考虑到河床冲淤情况下的含沙量垂线分布与平衡时分布的不同,推导出的平衡输沙方程为 $S_k = \beta_k S_{*k} + (S_{ok} - \beta_k \cdot S_{*k})^{-\alpha_k \omega_{kl}/q}$,式中 S_k 为河段下断面第 h 粒径组的含沙量,l 为河长,β_k 为不饱和系数,由实测资料率定,$\alpha_k = \alpha_{*k} \cdot \omega_{ak}/\omega_k/\beta_k$,$\alpha_{*k} = S_{*a}/S_*$,$S_*$ 和 S_{*a} 分别为垂线平均和底部挟沙力。张启卫在下游河道计算中,用 $\gamma_s' \dfrac{\partial A_d}{\partial t} + \dfrac{\partial}{\partial t}(QS) = 0$ 和 $\gamma_s' \dfrac{\partial Z_b}{\partial t} = \alpha \omega (S - S_*)$ 二式联解,对不同河段,不同子断面和不同粒径组分别用脚标 i、j、k 表示,得到 $P_i = \dfrac{2}{\varphi_i + \varphi_{i+1}} \dfrac{\Delta W_{si}}{\gamma_s' \Delta X_i}$,式中:$P_i = \alpha_i \dfrac{\Delta t}{\gamma_s'}$,$\varphi_i \sum\limits_{j=1}^{m} (S_{ij} - S_{*ij}) b_{ij} \omega_{ij}$。韦直林也是采用泥沙连续方程和河床变形方程联解求泥沙恢复饱和系数。而认为泥沙连续方程是全断面的,河床变形方程是子断面的,两者之间用含沙量横向分布公式来补充,经过反复调试,最后确定不同粒径组在冲淤计算中的 α_k 值为:在泥沙连续方程中计算含沙量 S_k 时,$\alpha_k = 0.01/\omega_k^{0.5}$,在河床变形计算中,当 $S_k > S_{*k}$ 时,$\alpha_k = 0.001/\omega_k^{0.3}$;当 $S_k < S_{*k}$ 时,$\alpha_k = 0.001/\omega_k^{0.7}$。

(5)滩槽(或子断面)水沙交换。王士强分析了滩、槽水沙交换的模式,认为主要取决于滩地流量沿程的变化,如弯道水流和两岸堤距沿程变化引起滩地流量沿程变化,计算中简化为河段末集中发生,滩地流量由水力学计算,滩地含沙量近似按主槽挟沙力垂线分布滩面以上部分计算。张启卫的下游河道计算和韦直林的基本一样,水、沙均按子断面计算,各子断面的水力要素用水力学计算,各子断面的含沙量建立了 $S_{ij}/S_i = C(S_{*ij}/S_{*i})^a$ 关系,只是系数不同。

(6)断面冲淤修正。王士强认为在断面冲淤变化中有四个参变数,即底高、上宽、下宽和边坡,计算中采用固定两个参变数,修改另外两个参变数,选用修正模式,主要取决于床底、岸壁剪切力的分布及二者抗剪力的对比,目前由经验确定。曲少军的水库计算为水流分子断面计算,冲淤计算沿横断面水面下等厚分布,冲刷时如水面宽大于稳定河宽,则按稳定河宽等厚分布;下游河道计算,由于水流、泥沙均按子断面计算,冲淤也按子断面分配,即根据关系式 $P_i = \dfrac{2}{\psi_i + \psi_{i+1}} \cdot \dfrac{\Delta W_{st}}{\gamma_s' \Delta X}$ 确定各断面的冲淤面积及各子断面的冲淤厚度。

(7)异重流计算。在水库计算时,一般按 $\dfrac{V_0^2}{g'H} = 0.6$ 确定异重流潜入条件,按均匀异重流计算异重流的厚度和流速;挟沙力、含沙量及冲淤计算与各自的明流计算相同。

3 黄河泥沙数学模型的应用

随着近几年数学模型的发展,泥沙数学模型已在黄河流域规划、工程建设和管理运用等生产中得到应用。例如在"八五"攻关"黄河泥沙数学模型的研究与应用"专题的研究过程中,进行了各种减淤措施对黄河下游河道减淤效果的各类方案计算,归纳起来可分为四点:①龙羊峡和刘家峡水库联合运用对三门峡库区和黄河下游河道的冲淤影响;②小浪底水库不同运用方式库区冲淤形态和对黄河下游河道的冲淤影响;③兴建大柳树、碛口水库对三门峡库区及黄河下游河道的冲淤影响;④来水来沙条件的改变对三门峡库区和下游河道的冲淤影响,共计 43 个方案。综合分析,可以得到以下三方面的认识。

(1)黄河在现状情况下,对三门峡库区和下游河道的淤积发展趋势应予重视。龙羊峡和刘家峡水库联合运用对三门峡库区和黄河下游河道冲淤影响的计算成果,实质上反映了黄河在现状情况下,三门峡库区和黄河下游河道冲淤演变趋势的预估。因为黄河的水主要来自刘家峡以上,泥沙来自黄河中游黄土高原地区。龙羊峡水库投入运用,与刘家峡水库联合调度,合计调节库容达 235.6 亿 m³,为多年调节,对径流调节作用大,对泥沙调节作用小。径流调节为水资源利用提供了有利条件,但是,水沙变化引起的三门峡库区和黄河下游河道发生相应的自动调整,不以人的主观愿望为转移,是冲积河流自动调整的客观规律。计算结果表明:在 1970 年 7 月至 1985 年 6 月的水沙系列情况下,由于龙羊峡水库投入运用,并与刘家峡水库联合调度,使三门峡库区年均增淤 0.12～0.19 亿 t,其中潼关到三门峡年均增淤 0.04～0.06 亿 t;黄河下游年均增淤 0.45～0.57 亿 t,其中艾山至利津河段年均增淤 0.011～0.012 亿 t,与过去研究结果是相当接近的。不过,具体淤积数量多少,还与天然情况下来水来沙条件有关,来水来沙条件有利,则淤积数量可能少一些,来水来沙条件不利,则淤积量就可能增加。这次计算的水沙系列属于比较有利的。因此,龙羊峡和刘家峡水库联合运用引起的三门峡库区和下游河道的淤积必须引起重视。

(2)小浪底水库不同运用方式对库区和下游河道冲淤的影响。用三套水动力学模型,计算了四类水库调节方式,共 19 个方案,得到以下几点认识:①小浪底水库对下游河道减淤效益十分显著。计算结果表明,50 年内花园口以上基本不淤,花园口至艾山河段淤积将大幅度减少,河槽减淤效果可能更好一些,艾山以下河道也有减淤效果。计算中经过水库调节限制 800～2 500m³/s 流量通过,尽量使小于 800m³/s 或大于 2 500m³/s 的流量通过,减少淤积,增加较大流量的冲刷,计算结果表明,减淤 30%～40% 是可能的。规划设计提出的小浪底水库对下游河道的减淤效果在 20 年左右是可靠的,在运用中再深入研究,不断总结经验,还有可能延长。②在这次计算研究中,提出了泄流规模问题。本专题通过大量计算表明,下游河道的减淤效果不仅与泄流规模有关,并与来水来沙条件和水库运用方式有关,要作具体分析。如最低冲刷水位为205m 运用,其他运用条件相同,50 年内用初步设计的泄流条件计算的下游河道淤积量较招标设计的泄流条件的计算结果少 8.6 亿 t,而最低冲刷水位为 220m 时,则两种泄流条件计算的下游河道淤积量后者略小于前者,可以认为基本一致,即泄流条件没有影响。其原因为当库水位为 205m 时,初步设计的泄量较招标设计的泄量大 1 600m³/s,而库水位为 220m 时,两者相差仅 1 000m³/s,并且库水位为 220m 时,泄量大,相应此泄量来水流量的时间不多,故影响不大。同时分析了在 19 个计算方案中最低冲刷水位与泄流条件对下游河道冲淤的影响。在这次计算中,各模型计算的最低冲刷水位有 230、220、205、190、180m 五种,计算得到相应的最大调节槽库容分别为 6.7、10~18.3(平均为 14.4)、14.4~22.0(平均为 18.6)、26.0 和 28.9 亿 m³,对下游河道的减淤作用,在 50 年长时段内调节库容大,下游河道的减淤量也大,反之则小。如最低冲刷水位为 180m,最大调节槽库容为 28.9 亿 m³,50 年内下游河道减淤量为 127.6 亿 t,而最低冲刷水位为 230m 时,最大调节槽库容仅 6.7 亿 m³,50 年内下游河道减淤量仅为 89.1 亿 t。正由于调节库容大,遇到丰水年可以集中排沙,冲出库容来为枯水期蓄水拦沙之用,但是据计算,最低冲刷水位在 180 和 190m 时,在第 39 年的主汛期冲刷出来的泥沙量达 23.87 和 20.84 亿 m³,最低冲刷水位为 205m 时,初步设计和招标设计的泄流条件冲出的泥沙分别为 15.87 和 14.49 亿 m³,最低冲刷水位为 220 和 230m 时库区分别冲刷 12.92 和 3.67 亿 m³。由于库区大量冲刷排沙,造成下游河道严重淤积,库区排沙超过 15 亿 m³,下游河道淤积达 26.4~32.7 亿 t,相当于 1933 年实测年沙量 38.9 亿 t 的 67.9%~84.1%,1933 年下游河道高村以上淤 15.5 亿 t,高村附近决口,以下无法计算,这是非常严重的。综合分析表明,招标设计的泄流规模已经足够了,水库运用还必须适当控制,避免水库集中排沙而引起下游河道的严重淤积。③计算结果表明,小浪底水库运用可分两个阶段。初期运用阶段,从 205m 库水位起调,先将205m 以下淤满,而后逐步淤积抬高,在蓄水拦沙、淤积抬高过程中,库区要保持一定的蓄水量,具有一定水量造峰泄水,其目的为水库进行拦粗排细运用 延长水库拦沙运用时间,在此运用期内,通过造峰泄水,增加艾山以下河道的减淤效益。如 6、7、8 万案,库区保持蓄水 1~3 亿 m³,当蓄水量超过 3 亿 m³ 时,造峰泄水,造峰水量为 2 亿 m³,造峰流量 2 500~5 000m³/s,这样库区淤积达 29 年,下游河道在同时间内仅淤积 4.45 亿 t,主要淤积在滩地,河槽基本不淤,艾山以下河道也有减淤效果。后期运用可采用高蓄低冲运用原则,所谓高蓄,是在主汛期小流量非冲刷期,水库抬高水位蓄水拦沙,计算中最高运用水位为230m,库区淤积计算没有发现问题,在大水冲刷排沙时期尽量降低水位,腾出库容为小水时调节使用,这次计算中计算要从180m 升至230m 各级水位,可以看出:最低冲刷水位低,调节库容就大,在长时段内下游河道减淤效益大,但是调节库容大,集中排沙量大,在短时段内下游河道淤积严重,这个矛盾今后需通过大量计算研究,找出小浪底水库综合效益最大的调节库容,制定水库运用方式。

(3)干流水库和其他措施调节水沙对三门峡库区和下游河道冲淤的影响。这主要是水文学和水文水动力学模型计算的各种减淤措施对下游河道减淤作用的成果,各种减淤措施主要分三种情况:一是干流大型水库,大柳树和碛口水库正在进行可行性研究,根据可行性研究的指标,进行泥沙冲淤计算;二是上中游可能采取的其他措施使水沙发生变化,如水土保持、工农业用水引起的水沙变化,这些措施不好用某一地区某一工程来表示,则采用改变年水沙量及其过程的方式进行计算;三是河口淤积延伸的影响。计算结果得到以下几点认识：①在现有龙羊峡、刘家峡和三门峡干流大型水库调节水沙的情况下,小浪底水库投入运用达到淤积相对平衡后,由于小浪底水库的调沙能力比三门峡水库大,对下游河道的减淤作用也大。特别是对花园口以上河段更为明显,计算结果基本不淤。②大柳树水库调节径流,使 5、6、7 三个月的水量增加 32 亿 m³,对三门峡库区和下游河道具有一定的减淤作用,计算年均减淤量分别为 0.2 和 0.4 亿 t。至少可以说,在计算的用水情况下,不致使三门峡库区和下游河道增加淤积。③碛口水库在计算 30 年内拦沙 144 亿 t,可以使三门峡库区下游河道淤积量减少 2/3 左右,下游河道年均淤积量只有 0.52 亿 t,基本上达到冲淤平衡。④大量计算成果表明,来水来沙量的变化对三门峡库区和下游河道冲淤的影响很大。龙门、华县、河津、洑头年均来水量 375 亿 m³ 时,来沙量 8 亿 t,下游河道可以基本达到冲淤平衡,这已为 80 年代实测资料证实。如果年水量必须减到 287 亿 m³,相当于黄河 2000 年水平的用水情况,要保持下游河道冲淤平衡,来沙量必须减少到 5～6 亿 t,相当于碛口水库拦沙运用 30 年的情况。同时可以看出,后者的水量较前者减少 23.5%,而减少沙量需要 25%～37.5%,才能保持原来三门峡库区和下游河道的冲淤状况,这种情况,在水资源开发利用中必须注意。拦截黄河中游粗泥沙地区的沙量和在黄河中游地区(包括粗泥沙地区和其它地区)拦截同样的沙量,计算结果前者对下游河道的减淤效果较好,较后者增加 5% 左右。

参 考 文 献

[1] 麦乔威.三门峡水利枢纽的泥沙问题.新黄河.1955(11)

[2] 刘善建,麦乔威.黄河下游治理与开发的过程中所遭遇到的泥沙问题.泥沙研究.1959(4)

[3] 麦乔威,赵业安等.多沙河流拦洪水库下游河床演变计算方法.黄河建设.1965(3)

[4] 麦乔威,李保如.龙门以下干流河道冲淤计算方法.见:李保如河流研究文选.北京:水利电力出版社,1994

[5] 刘月兰,韩少发,吴知.黄河下游河道冲淤计算方法.泥沙研究.1987(3)

[6] 张启舜,张振秋,岳建平等.河流冲淤过程计算的数学模型.见:第二次河流泥沙国际学术讨论会论文集.北京:水利电力出版社,1983

[7] 张红武,吕昕.弯道水力学.北京:水利电力出版社,1993

[8] 张红武,江恩惠等.黄河河道数学模型的研究.见:第二届全国泥沙基本理论研究学术讨论会论文集.北京:中国建材工业出版社,1995

[9] 张瑞瑾,谢鉴衡,王明甫等.河流泥沙动力学.北京:水利电力出版社,1989

[10] 张红武、张清.黄河水流挟沙力的计算公式.人民黄河.1992(11)

[11] 韩其为.悬沙不平衡输沙的初步研究.见:第一次河流泥沙国际学术讨论会论文集.北京:光华出版社,1980

黄河泥沙物理模型试验研究与应用

1　泥沙模型相似律的研究现状

河工物理模型试验在决定黄河开发和治理方案时,是最重要的研究手段之一[1]。黄河泥沙问题远较其它江河复杂,因此,现有的黄河模型,一般不做定床或定床加沙试验。至于动床模型的相似理论,又可根据试验河段的泥沙运动特点,分为推移质动床模型相似律和悬移质动床模型相似律,分述如下。

1.1　推移质动床模型相似律的研究现状

在黄河上游,泥沙运动以推移质为主,其模型多为推移质动床模型。无论推移质还是悬移质泥沙,为保证运动与原型相似,都必须满足水流运动相似条件,主要为重力相似条件

$$\lambda_v = \sqrt{\lambda_h} \tag{1}$$

及阻力相似条件

$$\lambda_v = \frac{1}{\lambda_n} \lambda_R^{\frac{2}{3}} \left(\frac{\lambda_h}{\lambda_L} \right)^{\frac{1}{2}} \tag{2}$$

式中:λ_v 为流速比尺;λ_n 为糙率比尺;λ_R 为水力半径比尺;λ_h、λ_L 分别为垂直及水平比尺。

在推移质泥沙运动相似方面,现有的模型律大都保留着 1933 年 H·D·维格尔提出的相似条件

$$\lambda_{\tau_c} = \lambda_\tau \tag{3}$$

或　　　　　　　　　　$$\lambda_{V_c} = \lambda_v \tag{4}$$

式中:λ_τ 为水流的剪切力比尺;λ_{τ_c} 为底沙的起动剪切力比尺;λ_{V_c} 为底沙的起动流速比尺。式(3)及式(4)形式虽不同,但物理意义类同,均为泥沙起动相似条件。

对于底沙的起动剪切力,人们广泛采用谢尔兹的公式,即

$$\frac{\tau_c}{(\gamma_s - \gamma)d} = f(\frac{u_* d}{v}) \tag{5}$$

式中:γ_s、γ 分别为泥沙及水流的容重;d 为泥沙粒径;u_* 为摩阻流速;v 为水流粘滞性系数。不难看出,式(5)中自变量与因变量中同时出现了水流剪切力。如果将著名的谢尔兹曲线改绘在普通坐标图上,就根本看不出明显的变化趋势(横坐标变幅为几百倍时,纵坐标也只不过变化了两倍多)。显然在模型设计过程中采用式(3)确定底沙临界起动相似条件是不方便的。因此,应该采用式(4)作为起动相似条件。

爱因斯坦、列维等认为保证细沙起动相似还应同时满足沙粒雷诺数相等这一条件。为此,李昌华 1964 年利用甘油液流对不同粒径的泥沙进行试验研究,发现甘油液流与水流的资料显然分成两条曲线,从而说明在底沙模型律内,原型与模型沙粒雷诺数必须相同这个条件不必遵守[2]。

保证推移质运动相似,还要满足底沙单宽输沙率相似及河床变形相似条件。即

$$\lambda_{q_s} = \lambda_{q_{s*}} \tag{6}$$

及

$$\lambda_{t}' = \frac{\lambda_{\gamma_0}}{\lambda_{q_s}} \lambda_w \lambda_h \lambda_{t_1} \tag{7}$$

式中:λ_{q_s} 为推移质单宽输沙率比尺;$\lambda_{q_{s*}}$ 为推移质单宽输沙能力比尺;λ_t' 为推移质运动的河床变形时间比尺;λ_{t_1} 为水流运动时间比尺;λ_{γ_0} 为淤积物干容重比尺。

式(7)是由推移质运动的河床变形方程式推导比尺得到的,在一般情况下,式中的两个时间比尺是不一致的。

对于底沙模型,利用式(1)、(2)、(4)、(6)及(7)进行设计,一般讲条件已经足够,遇到的主要是一些细节处理上的问题。例如,模型沙为非均匀沙时的动床阻力的确定,对试验操作影响很大。模型

沙一旦确定下来,在试验操作中再进行减糙或加糙都是极为困难的。以往非均匀模型沙的沙粒糙率的计算,往往选择粒配曲线上的某一特征粒径(如 D_{50}、D_{65} 或 D_{95} 等)。黄委水科院进一步的研究结果表明[3],模型沙粒配的不均匀性对于模型沙糙率的影响比较明显,粒配曲线上某一特征粒径不易较为全面地反映非均匀沙的沙粒糙率变化,粒配的不均匀性对平均粒径 D_{cp} 的影响是敏感的,因而采用 D_{cp} 代替 D_{50} 或 D_{65} 等,更能反映模型沙不均匀性对于模型沙糙率的影响。于是公式的形式可以表示为

$$n = cD_{cp}^{1/6} \tag{8}$$

式中:c 是一些与颗粒表面形状等因素有关的系数。根据黄科院有关试验资料,一般取 $c = 0.014$,但对于煤屑或其它棱角较多的模型沙,取 $c = 0.017$。上式中 D_{cp} 的单位为 mm,该式适用于 $D_{cp} = 0.5$ ~12.5mm。

确定起动流速比尺的关系式,通常借助于某一起动流速计算公式。应该指出的是,现有的起动流速公式往往不能同时适用于原型和模型,特别是对于细颗粒,即使是应用于模型,且为均匀颗粒,计算结果与水槽及模型中的情况也常常有较大的出入。因此,在确定原型及模型的底沙起动流速时,要尽量参考有关的实测资料。

另一棘手的问题是模型试验时各流量级下如何加沙。一般讲,泥沙运动以推移为主要形式的河段,床沙粒配范围较广。对于枯水、中水、洪水每一级流量,所能输移的推移质泥沙的粒径及其组成应有所差异,模型试验在各级流量加沙时,如果加同一种模型沙,则在较小流量时,就会出现河床淤积偏多的情况(水流强度较低时,有些粗颗粒将因输移困难而淤积在河床上),表明各级流量的推移质泥沙的粒径及其粒配是不同的,一般缺少原型各流量级的实测推移质级配资料。曾有试验拟制了一个计算解决的方法[2],该法假定各流量级的推移质泥沙的粒配应等于河床质泥沙粒配中在该流量能起动的最大粒径以下的全部颗粒。具体计算方法是,首

先按梅叶—彼德的公式计算原型各级流量的最大起动粒径,并按粒径比尺 λ_d 算出模型的最大起动粒径 $D_{\max}$,然后在模型河床质粒配曲线上,以各级流量的最大起动粒径值为上限,截取曲线下段作为该流量级的推移质级配曲线。亦即最大起动粒径值的含量为 100%,计算其它粒径 d_i 所占的百分比。

可以看出[3],上述方法未能考虑颗粒之间的隐蔽或制约作用。水槽试验发现,即使水流强度较大,一些粗颗粒也已起动,但仍有不少较小的颗粒因相互间的制约作用或受颗粒的隐蔽作用而不能在水流的作用下位移。人们获取的河床质泥沙粒配资料,实际上又是床面下一定深度的泥沙资料,水流作用更难将位于床面下一定深度的那部分细颗粒带走。所以,按上述方法选配各级流量下的推移质粒配曲线与实际有一定出入。为此,在前人方法的基础上,我们提出了新的方法。即首先按照下式求出各级流量下的原型床面颗粒平均粒径[4]

$$D_{cp} = 11.137 \frac{HJ}{\dfrac{\gamma_s - \gamma}{\gamma}} \tag{9}$$

式中:H 为平均水深;J 为水流比降;γ_s、γ 为泥沙及水流容重。

大量实测资料的验证结果表明,上式适用于冲积河流的上游河段。例如,黄河兰州河段刘家堡附近平均水深 $H = 4.75$m,河床比降为 1‰,能坡 J 约为 1.2‰,河床表层(0~2m)颗粒的平均粒径 $D_{cp} \approx 35.96$mm,由上式计算得到的平均粒径等于 36.48mm,其结果与实际颇为接近。

以计算得到的平均粒径除以实测的河床质平均粒径,其值作为确定推移质粒径的系数,继而用此值同乘以河床质各组粒径值,对应的粒配百分数不变,可以得到该条件下的推移质粒配曲线,由粒径比尺 λ_D 换算,即求出模型沙的级配曲线。按新方法得到的粒配曲线与河床质粒配曲线平行,能够反应出推移质诸粒径组所占百分数与原河床组成状况的密切关系，这一实际状况也反映了颗粒之间的制约作用或隐蔽作用。采用实例计算后表明，经上述两个方法得到的推移质粒配曲线上部相差不多，但在 D_{50} 以下的颗粒，前者所得结果与后者差别较大，表现在同一粒径所对应的沙重百分数大于后者，而且随着粒径的减小，这种差距就越大，显然这一差距是没有考虑或考虑了颗粒之间的制约作用及隐蔽作用造成的。经初步检验[5]，该方法与实测资料颇为接近。刘有录等在黄河上游兰州河段河道整治模型试验中，成功地使用了这一方法[5]。

1.2　悬移质泥沙模型相似律的研究现状

黄河中下游河段，输沙总量中悬移质占绝大部分，由悬移质运动所引起的冲淤变化构成了河床变形的主体，且与悬移质经常交换的大部分推移质泥沙，也可在一定程度上通过悬移质模拟，在试验上加以反映。因此，典型的黄河动床模型试验，往往只模拟悬移质运动。

对以悬移质运动为主的河工模型，水利科技界不少学者经过长期的探索，在理论和实践上都取得了很大进展。早在 1930～1935 年，H. Engels 在德国 Obernach 水工试验室曾进行了黄河的模型试验[6]，由于当时黄河水流和泥沙运动的观测资料及河流地形资料都很稀少，泥沙运动的理论知识也很贫乏，还不能进行相似模拟。所以当时的黄河试验，正像试验者本人所指出的，并不是具体河段的模型试验，而是一种定性的试验探讨。尽管如此，Engels 还是取得了对治河有指导意义的"固定中水位河槽"的重要结论。

1942～1945 年，谭葆泰主持了黄河花园口堵口模型试验，在模型设计上考虑了几何相似和水流动力相似，但因当时条件所限，尚难进行动床模型设计，随着人们对河道演变规律认识的深化，动床模型渐被人们所采用，作为其理论指导的相似理论和设计方法也逐步得到了发展，悬移质泥沙模型除了必须满足水流运动相似之外，还必须满足泥沙运动相似。1950 年前苏联 Ф·И·Пикалов

提出了悬移质泥沙模型的相似条件[7]

$$\lambda_v = \lambda_\omega \tag{10}$$

及

$$\lambda_s = 1 \tag{11}$$

式中：λ_v 为泥沙颗粒沉速比尺；λ_s 为水流含沙量比尺。

　　上述条件系指正态模型而言，对于变态模型，原作者仅提出按下式确定泥沙淤积的位置，即

$$\lambda_{lf} = \frac{\lambda_v \lambda_h}{\lambda_\omega} \tag{12}$$

Пикалов 之所以没有把式（12）作为变态模型选择比尺的相似条件的原因，在于条件式（10）及（12）是无法同时满足的。他没有能够解决这个矛盾，因此他的模型相似律实际上仅适用于正态模型。

　　50 年代初，在前苏联列宁格勒还开展了黄河三门峡水库淤积及排沙模型试验，为多沙河流水库泥沙模型试验方法积累了经验。

　　1953 年郑兆珍提出了较系统的悬移质泥沙模型相似律，但只考虑了泥沙的垂向交换而没有考虑泥沙沿水平方向的变化，因而模型相似律中的悬移质泥沙悬移相似条件为

$$\lambda_\omega = \lambda_{u_*} = \lambda_v \sqrt{\frac{\lambda_h}{\lambda_L}} \tag{13}$$

式中：λ_{u_*} 为水流摩阻流速比尺。上式与 H. A. Einstein 及钱宁根据悬移质泥沙扩散理论含沙量垂线分布公式得出的如下含沙量垂线分布相似的条件类同[8]，即

$$\frac{\lambda_\omega}{\lambda_\kappa \lambda_{u_*}} = 1 \tag{14}$$

式中：λ_κ 为卡门常数比尺，一般挟沙水流取 λ_κ 为 1。应该指出，河工模型变态后，流速分布的相似性在不同程度上受到影响，因而即使按照式（14）选取模型中的悬移质泥沙，也不一定能保证含沙量垂线分布与原型相似。

　　Einstein 及钱宁提出的模型相似律是最早有系统理论基础的

动床泥沙模型相似律,50年代在黄河上有较大的影响。1956年北京水科院河渠所按照该模型相似律,开展了黄河三门峡水库淤积模型的设计与试验,探讨了淤积对回水的影响问题,获得的定性认识,为三门峡枢纽排沙设置的讨论提供了参考依据[9],与此同时,黄委水科所对郑兆珍的动床模型相似律也进行了试验验证,认为还不能适应于黄河。

1958年开始北京水科院河渠所与黄委水科所合作,在郑州花园口淤灌区建立了一个露天试验场,由李保如主持,开展三门峡水库建成后京广铁桥以下25km至东坝头河段河床变形预测及整治措施的模型试验,尽管从模型相似律方面还有值得商榷之处,但先后通过比尺模型试验方法到自然模型方法的探索,学术上有参考价值,而且试验结果对当时黄河下游游荡性河段的治理,具有重要的意义。在此期间,黄委水科所马增录、屈孟浩等和武汉水利电力学院谢鉴衡也分别开展了黄河游荡性河段河床演变规律及其模型试验方法的探讨。这些试验多采用自然模型法。李保如将国内外塑造不同河床过程类型模型的经验进行了系统的总结[10],探讨了模型小河塑造阶段模型比尺的变化,给出的塑造弯曲型及游荡型模型小河所应选择的泥沙粒径与比降的经验关系、计算游荡型模型的河相关系、挟沙能力以及糙率系数等经验关系,对完善自然模型试验方法和推广应用,起到了积极作用。

1958年冬至1960年底,黄委会在陕西省武功主持了三门峡水库淤积及渭河回水发展野外大模型的试验研究工作,黄委水科所、西北水科所、北京水科院河渠所等单位具体负责,分别开展了整体大、小模型及渭河局部变态模型试验。由于当时河工模型相似律尚不完善,为求解决变动回水区水流重力相似和阻力相似、淤积相似和冲刷相似很难同时满足的矛盾,解决异重流流速过缓带来的各种难题,采用了浑水变态动床大比尺整体模型和系列延伸整体模型以及清水填土法渭河局部大比尺模型相结合的研究方法,综合进行分析,以求得结论。

整体大模型是由钱宁设计的,水平比尺为 300,垂直比尺为 50,模型沙选自渭惠渠沉积泥沙,粒径极细,黄河模型沙中径为 0.005 3mm,渭河为 0.004 7mm。系列延伸整体模型是按照沙玉清方法设计的,水平比尺为 1 500,垂直比尺为 150,当时还试图再补做一个中型模型,只是因经济困难未能实现。至于采用填土法开展渭河模型,是按照苏联专家 A. Л. 哈尔杜林和 K. И. 罗辛斯基的建议进行的。亦即在清水渭河局部模型中测流速,根据原型实测资料建立的挟沙关系判断之,若在来沙条件下可能出现淤积,即在模型中填土,再测流速,反复进行,最后求得淤积平衡时的地形和回水变化❶。

渭河局部模型系清水试验,水平比尺为 220,垂直比尺为 40。采用填土法可以从表面上回避当时动床模型选沙设计难以正确的困难,但也必须看到,自然河流的塑造过程、影响因素及其相互影响都极其复杂,又何况当时渭河下游的挟沙关系不易确切表示,因此,依照填土法开展模型试验,很难给出正确的定量结果。

三门峡水库淤积与渭河回水发展野外模型试验是我国最早开展的巨型水库泥沙模型试验。尽管在所给水沙条件下获得的试验结果在定性上还有一定的争议,但对于模型试验技术和方法等方面的探索,还是积累了宝贵的经验,在我国河流模型发展史上,有着重要的位置。

1960 年 И. И. 列维根据一些沉沙池上实测的泥沙沉降资料,将挟沙水流变态模型的泥沙悬移相似条件表示为[11]

$$\lambda_{\omega} = \lambda_{v} \left(\frac{\lambda_{h}}{\lambda_{L}} \right)^{2/3} \qquad (15)$$

李昌华指出上式理论根据不足,同时也没有进行过验证试验,

---

❶ 王涌泉,杜殿勖,三门峡水库淤积与渭河回水发展野外模型试验研究,黄委水科院,1996 年。

因此不成熟，并对动床河工模型相似律进行过系统研究，1966 年发表的"论动床河工模型的相似律"一文[12]，在国内影响很大。此后，又通过长期的实践和研究探讨，逐步使他的模型律得以完善。其悬移质泥沙模型相似律中除有泥沙起动相似条件（4）外，还有输沙量相似条件

$$\lambda_s = \lambda_{s_*} \tag{16}$$

输沙量连续条件相似条件

$$\lambda_{t_2} = \frac{\lambda_{\gamma_0}}{\lambda_s} \frac{\lambda_L}{\lambda_v} = \frac{\lambda_{\gamma_0}}{\lambda_s} \lambda_{t_1} \tag{17}$$

泥沙沉降相似条件

$$\lambda_{\omega} = \lambda_v \frac{\lambda_h}{\lambda_L} \tag{18}$$

泥沙悬浮相似条件

$$\lambda_{\omega} = \lambda_{u_*} \lambda_{\kappa} = \lambda_{\kappa} \lambda_v \left(\frac{\lambda_h}{\lambda_L} \right)^{\frac{1}{2}} \tag{19}$$

及异重流发生条件相似

$$\lambda_s = \lambda_{v_s} / \lambda_{\gamma_s - \gamma} \tag{20}$$

式中：λ_{s_*} 为水流挟沙力比尺；λ_{t_2} 为河床变形时间比尺；λ_{κ} 为卡门常数比尺，一般情况下，取 $\lambda_{\kappa} \approx 1$；$\lambda_{\gamma_s}$ 为泥沙容重比尺；$\lambda_{\gamma_s - \gamma}$ 为泥沙与水的容重差比尺。

窦国仁 1977 年提出的泥沙运动相似条件除包括式（16）～（18）及式（20）外，还有泥沙起动、扬动相似条件

$$\lambda_v = \lambda_{v_c} = \lambda_{v_f} \tag{21}$$

式中：λ_{v_f} 为扬动流速比尺。

窦国仁将 Г. Е. Баренблатт 的挟沙水流脉动能量方程中的脉动水流为克服阻力所消耗的能量项忽略后，导出悬移质挟沙力比尺关系式为

$$\lambda_{s_*} = \frac{\lambda_{\gamma_s}}{\lambda_{\gamma_s-\gamma}} \frac{\lambda_h \lambda_v}{\lambda_L \lambda_\omega} \tag{22}$$

上式同 И. И. Леви1960 年根据 Г. Е. Баренблатт 的挟沙水流总能量平衡方程得出的含沙量比尺表达式[11]完全一致。

窦国仁曾采用他的推移质输沙率公式推导推移质输沙量比尺，并称悬移质、推移质以及异重流的冲淤时间比尺同时满足的模型律为全沙模型律。不过，应当指出，若使用其他任何一家的推移质输沙率公式或其它形式的挟沙力比尺关系式，推移质及悬移质的冲淤时间比尺就不能达到一致，这表明问题尚待进一步研究。近年来，根据实践，特别是黄河小浪底水利枢纽模型试验，窦国仁对上述模型律又做了较大的改进。

如果悬移质泥沙悬移相似条件采用式(18)，则式(22)成为

$$\lambda_{s_*} = \frac{\lambda_{\gamma_s}}{\lambda_{\gamma_s-\gamma}} \tag{23}$$

清华大学王桂仙等在开展长江葛洲坝枢纽回水变动区泥沙问题试验研究的过程中[13]，对悬移质模型的设计方法进行了专门的研究，采用的主要相似条件包括式(17)、(18)、(23)，目前正在进行的三峡工程库区泥沙模型试验，也采取了类似的设计方法，都获得了满意的试验结果。此外，对于采用轻质沙引起的时间变态问题的研究也具有开创性。

美籍华人杨志达也曾提出过动床模型相似律，主要包括单位水流功率相似[14]

$$\frac{\lambda_v \lambda_J}{\lambda_\omega} = 1 \tag{24}$$

及含沙量相似

$$\lambda_{s_v} = 1 \tag{25}$$

式中：λ_J 为比降比尺，$\lambda_J = \lambda_h/\lambda_L$；$\lambda_{s_v}$ 为体积含沙量比尺。

由于按体积计的含沙量 $S_V = S/\gamma_s$，因而上式又可表示为

$$\lambda_{\omega} = \lambda_{v_{\ast}} \quad (26)$$

由少沙河流动床模型设计常见的计算 λ_{ω} 的公式(23)与上式比较,不难看出,两者从定性上是不一致的。后者所反映的模型沙容重越小 λ_{ω} 越大的关系(亦即模型加沙量越小),显然与一般挟沙水流输沙规律不符。此外,由于比降比尺 $\lambda_J = \lambda_h/\lambda_L$,可见杨志达的水流功率相似条件(24),即是国内常用的相似条件式(18)。至于杨志达的调整参量使泥沙粒径不改变等建议,对于河床演变规律复杂的河段模型的设计,一般是不现实的。即使原型情况很简单,但若按杨志达的方法进行试验,在水流重力相似或阻力相似等方面,也将出现不同程度的偏离。

武汉水利电力学院曾全面、系统地研究了动床河工模型及试验中的若干问题[15]。例如,由悬移质运动的三维扩散方程出发,同时导出了相似条件(18)及相似条件(13)。指出式(18)表示由时均流速及重力沉降引起的进出沙量变化比相等;式(13)表示紊动扩散及重力沉降引起的进出沙量变化比相等。可见两者都反映了重力沉降作用,因而一些文献中分别称两式为悬浮相似条件及沉降相似条件,并不十分确切。在变态模型中这两个相似条件不能同时满足,为此文献[15]认为,就一般情况来说,由于紊动扩散作用及重力作用是决定悬移质运动的一对主要矛盾,变态模型似以表征这一主要矛盾的比尺关系式(13)得到遵守为宜。不过,原作者在进行模型试验时,又根据所研究问题的性质灵活运用,一般仅取式(18)作为悬移质泥沙悬移相似条件。

李昌华的悬移质泥沙模型律中同时包含式(13)和式(18),并根据含沙量分布公式中的悬浮指标的大小提出取用范围:悬浮指标小于 0.062 5 的细沙,条件式(18)是主要的;悬浮指标大于 1 的粗沙,条件式(13)是主要的;这两部分之间的泥沙,两个条件同等重要。建议模型选沙时,λ_{ω} 值取两个条件的中间值。西北水科所及河海大学进行的黄河壶口河段试验,正是按照这一建议,分别以式

(13)和式(18)计算 λ_{ω_1} 及 λ_{ω_2}，然后取两者的算术平均值作为 λ_ω 值。

此外，彭瑞善等从满足平均淤积位置相似的要求出发，引入含沙量垂线分布重心高度的概念，以该重心高度比尺代替式(18)中的 λ_h，为进行悬移质泥沙模型设计提供了一个新的途径[16]，显然比直接采用式(18)更为合理。

值得提及的是，根据泥沙粗细判断式(13)及式(18)的相对重要性，目前在定性上意见还不一致。例如，朱鹏程[17]以 $L/V = h/\omega = t$ 对粗沙较适合为出发点，认为粗沙应取式(18)进行模型沙选择。因细沙受紊动扩散作用影响较大，明显偏离一般的动水沉降规律，因此选择模型沙时，用式(13)比用式(18)合理。

最近，林秉南根据低含沙量假定下给出的水体内部泥沙输移的连续方程，对悬移质变态动床模型试验中掺混相似条件进行了深入论述[18]。认为从泥沙扩散方程出发，只能导得一个泥沙扩散或掺混相似条件，亦即式(18)。同时指出，在变态模型中式(13)不能成立，其理由是在该式的推导中曾引用了如下表达式，即

$$\frac{\mathrm{d}u}{\mathrm{d}z} = \frac{u_*}{\kappa z} \tag{27}$$

由上式导出的比尺式 $\lambda_u = \lambda_{u_*}$，在变态模型中是不能满足的。

林秉南关于上述问题的研究颇有参考价值，但有些问题值得进一步研究[19,20]。如他最主要的研究结论是在水体中含沙量、流速分量、泥沙沉速及其时均值、脉动值的比尺值各自相等的前提下得出的，这类比尺关系式要求模型中的各紊动场与原型的相似，这在变态模型中能否做到，还是个问题。

悬移质泥沙模型试验另一个重要而且十分棘手的问题是如何确定含沙量比尺 λ_s，在国内开展的少沙河流的悬移质动床模型试验中，无论正态或变态，广泛采用式(23)计算 λ_s 和挟沙力比尺 λ_{s_*}。对于轻质沙，由该式计算得到的 λ_s 或 λ_{s_*} 小于1(意味着要求模型中的含沙量比原型的大)。轻质沙容重越小，λ_s 愈小，相应的时间比

尺愈大,模型放水历时大大缩短,从而提高工效很多,为开展若干年的长系列模型试验提供了可能。长江科学院为检验三峡工程库尾变动回水区泥沙模型试验成果的可靠性,间接开展了验证试验。结果表明[21],采用根据式(23)确定的含沙量比尺 λ_s,其试验结果能够较好地复演河段的冲淤变化规律。不过,对于多沙河流的模型,由李保如、屈孟浩、张红武、彭瑞善、刘有录、姚文艺及刘海凌的试验结果表明,多沙河流模型的含沙量比尺若小于 1,将使试验的淤积量明显偏多。这些多沙河流模型大部分经过了验证试验,模型沙种类不同,容重差别很大,几何比尺也有较大的变化范围,其含沙量比尺 λ_s 都大于 1。此外,少沙河流模型也有不采用式(23)确定含沙量比尺的,例如长江科学院在开展葛洲坝工程坝区泥沙模型试验时,取 $\lambda_L = \lambda_h = 150$,选株洲精煤为模型沙,经过验证试验,确定的含沙量比尺 $\lambda_s = 1$。近些年长科院的三峡泥沙模型也采用了与上述葛洲坝枢纽坝区模型相同的设计方法和模型沙,取 $\lambda_s = 1$,取得了较好的试验结果[22]。

为保证异重流运动相似,现有的试验多采用异重流发生条件相似的比尺关系式(20)求含沙量比尺。张俊华、李远发等对此表示质疑❶。他们以非恒定异重流运动方程式开展相似分析,并通过水库库区泥沙模型试验检验,给出的结论为:①式(20)是在采用一些假定的前提下获得的,而水流连续相似才是保证异重流运动相似的必要条件,亦即不允许时间变态(采用式(20)后时间要变态,在施放入库洪水过程中,库水位将相差过多,其它方面就谈不上与原型相似);②从理论上讲,一般情况下难以保证异重流沿程变化的相似性,异重流模拟得成功与否,目前只能视检验模型异重流沿程淤积分布及出库泥沙特性与原型符合程度而定;③由异重流发生

❶ 张俊华、李远发、刘海凌等,禹州电厂白沙水库取水泥沙试验研究报告,黄委会水科院研究报告,1996 年。

相似条件得出的含沙量比尺关系为

$$\lambda_s = \left[\frac{\gamma(\lambda_{k_1} - 1)}{\dfrac{\gamma_{sm} - \gamma}{\gamma_{sm}} S_p} + \lambda_{k_1} \frac{\lambda_{\gamma_s - \gamma}}{\lambda_{\gamma_s}} \right]^{-1} \tag{28}$$

式中：S_p 为原型含沙量；γ_{sm} 为模型沙容重；λ_{k_1} 为容重分布修正系数比尺。

常见的 $\lambda_s = \lambda_{\gamma s}/\lambda_{\gamma_s - \gamma}$ 只是式（28）在 $\lambda_{k_1} = 1$ 时的特殊形式。实际上，即使是正态模型，由于异重流沿程衰减不相似，异重流中含沙量沿垂线的分布就不相似，所以因修正浑水容重分布不均匀而引入的系数 k_1 的比尺 λ_{k_1} 也不等于 1。

上述研究对于水库泥沙模型的设计与试验是很有意义的。

目前已完成的泥沙模型中，一般含沙量都不大，即使现有的黄河模型，对于模拟那些有一定出现几率又对河床冲淤影响很大的、含沙量 $S > 200 \text{kg/m}^3$ 的洪水，往往也是困难的。高含沙模型试验具有其特殊性，张红武在进行黄河花园口至东坝头河段模型设计时专门保留冲泻质部分，并着重考虑泥沙存在对水流影响的相似性，以免在进行高含沙洪水试验时，模型水流的输沙特性、流变特性及泥沙的群体沉降特性不能与原型相近，从而影响河床冲淤变形的相似性。屈孟浩、王国栋曾在黄河府谷河段模型上，把模型和原型雷诺数等于 8×10^4 时相应的含沙量作为确定含沙量比尺的条件，研究了高含沙洪水对桥渡冲刷的影响，首次在生产试验中开展了模拟高含沙洪水的实践探索。

从模型相似律研究方面，华国祥、郑文康曾系统地讨论过高含沙水流模型的相似律，认为高含沙水流存在着屈服应力和由流速分布引起的剪应力，只有原型与模型的雷诺数和塑性数相等，两者才可能相似。

最近屈孟浩、窦国仁在开展小浪底水利枢纽泥沙模型试验时，分别对高含沙水流模型相似律进行了探讨，尽管不少问题还值得进一步商榷,但有些成果还是很有参考价值的,例如窦国仁为开展黄河高含沙水流的模拟,不在那些很不成熟的基本方程上找突破点,而是着重研究高含沙水流挟沙力的计算方法,抓住了问题的关键,其认识颇具有启发性。

总之,黄河高含沙水流模型相似律的研究已引起较广泛的重视,但在悬移质泥沙悬移相似条件、水流挟沙力比尺的确定、对流态的相似要求等方面,分歧很大。甚至高含沙水流模型最关键的相似条件是什么,在认识上还不一致,至于模型设计具体的处理手法差异更大,因此,黄科院通过专门的试验和理论探讨,开展了系统的研究[23]。

2 黄河泥沙模型相似律的研究进展

2.1 屈孟浩黄河动床模型相似律[24]

屈孟浩根据黄河模型试验多年积累的经验,提出在黄河动床模型试验中,要使水流运动与原型完全相似,除需遵守重力相似条件(1)和阻力相似条件(2)外,还不允许调整比降而二次变态。在泥沙运动相似方面需遵循悬移质泥沙运动相似条件(13)[与式(19)在取 $\lambda_{\#} \approx 1$ 时一致]、挟沙能力相似条件(16)、河床冲淤过程相似条件(17),还要满足如下形式表示的床沙运动相似条件

$$\lambda_D = \frac{\lambda_\gamma \lambda_h \lambda_J}{\lambda_{\gamma_s - \gamma}} \tag{29}$$

式中:λ_D 为床沙粒径比尺。

可以看出,该悬移质泥沙模型律的主要特点是采用相似条件(13)而不采用相似条件(18)。在黄河模型设计时,要求选择一种既能做悬沙又能做底沙的材料做模型沙,按模型床沙中径与悬沙中径相等的条件选沙,还往往允许泥沙级配与原型有一定的偏差,至于模型几何变率 Dt 的大小,认为按 $Dt = \lambda_L^{1/3} = \lambda_h^{1/2}$ 计算为好。

该模型相似律曾在不少黄河动床模型试验中使用,尽管在学

术上尚有争议之处,但在长期的实践中所积累的丰富经验,如含沙量比尺的确定,对于时间变态问题的认识等等,都为多沙河流模型的设计与试验操作提供了参考,而且为以后黄河泥沙模型相似律的发展与完善打下了基础。

2.2　张红武黄河动床模型相似律[3,23]

在前人研究的基础上,张红武自 1988 年以来,系统开展了动床河工模型相似条件的研究,提出的模型相似律,在水流运动方面包括重力相似条件(1)、阻力相似条件(2)及对于水深和雷诺数的限制条件,在泥沙运动方面,除满足泥沙起动及扬动相似条件(21)、水流挟沙相似条件(16)外,还要满足

泥沙悬移相似条件

$$\lambda_\omega = \lambda_v \frac{\lambda_h}{\lambda_L \lambda_{\alpha_*}} \tag{30}$$

常见的情况下,上式转化为

$$\lambda_\omega = \lambda_v \left(\frac{\lambda_h}{\lambda_L} \right)^{0.75} \tag{31}$$

河型相似条件

$$\left[\frac{\left(\frac{\gamma_s - \gamma}{\gamma} D_{50} H \right)^{1/3}}{i B^{2/3}} \right]_m \approx \left[\frac{\left(\frac{\gamma_s - \gamma}{\gamma} D_{50} H \right)^{1/3}}{i B^{2/3}} \right]_p \tag{32}$$

式中:λ_{α_*} 为平衡含沙量分布系数比尺;i 为河床比降;B、H 分别为造床流量下的河宽及水深;D_{50} 为床沙中径。λ_{α_*} 还可视原型悬浮指标 $\omega/\kappa u_*$ 的取值范围,分别由不同公式导得[23],以此试图解决动床变态河工模型如何确定 λ_ω 的问题。另一方面,上面在本模型相似律引入相似条件(32),其目的是为了解决现有动床模型相似律不能保证河型相似的问题。

值得说明的是,该模型相似律还适用于推移质动床模型和高含沙水流的模拟。对于后者,为了保证流态相似,模型高含沙水流

必须充分紊动,要求有效雷诺数

$$Re_{*m} > 8\,000 \tag{33}$$

由于 Re_{*m} 为一般雷诺数 Re 的 4 倍,故上式与一般挟沙水流的流态限制条件是一致的(亦即 $Re_m > 2\,000$)。

此外,为保证高含沙洪水的运动及流态相似,不宜选用容重小于 $19.6\,\mathrm{kN/m^3}$ 的模型沙,体积含沙量比尺 λ_{S_V} 应大于 1,一般取

$$\lambda_{S_V} = 1.2 \sim 3.0 \tag{34}$$

在确定挟沙力比尺的具体数值时,可以采用文献[23]给出的公式分别计算原型和模型挟沙力值,以两者之比即得其比尺。

3　黄河泥沙物理模型试验应用实例

3.1　黄河下游动床模型试验[1][2]

黄河花园口至夹河滩河段属典型的游荡型河段,自古就是治黄的重点河段。为使本河段整治方案建立在科学的基础上,黄科院开展了模型试验。

本模型是按照上述张红武模型相似律设计的。根据场地条件和对模型几何变率问题的前期研究结果,确定 $\lambda_L = 800$,$\lambda_h = 60$。通过对不同模型沙材料的研究比选,取郑州热电厂的粉煤灰作为模型沙(容重 $\gamma_{sm} = 20.58\,\mathrm{kN/m^3}$,干容重 $\gamma_{0m} \approx 7.06\,\mathrm{kN/m^3}$),于是,$\lambda_{\gamma_s} = 1.5$,$\lambda_{\gamma_0} = 1.99$。

依式(1)得 $\lambda_v = \sqrt{\lambda_h} = 7.75$,由此求得流量比尺 $\lambda_Q = \lambda_v \cdot \lambda_h \cdot \lambda_L = 371\,806$。由式(2)得 $\lambda_n = 0.542$。依式(31),得 $\lambda_\omega = 1.11$。由于原型及模型悬移质泥沙较细,可采用滞流区公式计算沉速,由此得出如下粒径比尺关系式

---

❶　张红武等,黄河花园口至东坝头河道整治模型验证试验报告,黄委水科院科研报告,1991年。

❷　张红武,黄河下游洪水模型相似律的研究,清华大学博士学位论文,1995年。

$$\lambda_d = \left(\frac{\lambda_\omega \lambda_\nu}{\lambda_{\gamma_s - \gamma}}\right)^{1/2} \tag{35}$$

式中：$\lambda_{\gamma_s - \gamma}$ 为泥沙与水的容重差比尺；λ_ν 的水流运动粘滞性系数比尺。

根据原型及模型水流温差情况，取 $\lambda_\nu = 0.718$，代入式(35)，得 $\lambda_d = 0.729$。

将原型河宽、平均水深、比降、床沙中径及模型河宽、平均水深、比降等数据代入河型相似条件式(32)，则可求得模型床沙中径 $D_{50m} = 0.033$mm，相当于床沙粒径比尺 $\lambda_D = 3$。

采用野外资料点绘河床不冲流速与床沙质含沙量的曲线，由该曲线查含沙量等于零时所对应的流速作为原型沙起动流速，得 $V_{cp} = 0.74 \sim 0.84$m/s。另一方面，由试验得出的模型沙相应起动流速 $V_{cm} = 0.088 \sim 0.114$m/s，从而可求得 $\lambda_{v_c} = V_{cp}/V_{cm} = 7.4 \sim 8.4$，与流速比尺接近，表明所选模型沙能满足起动相似条件。对于悬移质泥沙中那部分与床沙有一定交换几率的泥沙，由唐存本的起动流速公式计算原型 $d_{50} = 0.013$mm 的细沙起动流速 $V_{cp} = 0.85 \sim 0.95$m/s，而 $d_{50m} = 0.013/\lambda_d = 0.017\,8$mm 的电厂粉煤灰，其 $V_{cm} = 0.12$m/s[24]，则 $\lambda_{v_c} = (0.85 \sim 0.95)/0.12 = 7.08 \sim 7.92$，与 λ_v 也相差不多。表明即使悬移质落淤床面后，也能够满足起动相似条件。此外，根据窦国仁及张红武等的水槽试验成果，黄河沙扬动流速均等于起动流速的 1.6 倍，故求得原型底沙 $V_{fp} = 1.184 \sim 1.344$m/s，模型相应的 $V_{fm} = 0.166 \sim 0.187$m/s，可求出 $\lambda_{vf} = V_{fp}/V_{fm} = 7.13 \sim 7.19$，略小于 λ_v，也基本上满足扬动相似条件。

根据实测资料求得的有效雷诺数 $Re_* = 1.1 \times 10^6 \sim 7.2 \times 10^6$，远大于 8 000，表明水流属于充分紊动状态，因此在模型设计中不考虑 τ_B 的影响。在高含沙洪水模型预备试验中，含沙量高达 365kg/m³，其有效雷诺数 Re_{*m} 为 $(1.5 \sim 2.5) \times 10^4 > 8\,000$，模型水流也处于充分紊动状态。由预备试验资料求得糙率 $n_m = 0.013$

~0.022,而原型糙率 $n = 0.006\ 5 \sim 0.013$,故得 $\lambda_n = 0.50 \sim 0.59$,与按阻力相似条件计算的 0.542 颇为接近。因此本模型开展高含沙洪水试验,也能满足水流运动的阻力相似条件。

根据文献[23]给出的公式,分别计算原型和模型的群体沉速,可求出,$\lambda_\omega = 0.87 \sim 1.27$,与按照式(31)的计算值 $\lambda_\omega = 1.11$ 比较接近。表明在高含沙洪水条件下,能满足悬移相似条件。由文献[23]给出的公式分别计算原型、模型挟沙力,可求出 $\lambda_s = 1.74 \sim 2.32$。进一步由式(17)求出河床变形时间比尺 $\lambda_{t_2} = 88.5 \sim 118$。

该模型经过 1982 年(大水少沙)、1988 年(中水丰沙)洪水及"92.8"高含沙洪水的验证试验,表明本模型不仅满足了水流重力相似、阻力相似、泥沙起动和扬动相似、悬移相似、输沙相似及河床变形相似等条件,而且在含沙量分布、流速分布、洪水传播、泥沙粒配及群体沉降等方面,与原型也基本相似,此外还兼顾了河型及河势的相似。用该模型实测的"92.8"高含沙洪水的河床冲淤量为 2.77 亿 m³,而根据在 1992 年汛前汛后实测的大断面资料计算的原型结果为 2.54 亿 m³,两者十分接近。图 1 为"92.8"高含沙洪水的水面线验证结果。

验证试验确定的含沙量比尺 $\lambda_s = 2$,相应的河床变形时间比尺 $\lambda_{t_2} = 96$,后者与水流运动时间比尺 $\lambda_{t_1}(=103)$ 非常接近,从而使本模型能同时模拟洪水运行及河床变形过程。另外,本模型不需人为加糙即能满足水面线相似要求,这对于大型河工动床模型试验技术而言是颇有意义的。

3.2　黄河枢纽泥沙模型试验

三盛公水利枢纽是黄河干流上低水头引水枢纽,有效水头 4.0m,采用灌溉期壅水,非灌溉期泄水拉沙的运用方式,在库区保持了一个长期使用的有效库容。为了充分发挥水利资源的潜力,有关部门提出在该枢纽拦河闸右侧增建水电站一座,改用蓄清排浑的运用方式。即含沙量小时,蓄水发电、灌溉;含沙量大时,泄水冲沙。为研究枢纽管理运用方式改变后，库区可能保持的库容和汛期泄空冲刷的效果，黄委水科院开展了三盛公枢纽泥沙模型试验。

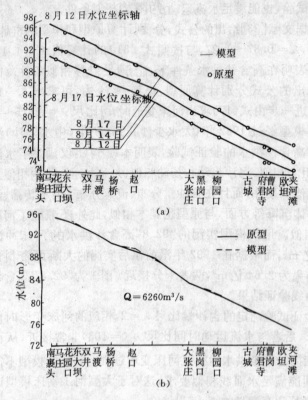

图 1 "92.8"高含沙洪水试验水面线验证结果

该枢纽的主要建筑物有拦河闸、灌溉进水闸和拟建电站等。

在试验范围内，河道比较顺直，平均水深 1.45～1.70m，平均流速 1.2～1.68m/s，河床平均比降 $J=1.75‰$，主槽河床质中数粒径 $D_{50}=0.1mm$，糙率 $n=0.01～0.015$。

多年汛期平均流量为 1 557m³/s，多年非汛期平均流量为 500 m³/s。多年平均含沙量为 4.5kg/m³，悬移质中数粒径 $d_{50}=$

0.029mm,平均沉速为 0.18cm/s,平均流量为 2 500～3 000m³/s。

模型设计采用屈孟浩动床模型相似律,模型沙选用郑州火电厂粉煤灰,容重 $\gamma_s=21.266$kN/m³,各项比尺如附表。

本模型设计的特点是按模型沙的扬动流速选沙,其目的是保证模型的悬移质泥沙淤积与原型相似。从验证试验的主要成果看,模型的冲淤总量、冲淤过程与原型基本相似(见图 2)。

3.3 黄河上游动床模型试验

3.3.1 黄河兰州段动床模型试验

为了兰州市的市政建设和城市防洪,兰州铁道学院进行了黄河兰州河段河道整治模型试验研究。取原型河段长 14km,河岸宽约 600m,水面比降为 1‰～1.3‰,枯水流量下平均水深 4.7m,最大水深 7.7m,平均流速为 2.9m/s,河宽 450～500m。河床糙率 $n_b=0.032$,河岸糙率 $n_w≈0.035$,滩地糙率 $n_t=0.045$,中水位情况下综合糙率 $n=0.034$。

附表　　　　　**三盛公枢纽泥沙模型比尺表**

名　称	符　号	比　尺	计　算　公　式
水平比尺	λ_L	500	
垂直比尺	λ_h	60	
流速比尺	λ_v	7.75	式(1)
流量比尺	λ_Q	232 000	$\lambda_Q=\lambda_L\lambda_h^{1.5}$
含沙量比尺	λ_S	1	$\lambda_S=(\lambda_L/\lambda_h)^{0.087}$
颗粒沉速比尺	λ_ω	2.7	式(13)
冲淤时间比尺	λ_{t_2}	120	式(17)
糙率比尺	λ_m	0.67	式(2)
河床质粒径比尺	λ_D	5	式(29)
淤积物干容重比尺	λ_{γ_0}	1.86	
泄空冲刷时间比尺	λ_{t_3}	120	$\lambda_{t_3}=\lambda_Q^{0.39}\lambda_S$
颗粒在水中容重比尺	$\lambda_{\gamma_s-\gamma}$	1.45	

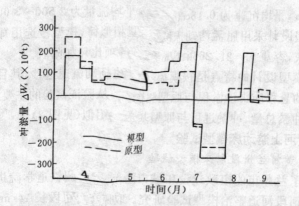

图2 三盛公枢纽库区动床模型试验冲淤过程图

原型河段的河床基本上为沙卵石组成,且多卵石边滩。考虑到原型水流虽然挟带大量的悬移质,但其绝大部分为冲泻质,并不参与河床变形(局部流区例外),而推移质运动则是造成河床冲淤变形的主要因素,因此该动床试验按照推移质运动进行模型设计。

根据以往经验[3],在原型河床组成为卵石夹沙的情况下,模型变态后,如果取模型沙为煤屑,且粒径比尺 λ_d 取 7~10 时,一般能同时满足底沙起动相似及水流阻力相似要求,为此,本试验选用了宁夏精煤屑作为模型沙,$\gamma_s = 14.21$ kN/m³,干容重 $\gamma_0 = 7.84$ kN/m³,将原型与模型值代入求得 $\lambda_{\gamma_s-\gamma} = 3.876$。

为确定模型几何变率,由河型相似条件式(32)可计算得 $Dt = 1.9 \sim 2.27$,故取模型几何变率 $Dt = 2$,即 $\lambda_h = 70$。

对于像原型这类河床组成为卵石夹沙的河段,按推移质起动流速公式,可导出

$$\lambda_d = \frac{\lambda_h}{\lambda_k^{10/3}(\lambda_{\gamma_s-\gamma})^{5/3}} \tag{36}$$

式中:λ_d 为推移质粒径比尺;$\lambda_{\gamma_s-\gamma}$ 为泥沙水下容重比尺;λ_k 为起动流速系数比尺。

粗颗粒推移质输沙率的公式较多,但目前多采用以流速为主要参数的表达式,其单宽输沙率比尺的一般形式可表示为

$$\lambda_{q_{s}} = \lambda_{k_{1}} \lambda_{\gamma_{s}} \lambda_{v}^{5/4} \lambda_{h}^{1/4} \tag{37}$$

式中:$\lambda_{q_{s}}$ 为单宽输沙率比尺;$\lambda_{\gamma_{s}}$ 为泥沙的容重比尺;$\lambda_{k_{1}}$ 为单宽输沙率系数比尺。

另外,根据水槽试验观测发现,由于煤屑较多,颗粒形状甚不规则,其起动流速一般较公式计算的结果偏大 $5\%\sim10\%$。因而本设计应取起动流速系数比尺 $\lambda_{k}\approx 0.93$,将 $\lambda_{\gamma_{s}-1}$ 及 λ_{k} 代入式(36),求得 $\lambda_{d}=9.36$。

将模型床沙 $d_{cp}=4.95\text{mm}$ 代入式(8),求得 $n_{m}\approx 0.0222$,与水流运动相似条件要求的河床糙率值 0.0223 很接近。

根据原型河段河床演变特点及本试验的研究目的,本模型仅在河槽的河底部分作成动床,其它部分仍作成定床,在定床部分上可以按水面线相似的要求进行调整。作为设计,暂采用同一糙率比尺 $\lambda_{n}=1.436$ 估计洪水情况下的定床部分的糙率值。

进行模型沙的选配时,在 d_{20} 以上的粗颗粒部分,按常规处理,即依原型床沙级配曲线,按泥沙粒径比尺缩小,而在 d_{20} 以下的细沙,原型可以 $d=1.8\text{mm}$ 的均匀沙代替(保持原型沙平均粒径不变),模型沙以 $d_{m}=1.8/\lambda_{d}=0.19\text{mm}$ 的煤屑代替。本试验拟定按照张红武方法选配各流量级的推移质泥沙级配[3]。计算值与实测结果较为一致(见图3)。

对于式(37)中的 $\lambda_{k_{1}}$,根据刘有录及张红武的试验研究结果,原型为卵砾石夹沙河床时,若采用煤屑作为模型沙,$\lambda_{k_{1}}=1.1\sim 1.3$。作为模型设计,暂取 $\lambda_{k_{1}}=1.2$,将 $\lambda_{\gamma_{s}}=2.74/1.45=1.89$ 及 λ_{d}、λ_{h} 值再一起代入式(37),求得 $\lambda_{q_{s}}=1.2\times 1.89\times(9.36)^{5/4}\times(70)^{1/4}=107.4$。根据原型及模型河床淤积物资料得 $\lambda_{\gamma_{0}}=2.0/0.8=2.5$,于是再由式(7)可以求出模型的冲淤时间比尺 $\lambda_{t}'=228.1$。

　　根据场地条件及试验要求,取 $\lambda_L=150$,对于垂直比尺 λ_h,考虑到模型水流的深度应满足的表面张力及试验量测的要求,并就模型变率限制、模型沙特性等方面反复比较权衡后,取 $\lambda_h=50$,其模型几何变率 $Dt=150/50=3$。

　　将本河段有代表性的原型断面特征值(即 $B=1\ 000$m,$H=4.5$m)及变率 $Dt=3$ 代入张红武公式[25],可以求出相对保证率 $P_*=95.7\%$,由此表明本模型所取变率较小,尚能保证过水断面上约有95%以上的流区的流速场与原型相似。此外,试验者还按现有各家关于变率限制的公式进行了检验计算,表明本模型选取 $Dt=3$ 是合适的。

　　此外,在确定模型水平比尺及其模拟范围时,为反映原型枯水期河道弯曲的特点,还考虑了河湾环流衰亡长度的影响,即依照黄委水科院公式[25],计算环流衰亡长度 $X_{cp}=161\sim169.5$m,本试验所取原型出湾后的河段长度大于此值,因而在模型范围里可模拟弯道环流对于泥沙输移的作用。

　　根据上述 λ_h 及 λ_L,不难求出流速比尺及糙率比尺,亦即由式(1)得 $\lambda_v=7.07$,由式(2)得 $\lambda_n=1.11$(取 $\lambda_R\approx\lambda_h$),因而模型糙率 $n_m=(0.015\sim0.020)/1.11=0.014\sim0.018$。

　　通过反复比选,最后决定采用经过专门处理加工的兰州精煤粉作为本试验模型沙。该材料不仅比重小,而且密实度及凝聚力也较小(土力学试验测得的凝聚力 $c=0.018$kg/m^2,内摩擦角 $\Phi=35°$,相对应的干容重 $\gamma_0=6.86$kN/m^3,$d_{50}=0.03\sim0.05$mm),因而能够保证模型河床的活动性,适应原型河床冲淤幅度较大的特点。

　　试验室测定,模型沙容重 $\gamma_{sm}=13.82$kN/m^3,干容重 $\gamma_{0m}=6.57$kN/m^3,原型沙 $\gamma_{sp}=26.26$kN/m^3,$\gamma_{0p}=14.21$kN/m^3 于是,$\lambda_{\gamma_s-\gamma}=4.09$,$\lambda_{\gamma_0}=2.16$。

　　由式(31)得 $\lambda_\omega=3.10$,由式(35)得 $\lambda_d=0.78$(根据对原型及模

型水流的温差分析,取 $\lambda_v = 0.8$,要求模型沙悬沙中径 $d_{50m} = \dfrac{0.028}{0.78} = 0.036$mm。

对于模型底沙,为保证模型小河的综合稳定性与原型相近,需按照河型相似条件进行选择,即将原型及模型的有关数据代入式(32),得模型床沙中径 $D_{50m} = 0.042$mm。所对应的床沙粒径比尺 $\lambda_D = 0.18/0.042 = 4.29$。

为了确定原型底沙的起动流速,利用黄河磴口、昭君坟、巴彦高勒、三湖河口等水文站资料及引黄渠道沙土不冲流速与含沙量等野外资料进行分析,点绘了不冲流速与含沙量的关系,因而可以得到原型沙 $V_{cp} = 0.68$m/s,由预备试验中相应水深范围内的模型沙的起动流速 $V_{cm} \approx 0.075 \sim 0.092$m/s(以普动为标准),可以得到

$$\lambda_{v_c} \approx \frac{0.68}{0.075 \sim 0.092} = 7.39 \sim 9.07$$

按照这种办法确定的起动流速比尺略大于流速比尺,下面再按公式计算原型沙的起动流速,以作比较。

相对而言,采用沙玉清起动流速公式[26]计算天然河流床沙起动流速的结果更可靠些,当水深 $h = 1 \sim 3.5$m 时,采用该式及模型沙起动试验资料可求出相应的 λ_{v_c} 值,所确定的起动流速比尺 $\lambda_{v_c} \approx 6 \sim 6.83$,略小于流速比尺。根据以上情况综合来看,所选模型沙(包括底沙及悬沙中那部分与底沙经常交换的床沙质泥沙)基本能够满足起动相似条件。

为确定原型泥沙的扬动流速,需参照黄委会水科院的水槽试验成果:黄河天然沙扬动流速一般为起动流速的 $1.54 \sim 1.75$ 倍,若取原型底沙 $V_{fp} = 1.6V_{cp}$,则得到原型床沙的扬动流速为 1.02m/s。由预备试验得模型沙扬动流速 $V_{fm} = 0.124 \sim 0.143$ m/s,从而 $\lambda_{v_f} = 1.02/(0.124 \sim 0.143) = 7.13 \sim 8.23$。所得扬动流速比尺与流速比尺也较接近,因而表明所选模型沙还满足扬动相

粗颗粒推移质输沙率的公式较多,但目前多采用以流速为主要参数的表达式,其单宽输沙率比尺的一般形式可表示为

$$\lambda_{q_s} = \lambda_{k_1} \lambda_{\gamma_s} \lambda_d^{5/4} \lambda_h^{1/4} \tag{37}$$

式中:λ_{q_s} 为单宽输沙率比尺;λ_{γ_s} 为泥沙的容重比尺;λ_{k_1} 为单宽输沙率系数比尺。

另外,根据水槽试验观测发现,由于煤屑棱角较多,颗粒形状甚不规则,其起动流速一般较公式计算的结果偏大 5%～10%。因而本设计应取起动流速系数比尺 $\lambda_k \approx 0.93$,将 $\lambda_{\gamma_s - \gamma}$、$\lambda_h$ 及 λ_k 代入式(36),求得 $\lambda_d = 9.36$。

将模型床沙 $d_{cp} = 4.95$mm 代入式(8),求得 $n_m = 0.022\,2$,与水流运动相似条件要求的河床糙率值 $0.022\,3$ 很接近。

根据原型河段河床演变特点及本试验的研究目的,本模型仅在河槽的河底部分作成动床,其它部分仍作成定床,在定床部分上可以按水面线相似的要求进行调整。作为设计,暂采用同一糙率比尺 $\lambda_n = 1.436$ 估计洪水情况下的定床部分的糙率值。

进行模型沙的选配时,在 d_{20} 以上的粗颗粒部分,按常规处理,即依原型床沙级配曲线,按泥沙粒径比尺缩小,而在 d_{20} 以下的细沙,原型可以 $d = 1.8$mm 的均匀沙代替(保持原型沙平均粒径不变),模型沙以 $d_m = 1.8/\lambda_d = 0.19$mm 的煤屑代替。本试验拟定按照张红武方法选配各流量级的推移质泥沙级配[3]。计算值与实测结果较为一致(见图3)。

对于式(37)中的 λ_{k_1},根据刘有录及张红武的试验研究结果,原型为卵砾石夹沙河床时,若采用煤屑作为模型沙,$\lambda_{k_1} = 1.1$～1.3。作为模型设计,暂取 $\lambda_{k_1} = 1.2$,将 $\lambda_{\gamma_s} = 2.74/1.45 = 1.89$ 及 λ_d、λ_h 值再一起代入式(37),求得 $\lambda_{q_s} = 1.2 \times 1.89 \times (9.36)^{5/4} \times (70)^{1/4} = 107.4$。根据原型及模型河床淤积物资料得 $\lambda_{\gamma_0} = 2.0/0.8 = 2.5$,于是再由式(7)可以求出模型的冲淤时间比尺 $\lambda_{t'} = 228.1$。

　　先后开展三次验证试验,其结果表明当输沙率比尺 $\lambda_{q_s}=100$ 并相应取河床变形时间比尺 $\lambda_{t_2}=240$ 时,模型与原型相似良好,不仅真实地复演了原型的河势变化,而且模型河床冲淤变型与原型也颇为一致,特别是有些部位的边滩运移规律复杂,模型中也能较好地重现这种情况。河床冲淤量验证结果,其误差小于 10%。

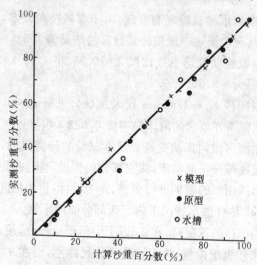

图3　模型沙粒配控制方法与实测结果的比较

3.3.2　黄河包头段动床模型试验

　　为在黄河包头河段确定取水口的位置,预报修建取水工程后的河床冲淤规律,并提出取水防沙等措施,兰州铁道学院进行了动床河道模型试验。原型河段位于著名的河套地区顶端,这里地势平坦,河岸宽阔,泛滥宽度甚大,河床的比降为 1‰~2‰,河床为粉细沙组成(床沙中径 $D_{50}=0.18$mm),主流摆动不定。枯水期河道较窄,亦多弯曲。根据研究需要,试验河段约 6km,呈微弯型,河床糙率 $n_b=0.015\sim0.02$,河滩糙率 $n_t=0.02\sim0.03$,悬沙中径 $d_{50}=0.028$mm,其沉速 $\omega=0.22$cm/s。

似条件(即 $\lambda_{\omega_f} = \lambda_\omega$)。

从上述模型选沙结果来看,模型床沙中经常被水流冲起变为悬沙的那部分颗粒,其粒径接近模型悬沙的粒径,因而也自然满足悬沙悬移相似条件,即式(31)。

经采用大量资料检验后,可采用与原型资料颇为符合的黄委水科院张红武早期公式计算原型水流的挟沙力,即

$$S_* = 0.14\left(\frac{V^3}{gh\omega}\ln\frac{h}{6D_{50}}\right)^{0.6}$$

将水力泥沙因子代入,即 $V = 1.7\text{m/s}, h = 4.5\text{m}, R = 4.5\text{m}, \omega = 0.22\text{cm}, D_{50} = 0.000\,18\text{m}$,则得 $S_{*p} = 5.26\text{kg/m}^3$。

专门利用模型沙进行挟沙能力试验,得到的遵循如下关系式 $S_{*m} = 2.8 \sim 3.2\text{kg/m}^3$,则

$$\lambda_{S_*} = \frac{5.26}{2.8 \sim 3.2} = 1.64 \sim 1.88$$

进一步改变水力及泥沙因子计算后可得到 $\lambda_S = \lambda_{S_*} = 1.5 \sim 2.0$,将 $\lambda_S = 1.5 \sim 2.0$ 及 $\lambda_{\gamma_0} = 2.16$ 代入式(17),得河床变形时间比尺 $\lambda_{t_2} = 22.9 \sim 30.6$。

此外,经检验,本模型设计能满足流态及表面张力限制条件。

最后通过河床冲淤验证试验确定的含沙量比尺 $\lambda_S = 2$,河床冲淤变形时间比尺 $\lambda_{t_2} = 23$。对于后者,与水流运动时间比尺 $\lambda_{t_1}(= \lambda_L/\lambda_v = 21.2)$ 颇为接近,这对于所开展的非恒定流河段的动床模型,具有特殊和重要的意义,避免了常遇到的两个时间比尺相差过多所引起的一系列问题。

从验证资料整体来看,本模型不仅满足了水流运动相似条件(重力相似、阻力相似及其它一些限制条件)和泥沙运动相似条件(起动及扬动相似、输沙相似、悬沙悬移相似及河床冲淤变形相似条件),而且还兼顾了河型相似条件,因而在模型中较好地复演了原型河势变化规律。

参 考 文 献

[1] 李保如. 我国河流泥沙物理模型的设计方法. 水动力学研究与进展, 1991 (A 辑第 6 卷, 增刊)

[2] 李昌华, 金德春. 河工模型试验. 北京: 人民交通出版社, 1981

[3] 张红武. 论动床变态河工模型的相似律. 见: 黄科所科学研究论文集. 第二集. 郑州: 河南科学技术出版社, 1990

[4] 张红武. 冲积河床糙率模拟问题的探讨. 武汉水利电力学院学报. 1986 (3)

[5] 刘有录. 桥渡. 郑州: 黄河水利出版社, 1995

[6] Helmut Scheuerlein. The Historical Model Tests of Engels for the Yellow River Reclamation in 1930~1935 in Perspective of Modern Research Methods. 见: 第一次河流泥沙国际学术讨论会论文集. 北京: 光华出版社, 1980

[7] Пикалов Ф. И. , Моделирование И подбор состава взвешенных и донных наносов при гидравлических исслеваниях. поток гидротехника и мелиорауия, 1952

[8] 钱宁. 动床变态河工模型律. 北京: 科学出版社, 1957

[9] 陈枝霖, 陈昇辉, 李国英等. 三门峡工程的历史回顾及国民经济评价. 见: 三门峡水利枢纽运用研究文集. 郑州: 河南人民出版社, 1993

[10] 李保如. 自然河工模型试验. 见: 水利科学研究所科学研究论文集, 第二集. 北京: 中国工业出版社, 1963

[11] Леви И. И, Моделирование гидравлческих явиении госзнерго издат, 1960

[12] 李昌华. 论动床河工模型的相似律. 水利学报. 1966(4)

[13] 王桂仙, 惠遇甲, 姚美瑞等. 关于长江葛洲坝水利枢纽回水变动区模型试验的几个问题. 见: 第一次河流泥沙国际学术讨论会论文集. 北京: 光华出版社, 1980

[14] 杨志达. 输沙与河工. 见: 第一次河流泥沙国际学术讨论会论文集. 北京: 光华出版社, 1980

[15] 武汉水利电力学院(谢鉴衡主编). 河流泥沙工程学(下册). 水利出版

社,1981

[16] 彭瑞善.论变态动床河工模型及变率的影响.泥沙研究.1986(4)

[17] 朱鹏程.论变态动床河工模型及变率的影响.泥沙研究.1986(1)

[18] 林秉南.对悬移质变态动床模型试验中掺混相似条件的剖析.人民长江.1994(3)

[19] 刘海凌.黄河泥沙模型设计的研究进展.见:河南省首届泥沙研究讨论会论文集.郑州:黄河水利出版社,1995

[20] 丁易.从紊流的概念谈水力物理模型的局限性.见:河南省首届泥沙研究讨论会论文集.郑州:黄河水利出版社,1995

[21] 长江科学院.丹江口水库变动回水区油房沟河段泥沙模型试验研究报告.见:长江三峡工程泥沙与航道关键技术研究专题报告集(下册).武汉:武汉工业大学出版社,1993

[22] 长江科学院.三峡工程 175m 方案建库后 1981~1990 年系列坝区泥沙模型试验报告.见:长江三峡工程泥沙研究文集.北京:中国科学技术出版社,1990

[23] 张红武,江恩惠,白咏梅等.黄河高含沙洪水模型的相似律.郑州:河南科学技术出版社,1994

[24] 屈孟浩.黄河动床模型试验相似原理及设计方法.见:黄科所科学研究论文集(第二集).郑州:河南科学技术出版社,1990

[25] 张红武,吕昕.弯道水力学.北京:水利电力出版社,1993

[26] 沙玉清.泥沙运动学引论.北京:中国工业出版社,1965

附录　黄河基本数据

表 1　　　　　黄河流域面积、河长、下游堤防长

项　　目		数　值	说　　明
流域面积 （km²）	全黄河	752 443	不含内流区
	全黄河	794 712	含内流区面积 42 269
	上　游	385 966	河源至河口镇
	中　游	343 751	河口镇至桃花峪
	下　游	22 726	桃花峪至河口
干流河长 （km）	全黄河	5 463.6	
	上　游	3 471.6	
	中　游	1 206.4	
	下　游	785.6	
下游堤防总长度(km)		2 290.1	
下游临黄大堤 （km）	全　长	1 370.7	
	左　岸	747.0	
	右　岸	623.7	

表 2　　　　　　黄河径流、泥沙和洪水主要特征值

项　　目	站　名	数　值	说　　　明
多年平均天然年径流量 （$10^8 m^3$）	兰　州	322.6	1919～1975 年系列
	河口镇	321.6	1919～1975 年系列
	龙　门	385.1	1919～1975 年系列
	三门峡	498.4	1919～1975 年系列
	花园口	559.2	1919～1975 年系列
	利津	580.2	1919～1975 年系列
多年平均输沙量 （$10^8 t$）	三门峡	16	1919～1985 年系列
	花园口	16	1919～1985 年系列
多年平均含沙量 （kg/m^3）	三门峡	38	1919～1985 年系列
	花园口	35	1919～1985 年系列
实测最大含沙量 （kg/m^3）	三门峡	911	1977 年
	花园口	546	1977 年
实测最大流量 （m^3/s）	三门峡	22 000	1933 年
	花园口	22 300	1958 年
调查最大流量 （m^3/s）	三门峡	36 000	1843 年
	花园口	32 000	1761 年

表 3　黄河下游设防流量及分滞洪工程主要指标

项　　目	数　　值
下游设防流量(m³/s)	
花园口	22 000
高　村	20 000
孙　口	17 500
艾　山	11 000
东平湖水库	
滞洪区面积(km²)	627
设计洪水位(m)	45.0
库　容(10⁸m³)	33.54
老湖区	9.87
新湖区	23.67
设计分洪流量(m³/s)	8 500
分滞黄河洪量(10⁸m³)	17.5
北金堤滞洪区	
总面积(km²)	2 316
设计分洪流量(m³/s)	10 000
分滞洪量(10⁸m³)	20

表 4　　黄土高原及其水土流失面积　　(单位:10⁴km²)

项　　目	总面积	水土流失面积	说　　明
黄土高原	64.0	43.4	总面积含鄂尔多斯高原
其中			
严重流失区	25.0	21.2	入黄泥沙占黄河总输沙量约90%
局部流失区	31.7	20.0	
轻微流失区	7.3	2.2	

表 5　　　　　国家级水土保持重点治理区面积（单位：$10^4 km^2$）

项　　目	陕西	甘肃	山西	内蒙古	宁夏	青海	河南	合计
总面积	6.14	5.36	3.20	2.58	0.97	0.69	0.71	19.65
水土流失面积	5.42	4.95	2.97	2.19	0.88	0.62	0.61	17.65
大于 5 000t/($km^2 \cdot a$) 水土流失面积	4.97	4.82	2.69	1.55	0.67	0.56	0.36	15.62

表 6　　　黄河流域及下游引黄灌区、防洪保护区
1990 年人口、耕地和灌溉面积

项　目	地　区	数　值	说　　明
人　口 （10^4 人）	黄河流域	9 781	
	下游引黄灌区	5 233	
	下游防洪保护区	7 801	
	合　计	17 215	扣除下游重复人口
耕　地 （$10^4 hm^2$）	黄河流域	1 194.3	
	下游引黄灌区	461.8	
	下游防洪保护区	713.3	
	合　计	1 857.2	扣除下游重复面积
灌溉面积 （$10^4 hm^2$）	黄河流域	441.3	
	下游沿黄平原	271.4	
	合　计	712.7	

表 7　黄河干流已建和在建工程主要指标

工程名称	控制面积 (10⁴km²)	最大坝高 (m)	正常蓄水位 (m)	总库容 (10⁸m³)	有效库容 (10⁸m³)	最大水头 (m)	装机容量 (10⁴kW)	年发电量 (10⁸kW·h)	坝型	建设情况
龙羊峡	13.1	178	2 600	247.0	193.5	148.5	128.0	59.4	混凝土重力拱坝	已建
李家峡	13.7	165	2 180	16.5	0.6	135.6	200.0	59.0	混凝土重力坝	在建
刘家峡	18.2	147	1 735	57.0	41.5	114.0	116.0	55.8	混凝土重力坝	已建
盐锅峡	18.3	55	1 619	2.2	0.1	39.5	39.6	21.7	宽缝重力坝	已建
八盘峡	21.6	33	1 578	0.5	0.1	19.5	18.0	9.5	混凝土重力坝	已建
大　峡	22.8	71	1 480	0.9	0.6	31.4	30.0	14.7	混凝土重力坝	在建
青铜峡	27.5	42.7	1 156	5.7	3.2	21.0	27.2	10.4	闸墩土坝	已建
三盛公	31.4	9	1 055	0.8	0.2	8.6			闸坝	已建
万家寨	39.5	90	980	9.0	4.5	31.4	108.0	27.5	混凝土重力坝	在建
天　桥	40.4	47	834	0.7	0.4	20.2	12.8	6.1	闸—土坝	已建
三门峡	68.8	106	335	96.4	60.4	46.0	40.0	13.0	混凝土重力坝	已建
小浪底	69.4	173	275	126.5	50.5	141.9	180.0	58.4	土石坝	在建

后　记

　　《黄河水利科学技术丛书》是一部集治理黄河科学技术专业成果的系列专著。这一选题的提出、论证、实施过程是这样的：1996年是人民治黄50周年（1946～1996年），这数十年，是治理黄河历史上最辉煌的时期，在这一时期内，治黄科学技术的发展成就也是空前的。大量有价值的科学成果，不仅指导着一个时代直至今天的治黄工作，而且是留给后人的一份宝贵的知识和科学财富。50年过去了，总结、反映这个时期治黄科学技术的发展水平和精华，并将其编辑出版，献给时代，留给后人，已是刻不容缓的任务了。这一想法，数年来一直萦绕在我们的心头。直到1994年3月，黄河水利出版社成立，其时，正值人民治黄50周年的前夕。黄河水利出版社正式提出了这一选题，得到黄委会技术委员会主任委员吴致尧（原总工程师）、总工程师陈效国的支持，并经黄委会主任綦连安批准实施。1995年5月11日，出版社召集治黄各方面的专家进行了充分讨论。会上，我们向与会专家汇报了编辑出版这套丛书的主导思想：该套科技丛书，是全面反映治黄科技成果的系列专著。以治黄科学技术的几个主要方面分六个分册出版。每一个分册又分若干部分和一系列专题。其中的每个专题自立，但作为每一个分册，其中的几大部分及各个专题的组合应能全面反映一个专业方面的学科水平，并在很大程度上体现出学科成果的系统性、代表性。考虑到治理黄河是一个复杂的以水利各学科为主，涉及到许多交叉学科的领域，治黄科学技术的发展是沿河人民群众和数以万计的治黄与水利科技工作者共同认识、研究与实践的结果；这部系列丛书又是学科性较强的专著，因而，各个分册不可能由一个人单独完成。建议每个专题选择本专题界定内的学科带头人，或在生产实践中有建树的具有影响的科技工作者撰写。要求作者在自已已掌握的研究成果的基础上,对这一时期的同类研究成果尽量加以统览、提炼、深化、提高。这些主导思想原则上被大家认同。此后,为了保证图书的编写质量与时间,经会商同意,确定了各分册由几个专业对口的主持单位组织实施。具体是:《黄河水资源》分册由黄委会勘测规划设计研究院与黄河流域水资源保护局共同主持编写;《黄河水文》分册由黄委会水文局和黄委会勘测规划设计研究院共同主持编写;《黄河泥沙》分册由黄委会黄河水利科学研究院主持编写;《黄土高原水土保持》分册由黄河上中游管理局主持编写;《黄河防洪》分册由黄委会河务局与河南黄河河务局、山东黄河河务局共同主持编写。《黄河枢纽工程技术》分册,拟定由黄委会三门峡水利枢纽管理局、电力工业部西北勘测设计研究院和黄委会勘测规划设计研究院共同主持编写,但该分册将推迟至1997年末或1998年初出版。

对于各分册的具体实施,先由黄河水利出版社在征求各方面意见的基础上,提出了粗略的编写纲要,在此基础上,分册主编与副主编提出详细的编写大纲,由出版社和各分册主编主持,多次经专家讨论、论证,最后确定下来,分头写作。

在整个选题论证及编写大纲审定过程中,吴致尧、龚时旸、陈效国、徐福龄、温存德、胡一三、华绍祖等同志,始终参与研究论证,提出了很多宝贵意见。

全书各分册具体执笔撰稿人和统稿人名单附于每册书末。

如此大型的系列治黄科学技术专著,从1995年5月开始实施,至1996年底六卷册中的五个分册出版,时间仓促,同时由于涉及学科广泛,在许多学术问题上还有不同见解,还有大量未解决的科学技术上的问题有待进一步研究与探索。鉴于此,这套丛书的编辑出版,难免有误漏、差错之处,敬请读者批评指正。考虑到六个分册120多个专题,涉及到的数字较多,有的取用的计算系列也不相同,我们虽然尽力注意到它的统一,但仍会有差别之处,故各分册附有一个简要附录,给出了一些关键数字,供参考。

我们谨向对这套大型系列专著的编辑出版给予支持与帮助的单位和个人,表示衷心的感谢。

朱兰琴

1996 年 10 月

《黄河泥沙》撰稿人

专　　题	撰稿人
黄河治理开发与泥沙	
泥沙研究在黄河治理开发中的战略地位	赵业安　潘贤娣
黄河洪水、泥沙来源及特性	缪凤举　刘月兰
黄河流域侵蚀、泥沙输移与沉积	龙毓骞　牛　占
河道泥沙	
黄河下游河道的输沙特性	潘贤娣　赵业安
黄河下游河道冲淤演变	潘贤娣　赵业安
黄河粗泥沙对下游河道的影响及河口镇至潼关河段冲淤变化	张　仁
河道整治对泥沙输移的影响	刘月兰
黄河上中游河道的冲淤演变	程秀文　焦恩泽
人类活动引起的黄河水沙变化及其对河道冲淤的影响	赵业安　潘贤娣
引黄用水对河道的影响	岳德军　刘月兰 侯素珍
水库泥沙	
黄河干支流水库泥沙问题	焦恩泽
三门峡水库泥沙问题	龙毓骞　程龙渊 杜殿勖　缪凤举
小浪底水库调水调沙问题的研究	涂启华　张俊华 李世滢
水库高含沙异重流	曹如轩
多沙河流修建水库保持有效库容的措施	钱意颖